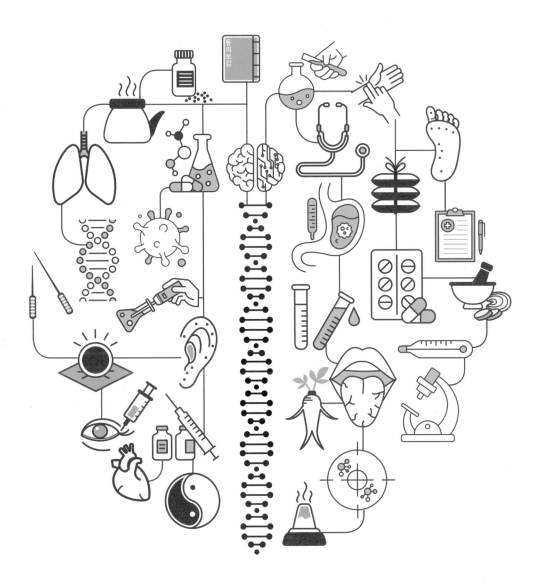

현대한의학개론

Introduction to **Current Korean Medicine**

현대한의학개론

첫째판 1쇄 발행	|	2023년 02월 28일
2쇄 인쇄	|	2023년 07월 24일
2쇄 발행	|	2023년 08월 10일

지 은 이 이충열, 박왕용, 정기용, 엄두영, 김창업
발 행 인 장주연
출 판 기 획 김도성
출 판 편 집 이민지
편집디자인 양은정
표지디자인 김재욱
일 러 스 트 이다솜
발 행 처 군자출판사(주)
　　　　　등록 제4-139호(1991. 6. 24)
　　　　　본사 (10881) 파주출판단지 경기도 파주시 회동길 338(서패동 474-1)
　　　　　전화 (031) 943-1888　　팩스 (031) 955-9545
　　　　　홈페이지 | www.koonja.co.kr

* 파본은 교환하여 드립니다.
* 검인은 저자와의 합의하에 생략합니다.

ISBN 979-11-5955-981-5

정가 50,000원

개론이란 어떤 학문 분야의 전반적인 내용을 소개하기 위해 개설된 교과목 또는 책을 말한다. 그리고 개론은 대부분 그 학문 분야에 관심을 가진 비전공자들을 대상으로 개설되거나 저술된다. 하지만 특이하게도 지금 거의 모든 한의대에서는 한의학을 전공하는 학생들을 대상으로 한의학개론 과목이 개설되어 강의가 이루어지고 있다. 이것은 한의학이 한국의 일반적인 중고등학교 교육과정을 통해 쉽게 접할 수 없는 생소한 분야여서 한의대 신입생들에게 앞으로 자신들이 공부할 한의학의 전체 그림을 보여주고, 또 한의학에 익숙해지도록 도움을 주기 위해서다. 한의학개론은 한의대 신입생들이 입학하여 처음 접하는 한의학 과목이자 또 이 과목을 통해 형성되는 한의학의 이미지가 이후 한의학 전공교육에 대한 학습동기를 강화시키거나 약화시킬 수 있다는 점에서 매우 중요한 위치를 차지한다.

그럼에도 불구하고 각 대학에서 이루어지는 한의학개론 강의와 지금까지 발간된 교재들이 이러한 취지에 부합하는 것인지 의문이 있다. 교재에 한정해서 살펴본다면 어떤 교재들은 중국의 중의학 개론 또는 기초이론 교재를 번역하거나 일부 내용을 모아 편집한 것이어서 한국 한의학을 제대로 소개하지 못한다. 또 어떤 교재들은 한의학의 이론이나 원리에 치중해 있어 현대한의학의 전체 모습을 보여주지 못한다. 시중에 나와 있는 개론 교재에 대한 이 같은 판단이 저자들로 하여금 새로운 한의학개론 책을 집필하도록 만든 중요한 동기가 되었다.

그러므로 <현대한의학개론>은 개론의 취지에 맞게 지금 한국의 한의대에서 교육되고, 연구기관에서 연구되며, 한의원, 한방병원 등 임상현장에서 실천되는 한의학을 충실하게 소개하는 것을 목표로 삼았다. 이 책은 전체 10개의 장(chapter)으로 구성되어 있으며, 한의학 이론과 임상, 연구와 교육 등 현대한의학의 전체 모습을 조망할 수 있는 내용을 각 장에 골고루 배치하였다. 특히 현대한의학이라는 제목에 맞게 기존의 개론 책과 달리 한의학 경전 내용의 인용을 줄이고 가급적 최근에 발표된 논문과 교과서를 기초자료로 삼아 내용을 기술하려고 했다. 또 한의학을 둘러싼 의료적 환경과 중국, 일본, 대만의 전통의학 상황도 간단하게 소개하여 현대한의학이 처한 의료적 현실을 이해하는 데 도움이 되도록 했다. 그리고 지금 한의학 이론과 임상현장에서 이슈가 되고 있는 주요 쟁점들도 함께 다루어 현장과 동떨어진 교재가 되지 않도록 노력하였다.

한의학개론의 일차적인 목표는 한의학의 전반적인 모습을 소개하는 것이다. 하지만 역사적으로 한의학개론은 이를 넘어 한 시대의 한의학을 정리하고 학문적 정체성을 세우는 역할을 해왔다. 특히 한의학은 역사가 길고, 근·현대시기에 존폐의 기로에서 많은 우여곡절과 변화를 겪었기에 이러한 역할이 도드라졌다. 1958년 중국에서 발간된 <중의학개론中醫學槪論>(南京中医学院 編著. 中医学概论. 北京: 人民卫生出版社; 1958)이 대표적인 사례다. 이 책은 본래 중의학에 조예가 깊지 않은 '서의학습중의반西醫學習中醫班'의 서양의학 전공자들과 일반인들에게 중의학을 가르치기 위한 입문서로 기획되었다. 젊은 중의학자들이 편찬에 참여했고, 편찬 과정에서 다양한 의학 경전들과 임상 기술, 경험을 종합하고, 전통 중의들은 물론이고 서의학습중의반에서 공부하고 있던 서의사 학생들의 의견까지 수렴하였다. 그 결과 이 책에서 구성한 체계는 이후 중국 내 모든 대학에서 중의학개론을 가르치는 모델이 되었다. 또 Farquhar(1994), Kaptchuk(1983), Maciocia(1989), Sivin(1987) 등 서양학자들도 영어로 된 중의학 개론서를 쓸 때 모두 이 책을 모범으로 삼았다. 이 책은 증證(pattern)을 임상의 중심에 놓았고 팔강八綱을 진단의 표준으로 제시한 것이 특징이다. 이런 방향은 이후 중국에서 발간되는 중의학 교과서 집필에도 영향을 미쳤다. 그렇기에 일부 중국의학사가들은 이 책이 현대중의학의 출발점이 되었다고 높게 평가한다.

일본의 사례도 있다. 2001년 3월 일본 문부과학성이 발표한 의학부 핵심교육과정에 화한약 강좌가 필수과목으로 들어감에 따라 2002년 신입생부터 일본의 모든 의과대학에서 화한약 강좌를 실시하게 되었다. 이에 따라 일본동양의학회 학술교육위원회에서는 2002년 12월에 이 강좌에서 사용할 <입문한방의학>이라는 교재를 편찬하여 발간했다. 이 책은 일본 한방의학이 어떤 의학인지를 보여주는 얼굴 역할을 하고 있다.

이처럼 한의학개론은 한 시대의 한의학을 정리하고 세우는 역사적 임무를 수행해왔다. 이 책의 제목을 <현대한의학개론>이라고 붙인 이유다. 현대한의학은 전통시대 한의학과 많이 다르다. 근, 현대시기 현대화, 과학화, 표준화 과정을 거치면서 한의학은 학술, 임상, 교육, 연구 등 모든 면에서 근대적 형태의 체계를 갖춘 새로운 의학으로 재탄생했다. 그리고 합리적이고, 실증적이며, 과학적인 한의학이 될 것을 요구하는 시대적 요청에 부응하여 현대한의학은 앞으로도 새롭게 변화, 발전해 나갈 것이다.

<현대한의학개론>은 '지금 이 시점에 존재하는 한의학은 과연 어떤 학문인가'라는 질문에 대한 답변의 성격을 띤다. 이런 의미를 생각할 때 이 책이 과연 이에 맞는 수준의 내용을 담고 있고, 또 저자들이 이런 일을 감당할 자질과 지식이 있는가를 반성하게 된다. 한의학개론을 편찬하는 일은 몇몇 개인이 해야 할 일이 아니라 한의학계가 역량을 모아 해야 할 일이었다. 그럼에도 부끄러움을 무릅쓰고 이 책을 내어놓는 것은 이 작업이 누군가는 해야 할 중요한 일이기 때문이다. 이 책의 부족하고 잘못된 점을 고치고 보완하여 앞으로 더 나은 개론으로 발전하기를 기대한다. 이를 위해서는 독자들의 많은 관심과 잘못된 내용에 대한 건설적인 비판과 지적이 필요하다.

이 책은 본래 적은 분량으로 또 쉽게 집필한다는 목표를 가지고 있었다. 하지만 결과적으로 분량도 많아지고 내용도 입문자들에게는 어려운 책이 되었다. 저자들이 하나라도 더 소개하고 싶은 욕심을 제어하지 못한 까닭이다. 독자들의 이해를 부탁드린다. 교육현장에서 이 책을 한의학개론 강의 교재로 사용할 때는 담당 교수님들의 도움과 지도가 필요하며, 책에서 일부 어려운 내용은 건너뛰는 선택과 집중이 필요할 것이다.

마지막으로 감사 인사를 드려야 할 분들이 있다. 제일 먼저 떠오르는 분이 얼마 전 세상을 떠나신 고 김완희 교수님이다. 선생님은 생전에 뵐 때마다 '제3의학'을 구현하는 책의 저술을 주문하셨다. '제3의학'은 한의학의 원리를 바탕으로 서양의학의 지식을 원용하여 새로운 의학체계를 세운다는 의미를 담고 있다. 하지만 제자로서 그 뜻을 잘 잇지 못했다. 이 부담이 이 책을 집필하도록 만든 중요한 동력이 되었다. 아마도 선생님이 아니었으면 이 책은 세상에 나오지 못했을 것이다. 선생님께 감사드린다.

또 이 책의 집필에 실질적인 도움을 주신 분들이 있다. 먼저 바쁘신 중에도 약물과 임상연구 파트 원고를 읽고 자문해 주신 식품의약품안전처 고호연 한약정책과장께 감사드린다. 그리고 사상체질 관련 이미지 자료 사용을 허락해 주신 한국한의학연구원과 전 우석대 한의대 사상체질의학과 송정모 교수께 감사드린다. 일부 초고 내용과 관련하여 자문해주신 메디스트림 이두석 연구소장께도 감사드린다. 또 교정과 색인 작업을 도와준 가천대 한의대 생리학교실의 대학원생들에게도 감사 인사를 전한다. 마지막으로 멋진 책을 만들어 주신 군자출판사 편집부에 감사드린다. 원고가 원래 일정보다 많이 늦어져 2월 출판을 위해서는 연말연시의 바쁜 시기에 편집 작업을 해야만 했다.

2023년 2월 저자들을 대표하여

이 충 열

📖 이충열

가천대 한의대 교수

경희대 한의대를 졸업하고 경희대 대학원에서 생리학 전공으로 한의학박사 학위를 받았다.
대한동의생리학회 회장, 대한한의학회 부회장 겸 한의학 용어 및 정보 표준화 위원장을 역임했다.
한의학 이론의 현대화·과학화, 동아시아 각국의 동서의학 논쟁사에 관심을 가지고 있다.

📖 박왕용

가천대 한의대 겸임교수(생리학)

경희대 한의대를 졸업하고, 경희대 대학원에서 생리학 전공으로 한의학박사 학위를 받았다.
사상체질의학회 인정의(2009-2015), 서울시한의사협회와 대한한의사협회 학술이사를 역임했다.

📖 정기용

가천대 한의대 겸임교수(내과학), 개원의

가천대 한의대를 졸업하고 동 대학원에서 한의학석사(생리학), 한의학박사(내과학) 학위를 받았다.
가천대 한방병원에서 한방내과 수련 후 한방내과 전문의자격을 취득하였고, 육군 군의관,
나사렛국제병원 한방진료부장으로 근무하였다. 한의 임상연구, 통합의학, 한·양방 협진 진료,
전통 한의학의 지식과 현대 한의학의 연구 성과가 함께 반영된 진료에 관심이 있다.

📖 엄두영

복수면허의사(개원의)

경희대 한의대와 제주대 의대를 졸업하고 차의과학대학원에서 통합의학으로 석사학위를 받았다.
현재 한의사면허와 의사면허를 동시에 획득한 의사들의 모임인 한국의사한의사 복수면허자협회
학술이사를 맡고 있으며, 한의학과 의학의 교류와 통합의학적 진료에 관심을 가지고 있다.

📖 김창업

가천대 한의대 부교수

동국대 한의대를 졸업하고 서울대 의대에서 뇌신경망 연구로 생리학박사 학위를 받았다.
정보의학인증의와 수학 학사 학위를 취득했으며 한의학적 사고의 계산적 모델링, 시스템 생물학과
한의학의 융합 연구에 관심을 갖고 있다.

저자 서문

제1장 현대한의학이란

제2장 현대한의학의 철학적 기초 - 한의학은 인체를 어떤 관점으로 바라보는가

제3장 현대한의학의 기초이론 - 인체는 어떻게 구성되고 기능하는가

제10장　현대한의학의 미래

부록

색인
더 알아보기

01

현대한의학이란

제1장 현대한의학이란

한국인들은 한의학韓醫學이나 한의원을 생각하면서 어떤 이미지를 떠올릴까? 중장년층은 1990년대 말 전 국민을 TV 앞에 붙들어 놓았던 드라마 '허준'의 장면들과 <동의보감東醫寶鑑>, 사상체질의학 같은 것들을 떠올릴 것이다. 연세가 더 많은 어르신들은 약포지에 한 첩 한 첩 약재들을 싸서 포장한 한약 묶음과 옹기로 만든 재래식 약탕기, 그리고 한의원마다 놓여 있던 전통 한약장을 떠올릴 것이다. 2, 30대 청년들은 맥진기나 추나 베드가 갖추어진 한의원의 진료실과 물리치료 기계가 옆에 놓인 치료 베드, 멸균 포장된 일회용 침을 떠올릴 것이다. 최근에는 원외탕전이 활성화되어 한약 달이는 냄새가 나지 않는 한의원도 많으니 한의학, 한의원에 대한 이미지는 세대마다 큰 차이가 있을 것 같다.

한국인들 기억 속의 한의학, 한의원에는 전통과 현대적 모습이 공존한다. 한의학에 대한 인식도 마찬가지다. 한의학에서 전통적인 부분을 크게 보는 국민들은 지금의 한의학이 <동의보감> 시대의 한의학과 크게 다르지 않을 것이라 생각하고, 현대화되고 과학화된 모습을 크게 보는 국민들은 지금의 한의학이 과거의 한의학과 많이 달라졌다고 생각할 것이다.

이 책은 지금 이 시대에 작동하고 있는 '현대한의학'의 전체 모습을 소개하는 것을 목표로 한다. 학술, 교육, 임상, 연구 방면에서 '현대한의학'의 특징이 무엇인지 살펴볼 것이다. 대학에서 한의대 학생들을 상담하면서 자신들이 입학하기 전에 상상했던 한의학과 입학 후에 만나는 한의학에 차이가 있어 당황스러웠다고 말하는 학생들을 종종 본다. 본래 비전공자에게 어떤 학문분야를 소개하기 위해 개설되는 개론 과목이 한의대 교육과정에 들어 있는 이유다. 한의대 신입생들은 이 책을 통해 앞으로 자신들이 공부할 한의학에 대한 전체 그림을 얻을 수 있을 것이다. 그리고 의대에 개설된 한의학개론이나 보완대체의학 과목을 수강하는 학생들은 이 책을 통해 한의학이 전통시대에 머물러 있지 않고 무언가 시대에 맞추어 변화, 발전하려고 노력하는 의학이라는 새로운 인상을 갖게 될 것이다.

만약 지금 이 시대의 한의학을 '현대한의학'이라고 명명한다면 현대한의학은 어떤 의학이고, 어떤 특징이 있는가? 이 질문은 현대한의학의 정체성(identity)이 무엇인지를 묻는 것이다. 이 질문에 대한 대답은 통시通時적으로는 근·현대시기 이전 전통시대에 이 땅에 존재했던 한의학과 지금의 한의학을 서로 비교함으로써, 그리고 공시共時적으로는 같은 뿌리에서 나왔고 현대에도 공존하고 있는 중국 중의학, 일본 한방의학과 비교함으로써 얻을 수 있다.

제1절 한의학의 현대화와 과학화

지금 우리가 접하는 한의학은 과연 1610년 조선 중기 <동의보감>이 발간되었던 시대의 한의학과 같은 의학일까? 이 질문에 대한 대답은 어렵지 않다. 한의대의 교육과정과 한방병원, 한의원에서 이루어지는 한의사들의 임상내용만 살펴봐도 지금의 한의학이 <동의보감> 시대의 한의학과 크게 다르다는 것을 쉽게 알 수 있다. 그렇다면 현대한의학과 전통시대 한의학의 차이는 어디에서 시작되었을까?

가장 중요한 원인은 한의학을 둘러싼 환경의 변화다. 한의학은 지금 전통시대와 전혀 다른 환경 속에 놓여 있다. 서양의학의 전입으로 한의학과 서양의학이 공존하고, 한국사회의 근대화로 의료제도와 교육제도가 근본에서부터 달라졌다. 그리고 과학기술의 급속한 발전으로 첨단 과학기술과 과학문화 속에 한의학이 놓여 있다.

19세기 말 서양의학이 본격적으로 한국에 전입되고, 국가보건의료체계가 서양의학 중심으로 재편되면서 한의학은 존폐를 걱정할 만큼의 큰 위기를 겪었다. 문화적으로 한의학은 봉건적이고 낡은 전통문화의 일부로 취급되어 의사들과 엘리트 지식인들의 거센 비판을 받았다. 제도적으로는 국가보건의료제도로부터 한의학을 완전히 배제하려는 시도와 싸워야 했다. 그리고 학문적으로는 과학주의(scientism)가 팽배했던 사회적 분위기 속에서 한의학, 특히 한의학 이론에 쏟아진 미신적이고 비과학적이라는 비판에 대응해야 했다.

이 같은 총체적인 위기 속에서 한의들은 한의학을 지키기 위해 새로운 변화를 요구하는 당시 사회의 비판들을 받아들였다. 빠르게 발전하는 과학기술을 적용하여 한의학을 현대화, 과학화하려고 했고, 또 한의학을 대학교육이라는 새로운 교육방식에 적응시키기 위해 노력했다. 그러므로 '현대한의학'은 전통시대와는 전혀 다른 환경 속에서 근·현대시기 한의학이 직면했던 다양한 도전들과 그것에 대한 응전의 결과로 새롭게 탄생한 의학이다. 한의학이 근·현대시기를 지나오면서 겪었던 독특한 역사적 경험과 또 지금 한의학을 둘러싼 과거와는 전혀 다른 사회적, 문화적, 기술적 환경이 지금의 한의학을 만든 것이다.

현대한의학은, 우리 민족 고유의 전통의학이면서도 역설적으로 현대화, 과학화, 체계화, 표준화를 지향한다. 지금의 한의학은 100년 가까운 현대화, 과학화, 체계화, 표준화의 결과가 녹아있는 의학이며, 아직도 이런 노력이 진행 중인 의학이다.

한의학의 현(근)대화(modernization)는 '근대(modernity)' 개념에 기초하고 있다. '근대' 개념 자체가 서양 역사의 특정 시기에 일어났던 정치, 경제, 사상, 문화, 과학, 산업기술 등 여러 분야의 변화 전체를 개괄하는 용어이기 때문에 '근대', '근대성'의 본질이 무엇인지를 한마디로 요약하는 것은 불가능하다. 대체로 학자들은 합리주의(rationalism), 실증주의(positivism), 역사의 진보에 대한 신념 같은 것들을 중요한 특징으로 꼽는다.

한의학의 현대화는 이와 같은 '근대', '근대성'의 이념을 받아들여 전통시대 한의학을 '근대'에 부합하는 합리적, 실증적, 과학적 지식체계로 정리하여 재구성하려는 시도를 말한다. 또 이것에는 발전된 현대 과학기술을 받아들여 한의학의 임상치료기술을 시대에 맞게 변화시키려는 시도도 포함된다.

한의학의 과학화(scientization)는 근대시기 한의들이 경험했던 독특한 상황에서 나온 구호다. 20세기 초반, 당시 서양의학을 전공한 의사들과 엘리트 지식인들은 한의학을 비과학적이라고 비판했다. 특히 음양오행 같은 사변적인 논리에 기초한 한의학 이론은 비판이 집중된 주된 타겟이었다. 과학구국론科學救國論 같은 주장이 유행했던 당시의 사회적 분위기에서 비과학이라는 낙인은 한의들이 무시하고 지나가기 어려운 것이었고, 이로 인해 일부 한의들은 과학이라는 프레임을 받아들이고 이 프레임 속에서 한의학의 개혁과 발전을 구상하기 시작했다. 한의학의 과학화는 이런 역사적 맥락 속에서 제안된 구호다. 이 구호는 한의계 안에서 몇 가지 다른 의미로 사용되었다. 어떤 이들은 이것을 한의학 속에 감추어져 있는 과학적인 성분을 발굴하여 한의학의 우수성을 드러낸다는 의미로 사용했고, 어떤 이들은 한의학이 임상에서 거두는 효과를 과학적 방법으로 연구하여 최종적으로는 비과학적인 한의학 이론을 폐기하고 과학적 설명으로 대체한다는 의미로 사용했다. 지금도 이 구호는 여전히 여러 가지 의미로 사용되고 있다.

물론 모든 한의들이 한의학의 과학화에 찬성했던 것은 아니었다. 한의학의 과학화 연구가 대부분 서양의학을 기준으로 한의학을 재단裁斷하려는 경향을 보였으므로 일부에서는 한의학의 과학화가 진행될수록 한의학은 사라지고 한의학의 고유한 본질이 훼손될 것이라고 우려했다. 이런 이유로 이들은 과학화라는 용어보다 현대화라는 용어를 더 선호했다. 과학이 중심이 되어 과학의 관점에서 한의학을 재단하고 평가하는 과학화가 아니라 한의학을 중심으로 현대 학문과 과학기술의 도움을 받아 한의학의 고유한 본질을 유지하면서 발전시키는 현대화가 옳다고 생각했던 것이다. 과학화가 현대화의 한 부분이지만 유독 한의학계에서 과학화와 현대화가 서로 대립적인 개념으로 사용되었던 이유다.

그럼에도 불구하고 한의학의 과학화와 현대화는 어떤 것이 옳고 어떤 것이 그른지를 따져 둘 중 어느 하나를 선택해야 할 문제는 아니다. 한의학 연구는 다양한 관점과 방법으로 진행되는 것이 좋고, 이런 다양한 연구가 합쳐져 한의학이 발전할 것이기 때문이다.

제2절 현대한의학의 모습

현대한의학에는 100년 가까운 현대화, 과학화의 결과가 녹아있다. 현대한의학의 대략적인 모습을 의학, 의술, 의료의 세 측면으로 나누어 정리해 본다.

1. 의학(medical knowledge)의 측면 – 한의학

한의학은 근·현대시기를 지나면서 '근대'에 부합하는 새로운 지식체계로 재구성되는 과정을 거쳤다. 한의학 지식은 전통적인 한의학 분과체계에 서양의학의 분과체계를 가미한 새로운 체계로 재편되었다. 기초의학과 임상의학이 나누어졌고, 기초의학은 다시 생리, 병리, 원전, 본초, 방제, 진단, 예방의학 등으로, 임상의학은 내과, 침구, 재활, 부인, 소아, 신경정신, 피부, 안이비인후, 사상체질의학 등으로 나누어졌다.

분과화가 성공하기 위해서는 그동안 다양한 유파별로, 여러 고전 속에 흩어져 있던 한의학 지식과 이론, 치료기술들을 세부 전공과목별로 취사선택하여 배치하는 정리과정을 거쳐야 한다. 이 과정에서 기존 의서들로부터 필요한 내용들이 선택되었고, 비합리적이고 미신적이며 비과학적인 내용들은 배제되었다. 한의학의 핵심적인 원리들을 뽑아내고 이것들을 중심으로 세부 전공과목들의 내용을 내적 통일성을 갖게 조직함으로써 한의학 학문 전체의 정합성을 높이는 한의학의 체계화 작업이 함께 이루어졌다.

최초 한의학 대학교육을 위해 시작되었던 한의학의 분과화는 각 세부 전공과목의 교육과 연구를 안정적으로 뒷받침하기 위한 인프라를 구축하는 작업으로 이어졌다. 즉, 전공과목별로 대학원 석, 박사학위과정이 설치되어 학문 후속세대를 양성할 수 있게 되었으며, 이렇게 배출된 연구자들을 중심으로 학회가 구성되고 학회지가 발간되었다. 1967년에 한의학 석사, 1979년에 한의학 박사가 처음으로 배출되었고, 1970년 대한사상의학회를 시작으로 각 분과학회들이 설립되었다.[1] 1976년에는 분과학회 중 처음으로 내과학회가 학회지를 발간했으며 뒤이어 다른 학회들도 학회지를 발간하기 시작했다. 학회 활동이 본격적으로 이루어지면서 한의학의 각 세부 전공과목들은 비로소 명실 공히 연구와 교육을 위한 기본적인 체제를 갖추게 되었다.

학문적인 관점에서 현대한의학은 한의학과 서양의학, 즉 동서의학의 회통, 융합을 주된 방향으로 삼고 있는 것이 특징이다. 내용 면에서는 서양의학의 생의학(biomedicine) 지식과 진단, 치료기술들을 상당 부분 수용하고 있다. 한의학과 서양의학이 공존하게 된 근대시기에 한의학과 서양의학의 회통, 융합을 시도하는 그룹이 한의학계 내에 생겨났다. 이것은 한의학이 존폐 위기에 몰린 상황에서 당시 일부 한의들과 한의학 애호가들이 발견했던 한의학의 새로운 발전 방향이었다. 하지만 모든 한의들이 이 같은 방향에 찬성했던 것은 아니었다. 당시 주류를 이루고 있었던 보수적인 한의들은 여전히 한의학의 전통적인 모습을 유지하는 것이 중요하다고 생각했다. 또 1980년대와 90년대 초에는 한의학의 현대화, 과학화

---

[1] 대한한의학회는 1973년 9월, 세계침구학술대회 개최를 앞두고 7월 24일의 이사회에서 분과학회를 구성하기로 결의하고 7개 분과학회를 조직했다. 이에 따라 1973년 8월 16일 내과학회를 시작으로 17일 부인과학회, 18일 침구학회, 21일 신경정신과학회, 28일 사상분과학회, 1975년 12월 10일 소아과학회, 1974년 4월 4일 외관과학회가 조직되었다. 여기서 1970년 대한사상의학회(창립당시 명칭)를 시작으로 분과학회들이 설립되었다고 한 것은 대한사상의학회가 1970년 5월 27일 창립총회를 개최했고 학술강연 등 이미 학회로서 학술활동을 하고 있었기 때문이다. 1973년 8월 28일은 대한사상의학회가 대한한의학회 소속 분과학회로 편입되어 새롭게 출발한 날짜다(사상체질의학회. 사상체질의학회 40년사. 2010).

를 한의학의 서양의학화로 규정하고 민족의학으로서 한의학의 정체성 회복을 강조하는 복고주의 바람이 크게 유행하기도 했다. 그러나 지금은 다시 과학적인 한의학 연구와 동서의학을 융합하는 방식의 임상이 한의학의 주된 흐름으로 자리잡고 있다. 이는 과학문화가 국민들에게 깊게 뿌리내리면서 국민들이 한의학 이론과 임상도 합리적이고 과학적으로 설명되어야 하며 과학적 근거를 갖추어야 한다고 요구하고 있는 것과 깊은 관련이 있다.

근대적인 한의학 교육기관에서 일찍부터 한의학과 서양의학을 겸해 가르친 것도 현대한의학이 동서의학의 회통, 융합 방향으로 발전하게 된 중요한 원인이었다. 예를 들어 동제학교同濟學校를 계승하여 1912년에 설립된 공인 의학강습소公認醫學講習所에서는 한의학 과목인 장부경락학臟腑經絡學, 맥학脈學, 상한학傷寒學, 잡병학雜病學, 소아과학小兒科學, 사상학四象學 등과 동서의학을 겸해 가르치는 외과학外科學, 부인산과학婦人産科學, 약물학藥物學, 서양의학 과목인 해부 생리학, 병리학, 진단학, 안이비인후과학, 내과학이 함께 교육되었다. 동서의학을 함께 가르치는 것은 근대적 한의학 교육이 시작된 20세기 초부터의 전통이었다. 지금의 한의과대학 교육에서도 이런 전통은 계속 이어지고 있다.

한의학 연구 방면에서도 동서의학의 회통과 융합이 활발하게 시도되고 있다. 1970년대부터 실험적 연구가 기존의 문헌적 연구와 함께 한의학의 중요한 연구방법으로 자리잡았다. 최근에는 시스템 생물학(systems biology), 네트워크 약리학(network pharmacology) 같은 과학 분야의 새로운 연구방법론을 원용한 한의학 이론과 약물 연구, 또 EBM(evidence based medicine, 근거 중심 의학)에 기초한 한의학 임상연구 등 동서의학을 아우르는 실증적 한의학 연구가 활발하게 진행되고 있다.

2. 의술(medical practice, 임상기술)의 측면 – 한의술

근·현대시기 과학기술이 획기적으로 발전하면서 한의 관련 기술도 함께 발전했다. 전통적으로 한의가 사용해오던 침은 스테인레스로 재질이 바뀌었고, 멸균 일회용 침 사용이 보편화되었다. 뜸도 임상에서 사용하기 좋은 형태로 개량되었다. 부항기도 도자기로 만든 부항컵 속에 심지를 박고 불을 붙여 사용하던 형태에서 플라스틱 일회용 부항컵에 수동식 또는 전동식 펌프를 사용하는 등 과거보다 훨씬 더 환자들에게 안전하고, 위생적이고, 또 편리하게 적용할 수 있도록 개선되었다.

진단기기나 치료도구도 현대적으로 개량되었다. 기존에 한의의 감각에 의존하던 맥진脈診, 설진舌診도 맥진기, 설진기의 개발로 객관적 데이터를 확보하여 진단에 참고하는 것이 가능해졌다. 또한 전통적인 침구요법 외에 분구分區침법인 이침耳鍼, 두침頭鍼, 수지침手指鍼 같은 신침新鍼요법들이 개발되었으며, 전침기電鍼機를 사용하여 침의 효과를 배가시킬 수도 있게 되었다.

가장 획기적인 변화는 탕전기술과 한약 제약산업의 발전일 것이다. 한약 전탕기와 자동 포장기가 한의원에 널리 보급되어 사용되고 있으며, 최근에는 과립 형태의 엑스제제 외에 캡슐이나 연조엑스제 등 한약을 환자들이 복용하기 편리한 다양한 제형으로 만들어 제공하는 것도 가능해졌다. 제약산업의 발전으로 한약제제의 품질도 획기적으로 개선되어 이미 전통적인 방법으로 달인 탕약을 대체할 정도의 수준에 도달해 있다.

이외에도 최근에는 한의의 전통적인 망望, 문聞, 문問, 절切 사진四診을 보완하고, 객관적이고 표준화된 진단을 위해 한의사들도 초음파, X-레이, 혈액검사 등을 임상에서 활용하고 있다. 현재 이 검사들의 건강보험 적용을 요구하고 있는 상황이다. 이것은 서양의학과의 회통, 융합이 주된 흐름이 되어 있는 현대한의학의 학문적 특성, 그리고 미래 한의학의 발전을 위해, 또 환자들에게 객관적인 데이터에 기반한 의료를 제공해야 한다는 당위성으로 인해 제기된 것이다. 특히 2011년부터 한의사들도 한국질병분류(Korean standard classification of diseases, KCD)를 의사들과 함께 사용하게 됨에 따라 이런 필요성은 더 커졌다. 한의사들의 KCD 사용은 앞으로의 한의학 교육과 한의사들의 임상에 큰 영향을 미칠 것으로 보인다.

3. 의료(health care system)의 측면 - 한방의료

지금의 한의사제도는 1951년 국민의료법이 제정되면서 생겨났다. 한국의 한의사제도는 한의사의 업무 영역을 의사와 배타적으로 구분하고 있다는 점에서 어느 나라에서도 볼 수 없는 독특한 의료제도다. 일본의 경우 메이지 유신 때 의료일원화가 단행되어 지금은 일정 보수교육을 이수한 의사들이 한약을 처방하고 있으며, 침과 뜸은 침사·구사들이 주로 다루고 있다. 중국은 중의, 서의, 중서의(큰 틀에서 중의에 포함)가 전체 의료를 담당하고 있는데 중의들은 서의들이 사용하는 진단기기나 검사, 양약을 처방하고 간단한 시술을 할 수 있으며, 서의들도 중약을 일부 처방할 수 있다.[2] 그러나 한국에서는 한의사는 의사의 업무영역을, 의사는 한의사의 업무영역을 서로 침범하지 못하도록 되어 있다.

한국에는 한의사 외에 한약사가 있어 한방의료를 함께 담당한다. 한약사제도는 1993년과 95년 두 차례에 걸쳐 발생한 한약분쟁 후속조치로 탄생했다. 1996년 약학대학 내에 처음으로 한약학과가 설치되었고, 이 학과를 졸업한 학생들이 지금 한약사로서 활동하고 있다.

또 2002년부터 한의사전문의제도도 도입되어 8개 임상분야[3]의 한의사전문의들이 배출되고 있다.

한의학은 일찍부터 국가의 공적 의료보험체계에 편입되어 국민 건강을 위한 중요한 의료자원으로 활용되었다. 1984년 12월 1일부터 1986년 11월 30일까지 2년간 충청북도 청주시와 청원군에서 한방의료보험 시범사업이 실시되었고, 그 결과를 바탕으로 1987년 2월 1일부터 한방의료보험이 전국으로 확대되었다. 지금은 모든 한의원과 한방병원에서 환자들에게 한방의료보험제도에 기반한 의료서비스를 제공하고 있다. 아직 약물치료는 100종 남짓 제한된 수의 한약제제에 한해서만 보험이 적용되어 아쉬운 점이 있지만 개선방안이 연구되고 있다.

의료적인 측면에서 현대한의학의 중요한 특징은 진료공간의 현대화이다. 과거 비위생

---

2) 중의사들이 서양의학 진단기계를 사용하고 간단한 약물처방과 시술을 할 수 있는 것은 중국의료법이 원칙적으로 법령에서 금지한 것 외에는 모든 행위를 용인하는 최소규제(포괄적 네거티브 규제) 방식을 취하고 있기 때문이다. 하지만 최근에는 의사와 중의사들이 각기 상대방 영역에 속하는 진료행위를 하기 위해서는 일정 시간의 연수교육을 받도록 법으로 규정하여 점차 규제를 강화하는 방향으로 나가고 있다.

3) 한방내과, 한방부인과, 한방소아과, 한방신경정신과, 침구과, 한방안·이비인후·피부과, 한방재활의학과, 사상체질과 등이다.

적이고 낙후되었던 한의들의 진료공간은 지금 의사들이 진료하는 의원 및 병원 시설과 구별이 어려울 정도로 현대화되어 있고, 청결하고 위생적으로 관리되고 있다. 한의사 진료실의 변화는 전통시대 한의학이 현대한의학으로 진화했음을 시각적으로 보여주는 대표적인 모습이라고 할 수 있을 것이다.

한의사의 시술에는 소독과 위생 개념도 당연히 적용된다. 특히 2012년 1월부터 침, 뜸 시술에 대한 국가표준(KS)을 제정해 시행하고 있다. 침 시술의 경우에는 사전 준비, 절차, 사후 처치 및 사고발생 시 대처방법 등 전 과정에 대해 안전위생기준을 마련하였으며, 뜸의 경우에는 시술 범위, 뜸을 뜨는 방법, 뜸의 재료에 대한 시험방법, 포장 및 표기방법 등을 국가 표준으로 정해 놓았다. 이처럼 현대한의학은 전통시대 한의학과는 전혀 다른 모습으로 발전하고 있다.

제3절 현대한의학과 중국 중의학, 일본 한방의학

현대한의학에는 중국 중의학, 일본의 한방의학과 다른 고유한 특징도 있다. 한국, 중국, 일본의 전통의학은 같은 뿌리에서 나와 고대시기부터 현대에 이르기까지 서로 많은 영향을 주고받았다. 그러므로 한국, 중국, 일본의 전통의학을 본질적인 면에서 완전히 구별하기는 어렵다. 하지만 현대 동아시아 전통의학들 사이에는 차이도 분명히 존재한다. 그것은 근·현대시기에 한국, 중국, 일본이 걸어온 서로 다른 역사적 궤적이 전통의학과 관련된 제도와 학술에 영향을 미쳤기 때문이다.

일본은 의사들이 한방치료를 담당하고 있고, 관념적인 이론보다는 눈에 보이는 징험을 중시해온 고방파古方派의 전통이 남아있어 이론의 개입을 최소화하고 한약처방과 증상을 바로 연결하는 이른바 탕증논치湯證論治, 양진한치洋診漢治가 일본 한방의학의 중요한 특징이다.

중국의 경우에는 1949년 중화인민공화국 수립 이후 국가가 현대중의학의 형성을 주도해왔다. 중국은 전통의학을 계승, 발전시킨다는 내용을 헌법 제21조에 명시하여 국가가 정책적으로 중의학을 장려한다. 중국정부는 1950년대 중반부터 중서의 결합을 중의학의 중요한 발전 방향으로 삼아 정책을 추진하였다. 학술적으로는 중화인민공화국 수립과 함께 전통적인 중의학 이론이 변증법과 유물론 철학을 기초로 개변되는 과정을 거쳤다. 음양학설은 음양변증법으로 이해되었으며, 기氣와 같은 전통적인 중의학 이론의 핵심적 개념들은 모두 유물론에 입각하여 재해석되었다. 중의학의 기본철학도 유물론 철학에 의해 새롭게 재구성되었다. 지금은 이런 이념적인 철저함이 조금 옅어졌지만 현대중의학에 유물론과 변증법 사상의 영향이 배어있다는 점은 부인할 수 없다.

한국은 20세기 전반부의 일제강점기에 한의를 제도적으로 소멸시키려는 일본의 의료정책이 이식되어 추진되었다. 당시 의사의 수가 절대적으로 부족했기 때문에 일본에서와 같은 의료일원화 정책을 당장 시행할 수는 없었지만 기본적인 정책 방향은 한의를 자연 소멸되도록 하여 서양의학 중심의 의료일원화를 이루는 것이었다. 해방 후에는 우여곡절 끝에 국회에서 국민의료법이 제정되어 지금과 같은 한양방 이원화제도가 수립되었고, 한양방 협진이 한국의 주된 의료 모델이 되었다. 이처럼 한의학에는 중국, 일본과 다른 모습들도 존재한다.

이 책에서는 현대, 한국 한의학에 초점을 맞추어 현대한의학의 전체 모습을 개관할 것이다.

📎 의학醫學, 의술醫術, 의료醫療-의醫의 세 차원[4]

의학과 관련된 모든 것을 포괄하는 개념으로서 의醫는 의학醫學(medical knowledge, medical science), 의술醫術(healing arts, techne), 의료醫療(health care system) 세 차원으로 나눌 수 있다.

의학은 학문으로서의 의醫이며 의醫의 지식체계를 말한다. 대체로 의학은 크게 기초의학과 임상의학으로 나누며 의사들은 의학지식을 근거로 환자들에게 의술을 실현한다. 의학은 인체를 대상으로 하며 인간 생명 현상을 다루고 있다.

의학은 질병을 치료하고 건강을 유지한다는 목표를 실현하기 위해 인간의 '몸'에 대해 관심을 갖는다. '몸'은 정신과 육체 그 어느 하나만으로 정의될 수 없고, 또 정신, 육체의 단순한 합도 아니다. 인간의 '몸'은 생물학적, 철학적, 문화적, 사회적 함축을 가지며 다양한 각도에서 접근될 수 있다. 그러나 의학은 '몸'의 모든 함의에 관심을 갖는 것이 아니라 건강과 질병과 관련해서 관심을 갖는다.

지금의 서양의학은 생의학(biomedicine)이라고 부르며, 19세기 이후 급속도로 발전한 서양의 자연과학과 기술에 기반을 두고 있다. 20세기 접어들어 그동안 인류를 괴롭혀 왔던 전염병을 상당 부분 정복하고, 급속도로 발전된 자연과학과 기술을 의학에 접목하면서 서양의학은 현대의학, 과학적 의학으로서 지금과 같은 높은 위상을 확립하게 되었다.

의술은 의사들이 환자에게 사용하는 기술을 말한다. 의술은 진단과 치료 기법, 수술, 처치 수기, 의사와 환자 관계의 조정 등을 포괄한다. 기본적으로 의술은 의사와 환자의 인격적인 만남을 통해 이루어진다. 기계가 많은 부분을 대신한다 해도 궁극적으로 병은 기계가 고치는 것이 아니라 사람이 고치는 것이다. 의술에서의 인간(환자) 소외는 현대 의료의 중요한 문제 중 하나이다. 여기에 의료윤리(의도醫道)의 중요성이 있다.

의사가 의술을 매개로 환자와 만나는 임상에서는 임상적 판단이 중요한 역할을 한다. 임상적 판단은 의학 지식에 근거하지만 단순히 이를 수동적으로 적용하는 것에 머물지 않는다. 임상에서 실천되는 의술에는 의학지식과는 다른 임상 고유의 논리가 있다. 그러므로 의학은 그 자체로는 과학이지만 임상에는 과학을 넘어서는 기예(art)의 측면이 존재한다.

---

[4] 의학, 의술, 의료에 관한 내용은 대부분 '이종찬. 한국에서 의(醫)를 논한다. 서울: 소나무; 2000, pp. 32-5.'을 인용하여 작성하였다.

의료는 의醫의 사회적 실천을 의미한다. 의술은 그것이 현실사회 속에서 이루어진다는 점에서 의료의 그물망을 벗어날 수 없다. 건강유지와 질병치료는 의사가 수행하는 의술로만 담보될 수 없다. 한 국가 또는 사회는 보건의료체계(health care system)를 구축해서 건강유지와 질병치료를 뒷받침한다. 보건의료체계는 의학에서의 건강과 질병관, 그리고 한 사회의 정치적 이데올로기, 경제적 지향성, 사회문화적 신념을 반영한다. 동일한 생의학에 기반하면서도 미국, 영국, 독일, 프랑스 등 각 나라의 보건의료체계가 다르며, 의학을 대하고 실천하는 의료문화가 다른 이유다.[5]

한의韓醫는 한의학韓醫學, 한의술韓醫術, 한의의료韓醫醫療를 포괄하는 개념이다. 우리는 일상에서 관행적으로 한의학, 한의술, 한의의료를 합쳐 한의학이라고 통칭하기도 한다. 의학, 의술, 의료는 구분할 필요가 있다. 한의학과 관련된 논쟁 상황에서 이것이 의학의 차원에서 다루어야 할 주제인지, 아니면 의술이나 의료의 차원에서 다루어야 할 주제인지를 구분하는 것이 중요할 때가 있다. 예를 들어 '의료일원화'는 의학의 문제인가? 의술의 문제인가? 아니면 의료의 문제인가? 아니면 이를 모두 합친 종합적인 문제인가?

🏷 한의학의 다양한 이름

- 전통의학(Traditional Medicine): 세계보건기구(WHO)에서는 한의학을 포함한 세계 각 민족 고유의 의학들을 전통의학이라고 부른다. 이것은 현대의학(modern medicine)의 지위를 누리고 있는 서양의학, 곧 생의학(biomedicine)과 대비하여 부르는 이름이다. 최근 WHO는 전통보완의학(Traditional & Complementary Medicine, T&CM)이라는 용어도 함께 사용하고 있다.

- 민족의학(Indigenous Medicine): 이것은 한의학이 한민족 고유의 의학임을 강조하기 위해 사용하는 이름이다. 세계의학(world medicine)과 대비된다.

- 동양의학(東洋醫學, Oriental Medicine, Eastern Medicine): 이것은 서양의학(Western Medicine, 서의학, 양의학)에 대비하여 한때 한국에서 많이 사용되었던 이름이다. 이 명칭은

---

5) 린 페이어 저, 이미애 역. 의학 과학인가 문화인가. 서울: 몸과마음; 2004. 이 책에는 프랑스, 독일, 영국, 미국의 서로 다른 의료문화를 소개하고 있다.

근대 식민주의 시대 일본이 서양에 대비하여 자신이 동양문화의 중심이라고 나서면서 동양이라는 용어를 많이 사용했던 것과 관련이 있다. 이 시기 일본은 중국을 지나支那라고 불러 일본이 중심이 되는 '동양'과 차별화했다.

- 한의학漢醫學, 한의학(韓醫學, Korean Medicine): 1986년 5월, 기존에 사용하던 '한의漢醫'라는 명칭을 '한의韓醫'로 표기하는 자구변경법이 공포되었다. 이것은 '한의漢醫'가 일제강점기에 사용되었던 이름이고, 중국에서 온 의학임을 강조하는 표현이었기 때문이다. 대한제국의 공식 문서에서 이미 '한약韓藥'이라는 표현이 사용된 바 있다는 연구[6]도 있어 '한의韓醫'라는 명칭에는 역사적 정통성도 있다. 하지만 일부에서는 '한의학韓醫學'이라는 이름에 부합하는 알맹이가 과연 있는지 비판하는 목소리도 있다. 한국 한의사들이 새겨야 할 비판이다.

- 동의東醫: 동의를 동양의학의 줄임말로 알고 있는 사람이 더러 있다. 하지만 동의란 〈동의보감 東醫寶鑑〉의 경우에서 볼 수 있듯이 중국의학과 대비하여 중국의 동쪽에 위치한 조선의학의 독자성과 우수성을 강조하기 위해 우리 선조들이 의도적으로 사용했던 이름이다.

- 동아시아 의학(East Asian Medicine): 동아시아 국가인 한국, 중국, 일본의 전통의학을 통틀어 부르는 이름이다.

- 중의학(中醫學, Traditional Chinese Medicine, TCM): 중국이 자국의 전통의학을 부르는 이름이다. 중국에서 한약은 중약中藥, 한의원, 한방병원은 중의원中醫院, 중의병원中醫病院, 한의대는 중의대中醫大라고 한다.[7]

- 한방의학(漢方醫學, Kampo Medicine): 일본이 자국의 전통의학을 부르는 이름이다. 한약은 한방약漢方藥이라고 한다.

---

6) 신동원. 한의학(漢醫學)과 한의학(韓醫學). 역사비평 2005;73:119-22.

7) 중국 중의약법에서 '중의약(中醫藥)' 정의
   "한족과 소수민족의약을 포괄하는 우리나라 각 민족의약의 통칭이며, 중화민족의 생명·건강 및 질병에 대한 인식을 반영하는, 유구한 역사전통과 독특한 이론 및 기술방법을 구비한 의약학체계"

02

현대한의학의
철학적 기초

한의학은 인체를
어떤 관점으로 바라보는가

제2장 현대한의학의 철학적 기초
- 한의학은 인체를 어떤 관점으로 바라보는가

한의학과 서양의학은 인체라는 같은 대상을 놓고 연구하면서도 서로 다른 이론과 용어로 접근한다. 이것은, 한의학과 서양의학의 차이가 대상보다는 대상을 바라보는 관점과 방법론에서 비롯되었다는 것을 말해 준다.

한의학만의 고유한 관점과 방법론은 어디에서 왔을까? 당연히 전통시대 동아시아인들의 독특한 세계관과 문화에서 왔다. 한의학은 고대 동아시아의 역사와 문화 속에서 탄생하였다. 한의학에서 사용하는 이론과 용어들은 동아시아 특유의 세계관, 사고방식, 철학사상, 방법론과 밀접하게 연관되어 있다. 그러므로 한의학이 어떤 의학인지를 이해하기 위해서는 한의학의 독특한 인체관과, 이 관점을 구현하기 위해 사용하고 있는 방법들을 이해하는 것이 필요하다.

이것을 살펴보기에 앞서 다음 한 가지를 강조할 필요가 있다. 그것은 한의학이 오늘도 진료실에서 환자의 질병을 치료하고 섭생攝生을 지도하는 실증적이고 실용적인 학문이라는 점이다. 흔히 사람들은 한의학의 문화적 배경이나 철학사상, 한의학의 고유한 관점들에 대해 말하면서 한의학이 현실에서 환자를 치료하고 돌보는 '의학'이라는 사실을 놓치는 경우가 많다. 한의학에 문화적 측면이 있는 것은 분명하지만 더 중요한 것은 한의학이 지금 이 시간에도 실생활에서 '의학'으로 기능하고 있다는 사실이다. 한의학이 지금까지 살아남을 수 있었던 것은 한의학의 문화적 배경이나 철학사상 때문이 아니라 한의학의 임상적 효용성 때문이었다. 근대시기 한의학이 당시 엘리트 지식인들로부터 비과학적이라는 비판을 받았지만 한의학의 치료 효과에 대한 대중들의 신뢰는 변함이 없었다. 동아시아 문화 속에서 탄생한 한의학에는 서양의학과 차별되는 고유성이 존재한다. 이런 고유성은 임상과 무관한 것이 아니라 임상과 긴밀하게 연결되어 있으며 한의사들의 임상 속에서 실제로 구현되고 있다. 이런 사실은 우리가 한의학의 인체관과 방법론을 다룰 때 꼭 기억해야 할 내용이다.

제1절   한의학의 인체관

1. 인체의 전체성을 중시하다 – 전일관全一觀

1) 전일관이란

동아시아인들은 자신들이 속해 있는 이 세계가 거대한 유기체라고 생각했다. 이 세계는 이질적이고 다양한 사물들이 모여 있는 곳이고 다양한 현상들이 얽혀 일어나는 곳이다. 그럼에도 이 세계는 하나의 전체로서 통일성을 유지하고 있으며 현실세계 속의 모든 사물과 현상들은 서로 영향을 주고받으면서 유기적으로 긴밀하게 연결되어 있다. 이는 동아시아인들이 이 세계에 대해 가졌던 그림이었다. 따라서 동아시아에서는 이 세계가 '전체로서 하나'라는 전일론(전체론)적 관점이 크게 발전했다. 그리고 이런 관점은 세계 전체뿐만 아니라 작게는 하나의 개체에도 적용되어 사물이나 현상을 인식하는 보편적인 사고방식이 되었다. 이것을 우리는 '전일관'이라고 한다. 즉, 전일관은 사물이나 현상을 관찰할 때 사물이나 현상의 전체성, 통일성, 유기성有機性을 중시해서 바라보는 관점을 말한다. 중의학에서는 이를 '정체관整體觀'이라고 하며, 서양철학의 '전체론全體論(holism)'과 유사한 관점이다.

2) 인체는 전일생명체

한의학에서는 전일관에 의해 인체를 '전일생명체全一生命體'로 규정한다. 즉, 인체 생명은 '하나'이며, 인체를 구성하는 부분들은 하나의 생명 아래 통일성을 갖고 유기적으로 조직되어 있다고 보는 것이다.

이런 인식은 다음 두 가지 특징으로 나타난다.

첫째, 부분과 전체의 관계에서 항상 전체가 중심이 된다. 인체를 구성하는 부분은 전체 생명에 종속되어 있고 전체와의 관계 속에서만 의미를 갖는다. 장부臟腑, 기관, 조직, 기혈진액氣血津液, 경락經絡 등은 한의학에서 인체를 구성하는 부분들이다. 이 부분들은 인체 전체의 통일성과 항상성을 유지하기 위해 유기적으로 조직되어 있으며, 전체와의 긴밀한 관계 속에서, 전체의 통제 속에서 그 기능을 발휘한다.

둘째, 한의학에서는 인체에서 관찰되는 다양한 생명현상을 '인체가 하나의 전체(전일생명체)로서 나타내는 현상'이라는 관점에서 접근한다. 인체에서는 다양하고 복잡한 생리적, 병리적 현상들이 관찰된다. 한의학에서는 국소부위에서 관찰되는 현상이라 할지라도 국소부위의 상황과 함께 인체 전체 상황에 대한 정보도 담고 있는 것으로 간주한다. 예를 들어 대변이나 소변도 단순히 소화기계통이나 비뇨기계통의 상태만을 표현하는 것이 아니라 인체 전체 차원의 정보도 담고 있다고 본다. 또 혀(설舌)나 귀(이耳)와 같은 국소부위에서도 인체 전체 상황을 살피려고 시도한다.

한의학에서는 망望, 문聞, 문問, 절切의 네 가지 진찰방법(사진四診)을 통해 인체가 나타내는 정보들을 수집하고, 이를 독특한 이론적 개념으로 분석하고 종합한다. 예를 들어 전일관과 관련하여 중요한 것이 한의학의 '증證(pattern)'이라는 개념이다. 증은 인체 전체 차원에서 질병을 파악하는 단위다. 한의들은 수천 년간의 임상을 통해 환자들의 전신적 질병상태를 관찰하면서 다양한 증상症狀들과 신체적 상태(체징體徵)들이 의미 있게 조합을 이루어 나타난다는 것을 발견했다. 이 조합들을 음양陰陽, 기혈氣血, 장부臟腑, 육경六經 등의 한의학 이론을 바탕으로 정리한 것이 바로 한의학의 증이다. 한의들은 임상에서 한寒증, 열熱증, 기허氣虛증, 혈허血虛증, 비허脾虛증 등 다양하게 세분된 증을 파악하는 데 힘을 쏟는다. 이 중 음양陰陽, 한열寒熱, 허실虛實, 표리表裏의 팔강八綱이 가장 기본적이고 대표적인 증이다.

3) 인체와 외부환경의 통일성

전일관과 관련하여 또 다른 중요한 관점은 인체와 인체를 둘러싸고 있는 외부환경이 하나의 전체로서 서로 긴밀하게 연결되어 있다고 보는 것이다.

한의학에서는 인체를 외부환경에 대해 비교적 독립된 시스템을 갖추고 생명을 영위하면서도 다른 한편으로는 외부환경의 변화에 영향을 받고 의존하여 살아가는 존재로 인식한다. 이런 한의학의 인체 인식은 동아시아의 독특한 '생명生命' 개념과 맥이 닿아 있다. <설문해자說文解字>에서는 '생生'을 "나아가는 것이다. 초목이 땅위로 뚫고 나오는 것을 본뜬 것으로 무릇 살아있는 것들은 모두 생을 따른다."[1]고 했다. '명命'은 '사使'의 의미로 하늘

---

1)　進也, 象草木生出土上, 凡生之屬皆從生.......

로부터 부여받은 명命이며, 사람의 힘으로 어찌할 수 없는 것을 말한다.[2]

'생', '명'이라는 글자의 조합은 생명에 대한 동아시아의 시각을 잘 보여준다. 이 세상에 존재하는 생명체는 '생'이라는 글자에서 표현되듯이 생식, 출생, 성장을 주도하는 생장의 활력을 갖추고 있다. 생명체 속에 내재해 있는 생장의 활력을 통해 발생, 성장, 성숙, 쇠퇴, 소멸하는 생명주기(life cycle)를 실현하면서 외부환경에 대해 비교적 자율성과 독립성을 유지하고 살아간다. 하지만 '명'이라는 글자에서 볼 수 있듯이 큰 틀에서 보면 생명체는 그 생명체가 속한 더 큰 생명, 곧 우주(자연)의 질서에 종속되어 있으며, 우주가 실현하는 1일, 1월, 1년을 단위로 반복되는 주기적 변화에 순응해야만 자신의 생명을 유지할 수 있다. '생'과 '명'이라는 글자 속에는 이런 생명체의 양면성에 대한 인식이 잘 드러나 있다.

한의학의 인체관은 동아시아의 생명인식에서 나왔다. 인체라는 생명체가 가지고 있는 개체적 자율성과 더 큰 생명에 의존하는 종속성은 한의학의 생리, 병리관은 물론이고 한의학의 독특한 양생이론의 기초가 된다. 인체를 둘러싼 외부환경의 변이, 즉, 바르지 못한 사계절의 기후변화(부정사시지기不正四時之氣)가 질병을 일으킨다는 독특한 한의학의 생태적 질병관도 이런 인체관에서 나온 것이다.

📖 '동양'과 '서양'의 사고 차이

리처드 니스벳 교수는 〈생각의 지도〉[3]라는 책에서 '동양'(이 책에서 동양은 주로 동아시아를 가리킴)과 '서양'(이 책에서는 주로 북미와 유럽)의 사고 차이에 대해 기술하고 있다. 특히 이 책의 3장부터 6장까지는 지금까지 이루어진 연구들에 근거하여 현대의 동양인과 서양인이 지각하고, 사고하고, 추론하는 과정에서 보이는 차이들을 기술했다. "전체를 보는 동양과 부분을 보는 서양(3장)", "동양의 상황론과 서양의 본성론(4장)", "동사를 통해 세상을 보는 동양과 명사를 통해 세상을 보는 서양(5장)", "논리를 중시하는 서양과 경험을 중시하는 동양(6장)" 등이 각 챕터의 제목들이다.

---

2)   指'使', 天賦之命, 非人力所能爲者……

3)   리처드 니스벳 저, 최인철 역. 생각의 지도. 파주: 김영사; 2004.

"중국인들은 인간을 '사회적이고 상호 의존적인' 존재로 파악하고, 인간에게 가장 중요한 것은 개인의 자유가 아니라 조화라고 생각했다. 그 조화란 도교에서는 '인간과 자연의 융합'이었고, 유교에서는 '인간들 사이의 화목'을 의미했다. 중국철학의 목표는 진리의 발견보다는 도道였고, 구체적인 행동으로 이어지지 않는 추상적인 사고는 무의미한 것으로 간주되는 실용적인 경향이 강했다. 우주는 매우 복잡한 곳이기 때문에 그 안에서 발생하는 일들은 서로 얽혀 있고, 그 안에 존재하는 사물이나 인간은 마치 그물처럼 서로 얽혀 있다고 믿었다. 이러한 사고 경향 때문에 중국인들은 어떤 대상을 전체 맥락에서 따로 떼어 내어 분석하는 일에 거부감을 느꼈다. 서로 복잡하게 얽혀 있는 세상사를 개인이 완전히 통제할 수 있다는 생각 역시 불가능했다."[4]

이 책에서는 그동안 진행된 연구들을 통해 동양인들이 서양인들과 달리 사물과 사건들 사이의 관계를 중시하고, 전체를 고려하며, 조화를 중요하게 생각하는 사고방식을 가졌다고 주장한다. 동양인들의 사고방식이 서양인들의 사고방식과 다르다는 이 책의 주장은 많은 한국인들로부터 공감을 얻었다. EBS에서는 이 책의 내용을 중심으로 '동과 서'라는 다큐멘터리를 제작하여 방영하기도 했다.

이 책에 담긴 주장은 한의학이 역사적, 문화적으로 어떻게 서양의학과 다른 의학체계로 발전하게 되었는지를 이해하는 데 도움을 준다. 실제로 한의학은 인체를 보는 관점과 방법, 용어와 이론에서 서양의학과 큰 차이가 있다.

현대한의학이라고 해서 전통적인 한의학 사고체계에 존재하는 고유한 특성을 완전히 무시할 수 없다. 현대한의학에서는 이 시대에 의학으로서 갖추어야 할 '보편성'과 한의학에서만 찾아볼 수 있는 '고유성'이 함께 추구된다. 이것은 마치 현대한의학을 날게 하는 두 날개와 같다. 문제는 균형이다. 이 시대 한의학이 현대의학으로서 갖추어야 할 기본적인 과학성과 합리성을 결여한다면 지금과 같은 시대에 생존할 수 없다. 또 한의학만의 고유한 사고방식과 이를 임상적으로 실천 가능하게 하는 이론들을 배제하면 한의학의 존재이유와 경쟁력 자체가 사라진다. 그러므로 이 시대 의학으로서 갖추어야 할 '보편성'과 한의학만의 '고유성'은 현대한의학이 추구해야 할 중요한 두 가지 가치이다.

---

4) 리처드 니스벳 저, 최인철 역. 생각의 지도. 파주: 김영사; 2004. pp. 44-5.

📖 한의학의 전체론과 시스템이론·시스템 생물학에서의 전체론

2000년대 접어들면서 시스템 생물학이 부상했다. 한의학 연구자들은 이 분야가 유기체에 대한 기존의 환원론적 접근의 한계를 지적하고, 전일론적 접근(holistic approach)을 수용하고 있다는 점에서 많은 관심을 보였다. 한의학의 전일론적 관점을 지지 또는 구현할 수 있다고 생각했기 때문이었다.

하지만 중국에서는 이미 1980년대에 시스템이론을 이용한 중의학 이론 연구가 유행한 적이 있었다. 1979년 중국에서는 첸쉐썬錢學森 교수가 시스템과학을 건립할 것을 주장했으며, 이 영향으로 1980년대 시스템이론, 정보이론, 사이버네틱스 등 소위 삼론三論이 유행했다. 중의학계에서도 이에 호응하여 시스템이론을 중의학에 적용한 연구논문들을 쏟아내었다. 그러나 이 연구들은 대부분 사변적이고 총론적 성격에 머물렀고 구체적인 성과를 거둘 수 있는 실제적인 연구로 이어지지 못했다. 이는 당시에 분자생물학적 연구와 유전체 연구가 충분히 성숙되지 못했고, 대량의 생체정보를 한꺼번에 처리할 수 있는 데이터 처리 기술이 확보되지 못했기 때문이었다. 생체를 시스템적 차원에서 연구할 수 있는 기술적 역량이 갖추어지지 않았던 것이다. 2000년대 접어들어 이런 역량과 기술이 확보되면서 시스템 생물학이 새롭게 부상했다.

한의학과 시스템이론, 시스템 생물학이 모두 전체론적 관점으로 생명현상에 접근한다는 공통점 때문에 한의학 연구자들은 시스템 생물학에 많은 관심을 보인다.

그렇다면 한의학의 전체론과 시스템이론, 시스템 생물학의 전체론은 같은 것인가?

한의학의 전체론은 일종의 고전적 전체론에 속한다. 고전적 전체론은 시대적 한계로 전체와 부분의 관계를 거시적이고 단층적으로 파악한다는 특징이 있다. 시스템이론이나 시스템 생물학에서처럼 전체와 부분 사이에 존재하는 중간단계들과 이들의 상대적 자율성에 대한 인식은 상대적으로 부족하다. 한의학이 전체론에 입각하여 인체 현상을 관찰하긴 했지만 한의학의 인체관에서 볼 수 있는 전체와 부분의 계층구조는 거시적이고 단순하다. 예를 들어 한의학의 장상학설에서는 오장-육부-인체 조직, 관규官竅-외부환경이라는 거시적인 장과 상의 관계망 속에서 인체 생명현상이 설명된다. 반면에 시스템 생물학에서는 유전체(유전체학, genomics)-전사체(전사체학, transcriptomics)-단백질(단백질체학, proteomics)-대사체(대사체학, metabolomics)-세포의 촘촘한 계층구조를 형성하고 있다.

한의학과 시스템이론의 또 다른 차이점은 시스템이론이 기존의 기계론적 인체관과 환원론적 방법이 가진 약점을 보완하기 위해 탄생했다는 것이다. 시스템이론은 비록 전체론적 관점을 강조하지만 환원론적 방법을 완전히 폐기하거나 무시하지 않는다. 오히려 시스템이론은 전체론과 환원론을 시스템이론 안에서 통일시키는 것을 목표로 하고 있다. 따라서 시스템이론에 기반한 시스템 생물학은 기존의 분석적, 환원론적인 방법을 통해 축적한 지식들의 바탕 위에 서 있다. 환원론적 지식이 없으면 시스템 생물학도 존재할 수 없다. 시스템 생물학의 이런 특징은 연구방법에서도 나타난다. 시스템 생물학에서는 top-down 방식과 bottom-up 방식의 연구방법을 모두 활용한다.

이처럼 한의학의 전체론과 시스템이론·시스템 생물학의 전체론은 서로 차이가 있다.

전체론이라는 관점에서 볼 때 한의학이 가진 장점도 있다. 한의학에는 오랜 기간 전체론적 관점을 임상에 적용하여 실천한 풍부한 임상경험이 있다. 또 한의학은 전체론적 관점을 임상적으로 실천할 수 있는 고유한 이론들을 발전시켰다. 정신기혈진액학설, 장상학설, 경락, 체질학설, 변증논치, 약물과 침구이론 같은 것들이 이에 해당한다. 한의학은 이 이론들을 적용하여 많은 임상경험을 축적했다. 이것은 현대의 시스템 생물학(의학)이 갖추지 못한 부분이다.

한의학에서 축적해 온 임상경험을 시스템 생물학의 연구방법론, 특히 네트워크 과학 방법론이나 데이터과학, 기계학습 등의 방법을 통해 연구한다면 한의학의 임상적 가치가 드러날 수 있을 것이다. 또 시스템 생물학의 다양한 이론적 모델들, 용어들, 연구방법론과 성과들을 이용하면 전체론의 관점에서 만들어진 한의학 이론을 이해하고 용어 개념을 분명하게 정의하는 데 도움이 될 것이다. 한의학의 거시적인 관점이 미치지 못하는 미시적인 부분은 시스템 생물학 연구방법론을 가교로 삼아 기존의 환원적, 분석적 연구 성과들을 이용하여 보완할 수 있을 것이다.

2. 인체는 변화과정 속에 있는 존재 – 항동관恒動觀

　동아시아에서는 이 세계가 정지해 있는 것이 아니라 끊임없이 움직이고 변화하는(동이불식動而不息) 동적인 세계라고 인식했다. 동아시아인들은 서양에서처럼 이 세계 밖에서, 변하지 않는 존재나 초월적인 절대자를 찾지 않았다. 현실세계를 있는 그대로 받아들이고, 끊임없이 변화하는 역동성 그 자체를 이 세계의 중요한 특징으로 생각했다. 항동관은 현실세계가 정지해 있는 것이 아니라 항상 변화하고 움직이는 동적인 세계라는 인식에 기초해서 사물과 현상을 바라보는 것을 말한다.

1) 항동관과 기氣 개념

끊임없이 생성, 변화하는 동적인 세계를 묘사하기 위해 동아시아인들은 '기'라는 개념을 고안해 내었다. '기'는 고체를 모델로 하는 '물질' 개념과 달리 기체를 모델로 한 개념이다. '기'는 외력外力에 의존하지 않고 스스로 움직일 수 있는 자발적 운동성과 형질이 없기에 어디든 들어갈 수 있는 가입성可入性, 물질현상과 정신현상, 자연, 사회, 인간의 몸을 남김 없이 포괄하는 포용성包容性, 다른 사물 속으로 삼투해 들어가거나 다른 사물의 성분을 흡수하여 변화시키는 삼투성滲透性을 가진 존재로 이해되었다.[5] 이러한 '기' 개념을 통해 이 세계에서 일어나는 모든 변화는 기의 변화(기화氣化)로 인식되었고, 더 나아가 이것은 세상의 모든 사물이 기로 이루어졌다는 기일원론氣一元論 사상으로 발전했다. 기 개념으로 인해 동아시아인들은 이 세계가 끊임없이 변화하는 동적이고 생성하는 세계라는 관념을 유지하고 또 설명할 수 있었다.

2) 과정적 존재로서의 인체

이런 세계관 속에서 한의학에서는 인체를 고정 불변한 실체가 아니라 끊임없이 변화(즉, 기화)하는 과정 중에 있는 존재로 보았다. 인체는 자신이 속해 있는 세계 전체가 실현하는 주기에 의존하고 반응하면서 일생에 걸쳐 발생(생生), 성장(장長), 성숙(장壯), 노쇠(노老), 소멸(이르,사死)이라는 생명주기를 실현해 나간다. 생명주기의 각 단계들은 인체뿐만 아니라 이 세계에 속한 모든 존재자들이 가야만 할 길(도道)이기도 하다. 동아시아인들은 노쇠와 죽음마저도 인간이라면 누구나 겪어야 할 정상적인 과정으로 인식했다. 이런 인체관 속에서 움직이고 변화하는 것(동태성動態性)은 살아있는 생명체의 중요한 징후가 된다.

기는 한의학에서도 인체와 생명현상을 인식하고 설명하는 핵심적인 개념이다. 인체는 기화가 일어나는 장소이며, 인체 생명현상은 기화현상으로서 승강출입升降出入의 형식을 갖는다.

---

5)   장립문(張立文) 주편, 김교빈 외 역. 기의 철학. 재판(再版). 서울: 예문서원; 2004. pp. 56-60.

3. 관계, 인체를 이해하는 중요한 키워드 – 조화와 평형관

동아시아 세계관의 또 다른 특징은 사물과 사물 사이의 관계를 중시하는 것이다. 이 세계에 속해 있는 존재자들은 전체와 부분, 부분과 부분이 유기적으로 연결되어 있는 관계망 속에 있으면서 서로 영향을 주고받는다. 관계망 속에서 일어나는 변화들은 전체로서 조화와 평형을 유지하는 것이 중요한 특징이다.

동아시아인들은 이 세계에서 일어나는 변화들이 무질서한 것처럼 보여도 그 속에 질서가 있고, 또 이 세계가 전체로서 조화와 평형을 유지하고 있다고 생각했다. <황제내경黃帝內經 소문素問>의 '생화극변生化極變'6), '항해승제亢害承制'7) 같은 용어가 이런 사상을 표현하는 대표적인 구절이다. 음양, 오행학설에도 이런 관점이 기본적으로 깔려 있다. 음과 양의 관계에 포함되어 있는 '상보상성相補相成', '상반상성相反相成'의 관념, 또 목, 화, 토, 금, 수 오행 사이의 '상생상극相生相克'은 모두 음과 양, 또는 오행 각각이 끊임없이 유동하는 가운데 평형을 유지하는, 곧 동태적 평형을 설명하는 개념들이다. 동태적 평형은 음양, 오행학설의 목표이자 핵심적인 이념이다.

한의학에서는 인체 현상을 조화와 평형의 관점에서 바라본다. 인체 생명현상은 변화의 과정 속에 있는 인체가 나타내는 현상이다. 변화과정 속에 있는 인체의 모든 기능은 인체 전체 시스템의 안정 상태, 즉 동태적 평형을 목표로 영위된다. 생리적 현상은 인체가 동태적 평형이 유지되고 스스로 회복될 수 있는 범위 내에서 나타나는 현상이고, 병리적 현상은 동태적 평형이 깨지고 인체 시스템이 자체적으로 평형을 회복할 수 없을 때 나타나는 현상이다.

---

6) "夫物之生從於化, 物之極由乎變"(<黃帝內經 素問 六微旨大論>), "物生謂之化, 物極謂之變"(<黃帝內經 素問 天元紀大論>) 변과 화의 의미를 설명한 구절이다. 사물이 생겨나 자라는 것(생장)을 '화'라 하고, 생장이 극에 도달하면 질적으로 바뀌는 데 이것을 '변'이라 했다. 예를 들어 음기가 가장 성하게 되는 동지(冬至)에 양기가 시작되고, 그 양기가 점점 자라 가장 성하게 되는 하지(夏至)에 다시 음기가 생겨나는 것이 일종의 변과 화의 현상이다. 생화극변은 끊임없이 순환하는 계절 변화와 같은 자연의 변화 속에 담겨 있는 이치다.

7) "亢則害, 承乃制, 制則生化"(<黃帝內經 素問 六微旨大論>) 어떤 한 기운이 지나치게 되어(亢) 만물의 생화 작용에 해를 끼치게 되면(害) 이 기운을 이어서(承) 이것을 억제하는 기운이 나타나(制) 평형을 회복한다는 의미. 옛 사람들은 자연현상이나 인체 생명현상에서 이 같은 동태적 평형을 유지하려는 작용이 보편적으로 일어난다고 믿었다.

제2절   한의학의 사고방식과 방법

한의학의 관계 중심 사고는 천인상응론天人相應論이 기초가 된다. 이를 바탕으로 상관적 사고, 유비, 감응, 분류, 패턴인식, 은유 같은 특징적인 사고방식들을 발전시켰다.

1. 천인상응과 상관적 사고, 감응, 유비

상관적 사고(correlative thinking)[8]는 서양학자들이 서양의 인과적 사고, 분석적 사고와 구별하기 위해 과거 동아시아인들이 가졌던 독특한 사고방식에 붙인 이름이다. 상관적 사고는 한대漢代 동중서董仲舒에 의해 확립되었다고 보는 상관적 우주론(correlative cosmology)을 설명하는 핵심적인 개념이기도 하다.

상관적 사고에 대한 학자들의 평가는 엇갈린다. 많은 사람들이 상관적 사고를 분석적 사고가 나타나기 이전의 비합리적, 미신적 사고로 본다. 하지만 그레이엄(A. C. Graham)은 분석적 사고도 실상은 상관적 사고를 바탕으로 나타나는 것이고, 음양학설은 서양과 달리 적극적으로 상관적 사고가 외현화되어 있는 거의 유일한 체계라고 보았다.[9] 상관적 사고에는 비합리적이고 미신적인 요소가 분명히 존재한다. 하지만 상관적 사고에는 한의학 형성 초기 사고방식의 원형이 잘 드러나 있다. 상관적 사고는 우리가 한의학의 고전들을 읽을 때, 더 나아가 중국 고전을 읽을 때 이 고전들에서 사용하고 있는 논리를 이해할 수 있는 중요한 방편이 된다.

고대 동아시아에서 상관적 사고가 드러난 대표적인 사상이 천인상응天人相應이다.[10] 여기서 '천'은 세계 전체를 개괄하는 것으로 우주, 자연 등의 의미로 해석할 수 있다. 인체를

---

8)   '상관적 사고(correlative thinking)'는 'coordinative thinking', 'associative thinking' 등 학자들에 따라 다른 이름으로 부르고 있다.

9)   A.C. 그레이엄 저, 이창일 역. 음양과 상관적 사유. 화성: 청계; 2001. pp. 261-2.

10)   존 헨더슨 저, 문중양 역주. 중국의 우주론과 청대의 과학혁명. 서울: 소명출판; 2004. p. 18.

중심으로 말한다면 인체를 둘러싸고 있는 외부환경이라고 할 수 있을 것이다. 천인상응은 인체와 우주(자연)의 관계를 소우주와 대우주의 상응 관계로 보는 것을 말한다.

천인상응은 다음 두 가지 의미로 해석될 수 있다. 첫째는 천과 인의 감응感應 관계다. 이것은 천지인天地人이 하나가 되는 상관적 우주론의 중요한 원리이다(천지인일체天地人一體). 감응은 기타 줄이 다른 줄에 공명을 일으키는 것처럼 자연의 변화에 감응하여 인체에도 상응하는 변화가 일어나는 것을 말한다. 그러므로 인체는 자연의 산물이자 동류상동同類相動, 동기상감同氣相感의 감응작용에 의해 자연변화에 맞추어 그 기능을 영위하는 존재다.[11] 인체–우주는 천인감응天人感應(천인상감天人相感)을 통해 하나가 된다. 이런 관계 속에서 인체는 외부 자연환경의 변화에 민감하게 반응하는 존재로 인식된다.

둘째는 천과 인 사이의 유비類比 관계다. 인체는 '소우주'로서 '대우주'인 자연과 서로 대응하는 존재다. 따라서 한의학에서는 자연의 변화를 설명하는 규율이나 법칙, 원리들을 끌어들여 인체 생명현상을 해석하고 설명하는 데 활용했다.[12] 한의학에서는 생명현상의 해석에 인체와 자연 사이의 유비를 적극적으로 활용한다.

천인상응 사상은 한의학의 인체관과 질병관에 큰 영향을 미쳤다. 한의학 이론서인 <황제내경黃帝內經>에는 우주론적 질병관이 일관되게 나타나고 있다. 인체가 건강을 유지하는 가장 중요한 덕목은 몸 안의 기氣와 몸 밖의 기氣 사이에 조화를 유지하는 것이며, 질병은 우리 몸이 계절의 순환과 같은 우주적 질서에 적응하지 못할 때 발생한다고 보았다.[13] 즉, 계절의 변화에 맞추어 양생하는 것에 실패하거나, 바르지 못한 사계절의 기운이 우리 몸을 침범하여 조화를 깨뜨리면 질병이 발생한다고 본 것이다.

동아시아인들은 이런 상관적 우주론의 큰 그림 속에서 현실세계 속의 사물이나 현상들을 음양, 오행의 체계로 분류하였다. 그리고 이 분류체계 안에서 사물이나 현상을 상응적 유비관계나 감응관계를 토대로 서로 연결지어 사고했다.

---

11) <黃帝內經 素問 寶命全形論> "人以天地之氣生, 四時之法成", <黃帝內經 靈樞 順氣一日分爲四時篇> "春生, 夏長, 秋收, 冬藏, 是氣之常也. 人亦應之."

12) <黃帝內經 素問 咳論> "人與天地相參"

13) 존 헨더슨 저, 문중양 역주. 중국의 우주론과 청대의 과학혁명. 서울: 소명출판; 2004. pp. 64-5.

🏷 그레이엄의 상관적 사고에 대한 설명

그레이엄(A. C. Graham)은 소쉬르(F. Saussure)의 구조주의 언어학에서 계열체(paradigm)/연속체(syntagm)의 관계 개념을 빌려와 음양과 오행체계를 토대로 이루어지는 상관적 사고를 언어학적 측면에서 설명했다.[14] 언어적 사고(verbal thinking)는 계열체들의 축적된 목록에 의존하여 이루어진다. 그리고 이 계열체들은 가장 단순하게는 이항적 대립들(음양)로 구성되어 있으며 이 대립항들은 사슬처럼 연결되어 연속체를 이루고 있다. 예를 들어 낮/밤, 해/달, 빛/어둠, 지식/무지, 선/악의 이항 대립들 각각은 계열체들이다. 이 이항적 대립들에서 낮/해/빛/지식/선, 밤/달/어둠/무지/악은 각각 서로 사슬 형태로 연결되어 연속체를 이루고 있다. 이 같은 계열체와 연속체를 이용한 언어적 사고는 동서양을 막론하고 쉽게 찾아볼 수 있는데, '지식의 빛', '악의 어둠' 같은 문구들이다.[15] 그레이엄은 이 같은 상관적 사고가 음양, 오행의 상응체계를 이용한 고대 동아시아인들의 사고에서 특징적으로 나타난다고 보았다.

그레이엄은 표 2-1의 음양상응체계를 이용하여 다양한 진술을 만들어낼 수 있음을 보였다.

예를 들어 1, 2번을 이용하면 '맑고 가벼운 것은 하늘이 되고, 무겁고 탁한 것은 땅이 된다', 5, 6번을 이용하면 '해는 불의 순수한 기氣이고, 달은 물의 순수한 기氣이다', 5, 15번을 이용하면 '불은 타오르고, 물은 아래로 내려간다' 등이다. 이 예들은 고대 동아시아인들의 상관적 사고를 잘 보여주는 것이다.[16]

또한 그레이엄은 〈회남자淮南子·천문훈天文訓〉에 기술되어 있는 내용을 위의 음양상응체계를 통한 상관적 사고로 설명했다. 예를 들어 '불은 위로 타올라 가고 물은 아래로 흐른다. 그러므로 새는 날아서 높이 올라가고 물고기는 움직여서 아래로 내려간다.'[17]에 대해 그레이엄은 다음과 같이 해석했다. "불이 물과 다른 것 같이 새와 물고기는 다르다. 물고기가 물을 닮은 것 같이 새는 불과 닮았다(5, 13번). 어떤 점에서 그런가? 새들은 불처럼 빛과 연결되고, 위로 올라가 하늘이 되는 가벼운 기와 연결된다. 물고기는 물처럼 어둠과 연결되고, 아래로 가라앉아 땅이 되는 두터운 기와 연결된다(1, 2, 8번). 이 논증은 직접적으로 맨 마지막(15번)으로 이어지며, 다시 불과

---

14) A.C. Graham. Yin-Yang and the Nature of Correlative Thinking (Occasional Paper and Monograph Series No.6). Singapore: Institute of East Asian Philosophies; 1986. p. 16.

15) A.C. Graham. Yin-Yang and the Nature of Correlative Thinking (Occasional Paper and Monograph Series No.6). Singapore: Institute of East Asian Philosophies; 1986. pp. 16-8.

16) A.C. Graham. Yin-Yang and the Nature of Correlative Thinking (Occasional Paper and Monograph Series No.6). Singapore: Institute of East Asian Philosophies; 1986. p. 33.

17) 〈淮南子 天文訓〉 "火上蕁 水下流 故鳥飛而高 魚動而下 物類相動 本標相應"

물의 지배 또는 그것들의 진수인 해와 달의 지배로 상정된다."[18]

표 2-1. 기氣에 대한 음양체계[19]

	A. Yang陽	B. Yin陰	Paradigm 계열체
1	Clear and subtle 맑고 가벼운	Heavy and muddy 무겁고 탁한	
2	Heaven 하늘	Earth 땅	
3	Yang 양	Yin 음	
4	Hot 뜨거운	Cold 차가운	
5	Fire 불	Water 물	
6	Sun 해	Moon 달	
7	Round 둥글다	Square 모나다	
8	Illuminates 빛나다	Retreats to dark 어두워지다	
9	Expels 방출하다	Holds in 지니다	
10	Does to 자라다(화化)	Is transformed by 변하다(변變)	
11	Scatters 흩어지다	Congeals 엉기다	
12	Rain and dew 비와 이슬	Frost and snow 서리와 눈	
13	Furred and feathered 털과 깃털이 있는	Shelled and scaly 껍데기와 비늘이 있는	
14	Flies or runs 날거나 달리다	Hibernates or hides 동면하거나 숨다	
15	Goes up 올라가다	Goes down 내려가다	
Syntagm 연속체			

18) A.C. Graham. Yin-Yang and the Nature of Correlative Thinking (Occasional Paper and Monograph Series No.6). Singapore: Institute of East Asian Philosophies; 1986. p. 37.

19) A.C. Graham. Yin-Yang and the Nature of Correlative Thinking (Occasional Paper and Monograph Series No.6). Singapore: Institute of East Asian Philosophies; 1986. pp. 32-3.

2. 분류와 패턴인식

현실 세계 그 자체를 중시했던 동아시아인들에게 '분류'는 이 세계가 가진 현상적인 다양성을 다양성 그대로 인식하면서도 세계를 체계적으로 파악하는, 이 두 가지 목표를 함께 이룰 수 있는 가장 좋은 방법이었다.[20] 동아시아인들은 자연현상이나 사회제도부터 인간의 감정, 사상, 행위에 이르기까지 남김없이 분류하려고 시도했다. 물론 서양에서도 분류가 발전되었지만 동아시아의 분류는 서양과 비교할 때 다른 특징이 있었다. 분류란 동류同類 관계에 대한 파악이 기초가 되는데, 동아시아에서의 동류 개념은 내포적이 아닌 외연적으로 정의되는 특징이 있다고 알려져 있다. 즉, 서양에서의 분류가 개체가 가진 내포적 속성을 중심으로 이루어지는 것이라면, 동아시아에서의 분류는 사물과 사물 사이의 외연적 관계를 중심으로 이루어지는 것이 특징이다.[21] 동서양 분류의 차이를 설명할 때 많이 드는 예가 '판다, 원숭이, 바나나'의 분류다. 서양에서는 내포적 속성을 중심으로 하기 때문에 동물에 속하는 판다와 원숭이를 묶어 한 그룹으로, 과일인 바나나를 또 한 그룹으로 분류한다. 반면에 동아시아에서는 외연적 관계를 중심으로 하기 때문에 원숭이와 원숭이가 좋아하는 바나나를 한 그룹으로, 판다를 다른 한 그룹으로 분류한다는 것이다.[22] 그리고 동아시아의 분류에서는 실천 지향의 기술적記述的(descriptive) 사고와 매거적枚擧的(enumerative) 기술記述이 특징적으로 나타난다.[23] 실천 지향의 기술적 사고란 분류의 목적과 내용에 대한 기술이 철저하게 실천에 초점을 맞추어 이루어졌다는 점을 말하는 것이고, 매거적 기술이란 낱낱을 들어 하나하나 구체적으로 기술하는 방식을 말한다.

음양상응체계와 오행귀류는 동아시아 분류의 중요한 사례들이다. 동아시아인들은 동류관계를 파악하여 모든 사물과 현상을 음양과 오행의 틀 속으로 분류해 넣음으로써 이 세계를 음양과 오행의 관계 구조로 체계화했다. 그리고 상관적 사고를 통해 이 세계에서 일어나는 모든 현상을 음양과 오행으로 인식하고 설명하려고 시도했다.

---

20) 야마다 게이지 저, 박성환 역. 중국 과학의 사상적 풍토. 서울: 전파과학사; 1994. pp. 29-35.
21) 야마다 게이지 저, 박성환 역. 중국 과학의 사상적 풍토. 서울: 전파과학사; 1994. p. 30.
22) 리처드 니스벳 저, 최인철 역. 생각의 지도. 파주: 김영사; 2004. pp. 137-8.
23) 야마다 게이지 저, 박성환 역. 중국 과학의 사상적 풍토. 서울: 전파과학사; 1994. pp. 29-35.

한의학에서도 분류는 중요하게 활용된다. 오행귀류를 기초로 작성된 오장五藏 중심의 장상연계표는 임상에서 장부변증논치를 시행하는 바탕이 된다. <본초강목本草綱目> 같은 약물서적에도 동아시아의 분류 사상이 반영되어 있다.

🏷 <본초강목本草綱目>의 약재 기술에 나타난 동아시아 분류의 특징

야마다 게이지는 <본초강목>의 약재 기술을 예로 들어 동아시아 분류에서 볼 수 있는 실천 지향의 기술을 설명하고 있다. 야마다 게이지의 설명을 요약하면 다음과 같다.

<본초강목>의 약재에 대한 기술은 먼저 각각의 종種에 대해 문헌·민간·지방에서 사용되는 별명(이명異名)이 열거된다. 이어서 산지 및 식물학적(동물·광물에 대해서는 동물학적·광물학적) 특성이 기술된다. 그런 다음 약물로서의 용법과 효용이 여러 문헌들을 인용하여 상세하게 논해진다. 그들의 주요 관심은 형태에 의한 분류가 아니었다. 그들의 관심은 약효, 즉 성분에 있으며 형태는 그것을 식별하기 위한 지표에 불과했다. 그뿐 아니라 동일종이면서도 산지에 따른 품질의 좋고 나쁨이 상세하게 기재되고 있다(도지약재道地藥材[24]). '식물로서 어떻게 있는가'보다도 '약물로서 어떻게 쓸모가 있는가'가 본초 연구를 방향 짓는 가치 기준으로 작용하고 있다. 본초서는 농서나 약국방藥局方과 같은 기술서 성격을 띠고 있었다.

이처럼 동아시아에서 분류는 '분석적 이성의 작용이 실천적 유효성의 한계를 넘어서는 안되'는 것이었다. 이것이 동아시아의 분류가 서양의 분류와 서로 차이가 나는 부분이다.[25]

분류 외에 동아시아인들이 중요하게 생각했던 것은 패턴인식이었다. 패턴인식은 사물이나 현상의 변화 속에 숨어 있는 규칙성을 찾아내는 것을 말한다. 이 세상에 존재하는 모든 것은 정지해 있지 않고 움직이고 변화한다(항동관). 변화 그 자체를 중시했던 동아시아인들은 변화 속에 숨어 있는 규칙, 즉 변화의 기본적인 패턴들을 찾아내려고 시도했다. 모

---

[24] 도지약재는 특정 지역에서 생산된 최상의 약효를 나타내는 약재를 말한다. 이것은 특정 약의 생육에 적합한 자연조건을 갖춘 지역이 있으며, 이 지역에서 생산된 약재라야 품질이 우수하고 임상적으로 좋은 치료 효과를 나타낸다고 생각한 데서 유래한 것이다. 예로부터 임상에 뛰어난 한의들은 약재의 품질을 중요하게 생각했으며 도지약재를 잘 알아 환자를 치료하는데 활용했다.

[25] 야마다 게이지 저, 박성환 역. 중국 과학의 사상적 풍토. 서울: 전파과학사; 1994. pp. 29-35.

든 변화가 '기'라는 개념을 중심으로 설명되었기 때문에 패턴인식은 기의 운동 패턴에 대한 인식과 다름없었다. 대표적인 기의 운동 패턴은 사계절의 기후변화에서 관찰할 수 있었다. 한서寒暑가 왕래하는 사계절의 기후변화는 음양기의 승강 결과로 나타나는 현상으로 파악된다.[26] 봄부터 여름까지는 양기가 신장하고 음기가 쇠퇴하며, 가을부터 겨울까지는 양기가 쇠퇴하고 음기가 신장한다. 사계절의 변화에서 볼 수 있는 음양기의 파동적인 리듬은 1년을 주기로 순환한다. 동아시아인들이 발견했던 또 다른 중요한 사실은 이 같은 기의 운동 패턴이 종종 다른 변화에서도 관찰된다는 것이었다. 사계절에서 나타나는 음양기의 승강 패턴은 1일을 주기로 하는 주야의 변화나 1월을 주기로 하는 삭망朔望의 변화에서도 동일하게 관찰된다.

동아시아인들은 이를 확장하여 자연의 변화뿐만 아니라 인간의 세상사나 사회적 현상에도 동일하게 적용할 수 있는 변화의 패턴이 존재한다고 믿었다. 이런 패턴인식은 <주역周易>의 64괘, 상수학象數學으로 발전되었고 전통시대 동아시아인들의 사고에 큰 영향을 미쳤다.[27]

한의학에서는 1일, 1월, 1년을 주기로 하는 시간의 순환과 이 속에서 공통으로 발견되는 음양승강의 패턴을 인체 생리기능과 환경사이의 관계를 해석하는 데 적극적으로 활용했다. 낮에는 체표양분, 밤에는 체내오장을 순행하는 위기衛氣의 순행이 대표적이다. 위기는 인체 양기의 수요에 맞추어 밤과 낮에 순행방식을 달리함으로써 계절의 변화와 하루의 시간적 리듬에 맞추어 인체 기능을 조절한다. 또 의역학자醫易學者들은 주역의 사상을 의학에 끌어들여 적극적으로 활용함으로써 의역회통醫易會通을 시도하기도 했다.

---

26) 〈黃帝內經 素問 五運行大論〉 "陰陽之升降, 寒暑彰其兆"
27) 야마다 게이지 저, 박성환 역. 중국 과학의 사상적 풍토. 서울: 전파과학사; 1994. pp. 35-41.

3. 은유(Metaphor)

레이코프(George Lakoff)와 존슨(Mark Johnson)은 1980년에 발간한 <삶으로서의 은유(Metaphor We Live By)>라는 책에서 은유가 문학적 수사나 비유 등 '특별한' 목적으로만 사용되는 것이 아니라 우리의 '일상적' 개념체계 자체가 본질적으로 은유적이라고 주장했다. 은유가 우리가 잘 모르는 미지의 새로운 영역을 탐구할 때 일상적으로 사용하는 보편적인 인지방법이라는 것이다. 이들은 이런 인식을 '개념적 은유 이론'(conceptual metaphor theory)으로 발표했다.

이들은 "은유의 본질이 한 종류의 사물을 다른 종류의 사물의 관점에서(in terms of) 이해하고 경험하는 것"이라고 정의했다.[28] 즉, 은유는 우리가 잘 알고 있는 A라는 개념영역(근원영역)을 우리가 잘 모르는 미지의 다른 개념영역 B(목표영역)에 투사(projection)하여 A를 통해 B를 이해하는 인지 방식이다. 예를 들어 '논쟁은 전쟁'이라는 은유는 '전쟁'이라는 우리가 잘 알고 있는 근원영역의 개념을 '논쟁'이라는 목표영역에 투사하여 '논쟁'을 '전쟁'의 관점에서 이해하고, '전쟁'의 하위개념들로 '논쟁'을 구조화한다. 즉, '논쟁'은 언어적 '전쟁'으로서 '전쟁'과 마찬가지로 '공격'과 '방어'가 있고, '승패'가 있으며, '강점'을 살리고 '약점'을 공격하는 '전략'이 있다.[29]

한의학에서도 이러한 은유적 인지방식이 많이 사용되었다. 한의학에서는 천인상응관天人相應觀을 기초로 자연(대우주)에 대한 인간의 경험을 인체에 은유적으로 투사하여 인체(소우주)를 이해하려고 시도했다. 이런 특징은 서양의 박테리아나 바이러스 같은 용어와 한의학의 '화火'나 '열熱' 같은 용어를 비교할 때 분명하게 드러난다. 한의학의 용어는 인간의 일상생활과 자연에 대한 신체적 경험에서 유래한 것이 많으며 이런 관점에서 볼 때 한의학의 언어는 분명히 은유적 언어로서의 특징을 갖추고 있다.[30]

한의학 형성기의 의가들은 질병을 이해하고 치료하기 위해 인체의 각종 현상들을 체계적으로 알기 원했으며 이를 위해 이들은 일상생활이나 자연의 변화에 대한 자신들의 경험

---

28) G.레이코프, M.존슨 저. 노양진, 나익주 역. 삶으로서의 은유(수정판). 서울: 박이정; 2006. p. 24.

29) G.레이코프, M.존슨 저. 노양진, 나익주 역. 삶으로서의 은유(수정판). 서울: 박이정; 2006. pp. 22-3.

30) 贾春华. 基于隐喻认知的中医语言研究纲领. 北京中医药大学学报. 2014;37(5):294.

들을 인체 구조와 각종 현상에 은유적으로 투사(확장)했다. 한의학에서 많이 사용되는 '한열'개념 또한 인간의 자연에 대한 경험에서 유래한 것이다. 은유는 한의학에서 미지의 인체를 탐구하기 위해 사용된 중요한 인지방법이었다.

제3절 음양오행학설

음양오행학설은 전통시대 동아시아의 거의 모든 학문과 기술영역에 사용되었던 핵심적인 강령(doctrine)이었다. 음양과 오행 모두 최초에는 자연계 속에서 흔히 관찰할 수 있는 현상이나 구체적인 사물을 지칭하는 용어에 불과했다. 음양은 산이나 언덕을 기준으로 해가 잘 드는 양지(양)와 해가 잘 들지 않은 응달(음)을 가리키는 것에서 출발했다. 하지만 시간이 지나면서 음과 양에 다양한 의미들이 덧붙여졌고, 한대漢代에는 만물의 생성과 변화를 설명하는 중요한 철학적 범주로 발전했다. <주역 계사전繫辭傳>은 음양이 철학적인 범주로 발전했다는 것을 보여주는 중요한 저작이었다. 오행 또한 실생활에서 쉽게 볼 수 있는 다섯 가지 재료에서 출발했다. 전국시대까지 큰 변화가 없다가 전국 말기에 와서 상생상승(상극)相生相勝(相克)의 관념이 더해지면서 중요한 사상적 방법이 되었다.[31] 본래 음양과 오행은 별개의 개념이었지만 전국시대 추연鄒衍에게서 음양과 오행의 결합이 시도되었고, 한대漢代 동중서董仲舒에 이르러서는 음양과 오행이 더욱 긴밀하게 결합하여 우주론과 천인관계를 설명하는 핵심으로 자리잡았다.[32] 이렇게 발전한 음양오행학설은 <황제내경>에서 볼 수 있듯이 한의학의 이론과 임상 경험을 집약하는 중요한 철학적 방법으로 활용되었다.

---

31) 문재곤. 漢代易學研究-卦氣易學의 展開를 中心으로- [박사학위]. [서울]: 고려대학교 대학원; 1990년. p. 5.

32) '양계초, 풍우란 외 저, 김홍경 편역. 음양오행설의 연구. 서울: 신지서원; 1993'에는 중국의 여러 학자들이 음양오행설의 역사와 의미에 대해 논한 논문들이 실려 있다.

1. 음양학설

음양학설은 사물과 현상 속에 보편적으로 존재하는 대립적인 두 측면을 음과 양으로 명명하고, 음과 양의 대대待對 관계를 통해 사물과 현상의 변화를 파악하고 설명하려는 이론이다. 이 때 음과 양의 관계는 각각을 정의함에 있어 독립적으로 정의될 수 없고 개념적으로 서로 의존해 있다는 점에서 상대적이다.

<황제내경>에 따르면 음양은 실체가 아닌 부호이며[33], 자연의 변화 규율이고, 자연계의 모든 사물과 현상을 포착하고 귀납하는 큰 강령이다.[34]

1) 음양의 속성

'음양陰陽'에는 전일全一, 대대待對, 통일統一, 분화分化, 소장消長의 속성이 포함되어 있다. 이 속성들은 음양이 어떤 것인지를 잘 보여준다.

(1) 전일

전일은 '온전한 하나'라는 의미다. 음양은 사물과 현상을 음과 양이라는 두 요소로 나누어 보는 것이다. 그럼에도 불구하고 전일을 음양의 대표적인 속성으로 꼽는 것에는 음과 양이 전체의 부분으로서 전체와 분리하여 생각할 수 없다는 의미가 내포되어 있다. 전일과 음양은 '하나이면서 둘이요, 둘이면서 하나인(一而二, 二而一)' 관계에 있다. 음양은 전일이라는 일원적 본체의 양면이고, 전일은 음양현상의 통일성을 표현하는 언표다. 그러므로 전일과 음양은 본질이 서로 다르지 않으며 전일로부터 분화된 음양(一而二)은 다시 통합되어 전일로 귀속된다(二而一).

(2) 대대

대대는 상대相對라는 용어로는 그 의미를 다 드러낼 수 없는 개념이다. 중의학에서는 음양을 변증법적으로 해석하여 음양의 관계를 상호모순, 상호투쟁, 상호대립 등으로 규정한

---

33)   <黃帝內經 靈樞 陰陽繫日月篇> "夫陰陽者, 有名而無形, 故數之可十, 離之可百, 散之可千, 推之可萬, 此之謂也."
34)   <黃帝內經 素問 陰陽應象大論> "陰陽者, 天地之道也, 萬物之綱紀"

다. 하지만 음과 양의 관계는 이분법적인, 대립과 모순이 전부가 아니다. 오히려 음양 관계의 본질은 서로 대립하면서도 다른 한편으로 서로 의존하며, 또 서로 상반되면서도 서로 이루는 상반상성相反相成의 관계가 중심이 된다. 이를 대대라 한다. 이것은 기본적으로 음과 양이 전일의 양면으로서 상보相補적 관계에 있기 때문이다.

(3) 통일

통일은 음과 양이 상호동근相互同根인 하나의 통일체가 됨을 말한다. 전일에서 분화된 음양은 서로 상대적이면서 대립적인 속성을 가지지만 이는 다시 전일의 양면으로 집약되어 통일성을 갖는다. 통일은 음양으로 분화한 이후에 다시 전일로 통합되는 과정을 말한다.

(4) 분화

분화는 음양 속에 다시 음양이 있어 음이 다시 음양으로 나누어지고 양도 다시 음양으로 나누어지는 속성을 말한다. 즉, 음양의 구분은 절대적인 것이 아니며 상대적인 편차偏差에 따른 것일 뿐이므로 음과 양에는 각기 다시 음양으로 나누어져 끊임없이 분화, 발전할 수 있는 가능성이 내포되어 있다. 이것은 음양이 분화를 통해 구체적인 사물에까지 적용해 나갈 수 있다는 확장성을 말한 것이다.

(5) 소장

소장은 음양의 상대적 관계가 정지하여 불변不變하는 것이 아니라 항상 진퇴소장進退消長하는 역동적 과정 속에 있는 것임을 말한 것이다. 음과 양의 관계는 음세력(음기陰氣)과 양세력(양기陽氣)이 끊임없이 진퇴, 소장하면서 동태적 평형을 찾아가는 것을 목표로 한다.

2) 음양학설의 한의학 적용 - 한의학의 인체관과 음양학설

음양학설은 오행학설과 함께 전통시대 동아시아의 학문과 사상, 기술 영역 대부분에 적용되었던 공통의 방법론이자 세계 인식 도구였다. 이런 음양학설이 한의학에서는 어느 정도 비중으로 활용되고 있을까? 윤길영은 한의학에 적용되었던 음양을 "① 음양대사의 양兩 세력을 지칭하는 음양, ② 상대적으로 지칭하는 음양, ③ 경락經絡의 음양, ④ 부역部域의 음양, ⑤ 생명원生命源의 음양"으로 정리했다. 그러면서 "음양은 다의적多義的으로 사용되므로 초학자는 이를 이해하지 못하고 마음대로 지칭하는 용어로 생각하는 수가 있는데 이는 큰 오해다."라고 했다.[35] 실제 한의학에 활용되는 음양이 흔히 생각하는 것처럼 그렇게 범위가 넓고 심오한 것이 아니며, 그렇기 때문에 음양을 신비화해서 한의학을 관념적이고 사변적인 의학으로 만들어서는 안 된다고 지적하고 있는 것이다. 실제로 한의학에서 음양은 매우 제한된 범위 내에서 활용된다.

그러므로 한의학에서 음양학설은 관념적인 철학사상으로서가 아니라 의학 본연의 임무, 즉 건강을 유지하고 질병을 치료, 예방하는 목적을 수행하기 위한 하나의 방법으로서 보다 엄격하고 제한적으로 활용될 필요가 있다.

한의학에서는 인체를 전일생명체全一生命體로 규정한다. 우리는 인체 '전일생명'에 어떻게 접근할 수 있을까? '전일생명체'로서 인체가 나타내는 '생명현상'을 통해서다. 한의학에서는 음양학설을 통해 인체 생명현상에 접근함으로써 생명의 전체성을 손상시키지 않고 인식할 수 있는 전체론적 방법을 발전시켰다.

한의학에서는 다양한 음양지표들을 동원하여 인체 생명현상을 관찰하고 이를 음양 대대관계로 해석한다. 다양한 음양지표들을 동원하는 것은 생명현상이 복잡하고 다양하여 한두 가지 지표로는 파악할 수 없기 때문이다. 동정動靜, 한열寒熱, 형기形氣 조습燥濕, 기혈氣血 같은 음양지표들은 모두 전체의 한 측면만을 보여줄 뿐이어서 한두 가지 지표만 가지고는 전체를 온전하게 인식할 수 없다. 그러므로 한의학에서는 다양한 음양지표들을 동원하고 이들 사이의 유기적인 관계를 통해 전체 '생명'에 접근한다.

또 한의학에서는 항동관과 평형관을 통해 인체는 고정 불변한 실체가 아니라 끊임없이 변화하는 과정 속에 있는 존재이며 인체 시스템 또한 동태적 평형을 목표로 기능하는 것으로 파악한다. 이런 관점 또한 음양학설에 의해 구현된다. 즉, 한의학에서는 인체 생명현상을 음기(음세력, 형화形化하려는 세력)와 양기(양세력, 기화氣化하려는 세력)라는 상반상성하는 세력이 끊임없이 유동하면서 동태적 평형을 이루려는 과정에서 나타나는 현상으로 해석한다. 그리고 이런 음기와 양기의 상호작용 결과로 도달하는 이상적인 평형 상태를 '음평양비陰平陽秘'로 규정하여 표준으로 삼는다.

---

35)　　윤길영. 동의임상방제학. 서울: 명보출판사; 1985. p. 17.

한의학에서 음양학설은 동태적 평형의 관점에서 다양한 음양지표들을 인체에 적용하여 인체의 생리, 병리 현상을 해석하는 하나의 방법이다.

2. 오행학설

오행 개념은 나무(木), 불(火), 흙(土), 쇠(金), 물(水)의 다섯 가지 재료에서 출발했다. 하지만 후대에 음양과 오행이 결합되고 음양오행이 상관적 우주론을 설명하는 핵심적인 개념이 되면서 오행 또한 더 높은 차원의 철학적 의미를 갖게 되었다.

오행학설은 목, 화, 토, 금, 수 오행 사이의 상생相生과 상극相克 관계를 통해 동태적 평형의 관점에서 변화를 설명하는 이론이다. 오행의 '행行', 오운五運의 '운運'은 모두 움직이고 변화한다는 의미를 담고 있다. 오행학설에서 중요한 것은 오행 사이의 상생상극 관계다. 상생은 자생資生, 촉진促進의 의미가 있고, 상극은 억제, 조절의 의미가 있다. 오행은 개별 오행 사이의 상생상극 관계를 통해 동태적 평형을 유지한다.

오행에 대해서는 오해가 많다. 오행을 비판하는 사람들은 지금도 여전히 오행을 다섯 가지 재료라는 관점에서 공격한다. 근대 중국의 유명한 중의 윈테차오惲鐵樵는 <황제내경>의 오행학설을 이해하는 핵심은 다섯 가지 재료가 아니라 사시四時(춘, 하, 추, 동 사계절)와 오행의 관계에 있다고 주장했다. 그는 오행 상생상극에 대한 통속적인 해석을 비판했다. 옛 사람들이 아무리 어리석었다고 해도 목생화木生火를 나무를 비벼 불을 취할 수 있다거나, 수생목水生木을 물이 있어야 나무가 잘 자란다는 식으로만 생각하지 않았을 것이라고 말했다. "<내경內經>은 인류의 생로병사生老病死가 모두 사시한서四時寒暑의 지배를 받고 있다는 것을 인정했다. 그러므로 사시를 <내경> 전체의 뼈대로 삼았다. 사시에는 풍한서습風寒暑濕의 변화가 있으므로 육기학설六氣學說을 세워 천天에 속하게 했고, 사시에는 생장화수장生長化收藏의 변화가 있으므로 곧 오행학설을 세워 지地에 속하게 했다. 오행과 육기는 모두 사시를 설명하는 개념들이다."[36]

36) 惲铁樵. <群经见智录·五行之硏究 第八>. 惲铁樵医书合集 上卷 (中医名家医书合集大系4). 天津: 天津科学技术出版社; 2010. pp. 151-4.

이것은 한의학에서 활용되는 오행의 가장 중요한 기준이 각 계절에서 나타나는 변화, 즉, 사시오행이라는 것을 말한다. 춘春, 하夏, 장하長夏, 추秋, 동冬 각 계절에서 특징적으로 나타나는 생生, 장長, 화化, 수收, 장藏의 현상이 오행학설을 이해하는 핵심이라는 것이다. 한의학에서는 사시오행을 오장五藏과 결부시켜 오장의 주요기능을 인식하고 설명하는 기초로 삼았다.

1) 오행의 속성

(1) 목木-생生(발생)-생기生氣(발생력)

목은 발생력이다. 목기木氣는 양기인 생명력이 발생하는 기운으로 방위로는 동쪽, 계절로는 봄에 해당하는 기운이다. 발생이란 봄에 식물의 싹이 땅을 뚫고 나오듯이 겨울의 봉장封藏 상태로부터 생명이 터져 나오는 것을 말한다. 목에는 발생發生, 곡직曲直, 신장伸張(생장生長, 승발升發, 조달條達, 서창舒暢), 이동易動(쉽게 변동) 등의 특성이 포함되어 있다.

(2) 화火-장長(추진)-장기長氣(추진력)

화는 추진력, 또는 분산력分散力이다. 화기火氣는 생명력이 분산하는 기운으로 방위로는 남쪽, 계절로는 여름에 해당하는 기운이다. 봄에 땅을 뚫고 나온 초목이 여름에 무성하게 자라듯이 화의 기운은 추진과 분산하는 힘을 대표한다. 화에는 염상炎上, 온열溫熱, 적명赤明, 화물化物(사물을 용화熔化시킴) 등의 특성이 있다.

(3) 토土-화化(통합)-화기化氣(통합력)

토는 통합력이다. 통합이란 자기와 다른 이질적인 것을 받아들여 자기화自己化하는 것을 의미한다. 화火의 분열分裂을 통합시켜 보다 성숙하도록 하는 기운이다. 토기土氣는 모순과 대립을 조화시키는 기운으로 방위로는 중앙에 배속되고 계절로는 장하長夏 또는 사계四季에 작용한다. 토기는 생명력을 조화하는 화순和順, 중화中和, 중용中庸, 원만圓滿, 비만肥滿, 번식 등으로 상징된다. 토에는 재물載物(땅은 모든 사물을 싣고 있다), 생화生化(변화 생장)의 특성이 있다.

(4) 금金-수收(억제)-수기收氣(억제력)

금은 억제력 또는 양기(생명력)를 수렴하는 기운이다. 방위로는 서쪽, 계절로는 가을에 해당한다. 금에는 수렴收斂, 청결淸潔, 숙강肅降, 숙살肅殺 등의 특성이 있다.

(5) 수水-장藏(침정)-장기藏氣(침정력)

수는 침정력沈靜力 또는 양기를 봉장封藏하는 기운이다. 방위로는 북쪽, 계절로는 겨울에 해당하는 기운이다. <홍범>에서는 "수왈윤하水曰潤下"라고 했는데, 이는 물이 자윤滋潤하고 아래로 향하는 성질을 취해 수의 특성을 설명한 것이다. 수에는 한냉寒冷, 취하就下, 자윤滋潤, 폐장閉藏, 응고凝固의 특성이 있다.

2) 오행 사이의 상호관계[37]

오행 상호 간의 관계는 정상적인(생리적인) 상태를 반영하는 상생상극관계와 비정상적인(병리적인) 상태를 반영하는 상승상모관계가 있다.

(1) 상생관계

목생화, 화생토, 토생금, 금생수, 수생목의 관계를 말한다. 상생은 상호협조相互協助, 상호자생相互資生, 상호조장相互助長, 상호촉진相互促進의 관계를 말한다.

(2) 상극관계

목극토, 토극수, 수극화, 화극금, 금극목의 관계를 말한다. 상극은 상호억제相互抑制, 상호견제相互牽制, 상호제약相互制約의 길항拮抗 관계를 말한다.

(3) 상승상모相乘相侮관계

상승상모는 오행사이의 정상적인 생극제화生克制化 관계가 파괴된 후에 나타나는 비정상적인 관계를 말한다. 상승의 승乘은 강한 것이 약한 것을 능멸凌滅한다는 의미이다. 상모는 본래는 약한 것이 본래 강한 것을 일시적으로 업신여기는 것이다. 예를 들어 목이 지나

---

37)   박왕용. 오행학설에 대한 연구 [박사학위]. [서울]: 경희대학교 대학원; 1997년. pp. 50-6.

치게 강하면 자신이 극하는 관계에 있는 토를 능멸할 수 있는데 이것을 상승이라 한다. 반대로 목이 지나치게 강하면 목이 자신을 극하는 금을 깔보아 업신여길 수 있는데 이를 상모라 한다. 상승이 발생할 때는 동시에 상모가 발생하고 상모가 발생할 때에도 상승이 동시에 발생한다. 예를 들어 목이 지나치게 강하면 승토乘土도 하고 모금侮金도 하며, 금이 허할 때에는 목의 반모反侮도 받고 화의 승火乘도 받을 수 있다.

(4) 상생상극과 상승상모관계의 차이

정상적인 상태에서 오행은 상생상극관계를 통해 동태적 평형을 유지한다. 예를 들어 토의 평상시 작용 정도를 100이라고 한다면 때로 토가 항진되어 110의 작용을 나타낼 때가 있다. 이때 토를 극하는 목이 작용하여 토의 작용을 100으로 떨어뜨리는 것이 상극이다. 그리고 목의 작용은 토가 100으로 돌아오면 멈춘다. 반대로 토의 작용이 90으로 떨어지게 되면 화생토의 기전이 작동하여 토의 작용을 100으로 끌어 올린다. 이처럼 상생과 상극은 시간적 순서를 가지고 독립적으로 작용하는 것이 아니라 오행 사이에 동시에 발생하는 관계다. 오행이 상호작용하여 정상적인 평형 상태를 계속 유지하게 하는 것이 상생상극의 의미다.

반면에 상승상모는 이미 이런 동태적인 평형이 깨진 상태에 적용되는 관계다. 평형이 깨진 상황에서 만일 토가 110의 상태로 작용할 때는 목극토가 작용하여 평형을 회복하는 것이 아니라 곧바로 토승수, 토모목의 관계가 형성된다.

3) 오행학설의 한의학 적용

한의학에서 활용되는 오행학설 역시 한의학의 전일, 항동, 조화와 평형 관점과 연결되어 있다. 한의학에서 오행학설은 주로 장상의 틀 속에서 오장의 기능을 설명하는 데 활용된다. 전일론의 관점에서 인체를 볼 때 오장 각각은 인체 전체시스템을 구성하는 하위 자구시스템이다. 그리고 오장 사이에는 오행의 상생, 상극 피드백 관계가 형성된다. 인체 전체 오장시스템은 상생, 상극의 피드백 관계를 통해 상대적인 안정성을 유지하는데 이것은 일종의 동태적 평형 상태다. 오장 사이의 역학적 관계는 정지되어 있지 않고, 인체 내부, 외부 환경의 자극을 받아 끊임없이 유동하고 변화한다. 이런 변화 속에서 인체 전체시스템은 오장이라는 하위 시스템들의 상호작용을 통해 동태적 평형 상태에 도달하는 것을 목표로 기능한다. 이 과정에서 시스템의 일부인 A장기가 평형 상태에 대해 크지 않은 일탈을 하면 나머지 시스템이 A가 회복되도록 도와준다. 그러나 일탈이 충분히 클 때는 오히려 A장기의 영향으로 다른 하위 시스템들의 평형 상태가 깨어질 수 있다.

인체 오장시스템은 일종의 흑상黑箱(black box)으로서 인체로 들어오고 나가는 입력(input)과 출력(output)에 의해 조절된다. 한의학에서는 사진四診에 의해 인체에서 출력되는 정보들을 수집한다. 그리고 이를 종합하여 환자의 질병상태를 오장과 관련된 다양한 장변수로 분석하는 변증辨證 과정을 거친다. 그리고 평형한도를 벗어난 인체 시스템을 한약, 침, 뜸 등의 요소를 외부에서 투입(외부 입력)하여 정상 상태로 되돌린다. 이것을 체계적으로 정리한 것이 오장을 중심으로 하는 장부변증논치다.

3. 음양오행학설은 한의학 이론? 한의학의 철학적 방법론?

음양오행학설은 전통시대 동아시아의 거의 대부분의 학술, 기술 영역에서 활용되었던 공통의 철학적 방법론이었다. 한대漢代에 지배적 사상으로 부상했던 오행학설은 '오덕종시설五德終始說' 같은 정치 담론을 비롯해서 각종 참위설讖緯說과도 연결되어 한대에 이미 심각한 비판에 직면하기도 했다. 동중서董仲舒는 음양오행을 국가와 우주의 질서를 설명하는 원리로 사용했고, 송대宋代 신유학자들은 '태극太極–음양陰陽–오행五行–만물萬物'의 체계로 거대한 신유학적 형이상학을 형성하기도 했다. 이처럼 음양오행학설은 한대 이후로 인간–국가–우주를 연결하는 핵심적인 사상이었다.

음양오행이 전통시대 거의 모든 분야에 공통으로 적용되었던 방법이었으므로 한의학 분야에서도 음양오행학설을 도입하여 임상에서의 경험들을 집약하고 이론을 형성하는 데 활용했다. 그러나 그렇다고 해도 전통시대에 출현했던 음양오행과 관련된 담론들이 전부 한의학과 관련이 있었다고 말할 수는 없다. 실제로 한의학에 적용되었던 음양오행은 전체 담론 중에서도 지극히 일부분이었다. 한의학에서 음양오행학설은 직접적으로 사용되는 경우 보다는 기혈氣血, 장상藏象, 경락經絡, 팔강八綱, 기미氣味, 변증논치辨證論治 등 한의학의 독자적인 이론들을 통해 간접적으로 활용되는 경우가 훨씬 더 많았다. 그러므로 동아시아 전통 사상 전체를 한의학과 결부시키거나 음양오행학설 자체를 한의학 이론의 전부인 것처럼 말하는 것은 옳지 않다.

현대한의학에서는 음양오행학설을 어느 정도 수준에서 수용하고 활용해야 할까? 한의학 임상에서 활용되는 한의학 이론들이 대부분 음양, 오행학설에 기초하여 만들어졌다는 것은 부인할 수 없는 사실이다. 그러므로 일부의 주장처럼 한의학에서 음양오행학설을 완전히 배제하는 것은 불가능하다. 가장 현실적인 대안은 한의학 속에 들어와 있는 음양오행학설을 정확하게 평가하여 군더더기는 버리고 필수적인 부분만 남겨 활용하는 것이다.

이런 작업을 위해 우선적으로 해야 할 일은 의학과 의철학을 구분하는 것이다. 현재 한의학 내용에 들어와 있는 음양오행과 관련된 철학적 담론들을 한의철학 영역으로 넘기고, 한의철학에서도 이 내용들을 의학적 방법이라는 관점에서 평가하여 정리하는 것이 바람직하다. 의학적 방법이란 의학이 지향하는 목표에 도달하기 위해 사용되는 방법들을 포괄적으로 일컫는 말이다. 의학적 방법이라는 관점에서 음양오행학설을 평가한다는 것은 한의학의 실천적 목표인 양생을 통한 건강유지와 질병 예방, 그리고 질병의 치료를 달성하기 위한 방법이라는 관점에서 음양오행학설을 정리하고 활용하는 것을 의미한다. 이렇게 하면 한의학에서 음양오행학설과 관련하여 우리가 활용할 수 있는 내용과 활용할 수 없는 내용이 분명하게 구분될 수 있을 것이다.

이런 작업을 할 때 마음에 새겨야 할 것은 음양오행학설이 근·현대시기에 여러 학자들로부터 동아시아 과학 발전을 가로막은 주범으로 비판받았다는 점이다. 음양오행이라는 관념적이고 사변적인 체계를 지나치게 신봉하고 앞세울 경우 음양오행은 임상현상을 넘어서서 임상현상 그 자체를 압도하고 왜곡할 수 있다. 현대화, 과학화를 지향하는 한의학이 다시 범하지 말아야 할 오류다.

🔖 오행학설과 오행귀류五行歸類

오행귀류란 오행학설을 기초로 자연계와 인체 방면의 사물과 현상들을 오방五方, 오계五季, 오기五氣, 오화五化, 오색五色, 오미五味, 오음五音, 오장五藏, 오부五府, 오관五官, 오체五體, 오지五志, 오액五液 등으로 분류하는 것을 말한다. 현재 알려져 있는 오행귀류는 100종 이상이며, 〈황제내경〉에는 30종 남짓 소개되어 있다.

죠셉 니덤(Joseph Needham)의 〈중국의 과학과 문명〉에서는 오행귀류표의 작성에 여러 부류의 학자집단이 참여하였다는 에버하르트(Eberhard)의 주장을 소개하고 있다. 첫째는 천문그룹으로, 이 그룹은 오행과 간지干支, 오수五宿, 혹성惑星, 제후 나라와의 상관관계를 제시했다. 둘째는 추연鄒衍에서 유래하는 음양가그룹으로, 이는 다시 황제계열그룹, 음양그룹, 홍범洪範그룹으로 나누어진다. 황제계열 그룹은 추연이 왕조의 교체과정을 오행상승설五行相勝說에 입각하여 해석했기 때문에 오행 배당配當이 정치적으로 상당히 중요한 의미를 갖게 되어 참여했다. 음양그룹은 무명無名했지만 후대의 생물학적 사고에 영향을 주었고, 홍범그룹은 〈서경書經〉의 오행에 관한 문장을 연구하였던 음양가로서 인간, 사회, 정치 등에 관심을 가졌으며 인간의 심리적, 육체적 기능, 정부의 여러 형, 정부의 부서 및 윤리의 형식 등 방면에서 오행 배당을 제시했다. 마지막으로 두 개의 중요한 그룹이 있으며, 이는 월령月令그룹과 소문素問그룹이다. 월령그룹은 농사전문가들로서 일년의 계절, 색, 동물, 가축, 곡물, 천후, 희생犧牲과 그것들을 봉납奉納하는 신神들을 오행에 관련시켰다. 소문그룹은 의학그룹으로 오행과 장기臟器, 신체의 부분, 감각기관, 감정 상태 등을 오행과 관련지었다. 에버하르트는 서로 다른 관심을 가진 여러 그룹이 참여하여 오행귀류에 관한 광범위한 체계를 구성했다고 본 것이다.[38] 오행학설은 한대漢代에 이르러 가장 융성했다. 오행은 국정을 이끌어 가는 데 활용된 지도적인 이념이었다. 한대의 경학經學과 참위설讖緯說 또한 모두 오행학설을 중심으로 하고 있었다. 그러나 한漢과 위魏의 교체시기에 이르면 오행학설이 초래한 부작용으로 인해 경학이 퇴조하고 참위설이 국가적으로 금지되어 오행학설은 정치적으로 실세失勢하게 된다.[39]

오행학설은 이미 고대시기부터 많은 비판을 받았다. 일찍이 춘추전국 시대의 손자孫子와 후기 묵가墨家는 오행상승설五行相勝說에 대해 무상승설無常勝說을 주장했으며[40] 왕충王充 또한 오행

---

38) 조셉 니담 저, 李錫浩.李鐵柱.林楨垈 역. 中國의 科學과 文明(2). 서울: 을유문화사; 1987. pp. 366-8.

39) 殷南根. 五行新论. 辽宁: 辽宁教育出版社; 1993. pp. 57-65.

40) 殷南根. 五行新论. p. 12.

상승설五行相勝說을 비판했다.[41] 명청대에 이르면 왕정상王廷相, 오정한吳廷翰, 고홍高拱, 왕부지王夫之, 원매袁枚, 공자진龔自珍 등이 이론적인 면과 실천적인 면 모두에서 오행학설을 비판하고 있다.[42] 이들은 대체로 〈홍범洪範〉의 오행설만을 긍정적인 것으로 받아들였고, 춘추전국 시대 이후에 발전된 오행학설에 대해서는 황당하고 신비주의적인 것으로 견강부회에 가깝다고 비판했다.[43]

근, 현대에 접어들면 오행학설에 대한 비판은 더 신랄해진다. 위윈슈余雲岫를 비롯해서 근대 중국의 지식인들 대부분이 오행학설에 비판적인 입장을 취했다. 죠셉 니덤 또한 오행귀류가 더욱 정교해지며 공상적인 것이 될수록 그 전체 체계는 자연의 관찰에서 멀어지는 경향이 있었으며 송대에는 발달했던 과학운동에 결정적으로 유해한 영향을 주었다고 비판했다. 그리고 오행학설과 같은 총괄적인 이론을 오랫동안 무비판적으로 승인해왔기 때문에 이것이 중국의 과학발전에 오히려 유해한 영향을 끼쳤다고 평가했다.[44] 이런 비판들은 뼈아픈 것이다. 과거 오행귀류를 통해 시도되었던 세계에 대한 오행적 체계화는 그 체계가 방대해지면 방대해질수록 관념적이고 사변적인 방향으로 흐를 수밖에 없었다. 오행에 대한 균형 잡힌 시각이 필요한 이유다.

---

41)   조셉 니담 저, 李錫浩.李鐵柱.林楨垈 역. 中國의 科學과 文明(2). pp. 368-70.

42)   殷南根. 五行新论. pp. 139-55.

43)   殷南根. 五行新论. pp. 154-5.

44)   조셉 니담 저, 李錫浩.李鐵柱.林楨垈 역. 中國의 科學과 文明(2). pp. 370-2.

📖 더 읽을거리

1. 리처드 니스벳 저, 최인철 역. 생각의 지도. 파주: 김영사; 2004.

   이 책의 내용을 바탕으로 EBS에서는 <동과서>라는 다큐멘터리를 제작하였다. 이 다큐멘터리는 'EBS 동과서 제작팀, 김명진 지음. EBS 다큐멘터리 동과서. 서울: 예담; 2008.'이라는 책으로도 발간되었고, 현재 'EBS 동과서 제작팀, 김명진 지음. EBS 다큐멘터리 동과 서-서로 다른 생각의 기원. 서울: 지식채널; 2012.'로 재출간되었다.

2. 구리야마 시게히사 저, 정우진,권상옥 역. 몸의 노래-동양의 몸과 서양의 몸. 서울: 이음; 2013.

   서양문명과 동양문명이 인간의 몸을 바라보는 시각 차이를 연구한 책이다. 특히 의학 분야에서 그 차이가 어떻게 드러나는지를 잘 설명하고 있다.

3. 장립문張立文 주편, 김교빈 외 역. 기의 철학. 재판. 서울: 예문서원; 2004.

4. 김영식 편. 중국 전통문화와 과학. 창비신서72. 서울: 창작과비평사; 1986.

   중국 전통과학과 관련된 전문 연구자들의 글을 모아놓은 책이다.

5. 존 헨더슨 저, 문중양 역주. 중국의 우주론과 청대의 과학혁명. 서울: 소명출판; 2004.

   중국 고대 상관적 우주론과 그 속에 담긴 사유체계의 발전과 쇠퇴를 다룬 책이다.

6. 김희정. 몸·국가·우주 하나를 꿈꾸다. 서울: 궁리; 2008.

   <황제내경>의 사상적 뿌리인 중국 고대 황로사상에 대해 다룬 책이다.

7. A.C. Graham. Yin-Yang and the Nature of Correlative Thinking (Occasional Paper and Monograph Series No.6). Singapore: Institute of East Asian Philosophies; 1986.

   번역본: 'A.C. 그레이엄 저. 이창일 역. 음양과 상관적 사유. 화성: 청계출판사; 2001.'

8. 야마다 게이지 저, 박성환 역. 중국 과학의 사상적 풍토. 서울: 전파과학사; 1994.

9. 김관도, 유청봉 저, 김수중, 박동헌, 유원준 역. 중국문화의 시스템론적 해석. 서울: 천지; 1994.

   시스템 이론의 관점에서 중국문화를 분석한 책으로 한의학과 관련해서는 '사이버네틱스를 통해 본 한의학의 현대적 이해'라는 장이 읽어볼 만하다.

10. 김창업, 이충열. 한의학과 시스템생물학의 만남, 의미와 전망. 동의생리병리학회지 2016; 30(6):370-5.

    한의학의 전체론과 시스템이론, 시스템생물학의 전체론을 비교하였다.

11. G.레이코프, M.존슨 저. 노양진, 나익주 역. 삶으로서의 은유(수정판). 서울: 박이정; 2006.
우리의 일상적 개념체계의 대부분이 그 본성에 있어 은유적이라는 '개념적 은유(conceptual metaphor)'이론과 이것의 기초가 되는 '체험주의(experientialism)'철학을 다룬 책이다.

12. 賈春華 主編. 中醫學--一個隱喻的世界. 北京: 人民卫生出版社; 2017.
중국 북경중의대 자춘화 교수가 중의학 언어를 은유적 관점에서 연구한 초기 논문들을 모아 엮은 책으로 중국어로 쓰인 책이다.

13. 이충열. 한의학 기초이론 연구와 한의학 이론, 용어의 은유적 이해. 동의생리병리학회지 2021;35(5):139-50.
개념적 은유이론을 적용한 한의학 기초이론과 용어 연구의 전반적인 동향을 소개한 논문이다.

14. Joseph Needham. Science and Civilisation in China. vol.2. Cambridge: Cambridge University Press; 1956.
한글 번역본으로는 을유문화사에서 출판한 중국의 과학과 문명 1, 2, 3권이 있다. 특히 오행학설과 관련해서는 '조셉 니담 저, 李錫浩. 李鐵柱. 林槇垈 역. 中國의 科學과 文明(2). 서울: 을유문화사; 1987.'을 보길 바란다. 조셉 니덤의 원저를 콜린 로넌이 축약한 축약본이 있는데 이를 번역한 '조셉 니덤 저. 콜린 로넌 축약. 김영식, 김제란 역. 중국의 과학과 문명: 사상적 배경. 서울: 까치글방; 1998.'도 있다.

15. 殷南根. 五行新論. 辽宁: 辽宁教育出版社; 1993.
번역본: 殷南根 저, 이동철 역. 오행의 새로운 이해. 서울: 법인문화사; 2000.
오행학설을 개관한 책이다.

16. 박왕용. 오행학설에 대한 연구 [박사학위]. 서울: 경희대학교 대학원; 1997년.

17. 양계초, 풍우란 외 저, 김홍경 편역. 음양오행설의 연구. 서울: 신지서원; 1993.
음양오행설과 관련된 근현대 중국학자들의 글을 모아놓은 책이다.

03

현대한의학의
기초이론

인체는 어떻게 구성되고
기능하는가

제3장 현대한의학의 기초이론
- 인체는 어떻게 구성되고 기능하는가

한의학에서는 음양과 사상四象, 오행(오운), 육기(삼음삼양) 학설에 기초하여 전체 이론 체계를 구성하고 있다.

사상적 관점에 의해 인체는 정精, 신神, 기氣, 혈血의 4대 구성요소로 관찰된다. 사상은 양을 양중지양陽中之陽(태양太陽)과 양중지음陽中之陰(소음少陰)으로, 음을 음중지음陰中之陰(태음太陰)과 음중지양陰中之陽(소양少陽)으로 세분화한 것이다. 사상적 관점에 따라 신神은 양중지양, 기氣는 양중지음, 정精은 음중지음, 혈血은 음중지양의 속성이 배당된다. 이러한 음양 속성은 각기 신, 기, 정, 혈이 인체에서 발휘하는 생리적 특성을 표현한다.

오행(오운)적 관점에 의해서는 5대 기능요소로 요약된다. 목, 화, 토, 금, 수 오운은 인체 내에서 각각 생生(발생-목), 장長(추진-화), 화化(통합-토), 수收(억제-금), 장藏(침정-수)의 기능으로 인식되며, 간, 심, 비, 폐, 신의 오장이 이 기능을 담당하여 오장 기능시스템으로 체계화 된다.

육기적 관점에 의해서는 6대 환경요소로 요약된다. 즉, 풍한서(열)습조화風寒暑(熱)濕燥火[1]의 육기는 각 계절의 특징적 기후 현상을 요약한 것으로서 인체 생리활동에 영향을 미치는 외부 환경요소로 작용한다. 육기는 자연과의 유비에 의해 일종의 은유로서 의학에 도입되어 인체 생명현상 인식에도 활용되었는데 이를 내부육기라고 한다. 한의학에서는 이 개념들을 통해 인체 생명현상과 병리변화, 인체 외부환경의 변화를 인식한다. 이 중 한열寒熱은 온도, 조습燥濕은 습도, 풍화風火는 에너지의 편차偏差를 상대적으로 인식한 것이다. 이 은유적 개념들은 생활 속에서의 체험에 기반하여 형성된 것으로서 체온계나 습도계상의 온도, 습도와는 차이가 있다.

---

1) 육기를 인체에 적용할 때는 서(暑)를 열(熱)로 대체하여 풍, 한, 열, 습, 조, 화로 요약한다. 서(暑)는 여름철의 특징적인 기후 현상을 가리키는 것으로 인체 생명현상에 적용하기에는 적절하지 않은 용어이기 때문이다.

　　김완희는 이상의 사상, 오행(운), 육기적 관찰을 오장을 중심으로 집약하여 '유기능체계類機能體系'라는 현대적인 이론으로 발전시켰다. 김완희는 한의학의 오장기능계를, 인체의 정,신,기,혈 4대 구성요소가 바탕이 되고 인체 내부와 외부 환경요소(육기)의 자극을 받아 형성되는 일종의 적응기구(또는 응화應化기구)라고 정의했다. 그리고 한의학의 오장은 운동, 성장, 영양, 호흡, 배설이라는 생물의 5대 특성을 맡아서 수행하는 일종의 기능적 장기로서, 간-발생기능(목, 생生)-운동, 심-추진기능(화, 장長)-성장, 비-통합기능(토, 화化)-영양(소화), 폐-억제기능(금, 수收)-호흡, 신-침정기능(수, 장藏)-배설(생식)로 체계화했다.

　　정, 신, 기, 혈의 인체 4대 구성요소와 풍한서(열)습조화 육기의 6대 현상 및 환경 자극 요소는 5대 기능요소인 오장을 중심으로 통합된다. 즉, 간肝-혈血-풍風, 심心-신神-서暑,열熱,화火, 비脾-(진액津液)-습濕, 폐肺-기氣-조燥, 신腎-정精-한寒의 계통이 성립된다. 여기서 진액은 비위脾胃의 소화과정을 통해 만들어지는 것이고, 후천적으로는 정, 신, 기, 혈이 모두 진액으로부터 자양을 받는다는 점에서 비脾에 배속된다.

🏷 '오래된 미래'[2]: 한의학 이론의 미래 가능성

19세기 후반부터 동아시아 국가들에서 서구식 근대화가 추진되면서 국가 보건의료체계도 서양의학 중심으로 재편되었다. 이 과정에서 보건의료 근대화에 장애가 된다고 여겨졌던 전통의학에 대한 비판도 증가했다. 특히 전통의학 이론은 비판이 집중된 주된 타겟이었다. 엘리트 지식인들과 의사들이 전통의학에 대해 강하게 비판하고 심지어 폐지까지 주장하게 된 것은, 전통의학이 국가 근대화에 방해가 되는 전통사상, 전통문화와 강하게 연결되어 있었기 때문이었다. 하지만 당시 전통의학은 서양의학이 전입되었음에도 여전히 국민들의 지지와 사랑을 받았고, 전통의학의 임상적 효과에 대해서도 대다수 국민들이 신뢰를 보내고 있었다. 20세기 전반부의 서양의학 수준이 결코 전통의학을 압도할 만큼 높지 않았던 것도 중요한 이유였다. 전통의학의 임상적 효용성으로 인해 동아시아 국가들에서 전통의학은 소멸되지 않았고 살아남았다. 지금도 전통의학은 동아시아 각 국가에서 여전히 국가보건의료체계의 한 축으로 기능하고 있다.

---

[2]　'오래된 미래'라는 문구는 '헬레나 노르베리 호지 저, 양희승 역. 오래된 미래-라다크로부터 배우다. 서울: 중앙북스; 2015.'에서 빌려온 것이다. 한의학이 역사가 오래된 전통의학이지만 오히려 그 속에 미래의학으로서의 가능성을 담고 있다는 취지에서 이 문구를 차용하였다.

그동안 비과학적이고 관념적이라는 이유로 많은 비판을 받았고, 과학화 연구에서 소외되었던 한의학 이론에 대한 관심이 최근 들어 조금씩 늘어나고 있다. 2011년 네이처(Nature)지, 2014년 사이언스(Science)지에서 각각 별도의 동아시아 전통의학 특집을 발간하고 전통의학의 맞춤의학적 특징과 시스템 과학적 특징에 대해 다루었다. 특히 이 특집들은 한열과 같은 전통의학의 증證 개념이나, 방제구성 원리 등 전통의학의 이론적 측면에도 관심을 표명했다.

하지만 한의학 이론이 정당한 평가를 받고 또 미래에도 의미 있게 활용되기 위해서는 과학적, 현대적 이론으로 발전하는 것이 필수적이다. 이를 위해서는 몇 가지 선행 작업과 단계를 거쳐야 한다.

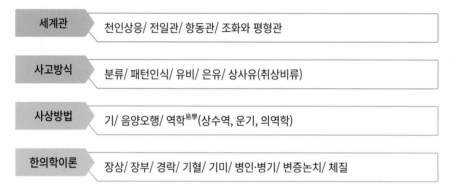

그림 3-1. 세계관-사고방식-사상방법-한의학 이론의 체계

먼저 한의학 이론의 특징을 이해하는 것이 필요하다. 첫째, 한의학 이론은 그림 3-1에서 볼 수 있듯이 동아시아인들의 세계관-사고방식-사상방법의 기초 위에서 형성되었다. 근대시기 한의학 이론을 비판하면서 음양오행학설과 운기학설을 주타겟으로 삼았던 것은 한의학 이론의 기초를 이루는 철학적 담론과 임상에서 구체적으로 활용되는 한의학 이론을 구분하지 않고 하나의 덩어리로 취급했기 때문이었다. 우리가 한의학 이론의 과학화를 진전시키기 위해서는 먼저 어떤 것이 한의학 이론인지 범위를 분명하게 정리할 필요가 있다. 한의학 이론과 이것의 기초가 되는 철학적 담론을 구분하고, 한의학 이론을 지금 한의학 임상에서 활용되고 있고, 또 의학 본연의 목적을 위해 기여하는 것들로 엄격하게 한정할 필요가 있다는 것이다.

둘째, 한의학 이론과 임상의 강한 연계성을 이해하는 것이 필요하다. 역사적으로 한의학 이론은 모두 임상현장에서 환자를 치료하던 임상가들에 의해 만들어졌으며, 그들은 자신들의 임상을 설명하고 치료의 원칙을 세우는 데 활용할 목적으로 이론을 만들었다. 미국의 중국과학사학자 네이선 시빈(Nathan Sivin)은 서양의학에서는 임상과 기초이론이 분리되어 서로 단절된 역사가 있었지만 동아시아 전통의학에서는 이론과 임상이 항상 깊은 연관성을 가지고 함께 발전해 왔다고 했다.[3]

셋째, 한의학 이론의 다원성(plurality)을 이해하는 것이 필요하다. 역사적으로 한의학에는 다양한 임상학파들이 존재했고 이들에 의해 다양한 임상, 다양한 이론이 형성되고 발전되었다. 예를 들어 지금도 〈상한잡병론〉이라는 텍스트 위에서 육경변증을 중심으로 임상하는 상한의학파가 있다면, 사람의 체질을 중시하고 이를 바탕으로 진단하고 치료하는 체질의학파가 있다. 이들은 임상에서 각기 다른 이론을 사용한다.

이런 특징들을 고려하여 한의학 이론을 다음 표 3-1과 같이 정리할 수 있을 것이다.

표 3-1. 한의학 이론의 종류

분류	임상	이론
총론	임상일반	병인, 병기학설(정사론, 병기십구조, 전변), 변증이론
변증논치	팔강변증	음양생리, 음양병리
	장부변증	장상학설, 장부론, 정신기혈(진액)론
	상한변증	삼음삼양육기학설(개합추, 표본중기론), 기혈진액(수)론, 육경병증
	온열변증	온역론, 습열병론(삼초변증), 온병론(위기영혈변증)
	체질변증	사상체질, 사상체질병증 이론
치료수단	침구치료	경락학설, 수혈론, 배혈, 침자법
	약물치료	본초: 기미약성이론, 효능론, 포제론, 방제: 군신좌사, 약대, 제형
	기타	기공, 추나
양생	양생	양생이론(정기신론, 사시·기거·식이·수면 양생 등), 노화, 치미병론
치료대상	부인, 소아 등	경대태산 관련 이론, 소아순양

---

[3]   Joseph Needham. Science and Civilisation in China vol.VI:6(Medicine). Nathan Sivin ed. Cambridge: Cambridge University Press; 2000.의 Editor's Introduction을 볼 것.

한의학 이론의 과학화는 전통시대에 만들어진 한의학 이론을 현대에 맞는 과학적, 실증적 이론 모형으로 변환하는 작업이라 할 수 있다. 이것은 1) 이해와 해석, 2) 이론 모형으로의 변환이라는 두 단계의 과정을 필요로 한다.

'이해'는 전통시대에 만들어진 한의학 이론의 본성을 이해하는 '해석학적 이해' 과정이다. 그리고 '해석'은 이해를 바탕으로 한의학 이론을 특정 이론이나 모형을 사용하여 현대적으로 해석하는 과정이다. 이 두 과정은 엄격하게 분리될 수 없으며 서로 영향을 미치면서 함께 간다.

전통적인 한의학 이론을 이해하려고 할 때 가장 큰 장애가 되는 것은 '고대'와 '현대' 사이에 존재하는 시간적 간격이다. 현대에 사는 우리와 한의학 이론 형성기에 살았던 고대 사람들 사이에는 세계관, 지배적인 학술사상과 문화, 사고방식, 언어 등에서 큰 차이가 있다. 한의학 이론을 이해하기 위해서는 '해석학적 순환' 과정을 통해 우리 인식의 지평을 넓힘으로써 현대와 고대 사이의 시간적 간격을 극복하려는 노력이 필요하다.

또한 해석의 과정에는 이를 수행할 수 있는 적절한 이론적 모형이 필요하다. 앞서 소개했듯이 그레이엄(A.C. Graham)은 고대인들의 음양, 오행과 관련된 특이한 사고방식을 이해하고 해석하기 위해 '상관적 사고'라는 언어학적 설명 모형을 고안해 내었다. 최근에는 한의학의 독특한 사고방식과 언어를 '상사유象思惟(취상비류取象比類)', '유비', '은유' 등의 이론으로 해석하려는 시도들이 이루어지고 있다. 한의학 이론과 용어에 대한 이해와 해석 작업은 한의학 이론의 과학화에서 생략될 수 없는 매우 중요한 과정이다. 하지만 지금까지 이 작업은 상대적으로 무시되어 왔다. 그 결과 지금 나와 있는 한의학 이론의 과학화 연구 결과물들은 개념적으로 정교하지 않고 논리적으로도 모순된 내용들 위에 서 있다. 이해와 해석과정에 의해 충분히 뒷받침되지 않은 한의학 이론의 과학화 연구는 작은 비판에도 견디지 못하는 사상누각이 될 가능성이 높다.

한의학 이론을 과학이론의 '모형(model)'으로 변환하는 두 번째 과정 또한 쉽지 않은 길을 가야 한다. 기어리(R. Giere)는 추상적인 이론은 현상과 직접적으로 연결되지 않으며, 이론과 현상 사이는 실험모형(model of experiment), 데이터 모형(model of data), 실험장치 모형(model of experimental design)과 같은 여러 유형의 모형이 매개한다고 했다. 또 이 모형들 사이에는 위계성이 있다고 했다.[4]

---

4)   Giere, R.N., Bickle, J., Mauldin, R.F. 저, 조인래, 이영의, 남현 역. 과학적 추론의 이해. 제5판. 서울: 소화; 2014.; 김진영. 현대 분자생물학에서의 이론에 관하여 [석사학위]. [서울]: 서울대학교 대학원; 2012년.

한의학 이론을 과학적 모형으로 변환하는 과정은 다음 두 가지 인식이 기초가 되어야 한다. 하나는 이론적 다원성을 인정하는 것이다. 한 장의 지도로 지구 표면 전체를 정확하게 보여줄 수 없다. 지구 전체를 충실하게 표현하려면 각각 한정된 지역을 표현하는 여러 장의 지도를 사용해야 한다.[5] 인체를 인식하고 묘사하기 위해서도 다양한 이론 모형들이 필요하다. 즉, 우리는 이론적 다원주의 관점에서 하나의 대상에 대한 다양한 이론적 모형의 존재 가능성을 받아들여야 하고, 한의학 이론들도 인체 현상에 접근하는 유효한 과학적 모형들로 받아들이는 관용의 자세를 가져야 한다.

다른 하나는 한의학 이론 모형은 한의학의 복잡계적 특성을 살릴 수 있는 방법들에 의해 연구되고 구축되어야 한다는 것이다.[6] 한의학 이론은 인체에 대한 전일론적 관점을 담고 있으며, 한의학의 약물치료는 다성분, 다표적 치료라는 특성을 갖추고 있다. 최근 발전하고 있는 시스템생물학, 네트워크과학, 데이터과학 방법 등은 모두 기존의 환원론적이고 분석적인 방법을 넘어 복잡계를 연구할 수 있는 방법들로 개발된 것이다. 이런 방법들은 한의학 이론 모형을 한의학의 특성을 살린 과학적 모형으로 변환하는 데 기여할 수 있다. 지금 활발하게 이루어지고 있는 이 연구들이 결실을 맺는다면 한의학 이론은 가까운 장래에 '오래된 미래'로서 새로운 가능성을 보여줄 수 있을 것이다.

5) Hawking, S., Mlodinow, L. The Grand Design. London: Bantam Press; 2010.(번역본: 스티븐 호킹, 레오나르드 믈로디노프 저, 전대호 역. 위대한 설계. 서울: 까치; 2010.)

6) 장동엽, 조나현, 이기은, 권영규, 김창업. 복잡계 과학 방법론을 활용한 한의학 연구: 현황과 전망. 동의생리병리학회지 2021;35(5):151-61.

제1절 인체를 구성하는 요소들 - 정, 신, 기, 혈, 진액

정精, 신神, 기氣, 혈血, 진액津液은 인체를 구성하는 요소들이다. 우리 몸의 생리활동은 모두 이들을 바탕으로 일어나고 유지된다. 한의학에서는 정, 신, 기, 혈, 진액이 하나(일기 一氣)라는 점을 강조한다. 이들이 각기 이름이 다르고 우리 몸에서 서로 다른 양태로 존재하지만 모두 기에서 파생된 것으로 그 본질이 같다는 것이다.

정, 신, 기, 혈, 진액 관련 이론들

한의학에는 정, 신, 기, 혈, 진액을 부분적으로 조합하여 만들어진 정신기혈론, 정기신론, 기혈수(진액)론 등의 이론이 있다. 이 이론들은 목표가 서로 다르며 서로 다른 맥락에서 활용된다. 또 같은 정, 기, 신, 혈, 진액이라는 용어도 어떤 이론 속에 위치하느냐에 따라 그 개념이 조금씩 달라진다.

가. 정신기혈론 - 생명체에 대한 4대 구성요소적 분석

정신기혈론은 생명체의 구성을 4요소적으로 파악한 것이다. 윤길영과 김완희는 인체(전일생명체)에 대한 음양적 분석을 '기구機構적 분석이라고 하여, 기능(양)과 구조(음)의 대대 관계로 해석했다. 윤길영은 기능은 불수형적不隨形的 기능(양중지양, 신神)과 수형적隨形的 기능(양중지음, 기氣)으로, 구조는 다시 구조형성의 단위單位(음중지음, 정精)와 성분(음중지양, 혈血)으로 나누었다. 여기서 인간의 정신은 기능의 정화精華로서 불수형적 기능인 신에 포함된다.

〈황제내경 소문 조경론調經論〉에서는 "사람이 소유한 것은 혈과 기뿐이다"라고 했다. 신은 기의 종주宗主로서 기에 포섭시키고, 정은 물질을 이루는 단위체이므로 혈에 포섭시키면 기와 혈이 인체 생리현상을 다루는 두 개의 중요한 개념이 된다. 기와 혈은 인체의 구성요소를 가장 단순화하여 관찰한 것으로서 정과 신이 체體라면 기와 혈은 그 작용(用)이다.

나. 정기신론 - 물질, 기능, 현상의 생화生化이론

정기신론은 도교道教에서 양생을 설명하던 핵심이론이었다. 도교에서는 정, 기, 신을 '세 가지 보물三寶'이라 하여 정, 기, 신을 기르는 것을 양생의 핵심으로 삼았다. 이 같은 도교의 정기신론은 〈동의보감東醫寶鑑〉에도 채용되었다. 다른 의서들이 질병에 초점을 맞추어 전체 체계를 구성하고 있는 데 반해 〈동의보감〉은 양생에서 시작하고 있는 것이 특징인데 〈동의보감 내경편內景篇〉에서는 도교의 양생이론을 받아들여 정, 기, 신의 보양保養을 강조하고 있다.

〈동의보감 내경편〉 정문精門의 '정은 지극한 보배精爲至寶'라는 항목에서는 "정은 기를 생기게 하고 기는 신을 생기게 하는데.... 정이 가득 차면 기가 왕성하고 기가 왕성하면 신이 왕성하고, 신이 왕성하면 몸이 건강하고 몸이 건강하면 병이 적어 안으로는 오장이 널리 번성하며 겉으로는 피부가 윤택하고 얼굴에서 빛이 나며 눈과 귀가 총명하고 늙어서도 더욱 건강하다."[7]라고 했다.

정기신 이론의 목표는 양생의 방법을 설명하는 데 있다. 정기신 이론에서 정은 인체를 구성하는 근본이 되는 물질로서 인체 기능과 현상이 발현되는 데 필요한 중요한 에너지원이 된다. 정은 기가 응축되어 있는 물질로 기화의 과정을 통해(精化爲氣) 인체 생명활동에 필요한 에너지인 기로 전환된다. 기는 생명활동과 현상을 일으키는 동력으로서 인체 생명활동은 모두 기를 중심으로 하는 기화활동이다. 신은 물질과 기능을 바탕으로 생겨나는 생명현상을 말한다. 그리고 신은 인체 전체 생명활동을 주재하는 주재자가 된다. 정기신 이론은 이런 물질-기능-현상의 생화生化 관계를 통해 인체 생명현상이 발현되는 과정을 설명했다. 그리고 정, 기, 신을 기르는 것이 양생의 근본이라고 했다. 그 중에서도 정은 양생가들에게 가장 중시해서 보호하고 길러야 할 대상으로 간주되었다.

다. 기혈수론, 기혈진액론- 병증 발현의 주요 매개

기혈수론은 일본 한방의학의 핵심이론이다. 이 이론은 일본 고방학파 요시마스 난가이吉益南涯(1750-1813)가 창안한 것이다. 기혈수론은 인체 생리현상을 크게 기와 혈 두 종류로 나누고 혈을 다시 혈과 수로 나누고 있다(그림 3-2).

'기, 혈, 수' 이 세 가지의 정精이 잘 순환하면 신체를 기르지만 정체되면 병이 된다. 요시마스 난가이는 그의 부친인 요시마스 토도吉益東洞(1702-1773)의 '만병일독설萬病一毒說'을 이어받아 인체에는 기, 혈, 수라는 3물物이 있어 만병의 근원이 되는 독毒이 이 세 가지에 편승하여 "증證"을 형성한다는 기혈수론을 주장했다.[8]

---

7) "象川翁曰, 精能生氣, 氣能生神, 榮衛一身, 莫大於此. 養生之士, 先寶其精, 精滿則氣壯, 氣壯則神旺, 神旺則身健, 身健而少病, 內則五藏敷華, 外則肌膚潤澤, 容顏光彩, 耳目聰明, 老當益壯矣."(동의과학연구소 역. 동의보감 제1권 내경편. 서울: 휴머니스트; 2002. pp. 222-3.)

8) 조기호 외. 일본동양의학의 기혈수설에 관한 고찰. 대한한방내과학회지 1997;18(1):207-17.

$$氣(양) : 主--氣-----氣虛$$
$$氣鬱$$
$$氣滯(逆)$$
인체
$$血(음) : 從--血-----血虛$$
$$血滯(瘀血)$$
$$水-----水滯(水毒)$$

그림 3-2. 기혈수론

기혈수론은 기혈진액이론과 다르지 않다. 기혈진액을 이론의 중심으로 삼은 것은 기, 혈, 진액이 인체에서 다양한 병증을 형성하는 중간 매개가 되기 때문이다. 즉, 내인內因이든 외인外因이든 인체에 병을 일으키는(치병致病)인자들은 일차적으로 기, 혈, 진액에 변이를 일으켜 기울기체氣鬱氣滯, 담음痰飮, 어혈瘀血과 같은 병리 상태를 만들어낸다. 이러한 기, 혈, 진액의 변이들이 기초가 되어 다시 다양한 이차적인 병증들이 만들어진다. 그러므로 가시적인 병증의 관점에서 볼 때 기혈진액을 장악하는 것은 인체에서 일어나는 다양한 병의 기전을 장악하는 관건이 된다. 기혈수론 또는 기혈진액이론은 병증 발현의 매개가 되는 기혈수(진액)에 주목하여, 인체에서 병증이 생겨나는 기전을 설명하고자 하는 이론이다.

1. 정精

1) 정의 개념

정의 개념은 다음 두 가지 측면을 포함한다.

첫째, 정은 우리 몸, 즉 형形을 구성하는 단위체가 된다. 둘째, 정은 인체가 생명활동을 영위하는 데 필요한 에너지를 함축하고 있는 물질이다. 정은 기화하여 우리 몸에 필요한 에너지를 공급하는 에너지원이 된다.

정이 이 두 가지 측면을 포괄할 수 있는 것은 정이 기(에너지)가 고도로 응축되어 형성된 물질이기 때문이다. 정은 우리 몸을 구성하는 물질이면서도 에너지원이 된다.

2) 정의 분류

정은 좁은 의미로는 생식 능력을 갖춘 정액과 같은 생식물질(생식지정生殖之精)을 가리키고, 넓은 의미로는 인체가 생리기능을 영위하는데 필요한 물질적 기초 전체를 가리킨다.

정은 어디에서 왔는가에 따라 선천지정先天之精과 후천지정後天之精으로 구분된다. 선천지정은 출생 이전에 만들어져 출생과 함께 갖추고 태어나는 것이고, 후천지정은 출생 이후에 인체 대사과정을 거쳐 만들어진 것이다.

또 정은 기능에 따라 분류되기도 하는데, 생식을 일으키는 물질로서 생식지정, 오장육부의 기능을 유지하는 데 필요한 물질인 오장육부지정五藏六府之精으로 구분된다.

3) 정의 기능

(1) 정은 생식기능의 성숙과 쇠퇴에 관여한다. 한의학에서는 생식기능이 인체에서 천계天癸라는 물질이 양적으로 충만하고 고갈되는 것에 좌우된다고 설명한다. 여기서 천계는 선천의 정기精氣로서 남녀 모두에서 이차 성징과 생식기능을 일으키는 물질이다. 천계의 충만과 고갈은 우리 몸의 정, 특히 신중정기腎中精氣[9]의 성쇠에 영향을 받는다. 사춘기가 되어 신중정기가 충성充盛하면 천계도 충만하게 되어 이차 성징을 유발하고 남녀 모두 고유의 생식 능력을 갖추게 된다. 그리고 노년기에 접어들어 신중정기가 쇠衰하게 되면 천계 또한 고갈되어 남녀 모두 생식 능력을 잃게 된다.

(2) 정은 인체 생장 발육과 노쇠에 관여한다. 인체의 생장, 발육, 성숙, 노쇠의 생애주기(life cycle) 변화는 신중정기의 성쇠와 깊은 관련이 있다. 즉, 유년기로부터 시작하여 신중정기가 충실해지면 인체의 생장발육이 신속하게 이루어지고, 청장년기가 되어 신중정기가 충성하게 되면 생식능력을 갖추게 되고 신체도 근육과 골격이 강장强壯하여 신체능력이 전성기에 도달한다. 노년기에 진입하면 신중정기가 점차 쇠감衰減하게 되고 이에 따라 신체 또한 노쇠하고 생식 능력도 잃게 된다. 이처럼 인간의 생장장노사生長壯老死

---

[9] 신(腎)의 가장 주된 기능은 정을 저장하는['신장정(腎藏精)'의 기능] 것이다. 신기(腎氣)는 신에서 저장한 정[신정(腎精)]을 바탕으로 일어나는 신의 기능활동을 말한다. 그러므로 사실상 신기는 신정의 성쇠와 궤를 같이 한다. <황제내경 소문 상고천진론>에는 신기의 성쇠에 따라 생식기능과 인체 발육과 성장, 노쇠과정을 설명하고 있는데 이것은 실질적으로 신정의 성쇠로 바꿔도 무방하다. 신중정기라는 용어는 신정과 신기가 불가분의 관계에 있기 때문에 사용하는 용어다. 신중정기의 기능은 정의 기능이라고 할 수 있으며, 신중정기를 줄여 신기라고 지칭할 수도 있다.

과정은 신중정기, 즉, 정 또는 정기의 성쇠과정이라고 해도 무방하다.

(3) 정은 질병에 대한 저항력을 강화한다.

(4) 정은 정신활동, 특히 기억력을 강화하고, 또 지체 활동, 신체 감각기관과 같은 형체와 밀접한 관련이 있는 기관의 기능을 강화한다.

2. 기氣

1) 기의 개념

전통적으로 기는 모든 존재물을 구성하는 원자적 요소로서의 기 개념과 "기는 모든 현상을 일으키는 에너지다."라는 에너지(원동력)로서의 기 개념을 포괄하고 있다.

인체에서도 기는 인체를 구성하는 원자적 요소이자 인체 생명활동을 일으키는 에너지라는 두 가지 의미를 함께 갖춘 개념으로 정리된다. 그러나 둘 중 더 본원적인 의미를 고른다면 에너지로서의 기 개념이라 할 수 있다.

🏷 '기氣'를 어떻게 볼 것인가?

'기'는 동아시아 전통사상에서 빠질 수 없는 핵심적인 개념이다. 근대에 접어들면서 기라는 존재의 실체가 무엇인가가 중요한 질문으로 떠올랐다. 이후로 기에 대한 논의는 대부분 기의 실체가 무엇인가를 밝히는 것에, 곧 기의 존재론에 집중되었다. 기는 한때 전기, 에테르, 질점質點 등으로 인식되기도 했고, 현대에 접어들어서는 현대물리학의 빛의 입자-파동 이중설에 빗대어 기를 입자와 파동의 이중성을 갖는 존재로 해석하기도 했다. 그러나 물질세계와 정신세계를 넘나들면서 사용되는 기는 아직까지 그 실체가 무엇인지 밝혀지지 못하고 있다. 이 때문에 기는 여전히 미신과 비과학의 근원으로 남아있으며, 기를 이론의 중심 개념으로 삼고 있는 한의학도 마찬가지 비판을 받고 있다.

현대를 살아가는 우리는 기를 어떻게 보아야 할까? 먼저 우리는 '근대'에 의해 제기되었고, 또 지금까지도 우리들을 강하게 사로잡고 있는, 기의 실체가 무엇인가라는 존재론적 질문 그 자체부터 되돌아 볼 필요가 있다.

〈황제내경〉에는 소문 1,860곳, 영추 1,140곳 등 3,000곳에서 기라는 용어가 나타난다. 이 중 기가 단독으로 사용되는 곳이 200곳 정도이며 대부분은 특정 단어와 결합되어 사용된다. 영기營氣, 위기衛氣, 종기宗氣, 수곡지기水穀之氣, 정기正氣, 사기邪氣, 한기寒氣, 열기熱氣, 음기陰氣, 양기陽氣, 간기肝氣, 심기心氣, 신기腎氣 같은 것들이다. 〈황제내경〉에서 사용되고 있는 기의 종류를 모두 합하면 270여 종 정도가 된다고 한다.[10]

한의학에서 기라는 용어는 인간을 둘러싸고 있는 자연 환경부터 인간의 몸, 물질 현상에서부터 정신현상에 이르기까지 매우 다양한 맥락에서, 다양한 종류로 분류되어 사용되었다. 〈황제내경〉에서의 기의 용례들을 자세히 살펴보면 옛사람들이 이 많은 종류의 기에 대해 일일이 그 존재를 구분하면서 사용했을까라는 의문이 생긴다. 약 270여 종의 기의 명칭들을 옛사람들이 존재론적으로 엄격하게 구분하면서 사용했다는 증거를 찾을 수 없다는 것이다. 오히려 이들은 존재론적 사고에 얽매이지 않고 매우 자유로운 방식으로 기라는 용어를 사용한 것으로 보인다.

옛사람들에게 기라는 용어가 왜 필요했을까? 그들의 세계관과 관련이 있다. 생성 변화가 끊임없이 일어나는 동적인 이 세계를 설명하기 위해서이다. 물질이 생성되고 소멸되는 변화과정을 설명하기 위해, 그리고 복잡하게 얽혀있으면서 서로 감응함으로 영향을 주고받는, 사물과 사물 사이의 밀접한 상호관계를 설명하기 위해 기 개념이 필요했다.

하늘(天)이 있고 땅(地)이 있으며, 하늘과 땅이 서로 작용하여 어떤 변화를 만들어 낸다면 이런 변화를 만들어내는 힘과 에너지로서 천기天氣와 지기地氣의 개념이 필요하다. 한寒과 열熱이 단순한 현상에 머무는 것이 아니라 사물에 작용하여 어떤 변화를 일으키는 것이라면 이런 작용을 설명하기 위해서는 한기寒氣와 열기熱氣라는 개념이 반드시 필요하다. 기는 생성 변화가 상시적으로 일어나는 동적인 세계와 세계 속 사물들의 유기적인 감응관계를 설명할 때 반드시 등장해야만 하는 개념이었다.

현대에 사는 우리들은 기 개념을 어떤 수준에서 받아들이는 것이 좋을까? 우리는 기의 실체가 밝혀질 때까지 기의 실체에 관한 질문을 잠시 유보하고, 기를 한의학 이론을 구성하는 '은유적 언어'로서 간주할 것을 제안한다.

---

10) 李德新 主編. 气血论. 辽宁: 辽宁科学技术出版社; 1990. p. 55.

우리가 기라는 은유를 한의학에 도입해서 얻는 유익은 무엇일까? 이는 기가 우리로 하여금 인체를 정태적이 아니라 동태적 관점에서 바라볼 수 있게 한다는 것이다. 기 개념에는 자발적 운동성, 물질 현상과 정신 현상을 모두 포괄할 수 있는 포용성, 어디든 들어가고 삼투할 수 있는 가입성, 삼투성 같은 속성들이 부여되어 있다. 그러므로 우리는 '인체는 기'라는 은유를 도입하여 인체 생명현상을 기의 관점에서 기의 속성들로 구조화하여 이해할 수 있다. '인체는 기'라는 은유를 통해 인체 생명현상은 '기화氣化'현상으로 인식되고, 인체 자체도 변화과정 속에 있는 존재로 이해된다. '동태적 평형'도 기 개념이 도입됨으로써만 가능한 개념이다. 기는 이 세계가 정지해 있는 것이 아니라 동적인 세계로 보게 한다. 이 세계는 생성과 변화가 일상적으로 일어나는 곳이고, 사물과 사물 사이의 복잡한 관계 속에서 서로 영향을 주고받으면서 생명체들이 생명을 영위해 나가는 곳이다. 기는 한의학이 기초하고 있는 전일, 항동, 평형의 관점을 담보하는 중요한 개념이기도 하다. 인체와 외부 환경의 관계, 인체 생명의 전일성이 모두 기를 통해 설명될 수 있다. 여러 가지 비판에도 불구하고 한의학 이론에서 기 개념이 빠질 수 없는 이유다.

2) 인체 기의 생성

인체에 존재하는 기는 다음 세 가지 내원來源이 합쳐져 생성된다. 첫째는 부모의 정精으로부터 온 선천지기先天之氣다. 둘째는 우리가 섭취하는 음식물을 통해 얻는 수곡지기水穀之氣다. 셋째는, 호흡을 통해 받아들인 자연의 청기淸氣다.

선천지기, 수곡지기, 자연청기는 인체 대사과정에서 하나로 합쳐져 인체 생리활동에 필요한 기를 생성한다.

3) 인체 기의 분류

(1) 인체 기는 생성, 내원에 따라 출생 이전에 부모로부터 받은 선천지기와 출생 이후에 인체 대사과정을 통해 만들어진 후천지기後天之氣로 분류된다.

(2) 인체 기는 주로 분포하는 부위나 하는 일(기능)에 따라 분류된다.

진기眞氣는 선천지기, 수곡지기, 자연의 청기가 인체 대사과정에서 합쳐져 생긴 우리 몸의 일원적인 기를 말한다.[11] 우리 몸에 존재하는 모든 기는 진기로부터 파생된 것이며, 진기가 존재하는 부위나 하는 일에 따라 다양한 이름으로 불린다.

예를 들어 장부지기臟府之氣는 우리 몸의 각 장부에 분포하는 기로 각 장부가 발휘하는 생리기능을 말한다.

경락지기經絡之氣는 우리 몸의 경락에 분포하는 기로 경락이 발휘하는 고유의 생리활동을 가리킨다.

영기營氣는 우리 몸의 경맥 속을 순행하는 기로 혈과 함께 다니며 혈이 경맥을 통해 순환하게 한다. 또 때로는 혈이 발휘하는 고유의 생리기능을 의미하기도 한다.

위기衛氣는 우리 몸의 경맥 바깥과 체표에서 순행하는 기로 인체를 보위하고 조절하는 기능을 한다.

종기宗氣는 우리 몸의 흉부에 분포하는 기로 심장박동과 호흡을 추동하고 인체 기혈순환을 추동하는 기능을 한다.

4) 기의 작용

(1) 추동推動작용

기는 인체의 생장발육, 장부 경락 등 기관의 기능활동, 혈의 순행, 진액의 수포輸布와 배설 등의 생리기능을 추동하고 격발하는 작용을 한다. 이것을 기의 추동작용이라 한다. 추동작용이 약화되면 인체 생장발육이 지연되고, 장부 경락의 기능활동이 저하되며, 혈과 진액의 순환 장애가 일어난다.

(2) 온후溫煦작용

기에는 인체 대사를 촉진하여 열을 발생시키고 인체가 정상적인 체온을 유지하게 하는 작용이 있다. 인체 장부, 경락, 조직, 기관들은 이러한 기의 온후작용에 힘입어 정상적인 생리활동을 유지한다. 그리고 정상적인 체온이 바탕이 되어 인체 내에서 진액과 혈의 원활한

---

11) <黃帝內經 靈樞 刺節眞邪篇> "眞氣者, 所受於天, 與穀氣幷而充身者也"["진기는 하늘(天)에서 받은 것이 곡기와 더불어 합쳐져 우리 몸을 채우고 있는 것이다."] 여기서 천은 선천의 품부(稟賦), 즉 부모로부터 받은 정기(精氣)로 해석하기도 하고, 호흡을 통해 얻은 자연의 청기로 해석하기도 한다. 주석이 엇갈리기는 하지만 진기가 우리 몸의 기의 일원성을 표현하기 위해 사용되었던 용어인 만큼 인체 기의 세 가지 내원, 즉, 선천지기, 수곡지기, 자연청기가 인체 대사과정에서 합쳐져 생성된 기로 보는 것이 합당하다.

순행이 이루어진다. 만약 양기허손陽氣虛損으로 기의 온후작용이 약화되면 기허氣虛한 사람에게서 나타나는 '추운 것을 싫어하고 따뜻한 것을 좋아하며(외한희난畏寒喜暖)', 손발이 찬 증상이 있게 된다.

(3) 방위防衛작용

<황제내경>에는 "사기가 모이는 곳에는 그 기가 반드시 허하다."[12]고 했는데 이것은 기가 허하면 인체를 외부의 사기로부터 방어하는 작용이 약해져 사기의 침입을 쉽게 받게 된다는 의미다. 인체에서 기의 방위작용은 위기衛氣가 담당한다. 위기는 피부 주리腠理를 충실하게 하고 따뜻하게 하여 사기가 체표를 통해 인체 안으로 침입하지 못하도록 막는 작용을 한다.

(4) 고섭固攝작용

기의 고섭작용은 인체 내 장기의 위치를 고정하여 유지하고, 혈, 진액과 같은 인체 체액이 정해진 통로를 벗어나지 못하도록 수렴하는 작용을 말한다. 기의 고섭작용은 다음과 같이 나타난다.

① 장부 조직의 고섭: 복강내 장기 위치를 상대적으로 고정하여 유지하는 작용을 한다. 기허하여 고섭작용이 약화되면 자궁, 위 등 장기의 하수下垂가 나타난다.
② 혈액의 고섭: 혈이 맥관 밖으로 빠져나가려는 것을 막아 맥관 내를 순행하도록 하는 작용을 한다. 기허 상태에서는 고섭작용이 약화되어 각종 출혈 증상이 나타나기도 한다.
③ 정액의 고섭: 정액을 봉장封藏하여 함부로 빠져나가지 못하도록 막는 작용을 한다.
④ 땀, 소변의 고섭: 땀, 소변과 같은 체내 진액의 배설을 조절하여 체내 진액이 과도하게 빠져나가는 것을 막는 작용을 한다. 기허하게 되면 자한부지自汗不止, 소변불금小便不禁과 같은 증상이 나타나 진액이 손실된다.

---

12) <黃帝內經 素問 評熱病論篇> "邪之所湊, 其氣必虛"

(5) 기화氣化작용

기화는 인체 내에서 일어나는 물질과 에너지의 전화轉化과정 전체를 말한다. "양화기 음성형陽化氣 陰成形"(양세력은 기로 화하게 하고, 음세력은 형을 이룬다)은 인체 내에서 일어나는 기화과정을 요약한 것이다.

5) 진기眞氣, 원기元氣, 원기原氣

진기, 원기, 원기는 모두 우리 몸에 존재하는 기의 통일성, 일원성을 표현하는 용어다. 진기는 '선, 후천의 내원이 대사과정에서 합쳐져 얻어진 생명에너지'라는 의미가 강조되는 개념이다. 원기는 정精에서 기화하여 생성된 기("精化爲氣")로서 '사람의 생명을 유지하는 데 필요한 근본이 되는 기'라는 의미가 강조되는 개념이다. 원기는 진기에 비해 상대적으로 선천지기에 더 강조점이 두어져 있다.

한대漢代 <논형論衡>의 원기론元氣論은 유물론적 기론氣論을 대표하는 것으로서 중의학에서는 진기보다는 원기元氣가 더 중요하게 다루어지는 경향을 보인다. 반면에 한국에서는 전통적으로 <황제내경>에 나오는 진기라는 용어를 더 많이 사용해 왔다.

6) 종기宗氣

종기는 흉중胸中에 분포하여 심장박동을 추동하고("貫心脈") 호흡을 주관하는("行呼吸") 기다. 종기는 위로는 기도를 통해 인후부로 나가("出喉嚨") 자연의 청기淸氣(大氣)와 통하고, 아래로는 기가氣街로 들어가 경기經氣의 운행을 추동하는 역할을 한다. 종기는 인체의 가장 중요한 기능인 심폐기능을 주관하고, 우리 몸의 기 전체를 종주宗主하는 작용을 하기에 종기라고 한다.

7) 영기營氣와 위기衛氣

'영營'이라는 글자에는 "둘러싸여 있다(環繞)"는 의미와 "순환한다(周行)"는 의미가 함께 들어있다. 그러므로 영기는 인체의 영양에 관여하는 기능적 요소로서 경맥 내를 끊임없이 순행하는 기를 말한다.

'위衛'에는 방어, 변방, 바깥의 의미가 있다. 그러므로 위기는 인체의 체표에서 인체를 보위保衛하는 기를 말한다.

영기와 위기는 보통 짝을 이루어 사용되는데 위기는 양, 영기는 음에 속한다. '위기영혈衛氣營血'로 묶어 부르기도 하는데, 위와 기가 묶이는 것은 위기가 체표에 주로 분포하는 우리 몸의 양기이기 때문이고, 영과 혈이 묶이는 것은 영기와 혈이 늘 함께 다녀 서로 뗄 수 없는 관계에 있기 때문이다. 영기는 혈의 생성에 참여하고 촉진하는 기능적 요소로서 때로는 혈의 기능 그 자체를 의미하기도 한다. 한의학에서 혈은 정체되지 않고 순환하는 것이 가장 중요한 덕목인데 영기는 혈과 함께 경맥 내를 순행하면서 혈의 순행을 추동하는 작용을 한다. 그러므로 영기와 혈은 '영혈'로 함께 지칭되는 경우가 많다.

영기의 작용은 혈의 생성에 참여하여 혈을 화생시키며 혈의 순환을 통해 전신을 영양하는 것이다. 위기의 작용은 체표를 보호하여 인체를 외부의 사기의 침입으로부터 방어하는 것이다. 위기는 인체의 양기로서 장부, 기육, 피모를 온양溫養하고 주리腠理의 개합開闔을 조절함으로써 땀의 배설을 조절하는 기능을 한다. 그리고 인체 수면 리듬을 조절한다.

📑 위기衛氣의 인체 조절작용

〈황제내경 영추 위기행衛氣行편〉이나 〈영위생회營衛生會편〉에서는 위기가 인체를 순행하는 방식과 노선에 대해 기술하고 있다. 그 내용을 정리하면 위기는 대체로 인체에서 (1) 영기와 함께 순행, (2) 낮에는 양분, 밤에는 음분을 순행(晝行於陽, 夜行於陰), (3) 앞의 순행노선과 관계없이 음주, 자침刺鍼 등 특별한 상황에서 이루어지는 임기응변적 순행의 세 가지 순행방식을 동시에 취한다.

〈황제내경〉의 위기 순행과 관련된 기술에서 우리가 특히 주목할 부분은 위기가 밤과 낮에 각기 다른 방식으로 인체를 순행한다고 기술한 것이다. 이것에는 다음 두 가지 의미가 있다.

(1) 위기의 순행이 인체의 일중 변화(circadian variation)와 관련이 있다는 점이다.

위기가 낮과 밤에 각기 다른 방식으로 순행하는 것은 인체 양기의 수요가 반영된 것이다. 즉, 낮에는 인체 생리활동이 활발하여 양기의 수요가 많아지게 되므로 인체의 양기인 위기도 밖으로 나와 체표 양분(陽分, 주로 삼양경)을 주로 순환한다. 반면에 밤에는 인체가 활동을 멈추고 수면을 취하게 되므로 양기의 수요가 적어져 위기도 안으로 들어가 체내 음분(陰分, 주로 체내의 오장)을 순환한다. 이러한 위기의 성쇠盛衰와 출입出入은 자연계 천지양기天之陽氣의 변화 규율에 맞추어 이루어지고 있다.

그 결과 낮에는 인체 양분에 기가 왕성해져서 인체가 활발하게 활동할 수 있게 되며, 사기邪
氣에 대한 저항력도 강해진다. 반면 밤에는 음분에 기가 왕성해져서 인체가 안정된 상태가 되
어 수면을 취하게 되고, 사기의 침입에 쉽게 노출된다. 우리가 임상에서 쉽게 관찰할 수 있는
"새벽에는 증세가 조금 가벼워지고, 낮에는 안정되며, 저녁에 다시 심해져서, 밤에는 악화되
는(旦慧, 晝安, 夕加, 夜甚)" 현상은 이러한 위기의 성쇠출입과 관련이 있다.[13]

(2) 위기의 순행이 각 계절의 기후 변화에 적응하는 인체 조절작용과 관련이 있다는 점이다.

〈황제내경〉에서는 위기의 순행을 '평단平旦'을 기준점으로 설명한다. 평단은 동틀 무렵을 말
하는 것으로 계절에 따라 해 뜨는 시간이 다르기 때문에 평단의 시점도 매일 달라진다. 〈황제
내경〉에서는 이처럼 절대적인 시간이 아니라 상대적인 시간을 기준으로 위기 순행을 기술함
으로써 위기의 순행이 주야장단晝夜長短의 변화에 맞추어 유연하게 이루어진다는 것을 보여
주고 있다.

계절에 따라 천지양기天之陽氣도 성하고 쇠한다. 봄이나 여름이 되면 천지양기의 생발生發작
용이 왕성해지며, 가을과 겨울에는 천지양기가 수렴, 폐색閉塞하게 된다. 우리 몸의 위기도 이
에 상응하여 봄과 여름에는 위기가 왕성해지고 밖으로 나오게 된다(暑熱則浮散). 그러나 가을
과 겨울에는 인체 위기도 안으로 수렴되어(寒冷則閉斂) 신체 활동이 줄어들게 된다.

이처럼 자연계에는 하루나 일년을 주기로 음양기가 성쇠 변화하는 규율이 있고, 인체도 이런 변
화에 적응하여 생리기능을 영위하게 되는데 이러한 적응은 위기의 작용이 중심이 된다. 위기는
자연계의 일중 변화와 연중 변화에 맞추어 인체가 생명활동을 영위하도록 조절하는 작용을 한다.

위기가 단순히 인체를 외부의 사기로부터 방어하는 작용만 한다고 보는 것은 위기를 매우 좁게
이해하는 것이다. 우리가 잘 알고 있는 위기의 외사外邪에 대한 방어 능력이나 수면 리듬의 조절,
피부 주리腠理의 개폐를 관장하여 땀의 배출을 조절하는 기능은 모두 위기가 자연계의 일중변화,
연중변화에 맞추어 인체 기능을 조절하는 과정에서 나타나는 단면들일 뿐이다.

---

13)   黃俊山. 试论卫气在人体内的调节作用. 中医药学报. 1989;5:20-1.

3. 신神

1) 신의 개념

본래 자연계의 변화와 관련하여 사용되던 '신'이라는 용어[14]는 의학에 도입되어 인체 생명현상을 기술하는 용어가 되었다. 장개빈張介實은 <류경類經>에서 '신'을 '만물지신萬物之神'과 '인신지신人身之神'으로 나누었다. 인신지신은 인체 생명활동을 총괄하는 개념이며, 또 정기精氣와 영혈營血과 진액을 물질적 기초로 삼아 장부가 기능 활동을 영위한 결과로서 나타나는 생명현상의 정화精華를 말한다.

한의학에서 신의 작용은 신명神明과 신기神氣라는 두 용어를 통해 설명된다. 신명은 인체에서 물질(精)과 기능(氣)을 바탕으로 일어나는 모든 생명활동의 정상적인 표현을 가리키는 개념이다. 정기精氣가 충족하면 신왕神旺하고, 정기가 쇠하면 신겁神怯하게 된다. 이런 맥락에서 신은 생명의 존재 표지를 의미하기도 한다("失神者死, 得神者生也").

신기神氣는 인체 생명력을 가리키는 개념이다. 신의 작용적 측면을 말한다. <황제내경>에서는 "신은 정기正氣"[15]라고 했다. 정기를 신이라 한 것은 정기가 사기에 대항하여 인체가 하나의 전체로서 나타내는 반응이며, 일종의 생명력의 발현이기 때문이다. 이외에도 한의학에서 신이라는 용어는 매우 다양한 맥락에서 사용되고 있다. 신은 때로는 인체에 침을 놓았을 때 관찰되는 득기得氣 현상을 가리키는 용어로 사용되기도 했고, 인체 장부, 경락, 기혈의 생리기능을 가리키는 데 사용되기도 했다. 또 인간의 정신활동을 지칭하는 개념으로도 사용되었다. 이런 다양한 용례들은 신의 개념이 무엇인지 파악하기 어렵게 만든다. 하지만 이 용례들에서 찾아볼 수 있는 공통점은 신이라는 용어가 인체가 살아있는 생명체로서 나타내는 현상이나 생명력을 설명하기 위해 사용되었다는 것이다. 신은 곧 '전일 생명'이 발휘하는 생명활동이나 현상을 가리킨다.

---

14) '신'에는 일체 현상 사물의 변화 속에 내재해 있는 규율, 또는 만물을 주재하는 주재자라는 의미가 있다. 또 음양의 변화가 신묘(神妙)하여 헤아릴 수 없는 것을 신이라고 한다("陰陽不測謂之神"). 동아시아에서 '신'은 현상세계를 초월해 있는 것이 아니라 음양 변화 속에 내재하는 것으로 인식되었다.

15) <黃帝內經 靈樞 小鍼解> "神者 正氣也. 客者 邪氣也."

2) 신의 생성

<황제내경>에는 신이 생성되는 과정을 다음 두 가지로 설명하고 있다.

첫째, 신은 부모의 정(정자와 난자)이 결합하여 새로운 생명체가 탄생했을 때 나타난다("生之來謂之精, 兩精相搏謂之神").

둘째, 신은 수곡水穀의 정기精氣로부터 생성된다("神者, 水穀之精氣也."). 이것은 우리가 음식물을 섭취하고 소화하여 생겨난 정기로부터 신이 생성된다는 것을 말한다. 이것에 특별한 의미를 부여할 필요는 없다. 생명체의 탄생과 함께 생명력인 신이 생겨나고, 생명체가 탄생한 후에는 음식물을 소화시켜 얻은 영양분을 통해 생명을 영위해 나간다는 것을 말한 것일 뿐이다.

3) 신의 분류

(1) 혼백魂魄

신은 음양적 관점에 의해 양신陽神인 혼과 음신陰神인 백으로 분류된다. 혼은 양적인 것으로, 상대적으로 동적이고, 형체와 거리가 먼 정신적인 활동이나 현상을 가리킨다. 반면에 백은 정적이고, 형체와 밀접한 관련이 있는 활동이나 현상을 가리킨다. 즉, 혼은 고급의 생명활동으로서 학습, 의식, 사유와 정신성의 지각(꿈) 등을 포괄하고, 백은 보다 본능적인 생명활동으로서 신생아나 어린 영아들에서 생래적으로 나타나는 눈과 귀의 감각, 손과 발의 운동, 울고 젖을 빠는 행동, 그리고 형체와 밀접하게 관련된 감각기관의 기능, 아프고 가려운(痛痒) 감각, 기억 등을 포괄한다.

(2) 오신五神

신은 오행적 관점에 의해 혼(魂, 肝), 신(神, 心), 의(意, 脾), 백(魄, 肺), 지(志, 腎)의 오신으로 분류된다. 혼, 신, 의, 백, 지 각각의 개념과 기능은 오행, 오장의 기능과 연관지어 해석된다.

4) 신의 기능

(1) 신은 생명활동의 중추가 된다. 인체는 외부환경에 대해 일정한 독립성을 유지하면서 자
    발적인 대사를 통해 생명을 영위할 수 있는 시스템(神機, 생명의 기틀)을 몸속에 갖추
    고 있다.

(2) 사기에 대항하여 질병을 예방하고 치료하는 기능을 한다. 이것은 인체가 하나의 전일생
    명체로서 나타내는 기능이다.

(3) 인간의 정신활동을 주관한다.

(4) 인체 장부의 기능, 오관五官의 기능과 지체활동을 주관한다.

4. 혈血

1) 혈의 개념

한의학의 '혈'은 기본적으로 우리 몸의 '혈액(blood)'을 지칭하는 용어였다. 그러나 오늘
날의 관점에서 보면 한의학의 '혈' 개념에는 '혈액'의 범주를 벗어나는 여러 가지 이론적인
속성들이 부가되어 있어 '혈'과 '혈액'을 완전히 같은 것이라고 보기 어려운 것이 사실이다.
그러므로 이와 같은 '혈'과 '혈액' 개념의 불일치 때문에 임상 현장에서 한의사들이 '혈'이라
는 용어를 사용할 때 환자들이 종종 오해하여 혼란이 발생하기도 한다.

이런 혼란을 해소하기 위해 '기'의 경우와 마찬가지로 한의학의 '혈'도 혈액이라는 실체
를 떠나 한의학의 변증명을 구성하는 일종의 은유적 개념으로 간주하는 것이 좋을 것이다.
예를 들어 한의학 임상에서는 '혈허血虛', '혈열血熱', '혈한血寒', '보혈補血', '이혈理血', '활혈活
血', '어혈瘀血' 등과 같은 용어들을 많이 사용한다. 이 용어들은 서양의학의 혈액생리와 병
리의 범주 안에서 해석될 수 없는 경우가 대부분이다. 그렇다고 이 용어들을 한의학 임상
에서 배제하기도 어렵다. 이 용어들이 한의학의 변증명을 구성하는 중요한 개념들이고, 질
병을 인식하고 그 기전을 설명하는 필수적인 개념들이기 때문이다. 그러므로 '혈'을 한의학

이론 구성에 필요한 은유적 개념으로 다루는 것이 '혈'이라는 개념이 가지고 있는 임상적 의미를 유지하면서도 오해를 줄이는 좋은 방법이 될 것으로 생각한다.

한의학 이론에서 혈은 주로 기와 서로 대응되어 사용된다. 음양적 관점에서 기는 양이고 혈은 음이다. 그러므로 기는 생체 에너지이고, 혈은 생체 물질이다. 기는 동적이고, 혈은 정적이다.

한의학 이론에서 혈은 기본적으로 음적인 물질[16]에 속한다. 그렇기 때문에 혈에는 음적인 물질들이 공통으로 가지고 있는 잘 가라앉고(善降) 쉽게 응체凝滯되려는 성질이 있다.[17] 하지만 혈에는 인체 내 다른 물질들과 구별되는 속성도 있다. 그것은 혈이 화火의 작용을 받은(陽化) 물질[18]이라는 것이다. 이로 인해 혈에는 음적인 물질이면서도 양화작용을 받았다는 의미에서 음중지양陰中之陽의 속성이 부여된다.

2) 혈의 생성

한의학에서 혈은 주로 중초中焦의 비위가 음식물을 소화하여 만든 영양분(수곡지정미水穀之精微)으로부터 생성되는 것으로 설명한다(中焦生血, 脾胃生血說). 특히 혈의 생성은 영기營氣의 성쇠와 밀접한 관련이 있는데 이는 영기가 혈의 생성을 촉진하는 기능적 요소가 되기 때문이다.[19] 또 혈의 생성을 진액과 관련시키기도 한다. 진액은 혈이 생성되는 데 필요한 재료가 된다.[20] 영기는 혈의 생성을 촉진하고 혈의 기능을 담당하는 기능적 요소고, 진액은 혈이 생성되는 데 필요한 전구물질이다.

혈의 생성과 관련하여 <황제내경>에는 "심생혈心生血"설도 나타난다.[21] 이것은 심과 혈이 모두 오행 중 화火와 관련되어 있음을 표시한 것으로 심이 직접 혈을 생성한다는 의미가 아니다. 혈은 화의 작용을 받은 물질이고, 심은 군화君火의 장부이기 때문에 이 둘을 연결지은 것일 뿐이다.

---

16) <血證論> "血者陰之質"

17) <血證論> "血之性, 善降而易凝"

18) <血證論> "血者火化之陰汁"

19) <讀醫隨筆>"夫生血之氣, 營氣也. 營盛則血盛, 營衰則血衰, 相依爲命, 不可分離也."

20) <黃帝內經 靈樞 邪客篇> "營氣者, 泌其津液, 注之於脈, 化以爲血"

21) <素問 陰陽應象大論>, <素問 五運行大論> "南方生熱, 熱生火, 火生苦, 苦生心, 心生血, 血生脾...."

3) 혈의 순행

혈은 맥脈 내를 순행한다. 혈은 기의 추동을 받아야만 순행할 수 있다.[22] 또 혈은 맥 내를 운행하므로 혈이 맥외로 나가지 못하도록 하는 기의 고섭작용도 받는다. 그러므로 혈이 맥 내를 정상적으로 순행하기 위해서는 기의 추동작용과 고섭작용의 조화가 필요하다. 추동작용이 부족하면 혈의 순행이 지체되는 현상이 나타나고 고섭작용이 약화되면 각종 출혈 현상이 발생한다.

혈의 순행을 오장 사이의 상호관계를 통해 설명할 수도 있다. 심은 '심주혈맥心主血脈'의 기능을 통해 혈의 순행을 추동하며, 비는 '비통혈脾統血'의 기능을 통해 혈이 맥관 내를 순행하도록 고섭한다. 간은 '장혈藏血' 기능을 통해 우리 몸의 혈류량을 조절하고, '소설疏泄' 기능을 통해 기의 흐름을 원활하게 유지하여 혈의 순행이 막히지 않도록 한다. 폐는 '폐주기肺主氣', '폐조백맥肺朝百脈'의 기능을 통해 혈을 전신으로 보낸다.

4) 혈의 작용

(1) 유양濡養작용: 혈은 맥관을 따라 전신을 순행하면서 각 장부, 조직, 기관의 기능 활동을 위해 영양을 공급하는 유양작용을 한다. 예를 들어 코가 냄새를 맡고, 눈으로 사물을 보며, 귀로 소리를 듣고, 후두가 소리를 발하며, 손으로 물건을 집을 수 있는 것은 모두 혈의 유양작용으로 말미암는 것이다.[23] 혈의 유양작용은 면색, 근육, 피부, 모발 등을 통해 반영된다.

(2) 정신활동의 물질적 기초: 심혈허心血虛, 간혈허肝血虛의 상태에서는 항상 경계驚悸, 실면失眠, 다몽多夢 등의 신지불안神志不安 증상이 나타나고, 출혈이 심한 실혈失血 상태에서는 신지실상神志失常의 증상이 나타난다.

(3) 체온유지: 혈의 순환을 통해 심부의 체온이 말초로 전해짐으로써 전신의 체온을 일정하게 유지하는 작용을 한다.

---

22) 〈醫學正傳〉 "血非氣不運"
23) 〈黃帝內經 素問 五藏生成篇〉 "肝受血而能視, 足受血而能步, 掌受血而能握, 指受血而能攝"

5. 진액津液

1) 진액의 개념

진액은 인체 내에 존재하는 정상적인 체액 전체를 일컫는 용어다. 진액은 땀과 같은 진津과 관절강액, 소화액과 같은 액液으로 구분되는데 성질, 분포상태, 작용이 서로 다르다.

(1) 성질: 진은 맑고 묽으며(淸稀), 엷고(薄), 가볍고(輕), 유동성이 큰(동적) 것으로 양에 속한다. 액은 끈끈하고(粘稠), 탁하며(濁), 무겁고(重), 유동성이 작은(정적) 것으로 음에 속한다.

(2) 분포: 진은 체표에 가까운 부위에 분포하며, 액은 체내 깊은 곳에 분포한다.

(3) 작용: 진은 피부나 주리에 삼투하여 피부를 자윤滋潤하는 작용을 한다. 액은 관절강, 뇌수腦髓, 인체 내의 빈 공간을 채우며 뇌수를 보익補益하고 이耳, 목目, 비鼻, 구口를 윤택하게 한다.

2) 진액의 생성, 수포輸布, 배설의 대사

(1) 진액의 생성

진액은 위胃의 소화작용으로 인해 생성된다. 위에서 음식물을 수납하고 부숙腐熟하는 작용을 거치면 음식물로부터 정미로운 물질(水穀之精微)이 만들어지는데 진액은 이 과정에서 생성된다.

(2) 진액의 수포

위의 소화작용을 통해 만들어진 진액은 일차적으로 비脾의 운화運化작용에 의해 폐로 전수轉輸된다('脾主爲胃行其津液者也', '脾主運化', '脾主升淸'). 한의학에서는 비를 진액의 수포대사에 있어 중요한 요충이 되는 장기로 본다. 그러므로 임상에서 인체 진액대사에 장애가 생겨 진액이 정체되어 수습담음水濕痰飮과 같은 병리적인 현상이 발생하면 가장 먼저 살펴보는 것이 비의 기능이다.

폐로 전수된 진액은 폐의 선발宣發과 숙강肅降작용에 의해 전신으로 포산布散된다. 이를 폐의 통조수도通調水道 기능이라 한다.

(3) 진액의 배설

진액의 배설은 신腎이 주관한다. 신腎은 이음二陰(전음前陰과 후음後陰, 전음은 소변이 나가는 길, 즉 요도를 말하고, 후음은 대변이 나가는 통로인 항문을 말한다)의 개폐開閉를 관장해서 이음을 통해 배출되는 진액량을 조절하는 역할을 한다. 신腎은 이를 통해 인체 전체 진액량을 조절한다. 이음의 개폐 조절은 신기腎氣가 주도하는 기화氣化 작용에 좌우되는데 신기가 왕성하면 이음의 개폐 조절이 순조롭고, 신기가 허虛하면 이음의 개폐를 조절하지 못하는 대소변 불금不禁이 있게 된다. 그리고 또 신기는 진액의 생성, 수포, 배설 등 인체 진액대사 전체를 추동하는 기화의 동력이 되기도 한다.

3) 진액의 작용

진액은 자윤滋潤, 유양濡養, 활리滑利의 기능을 주로 한다. 또 진액은 인체 전체 음양(특히 水火) 평형을 유지하는 데 중요한 역할을 하며 이를 통해 체온을 일정하게 유지하는 데도 관여한다.

(1) 진津의 작용

인체를 자윤하고 유양하는 작용을 한다. 또 혈이 생성되는 데 필요한 전구 물질이 되어 혈을 보충하는 역할을 한다.

(2) 액液의 작용

골수骨髓와 뇌수腦髓를 채우고 유양하는 작용을 한다. 관절액은 관절을 활리하게 하고 충양充養케 한다.

6. 정, 신, 기, 혈, 진액의 상호관계

1) 기와 혈의 상호관계

기와 혈은 음양 대대관계에 있다. 기는 양이고, 혈은 음이다. 기는 동적이고, 혈은 정적이다. 기는 무형으로서 온후溫煦, 추동推動하는 작용을 주로 하고, 혈은 유형으로서 자윤滋潤, 유양濡養하는 작용을 주로 한다. 이런 차이에도 불구하고 기와 혈은 서로 이름은 다르지만 같은 부류에 속한다("血之與氣, 異名而同類"). 기와 혈의 상호관계는 다음과 같다.

(1) 기능생혈氣能生血: 혈은 기의 작용으로 생성된다. 그러므로 혈의 성쇠는 기의 성쇠에 달려 있다. 임상에서도 혈허血虛한 경우 보기補氣하는 치법을 먼저 생각한다.

(2) 기능행혈氣能行血: 혈은 스스로 순환할 수 있는 힘이 없다. 항상 기를 따라 순행한다. 기는 혈이 순행하는 데 필요한 동력이다.

(3) 기능섭혈氣能攝血: 기는 혈을 고섭하여 맥관 내로 순행하도록 한다.

(4) 혈위기모血爲氣母: 기는 반드시 혈에 의존한다. 무형의 기를 싣고 있는 것은 유형의 혈이고, 유형의 혈을 움직이는 것은 무형의 기이다("夫載氣者血也, 而運血者氣也"). 정혈精血과 진액津液은 기를 생성하는 근원이 된다.

2) 정과 기의 상호관계

(1) 기능생정氣能生精: 우리 몸의 정혈은 기로부터 생성된다.[24]

(2) 정화위기精化爲氣: 정은 기화하여 기가 된다. 정은 기가 생성되는 물질적 기초다.[25] 그러므로 정이 충실하면 기가 왕성하고, 정이 부족하면 기가 쇠하게 된다.

---

[24]　<類經> "人身精血, 由氣而化, 故氣歸於精."
[25]　<類經> "精化爲氣, 謂之氣由精而化也"

(3) 기는 정을 고섭한다.

3) 정과 혈의 상호관계

(1) 정혈동원精血同源: 정과 혈은 근원이 같다. 정이 부족하면 혈이 부족하고, 혈이 부족하면 정이 부족하기 쉽다.

(2) 혈즉정지속血卽精之屬: 넓은 의미에서 혈은 정에 속한다. 정은 때때로 우리 몸의 물질적 기반 전체를 지칭하는 개념으로 사용되며 이 경우 혈은 정에 포괄된다.

4) 기와 신의 상호관계

(1) 기왕즉신왕氣旺則神旺: 기는 생체 에너지로서 기가 왕성하면 우리 몸의 생명력도 왕성해진다.

(2) 신위기지주神爲氣之主: 신은 우리 몸의 생명력으로서 기의 생성과 유행流行을 제어한다.

5) 혈과 신의 상호관계

혈은 생체 물질로서 인체 생명활동과 정신활동이 일어나는 기반이 된다. 임상적으로 혈허血虛한 환자는 신지불안神志不安하여 경계驚悸, 실면失眠, 다몽多夢 증상을 호소하는 경우가 많다.

6) 기와 진액의 상호관계

(1) 기능생진氣能生津: 기는 진액의 생성을 촉진한다.

(2) 기능행진氣能行津: 기는 진액의 인체 내 수포輸布와 배설에 관여한다. 기허氣虛, 기체氣滯 상태는 모두 진액의 정체를 유발한다.

(3) 기능섭진氣能攝津: 기는 고섭작용을 통해 체내 진액이 땀이나 뇨로 함부로 빠져나가는 것을 막는 작용을 한다. 기허氣虛로 고섭작용이 약해지면 자한自汗과 다뇨多尿(유뇨遺尿,

요실금尿失禁 포함) 증상이 나타나 진액이 손실된다.

(4) 진능재기津能載氣: 진액에는 기가 실려 있다. 그러므로 구토, 설사가 심하거나 땀을 많이 흘려 진액을 많이 소모하면 기도 함께 소모된다.

7) 혈과 진액의 상호관계

(1) 진혈동원津血同源: 진액은 혈의 생성에 참여한다. 그러므로 진액은 혈의 중요한 구성 성분이다. 진액과 혈은 근원이 같으므로 진액이 손상되면 혈이 부족하게 되고, 혈을 많이 잃으면 진액의 병변을 초래한다. 임상에서는 "혈을 많이 잃은 자는 발한시키는 치법을 사용하지 말고, 땀을 많이 흘린 자는 사혈하는 치법을 사용하지 말라("奪血者無汗, 奪汗者無血")."고 했다.

제2절　오장기능계 - 장부학설

1. 장상학설藏象學說

1) 장상의 개념과 장상학설

　　<황제내경 영추 경수편經水篇>에는 사체를 해부해서 인체 내부를 관찰했다는 기술이 있다.[26] 이것은 한의학 형성기에 이미 해부학적 관찰이 이루어졌고 이를 통해 흉복강胸腹腔 내부 장기들에 간肝, 심心, 비脾, 폐肺, 신腎, 위胃, 담膽, 소장小腸, 대장大腸, 방광膀胱 등의 이름을 붙였다는 것을 의미한다. 하지만 해부학적 관찰이 이루어졌다는 것과 이 장기들이 어떤 기능을 하는지 아는 것은 완전히 다른 차원의 문제다. 예를 들어 소화관을 구성하고 있는 위, 소장, 대장과 심장, 폐 같은 장기들의 기능은 어렵지 않게 유추할 수 있었을 것이

---

26)　"若夫八尺之士, 皮肉在此, 外可度量切循而得之, 其死可解剖而視之, 其藏之堅脆, 府之大小, 穀之多少, 脈之長短, 血之淸濁, 氣之多少, 十二經之多血少氣, 與其少血多氣, 與其皆多血氣, 與其皆少血氣, 皆有大數."

다. 하지만 간이나 신장, 비장 같은 장기는 육안적 형태 관찰만으로는 어떤 기능을 하는지 알기가 쉽지 않다. 이런 이유로 한의학 형성기의 의학자들은 음양오행 같은 당시 유행했던 철학적 방법들을 채용하여 각 장기의 기능을 유추하려고 시도했다. 그리고 인체 바깥으로 드러나는 현상들을 면밀히 관찰하고 이것을 인체 내부 장기들과 연결지어 인식하는 장상藏象 방법을 발전시켰다. 이것은 당시의 의사들이 취할 수 있었던 최선의 방법이었다.

장藏이라는 글자에는 창고倉庫, 감추다(은장隱藏), 깊다(심深) 등의 의미가 있다. 이런 의미들을 바탕으로 한의학에서 장藏은 (1) 인체 흉복강 내에 존재하는 장부臟腑, (2) 정기를 거두어들여 저장한다는 수장收藏, (3) 깊이 감추어져 있어 밖으로 드러나지 않는다는 장닉藏匿 등의 의미로 사용되었다. 또 상象에는 인체 밖으로 드러나 관찰할 수 있는 현상現象, 생긴 모양을 의미하는 형상形象, 천인상응天人相應의 관점에서 인체와 자연의 유비를 통해 관찰가능하게 된 현상인 비상比象 등의 의미가 있다.[27]

장상이란 기본적으로 인체 내부에 감추어진 장藏과 밖으로 드러난 상象 사이의 관계가 중심이 된다. 즉, 인체 밖으로 드러난 현상이나 형상, 그리고 인체와 자연의 유비를 통해 인식된 비상을 체내 장부와 연결 짓고 이를 통해 인체 내부에 깊이 감춰져 있는 장기들의 기능 상태를 유추하고자 했던 것이 장상 방법이다. 인체 밖으로 표현되는 다양한 상변수象變數들을 장기간 관찰한 경험과 이것에 대한 조작경험까지를 집약하여 이것으로 내장의 생리기능이나 병리변화를 추론하는 방식인 것이다. 이는 체내 장기들의 해부조직학적 구조와 변이變異를 직접 관찰하고 이를 통해 각 장기의 생리기능이나 병리 변화를 추론했던 서양의학의 방법과 다르다.

그러므로 장상학설이란 고대 동아시아의 천인상응관을 기초로, 인체 내 오장과 오장의 기능활동이 체외로 표현되는 생리·병리적 현상, 그리고 오장의 기능활동에 영향을 미치는 외부환경을 연계시켜, 이를 통해 인체 오장의 생리, 병리를 인식하고 설명하는 한의학 이론을 말한다.

---

[27] 비상(比象)의 예로 한의학의 한열 개념을 들 수 있다. 이것은 자연과 인체의 유비를 통해 의학에 들어와 사용된 개념이다. 郑红斌. 关于藏象学说若干问题的探讨. 浙江中医学院学报. 1991;15(5):6-8.

2) 장상학설에 포함된 방법론과 장상연계표

장상학설 형성의 바탕이 된 사상과 방법으로는 전일관, 천인상응관, 이표지리以表知裏의 흑상黑箱(black box) 방법, 음양오행학설, 오행귀류 등을 들 수 있다.

표表를 통해 리裏를 아는 '이표지리'의 장상 방법은 일종의 흑상(black box) 방법에 해당한다. 흑상 방법은 현대 제어론의 중요한 기술로서 제어해야 할 시스템의 내부구조와 기능을 완전히 파악할 수 없는 상태에서 시스템 내부로 들어가고(input) 나오는(output) 신호를 통해 시스템의 기능상태를 측정하고 제어하는 것을 말한다.

장상학설은 장과 상의 연계표(이하 장상연계표)에 기초하여 운용된다. 장상연계표는 오장을 중심으로 오장과 인체 조직, 기관, 인체가 발현하는 현상, 그리고 인체에 영향을 미치는 외부환경 속의 여러 인자들을 연계시킨 표로서 오행귀류五行歸類를 의학적으로 활용한 것이다. 이런 관점에서 보면 한의학에서의 오장개념은 그 본질이 오장이라는 독립적인 해부학적 실체에 있지 않고 오장이 인체 내·외부의 사물, 현상들과 맺고 있는 관계에 있다고 할 수 있다. 오장은 인체-환경 관계망의 중심이다(표 3-2).

표 3-2. **장상연계표**

五藏	六府	形體	官竅	榮華	五神	情志	季節	五化	六氣	五味	五色
肝	膽	筋	目	爪	魂	怒	春	生	風	酸	青
心	小腸	脈	舌	面	神	喜	夏	長	熱	苦	赤
脾	胃	肉	口	脣	意	思	長夏	化	濕	甘	黃
肺	大腸	皮	鼻	毛	魄	悲	秋	收	燥	辛	白
腎	膀胱	骨	耳	髮	志	恐	冬	藏	寒	鹹	黑

3) 장변수와 상변수의 변주곡

장상학설의 관점에서 볼 때 인체는 장변수藏變數와 상변수象變數가 서로 연계되어 있는 장상시스템으로 이해된다. 인체는 일종의 흑상과 같다. 상변수들로부터 인체 내부에서 일어나는 변화, 즉, 다양한 장변수들이 유도된다. 예를 들어 비기허脾氣虛라는 장변수는, 얼굴색이 윤기가 없이 누렇고(面色萎黃), 매사에 의욕이 없고 귀찮으며(倦怠), 숨이 차고 말하기도 싫고(氣短懶言), 식욕이 없으며(食慾不振), 식사를 하고 난 후에는 속이 더부룩하고(食後腹脹), 대변이 묽은(大便溏薄) 증상들, 그리고 혈색이 부족한 혀와 백색의 설태(舌淡苔白), 약한 맥(脈緩弱) 등의 상변수들이 조합을 이루어 나타날 때를 가리킨다.

임상에서는 상변수들의 조합(증證)을 분석하여 이를 다양한 장변수에 귀속시켜 치료하는 장부변증논치臟腑辨證論治가 장상학설을 기초로 하고 있다.

하지만 방법론의 관점에서 보면 장상은 한의학에서 인체에 접근하는 이표지리의 방법 전체를 지칭하는 개념이라고도 할 수 있다. 이때 장상에서의 장은 오장에 국한되지 않고 상과 대비하여 인체 내부에서 일어나는 모든 변화를 포괄하는 개념이 된다. 한의학에는 장부변증 외에도 상한육경傷寒六經변증, 온병溫病의 위기영혈衛氣營血변증, 기혈진액氣血津液변증 등 다양한 변증방법이 존재한다. 이러한 한의학의 변증논치는 크게 보면 모두 인체 밖으로 표현되는 증상들을 통해 인체 내에서 일어나는 병리적 변화들을 파악하는 이표지리의 장상 방법 위에 서 있다. 이런 점에서 장상은 장부생리뿐만 아니라 한의학 전체를 관통하는 중요한 의학적 방법이 된다.

2. 한의학에서 장부 – 오장, 육부, 기항지부

한의학에서는 인체내 장기를 그 형태와 기능적 특징에 의해 오장五藏, 육부六府, 기항지부奇恒之府의 3대류로 나눈다(표 3-3).

표 3-3. **한의학의 장부 분류**

오장	간(肝), 심(心), 비(脾), 폐(肺), 신(腎)
육부	담(膽), 소장(小腸), 위(胃), 대장(大腸), 방광(膀胱), 삼초(三焦)
기항지부	뇌(腦), 수(髓), 골(骨), 맥(脈), 담(膽), 여자포(女子胞)

　　오장과 육부는 일대일의 표리상합表裏相合관계를 형성하며 오장은 음, 육부는 양으로 속성이 구분된다. 한의학에서는 오장육부에 음양, 오행 속성을 부여하고 이를 통해 생리기능을 설명한다. 오장의 음양, 오행 배속, 오장과 육부의 표리상합관계는 다음과 같다(표 3-4).

표 3-4. 오장과 육부의 표리상합관계

오장	음양속성	오행	표리상합관계에 있는 육부
간	음중지양(少陽)	목	담
심	양중지양(太陽)	화	소장
비	지음(至陰)	토	위
폐	양중지음(少陰)	금	대장
신	음중지음(太陰)	수	방광(삼초는 방광에 배속)

1) 오장과 육부의 구분

　　오장과 육부는 '장藏'과 '사瀉'의 기능적 특징에 의해 구분된다. 오장은 음식물을 소화하여 만들어진 '정기精氣'를 저장(藏)하는 기능을 하고, 육부는 음식물을 소화하여 우리 몸이 필요로 하는 영양분(水穀의 精微)을 만들어 내며, 남은 찌꺼기는 아래로 내려보내 배출시키는(瀉, '전화傳化') 기능을 한다. 하지만 이를 기계적으로 해석할 필요는 없다. 오장은 정기를 저장하는 것을 주로 하지만 다른 장기나 조직, 기관에 정기를 보내기도 한다. <황제내경>에서 오장이 '정기를 저장하고 내보내지 않는다(장정기이불사藏精氣而不瀉)'고 한 것은 육부에 대해 상대적으로 말한 것일 뿐이다. 오장이 다른 장기나 조직, 기관에 정기를 보내는 것은 육부 전체가 '통창通暢'[28]을 주된 목표로 기능하면서 찌꺼기를 체외로 배설하는 육부의 '사瀉'와 같지 않다.

---

28)　'통창(通暢)'은 막히지 않고 잘 소통된다는 의미이다. 한의학에서 위, 소장, 대장, 방광, 삼초는 음식물을 소화시키고 이 과정에서 생긴 찌꺼기[조박(糟粕)]를 아래로 내려 보내 소변과 대변의 형태로 만들어 배설하는 것이 중요한 기능이다. 이런 맥락에서 육부 전체는 '통창'을 유지하는 것이 정상적인 생리기능을 영위하는 지표가 되고, '정체(停滯)'는 병리적인 상황이 된다. 소장과 대장의 '장(腸)'이라는 글자는 '창(暢)'의 의미와 관련이 있다.

2) 기항지부

'기奇'는 다르다(異)는 의미이고, '항恒'은 일반적, 통상적(常)이라는 의미이다. 그러므로 기항지부는 부이면서도 통상적인 육부와는 다른 '기이한' 부라는 뜻이다. 기항지부로 분류되는 이유에는 두 가지 해석이 있다. 첫째, 기항지부는 큰 틀에서 볼 때 부에 속하지만 그 기능은 정기를 저장하는('장藏') 오장의 기능과 유사하여 통상적인 육부와 다르기 때문이다. 둘째, 육부는 오장과 일대일의 표리상합관계를 형성하고 있는데 반해 기항지부에는 이런 관계가 존재하지 않기 때문이다.

기항지부에 속하는 뇌腦, 수髓, 골骨, 맥脈, 담膽[29], 여자포女子胞는 모두 정기를 저장하는 기능을 한다는 공통점이 있다.

🏷 한의학의 '간肝'은 해부학적 실체 장기인 '간(liver)'이 아니다?

앞서도 언급했듯이 〈황제내경 영추 경수편〉에는 사체를 해부해서 인체 내부를 관찰했다는 기록이 있다. 한의학의 간, 심, 비, 폐, 신 오장은 당연히 이러한 해부학적 관찰을 근거로 이름이 붙여진 것이고 해부학적 실체를 지칭하는 용어였다. 〈황제내경〉에는 오장의 해부학적 형태에 대한 기술이 없지만 〈난경〉에서는 오장의 해부학적 형태가 기술되어 있다.

근대에 접어들어 이런 오장이 문제가 되었다. 예를 들어 1934년에 초판이 발간된 조헌영趙憲泳의 〈통속한의학원론〉에는 "장부를 논하기 전에 이해해야 할 것은 동양의학에 심이니 신이니 담이니 하는 것은 현대의 생리해부학상 심장이니 신장이니 담낭이니 하는 것과 그 내용에 많은 차이가 있는 것이다."[30]라 하였다. 1970년대 말에서 80년대 초에 발간된 한의대 내과 임상 교재에서도 한의학의 오장은 장상학설에 의거하여 각 장과 연계되는 기관과 조직을 총괄하는 넓은 의미의 개념으로, 서양의학의 해부학적 장기는 좁은 의미의 개념으로 구분해야 한다고 기술하고

---

29) 담은 육부에 속하면서 기항지부에도 속한다. 그 이유에 대해서는 여러 가지 설명이 있다. 그중 두 가지만 소개하면 다음과 같다. 첫째, 담을 제외한 오부는 음식물[즉, 탁기(濁氣)]를 받아들여 변화시킨 다음 내려보내는 기능을 한다. 〈황제내경〉에서는 이런 맥락에서 담을 제외한 오부를 별도로 '전화지부(傳化之府)'라 했다. 하지만 담은 다른 부와 달리 탁하지 않은 청즙(淸汁)을 저장하고 있으며 필요에 따라 장할 수도, 사할 수도 있는 특성이 있다. 이런 이유 때문에 담이 육부에도 속하고 기항지부에도 속한다고 보는 것이다. 둘째, 고대에는 '난(卵)'자가 전자(篆字)체에서는 담(膽)의 속자인 '담(胆)'과 모양이 유사하여 혼용되었는데, 난(卵)은 남자의 고환을 가리키는 것으로서 기항지부 중의 담은 담(膽)이 아니라 고환이 되어야 한다는 주장이다. 이것은 기항지부에 속하는 장기들이 모두 정기를 저장하는 기능을 한다는 점, 그리고 기항지부에 여자포가 포함되어 있으나 남자의 생식과 관련된 장기는 없어 남자의 고환을 포함시키는 것이 자연스럽다는 점에서 눈여겨볼만한 주장이다.

30) 조헌영. 통속한의학원론. 대한한방의우회; 1975. p. 145

있다. 이를 위해 이들 교재에서는 넓은 의미의 한의학 오장은 간, 심, 비, 폐, 신으로, 좁은 의미의 서양의학 해부학적 장기는 간장, 심장, 비장, 폐장, 신장으로 구분하여 표기할 것을 제안했다.[31]

한의학의 오장이 서양의학의 해부학적 장기와 다른 것이라는 인식은 언제부터, 어떻게 생겨났을까? 이것은 한의학과 서양의학의 만남과 관련이 있다. 한의학 형성기에 오장에 대한 해부학적 관찰이 있었지만 그 오장이 어떤 기능을 하는지는 그 당시에 유행하던 철학사상을 기초로 이론을 세울 수밖에 없었다. 한의학에서는 당시의 천인상응, 음양오행 사상을 기초로 장상의 관점에서 오장 기능에 대한 이론체계를 세웠다. 이 이론을 바탕으로 임상을 수행하는 과정에서 수정과 보완이 이루어져 지금과 같은 한의학의 장부이론체계를 갖추게 되었다. 그러나 동아시아 지역에 서양의학이 전입된 이후 문제가 생겼다. 그동안 한의학에서 설명해 오던 오장의 기능과 서양의학에서의 해당 장기의 기능이 서로 부합할 수 없다는 것을 알게 된 것이다. 한의학의 간과 관련된 기능 이론은 서양의학의 liver에 관한 해부생리학 지식과 서로 조화될 수 없었다. "한의학의 간은 서양의학의 해부생리학상의 간이 아니다."라는 주장은 이런 상황 속에서 나타났다.

현대 시기 한의학 연구자들은 이 문제를 어떻게 정리했을까? 대부분 한의학의 오장개념을 해부학적 실체를 떠나 새롭게 정의함으로써 이 문제를 해결하려고 했다. 한국은 물론이고 중국에서도 그랬다. 이 연구들에서 볼 수 있는 공통점은 한의학의 오장을 오행개념을 기초로 형성된 일종의 기능단위로 설정하고 있다는 것이다.

김완희는 윤길영이 '한방생리학의 방법론 연구'라는 논문에서 제안한 생리학 이론체계를 계승하여 '유기능이론類機能理論'을 창안했다. 이 이론에서는 기존 한의학의 오장-육부-형체-기관의 연계체계를 기능적 유사성을 중심으로 묶인 '유기능체계'라고 보았다. '유기능체계'에서는 한의학의 오장을 해부학적 실체를 넘어서는 일종의 기능단위로 설정한다. 즉, 오장을 기능적 유사성을 바탕으로 형성된 오장 각각의 기능계 전체를 포괄하는 넓은 개념으로 보고 있는 것이다. 예를 들어 한의학의 간은 간-담-근-목-조-절이라는 간기능계 전체를 포괄하는 개념으로 보았다. 초기 한의대 임상 교재에 기술된 넓은 의미의 한의학 오장 개념은 유기능체계의 오장 개념을 이어받은 것이었다. 중국에서도 비슷한 시도들이 있었다. 중국에서는 1980년대에 시스템이론이 유행하면서 한의학의 오장개념을 해부대 위에서가 아니라 살아있는 인체에서만 관찰되는 기능단위로 인식했으며, 한의학의 장부가 단일기관의 단일기능이 아니라 살아있는 인체가 기능을 발휘하는 과정에서 나타나는 다수 기관의 일부 기능들이 합쳐져 형성된 기능성 구조라고 인식했다.

---

31) 전국한의과대학 간계내과학 교수 공저. 간계내과학. 동양의학연구원; 1992. p. 24

두호경. 동의신계학. 동양의학연구원; 1992. p. 7.

이 연구들은 전통적인 한의학의 오장 개념을 현대에 맞게 새롭게 해석하려고 시도했다는 점에서 큰 의의가 있다. 그러나 숙제도 남아있다. 이 연구들에서 제시된 오장 개념이 임상에서 어떻게 수용될 수 있을지가 중요한 과제다. 예를 들어 한의학 임상에서는 '간혈허', '간기허' 같은 변증명들이 사용된다. '간'은 이러한 변증명을 구성하는 핵심 용어다. 그렇기에 현대적으로 새롭게 제시된 '간'의 개념은 한의사들이 사용하는 임상체계 안에서의 '간'의 개념을 지금 시대에 맞게 잘 설명하든지 아니면 지금보다 더 효율적인 임상체계를 구성할 수 있는 통찰력을 제공하든지 해야 의미가 있다. 이런 점에서 오장 개념에 대한 현대적 연구는 아직 완성되지 않았으며 새로운 연구를 기다리고 있다고 할 것이다.

3. 간기능계

한의학의 장부학설은 장상학설을 기초로 전개된다. 이 책에서는 한의학적 관점에서 바라보는 오장의 기능적 특성과 생리기능을 먼저 설명하고, 그 다음 오장기능계의 생리를 오장과 육부, 조직, 기관 사이에 형성되는 관계를 중심으로 기술할 것이다. 이것은 임상에서 장부학설이 활용되고 있는 방식을 염두에 둔 것이다. 장부변증논치에서는 오장 중 어느 곳에 병이 있는지, 병의 위치(병위病位)를 찾는 것이 중요한데 이것은 장부기능 상의 특징, 임상 증상이 나타나는 부위나 증상의 성질, 계절과의 관계 등을 고려하여 이루어진다. 즉, 장상학설의 기초위에서 장상연계표를 활용하여 오장 중 어느 장에 병이 있는지를 확정하는 것이다. 그러므로 이 책에서는 장부변증에 필요한 내용 위주로 간략하게 장부학설의 내용을 구성하였다.

간은 목木의 특성을 중심으로 하는 장기다. 목기木氣는 '생生'의 현상을 일으키는 발생력, 발생기능을 말한다. 인체에서 목의 특성을 발휘하거나 목의 특성이 잘 드러나는 기관과 조직은 간에 통합되어 간기능계를 형성한다. 그리고 춘春-풍風-청靑색-산酸미 등은 간기능계의 활성에 영향을 미치는 환경요소, 자극요소로 작용한다. 간기능계는 간肝-담膽-근筋-목目-조爪-절節로 구성되며, 간기능계와 관련된 기능변화는 목目-혈血-조爪-근筋-절節에 주로 나타나고, 노정怒情, 루淚의 변화로도 관찰된다.

1) 간의 기능적 특성

(1) '음중지소양陰中之少陽'-'체음이용양體陰而用陽'-'목木'

간은 신腎과 함께 횡격막 아래쪽에 위치하여 음에 속한다. '체음體陰'은 간의 위치적 속성과 함께 장혈하는 기능적 특성을 표현하는 용어다. '용양用陽'은 작용이 양적이라는 의미다.

간은 발생기능을 대표하는 장기로서 기능상 '조달條達', '승동升動', '승발升發'하는 특성을 가지고 있다. 그러므로 이러한 간의 기능(간기肝氣)이 막혀 울체鬱滯되면 가슴과 옆구리가 답답하거나('흉협만민胸脇滿悶') 통증이 잘 나타난다('흉협창통胸脇脹痛'). 또 울체가 장기화되면 울체된 기가 화火나 열熱로 변하고('기울화화氣鬱化火'), 심하면 풍風이 동動하여 '간풍내동肝風內動' 병증을 일으키게 된다.

이처럼 간은 음적인 장기이지만 양적인 작용을 발휘한다. 그리고 이런 특성은 병리적 특성과도 연결되어 간의 병증은 '간기간양상유여肝氣肝陽常有餘'하기 쉬운 경향을 보인다.

(2) '장군지관將軍之官'

<황제내경 소문 영란비전론靈蘭秘典論>에서는 인체 장부를 국가 관직에 비유하여 그 기능을 설명하고 있는데 간을 '장군지관'이라고 했다. 대부분의 주석가들은 간의 기운이 급하며 노怒의 정서가 간에 배속되어 있어 이것이 장군의 기질과 닮았기 때문이라고 설명한다("肝氣急而志怒").

2) 간의 생리기능

(1) 소설疏泄기능

소설에는 소통疏通과 발설發泄, 즉, 울체된 것을 풀어 잘 통하게 한다는 의미가 있다. 주로 기의 흐름을 잘 통하게 하여 인체 기혈 순환이 장애가 없이 원활하게 유지되도록 하는 기능이다. 간의 소설기능은 다방면으로 영향을 미친다. 기의 흐름이 통창通暢하게 되면 소화가 촉진되고, 진액의 수포와 배설도 정상적으로 이루어지며, 정서적 억압도 풀어져 정신 활동도 조화롭게 일어나게 된다. 그리고 여성에게 있어서는 배란과 월경, 남성에게 있어서는 사정射精이 정상적으로 일어나도록 돕는다.

(2) 장혈藏血기능

장혈은 간에 혈을 거둬들여 혈류량을 조절하는 기능이 있음을 말하는 것이다. 인체 활동이 격렬하거나 정서적으로 흥분되었을 때는 혈을 내보내 인체 혈의 수요를 충당한다. 반면에 인체가 수면 또는 휴식을 취하거나 또 정서적으로 안정되어 있을 때는 인체 활동이 줄어들므로 혈도 간으로 돌아와 저장된다. 간의 장혈하는 기능으로 인해 간을 혈해血海라고 부르기도 한다.

간의 장혈기능은 소설기능과 서로 짝이 되어 기능을 발휘한다. 소설이 혈을 전신으로 내보내는('敷布') 기능이라면, 장혈은 거둬들이는('收藏') 기능이다. 간은 소설과 장혈 기능을 통해 인체 기혈의 순환을 조절한다.

(3) '간주모려肝主謀慮, 재지위노在志爲怒'

모려란 '심모원려深謀遠慮', 즉, "깊은 꾀와 먼 장래를 내다보는 생각"이다. 모려는 봄의 생발지기生發之氣에 상응하는 것으로 초목이 싹을 틔우지만 완전히 외현화하지는 않은 상태에 비유된다. 이것이 마치 장군이 야전에서 전쟁을 앞두고 전략을 궁리하는 상황과 같다고 보아 '간은 장군지관으로 모려가 나온다'('肝者, 將軍之官, 謀慮出焉')고 한 것이다.

노怒는 부정적인 정서의 하나로 간기가 억압을 받아 발생하는 충동적 흥분을 말한다. 노정의 발생은 간의 기능과 밀접한 관련이 있다.

3) 담膽: 간합담肝合膽
(1) 담의 기능

담은 '중정지부中精之府'로서 정즙精汁을 저장하고 배출하는 기능을 한다. 또 담은 국가 관직 중 '중정지관中正之官'에 비유된다. 이것은 담이 법관과 같이 어느 쪽으로 치우침이 없이 정확하고 과감한 판단과 결정을 내리는 기능을 한다는 의미를 담고 있다. 담의 '결단決斷' 능력은 스트레스에 대한 방어작용과 관련이 있고, 사람에 따라 용감하거나 겁이 많은 성향('용겁勇怯')을 보이는 것과도 관련이 있다. 담의 기운(담기膽氣)이 약한 사람에게서는 잘 놀라고 별 것 아닌 것에도 두려워하여 잠을 잘 자지 못하거나 꿈이 많은 증상들이 나타난다.

(2) 간합담

간은 담과 표리상합관계를 이룬다. 첫째, 간과 담은 둘 다 소설기능을 발휘하여 소설기능으로 상합관계를 이룬다. 둘째, 간은 모려를 주관하고, 담은 결단을 주관하여 모려와 결단으로 상합관계를 이룬다. 담의 결단은 모려가 전제되어야 의미가 있으며, 간의 모려는 담의 결단을 통해서만 본래 기능을 행하게 된다.

4) 근筋: 간주근肝主筋

한의학에서는 근을 근육(muscle)보다는 인대(ligament), 건(腱, tendon), 건막(aponeurosis)에 가까운 것으로 보고 있다. 근은 관절을 구성하는 구조물('諸筋者, 皆屬於節')로서 관절의 굴신운동을 관장한다. 근은 성질이 굳세며('경강勁强') 단단하고 질겨('견인堅靭') 골격을 유지하는 역할도 한다. 근이 간에 배속되는 것은 근이 운동의 발생과 연결되기 때문이다. 또 한의학에서는 간을 '파극지본罷極之本'이라고 했는데 이것은 간이 피로를 견디는 장기, 피로를 없애는 근본이라는 의미이다.

5) 목目: 간개규어목肝開竅於目

눈은 오장육부의 정기精氣가 모이는 곳이다. <황제내경>에서는 간뿐만 아니라 오장이 모두 목계目系의 형성에 참여한다고 기술하고 있다.[32] 또 시각기능의 기초로서 '정명精明'을 말하고 있는 곳도 있다.[33] '정명'이란 눈의 정기精氣(안신眼神)를 가리키는 것으로서 물질적 기초로서의 오장의 정기(精)와 기능의 정화精華로서의 신명神明(明)이 합쳐진 것이다. 그러므로 한의학에서 시각기능은 인체 오장육부의 정기와 신기가 합쳐져 나타나는 기능이다. 눈에서 나타나는 신태神態는 그 사람이 가진 생명력을 판단하는 근거가 된다.

<황제내경>에서는 눈에 대해 심과 간 두 장기와의 관련성을 강조하고 있다. 눈을 심과

---

32) <黃帝內經 靈樞 大惑論>에는 "五臟六腑之精氣, 上注於目而爲之精. 精之窠爲眼, 骨之精爲瞳子, 筋之精爲黑眼, 血之精爲絡, 其窠氣之精爲白眼, 肌肉之精爲約束, 裹擷筋骨血氣之精而與脈幷爲系"라 하였다. 눈은 오장육부의 정기精氣가 모인 곳으로 오장이 주관하는 골(骨), 근(筋), 혈(血), 기(氣), 기육(肌肉)의 정기에 의해 각각 동자(瞳子)(腎), 흑안(黑眼)(肝), 내외자(內外眥)의 혈락(血絡)부분(心), 백안(白眼)(肺), 상하안검(上下眼瞼)(脾)이 지배되며 이들이 합쳐져 하나의 목계(目系)를 이루고 있음을 말하였다.

33) <黃帝內經 素問 脈要精微論> "夫精明者, 所以視萬物, 別白黑, 審短長"

관련지은 것은 앞서 언급한 대로 눈에는 그 사람의 생명력이 드러나기 때문이다.[34] 그러나 <황제내경>에는 눈과 간의 관련성을 기술한 내용이 훨씬 더 많다.[35] 이것은 눈이 간의 기혈에 의해 유양濡養을 받아야 시각기능을 발휘하고, 또 임상적으로 간의 기능변화가 눈에 잘 반영되기 때문으로 보인다. 그럼에도 불구하고 눈에는 오장의 기능변화가 모두 반영되어 나타날 수 있으며, 간은 눈과 관련된 장기의 대표일 뿐이다.

6) 절節

절은 인체 관절을 가리킨다. 관절은 근이 결합하여 만들어지며 굴신과 회전운동이 발생하는 곳이다. 한의학에서 간과 절은 운동기능을 중심으로 상관성을 갖는다.

7) 조爪: '기화재조其華在爪'

조爪는 조갑爪甲의 약칭으로 손톱과 발톱 전체를 말한다. 조갑은 '근지여筋之餘'로서 근과도 연결되어 있다. 조갑의 색택色澤, 형形, 무늬의 변화로 간의 상태를 알 수 있다. 간의 장혈 기능이 정상 유지되면 혈의 공급이 충분하여 조갑에 혈색이 있고 광택이 있으며, 간혈肝血이 부족하면 조갑에 혈색이 없어지고 광택이 사라지며, 심하면 위축이나 비대 같은 변형이 일어나고 조갑이 잘 갈라지게 된다.

4. 심기능계

심은 화火의 특성을 중심으로 하는 장기다. 화기火氣는 '장長'의 현상을 일으키는 추진력(추진기능), 분산력을 말한다. 인체에서 화의 특성을 발휘하거나 화의 특성이 잘 드러나는 기관과 조직은 심에 통합되어 심기능계를 형성한다. 그리고 하夏-열熱, 서暑, 화火-적赤색-고苦미 등은 심기능계의 활성에 영향을 미치는 환경요소, 자극요소로 작용한다. 심기능계

---

34) <黃帝內經 靈樞 大惑論> "目者, 心使也.", <黃帝內經 素問. 解精微論> "夫心者, 五藏之專精也. 目者, 其竅也."

35) <黃帝內經 靈樞 脈度篇> "肝氣通於目, 肝和則目能辨五色矣.", <黃帝內經 素問 陰陽應象大論> "肝主目", <黃帝內經 靈樞 五閱五使篇> "目者, 肝之官也.", <黃帝內經 素問 金匱眞言論> "東方靑色, 入通於肝, 開竅於目", <黃帝內經 素問 五藏生成篇> "肝受血而能視"

는 심心-소장小腸-맥脈-설舌-면面으로 구성되며, 심기능계와 관련된 기능변화는 면색-혈맥-설舌에 주로 나타나고, 희정喜情, 한汗의 변화로도 관찰된다.

1) 심의 기능적 특성

(1) '양중지태양陽中之太陽'-'군화君火'

심은 폐와 함께 횡격막 상부에 위치하므로 양에 속한다. '양중지태양'이란 심의 기능적 특성을 음양적 관점에서 표현한 것으로, 심은 본체나 작용이 모두 양적인 장기라는 의미를 내포하고 있다. 심은 강대한 양기陽氣(온열溫熱)를 가지고 있으며 전신의 혈맥血脈으로 혈을 보내어 몸 전체의 체온을 일정하게 유지하고(온후溫煦), 인체 생리활동을 추진시키는 작용을 한다.

또 심은 '군화'의 장부다. <내경 소문 천원기대론>에서는 "군화이명君火以明, 상화이위相火以位"라고 했는데, 한의학에서는 운기론의 군화, 상화 개념을 인체에 도입하여 심을 군화의 장부라고 인식하게 되었다. '군화'는 '임금의 화'라는 의미로 인체에서는 온열溫熱의 주체(體)로서 인체 전체 생명활동을 추진하는 동력이 된다('군화이명'). '상화'는 '신하의 화'로 군화를 바탕으로 일어나는 온열의 작용(用)을 말한다. 상화는 인체 곳곳에서 그것이 있는 자리에 따라 다양한 작용을 발휘한다('상화이위').

(2) '군주지관君主之官'

심이 한 국가의 임금과 같은 역할을 하는 장기라는 의미다. 심은 오장육부의 우두머리(대주大主)로서 인체 생명활동 전체를 주관한다. 그러므로 심의 활동은 생사生死를 가늠하는 척도가 된다. 이로 인해 <황제내경>에서는 심에서 '신명神明', 곧 생명, 생명력이 나온다고 했다.

<황제내경>은 오장 중에서도 심폐의 역할을 중시하는 심폐 중심의 장부관臟腑觀을 보여주고 있다. 심은 '군주지관'으로서 임금의 지위에, 폐는 '상부지관相傅之官'으로서 재상의 지위에 놓아 다른 장부와 차별화한다. 하지만 후대에 오면 이런 <내경>의 장부관은 비신脾腎이 중심이 되는 장부관으로 전환된다. 비는 '후천지본後天之本', 신은 '선천지본先天之本'이 되는 장기로서 오장 기능활동의 중심으로서 역할을 한다.

2) 심의 생리기능

(1) 심주열心主熱

심은 군화의 장부로서 강대한 양기로 인체에서 기본적인 체온을 유지하고 인체 생명활동을 추진하는 기능을 한다. 이러한 심주열의 기능은 심주혈맥, 심주한心主汗 등의 기능을 통해 구체화된다. 인체 각 부위에서 생산된 열은 혈액 순환을 통해 전신 말초에까지 전달되어 몸 전체가 일정한 체온을 유지하게 된다('심주혈맥'의 기능). 또 외부 기온이 높아 물리적 방열만으로 일정한 체온을 유지하는 것이 어려울 경우 발한發汗 등의 방법을 통해 체온을 조절한다('심주한'의 기능). 한의학에서 열은 인체 안(內)에서 밖(外)으로 나와야 하고, 아래(下)에서 위(上)로 올라와야 정상으로 본다. 열이 안에 갇혀 밖으로 나오지 못하면 '울鬱'이라 하고, 열이 위로 올라오지 못하고 아래에 머물러 있으면 '함陷'이라 한다. 이는 모두 병리적인 상태다.

(2) 심주혈心主血: 심생혈心生血, 심주혈맥心主血脈

심주혈은 '심생혈心生血'과 '심주혈맥心主血脈'의 기능으로 나누어 설명할 수 있다. 이 중 '심생혈'은 심이 혈을 생성한다는 의미가 아니라 혈이 가지고 있는 화의 속성과 심이 가지고 있는 군화의 속성을 서로 연결한 상징적인 표현이다. 전통적으로는 중초 비위가 음식물을 소화하여 만든 영양물질로부터 혈이 생성된다고 설명하고 있다. '심주혈맥'은 심이 혈맥의 기능을 주관하며 심기心氣의 추동으로 혈을 맥을 통해 전신으로 운행시키는 기능을 하는 것을 말한다.

(3) 심주신명心主神明, 심장신心藏神, 재지위희在志爲喜

'신명神明'은 물질(精)과 기능(氣)을 바탕으로 일어나는 모든 생명활동의 정상적인 표현이자 생명활동의 주체(體)를 말한다. '신기神氣'는 이것의 구체적인 작용(用)으로서 인체 생명력을 가리킨다. 그러므로 '심주신명'이란 심이 육체활동과 정신활동을 포괄하는 인체 전체 생명활동을 주관하는 중추가 된다는 의미다. 하지만 한의학에서 '심주신명'의 기능은 '오장장신五藏藏神'이론과 함께 상호 보완적으로 이해되어야 한다. <내경> 시대에는 심이 군주지관으로서 오장육부를 통솔하는 지위에 있었으므로 신명을 오장의 대표인 심에 배속시켰을 뿐이다. 핵심은 '오장장신'하는 오장에 있다.

희喜는 성적 욕구를 포함하여 모든 욕망이 달성되었을 때 나타나는 이완상태의 정서를 말한다. 희정은 기를 이완시켜 기혈의 순환을 원활하게 하며 화火의 상象으로 표현되어 얼굴에 화색이 돌고 생리작용을 활발하게 한다.

3) 소장小腸: 심합소장心合小腸

(1) 소장의 기능

한의학에서 소장의 주요기능은 '비별청탁泌別淸濁'하는 것이다. 이것은 위에서 소화가 이루어진 후에 내려온 조박糟粕을 소장에서 이어받아 청탁淸濁을 분별分別하고 청淸한 것은 방광으로 보내어 소변으로 나가게 하고, 탁濁한 것은 대장으로 보내어 대변으로 나가게 하는 것을 말한다. 즉, 소장의 비별청탁은 소변과 대변을 가르는 기능이다. 소장이 비별청탁하는 주요 동력은 열熱이다.[36] 또 소장은 전화지부傳化之府에 속한다. 그러므로 소장은 통창通暢을 기능적 목표로 삼는다.

(2) 심합소장

심은 소장과 표리상합관계를 이룬다. 심과 소장은 모두 열을 바탕으로 기능을 영위한다. 임상적으로도 소장의 병증은 열에 가장 많이 영향을 받는다. 심화心火가 왕성해서 그열이 소장으로 전이되면 소변단적小便短赤, 작열동통灼熱疼痛, 요혈尿血 등의 증상이 나타난다. 반대로 소장의 열이 심으로 전이되면 가슴이 답답하여 잠을 자지 못하고(心煩不寐), 설적舌赤, 구설생창口舌生瘡이나 미란糜爛이 나타난다.

---

36) 서양의학에서 소장의 주된 기능은 음식물의 화학적 소화와 흡수다. 때문에 한때 한의학의 소장 기능을 서양의학 지식에 맞추어 개변시키려는 시도가 있었다. 즉, 소장의 비별청탁 기능을 위(胃)에서 일차 소화된 음식물을 이어받아 이차 소화를 진행하고('비별청탁') 이를 통해 정미를 흡수하는 것으로 해석했다. 하지만 이런 개변은 한의학 이론은 물론이고 임상에도 혼란을 가져온다. 한의학에서는 전통적으로 위(胃)에서 모든 소화가 완성되는 것으로 보았다. 그렇기 때문에 한의학에서 소화기능 이상과 관련된 병증은 모두 '위'라는 글자가 들어있는 처방으로 치료한다[예. 평위산(平胃散), 향사양위탕(香砂養胃湯) 등]. 한의학의 소장 기능을 서양의학의 소장 기능과 맞추어 새롭게 해석하는 것 또한 가능하다고 생각되지만 기존의 한의학 임상에 혼동을 일으킬 수도 있으므로 이 점을 충분히 고려하면서 이런 작업을 진행해야 할 것이다.

📖 '심주신명론心主神明論'과 '뇌주신명론腦主神明論'

한의학에서는 전통적으로 심주신명론을 중요한 이론으로 받아들이고 있다. 하지만 뇌가 생명과 정신 사유의 중추라는 것이 상식이 되어있는 지금 일부에서는 한의학의 심주신명론을 버리고 이 것을 뇌주신명론으로 바꿔야 한다는 주장을 제기한다.

이 주장은 조금 더 깊이 검토할 필요가 있다. 심주신명론은 심이 정신과 육체를 포괄하는 모든 생명활동의 중추라는 의미를 담고 있다. 그러나 앞서 설명한 대로 심주신명론은 심을 대표로 내세운 것일 뿐 실제로는 '오장장신五藏藏神'이론과 연결되어 운용된다. '오장장신' 이론은 장상학설의 틀 속에서 신을 혼, 신, 의, 백, 지의 오신으로 나누고 이를 오장에 배속하여 오장 상호 간의 관계 속에서 생명활동을 설명하는 이론이다. 그리고 이 이론은 임상에까지 이어져 육체적인 질병뿐만 아니라 정신과적 질병까지도 장부변증을 통해 진단하고 치료할 수 있게 만드는 근거가 된다. 예를 들어 한의학에서는 불면증도 심신불교心腎不交, 심비양허心脾兩虛, 심담허겁心膽虛怯, 담화요심痰火擾心, 간울화화肝鬱化火 등의 장부변증으로 진단하고 처방을 선정하여 치료한다.[37]

사정이 이렇기에 심주신명론을 무작정 정신 사유를 포함하는 모든 생명활동을 심이라는 한 장기에 귀속시킨 시대에 뒤떨어진 낡은 이론이라고 비판하기는 어렵다. 심주신명론은 오장장신 이론을 통해 인체 전체 차원에서 생명현상을 다루는, 한의학의 전일관이 임상에서 구현되게 하는 이론이다. 인지과정 등 정신활동과 관련해서는 요즘 논의되는 이른바 '체화된 인지(embodied cognition)' 이론과 맥을 같이 하는 이론이다.

뇌주신명론은 어떤가? 인간의 정신 사유를 포함하는 모든 생명활동의 중추가 뇌라는 사실을 모르는 사람이 없으므로 뇌주신명론이라는 주장 자체가 옳지 않다고 말할 사람은 없을 것이다. 하지만 뇌주신명론이 한의학에서 지지를 받고 자리를 잡으려면 이 이론이 한의학의 임상에 어떤 방식으로 적용되고 기여할 수 있을지 그 방안이 함께 제시되어야 한다. 즉, 전통적인 한의학의 장부변증 내에서 활용될 수 있는 구체적인 방안을 제시하든지, 아니면 다른 임상적 대안을 제시해야 한다. 그렇지 않다면 이 주장은 한의학의 심주신명론에 포함된 중요한 이론적, 임상적 의미를 간과하고 내놓은 성급한 주장이라는 비판을 받을 수있다.

---

37) 이헌수, 김환, 윤용기 외. 불면증 변증도구 개발을 위한 기초 연구. 동의신경정신과학회지 2016;27(4):223-34.
정진형, 이지윤, 김주연 외. 불면증 변증도구 신뢰도와 타당도 평가 및 심리검사와의 상관성에 대한 초기연구. 동의신경정신과학회지 2020;31(1):1-12.

4) 맥脈: 심주혈맥心主血脈

맥은 '혈지부血之府'로서 혈이 순행하는 통로이다. 혈맥이라고도 하며 혈관을 가리킨다. '심주혈맥'은 심이 전신의 혈맥을 주관한다는 것이다(心主一身之血脈). 이것은 혈이 심기心氣의 추동에 의해 맥 중을 운행하여 전신을 순환하는 것을 말한다. 또 <내경>에서는 "심장맥心藏脈, 맥사신脈舍神"이라고 했는데 이것은 촌구맥, 인영맥 등을 통해 촉지할 수 있는 맥박이 인간의 생사를 판단하는 활력징후(vital sign)가 되기 때문이다.

5) 설舌: 심개규어설心開竅於舌

혀에는 혈맥이 풍부하게 분포하고 있고, 우리가 말을 하는 것이 혀의 정상적인 움직임과 긴밀하게 연결되어 있으며('舌者, 音聲之機'), 인간의 정신활동이나 정서변화가 미각에 큰 영향을 미치므로('心氣通於舌, 心和則舌能知五味矣') 심이 혀를 주관한다고 한다.

한의사는 설진舌診을 통해 환자로부터 임상적인 정보를 얻는데 주로 설질舌質과 설태舌苔의 상태를 관찰한다. 정상적인 혀의 상태는 '담홍설淡紅舌, 박백태薄白苔', 즉 혀가 옅은 홍색을 띠고 있고, 혀에 얇고 흰 설태가 이끼처럼 깔려 있는 것이다.

6) 한汗: 심주한心主汗

땀(한汗)은 오액[五液, 루淚(간), 한汗(심), 연涎(비), 체涕(폐), 타唾(신)] 중 하나로 심에 배속된다. 땀은 진액이 양기陽氣의 작용을 받아 피부로 발산된 것이다.[38] 즉, 심이 주관하는 강대한 양기(온열)가 진액(음)과 만나 진액을 발산시켜 체표로 나오게 한 것이 땀이다.

혈과 한은 모두 진액에서 생겨난 것으로 어느 한 편이 모자라면 다른 한 편에도 영향을 미치는데 이를 '혈한동원血汗同源'이라고 한다.

7) 면面: 기화재면其華在面

얼굴은 혈맥이 풍부하게 분포하여 추운 겨울에도 상대적으로 잘 얼지 않으며, 심이 주관하는 화火가 '염상炎上'하여 심과 혈맥의 상태가 잘 반영되는 곳이다. 그리고 희노애락의 정서가 얼굴에 잘 나타나므로 안면표정을 통해 정서 상태를 관찰할 수 있다. 이처럼 얼굴

---

38) <黃帝內經 素問 陰陽別論> "陽加於陰, 謂之汗"

은 심의 기능 상태가 잘 나타나는 곳이라 '기화재면'이라고 하였다.

　한의사는 환자의 얼굴에서 신神과 색택色澤을 주로 관찰한다. 신神이란 생명활동의 정상적인 표현을 말하며 의식상태, 언어, 호흡, 형체동작, 반응능력을 통해 관찰할 수 있다. 특히 의식상태를 살펴볼 때는 눈에서 동공반사를 관찰하기도 한다. 얼굴에서는 색과 윤택한 정도를 살피는데, 정상적인 면색은 얼굴에 혈색이 있으면서 윤기가 있는 것이다('紅黃, 榮潤光澤').

5. 비기능계

　비는 토土의 특성을 중심으로 하는 장기다. 토기土氣는 '화化'의 현상을 일으키는 통합력(통합기능)을 말한다. 인체에서 토의 특성을 발휘하거나 토의 특성이 잘 드러나는 기관과 조직은 비에 통합되어 비기능계를 형성한다. 그리고 장하長夏-습濕-황黃색-감甘미 등은 비기능계의 활성에 영향을 미치는 환경요소, 자극요소로 작용한다. 비기능계는 비脾-위胃-기육肌肉-구口-순脣,사백四白으로 구성되며, 비기능계와 관련된 기능변화는 기육-순,사백-구에 주로 나타나고, 사정思情, 연涎의 변화로도 관찰된다.

1) 비의 기능적 특성
(1) 음중지지음陰中之至陰

　'지음至陰'이란 음과 양의 중간에서 이를 조절한다는 의미로 사용된다. 비脾는 '지음'의 특성을 가진 장기다. 비위기脾胃氣의 승강은 상하교통의 중심이 되어 인체 전체 음양승강을 조절하며, '심신상교心腎相交', '수승화강水升火降'이 정상적으로 일어나도록 돕는다. 즉, 비위기의 승강을 중심으로 심신心腎, 간폐肝肺기의 승강이 일어나고, 이를 통해 인체 전체의 수승화강이 이루어진다는 것이다. 인체가 '아랫도리는 따뜻하고 머리는 시원한 상태(하온이상청下溫而上淸)'를 유지하게 되는 것은 수승화강이 정상적으로 이루어진 결과다.

(2) 창름지관倉廩之官

'창름倉廩'은 창고라는 의미이다. 비위는 협동하여 음식물을 받아들이고 이를 소화시켜 우리 몸에 필요한 영양물질을 만들어 전신으로 보내는 역할을 한다('오미출언五味出焉'). 한의학에서는 모든 소화과정을 위가 주관하는 것으로 본다('受納腐熟'). 비는 위에서 음식물을 소화하여 만든 영양물질을 '운화運化'하여 전신으로 보내는 역할을 한다.

(3) 후천지본後天之本

사람에서 '선천先天'과 '후천後天'은 출생을 기점으로 나뉜다. 비가 '후천지본'이 된다는 것은 사람이 출생 후에는 비위의 소화과정을 거쳐 얻은 영양물질과 에너지로 생명을 영위한다는 것을 말한다.

2) 비의 생리기능

(1) 비주운화脾主運化-'비주승청脾主升淸'

비의 운화기능은 위의 소화과정을 거쳐 만들어진 영양물질, 즉 '수곡水穀'의 '정미精微'를 전신으로 보내는 기능을 말한다. <황제내경>에서는 비가 정미를 폐로 보내고('脾氣散精, 上歸於肺') 폐가 이것을 전신으로 산포散布한다고 설명한다. 비주승청이란 위주강탁胃主降濁과 짝을 이루는 기능으로서 비의 운화기능과 다르지 않으며, 운화기능을 기의 승강 관점에서 요약하여 표현한 것이다. 여기서 승청이란 '청淸', 곧 '정미'를 폐로 상승시키는 것을 말한다.

(2) 비통혈脾統血

비의 통혈기능은 비가 혈을 통섭統攝하여 혈맥 밖으로 새나가지 못하도록 하는 기능을 말한다. 이 기능은 비기脾氣의 고섭固攝작용에 의해 실현된다. 비위는 음식물을 소화하여 기혈을 만들어내는 '기혈생화지원氣血生化之源'이 되는데 비위의 기능이 약해지면 비기도 함께 약해져 혈을 고섭하지 못해('氣虛不能攝血') 각종 출혈 증상이 나타나게 된다. 비통혈은 이런 종류의 출혈 증상을 설명하고 치료하는 데 필요한 이론이다.

3) 위胃: 비합위脾合胃

(1) 위의 생리기능

위의 주된 기능은 음식물의 수납受納과 부숙腐熟이다. 위는 '큰 창고'(太倉)와 같아서 음식물을 받아들이는('수납') 기능을 한다('水穀之海'). 음식물을 받아들이는 것은 위기胃氣가 건전해야 가능한 것으로 위기가 허하면 수납이 잘 이루어지지 못한다.

'부숙'은 위에서 이루어지는 소화과정 전체를 개괄하는 은유다. '부숙'은 썩혀서 익힌다는 의미로 발효와 관련된 용어다. 한의학에서는 인체에서 일어나는 소화과정 전체를 '발효' 은유를 통해 설명하고 있다. '청탁淸濁', '정미精微', '조박糟粕', '진액津液', '승청升淸', '강탁降濁' 등이 모두 발효를 이용하여 곡식을 삭혀서 술을 만드는 과정에 사용되는 용어들이다.

한의학에서 위는 음식물을 '수납'한 다음 이를 '부숙'하여 '정미'(소화를 통해 얻은 영양물질)를 얻고 '조박'(소화 후 남은 찌꺼기)은 걸러 낸다. 그리고 '정미'는 비의 '운화' 기능을 통해 폐로 보내서(승청) 몸 전체에 공급하고, '조박'은 소장으로 내려 보낸다(강탁). 소장은 위에서 내려온 '조박'을 받아들여 '비별청탁泌別淸濁' 기능에 의해 한 차례 더 청탁을 분별한다. 그리고 '청'한 것은 방광으로 보내어 소변으로 배출하고, '탁'한 것은 대장으로 내려 보내 분변糞便의 형태로 배출한다.

한의학에서는 전통적으로 위에서 모든 소화가 완성되는 것으로 보았다. 그렇기 때문에 한의학에서 소화기능 이상과 관련된 병증은 모두 위와 관련되어 있고 또 위와 관련된 처방으로 치료한다.

(2) 비합위

비는 위와 표리상합관계를 이룬다. 비와 위의 표리상합관계는 수납과 운화, 승과 강, 조와 습의 관계로 표현된다.

① 수납과 운화: 위주수납, 비주운화

위주수납, 부숙과 비주운화는 비위에서 이루어지는 소화과정 전체를 요약하는 표현이다. 위는 모든 소화가 이루어지는 장소다. 하지만 소화는 비와 위의 기능 협조에 의해 완성된다. 위의 수납, 부숙과 비의 운화는 서로 긴밀하게 연결되어 있다. 위가 수납과 부숙 작용을 하지 못하면 비가 정미를 운화할 수 없고, 비가 운화작용을 하지 못하면 위는 더 이상 음식물을 받아들이지 못하게 된다.

② 승과 강: 비주승청, 위주강탁

위의 수납과 부숙, 비의 운화는 그 기능적 정상여부가 비위 기의 승강으로 표현된다. 비는 운화기능을 통해 정미('淸陽')를 상승시켜 폐로 보내고(비주승청), 위는 음식물을 수납하여 부숙하고 남은 조박('濁陰')을 소장으로 내려 보낸다(위주강탁). 비위기의 승강은 서로 원인이 되어 일어나며 비기의 상승은 위기의 하강에, 위기의 하강은 비기의 상승에 영향을 미친다.

③ 조와 습: 비희조오습脾喜燥惡濕, 위희윤오조胃喜潤惡燥

비는 양기(脾陽)를 기초로 운화기능을 발휘한다. 만일 비양이 부족하면 운화기능이 저하되어 정미를 상승시키지 못해 '습濕'이 형성된다. 이렇게 형성된 '습'이 쌓이면 비의 운화기능이 더욱더 저하되는 악순환이 일어난다. 그러므로 비는 '습'을 주관하지만 '습'을 싫어하고 '건조燥'한 상태를 좋아한다. 이와 반대로 위는 '양토陽土'로서 '조'하기 쉬워 윤택潤澤한 상태를 좋아하고 '조'한 것을 싫어한다. 이런 이유로 비의 기능과 관련해서는 '비양'을 중시하고, 위의 기능과 관련해서는 '위음胃陰'을 중시한다. '조습'은 비위 기능의 정상 여부를 살피는 중요한 현상적 지표로서 비위의 '조습燥濕'은 적절하게 균형을 이루어야 한다.

4) 기육肌肉: 비주기육脾主肌肉, 비주사말脾主四末

기육은 근육(muscle) 또는 살(flesh)을 가리킨다. 비위의 소화과정을 거쳐 만들어진 영양물질은 전신으로 보내져 근육을 생양生養한다. 영양이 충족하면 근육이 발달하여 체격이 건장하게 된다. 또 근육은 내장 및 근골의 밖에 위치하여 이들을 보호하는 담장 역할을 한다('肉爲墻').

사말四末은 팔과 다리, 즉 사지四肢를 말한다. 한의학에서는 사지의 활동이 비기脾氣의 강약에 달려있다고 보았다. 비의 운화기능이 건전하여 '청양지기淸陽之氣'[여기서 청양지기는 음식물을 소화시켜 얻은 기운(陽氣)을 말한다]를 사지로 잘 보내면 사지가 가볍고 힘이 있어 활동이 원활하게 된다. 만일 비의 기능이 약해 사지 근육에 영양이 결핍되면 사지 근육이 위축되고 힘이 없어진다. 심하면 위증痿證[39]이 된다.

5) 구순口脣: 비개규어구脾開竅於口, 기화재순其華在脣

비기脾氣는 입으로 통한다. 비의 기능이 정상이면 식욕이 생겨 음식을 먹을 수 있다. <황제내경>에서는 비의 기능이 조화롭게 일어나면 입에서 오곡의 맛을 알 수 있다고 했다 ("脾和則口能知五穀矣"). 이것은 입맛, 즉, 구미口味를 말하는 것으로 식욕을 가리킨다. 또 비 기능의 성쇠는 입술(脣)과 그 주위(四白)에 색택의 변화로 나타난다('其華在脣'). 비의 기능이 왕성하여 기혈이 풍부하면 구순口脣이 홍윤광택紅潤光澤하고, 기혈이 부족하면 구순에 혈색과 윤기가 없어진다.

6) 연涎: 비주연脾主涎

연涎은 입안의 치아 근처에 고여 있는 묽은 침을 말한다. 연은 구강을 윤택하게 하고 음식물을 삼키는 것과 소화를 돕는다. 정상적인 상태에서 연은 입 밖으로 넘치지 않으나 비위의 기능이 조화를 이루지 못하면 증가하거나 감소하여 식욕과 소화에 영향을 미친다. 즉, 비기가 허약하면 기가 진액을 고섭固攝하지 못해 연이 입 밖으로 흘러넘치고, 비음허脾陰虛에서는 연이 감소하여 입안이 건조한 증상이 나타난다.

7) 의意, 사思: 비장의脾藏意, 재지위사在志爲思

의意는 의식으로서 생명활동의 통합력을 말한다. 정신적으로는 우리의 의식 속에서 잠정적으로 활동 중인 단기기억, 활동기억을 가리키기도 한다("心有所憶 謂之意"). 생명활동의 통합력은 일종의 자기화自己化의 의미가 있다. 육체적으로는 이질적인 음식물을 섭취하여 우리 몸에서 사용할 수 있는 영양물질로 바꾸는 소화기능이고, 정신적으로는 이질적인 정신적 자극을 받아들이고 이를 자아적으로 통합하여 한 인격적으로 통일발현하는 자기의 식화 활동이다.

또 비는 사思의 정서를 주관한다. 어떤 의서에는 우憂를 비에 소속시키기도 한다. 사 또는 우는 기를 취결聚結하게 하여 기의 순행을 방해하고 소화불량을 일으킨다.

---

39) 위(痿)라고도 한다. 몸의 근맥(筋脈)이 이완되고 팔다리의 근육이 위축되면서 약해져 마음대로 움직이지 못하는 병증.

6. 폐기능계

폐는 금金의 특성을 중심으로 하는 장기다. 금기金氣는 '수收'의 현상을 일으키는 억제력(억제기능)이다. 인체에서 금의 특성을 발휘하거나 금의 특성이 잘 드러나는 기관과 조직은 폐에 통합되어 폐기능계를 형성한다. 추秋-조燥-백白색-신辛미 등은 폐기능계의 활성에 영향을 미치는 환경요소, 자극요소로 작용한다. 폐기능계는 폐肺-대장大腸-피모皮毛-비鼻로 구성되며, 폐기능계와 관련된 기능변화는 피모-비鼻에 주로 나타나고, 비정悲情, 체涕의 변화로도 관찰된다.

1) 폐의 기능적 특성

(1) 양중지소음陽中之少陰

폐는 횡격막 상부에 위치하여 양에 속한다. 또 소음은 양중지음陽中之陰으로서 발산한 양기가 수렴되는 상象을 담고 있다. 이것은 폐의 기능적 특성을 표현한다. 한의학에서 폐는 기능상 간과 서로 짝을 이룬다. 흔히 이것은 '좌간우폐左肝右肺', '간생어좌肝生於左 폐장어우肺藏於右'같은 좌우의 대응으로 표현된다. 여기서 좌우는 공간적 위치가 아니라 음양적 속성을 표상하는 것이다.

상하좌우에 음양 속성을 부여하면 상上은 양(양중지양陽中之陽, 태양), 하下는 음(음중지음陰中之陰, 태음), 좌는 음중지양陰中之陽(소양), 우는 양중지음陽中之陰(소음)이 된다. 상하좌우의 수직평면은 전후좌우의 수평평면과도 대응될 수 있는데 통상적으로 남쪽을 바라보고 방위를 정하므로 앞(前)은 남南, 뒤(後)는 북北, 좌는 동東, 우는 서西가 된다. 그러므로 상-전-남은 양(양중지양), 하-후-북은 음(음중지음), 좌-동은 음중지양, 우-서는 양중지음이 된다.

이처럼 공간적 위치에는 음양 속성이 부여되어 음양상응체계 속으로 편입되고 다른 음양 지표들과 상관관계를 형성한다. 예를 들어 좌혈우기左血右氣, 좌간우폐左肝右肺는 해부학적인 위치를 말한 것이 아니다. 기혈氣血, 간폐肝肺의 음양적 속성을 좌우를 빌어 표시한 것이다. 좌-간-혈은 모두 음중지양, 우-폐-기는 모두 양중지음이라는 동일한 속성을 갖고 생리기능상 서로 긴밀하게 연결된다.

(2) 상부지관相傅之官, 치절출언治節出焉

폐는 재상의 장기로서 군주지관인 심을 도와 전신을 치리조절治理調節 작용을 한다는 의미다. 이것은 기를 통해 이루어진다. 폐는 전신의 기에 대한 조절작용이 있어 이를 통해 기혈, 진액의 운행과 장부의 생리기능을 조절한다.

(3) 폐위교장肺爲嬌藏

여기서 '교嬌'는 연약하다는 의미로 사용된다. 폐가 '교장'이라는 것은 폐가 연약한 장기라는 뜻이다. 이것은 첫째, 폐가 사기邪氣에 쉽게 손상된다는 의미다. 폐는 피모와 합하고, 호흡하는 과정에서 비鼻를 통해 온갖 잡다한 것이 출입하는 장기라서 외부와 접촉하는 최전선에 있다. 그러므로 폐는 외부 사기를 받아 손상되기 쉽다. 둘째, 폐가 한열의 변화에 취약하다는 의미다. 과도한 열은 폐를 건조하게 만들어 손상시키고, 또 과도한 한寒은 주리腠理를 막아 땀이 나지 않게 만들고 이로 인해 폐기가 옹체壅滯되어 병이 생기게 한다.

2) 폐의 생리기능

(1) 폐주기肺主氣

폐는 인체 기를 주관한다. 이것은 폐가 호흡의 기를 주관하는 기능과 전신의 기를 주관하는 기능으로 나누어진다.

폐는 호흡을 통해 천기天氣를 흡입하고, 체내 탁기濁氣를 호출하여 인체 내외의 기를 교환한다. 호흡을 통해 이루어지는 기체 교환은 인체 기의 생성과 승강출입 운동에 큰 영향을 미친다.

폐가 전신의 기를 주관하고 조절하는 기능은 폐의 호흡기능을 기초로 한다. 폐는 호흡을 주관함으로써 인체 기의 생성에 필요한 내원來源 하나를 제공하고, 또 마치 대장간에서 풀무를 이용하여 유입되는 공기의 양으로 불의 세기를 조절하듯이 인체내 대사를 조절하는 역할을 한다. 폐가 전신의 기를 주관하는 기능은 폐기의 선발, 숙강 기능을 통해 혈의 인체내 순행을 추동하는 '폐조백맥肺朝百脈'의 기능[40], 기혈, 진액의 순행과 오장의 생리기능을 조절하는 '폐주치절肺主治節'의 기능 등으로 구체화된다.

　폐가 전신의 기를 주관하는 기능은 종기宗氣 기능의 한 부분으로 설명할 수 있다. 심과 폐는 상초에 속하며, 종기는 상초지기上焦之氣이다. 종기는 흉중胸中에 분포하여 심장박동과 호흡을 주관하며 이를 통해 전신의 기혈을 추동하는 역할을 한다. 즉, 종기는 심폐기능 전체를 주관하여 인체 생리활동의 중요한 위치를 차지하는 '마루(宗)'가 되는 기이다. 그러므로 '폐주기' 기능은 종기 기능의 한 부분이기도 하다.

(2) 폐의 선발宣發과 숙강肅降 기능

　선발과 숙강은 폐의 기능을 기의 승강출입 관점에서 요약한 것이다. 선발은 폐기가 위를 향해(向上), 바깥쪽을 향해(向外) 발산하는 기능이고, 숙강은 폐기가 아래쪽을 향해(向下), 안쪽을 향해(向內) 수렴하는 기능이다. 선발기능을 통해서는 비에서 운화된 음식물의 정미精微를 두면부와 체표로 보낸다. 그리고 위기衛氣를 피모주리皮毛腠理로 선발하여 위기가 '온분육溫分肉, 충피부充皮膚, 비주리肥腠理'하고 땀구멍의 '개합開闔'을 조절하게 한다. 숙강기능을 통해서는 음식물의 정미를 체내 장기로 보내고, 대변과 소변의 배출을 돕는다.

(3) '통조수도通調水道'– 폐위수지상원肺爲水之上源, 폐주행수肺主行水

　이것은 인체 진액대사에서 폐가 하는 역할을 요약한 것이다. 폐는 선발과 숙강기능을 통해 인체내 진액을 상하, 내외 전신으로 보내는 기능을 한다. 폐의 통조수도 기능에 이상이 생기면 진액의 운행에 장애가 일어나 진액이 국소부위에 정체되어 담痰과 음飮의 병증을 일으킨다. 주로 흉부에 담음이 저류貯留되거나 소변불리小便不利 증상이 나타나며, 심한 경우 수종水腫이 발생한다.

---

40)　'폐조백맥'은 많은 의가들이 '조(朝)'를 '조회(朝會)'로 해석하여 백맥이 폐로 모여든다는 구심성 작용으로 설명했다. 하지만 이런 전통적인 해석에 대한 반론도 만만치 않다. 폐가 선발과 숙강작용, 즉, 폐에서 전신으로 향하는 원심성 작용을 통해 기혈과 진액의 순행을 추동하고 조절하므로 '폐조백맥'도 이에 맞추어 원심성 작용으로 이해해야 한다는 것이다. 이 책에서는 이 설명을 받아들여 '폐조백맥'을 폐가 선발과 숙강작용을 통해 백맥을 '조동(潮動)'하여 기혈을 전신 각처로 운행시키는 것으로 보았다.

3) 대장大腸: 폐합대장肺合大腸

(1) 대장의 생리기능

대장의 주요 기능은 소장의 비별청탁 기능을 거쳐 내려온 '조박'을 아래쪽으로 '전도傳導' 하고, 대변의 형태로 '변화'시켜('傳導之官, 變化出焉') 항문을 통해 체외로 배출하는 것이다.

대장의 전도기능이 실조失調되면 대변의 질과 양, 배변 횟수 등에 영향을 미쳐 설사, 변비, 배변곤란 등이 나타난다.

(2) 폐합대장

폐는 대장과 표리상합관계를 이룬다. 대장의 전도기능은 폐기의 숙강작용에 영향을 받는다. 그러므로 한의학에서는 배변이 곤란한 병증에 때때로 폐기를 조절하는 약물을 쓰기도 한다. 반대로 대장의 전도기능이 폐의 호흡기능에 영향을 미치기도 한다. 대장의 전도기능 이상으로 대변불통이 발생하면 폐의 숙강기능에 영향을 미쳐 가슴이 그득하고(胸滿), 숨이 찬(喘逆) 증상이 나타난다. 이 경우 대변을 통창通暢시키면 폐의 증상도 함께 소실된다.

4) 피모皮毛: 폐주피모肺主皮毛, 폐합피모肺合皮毛

폐는 선발기능을 통해 음식물의 '정미'를 피부쪽으로 보낸다. 그리고 위기衛氣를 체표로 선발하여 피모를 온양溫養하고 땀구멍의 열고닫음('開闔')을 주관하여 피모를 윤택하게 한다. 폐와 피모의 관계는 폐가 병이 들어 피모에 병이 전해지는, 안에서 밖으로 향하는 방향이 있고, 피모에 병이 들어 폐로 전해지는 밖에서 안으로 향하는 방향이 있다. '폐주피모'는 폐의 피모에 대한 온후자양溫煦滋養 작용(안→밖)을 강조한 것이고, '폐합피모'는 피모의 폐에 대한 방어, 조절 작용(밖→안)에 초점을 맞춘 관계이다.

5) 비鼻: 폐개규어비肺開竅於鼻

코(비鼻)는 폐가 호흡할 때 기가 출입하는 문門이다. 그러므로 폐기는 비로 통하는데 폐의 기능이 조화로우면 비의 냄새 맡는 기능이 영민하게 유지된다('肺氣通於鼻, 肺和則鼻能知香臭矣'). 후후(후롱喉嚨)는 기도와 이어져 호흡지기가 출입하는 통로이자 발성기관이다. 감기로 풍한風寒의 사기邪氣가 침범하여 폐기가 불리不利하게 되면 목이 쉬어 쉰소리가 나고(聲嘶), 심하면 실음失音한다.

6) 체涕: 체위폐지액涕爲肺之液

체는 비에서 분비하는 분비물이다. 생리적인 상황에서 비체鼻涕는 비규鼻竅를 윤택하게 하면서 밖으로 흐르지 않는다.

7) 백魄: 폐장백肺藏魄, 재지위비在志爲悲

폐에 배속된 백은 억제, 수렴하는 인체 생명활동이다. 육체적으로는 폐의 전신 기에 대한 조절작용('폐주치절肺主治節')을 통해 기혈, 진액의 운행과 오장의 생리기능을 조절하는 작용을 말한다. 또 정신적으로는 욕망적 충동이 무질서하게 일어나면 생명을 존속하는 데 불리하므로 적당히 억제하는 정신활동이다. 정신활동의 억압경향성을 말한다.

폐는 비悲의 정서를 주관한다. 슬픔은 생활기능으로 관찰하면 긴장의 상태로서 기를 급急하게 하여 상초를 불통不通하게 하고, 이렇게 울체된 기가 화火로 변하여 진액을 마르게 함에 따라 최종적으로는 기를 소모(消)시킨다.

7. 신기능계

신腎은 수水의 특성을 중심으로 하는 장기다. 수기水氣는 '장藏'의 현상을 일으키는 침정력沈靜力(침정기능)이다. 인체에서 수의 특성을 발휘하거나 수의 특성이 잘 드러나는 기관과 조직은 신에 통합되어 신기능계를 형성한다. 그리고 동冬-한寒-흑黑색-함鹹미 등은 신기능계의 활성에 영향을 미치는 환경요소, 자극요소로 작용한다. 신기능계는 신腎-방광膀胱-골骨-수髓-발髮-이耳-이음二陰(前陰과 後陰)-명문命門-삼초三焦로 구성되며, 신기능계와 관련된 기능변화는 골수骨髓-모발毛髮-이耳-요부腰部-이음二陰(생식, 배뇨, 배변기능)에 주로 나타나고, 타액唾液, 공정恐情의 변화로도 관찰된다.

1) 신의 기능적 특성

(1) 음중지태음陰中之太陰−신자주칩腎者主蟄 봉장지본封藏之本 정지처야精之處也

신은 인체 하부에 위치하면서 '봉장封藏'이라는 음적인 작용을 한다. '봉장'은 적극적으로는 인체에서 만들어진 정精을 저장하는 기능이고 소극적으로는 정이 지나치게 새 나가는 것을 막아 정을 보존하는 기능이다. 전자는 장정藏精의 기능으로 후자는 배설 조절의 기능으로 나타난다. 봉장의 의미에 배설의 억제가 포함되어 있으므로 배설기관이 신기능계에 속하게 된다. 이러한 봉장 기능은 저장 그 자체에 목적이 있는 것이 아니다. 생명의 근본인 정을 잘 보존하여 다음 단계인 생生의 기능이 잘 일어나게 하는 데 있다.

(2) 작강지관作強之官, 기교출언技巧出焉

신은 수水에 속하고 장정藏精한다. 정精은 형체가 있는 것들의 근본이 되므로 정이 성盛하여 형을 이루게 되면 작용이 강하게 되니 '작강지관'이라고 한다. 그리고 수는 만물을 화생하므로 그 작용이 정묘막측精妙莫測하여 '기교출언'이라고 한다.[41]

(3) 선천지본先天之本

신이 선천의 근본이 된다는 것은 신이 인체 생명의 근원이 되는 장기로서 인체의 생장, 발육, 생식, 노화 등의 현상이 신의 기능과 밀접하게 연관되어 일어난다는 의미이다. 이것은 원음元陰, 원양元陽과 관련이 있다. 원음, 원양은 인체 생명의 근원적 음양으로서 모든 장부 음양이 이것에 뿌리를 둔다. 원음, 원양은 오장 중심의 생리체계에서는 선천의 근본이 되는 신에 배속되어 신음腎陰, 신양腎陽과 동일시된다. 신음은 원음元陰, 진음眞陰, 진수眞水로도 불리며 인체 각 장부와 조직, 기관을 자양滋養하고 유윤濡潤하는 음적인 작용을 한다. 신양은 원양元陽, 진양眞陽, 진화眞火로도 불리며 인체 각 장부, 기관의 기능을 추동推動, 온후溫煦하는 양적인 작용을 한다. 그러므로 모든 장부의 기능은 신음(원음), 신양(원양)에 뿌리를 두고 있으며, 병리적으로도 모든 장부의 기혈음양허증이 치료되지 않고 깊어지게 되면 최종적으로 장부 음양의 근본이 되는 신음허腎陰虛와 신양허腎陽虛로 귀결된다.

---

41) 〈類經 藏象類 十二官〉"腎屬水而藏精, 精爲有形之本, 精盛形成則作用强, 故爲作强之官. 水能化生萬物, 精妙莫測, 故曰伎巧出焉."

2) 신의 생리기능

(1) 신장정腎藏精

신腎의 가장 주된 기능은 정精을 저장('藏')하는 것이다. 여기서 '장藏'은 정이 쓸데없이 빠져나가 소모되는 것을 막는 것을 포함한다. 신은 이 정(신정腎精)을 바탕으로 인체의 생장, 발육을 주관하고 생식기능을 발휘한다. <황제내경 소문 상고천진론>에는 여자는 14세 (2×7), 남자는 16세(2×8)가 되면 천계天癸가 기능을 발휘하여 이차성징이 나타나고 생식 능력을 갖추게 되며, 여자는 49세(7×7), 남자는 56세(7×8)가 되면 천계가 고갈되어 생식 기능도 크게 저하된다고 하였다. 이 같은 생식기능의 변화가 신기의 성쇠盛衰를 따라 일어나는 것으로 설명하였다. 또 <상고천진론>에는 인체의 생장, 발육, 성숙, 노쇠라는 생명주기 또한 신기의 성쇠와 연동되는 것으로 설명한다.

(2) 신주수액腎主水液

신은 인체 진액대사에도 깊이 관여한다. 신은 기화氣化 작용을 통해 소변과 대변의 배설량을 조절하고, 이를 통해 인체 전체 진액대사를 주관한다. 신기가 성盛하면 이음의 개합 조절이 순조롭고, 신기가 허虛하면 이음의 개합 조절이 조화를 잃어 대소변을 조절할 수 없게 된다(二陰不禁).

또 신은 신양腎陽의 기화작용을 통해 인체 전체 진액대사를 추동하는 역할을 한다. 인체에서 일어나는 기화과정은 삼초기화라고도 할 수 있는데 신은 이러한 삼초기화에 동력을 제공한다.[42]

(3) 신주납기腎主納氣

신이 폐가 흡입한 공기(淸氣)를 깊숙이 끌어들이는 작용을 하는 것을 말한다. 한의학에서는 호흡이 고르게 이루어지려면 인체 기의 뿌리가 되는 신의 납기하는 작용이 있어야 된다고 보았다.[43] 신주납기의 기능은 임상적 의미가 더 크다. 신기가 부족하여 납기작용이 감퇴되면 흡입한 공기를 깊이 받아들이지(섭납攝納) 못해 호흡이 얕아지고 조금만 움직여

---

42)　　<황제내경>에서는 '상초여무(上焦如霧), 중초여구(中焦如漚), 하초여독(下焦如瀆)'이라 하였는데 이것은 인체에서 일어나는 기화의 정도를 삼초의 관점에서 정리한 것이다.

43)　　<類證治裁> "肺爲氣之主, 腎爲氣之根, 肺主出氣, 腎主納氣, 陰陽相交, 呼吸乃和"

도 숨이 가빠지는 호다흡소呼多吸少의 병증이 나타난다. 이 이론은 노인이나 만성병 환자에게서 주로 나타나는 신허腎虛로 인한 천증喘症이나 만성적인 기침과 호흡기 병증에 보신補腎 치료를 할 수 있는 근거가 된다.

3) 방광膀胱: 신합방광腎合膀胱

(1) 방광의 생리기능

방광은 '주도지관州都之官'으로 인체 진액대사 후의 수액이 모여 소변이 되어 쌓이는 곳이다. 이렇게 모인 소변은 신腎의 기화작용에 의해 체외로 배출된다.[44]

(2) 신합방광

방광은 소변의 저장과 배설을 주관한다. 이것은 전적으로 신의 기화작용에 힘입어 일어나는 기능이다. 신양腎陽이 허쇠虛衰하여 기화작용을 발휘하지 못하면 방광에서도 기화불리氣化不利가 일어나고 요폐尿閉, 요소尿少, 소변불금小便不禁, 유뇨遺尿, 다뇨多尿 등의 증상이 생긴다. 반대로 방광에 습열濕熱이 모이면 소변단적小便短赤, 요로작통尿路灼痛 등 방광의 증상과 함께 요통腰痛 등의 증상도 생긴다.

4) 골骨, 수髓: 신주골腎主骨, 생수生髓

신은 정을 저장하고, 정은 수髓를 만들며, 수는 골을 자양한다('腎藏精', '精生髓', '髓能養骨'). 신정腎精이 충실하면 수髓가 충만하게 되고 이를 바탕으로 골격의 생장 또한 원만하게 일어나 골격이 견실해진다. 한의학에서는 노년기의 골위증(骨痿症, 골다공증)을 신정腎精이 부족해서 생기는 것으로 본다.

5) 발髮: 기화재발其華在髮

모발은 신기腎氣의 성쇠가 반영되는 곳이다. <황제내경 소문 상고천진론>에는 신기가 성실盛實하면 모발이 잘 자라고('髮長'), 신기가 쇠하면 모발이 빠지거나('髮始墮') 희게 센다고('髮始白')고 하였다.

---

44) <黃帝內經 素問 靈蘭秘典論> "膀胱者, 州都之官, 津液藏焉, 氣化則能出矣"

6) 이耳: 신개규어이腎開竅於耳

신기腎氣는 귀에 통하는데 신의 기능이 조화롭게 일어나면 청각이 영민靈敏해진다.[45) 그러므로 신정腎精이 부족하여 신기가 쇠하게 되면 청력이 감퇴되고 이명耳鳴이 생기기도 한다. 청력의 감퇴나 이명, 이롱耳聾 등 청각 이상은 신중정기(신기)의 성쇠를 판단하는 지표 중 하나가 되므로 귀는 신의 기능을 살피는 곳('耳는 腎之候')이 된다.

7) 전음前陰과 후음後陰: 신사이음腎司二陰

신은 전음과 후음의 개합開闔을 주관한다. 이음의 개합은 신의 기화에 의해 조절된다. 신기가 허하면 소변에 대한 고섭固攝 작용이 약해져 유뇨遺尿나 소변불금小便不禁 증상이 생긴다. 신의 기화작용은 대변의 배설에도 영향을 미친다. 신양腎陽이 허하면 비양脾陽을 온후溫煦하지 못해 비신양허脾腎陽虛가 되어 새벽에 장명腸鳴과 복통腹痛을 동반하면서 설사하는 신설腎泄(五更泄)이 나타난다. 또 신양이 허하면 장도腸道를 온윤溫潤할 수 없어 변비나 배변곤란이 생기고, 신음이 부족해도 장도를 자윤할 수 없어 변비가 생긴다. 주로 신기腎氣가 허쇠한 노인들에게 많이 나타나는 증상이다.

8) 타唾: 타위신지액唾爲腎之液

연涎이 구강 앞쪽 치아 근처에 모여 있는 묽은 상태의 침을 가리킨다면 타唾는 구강 깊숙이 혀의 뿌리 쪽에 모여 있는 끈적끈적한 침을 가리킨다. 한의학에서는 전통적으로 타액을 신정에서 화생된 것으로 보았다. 양생가養生家들은 타액을 삼키고 뱉지 않아야 정을 기를 수 있다고 주장했다.

9) 지志: 신장지腎藏志, 재지위공在志爲恐

'지'는 오신의 하나로 신腎에 배속된 신神을 말한다. 육체적으로는 신정腎精을 바탕으로 일어나는 기능활동 전체를 말하며, 정신적으로는 기억과 같은 정신활동의 관념화 경향성을 말한다. '지'는 고대의 '지誌'와 통하는 것으로 기억의 의미가 있는데, 지는 의식의 표면에서 활동하는 기억('意', 단기기억, 활동기억) 중에서 필요한 사항을 침정沈靜시켜 장기기

---

45)   <黃帝內經 靈樞 脈度> "腎氣通於耳, 腎和則耳能聞五音矣"

억의 형태로 보존하는 것을 말한다('意之所存謂之志'). 의意와 지志는 모두 정신 방면에서는 기억활동이지만 의는 단기기억, 지는 장기기억으로 서로 구분된다.

공恐은 두려움의 정서로 기를 움츠러들게 한다('氣怯'). 이렇게 되면 신정腎精이 상승하지 못해 상하가 상교相交하지 못함에 따라 신기가 아래로 귀환한다. 그러므로 공恐은 기를 하행하게 한다('氣下').

📖 명문命門과 삼초三焦

한의학의 명문과 삼초는 이해하기 쉽지 않은 장기다. 명문은 〈황제내경〉에서는 '눈(目)'이나 '정명睛明'혈을 가리키는 용어였고 장기가 아니었다. 장부 중 하나로서 '명문' 개념은 〈난경〉에서 처음 시작되었다. 〈난경〉에서는 좌신우명문설左腎右命門說을 말했는데 두 개의 신장 중 왼쪽은 신腎이고 오른쪽은 명문이라고 했다. 후대로 내려오면서 〈난경〉의 명문설은 비판을 받았다. 명대의 우단虞搏은 양쪽 신腎이 모두 수레의 두 바퀴와 같이 모양도 색깔도 다르지 않은데 오른쪽 신만 명문이라고 하는 이유를 모르겠다고 하면서 두 개의 신이 모두 다 신이면서 명문이라고 했다. 즉, '정靜'하여 닫혀 있으면 신이고, '동動'하여 열리면 상화相火가 발發하는데 이것이 명문이라는 것이다. 또 손일규孫一奎는 〈난경〉에서 말하는 '신간동기腎間動氣' 즉, 양신兩腎 사이의 '동기動氣'가 명문이라고 했고, 조헌가趙獻可는 〈황제내경〉에서 말한 '칠절지방, 유소심七節之旁 有小心'의 '소심小心'이 곧 명문이라고 했다. 그리고 장경악張景岳은 양신 사이에 있는 '자궁子宮'이 명문이라고 했는데 이때의 자궁은 남녀에게 다 있는 것이다. 남자는 '정낭精囊(精室)', 여자에게 있어서는 '산문産門'이 이에 해당한다. 이처럼 명문에 대한 논설은 의가들마다 그 내용에 차이가 있었다. 하지만 후대로 내려오면서 명문의 위치에 대해서는 〈난경〉의 좌신우명문설은 점차 극복되고 양신 사이에 명문이 있는 것으로 의견이 수렴되고 있는 것을 볼 수 있다.

명문에 관한 학설은 〈난경〉 이후 몇 차례 변화를 맞는다. 그 계기 중 하나는 상화론의 발전과 함께 상화를 명문과 연결시킨 것이고, 다른 하나는 명문을 우리 몸의 태극으로 규정한 것이다. 명문과 상화를 연결시킨 의가는 금원사대가 중 한 사람인 유완소劉完素다. 하지만 명문에 대한 인식이 깊어진 것은 명대 온보학파溫補學派가 명문을 우리 몸의 태극으로 규정하면서부터다. 의역학醫易學을 깊이 연구한 장경악張景岳, 손일규孫一奎, 조헌가趙獻可 등은 명문에 대한 인식을 심화시켰다. 태극에서 음양으로, 음양에서 오행으로 또 만물로 연결되는 '태극도설太極圖說'에서처럼 이들은 명문을 인체의 태극으로서 오장보다 상위에 있는 것으로 보았고, 명문에서 발원하는 음양(원음과 원양)이 전신 오장의 음양을 주관하고, 또 생명의 발생을 가능하게 하는 선천의 근본이라고 인식했다.

온보학파 의가들이 쓴 의서들은 〈동의보감〉과 비슷한 시기나 직후에 발간되어 〈동의보감〉에는 인용되지 않았다. 그러므로 〈동의보감〉에는 온보학파의 명문학설이 반영되지 못했고, 금원사대가 이론이 중심이 되어 있다. 〈동의보감〉의 영향이 큰 우리나라에서는 명문에 관해 여전히 '좌신우명문설'과 '명문상화설'이 주류를 이룬다.

삼초는 〈황제내경〉과 〈난경〉의 설명이 서로 차이가 있다. 〈황제내경〉에서는 삼초를 육부 중 하나로 제시했으며, '물길을 트는 관직으로 수도가 나온다'[46]고 하여 인체 진액대사에 관여하며 방광과 밀접한 연관이 있는 장기로 기술했다. 그리고 상초, 중초, 하초로 나누어 삼초의 기능을 설명했다. 하지만 〈난경〉에서는 삼초를 '유명이무형有名而無形'한 장기라고 기술함으로써 후대에 삼초가 유형인지 무형인지를 두고 논의가 무성하도록 만들었다. 그리고 삼초를 '수곡의 도로('水穀之道路')', '기가 시작되고 마치는 곳('氣之所終始')', 원기原氣를 통행시켜 오장육부에 공급하는 기능을 하는 장기 등 주로 기화작용을 발휘하는 장기로 설명했다. 〈황제내경〉은 진액대사, 〈난경〉은 기화를 중심으로 삼초를 설명하고 있는 것이다.

우리는 명문과 삼초를 어떤 장기로 이해해야 할까? 윤길영은 명문과 삼초를 '협관계協關系'라고 정의했다. 일본식 용어이지만 지금의 언어로 말하면 인체에서 신경과 내분비 계통이 하는 역할과 같이 인체 전체의 항상성 유지를 위해 각 장기의 기능을 조절하는 역할을 하는 장기라는 의미이다. 이것은 한의학에서 명문, 삼초가 어떤 장기인지를 이해하는 데 도움을 준다. 협관계의 관점에서 명문, 삼초에 대해 정리하면 다음과 같다.

첫째, 명문은 우리 몸의 태극과 같은 장기로 원기가 발원하는 곳이다. 원기의 작용은 원음과 원양의 두 방면으로 나누어진다. 원음, 원양은 인체 생명의 근원적 음양으로서 모든 장부 음양이 이것에 뿌리를 두고 있다. 원음은 인체 각 장부와 조직, 기관을 자양滋養하고 유윤濡潤하는 음적인 작용을 하며, 원양은 인체 각 장부, 기관의 기능을 추동推動, 온후溫煦하는 양적인 작용을 한다. 원음과 원양은 오장체계 속에서는 '선천지본'인 신음腎陰, 신양腎陽과 동일시된다.

둘째, 삼초는 명문에서 발원한 원기를 통행시켜 전신에 공급하는 장기[47]로 명문이 원기의 주체(體)가 되는 장기라면 삼초는 원기를 전신에 통행시켜 구체적인 작용을 일으키는('用) 장기다.

---

46) 〈黃帝內經 素問 靈蘭秘典論〉 "三焦者, 決瀆之官, 水道出焉"
47) 〈難經〉 38난 "三焦者, 原氣之別使也, 主通行三氣, 經歷於五藏六府"

삼초는 원기를 상초, 중초, 하초에 통행시켜 원기의 기화작용을 통해 상, 중, 하초에 속하는 장기들의 기능을 조절한다. 상초는 심, 폐의 기능을 조절하여 기혈이 전신에 잘 부포敷布되게 하며, 중초는 비위의 기능을 조절하여 음식물의 소화에 관여하고 그 결과로 만들어진 '정미精微'를 '운화'하도록 돕는 역할을 한다. 하초는 간, 신과 방광, 대장의 기능을 조절하여 대변과 소변을 '비별泌別'하여 배출하는 기능을 돕는다.

셋째, 한의학에서 삼초는 육부 중 하나로서 장기인 동시에 상, 중, 하초의 흉복강 부위를 구분하는 용어로 사용되었다. 삼초의 실질이 무엇인가에 대해서는 여전히 많은 의견들이 있다. 여기서는 장경악張景岳의 흉복강胸腹腔설을 취한다. 흉복강 전체를 삼초로 보면 부위로서의 삼초와 장기로서의 삼초가 하나로 일치된다. 그리고 오장육부가 모두 흉복강 안에 있어 삼초가 오장육부의 기능을 조절하는 '협관계'로서의 기능을 발휘하는 것도 설명이 가능하다.

넷째, 삼초의 기능은 원기를 동력으로 흉복강 내에 위치하는 오장육부의 기화작용을 조절하는 것이다. 〈황제내경〉에서는 "상초여무上焦如霧, 중초여구中焦如漚, 하초여독下焦如瀆"으로 삼초의 작용을 구분하고 있다. 상초에서 중초, 하초로 내려갈수록 기체상태('霧')에서 액체('漚')로, 또 모여서 물길('瀆')을 이룬다는 것인데, 이것은 상, 중, 하초의 기화 정도가 서로 다른 것을 설명한 것이다. 〈난경〉이 기화의 동력(원기)을 중심으로 삼초의 기능을 설명하고 있다면, 〈황제내경〉은 기화의 대상 또는 결과를 중심으로 설명한 것으로서 〈황제내경〉과 〈난경〉의 설명은 관점의 차이만 있을 뿐 내용은 서로 다르지 않다.

제3절 인체에 영향을 미치는 환경요소 - 육기

한의학에서는 인체와 인체를 둘러싸고 있는 자연환경과의 관계를 중요하게 생각해 왔다. 특히 일찍부터 사계절의 기후변화가 인체 생리기능과 병증 발생에 큰 영향을 미친다는 것을 발견했고 이런 인식은 〈황제내경 소문〉의 운기학설運氣學說로 집대성되었다. 운기학설이란 오운육기학설의 줄임말이다. 오운과 육기를 상합하여 한 해의 정상적인 기후변화와 변이를 추산, 예측하고, 이러한 기후변화가 인체에 미치는 영향을 분석하여 기후와 건강, 질병 사이의 관계와 규칙을 체계적으로 정리한 이론이다. 현대에 이르러 운기학설로 추산한 기후변화의 정확성과 가치, 이를 의학적으로 활용하는 방법에 대해서는 비판적인 의견이 많다. 하지만 기후변화가 인간의 건강과 질병에 미치는 영향을 주목하고 이를 의학적으로 적극 활용하려고 했던 생태의학적 사고만큼은 높게 평가할 필요가 있다.

한의학에서 인체에 영향을 미치는 각 계절의 기후변화는 풍한서습조화風寒暑濕燥火의 육기로 요약되었다. 육기는 <황제내경>에서 종종 한서寒暑로 요약되었는데. 한서란 한열寒熱과 같은 것으로서 열의 편차를 음양적으로 인식한 것이다. 이것은 육기변화의 핵심이 열에 있다는 것을 의미한다. 실제로 우리나라와 같이 북반구의 중위도 지역에서 관찰되는 사계절의 뚜렷한 변화는 지구가 23.5도 기울어진 상태로 태양 주위를 공전하여 각 계절마다 이 지역에 도달하는 태양의 복사에너지에 차이가 있기 때문에 나타나는 현상이다.

육기는 다시 한열, 조습, 풍화로 분류된다. 한과 열은 온도, 조와 습은 습도, 풍과 화는 풍세風勢의 강약, 기류氣流의 강약에 의해 나타나는 현상이다. 이러한 온도, 습도, 풍도(기류)의 변화는 인체 내부의 생리활동에 영향을 미친다. 때로는 생리활동을 도와 촉진하기도 하고 또 때로는 생리활동에 해를 끼쳐 병리현상을 발현하기도 한다.[48] 이 때문에 김완희는 육기를 인체의 오장시스템(유기능체계)이 가동되는 데 영향을 미치는 환경자극요소라고 했다.[49]

인체 생리기능에 영향을 미치는 외부환경으로서의 기후인자를 외부육기라고 한다면 내부육기內部六氣 개념도 있다. 한의학에서는 기후현상으로서 육기 개념을 인체에 은유적으로 투사하여 인체 생명현상을 인식하는 개념으로도 사용하였다. 즉, 자연에서의 육기에 대한 체험을 근원영역으로 삼고 이를 목표영역인 인체에 은유적으로 확장하여 인체에서 일어나는 작용과 현상들을 육기의 범주로 귀납하여 인식한 것이다. 그러므로 음양기의 승강升降에 따라 각 계절의 특징적인 기후현상인 육기가 나타나듯이[50] 인체 내에서도 장부기의 음양승강의 결과로 육기적 현상이 나타난다. 이것을 내부육기라고 한다. 외부육기가 인체 외부환경(외환경)을 이룬다면 내부육기는 인체 내부환경(내환경)을 형성한다. 인체 내에도 한열寒熱(온도), 조습燥濕(습도), 풍화風火(에너지)의 현상이 존재한다. 내부육기 또

48)   윤길영. 동의학의 방법론 연구. 서울: 성보사; 1983. pp. 34-5.

49)   김완희. 신생리학총론. 서울: 경희대학교 한의과대학 한방생리학교실; 1984. pp. 10-6.

50)   <黃帝內經 素問 五運行大論> "陰陽之升降, 寒暑彰其兆."

한 인체 오장시스템이 가동되는 데 영향을 미치는 환경자극요소가 된다.[51]

　<황제내경 소문 오운행대론五運行大論>에는 "조는 말리고, 서는 찌며, 풍은 동하게 하고, 습은 축축하게 하며, 한은 단단하게 하고, 화는 따뜻하게 한다."고 기술하고 있다.[52] 이것은 육기가 사물에 일으키는 작용을 묘사한 것이다. 한의학에서는 자연에서 육기가 일으키는 이 같은 작용을 기초로 인체에서 육기가 일으키는 다양한 생리, 병리현상을 유추하고 해석했다.

　옛사람들은 자연계 기후의 이상변화가 있은 후 질병이 폭발하거나 확산되는 추세가 나타나는 것을 발견했고 이런 관찰로부터 육기의 이상변화가 인체에 질병을 유발하는 원인(육음)이 된다는 결론을 이끌어 내었다. 이른바 '육음六淫'이다. 그리고 '육기'의 이상이 없는데도 '육기'의 이상으로 생기는 질병과 유사한 병증이 나타날 경우 이른바 '변증구인辨證求因'의 방법을 사용하여 이런 병증들을 모두 '육음'이라는 원인에 귀속시켰다. 이러한 '변증구인'의 과정에는 육기를 참조(reference)로 인지대상인 병인을 확장시키는 은유적 방법이 사용되었다.

　예를 들어 인체 내에서 머리부위의 어지럼증이나 흔들림, 진전震顫과 같이 몸과 손이 떨리는 증상, 경련, 운동장애나 마비, 가려움증 같은 '동요부정動搖不定'한 증상들이 나타나면 이를 풍에 귀속시켰고(風性主動), 증상의 변화가 다양하고 신속하며 병처가 고정되지 않고 옮겨 다니는 특성을 나타내는 병증도 풍에 귀속시켰다(선행이삭변善行而數變). 또 인체 상부와 체표 피부의 땀구멍을 열어 한출汗出, 오풍惡風 등의 증상을 일으키는 것도 그 원인을 풍에 의한 것으로 인식했다.

　이처럼 육기는 인체 생리현상뿐만 아니라 병리적 현상을 해석하는 데도 활용되었다. 육음과 관련해서는 병인病因론에서 기술한다.

---

51)　김완희. 신생리학총론. 서울: 경희대학교 한의과대학 한방생리학교실; 1984. pp. 10-6.

52)　"燥以乾之, 暑以蒸之, 風以動之, 濕以潤之, 寒以堅之, 火以溫之"

제4절　경락經絡 - 인체는 어떻게 하나가 되나?

1. 경락이란?

　　인체는 수정란에서 다양한 조직과 기관으로 분화하여 역할을 분담하면서 하나의 개체를 이룬다. 생리적인 상태에서는 늘 인체 전체로서 최적의 상태를 만들려 하는데, 이때 전신을 그물처럼 연계해 정보 전달과 기능 조절을 하면서 인체를 전체로서 작동하게 하는, 하나로 만드는 연결망을 경락經絡체계라 부른다. 경락은 신경, 체액, 근육 계통을 포함하는 인체 정보전달 및 조절체계로서 인체의 기氣, 혈血, 진액津液이 흐르는 통로이다.

　　경락은 속으로는 장부臟腑와 연결되고, 겉으로는 피부, 근육, 골격에 연결되어 있다.

　　경락체계는 크게 경맥經脈과 락맥絡脈으로 나뉘는데, 경맥은 내부기관인 장부와 연계된 12경맥, 12경맥을 보완해주는 기경奇經8맥脈, 12경맥에서 갈라져 나온 12경별經別로 구성된다.

　　락맥은 12경맥을 표리表裏로 연계해주는 12락맥과 인체 각 부분의 영양을 주로 담당하는 독맥督脈, 임맥任脈, 비脾, 위胃의 락맥을 합쳐 모두 16개의 비교적 큰 락맥으로 이뤄지고, 이들과 피부 근육을 이어 주는 가느다란 혈락血絡, 부락浮絡, 손락孫絡으로 구성된다.

　　경맥을 따라 흐르는 기를 경기經氣라 하는데, 경기는 주로 인체를 세로로 연결해주는 큰 통로인 경맥을 따라 흐른다. 인체를 가로로 연결해 주는 작은 통로인 락맥에는 경기의 도움을 받아 주로 혈과 진액이 흐른다.

　　인체 겉에서 경기를 공급받는 경락의 바깥기관으로는 근육, 골격과 연계된 12경근經筋이 있으며, 피부의 12개 분야를 담당하는 12피부皮部가 있다.

　　12경맥에는 경기가 흐르면서 우물과 같이 모이는 곳이 있는데, 이를 경기의 웅덩이라 하여 경혈經穴이라 부르며, 일반적으로 침구 시술하는 부위에 해당한다. 경혈은 12경맥에 주로 분포하고, 기경8맥에도 일부 있으며, 경맥 바깥에도 경외기혈經外奇穴이라 부르는 경혈이 많이 있다. 경혈은 평소에는 비활성 상태에 있지만 병리적인 상황에서는 활성화 되어 크기가 커지거나 압통을 느끼거나 전기 저항이 낮아지는 등 다양한 생물물리학적 특성이

나타난다.[53)54)55)56)57)58)59)]

경락체계 이론은 초기에는 혈관이나 신경조직 등에서 나타나는 단편적 현상에서 시작되었을 것이나, 현대연구에 따르면 뇌신경, 체액, 근육 등 여러 기관이 협력하여 나타내는 기능 현상을 총괄하는 이론이다. 최근에는 프리모시스템 등 경락경혈의 해부학적 구조에 대한 연구를 비롯하여 전기나 소리 등 생물물리학적 특성에 대한 다양한 연구가 진행 중이다.[60)61)62)63)64)65)66)67)68)69)70)71)72)73)]

53) Fan Y, Ryu Y, Zhao R, et al. Enhanced spinal neuronal responses as a mechanism for increased number and size of active acupoints in visceral hyperalgesia. Sci Rep 2020;10:10312.

54) 許冠蓀, 王振玖, 张道芹, 等. 人体经络静电荷检测研究. 安徽中医学院学报 1997;16(2):45-7.

55) 안성훈. 경혈 및 경락의 전기적 특성에 관한 또 다른 이해. 경락경혈학회지 2008;25(2):33-41.

56) 김소연, 윤상협, 김윤범, 정승기. 기능성 소화불량증에서 위 운동성 장애 진단을 위한 양도락 지표 연구. 대한한방내과학회지 2008;29(2):401-12.

57) 姚琳, 杨馥铭, 刘雁泽, 等. 脏腑－经穴 相关的 现代研究. 中国中医基础医学杂志 2020;26(7):1013-5.

58) 荣培晶, 朱兵. 心经经脉与心脏相关联系的电生理学研究. 针刺研究 2005;30(4):238-42, 245.

59) 章毓清, 丁光宏, 沈雪勇, 等. 正常人和冠心病人穴位红外辐射光谱的差异性. 中国针灸 2004;24(12):846-9.

60) Kwang-Sup Soh. Bonghan circulatory system as an extension of acupuncture meridians. J Acupunct Meridian Stud 2009;2(2):93-106.

61) Colbert AP, Larsen A, Chamberlin S, et al. A multichannel system for continuous measurements of skin resistance and capacitance at acupuncture points. J Acupunct Meridian Stud 2009;2(4):259-68.

62) 許云祥, 胡翔龙, 吴宝华. 一般状态下心包经循行线上皮肤电位的检测. 福建中医学院学报 1999;9(1):23-6.

63) Sheikh Faruque Elahee, Hui-juan Mao, Ling Zhao, Xue-yong Shen. Meridian system and mechanism of acupuncture action : A scientific evaluation. World Journal of Acupuncture - Moxibustion 2020;30(2):130-137.

64) 郭义, 张艳军, 王秀云, 等. 基于生物化学对经络腧穴与钙离子相关性的研究. 世界中医药 2020;15(7):970-5.

65) 邓亲恺. 经络实质辨析-关于经络本质与生物学基础的研究. 中国医学物理学杂志 2004;21(2):63-72.

66) 郑翠红, 张明敏, 黄光英. 研究经络本质的新途径. 中国针灸 2005;25(10):705-8.

67) 张娜, 林璐璐, 王丽琼, 等. 腧穴相关理论及检测设备研究进展. 中华中医药杂志(原中国医药学 报) 2020;35(9):4549-52.

68) 徐斌. 从生物异质性辨识经络学说生物学合理性研究的策略. 中国针灸 2020;40(10):1128-32.

69) John C. Longhurst. Defining Meridians : A Modern Basis of Understanding. J Acupunct Meridian Stud 2010;3(2):67-74.

70) 沈律. "干细胞-神经-内分泌-免疫系统"理论 - 初探人体经络现象的本质及其生物作用机制. Science and Technology Review 2001;10:22-4.

71) 김수병, 정경렬, 전미선 외. 생체이온 변화 유발 후 경혈과 비경혈에서의 생체 구조 성분 분석 및 비교를 통한 경혈 특이성 고찰. Korean Journal of Acupuncture 2014;31(2):66-78.

72) 胡翔龙, 包景珍, 马廷芳 主编. 中医经络现代研究. 1판. 北京: 人民卫生; 1990. 순경감전 현상을 중심으로 경락 경혈과 관련된 실험 연구를 잘 정리해 소개하고 있다.

73) 祝总骧, 郝金凯 主编. 针灸经络生物物理学-中国第一大发明的科学验证. 北京: 北京出版社; 1998. 경락 경혈과 관련된 현대적 실험 연구를 총 정리해 소개하고 있다.

📱 경락이론에서의 중추설과 말초설[74]

침구 자극이 효과를 나타내는 기전을 설명하는 방식으로 중추설과 말초설이 있다. 경혈에 침구鍼灸 등으로 자극 시 경혈로부터 신경망을 통해 신호가 뇌로 전달되고, 뇌에서는 이에 반응하여 내분비계의 변화를 일으키는 신호를 보냄으로써 체내 환경이 바뀐다는 이론을 뇌와 연계되었다 하여 중추설이라 한다. 말초설은 침구 자극이 경맥 내에 흐르는 경기의 흐름에 변화를 주고 경기의 흐름 변화는 직접적으로 체내 환경 변화를 유도한다는 것으로 경맥 내에 실질적인 정보전달 물질인 경기의 흐름이 존재한다는 주장이다.

환지통幻肢痛과 같은 환경락幻經絡 현상은 중추설을 지지하는 근거 중 하나이고, 경혈 자극 시 해당하는 대뇌 체감각영역의 변화가 일치하지 않거나, 순경감전 현상 시 감각의 전도가 병소病所로 향하는 것 등은 말초설의 근거 중 하나이다.

📱 아시혈과 경외기혈

아시혈阿是穴은 질병에 걸렸을 때 환부患部가 아닌 곳에서 민감하게 반응하는 압통점壓通點을 말한다. 압통점에 침구鍼灸 등으로 자극 시 질병이 치료되는데, 아시혈의 치료 효과가 확실해지고, 특정 질병에 특정 위치가 고정되어 나타나면 경외기혈이라 하고 새로운 이름을 붙인다.

경외기혈經外奇穴은 12경맥에 속하지 않는 경혈로 경험적으로 효능이 입증된 곳을 말한다. 대개 12경맥 노선에서 벗어난 곳에 존재하며, 효과가 탁월한 경외기혈이 많이 존재한다.

임상에서는 12경맥의 경혈 이외에도 전식全息이론[75]을 응용한 수지침, 이침, 두피침 등 다양한 방법으로 경락이론을 활용한다.

---

74) 胡翔龙, 包景珍, 马廷芳 主编. 中医经络现代研究. 1판. 北京: 人民卫生; 1990. pp. 159-82.

75) 인체의 귀나 손 등 비교적 독립된 부위는 인체 전체의 축소판으로 인체의 모든 정보를 담고 있다는 이론으로 한의학의 소우주론에서 유래한다. 전체의 부분이면서 전체의 정보를 담고 있는 작은 전체를 전식배(全息胚)라 하며, 현대 시스템이론에서는 이를 Holon이라 부른다. 張穎淸이 제창한 이론으로 그의 주요 저작으로는 <全息生物學>, <全息胚及其醫學應用>, <生物全息診療法>, <新生物觀> 등이 있다.

📑 경락현상

경락이나 경혈은 다양한 특성을 갖는데, 전기적으로 저항 값이 낮고, 소리의 전도 특성이 좋다. 경혈이 활성화되면 일산화질소나 광자 방출량이 많고 산소분압도 높다. 다음 그림은 이러한 특성을 이용한 실험 예이다.

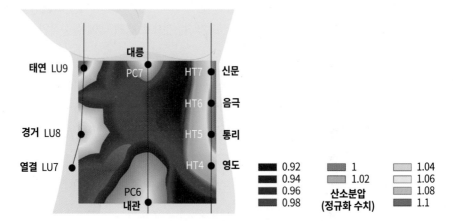

그림 3-3. 손목 부위 경혈과 비경혈의 산소분압[76]

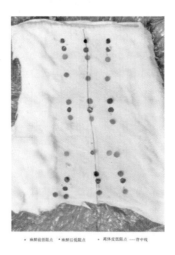

그림 3-4. 토끼의 독맥과 방광경상의 저저항선[77]

76) Minyoung Hong, Sarah S. Park, Yejin Ha, et al. Heterogeneity of skin surface oxygen level of wrist in relation to acupuncture point. Evid Based Complement Alternat Med 2012;2012:106762.

77) 祝总骧, 郝金凯主编. 针灸经络生物物理学. 北京:北京出版社; 1998. p.328.

경락현상을 이용한 경맥 노선 탐측[78]

수궐음심포경 실험

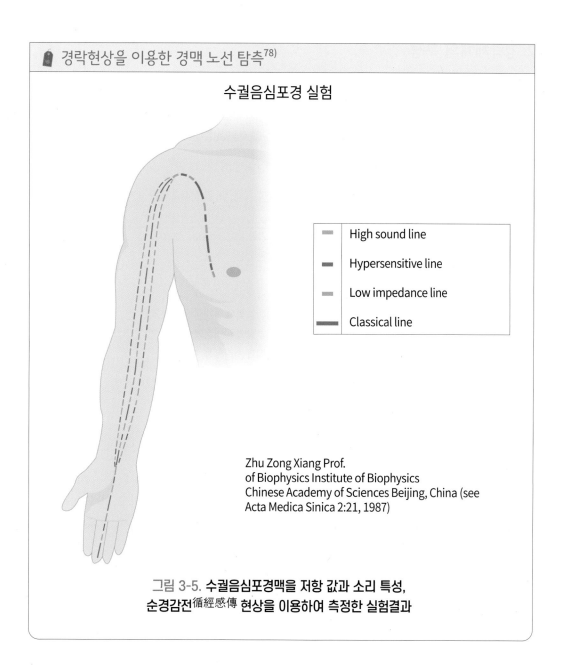

- High sound line
- Hypersensitive line
- Low impedance line
- Classical line

Zhu Zong Xiang Prof.
of Biophysics Institute of Biophysics
Chinese Academy of Sciences Beijing, China (see
Acta Medica Sinica 2:21, 1987)

그림 3-5. 수궐음심포경맥을 저항 값과 소리 특성,
순경감전循經感傳 현상을 이용하여 측정한 실험결과

78) 祝总骧, 郝金凯主编. 针灸经络生物物理学. 北京:北京出版社; 1998. p.263.

2. 경락체계의 구성

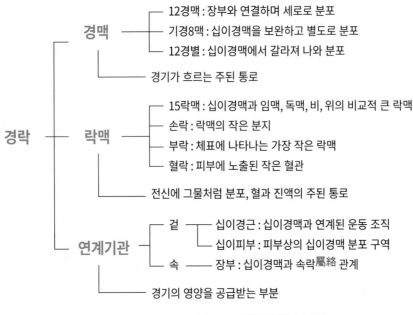

그림 3-6. **경락체계의 구성**

1) 12경맥

12경맥은 속으로는 내부 기관인 장부와 연결하여 내장기능을 조절하고, 밖으로는 락맥과 연계하여 피부, 근육 등 외부 기관들의 기능을 조절한다. 경맥에는 경맥을 흐르는 진기眞氣인 경기가 존재한다. 경기는 음식물의 영양을 바탕으로 호흡을 통한 자연의 대기와 결합하여 만들어진 진기로 호흡을 담당하는 폐와 연결된 수태음폐경맥手太陰肺經脈으로부터 경기가 많은 곳에서 적은 곳으로 흐름을 유지한다. 음陰경맥은 수태음폐경맥으로부터 소음少陰 궐음厥陰의 순서로 흐르고, 양陽경맥은 태음과 표리表裏 관계인 양명陽明으로부터 태양太陽 소양少陽의 순서로 흐른다.

12경맥의 명칭과 순행은 다음과 같다.

수태음폐경맥手太陰肺經脈 → 수양명대장경맥手陽明大腸經脈 → 족양명위경맥足陽明胃經脈 → 족태음비경맥足太陰脾經脈 → 수소음심경맥手少陰心經脈 → 수태양소장경맥手太陽小腸經脈 → 족태양방광경맥足太陽膀胱經脈 → 족소음신경맥足少陰腎經脈 → 수궐음심포경맥手厥

陰心包經脈 → 수소양삼초경맥手少陽三焦經脈 → 족소양담경맥足少陽膽經脈 → 족궐음간경맥
足厥陰肝經脈 →(다시 수태음폐경맥)

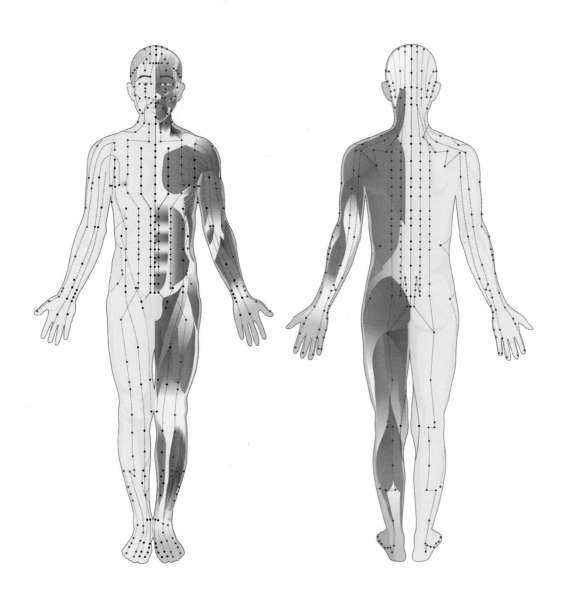

그림 3-7. **12경맥의 분포**

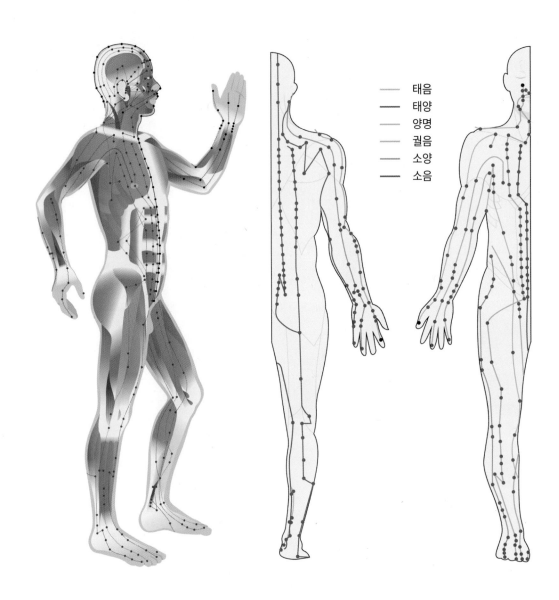

태음
태양
양명
궐음
소양
소음

수태음폐경手太陰肺經
Lung Meridian(LU)

수양명대장경手陽明大腸經
Large Intestine Meridian(LI)

족양명위경足陽明胃經
Stomach Meridian(ST)

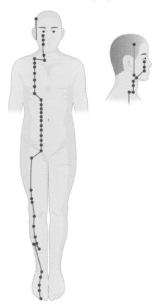

족태음비경 足太陰脾經
Spleen Meridian(SP)

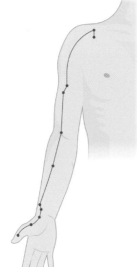

수소음심경手少陰心經
Heart Meridian(HT)

수태양소장경 手太陽小腸經
Small Intestine Meridian(SI)

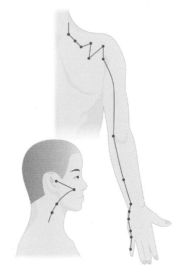

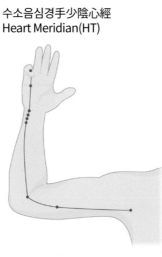

그림 3-8. **12경맥 노선**[79]

79)   WHO Western Pacific Region. WHO Standard Acupuncture Point Locations in the Western Pacific Region.
Updated and Reprinted 2009. p. 25, 33, 45, 69, 81, 87, 99, 135, 151, 157, 171, 195.

족태양방광경足太陽膀胱經
Bladder Meridian(BL)

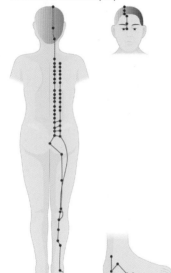

족소음신경足少陰腎經
Kidney Meridian(KI)

수궐음심포경手厥陰心包經
Pericardium Meridian(PC)

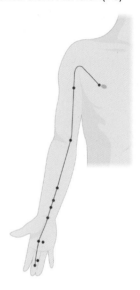

수소양삼초경手少陽三焦經
Triple Energizer Meridian(TE)

수소양담경足少陽膽經
Gallbladder Meridian(GB)

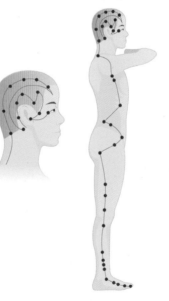

족궐음간경足厥陰肝經
Liver Meridian(LR)

그림 3-8(이어서). **12경맥 노선**

수삼음경맥은 모두 흉복부에서 시작하여 손끝으로 흐르고, 손에서 락맥을 통하여 수삼양경맥과 만나 경기를 넘겨준다. 수삼양경맥은 손끝에서 두면부로 흐르고, 두면부에서 동명의 족삼양경맥과 만난다. 족삼양경맥은 두면부에서 발끝으로 흐르고, 발에서 족삼음경맥과 만나고, 족삼음경맥은 발끝에서 흉복부로 올라 다시 동명의 수삼음경맥과 만나 하나의 순환을 이룬다.

12경맥은 인체 좌우 대칭으로 분포한다.

양경맥은 두면부에 도달하고 음경맥은 흉복부에서 멈추나, 음경맥은 음양경별의 6합 관계를 통하여 두면부에 작용한다. 양명경맥은 두면부의 전면에, 소양경맥은 측면에, 태양경맥은 두정부와 후두부에 분포한다.

양경맥은 사지의 외측에 음경맥은 내측에 분포하는데, 대체적으로는 태음-양명경맥은 앞쪽에, 궐음-소양경맥은 중간에, 소음-태양경맥은 뒤쪽에 분포한다.

몸통에서는 양명경맥은 전면 복부에, 소양경맥은 측부에, 태양경맥은 후면 배부에 분포한다. 3음경맥은 모두 복부에 분포하는데, 안에서 바깥으로 소음경맥, 태음경맥, 궐음경맥의 순으로 분포한다.

경기에는 인체 외부 호위를 담당하는 위기衛氣와 내부 영양을 담당하는 영기營氣가 있으며, 영위기는 종기宗氣의 추동을 받아 흐름을 유지한다. 경기의 흐름이 정상적으로 유지되면 체내 항상성이 유지되고 질병의 발생을 막아주지만 흐름에 장애가 생기면 각종 병리적인 문제를 유발한다.

12경맥은 장부 기능과 직접 연계된 작용을 하면서 인체 외부 환경인 온도, 습도, 풍도 변화에 맞춰 체내 환경인 온열대사, 수분대사, 에너지대사를 조절하여 인체 항상성을 유지한다. 태음경과 양명경은 수분대사, 소음경과 태양경은 온열대사, 궐음경과 소양경은 에너지대사의 조절을 담당한다.[80]

또한 태음경과 양명경은 폐-대장, 비-위의 장부표리 관계를 형성하고, 소음경과 태양경은 심-소장, 신-방광의 장부표리 관계를 형성하고, 궐음경과 소양경은 심포-삼초, 간-담의 장부 표리 관계를 형성하여 장과 부 간의 밀접한 생리 병리적인 연계가 형성된다.

---

80) 신민규. 제1부 제4장. 육기론 및 육기론적 생리체계. 편저: 전국한의과대학 생리학교수. 동의생리학. 서울: 집문당; 2008. pp. 95-7.

경락은 인체 내외 상하를 연계하여 평형을 유지하며, 피부를 통하여 외부환경과 내부 기관의 소통을 담당하지만, 또한 질병을 일으키는 사기의 전달 통로가 되기도 한다. 치료 또한 경락에 적절한 자극을 줌으로써 효과를 낼 수 있다.

2) 기경8맥

기경8맥은 경맥으로 12경맥과 달리 분포하는 8개의 경맥이다. 독맥督脈, 임맥任脈, 충맥衝脈, 대맥帶脈, 음교맥陰蹻脈, 양교맥陽蹻脈, 음유맥陰維脈, 양유맥陽維脈을 말하며, 이들은 대부분 장부와 연계되지 않고, 표리 연계 관계가 없으므로 기경奇經이라 한다.

독맥은 인체 모든 양경맥陽經脈을 관장하여 양기陽氣를 총괄한다.

임맥은 인체 모든 음경맥陰經脈을 관장하여 음기陰氣를 총괄한다.

충맥은 십이경맥의 경기가 모이는 바다와 같은 곳이다.

대맥은 허리와 배를 감싸 모든 경맥을 묶어 준다.

교맥은 걷고 뛰는 다리의 운동에 관여하는 경맥으로, 양교맥과 음교맥으로 구분한다.

유맥은 전신의 양맥과 음맥을 서로 긴밀하게 연계하는 작용을 하는 경맥으로, 양유맥과 음유맥으로 구분한다.

기경8맥은 12경맥의 연계를 밀접하게 하며, 12경맥의 경기를 조절한다. 또한 간肝, 신腎 및 생식기, 뇌腦, 수髓와 밀접한 관계가 있다.

독맥은 배부背部의 정중선에, 임맥은 복부腹部의 정중선에 분포한다. 대맥이 허리와 배를 감싸 옆으로 순행하는 것을 제외하면, 모두 아래에서 위를 향해 순행한다. 다리와 몸통에만 분포하고 팔에는 분포하지 않는다. 음교맥, 양교맥, 음유맥, 양유맥, 충맥, 대맥은 좌우대칭이지만, 독맥, 임맥은 단일 맥이다.

3) 12경별

12경별은 12경맥에서 갈라져 나와 순행하는 경맥이다. 특정한 수혈腧穴과 주관하는 병증은 없으나, 모두 주슬肘膝 관절부에서 시작하여 두면부로 향하는 구심성 순행이라 오수혈五輸穴의 경기 흐름과 연계가 있을 것으로 짐작한다.

12경별은 두면부에서 음경별과 양경별이 합류하여 6합 관계를 형성하여, 표리 경맥의 연계를 강화하고, 12경맥과 두면부를 연결한다.

4) 락맥

락맥은 경맥에서 파생되어 전신에 그물처럼 분포하는 작은 맥이며, 비교적 표층에 분포한다. 락맥은 15락맥, 손락, 부락, 혈락으로 분류한다.

15락맥은 12경맥 및 임맥, 독맥에서 갈라져 나온 별락別絡과 비의 대락大絡을 말한다. 위胃의 대락을 합하여 실제는 16락맥이 되나 비와 위는 표리의 관계가 있으므로 관습상 15락맥이라 부른다.

12경맥의 락맥은 12경맥의 손목이나 발목 부근에서 갈라져 나와 음경맥陰經脈의 락맥은 그와 표리가 되는 양경맥陽經脈으로, 양경맥의 락맥은 그와 표리가 되는 음경맥으로 향하여 표리가 되는 두 경맥을 하나로 묶어준다.

임맥의 락맥은 구미혈鳩尾穴에서 갈라져 나와 배에 분포하고, 독맥의 락맥은 장강혈長強穴에서 갈라져 나와 등과 머리에 분포한다. 비와 위의 대락(대포大包, 허리虛里)은 가슴과 옆구리에 분포한다.

락맥에서 다시 갈라져 나온 손락, 부락, 혈락은 인체를 표면과 말초까지 하나로 연결해준다.

락맥은 또한 경맥이 도달하지 않는 부위까지 영위기혈營衛氣血을 운송하여 전신 영양을 담당한다.

5) 12경근

경근이란 경맥과 락맥의 기혈이 자양하는 근육조직 등을 말하는 것으로, 해부 조직학적으로는 근육, 근막, 건, 인대 등을 포함한다.

경근은 주로 팔, 다리 끝에서 시작하여 팔목, 팔꿈치, 겨드랑이, 어깨나 발목, 무릎, 오금, 엉덩이, 골반 등 관절에 연결되고 몸통으로 향하여 가슴이나 등, 머리에서 그친다. 어떤 것은 흉복강胸腹腔에도 분포하나 내장으로 들어가지는 않는다.

경근은 근육과 밀접한 관계가 있지만 개별 근을 말하는 것이 아니고 전신의 근육을 유기적으로 연계하여 그들의 작용과 기능을 12개로 분류 설명한다.

12경근은 12경맥의 순행부위에 분포하여 팔, 다리와 전신의 골격을 엮어 팔, 다리의 활동과 관절의 굴신屈伸 운동을 주관한다.

6) 12피부

12피부는 체표를 12경맥을 기준으로 12개의 부위로 구분한 것이다.

12피부는 12경맥의 기능이 나타나는 체표의 영역이며 연계된 락맥의 혈기血氣가 분포하는 곳이다.

12피부는 인체의 가장 바깥 부위로서 위기衛氣가 순행하여 외사外邪 침입을 방어하는 울타리가 된다. 동시에 내장에 병이 있으면 경맥→락맥을 통하여 피부에 반영된다. 따라서 임상적으로 피부의 색과 윤택, 형태 및 감각의 변화는 진단의 기초가 된다.

> ### 🪦 봉한학설과 프리모 시스템[81]
>
> 봉한학설은 1960년대 김봉한이 발표한 경락경혈의 해부학적 실체에 대한 학설이다. 이후 봉한학설은 서울대 소광섭 교수팀에 의해 재현되고, 추가 연구가 이어져 프리모 시스템(Primo Vascular System, PVS)으로 발전되었다. 혈관이나 림프관 내, 뇌실, 장기표면 등에서 경락에 해당하는 구조물로 추측되는 Primo-vessel을 발견하는 등 많은 연구가 진행 중이다. [82][83][84][85][86]

81) kwang-Sup Soh. Primo Vascular System in Brain and Acupuncture Meridian. 17th KIOM Anniversary International Symposium. 2011.10.13

82) Miroslav Stefanov. Critical Review and Comments on B.H. Kim's Work on the Primo Vascular System. J Acupunct Meridian Stud 2012;5(5):241-7.

83) Byung-Cheon Lee, Ki Woo Kim, Kwang-Sup Soh. Visualizing the Network of Bonghan Ducts in the Omentum and Peritoneum by Using Trypan Blue. J Acupunct Meridian Stud 2009;2(1):66-70.

84) Vyacheslav Ogay, Kyung Hee Bae, Ki Woo Kim, Kwang-Sup Soh. Comparison of the Characteristic Features of Bonghan Ducts, Blood and Lymphatic Capillaries. J Acupunct Meridian Stud 2009;2(2):107-17.

85) Kyoung-Hee Bae, Hyun-Ji Gil, Yeong-Yung Yoo, Joo Ho Tai, Hee-Min Kwon, Kwang-Sup Soh. Neurovascular Primo Bundles at the Kidney Meridian Revealed Using Hemacolor Staining. J Acupunct Meridian Stud 2015;8(6):329-32.

86) Ho-Sung Lee, Byung-Cheon Lee. Visualization of the Network of Primo Vessels and Primo Nodes Above the Pia Mater of the Brain and Spine of Rats by Using Alcian Blue. J Acupunct Meridian Stud 2012;5(5):218-25.

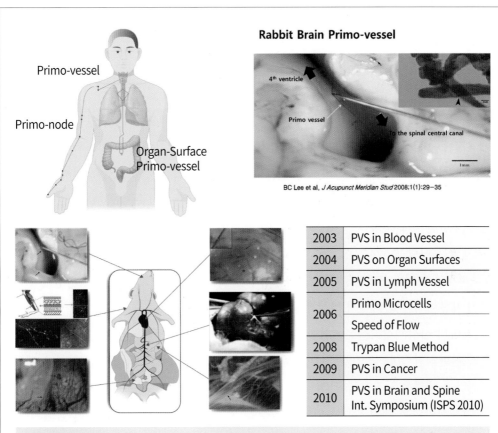

Rabbit Brain Primo-vessel

4th ventricle

Primo vessel

To the spinal central canal

1mm

BC Lee et al, *J Acupunct Meridian Stud* 2008;1(1):29−35

Primo-vessel

Primo-node

Organ-Surface Primo-vessel

2003	PVS in Blood Vessel
2004	PVS on Organ Surfaces
2005	PVS in Lymph Vessel
2006	Primo Microcells
	Speed of Flow
2008	Trypan Blue Method
2009	PVS in Cancer
2010	PVS in Brain and Spine Int. Symposium (ISPS 2010)

Recent Pulications

✓ **Cardiology** (2011) Network of primo vessels and nodes floating inside the bovine heart.

✓ **PLOS One** (2010) Characterization of the Primo-Vascular System in the Abdominal Cavity of Lung Cancer Mouse Model and Its Differences from the Lymphatic System.

✓ **Mol Imaging Biol** (2011) Evidence of an Additional Metastatic Route: In Vivo Imaging of Cancer Cells in the Primo-Vascular System Around Tumors and Organs.

✓ **J Appl Phys** (2010) In vivo imaging of cancer cells with electroporation of quantum dots multispectral imaging.

그림 3-9. **Primo-vessel 예시**[87]

---

87)   kwang-Sup Soh. Primo Vascular System in Brain and Acupuncture Meridian. 17th KIOM Anniversary International Symposium. 2011.10.13.

제5절　체질: 사상체질四象體質 - 사람은 어떻게 끼리끼리 다른가?

　　사람은 공통의 생물학적 특징을 갖고 있다. 그러나 각기 외모나 성격 기질이 다르다. 이렇게 사람을 다른 사람과 구별짓게 하는 특징을 우리는 몇 가지로 유형화하여 그 사람의 체질이라 한다.[88] 이제마는 이러한 특징을 4개의 체질이라는 개념으로 정리하여 역대 한의학의 다양한 병증과 치료 방법을 생리와 병리를 포괄하여 기술하였는데 이를 사상체질학설이라 한다.

　　이제마는 사람을 4개 유형으로 구분하여 태양인太陽人, 소양인少陽人, 태음인太陰人, 소음인少陰人이라 이름 지었다. 이 같은 4개 유형은 특성象을 살펴보니 몸體의 바탕質이 각자 다르기 때문이라는 의미에서 사상체질四象體質이라 부른다.

　　이제마의 사상체질학설은 <상한론傷寒論>과 <동의보감東醫寶鑑>, 온병론溫病論 등으로 대표되는 한의학 임상 중 가장 뒤늦게 탄생되어 기존 한의학 임상의 부족한 부분을 메우고 체질이라는 새로운 시각으로 인체를 볼 수 있게 한다.

　　사상체질학설은 개인별 맞춤의학의 특성을 갖고 있으나 객관적 체질진단 방법이나 질병별 체질치료법 등 계속된 보완이 필요하다.

---

88)　이러한 체질을 <黃帝內經>에서는 五態人과 五形人 二十五形으로 구분하고, 일본의 一貫堂醫學에서는 瘀血證, 臟毒證, 解毒證의 3가지로 분류하고 있고, 중국에서는 주로 병리적인 관점에서 平和質, 氣虛質, 陽虛質, 陰虛質, 痰濕質, 濕熱質, 瘀血質, 氣鬱質, 特稟質 등 9종으로 분류 설명하고 있다. 조기호 외. 일본 한방의학의 체질의학인 일관당의학에 관한 고찰. 사상의학회지 1997;9(1):339-52 ; 王 琦. 9种基本中医体质類型的分类及其诊断表述依据. 北京中医药大学学报 2005;28(4):1-8 ; 이 외에 중국의 체질분류로 正常質, 遲冷質, 燥紅質, 倦白光質, 膩滯質, 晦澁質의 6종 분류가 있다. 匡调元. 中医体质病理学. 上海: 上海科学普及出版社; 1996. p.88. ; 티벳의학 몽골의학 태족의학 등 중국내 소수민족의학도 모두 각기 다른 체질유형 이론을 갖고 있다. 谢 薇, 王志红. 少数民族体质理论述要. 中国民族民间医药杂誌 2006;79:63-66. ; 张吉仲, 尹巧芝, 郑 兵. 藏医体质及养护初探. 中国民族医药杂誌 2006;2:9-10 ; 西珠嘉措. 浅谈藏医"叁因学"与疾病·体质关系. 中国民族医药杂誌 2002;6:5-6. ; 王 琦主編. 김달래 역. 中醫體質學. 서울: 도서출판 정담; 1999. pp.429-47.

1. 체질이란?[89]

사람은 각기 다른 용모와 체격, 성격을 가지고 있으며 이는 나이 주기와 성별, 생활환경에 따른 점진적인 변화를 나타낼 뿐 평생에 걸쳐 그다지 변화하지 않는다. 각기 다른 특성은 자연, 사회 환경에 대한 적응 능력에서 차이를 나타내고, 동일한 발병인자에 대하여도 다른 감수성을 보이며, 질병 발생과 그에 따른 병태생리도 각기 다르게 나타난다.

이러한 특성은 개체 고유의 특성으로 이를 개체의 체질이라 한다. 즉 체질이란 선천적인 유전인자와 후천적인 환경요소에 의해 형성된 개개인이 지니는 형태적, 기능적, 정신적인 특성을 말한다. 체질은 각 개체가 지니는 형태적, 기능적, 정신적인 특성의 종합으로 나타나며, 이러한 특성은 유전적인 성향을 보이며, 환경요소에 의해 단기간에 변화하지 않는다.

각 체질은 땀 흘림, 대소변大小便, 물 마심 등 생리적인 지표들에서 각기 다른 특성을 나타내며, 특정 질병에 대한 감수성이나 질병인자에 대한 반응의 경향성에 있어서도 차이를 나타낸다.

---

89)   박왕용. 제2부 제7장 체질생리 편저: 전국한의과대학 생리학교수. 동의생리학. 서울: 집문당; 2008. pp.489-90.에서 추출
        요약한 것으로 자세한 사항은 원문을 참조하기 바란다.

> 📑 **체질진단법**
>
> 체질의 감별은 몇 가지 방법을 이용하는데, 전통적으로는 체형 특징과 기상을 보는 체형기상體型氣像, 얼굴 모습과 말하는 기운을 보는 용모사기容貌詞氣, 성격의 특징과 잘하는 행동을 보는 성질재간性質材幹, 병증의 특징과 약의 반응을 보는 병증약리病證藥理 등을 종합 이용한다. 최근에는 QSCC (Questionaire for the Sasang Constitution Classification), 안면계측, 성문분석, 체간측정, 생화학적 분석, 유전자분석 등 다양한 방법을 이용하고 있다.[90][91][92][93][94][95][96][97][98][99][100][101][102][103][104][105]

90) 허만회, 고병희, 송일병. 체간 측정법에 의한 체질판별. 사상체질학회지 2002;14(1):51-66.

91) 장은수, 도준형, 장준수 외. 태양인 체형, 안면, 음성, 성격 특성. 사상체질의학회지 2013;25(3):145-57.

92) 홍석철, 이의주, 이수경 외. 四象體質別 上顔部 Moire 形態의 特徵에 관한 硏究. 사상의학회지 1998;10(2):271-81.

93) 홍석철, 이수경, 송일병. 사상체질별 상안부의 형태학적인 특징에 관한 연구-모아레의 횡단면의 특성을 중심으로-. 사상의학회지 1998;10(1):161-70.

94) 장은수, 김윤정, 김성훈, 주종천. 사상체질별 안면의 거리 각도 비율 특성. 사상체질의학회지 2010;22(2):37-47.

95) 박은아, 최인호, 김나영 외. 사상체질별 안면부 전체적 형태의 특징에 관한 연구. 사상체질의학회지 2008;20(3):58-69.

96) 이선영, 고병희, 이의주 외. 안면형상을 활용한 사상체질 진단 연구에 관한 체계적 고찰. 사상체질의학회지 2012;24(4):17-27.

97) 박성진, 김달래. Harmonics(배음)와 Formant Bandwidth(포먼트폭)를 이용한 音聲特性과四象體質間의 相關性硏究. 사상체질의학회지 2004;16(1):61-73.

98) 김달래. 사상체질별 音響特性과 신체질량지수(BMI)에 關한 硏究. 사상체질의학회지 2004;16(1):53-60.

99) 김근호, 강남식, 구본초, 김종열. 음성 특성 및 음성 독립 변수의 사상체질 분류로의 적용 방법. 사상체질의학회지 2011;23(4):458-69.

100) 최대성, 김락형, 성원영 외. 기질 및 성격 검사(TCI)를 통한 사상체질 특성 연구. 사상체질의학회지 2011;23(3):351-60.

101) 반효정, 이시우, 진희정. 유전지표를 활용한 사상체질 분류모델. 사상체질의학회지 2020;32(2):10-21.

102) 조황성, 지상은, 이의주 외. 體質診斷의 客觀化에 관한 硏究-생화학적 분석자료를 중심으로-. 사상의학회지 1997;9(2):147-61.

103) 최경주, 최양식, 차재훈 외. 改定된 四象體質分類檢査紙II의 信賴度와 妥當度에 대한 硏究, 사상체질의학회지 2006;18(1):62-74.

104) 소지호, 김장웅, 남지호 외. 웹 기반 통합체질진단 시스템- SCAT (Sasang Constitution Analysis Tool) -. 사상체질의학회지 2016;28(1):1-10.

105) 장은수, 박기현, 백영화, 이시우, 김성훈, 주종천. 체형 안면 소증 및 성정 특성 기반 사상체질 진단 프로그램 개발. 사상체질의학회지 2012;24(1):21-31.

2. 사상체질학설

1) 4장국론[106]

사상체질학설은 폐肺 비脾 간肝 신腎의 4장臟을 중심으로 몸의 각 부분을 연관시켜 설명한다. 즉, 위완胃脘 위胃 소장小腸 대장大腸 등 4부腑와 진津 고膏 유油 액液의 전4해前四海, 이膩 막膜 혈血 정精의 후4해後四海, 피皮 근筋 육肉 골骨, 이耳 목目 비鼻 구口 등 인체의 구조를 각기 4장에 배속하여 인체를 구성하는 4개의 기능체계로 인식한다. 이들 각기 다른 기능을 행하는 4개의 기능체계는 4당黨, 즉 4장국臟局을 형성한다.

폐장국은 폐를 중심으로 위완胃脘·설舌·이耳·두뇌頭腦·피모皮毛 등으로 구성되며, 비장국은 비를 중심으로 위胃·양유兩乳·목目·배背·근筋으로 구성된다. 간장국은 간을 중심으로 소장小腸·제臍·비鼻·요척腰脊·육肉으로 구성되며, 신장국은 신을 중심으로 대장大腸·전음前陰·구口·엉덩이膀胱·골骨로 구성된다.

인체의 생리적 기능이나 병리적 상태는 각 장국별로 긴밀하게 연계되어 있고, 인체에서 각 장국의 기능별 편차로 4개의 특성이 다른 체질이 형성된다.

태양인은 폐장국의 기능이 왕성하고, 간장국의 기능이 저하되어 폐대간소肺大肝小의 상태가 형성되어 이에 따른 태양인 특유의 특성이 나타난다.

태음인은 간장국의 기능이 왕성하고, 폐장국의 기능이 저하되어 간대폐소肝大肺小의 상태가 형성되어 이에 따른 태음인 특유의 특성이 나타난다.

소양인은 비장국의 기능이 왕성하고, 신장국의 기능이 저하되어 비대신소脾大腎小의 상태가 형성되어 이에 따른 소양인 특유의 특성이 나타난다.

소음인은 신장국의 기능이 왕성하고, 비장국의 기능이 저하되어 신대비소腎大脾小의 상태가 형성되어 이에 따른 소음인 특유의 특성이 나타난다.

---

106) 송일병 외. 四象醫學. 서울: 집문당; 1998. pp.80-8, 91-115, 342-53. ; 延边朝鲜族自治州民族医药研究所 编. 朝医学 第1册 四象医学论. 延边: 延边朝鲜族自治州民族医药研究所; 1985. pp.12-34. ; 洪淳用. 四象診療保元. 서울: 서원당; 1991. pp.67-110.에서 추출 요약한 것으로 자세한 사항은 원문을 참조하기 바란다.

표 3-5. **4장국과 그 구성 요소**

4장국(4당)			
폐장국肺臟局(肺黨)	비장국脾臟局(脾黨)	간장국肝臟局(肝黨)	신장국腎臟局(腎黨)
상초上焦	중상초中上焦	중하초中下焦	하초下焦
폐肺	비脾	간肝	신腎
위완胃脘	위胃	소장小腸	대장大腸
이耳	목目	비鼻	구口
함頷	억臆	제臍	복腹
이해膩海	막해膜海	혈해血海	정해精海
진해津海	고해膏海	유해油海	액해液海
두頭	견肩	요腰	둔臀
두뇌頭腦	배背, 려膂	요腰, 척脊	엉덩이膀胱
두頭	수手	요腰	족足
피모皮毛	근筋	육肉	골骨
설舌	양유兩乳	제臍	전음前陰

2) 태소음양인[107]

이제마는 장국의 차이에 따라 태소음양인太少陰陽人의 4유형으로 구분하고, 태소음양인의 생리적 특성, 곧 생리적 차이는 타 체질과의 구분점이 되는 동시에 병리적 증證과는 다르다고 보았다. 생리적 특성은 몸과 마음의 양면으로 살피는데 몸의 요소는 체형體形 기상氣像과 용모容貌 사기詞氣로 나누고, 마음의 요소는 성질性質과 재간材幹, 항심恒心으로 나누어 관찰한다. 또한 체질적으로 나타나는 건강할 때의 생리적 특성인 완실무병完實無病을 말하고 있다.

---

107) 김 주. 四象醫藥 性理臨床論. 서울: 대성문화사; 1997. pp.40-72. ; 송일병 외. 四象醫學. 서울: 집문당; 1998. pp.119-32, 425-9 ; 朴奭彦 編譯. 東醫四象大典. 서울: 醫道韓國社; 1977. pp.368-385. ; 이태규 외. 건강개념의 사상의학적 고찰. 사상체질의학회지. 2003;15(3):88-99.에서 추출 요약한 것으로 자세한 사항은 원문을 참조하기 바란다.

각 체질별 중요한 특성을 정리해 보면 다음과 같다.

(1) 체형기상

장국의 대소는 폐·비·간·신 장국의 기능적 차이뿐만 아니라 외형적 차이로도 나타난다.

태양인의 장국 기능은 폐장국이 왕성하고 간장국이 저하되어, 머릿골, 즉 이마가 왕성하게 툭 불거져 나왔고, 허리의 형세가 연약하다.

소양인의 장국 기능은 비장국이 왕성하고 신장국이 저하되어 가슴둘레의 형세가 웅장하고 엉덩이의 모양새가 연약하다.

태음인의 장국 기능은 간장국이 왕성하고 폐장국이 저하되어 허리 형세가 웅장하고 머릿골 즉 이마의 기세가 연약하다.

소음인의 장국 기능은 신장국이 왕성하고 비장국이 저하되어 엉덩이의 모양새가 웅장하고 가슴둘레의 형세가 빈약하다.

소음인의 체형은 왜소하고 작으나 혹 장대하여 8, 9척이 되는 자도 있으며 태음인의 체형은 장대하나 혹 6척이 되는 왜소하고 작은 자도 있다.

태양인   태음인

소양인   소음인

그림 3-10. 체형기상 예시1[108]

(그림의 사용을 허락해주신 우석대학교 사상체질의학과에 감사드립니다.)

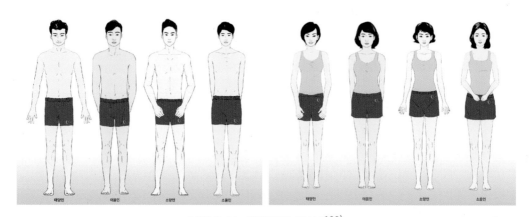

그림 3-11. 체형기상 예시2[109]

(그림의 사용을 허락해주신 한국한의학연구원에 감사드립니다.)

---

108) 송정모. 사상체질의학회 인정의 강의 자료. 2008.06.17

109) 사상체질별 캐리커처. 한국한의학연구원 제작. 2016년 7월(2022년 2월 10일 인용) URL:www.kiom.re.kr/brdartcl/boardarticleView.do?brd_id=BDIDX_JSjD69Kjx6W6U012dSKT5d&cont_idx=19&menu_nix=15Fh3KOQ&edomweivgp=R

(2) 용모사기

태음인은 얼굴 모습容貌, 말하는 기운詞氣, 행동거지가 의젓하고 잘 가다듬으며 공명정대하다. 소양인은 눈빛이 예리하고 인상이 야무지며 성질이 급하여 말이 빠르고 소리가 맑다. 소음인은 용모, 말하는 기운, 동작이 자연스럽고 성품이 까다롭지 않고 잔 솜씨가 있다.

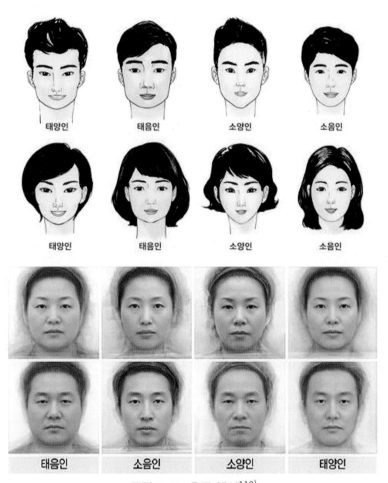

그림 3-12. **용모 예시**[110]

(그림과 사진의 사용을 허락해주신 한국한의학연구원에 감사드립니다.)

---

110) 사상체질별 캐리커처. 한국한의학연구원 제작. 2016년 7월(2022년 2월 10일 인용) URL:www.kiom.re.kr/brdartcl/boardarticleView.do?brd_id=BDIDX_JSjD69Kjx6W6U012dSKT5d&cont_idx=19&menu_nix=15Fh3KOQ&edomweivgp=R

(3) 성질재간

태양인의 성질은 활달하여 소통하는 것이 장점이며, 재간은 다른 사람과 사귀는 교우交遇에 능하다. 소양인의 성질은 용감한 것이 장점이며, 재간은 일을 잘 처리하는 사무事務에 능하다. 태음인의 성질은 시작한 일을 잘 성취하는 것이 장점이며, 재간은 잘 정착하는 거처居處에 능하다. 소음인의 성질은 남과 잘 융화하는 것이 장점이며, 재간은 사람을 잘 조직하여 무리 짓는 당여黨與에 능하다.

(4) 항심[111]

태양인의 항심은 일을 급하게 서둘러 조바심을 내는 급박急迫한 마음이고 항상 여유를 갖고 느긋하게 행동하면 살아가는 데 편안하고 선천적으로 타고난 자질을 더욱 잘 발휘하게 된다. 만약 급박한 마음이 더욱 심해지면 심리적 불안감, 강박증, 불면 등이 나타난다.

소양인의 항심은 일을 벌이고 수습하지 못해 무슨 일이 생길까 두려워하는 마음이고, 이것이 안정되면 살아가는 데 편안하고 선천적으로 타고난 자질을 더욱 잘 발휘하게 된다. 만약 두려워하는 마음이 더욱 심해져 공포심까지 이르면 건망健忘이란 큰 병이 생기게 된다.

태음인의 항심은 새로운 것을 개척하기 겁내는 마음이고, 이것이 안정되면 살아가는 데 편안하고 선천적으로 타고난 자질을 더욱 잘 발휘하게 된다. 만약 겁내는 마음이 더욱 심해져 두려워지는 마음에까지 이르면 정충怔忡이란 큰 병이 생기게 된다.

소음인의 항심은 꼼꼼하고 세심하여 별일도 아닌데 조바심 내고 불안해하는 편안치 못한 마음이고, 이것이 안정되면 소화기능이 좋아진다. 그러므로 소음인은 일보 전진하는 마음으로 적극적으로 대처하여 편안치 못한 마음을 안정되게 하면 장수하게 된다.

(5) 완실무병

완실무병完實無病이란 사상인의 생리적 특징으로 병이 없는 건강한 상태의 체질별 기준이다. 태양인은 소변이 많으면 건강하고 병이 없으며, 소양인은 대변이 잘 통하면 건강하고 병이 없으며, 태음인은 땀이 잘 나면 건강하고 병이 없으며, 소음인은 음식이 잘 소화되

---

111) 변함없이 늘 지니고 있는 떳떳한 마음을 말한다.

면 건강하고 병이 없다.[112]

3) 사상체질별 생리, 병리 특성[113]

(1) 물 마심

태음인은 평소에 잘 즐기지 않는 편이다. 감기에 걸려 오한惡寒 중에는 찬물을 많이 마시나 발열發熱 중에는 한출汗出하여 수액이 빠지는데도 물을 마시지 않는다.

소음인은 상열감이 많으므로 평소에 조금씩 자주 마시는 편이다. 감기에 걸려 오한 중이나 설사 시나 구토 후에 물을 마시지 않는다. 이 때 물을 마시면 회복하는 좋은 징조이다.

소양인은 평소에 많이 잘 마시는 편이다. 감기에 걸려 발열 중에는 능히 찬물을 마시나 오한 중에는 물을 마시지 않는다.

(2) 입 마름

태음인은 입천장과 코에서 인후부로 말라 들어간다.

소음인은 입술과 혀 앞쪽에서 인후부로 말라 들어간다.

소양인은 인후부에서 입술 쪽으로 말라 나온다.

(3) 땀

태음인은 평소 끈끈할 정도로 땀이 많은 편이나 소한少汗 혹 무한無汗하는 경우도 있다. 평소 땀이 많으면 건강하고 병이 없는 것이다.

소음인은 평소 피부에 안개와 같이 미세한 물기가 있어 촉촉한 편이다.

소양인은 평소 약간 땀이 있으나 발병하면 다한多汗한다. 이 때 전신에는 땀이 나나 손발바닥에는 땀이 없다.

---

112) 임상에서 완실무병 지표의 탄력적 적용을 위해 다음 논문을 추천한다; 손은혜, 곽창규, 이의주. 사상체질별 완실무병 지표들의 임상적 유효성 분석 : Short Form-36 설문지를 이용한 연구. 사상체질의학회지 2004;16(3):25-33.; 김효정, 이혜정, 진희정, 김명근. 발한양상에 따른 건강상태의 체질별 편차에 대한 분석. 사상체질의학회지 2009;21(3):89-106.

113) 김주. 四象醫藥 性理臨床論. 서울: 대성문화사; 1997. p.40-72.에서 추출 요약한 것으로 자세한 사항은 원문을 참조하기 바란다.

(4) 대변

태음인의 용변시간은 긴 편이며 대변은 처음은 단단하나 끝은 묽다. 건강한 태음인은 1일 1회 보며, 대변의 모양은 제일 가느다란 편이고, 발병하면 후중後重이 잘 나타나는 편이다. 대변을 참으려면 참을 수도 있고, 참더라도 변비는 오지 않는 편이다.

소음인의 용변시간은 제일 긴 편이고, 대변은 처음과 끝이 단단하고 길어 제일 긴 편이나 굵기는 소양인보다는 굵지 않다. 건강한 소음인은 수일에 한 번씩 대변을 보며, 용변시간이 짧은 경우는 대변이 묽을 때이다.

소양인의 용변시간은 짧은 편이며, 대변은 처음은 단단하나 끝은 약간 묽으며, 굵으나 쑥 빠져 제일 굵고 짧은 편이다. 건강한 소양인은 1일 1회 보며, 대변을 참으려면 못 견뎌서 싸든지 변비가 오는 편이다.

(5) 소변

태음인은 하루에 3-5회 보며, 조열병燥熱病 환자나 심허心虛한 자는 소변이 빈삭해진다. 하루에 1-2회나 6회 이상 보는 것은 비정상이다.

소음인은 하루에 2-4회 보며, 소변량은 대체적으로 많은 편이다. 하루에 5회 이상은 비정상이다.

소양인은 하루에 4-6회 보며, 하루에 1-2회나 7회 이상은 비정상이다.

(6) 보명지주

장국의 차이는 질병에 대한 반응 양상의 차이를 낳게 되며, 이는 각기 다른 치료와 접근 방법을 요구하게 된다. 즉, 체질에 따른 고유 병증이 있으며, 또한 동일한 병증에 대해서도 장국의 취약점에 따라 다른 치료법을 사용하게 된다.

각 체질마다 병에 걸리지 않고 건강을 유지하는 완실무병의 조건과 중요시해야 할 보명지주保命之主가 있어 이들을 잘 조절해야 건강을 유지할 수 있다. 보명지주는 태양인은 흡취吸聚하는 기운이고, 소양인은 음청陰淸한 기운이고, 태음인은 호산呼散하는 기운이고, 소음인은 양난陽暖한 기운이다. 이것은 각 체질에서 부족한 기운을 잘 보존해야 함을 말하는 것이다.

(7) 소증素證

사상체질이론에서는 생리현상을 중심으로 생리적인 체질증體質證인 소증을 중요시한다. 소증이 한 단계 진행되어 병증病證이 발생되고, 소증의 한열寒熱 속성은 병증의 한열 속성을 유발한다. 소증은 평소 건강상태 특히 보명지주의 유지 보전 정도를 판단할 수 있는 근거로서 체질적 소인 또는 생리적 증이자, 병리적 특징의 기반이기도 하다. 소증은 평상시 가지고 있는 정신적, 육체적 아건강亞健康 상태로 질병에 대한 저항력, 즉 정기의 상태가 나타내는 증후證候를 말한다. 소증은 체질적 소인으로 체질증과 체질병증이 발현되기 이전의 생리적인 증후로 체질증體質證과 체질병증體質病證의 출발점이 된다.[114]

소증은 발병 전 개체 고유의 일종의 내적 소질이고, 이런 소질은 병증의 감수성과 발현 양상을 결정하고 치법과 예후를 판단하는 주요 근거이다.

(8) 병태생리[115]

폐는 호산呼散의 기운, 간은 흡취吸聚의 기운, 비는 승양升陽의 기운, 신은 강음降陰의 기운을 가지고 있고, 이 4장국은 사람마다 그 대소가 다르게 타고 난다.

그 대소 기운의 작용에 따라 폐와 간, 비와 신이 짝지어지며, 이는 사상체질별 병증과 약리를 설명하는 데 있어 중요한 특성이 된다.

소음인은 전체적으로 중심세력이 아래에 있어 음화陰化되기 쉬우므로 양난지기陽暖之氣가 보명지주이다. 그중 표병表病은 신대腎大함으로 인해 생긴 음화된 기운을 어떻게 양화陽化시키느냐에 주안점을 두고 승양익기升陽益氣를 치법으로 하고, 리병裏病은 비장국이 작아 생긴 음실지기陰實之氣를 풀어주는 방법으로 리음강기裏陰降氣를 치법으로 한다.

소양인은 중심세력이 상부에 있어 양화되기 쉬우므로, 음청지기陰淸之氣가 보명지주이다. 대체로 소음인의 병증이 한寒 병증이라면, 소양인은 화火와 열熱의 병증으로 이해할 수 있다. 이중에서 표병은 비대脾大로 말미암아 울체된 표음表陰을 내려주는 목적으로 표음강기表陰降氣를 치법으로 하고, 리병은 신소腎小에서 기인한 화와 열을 해결하기 위해 리양상승裏陽上昇을 치법으로 한다.

---

114) 리연화, 김진영, 고병희. 소증의 개념에 대한 고찰. 사상체질의학회지 2016:28(1):19-26.

115) 송일병 외. 四象醫學. 서울: 집문당; 1998. p. 155-60.에서 추출 요약한 것으로 자세한 사항은 원문을 참조하기 바란다.

표 3-6. **사상인의 심리적, 생리적, 병리적 특성 요약**[116]

	심리적 특성	생리적 특성	병리적 특성
태양인	진취적이며 적극적이다. 남성적이며, 모임을 주도하는 편으로 리더십이 강하다. 사교적이라 처음 만나는 사람도 쉽게 사귀는 편이다. 맺고 끊음이 분명하지만, 항상 급하게 서두르는 편이다.	소변이 잘 나가면 몸이 가볍고 상쾌하다. 수면장애가 쉽게 오고, 입에 침이 고이거나 음식물을 넘기기가 어려워지는 경우가 있다.	몸이 안 좋으면 변비가 있어도 불편하지 않으나 소변이 진해지고 양이 감소한다. 쉽게 피로하여 보행이 어려운 경우도 있다.
소양인	활동적이며, 외향적이다. 자신의 일 보다 남의 일에 더 열성이다. 용감하며 뜻을 잘 굽히지 않는 편으로 활발하고 대가 세며, 자기주장이 강하다. 무슨 일이나 시원스럽게 처리하는 편이지만, 일을 벌려 놓기만 하지 마무리를 잘 하지 못한다.	대변이 규칙적이고 잘 통하면 몸이 가볍고 상쾌하다. 평소 식사 속도가 빠른 편이다.	심적으로 불안하거나 긴장되면, 일에 쫓겨 일의 순서 등을 쉽게 잊어버린다. 변비가 생기거나, 배변이 시원하지 않으면 가슴이 쉽게 답답해진다. 건강상태가 나쁘면 소변이 진해지거나 자주 보며 시원하지 않게 된다.
태음인	보수적이고 변화를 싫어한다. 처음에 남 앞에 잘 나서지 않고, 속내를 잘 드러내지 않는다. 이해타산이 빠르고 말수가 적은 편이다. 맡은 일을 잘 해내는 편이며, 끈기가 있지만, 새로운 환경에 대한 적응은 쉽지 않다.	땀을 흘리면 몸이 가볍고 상쾌하다. 물을 잘 마시는 편이며 식욕이 대체로 좋고, 식사량이 많아 체중이 쉽게 잘 늘어나는 편이다.	정신적으로 불안하거나 긴장되었을 때 불안감을 느끼며 가슴이 두근거리고 진땀이 쉽게 난다. 건강상태가 나쁘면 헛배가 부르거나 변이 묽어지고 자주 보게 된다. 피부모발 안구가 건조해지고 대소변이 조삽해진다.
소음인	소극적이고 안정 지향적이다. 조용히 혼자 일을 추진하는 편이고, 매사에 몸을 사리는 편으로 내성적이다. 치밀하고 꼼꼼하며, 단정하고 신중하지만 평소 소심하여 자주 불안해하는 편이다.	소화가 잘 되면 몸이 가볍고 상쾌하며, 평소 땀이 많지 않고, 땀을 많이 흘리면 쉽게 피로감을 느낀다. 평소 물을 잘 마시지 않고 따뜻한 물을 좋아한다.	정신적으로 불안하거나 긴장되었을 때 팔다리 힘이 빠지는 탈력감을 쉽게 느낀다. 건강 상태가 나쁘면 아랫배가 차면서 뭉치거나 더부룩하고 대변이 가늘면서 시원하지 않게 된다. 평소 식사량이 적은 편이고, 건강상태가 나쁘면 소화가 잘 되지 않는다.

---

116) 김상혁, 이시우, 이준희, 이의주. 사상체질병증 임상진료지침: 사상체질병증 검사 및 체질진단. 사상체질의학회지 2015;27(1):110-24.에서 요약한 것으로 자세한 사항은 원문을 참조하기 바란다.

태음인의 표병과 리병 모두 조燥의 병증이라 할 수 있는데, 표병의 조는 태음인이 폐소肺小함으로 인해 호산지기가 부족해서 오는 것으로, 이를 간조열肝燥熱에 비교하여 폐조한肺燥寒이라 하며, 이때의 조는 땀을 내어 풀어준다. 리병의 조는 흡취지기가 과다하여 안으로 너무 많이 쌓여 생긴 울열로 인한 것으로 간조열肝燥熱이라 하고, 이때의 조는 주로 대변을 나가게 함으로써 풀어준다.

태양인은 그 구조가 위로 올라가서 밖으로 나가는 기운은 많고, 밑에서 받아서 비축하는 기운이 적어 병증이 발생한다. 그러므로 위로 몰리는 기운을 아래로 끌어내려 거두어들여야 하므로, 소변이 잘 나가는 것이 건강상태의 지표가 되고, 기운이 조금이라도 위로 치우치게 되면 구중토말口中吐沫과 같은 증상이 나타나므로 서둘러 치료해야 한다.

표 3-7. 사상체질별 음식 분류의 기초[117]

	보명 지주	목적	체질별 이로운 음식 특징	체질별 이롭지 않은 음식 특징
태양인	흡취지기	소변 원활	기운이 맑고 순한 음식이나 맛이 담백하여 쉽게 소화되는 지방질이 적은 해물류나 야채류	맵고 뜨거운 음식이나 지방질이 많고 중후한 음식
소양인	음청지기	대변 원활	성질이 서늘한 음식이나 야채류, 해물류	자극성과 방향성이 강한 음식 맵고 짜며 더운 음식
태음인	호산지기	땀 배출 원활	동식물성 단백질이나 칼로리가 많은 중후한 음식	자극성 있는 음식이나 지방질이 많은 음식
소음인	양난지기	소화 원활	따뜻한 성질의 음식이나 약간의 자극성 있는 음식	기름진 음식이나 차가운 성질의 음식, 生食

---

117)　배나영, 이의주. 사상체질병증 임상진료지침 : 예방 및 위험인자. 사상체질의학회지 2015;27(1):90.

> ◆ <동의수세보원東醫壽世保元>
>
> 이제마李濟馬가 지은 책으로 1894년 완성하였다. 한의학 임상의 원전이라 할 수 있는 <상한론>과 후세 의가들의 공적과 부족함을 지적하고 이를 새로운 체질이론으로 보완, 발전시켰다. 성명론性命論, 사단론四端論, 확충론擴充論, 장부론臟腑論, 의원론醫源論, 사상인 병증론病證論, 광제설廣濟說, 그리고 변증론辨證論까지 기초이론부터 임상 및 양생론養生論을 두루 포괄하고 있다.

📖 더 읽을거리

• 정신기혈진액, 장부

1. 전국한의과대학 생리학교수 편저. 동의생리학(개정판). 서울: 집문당; 2008.

    교과서로서 정신기혈진액, 장부, 경락, 체질생리에 관한 한의학의 일반적인 인식을 살펴볼
    수 있다.

2. 안세영, 조정래 저. 몸, 한의학으로 다시 태어나다. 서울: 와이겔리; 2010. (2020년 개정판 출
    간)

    동의보감의 편제를 따라 인체 장부, 외형, 관규官竅에 대한 한의학적 관점과 지식을 쉽게 풀
    어 놓은 책이다.

• 경락

3. 김훈기 저. 물리학자와 함께 떠나는 몸속 기 여행. 서울: 동아일보사; 2008.

    경락의 해부학적 구조물을 찾는 소광섭 교수의 연구를 쉽게 풀어 썼다.

4. 황룽샹黃龍祥 저. 박현국 윤종화 김기욱 공역. 중국침구학술사대강. 서울: 법인문화사; 2014.

    침구경락 관련 역사적인 실증 자료를 바탕으로 경락이론의 기원과 발전을 잘 정리하였다.

• 사상체질

5. 경희대학교 한의과대학 사상체질과. 사상체질과 임상편람. 서울: 한미의학; 2010.

    사상의학 관련 자료가 체계적으로 잘 정리되어 있다.

6. 이의주, 유정희 공저. 체질과 건강. 서울: 집문당; 2012.

04

현대한의학의
질병이해와 진단

제4장

현대한의학의 질병이해와 진단

질병이란 무엇인가? 의학의 가장 중요하고도 오래된 질문이다. 의학이란 인간의 질병을 치료하고 건강을 유지하는 것에 기여하는 학문이다. 그러므로 의학적 치료의 대상이 되는 질병이 무엇인지를 묻는 질문은 중요할 수밖에 없다. 이 질문은 질병 자체의 정의, 범주, 분류뿐만 아니라 의학의 이론과 임상체계 구성 전체에 영향을 미친다.

질병을 어떻게 볼 것인가와 관련하여 고대 서양에서는 두 가지의 서로 다른 전통이 존재했다고 한다. 실체론적 질병관과 전체론적 질병관이다. 실체론적 질병관은 모든 질병에는 그 질병을 일으키는 특정한 원인이 있고(특정 병인설) 이것이 인체에 침입함으로써 질병이 발생한다고 보는 관점이다. 병인이 어떤 부위에 자리를 잡느냐에 따라 질병의 양상과 종류가 달라진다고 본다. 전체론적 질병관은 인체를 구성하는 요소들 사이의 조화와 균형이라는 관점에서 질병을 보는 것이다. 예를 들어 고대 서양의 히포크라테스 시대에는 혈액, 점액, 황담즙, 흑담즙 등의 체액이 균형과 조화를 이루는 것을 중요하게 생각했으며 이 균형이 깨졌을 때를 질병이라고 보았다.[1]

하지만 서양의학사에서 히포크라테스와 갈렌의학의 전통은 사라졌다. 지금의 현대 서양의학(생의학)은 실체론적 질병관이 중심이 되어 있고, 이를 뒷받침하는 병원미생물학과 해부병리학 분야가 크게 발전해 있다.[2] 반면에 동아시아에서는 전일론(전체론)적 관점이 발달했고 인체 전체 차원의 '동태적 평형'이라는 관점에서 질병을 정의했다. 건강 상태는 인체 시스템을 구성하는 각 요소들이 '동태적 평형'을 유지하는 것이고 질병은 이 평형이

---

1) 여인석. 의학사상사. 파주: 살림출판사; 2007. pp. 30-41. 의학사상사에서는 고대 서양에서의 질병관을 실체론적 질병관과 동적 질병관으로 대비하고 있다. 그리고 동적 질병관을 '몸을 구성하는 요소들 사이의 균형과 조화를 생각하는 이론들'이라고 규정하고, 해부학적 구조보다는 생리적 측면을 중요하게 생각하는 관점이라고 설명했다. 하지만 이 책에서는 동적 질병관이 인체 전체 차원에서 우리 몸을 구성하는 요소들의 균형과 조화를 생각하는 것으로 해석하여 실체론적(부분)-전체론적(전체) 질병관으로 대비하였다.

2) 여인석. 의학사상사. 파주: 살림출판사; 2007. pp. 30-41.

깨진 상태라고 보는 것이다. 이 같은 한의학의 질병관은 전체론적 질병관에 속한다. 이런 질병관을 기초로 한의학에서는 인체 전체 차원에서 질병을 파악하고 치료하는 변증논치가 발전했다. 질병관의 차이에 따라 한의학과 서양의학은 질병에 대해 서로 구별되는 독특한 진찰 및 진단체계를 갖추게 되었다.

그러므로 현대 서양의학(생의학)은 근대 병원미생물학(세균학)의 발전과 함께 질병의 원인을 인체 내부보다는 외부요인에서 찾으려는 경향을 보인다. 반면에 한의학은 질병의 발생에 있어 외부요인보다는 내부요인을 더 중시하는 경향이 있다.

대부분의 질병은 내부와 외부요인의 상호작용에 의해 발생하며, 질병현상을 온전히 이해하기 위해서는 개별 요소 수준에서의 분석적 이해와 이들이 상호작용하는 시스템 수준에서의 거시적 지식이 모두 필요하다. 따라서 두 가지 접근 중 하나만이 정답이 될 수 있는 것은 아니다. 각 의학의 철학적 기반에 따라 질병의 원인을 분석할 때 방점을 두는 부분이 다를 수 있으며, 이는 한의학과 서양의학이 상호보완함으로써 발전적인 역할을 할 수 있는 기회를 제공한다. 최근 서양의학은 기존의 환원주의를 극복하고 시스템 수준에서 질병을 이해하려는 노력을 기울이고 있으며, 한의학 역시 질병에 대한 기존의 추상적 서술과 이해에서 나아가 현대과학을 바탕으로 구체적이고 객관적인 설명체계를 구축하려 노력하고 있다.

🔒 질병과 건강을 바라보는 두 가지 관점- 자연주의 vs 규범주의

우리는 건강검진이나 질병 치료를 위해 종종 병원에 간다. 병원에 가면 제일 먼저 하는 것이 간단한 진찰과 함께 필요한 검사를 받는 일이다. 혈압과 맥박수를 재고, 필요에 따라 혈액과 소변검사, 심전도 측정, 그리고 엑스레이, 초음파, CT, MRI 등 영상진단검사를 받는다. 그리고 다시 의사에게 가면 의사는 검사 결과를 기초로 질병의 유무를 가리고 처방전을 내며 앞으로의 질병 치료방침을 결정한다. 의사들은 어떤 기준을 사용하여 이 같은 판단을 내리는 걸까? 의사들이 질병과 건강을 판단하는 기준은 무엇일까?

현대 서양의학은 생의학(biomedicine)이라고 불린다. 생의학에서는 건강과 질병을 어떤 가치판단도 포함되지 않은 순수한 생물학적인 개념으로 간주한다. 건강은 질병이 없는 상태로서 인체의 생물학적 기능이 정상적으로 기능하는 것이며, 측정가능한 생물학적 변수들이 통계적으로 정상범위 안에 들어있는 상태다. 반면에 질병은 생물학적 기능과 관련된 변수들이 생물학적 정상성을 벗어난 상태를 말한다. 이처럼 생의학에서는 정상성(건강)을 '통계적 정상성'으로 대체하는 경향이 있으며, 모든 질병은 생의학적 실체(biomedical entity)로서 역사적 시간과 공간, 문화와 사회를 초월하여 인류 전체에 적용되는 보편적인 성질을 갖는다고 본다.[3]

이러한 생의학적 건강과 질병관은 부어스(C. Boorse)라는 철학자에 의해 옹호되었다. 부어스는 1975년부터 1977년까지 발표한 일련의 논문[4]에서 질병과 건강은 오직 생물학적 기능과 통계만으로 규정할 수 있다고 주장했다. 즉, 건강하다는 것은 정상적이라는 것이고, 정상적인 것은 자연적인 것으로서 각 생물종의 종 디자인(species design)에 부합하는 상태이다. 질병은 비정상적인 것이고 종 디자인에서 벗어난 상태를 말한다. 그리고 이 종 디자인은 기능적 체계들이 형성하는 통계적으로 전형적인 위계(hierarchy)이며, 관찰과 실험을 통해 밝혀낼 수 있는 객관적 사실이라고 보았다. 이와 같은 건강과 질병에 대한 부어스의 입장을 자연주의(naturalism)라고 부른다.[5]

우리가 잘 아는 건강에 대한 또 다른 정의가 있다. 1948년 세계보건기구(WHO)는 건강에 대해 "단순히 질병이나 허약함이 없는 상태가 아니라 신체적, 정신적, 사회적으로 완전한 안녕 상태(Health is a state of complete physical, mental and social well-being and not merely the absence of disease or infirmity)"라고 정의했다. 이 정의는 인간을 전인적인 관점에서 이해하고, 건강을 생물학적 정상성을 넘어 생물학적-심리적-사회적 차원으로까지 확장하여 정의한 것이 특징이다. 즉, 부어스가 건강과 질병을 생물학적으로 규정하여 가치판단이 배제되어 있는 가치독립적인 것으로 본 것과 달리 WHO의 건강 정의에는 '신체적, 정신적, 사회적으로 완전한 안녕상태'라는 개인이나 사회, 국가가 추구해야 할 가치가 포함되어 있다. 이처럼 건강이나 질병 개념이 한 사회의 규범과 가치관에 깊이 연관된 것으로 파악하고 이 개념들을 한 사회의 사회적, 문화적 가치관을 바탕으로 정의하는 것을 규범주의(normativism)라고 한다.[6]

이런 두 가지 관점은 질병(disease)과 질환(illness)의 구분과도 연결된다. 1950-60년대에 사회학자 탈콧 파슨즈(Talcott Parsons)는 병리학이나 질병분류학에 의해 규정되는 '질병' 개념과 환자가 자신의 몸의 고통과 불편을 통해 경험하는 '질환 '개념을 구분할 필요성이 있음을 제안하였

---

3)   헨릭 월프 외 저. 이종찬 역. 의철학의 개념과 이해(개정판). 서울: 아르케; 2007. pp. 95-112, 321-37.

4)   Christopher Boorse. On the distinction between disease and illness. Philosophy & Public Affairs. 1975;5(1):49-68.; Christopher Boorse. What a theory of mental health should be. Journal for the Theory of Social Behaviour. 1976;6(1):61-84.; Christopher Boorse. Wright on functions. The Philosophical Review. 1976;85(1):70-86.; Christopher Boorse. Health as a Theoretical Concept. Philosophy of Science. 1977;44(4):542-73.

5)   조태구. 질병과 건강: 자연주의와 규범주의-부어스와 엥겔하르트를 중심으로. 인문학연구 2021;46:181-208.

6)   조태구. 질병과 건강: 자연주의와 규범주의-부어스와 엥겔하르트를 중심으로. 인문학연구 2021;46:181-208.

다. 질병은 생물학적 실체로서의 병이고, 객관적이고 병리학적이며 주로 의사들 편에서 사용하는 개념이다. 질환은 신체적인 증상과 이로 인한 정신적, 사회적 고통까지 포함하는 환자에게 경험된 사건으로서의 병이고, 문화적이고 주관적이며 주로 환자 편에서 사용하는 개념이다. 예를 들어 환자의 입장에서 질병은 지극히 나쁜 경험을 온몸으로 겪어내는 것이다. 환자에게는 질병의 의학적 측면도 중요하지만 그 병이 자신에게 어떤 영향을 미칠지가 더 중요하다. 심각한 질병은 환자의 삶의 목표와 일상생활을 크게 바꾸고, 질병으로 인한 고통과 두려움, 의료비용과 가족이 겪을 상황에 대한 근심에 빠져들게 한다. 이처럼 환자들이 경험하는 '질환'에는 의사들이 진료실에서 사용하는 '질병'과 달리 사회적, 문화적 코드가 포함되어 있다.[7]

그러므로 건강과 질병에 대한 자연주의적 관점은 그 자체로 의미가 있지만 우리가 일상에서 쉽게 경험하는 건강과 질병의 사회적, 문화적 차원이 배제되어 있다는 점에서 한계가 있다. 사회적, 경제적 환경은 질병의 발생에도 중요한 변수로 작용한다. 중금속 중독, 진폐증 같은 환경성 질환이나 기아, 비만과 연관된 질병은 사회적, 경제적 환경과 질병 발생 사이의 연관성을 잘 보여준다.

질병이 사회적, 문화적 환경과 깊은 관련이 있다는 인식은 때때로 구성주의적 질병관이라는 강한 주장으로 나타난다. 구성주의적 질병관은 어떤 역사문화 집단에서 존재하는 질병이 다른 역사문화 집단에서는 존재하지 않거나 다른 방식으로 존재한다는 가정에서 출발한다. 이런 가정을 바탕으로 질병 자체도 사회적, 문화적으로 구성된다고 보는 것이 구성주의 질병관이다. 우리가 잘 알고 있는 '홧병'이 대표적인 예다.

구성주의 질병관은 질병이란 무엇인가라는 질문에 중요한 통찰을 제공한다. 하지만 그렇다고 모든 질병이 사회적, 문화적으로 구성되었다고 보기는 어렵다. 건강과 질병에 대한 자연주의와 규범주의 관점은 나름대로의 장점과 함께 한계도 있다. 자연주의적 관점은 생물학적 실체로서 '질병'에 대한 확고한 지식을 제공하지만 질병과 관련되어 있는 사회적, 문화적 측면에 대한 인식은 거의 찾아볼 수 없다. 규범주의적 관점은 인간에 대한 전인적인 이해에 기초해 있지만 자칫 잘못하면 '질병' 없는 '질환'으로 공허해질 수 있다. 건강과 질병은 여러 가지 관점과 차원에서의 논의와 고려가 필요한 개념이다.

---

7)   정연식. 질병 없는 질환. 비평과 이론 2022;27(1):195-216.

제1절   한의학의 질병관

1. 질병의 원인

질병을 일으키는 원인(병인)은 크게 원발성 병인(1차 병인)과 속발성 병인(2차 병인)으로 나누어진다. 한의학에서는 원발성 병인을 외감병인(외인)과 내상병인(내인), 그리고 그 밖의 기타 병인으로 분류한다. 외감병인으로는 육음六淫, 여기癘氣[8] 등이 있고, 내상병인으로는 칠정七情, 음식, 노일勞逸, 방사房事 등이 있다. 그리고 기타 병인으로는 외상外傷, 기생충, 약물손상 등이 있다. 속발성 병인은 원발성 병인으로 인해 인체 내에서 생겨난 병리적 산물이 다시 병인이 되어 인체 내에서 다양한 병증을 만들어내는 것을 말한다. 속발성 병인으로는 담음과 어혈이 중요하다. 담음과 어혈은 원발성 병인들이 인체 구성요소인 기, 혈, 진액에 작용하여 만들어낸 병리적 산물이다. 이것들은 2차적 병인으로 작용하여 인체에서 다양한 병증을 만들어낸다.

1) 외감병인(외인)

외감 병인은 인체 외부에서 기원하는 질병의 원인들로서 육음(풍, 한, 서, 습, 조, 화), 여기癘氣 등이 있다. 현대적 관점에서는 바이러스, 박테리아에 의해 발생하는 다양한 감염성 질환의 원인을 지칭하는 것으로 볼 수 있다.

근현대시기 서양의학(생의학)이 급속하게 발전하여 감염성 질환을 일으키는 감염원을 분자구조, 유전자 서열 수준에서 정밀하게 파악할 수 있게 되었다. 뿐만 아니라 정확한 감염 및 전파경로도 이해할 수 있게 되었다. 그럼에도 불구하고 현대한의학에서는 여전히 외감병인으로 풍, 한, 서, 습, 조, 화와 같은 전통적 개념들을 사용한다. 과연 현대의 한의사들은 감염원에 대한 분자생물학적 지식을 애써 무시하고, 풍, 한, 서, 습, 조, 화와 같은 육음이 감염성 질환들을 발생시킨다고 믿고 있는 것일까? 어쩌면 진지하게 그럴 것이라고 짐작하

---

8)   못된 돌림병을 일으키는 기운이라는 뜻으로 온병(溫病)을 일으키는 병사를 지칭함

는 일반인들이 있을지도 모르겠다. 하지만 한의사들이 지금도 여전히 전통적인 병인 이론을 사용하는 이유는 병인에 대한 의과학적 지식이 부족해서가 아니라 전통적 모델로 감염성 질환에 대처하는 것이 임상적으로 편리하고 효율적인 측면이 있기 때문이다.

한의학에서는 자연의 풍, 한, 서, 습, 조, 화 육기六氣에 이상변화가 생겨 인체에 치병인자로 작용할 때를 육음이라고 지칭한다. 이 정의를 문자 그대로 받아들이면 추위나 더위 같은 기후의 이상변화가 인체에 병을 일으키는 주원인이 된다는 것이다. 과연 한의학에서 이렇게 보고 있을까?

육음과 관련된 병증들을 자세히 살펴보면 실제 임상에서 육음은 병을 일으키는 실체로서가 아니라 병증을 묶는 범주로 활용되고 있음을 알 수 있다. 예를 들어 풍사가 일으키는 질병으로서 '상풍傷風'은 '두통頭痛, 한출汗出, 오풍惡風' 등이 주증상이다. '풍비風痺'는 비증痺證의 일종으로서 아픈 곳이 옮겨 다니며 통증도 정해진 위치가 없이 나타나는(病位游移, 痛無定處) 특징이 있을 때 붙이는 병명이다. '풍진風疹'은 '발병이 신속하고, 변화가 무상한 것(發病迅速, 變化無常, 此起彼伏)'이 특징이다. 이처럼 '풍사'와 관련된 병증들을 자세히 살펴보면 이 병증들은 '바람(풍기風氣)'이라는 어떤 물리적인 실체 때문에 발생한 것이 아니다. 오히려 바람(風)이 가진 어떤 특성들이 '풍'과 관련된 병증 인식에 반영되어 있음을 알 수 있다.[9]

그러므로 한의학의 육음은 병을 일으키는 물리적 실체가 아니라 육기를 원형(prototype)으로 형성된 여섯 개의 병증 범주로 보는 것이 더 합리적이다. 이 범주는 자연에서의 육기와 관련된 체험을 인체라는 목표영역에 은유적으로 투사(영역 교차 사상, cross domain mapping)하여 만들어진 것이다.[10] 이렇게 보면 육기와 육음은 서로 범주가 다른 개념이다. 육기는 기후현상으로서 자연에 속하는 개념이고, 육음은 인체의 특정 병증과 관련된 것으로 의학에 속하는 개념이다. 육기와 육음은 서로 다른 범주에 속하는 완전히 다른 개념이다.[11]

물론 육음 개념의 발전 초기에는 이 개념이 육기와 깊은 연관이 있었다. 옛사람들은 자

9) 谷浩荣, 贾春华. 基于原型范畴理论的中医"六淫"概念隐喻研究. 世界科学技术-中医药现代化 2011;13(6):1091-4.

10) 谷浩荣, 贾春华. 基于原型范畴理论的中医"六淫"概念隐喻研究. 世界科学技术-中医药现代化 2011;13(6):1091-4.

11) 谷浩荣, 贾春华. 基于原型范畴理论的中医"六淫"概念隐喻研究. 世界科学技术-中医药现代化 2011;13(6):1091-4.

연계 육기의 이상변화 이후 질병이 발생하거나 확산되는 추세가 나타나는 것을 발견했고 이런 관찰로부터 육기의 이상변화가 인체에 질병을 유발하는 원인(육음)이 된다는 결론을 이끌어 내었다. 하지만 의학이 발전하는 과정에서 '육기'의 이상이 없는데도 '육기'의 이상으로 생기는 질병과 유사한 병증이 나타날 경우 이른바 증상으로 병의 원인을 판별하는 '변증구인辨證求因'의 방법을 사용하여 이런 병증들을 모두 '육음'이라는 원인에 귀속시켰다. 이러한 '변증구인'의 과정에는 원형인 육기를 참조(reference)로 인지대상인 병인을 확장시키는 은유적 방법이 사용되었다.[12] 지금의 '육음'은 임상에서 질병을 일으키는 실체로서보다는 대부분 육기 각각의 특성을 원형으로 형성된 여섯 개의 병증 범주로 활용되고 있다.

(1) 풍사風邪[13]

① 풍은 양사로서 개설開泄하는 특성이 있다(風爲陽邪 其性開泄): 풍은 양사陽邪로서 성질이 경양輕揚하여 주로 인체 상부와 체표에 병을 일으킨다. 피모와 주리를 열어(開泄) 한출汗出, 오풍惡風 등의 증상을 일으킨다.

② '선행이삭변'(善行而數變): '선행善行'이란 병처가 고정되지 않고 온몸을 옮겨 다녀 증상이 나타나는 부위가 전신적이라는 의미다. '삭변數變'은 병증의 변화가 다양하고 신속한 것을 말한다.

③ '풍성주동'(風性主動): '동動'이란 동요부정動搖不定한 것을 말하는 것으로 현훈眩暈, 풍두선風頭旋과 같은 머리나 눈(目)의 어지럼증과 흔들림, 진전震顫과 같이 몸과 손이 떨리는 증상, 경련, 운동장애나 마비, 가려움증 같은 것들이 이에 해당한다.

④ '백병지장'(風爲百病之長): 풍은 가장 흔한 병사病邪이고 인체를 가장 쉽게 침범한다. 그러므로 한寒, 열熱, 습濕, 담痰 등 다른 병인들이 풍사를 끼고 함께 인체에 병을 일으키는 경우가 많다

---

12) 谷浩荣,贾春华. 基于原型范畴理论的中医"六淫"概念隐喻研究. 世界科学技术-中医药现代化 2011;13(6):1091-4.

13) 김완희, 최달영 공편. 장부변증논치. 서울: 성보사; 1985. pp. 402-4.

(2) 한사寒邪14)

① 한은 음사로서 인체 양기를 잘 손상시킨다(寒爲陰邪, 易傷陽氣): 한사가 인체를 침범하여 인체의 체표를 속박束縛하면 위양衛陽이 손상을 받아 오한惡寒 증상을 일으킨다. 또 한사가 비위脾胃의 양기를 손상시키면 완복냉통脘腹冷痛, 구토, 설사 등을 일으킨다.

② 한은 응체시키는 특성이 있어 통증을 유발한다(寒性凝滯而主痛): '응체凝滯'는 응결凝結하여 흐름을 막아 불통不通하는 것을 말한다. 우리 몸의 기혈진액氣血津液이 순환하는 것은 양기陽氣의 온후溫煦와 추동推動 때문인데 한사가 인체 양기를 손상시키면 기혈진액의 순환장애가 일어나고 불통하게 되어 통증이 유발된다(불통즉통不通則痛).

③ 한은 수축시키는 성질이 있다(寒性收引): '수인收引'은 수축견인收縮牽引한다는 의미다. 한사는 기의 흐름을 수렴收斂하여 폐색閉塞시키고, 혈맥, 피모, 주리를 수축시킨다.

(3) 서사暑邪15)

① 서는 양사이며 성질이 염열하다(暑爲陽邪, 其性炎熱): 서는 여름철의 염열지기炎熱之氣다. 고열高熱, 구갈口渴, 맥홍脈洪, 다한多汗 등의 증상을 일으킨다.

② 서는 승산하는 성질이 있고 기와 진액을 소모시킨다(暑性升散 耗氣傷津): 서사는 승산升散하는 성질을 가지고 있어 인체를 침범하면 주리가 열려 땀이 많이 나오게 되며 이로 인해 기와 진액이 손상된다.

③ 서는 습을 끼고 병을 일으킨다(暑多挾濕): 여름철은 비가 많이 오고 고온다습하기 때문에 서사暑邪는 항상 습을 끼고 병을 일으킨다. 따라서 서병에는 습으로 인한 증상이 많다.

---

14) 김완희, 최달영 공편. 장부변증논치. 서울: 성보사; 1985. pp. 402-4.
15) 김완희, 최달영 공편. 장부변증논치. 서울: 성보사; 1985. pp. 402-4.

(4) 습사濕邪16)

① 습의 성질은 중탁하다(濕性重濁): '중重'은 침중沈重한 것을 의미한다. 습사가 인체를 침범하면 머리와 몸이 피곤하고 무겁다(頭身困重). 인체 상부에 병이 있을 때는 머리가 마치 수건을 동여맨 것처럼 무겁고 혼미하다. '탁濁'이란 예탁穢濁한 것을 의미한다. 습사가 있을 때는 분비물이 예탁하고 맑지 않은(穢濁不淸) 특성을 나타낸다.

② 습의 성질은 점체하다(濕性粘滯): '점粘'은 끈적끈적하다는 뜻이고 '체滯'는 정체된다는 뜻이다. 기의 흐름을 방해한다. 습사의 이런 성질 때문에 습병濕病은 병정病程이 비교적 길고 잘 낫지 않는 특징이 있다.

③ 습은 음사로서 양기를 손상하고 기의 흐름을 막는다(濕爲陰邪, 損傷陽氣, 阻滯氣機): 습은 중重·탁濁·이膩·체滯의 특성을 갖고 있으므로 음사陰邪이다. 습사가 인체를 침범하면 기의 흐름을 가로막아 기의 승강이 실조되고 경락이 통하지 않게 된다. 비脾는 수습水濕의 운화를 담당하며 희조오습喜燥惡濕하는 특성이 있다. 습사가 머물러 있는 경우에는 비脾가 먼저 손상을 받아 비양脾陽이 제대로 작용하지 못하므로 수습이 운화되지 못해 설사泄瀉·요소尿少·부종浮腫·복수腹水 등의 증상이 나타난다.

(5) 조사燥邪17)

① 조의 성질은 건삽하고 진액을 잘 손상시킨다(燥性乾澁, 易傷津液): 조사燥邪는 성질이 건삽乾澁하여 진액을 마르게 한다. 구비건조口鼻乾燥·인건구갈咽乾口渴·피부건조皮膚乾燥·모발불영毛髮不榮·대변건결大便乾結·소변단소小便短少와 같은 진액이 휴손된 병증을 이루기 쉽다.

② 조는 폐를 잘 손상시킨다(燥易傷肺): 폐는 교장嬌臟으로 윤택한 것을 좋아하고 건조한 것을 싫어한다(희윤오조喜潤惡燥). 조사는 폐를 잘 손상시킨다.

---

16) 김완희, 최달영 공편. 장부변증논치. 서울: 성보사; 1985. pp. 402-4.
17) 김완희, 최달영 공편. 장부변증논치. 서울: 성보사; 1985. pp. 402-4.

(6) 열사熱邪[18]

① 열은 화로 변하여 상염하게 된다(熱爲化火上炎): 열은 양사陽邪이고, 화火는 열이 극도로 성성한 것(熱之極)이다. 그러므로 열이 성하게 되면 쉽게 화로 변해 위로 타오르게(上炎) 된다. 화열지사火熱之邪가 인체를 손상시키면 고열高熱·오열惡熱·번갈煩渴·한출汗出·맥홍삭脈洪數 등의 증상이 나타난다. 열에 의해 심신心神이 동요動擾하게 되면 심번心煩·불면不眠·광조망동狂躁妄動·신혼섬어神昏譫語 등의 증상이 나타난다. 화火는 상승하는 성질이 있어 화사火邪로 인해 발생하는 질병은 대부분 인체의 상부에 나타난다. 예를 들어 심화心火가 상염上炎하면 입과 혀에 미란糜爛이 생기고, 위화胃火가 상염하면 잇몸齒齦이 붓고 아프며腫痛, 간화肝火가 상염하면 두통과 목적종통目赤腫痛 등의 증상이 나타난다.

② 열은 진액을 손상시키고 기를 소모시킨다(熱易傷津耗氣): 열이 항성亢盛하게 되면 진액을 압박하여 외설外泄하게 한다. 대한출大汗出을 자주 볼 수 있고, 구건갈口乾渴, 소변단적小便短赤 등의 진액모상津液耗傷 증후들이 나타난다. <황제내경>에는 "항성한 화(壯火)는 기를 소모시키고, 적절히 조화를 이룬 화(少火)는 기를 생하게 한다(壯火食氣, 少火生氣)"고 하였다. 생리적인 화는 기를 북돋우지만 병리적인 화열은 기를 손상시킨다는 의미다.

③ 열은 '생풍동혈'할 수 있다(熱性可生風動血): '열이 극도로 성하게 되면 풍이 발생한다(熱極生風)'. 이 경우 고열高熱이 나고 의식이 혼미하여 헛소리를 하며(신혼섬어神昏譫語), 사지가 뻣뻣해지면서 경련이 일어나고(사지추축四肢抽搐), 양쪽 눈을 치켜뜨며(兩目上視), 목덜미가 강직되면서(頸項强直) 몸이 활처럼 뒤틀리는(角弓反張) 증상들이 나타난다. 또 열은 혈을 압박하여(迫血妄行) 토혈吐血, 육혈衄血, 변혈便血, 요혈尿血, 피부발반皮膚發斑과 같은 각종 출혈 증상을 일으킨다.

④ 열이 쌓여 생긴 열독은 각종 종양을 일으킬 수 있다(熱邪挾毒, 易致腫瘍): 열이 쌓이면(積熱) 열독이 되어 이것이 혈분血分에 들어가 국소부위에 모일 경우 종양을 일으킬 수 있다.

---

18) 김완희, 최달영 공편. 장부변증논치. 서울: 성보사; 1985. pp. 402-4.

은유인지의 관점에서 본 한의학의 한열 개념[19]

최근 개념적 은유(conceptual metaphor)의 관점에서 한의학의 전통적인 이론과 용어 개념의 특징을 연구하는 시도가 이루어지고 있다. 여기서는 은유의 관점에서 한의학의 한열 개념을 연구한 내용을 소개한다.

은유인지의 관점에서 볼 때, 한의학은 천인상응관을 기초로 자연에 대한 인간의 경험을 인체에 은유적으로 투사하여 자연(대우주)을 통해 인체(소우주)를 이해하려 한 의학이다. 그리고 한의학의 언어는 자연에 대한 우리들의 경험을 인체로 확장시킨 은유에 기반한 언어. 근원영역은 자연에 대한 우리의 구체적 경험이고, 목표영역은 한의학 형성기의 의가들이 질병을 이해하고 치료하기 위해 체계적으로 알기 원했던 인체의 각종 현상들이다. 한의학 형성기에는 천인상응관이 크게 유행하여 자연과 인체가 상호 밀접한 관계라는 인식이 이미 확고하게 자리잡고 있었기에 자연에 대한 경험을 인체로 확장하여 인체를 이해하는 방법으로 사용하는 것에 전혀 거부감이 없었다.

은유의 관점에서 중의학의 언어와 이론을 연구하고 있는 중국 북경중의대 자춘화贾春华 교수는 중의학 언어가 은유적 인지에 기초한 언어이며, 중의약 언어에서 은유가 없는 곳은 없다고 주장한다. 그는 "서양의학의 박테리아나 바이러스 같은 용어와 중의학의 '화火'나 '열熱' 같은 용어를 비교할 때 후자는 분명히 은유적이라고 할 수 있다. 중의학 이론은 신체적 경험과 지각을 바탕으로 형성된 이론이며 은유적 인지에 기초한 이론으로서 '체화된 인지'의 특징을 뚜렷하게 나타낸다. 자연계에 대한 신체의 감지와 자연계의 거시적인 현상은 이론 형성의 기초이자 논리적 재료다."[20]라고 했다.

그렇다면 은유의 관점에서 볼 때 한의학의 '한열' 개념은 어떤 과정을 거쳐 만들어졌을까?

한의학의 '한열'은 우리 신체의 가장 기본적인 감각 중 하나인 온도감각에 기초하여 형성된 개념이다. 지금과 같은 온도측정 장치와 단위가 없었던 고대에는 물체의 온도를 판정할 때 인체가 느끼는 감각에 의존할 수밖에 없었다. 우리 몸이 가장 원시적인 온도계였던 셈이다. 가장 원시적인 온도 측정 단위(scale)는 인체가 감지하는 '한열온량寒熱溫涼'이었다. 이것은 사계절의 기후변화

19) 이 글은 '杨晓媛,贾春华. "寒","热"在温度感觉与中医学之间的概念隐喻. 世界科学技术-中医药现代化. 2015;17(12):2497-501.'의 연구내용을 소개한 '이충열. 한의학 기초이론 연구와 한의학 이론,용어의 은유적 이해. 동의생리병리학회지 2021;35(5):139-50.'의 내용을 토대로 작성하였다.

20) 贾春华. 基于隐喻认知的中医语言研究纲领. 北京中医药大学学报. 2014;37(5):293-6.

에 대한 신체적 경험, 즉, '춘온春溫, 하열夏熱, 추량秋凉, 동한冬寒'에서 온 것이다. 그리고 음양적 인식에 의해 온溫, 열熱은 천지양天之陽이고, 량凉, 한寒은 천지음天之陰으로 분류되었다. 한의학의 독특한 '한열' 개념은 사계절의 변화나 일상생활 속에서의 '한열'에 대한 신체적 경험이 바탕이 되어 형성되었다.

예를 들어 '한寒'은 겨울철에 특징적으로 나타나는 기후현상으로 물을 얼게 하고 초목을 조락凋落하게 하며 비를 눈으로 변하게 한다. 겨울에 나뭇가지는 말라 쉽게 부러지고 땅은 얼어서 갈라진다. '한'에 대한 인체의 반응은 온몸을 떨고 웅크리며 발을 동동 구르는 것이다. 이런 경험으로부터 '한'은 한랭寒冷, 수인收引, 응결凝結의 성질을 가진 것이라는 이해를 얻게 된다.

'한'의 이런 특성은 인체에 은유적으로 확장되어 인체의 병증을 해석하는 데 활용되었다.

첫째, 한은 한랭으로 음에 속하여 양기를 쉽게 손상시킨다. 인체가 오한惡寒하면서 몸을 웅크리고, 수족궐냉手足厥冷과 정신적으로 위축된 증상이 나타날 때 한의학에서는 한랭이 인체의 양기를 손상시켰기 때문이라고 유추한다.

둘째, 익히지 않은 날 음식과 차가운 음식을 먹은 후에 완복냉통脘腹冷痛, 구토嘔吐, 심하면 복사腹瀉, 하리청곡下痢淸穀 등 증상이 생길 수 있는데 사람들은 자연스럽게 이것을 한랭한 음식을 섭취했기 때문이라고 생각했다.

셋째, 겨울철에 추위로 시냇물이 어는 것을 경험하고 사람들은 이것을 인체에 적용하여 '한'이 인체 기, 혈, 진액에 대해 기체불창氣滯不暢을 유발하고, 혈, 진액을 응체시킨다고 생각했다.

넷째, 겨울철의 혹독한 추위는 식물을 조락하게 하는데 한랭이 인체에서도 기능을 위축시키며 심한 경우 사망에 이르게 할 수 있다고 생각했다. 그리고 추위에 식물이 조락하고 땅이 얼어 갈라지는 것으로부터 '한'이 인체 피부주리皮膚腠理, 근육, 근맥, 혈맥 등의 조직을 수축, 긴장시켜 뻣뻣하게 만들고, 피부를 건조하게 하며 심하면 각질이 생기게 한다고 유추했다. 인체 관절 또한 '한'으로 인해 굴신이 불리하게 될 수 있다고 생각했다.

'열熱'에 대해서도 마찬가지다. 일상생활 속에서 '열'은 쌓인 눈을 녹게 하고, 물을 수증기로 변하게 할 수 있다. 솥의 물은 계속 가열하면 줄어들고 나중에는 말라 솥이 타게 된다. 여름철의 혹열酷熱은 식물의 잎을 시들게 하거나 바싹 마르게(焦枯) 할 수 있다. 그리고 서暑와 열熱과 화火는 모두 가족유사성에 의해 하나의 범주로 묶일 수 있는데 타오르는 화염이나 끓는 물처럼 '열'과 관련있는 사물현상은 격렬한 운동 상태를 나타내거나 사방으로 튀는 것을 경험할 수 있다.

신체가 경험하는 자연의 열(溫暖)은 태양의 열과 불가분의 관계가 있으며 이것은 동식물의 생존에 필수적인 요소다. "온, 열은 천의 양이다(溫,熱者, 天之陽也)"와의 유비를 통해 온, 열이 인체의 양기陽氣라는 인식을 얻게 되었으며, 〈황제내경〉은 양기가 인체 내에서 온후, 추동, 흥분, 승등升騰, 발산 등의 작용을 하는 것으로 기술한다.

열에 대한 이 같은 경험은 인체에 은유적으로 확장되어 열로 인한 인체의 병증을 유추하는 데 활용되었다.

첫째, 열이 물을 소모, 감소시키는 현상과 열이 식물의 잎을 시들게 하거나 바싹 마르게 하는 현상은 은유에 의해 열이 성하면 진액을 손상시킨다(熱盛傷津)는 해석에 사용되었다. 인체의 열이 성하면 진액을 전오煎熬하여 구갈희냉음口渴喜冷飮, 인건설조咽乾舌燥, 소변단적小便短赤, 대변비결大便秘結 등의 증상을 일으킨다.

둘째, 끓는 물이 사방으로 튀는 현상은 은유에 의해 인체의 열이 성하면 진액을 외설外泄하는 것으로 이해되었다. 인체에서 혈과 진액은 모두 수가족水家族에 귀속시킬 수 있다. 그러므로 열은 진津을 압박하여 외설하게 할 수 있고, 또 혈을 압박하여 망행(迫血妄行)하게 한다. 이런 은유적 해석을 기초로 한의학에서는 출혈 증상에 대해 종종 열사가 교란한 소치로 인식했다.

셋째, 열이 인체의 혈속으로 침입할 수 있는 이상 혈을 압박하여 밖으로 나가게 할 수도 있고 혈육血肉을 전작煎灼하여 국소부위에 응체되도록 할 수도 있다. 열이 고기를 익히는 것에 대한 관찰과 체험을 통해 한의학에서는 인체에 종기가 생겨 붉게 부어오르고 열이 나며 통증이 심한 것을 열이 성해서 그런 것으로 본다.

이처럼 한의학에서는 자연계의 한, 열에 대한 경험을 확장하여 독특한 '한열' 개념을 형성했다. 그리고 '한열'은 생리, 병리, 본초, 임상 등 각과에서 이론을 구성하고, 병증을 해석하는 중요한 개념으로 활용되었다. 생리학에서 '한열'은 "양화기, 음성형(陽化氣, 陰成形)"의 인체 내 음양대사 결과로 나타나는 중요한 인체 음양현상 중 하나로 인식된다. 병리학에서 '한열'은 천인상응의 관점에서 인체에 질병을 일으키는 중요한 외부환경요소이며, 한과 열은 각각 인체 내에서 고유한 병리적 기전을 통해 장부, 기혈진액, 경락 등에 다양한 병증을 유발한다고 보았다. 임상에서 '한열'은 팔강의 한증寒證과 열증熱證으로 대표되며 한의학에서 질병을 귀납하는 중요한 범주로 활용되었다. 본초학에서 '한열'은 임상에서 한증과 열증에 적용할 수 있는 약물을 분류하기 위해 도입되었으며 약물의 효능을 규정하는 기미론의 중요한 이론적 구성요소(한열온량寒熱溫涼의 사기四氣)가 되었다.

2) 내상병인(내인)

내상병인이란 인체 내부의 오장육부를 상하게 함으로써 질병을 일으키는 원인을 가리킨다. 내상병인에 의한 병으로는 정서적 변화(희喜, 노怒, 우憂, 사思, 비悲, 공恐, 경驚의 칠정)로 인해 발생한 칠정상七情傷, 변질된 음식물의 섭취나 음식섭취의 무절제로 인해 발생한 음식상, 무리한 육체노동 혹은 운동부족으로 인해 발생한 노일상勞逸傷, 무리한 성관계로 인해 발생한 방로상房勞傷 등이 있다. 내상병인들은 서양의학 지식에 익숙한 현대인들도 쉽게 이해할 수 있는 것이며, 구체적 내용도 현대 운동생리학이나 영양학 등의 지식과 일치하는 부분이 많다. 그러나 지나친 감정변화가 오장육부를 어떻게 손상하는지에 대한 구체적인 서술이나 지나친 성관계의 절제에 대한 강조, 각각의 병인에 따른 구체적인 양생법 및 약물요법의 제시 등은 한의학만의 특징적인 시각이 담겨있는 내용이다.

(1) 칠정

칠정은 희, 노, 우, 사, 비, 공, 경의 일곱 가지 정서(emotion)를 말한다. 한의학에서는 정서가 발현되는 기전을 마치 고요한 호수에 돌을 던지면 파문이 일듯 인간의 심신心神이 인체 외부와 내부 환경의 자극에 감촉感觸하여 발생한 쾌-불쾌의 반응으로서 이해한다. 그리고 한의학에서는 인간의 정서를 장상학설에 기초하여 오장에 나누어 배속시키고 있으며, 이런 분류와 배속 관계를 바탕으로 정서가 인체 생리와 병리에 미치는 영향을 설명한다.

정상적인 상황에서 인간의 정서 변화는 병인으로 작용하지 않는다. 하지만 정서의 강도가 강하거나 특정 정서가 장기간 지속되는 경우에는 인체에서 질병을 일으키는 중요한 원인이 된다. 인간의 정서는 주관적인 면, 생리적인 면, 행동적인 면을 포함하고 있다. 우리는 우리 스스로를 돌아볼 때 우리가 어떤 정서 상태에 있는지 알 수 있으며(주관적인 면), 정서현상은 종종 자율신경계의 흥분에 따른 신체 기관의 활동과 뇌 속 여러 구조물들의 활성화와 같은 생리적인 변화를 수반한다(생리적인 면). 또 정서현상은 안면표정이나 행동의 변화로 표출되기도 한다(행동적인 면). 한의학에서는 각종 정서에 수반되는 생리적인 변화를 기의 변화로 설명한다. 아래 표는 정서의 오장 배속과 각 정서에 수반되는 기의 변화를 정리한 것이다(표 4-1).

표 4-1. **정서-오장-기의 변화**

오장	오신	생활기능	오정	기의 변화
肝	魂	興奮	怒	氣擊 → 氣上逆
心	神	弛緩	喜	氣緩 → 散不斂
脾	意	鬱欲	思 (憂)	氣留而不行 → 氣結
肺	魄	緊張	悲	氣急 → 氣消
腎	志	沈靜	恐	氣怯 → 氣下

각 정서에 수반되는 기의 변화는 마음은 물론이고 신체 생리기능에도 영향을 미친다. 강한 정서나 오랜 기간 지속되는 정서는 일차적으로 기의 변화를 일으키고 이로 인해 인체 장부의 기능과 기혈의 순환에 장애가 일어나 다양한 병증을 유발한다.

노怒의 정서는 간기肝氣를 격동擊動하여 상역하게 한다. 기가 상역할 때 혈도 따라 올라가 얼굴이 붉어지고 열이 나며 때로는 졸도하기도 한다. 희喜의 정서는 심기心氣를 이완시켜 기혈의 순환이 좋아지게 한다. 하지만 지나치면 심기가 흩어져서 수렴되지 못해 심신心神이 상하게 된다. 지나친 사려나 근심(憂, 思)은 비기脾氣의 운행을 방해하고 기를 결취結聚시켜 소화불량을 일으키고 집착성이 강하게 한다. 슬픔(悲)의 정서는 폐기肺氣를 급急하게 하여 몸과 마음이 긴장상태에 있게 한다. 심하면 기가 소모(消)되어 몸과 마음이 까라지게 된다. 두려움(恐)의 정서는 기를 움츠러들게(怯) 하여 신정腎精이 상승하지 못하고 이로 인해 상하(心腎, 水火)가 상교相交하지 못하게 된다. 이렇게 되면 신기腎氣가 도로 하함下陷하여 대소변실금失禁, 하복창만下腹脹滿, 설사, 유정遺精 등의 증상이 나타난다.

한의학에서 간은 정서적 스트레스와 가장 관련이 깊은 장기다. 간은 소설과 장혈 기능을 통해 인체 기의 흐름을 유창하게 유지하고 혈류량을 조절하는 생리기능이 있다. 강하거나 지속적인 정서적 스트레스는 간의 소설과 장혈 기능에 영향을 주어 인체 기혈의 순환에 장애를 일으킨다. 기혈의 순환장애는 충임맥과 혈이 바탕이 되는 여성 고유의 생리기능에 특히 많은 영향을 미친다. 정서적 스트레스가 심할 때 여성들에게서 월경부조月經不調(월경의 주기가 들쑥날쑥하거나 월경의 양, 색, 질에 이상이 있는 것)나 월경통이 잘 생기는 이유다.

(2) 음식

음식으로 인해 병이 생기는 경우는 잘못된 식사 습관을 반복하거나 오염된 음식을 섭취했을 때 그리고 편식이 심할 때이다.

식사 시간이 불규칙하거나 식사량을 절제하지 못해 폭음과 폭식을 반복하는 것은 전형적인 잘못된 식사습관에 해당한다. 이 경우 비위의 기능을 손상시켜 위의 수납과 부숙, 비의 운화기능에 장애를 일으키고, 그 결과 식적食積, 흉민胸悶, 복통腹痛, 탄산吞酸, 설사 등의 병증이 나타난다.

또 불결하고 오염된 음식이나 부패된 음식, 유독한 음식은 복통, 구토, 설사, 이질과 같은 병증을 일으킬 수 있다.

오미五味(산酸, 고苦, 감甘, 신辛, 함鹹)를 골고루 섭취하지 않고 지나치게 특정 음식만 편식하는 경우나 뜨겁고 찬 음식(한열寒熱)을 치우쳐 섭취하는 것도 질병의 원인이 된다. 특히 찬 음식이나 덜 익은 과일 같은 생랭生冷한 음식을 과식하면 비위의 양기를 손상시켜 비위의 소화기능 약화와 함께 복통과 설사를 일으킬 수 있다. 또 신온조열辛溫燥熱한 음식만을 좋아해서 계속 섭취하면 위장에 열이 쌓여 구갈, 구취口臭, 복창만腹脹滿, 복통 등을 일으킬 수 있다. 특히 음주가 과도하면 비위를 손상시키고 습열濕熱이 쌓여 다양한 병증을 유발한다.

(3) 노일勞逸

과도한 노동(육체적, 정신적 노동과 과도한 성생활)은 물론이고 긴장감 없이 과도하게 편안하고 나태한 생활도 모두 질병을 일으키는 요인으로 작용한다. 노일상勞逸傷은 과로過勞와 과일過逸로 인해 발생하는 내상병증이다. <황제내경>에서는 "눈을 혹사하면 혈을 상하게 하고, 오래 누워있으면 기를 상하게 하며, 오래 앉아 있으면 근육을 상하게 하고, 오래 서 있으면 골을 상하게 하며, 오래 걸으면 근을 상하게 한다. 이를 오로소상五勞所傷이라 한다."[21]고 했다. 또 <황제내경 소문 거통론>에서는 "피로하면 기가 모손된다(勞則氣耗)"고 했다. 한의학에서는 육체적, 정신적 과로로 인한 병증을 노권상勞倦傷이라고 하는데 이는 장기간에 걸친 과도한 노동으로 인해 체력을 소모하고 피로가 누적되어 발생하는 병이다.

---

21) <黃帝內經 素問 宣明五氣論> "久視傷血, 久臥傷氣, 久坐傷肉, 久立傷骨, 久行傷筋, 是謂五勞所傷"

또 지나치게 안일한 생활을 하면 기혈의 순환이 잘 되지 않고 전신이 허약해진다. 이것은 비위를 포함한 장부의 기능저하를 일으키고, 기혈 순환 지체 등으로 인한 다양한 병증을 유발할 수 있다.

3) 기타 병인

그밖에 화상火傷이나 동상凍傷, 총칼에 의한 손상 등 외부로부터 받은 물리적, 기계적 손상이 질병의 원인이 될 수 있다. 또 기생충, 약물중독 등 다양한 기타 병인들이 존재한다.

4) 병리적 산물이자 이차 병인으로서 담음痰飮, 어혈瘀血

지금까지 설명한 것은 원발성 병인들이다. 한의학에는 이러한 원발성 병인들 외에 속발성 병인, 즉 이차 병인인 담음과 어혈이 있다. 담음과 어혈은 모두 오래되고 잘 낫지 않는 만성질환의 병인으로 작용하는 경우가 많으므로 임상에서 특히 중요하게 다루어진다.

(1) 담음

담음이란 인체 내 진액대사 장애로 형성된 병리적 산물이다. 담痰은 본래 기도氣道, 구강, 비강鼻腔, 인후 등에 쌓여 있는 분비물을 지칭했던 용어였지만 그 개념이 확대되어 체내에서 생성되는 비정상적인 체액 전체를 지칭하는 용어가 되었다.

담음은 외감육음, 음식, 칠정 등 다양한 원인에 의해 우리 몸의 진액대사를 주관하는 비, 폐, 신 3장에 기능장애가 생겼을 때 형성된다. 비는 위에서 만들어진 진액을 운화기능을 통해 폐로 올려 보내고(脾主運化), 폐는 선발, 숙강기능을 통해 진액을 전신으로 수포하며(通調水道), 신은 전음과 후음의 개합開闔을 통해 진액의 배설을 조절하고, 또 인체 진액대사의 동력을 제공한다. 이처럼 인체 전체 진액대사는 주로 비, 폐, 신 3장의 협력에 의해 완성된다. 그러므로 다양한 원인에 의해 비, 폐, 신 3장의 기능에 장애가 생겨 인체 진액대사가 문란하게 되면 진액의 정상적인 부포敷布와 배설에 영향을 미치게 되고 이로 인해 수습水濕이 체내에 정체되어 담음을 형성한다.

담음은 담과 음을 합친 것으로 담과 음은 개념적으로 구분된다. 담은 점도가 높아 끈적하고 탁한 것을, 음은 농도가 엷고 질이 맑고 희박한 것을 말한다. 하지만 보통은 담음으로 통칭하는 경우가 많다.

한의학에서는 담음을 크게 유형지담음有形之痰飮과 무형지담음無形之痰飮으로 나눈다. 유형지담음은 볼 수 있고 만질 수 있으며 그 소리를 들을 수 있는 실질성 담탁痰濁과 음액飮液을 말한다. 호흡기에 쌓여 있는 가래, 담종痰腫(영종瘦腫, 나력瘰癧 등 담이 결취되어 생긴 유형의 덩어리) 그리고 안면이나 사지 등에 잘 생기는 부종 같은 것들이다. 무형지담음은 담음 고유의 증상이 있고 담을 치료하는 약물에 잘 반응하지만 눈으로는 볼 수 없는 담음을 말한다. 특수한 질병이나 증상을 일으키는 원인이 되는 경우가 많다.

담음의 주요 증상은 어지럼증(두훈頭暈), 오심구토惡心嘔吐, 가슴이 두근거리면서 불안함(심계心悸), 위胃 부위의 불쾌감, 배에서 물소리가 남, 가슴이 답답하고 막힌 것 같음, 부정기적인 발열, 가래가 많음, 기타 원인불명의 괴증怪症과 정신질환, 활맥滑脈 등이다. 일반적인 변증치료로 잘 낫지 않는 완고한 질병이나 통증 질환은 담음으로 인한 경우가 많다. <동의보감>에서는 이를 '십병구담十病九痰'이라고 표현했다.

(2) 어혈

'어瘀'는 본래 '어淤(진흙)'에서 온 것으로 '수체불창水滯不暢'의 상象을 담고 있다. <설문해자>에서는 "어는 혈이 쌓여 있는 것이다(瘀, 積血也)"라고 했다. 이것은 어혈의 고전적인 의미로서 '이경지혈離經之血', 즉 출혈로 인해 맥을 벗어난 혈이 국소 부위에 쌓여 있는 것을 말한다.

현대중의학에서는 어혈이라는 용어보다 '혈어血瘀'라는 용어를 주로 사용하고 있다. '혈어'는 청대 왕청임王淸任의 <의림개착醫林改錯>에서 처음 사용한 용어다. '어혈'과 '혈어', 두 용어의 개념에는 차이가 있다. 어혈은 '어淤된 혈'로서 어혈 발생기전에 따라 생긴 결과물(有形之瘀)이라는 의미가 강하고, '혈어'는 '혈의 어淤'로서 어혈이 발생하는 과정인 순환장애(無形之瘀)의 의미까지 포함하는 용어다. 즉, '어혈'이 결과를 중심으로 하는 좁은 의미의 개념이라면, '혈어'는 결과뿐만 아니라 과정까지를 포함하는 넓은 의미의 개념이라고 할 수 있다.

중국에서는 '혈어'라는 용어를 적극적으로 사용하면서 기존 어혈 개념의 임상 적용범위를 확장시켰다. 천커지陳可冀는 <활혈화어연구와 임상活血化瘀研究與臨床>(1993)에서 혈어

의 범주를 다음과 같이 정리했다.[22]

① '혈응읍血凝泣', '혈맥응읍血脈凝泣', '어혈瘀血', '유혈留血': 맥관 내에서 혈액운행이 불창하
거나 울체 및 적체가 발생한 것
② '패혈敗血', '자혈紫血', '악혈惡血', '혈독毒血': 혈액 유형 성분의 변성
③ '적혈積血', '이경지혈離經之血': 혈액이 맥외로 넘쳐 국소부위에 쌓여 있는 것
④ '건혈乾血', '응혈凝血': 혈전 형성 등 혈액 응고성 증가의 병변
⑤ 담탁痰濁, 식체食滯, 한습寒濕, 여충癘蟲, 서열暑熱, 온역瘟疫, 정지情志 등의 병인으로 인해 생
기는 혈관의 병변, 혈액 유동성의 변화
⑥ 염증, 종양, 경피증, 임파결핵과 같이 기체혈어증으로 보이는 병증에서 유발된 증상

이것은 전통적인 어혈, 즉 피하출혈, 안저출혈, 뇌출혈 등과 같은 각종 출혈로 인한 유
형지어有形之瘀('이경지혈')뿐만 아니라 고점도 혈증, 고지혈증 등과 같은 혈액 성분의 이상
('오예지혈汚穢之血'), 또 이들로 인한 조직의 이상 병변, 그리고 말초순환장애, 하지정맥류,
심장의 기능 이상으로 발생하는 간울혈, 폐울혈 등 순환장애까지 포함한다.[23] 이렇게 되면
임상에서 활혈화어活血化瘀 약물을 적용할 수 있는 범위가 많이 넓어진다. 중의학에서는 각
종 암에도 필요한 경우에 활혈화어 약물을 치료제로 많이 사용하고 있다.
어혈의 발생원인과 기전은 다양하다.

① 한사寒邪: 혈을 수렴응체시켜 혈행 장애를 유발함으로써 혈어가 발생한다(寒凝血瘀).
② 열사熱邪: 혈 중의 진액을 말려 혈의 점조도를 증가시켜 혈어를 발생시키거나, 혹은 박
혈망행迫血妄行하여 각종 출혈을 일으킴으로써 이경지혈로서의 어혈을 발생시킨다(熱
鬱血瘀).

---

22) 陈可冀 主编. 活血化瘀研究与临床. 北京: 北京医科大学, 中国协和医科大学联合出版社; 1993. p.40.
; 서종은. 혈어에 대한 병태생리학적 고찰 [석사학위]. [성남]: 경원대학교 대학원; 1997년.에서 재인용.
23) 翁维良 主编. 活血化瘀治疗疑难病. 北京: 学苑出版社; 1993. pp. 3-5.
; 서종은. 혈어에 대한 병태생리학적 고찰 [석사학위]. [성남]: 경원대학교 대학원; 1997년.에서 재인용.

③ 칠정七情: 강한 정서나 불량한 정서상태가 오래 지속되면 간기울결과 같은 기체 상태가 유발되며 이로 인해 혈어가 생길 수 있다(氣滯血瘀).

④ 기허氣虛와 기체氣滯: 기허로 인해 혈에 대한 기의 추동력이 약해지면 혈행이 느려져 혈어가 생길 수 있다(氣虛血瘀). 또 기체하면 혈의 순행도 막혀 혈체血滯가 발생하며 이로 인해 혈어가 유발된다(氣滯血瘀).

⑤ 외상外傷: 외상으로 국소조직에 울혈이 발생하면 붓고 아픈 어혈종통瘀血腫痛 증세가 나타난다(外傷血瘀).

어혈의 주된 증상은 어혈이 있는 부위에 나타나는 찌르는 듯한 통증, 즉 자통刺痛이 특징이다. 그리고 적괴積塊, 출혈出血, 반점(瘀斑) 등이 나타난다. 또 얼굴색이 전반적으로 어두워지고(청자靑紫색), 맥이 세삽細澁하거나 결대結代맥이 나타난다. 여성의 경우 월경통이 심하거나(痛經) 월경색이 어둡고 덩어리져 나오는 것(月經色紫黑有塊)이 특징이다.

어혈은 현재도 활발하게 연구되고 있는 중요한 주제다. 임상 분야에서는 어혈을 객관적으로 진단하기 위한 어혈 진단 기준(diagnostic criteria)에 관한 연구가 진행되었다.[24] 이 연구에서는 기존 어혈 진단 연구를 일반적인 어혈 진단 기준과 특정 질환 중심의 어혈 진단 기준으로 나누어서 분석하고 있으며, 어혈 변증의 표준화를 통한 어혈 진단 기준이 필요하다는 것을 강조하였다. 또 중국 내 전문가들이 실제 어혈을 어떻게 정의하고 진단하는지에 관한 인터뷰 연구가 있다.[25] 이 연구를 통해 우리는 어혈의 현대적 개념과 어혈과 관련된 전반적인 연구 동향을 살필 수 있다. 그리고 2014년 9월까지 한국 내에서 이루어진 어혈 관련 연구[26]가 있고, 1989~2015년 사이에 전 세계적으로 진행된 어혈 관련 연구를 분석한 연구[27]가 있다. 이 논문들을 보면 어떤 질환들이 어혈의 관점에서 치료되었고, 현재 어

24) Li SM, Xu H, Chen KJ. The diagnostic criteria of blood-stasis syndrome: considerations for standardization of pattern identification. Chin J Integr Med. 2014 Jul;20(7):483-9.

25) Choi TY, Jun JH, Lee JA, et al. Expert opinions on the concept of blood stasis in China: An interview study. Chin J Integr Med. 2016 Nov;22(11):823-31.

26) Park B, You S, Jung J, et al. Korean studies on blood stasis: an overview. Evid Based Complement Alternat Med. 2015;2015:316872.

27) Liao J, Wang J, Liu Y, et al. Modern researches on Blood Stasis syndrome 1989-2015: A bibliometric analysis. Medicine (Baltimore). 2016 Dec;95(49):e5533.

혈과 관련된 현대적 연구들이 어떻게 진행되고 있는지 전반적인 내용을 살펴볼 수 있을 것이다.

2. 질병의 발생과 기전

한의학에서는 인체 전체 차원의 '동태적 평형'이라는 관점에서 질병을 규정한다. 앞서 살펴보았듯이 인체의 '동태적 평형'을 깨는 다양한 원인(외감병인, 내상병인, 기타원인, 담음, 어혈)이 있다. 그러나 이 원인들이 존재한다고 해서 곧바로 인체에 질병이 발생하는 것은 아니다. 외감병의 경우 한의학에서는 정기正氣와 사기邪氣 사이의 싸움이라는 전쟁 은유를 통해 질병의 발생과정을 설명하고, 질병에 대한 저항력, 방어능력으로서의 정기를 중시한다.

1) 정기正氣, 사기邪氣의 싸움과 질병의 발생

"정기가 우리 몸에 건재하면 사기가 침범할 수 없다"[28], "사기가 모이는 곳에는 정기가 반드시 허하다."[29]

정기란 우리 몸의 생명력(神氣)으로서 인체의 외부환경 적응 능력, 병원체에 대한 방어 능력, 질병 회복 능력 등 사기에 대해 인체가 나타내는 방어 능력 전체를 가리키는 말이다. 사기란 정기와 대립되는 개념으로, 모든 병원성 인자(pathogenic factors)를 총칭하는 용어이다.

"정기존내, 사불가간"이란 정기가 체내에 건재하면 사기가 감히 침범하지 못한다는 뜻이고 "사지소주, 기기필허"란 사기가 몰려와서 질병이 발생하려면 반드시 정기가 먼저 허한 상태에 있어야 한다는 뜻이다. 한의학의 독특한 시각이라고 볼 수 있는데, 사기가 침범한다고 해서 무조건 병이 생기는 것이 아니고 정기의 상태에 의해 질병의 발생 여부가 결정된다는 의미이다. 질병이 발생하는 과정은 상당히 복잡하다. 똑같은 병인에 대해서도 병

---

28) 〈黃帝內經 素問 刺法論〉 "正氣存內, 邪不可干"
29) 〈黃帝內經 素問 評熱病論〉 "邪之所湊, 其氣必虛"

에 걸리는 사람과 그렇지 않은 사람이 있고, 같은 질병에 걸린다고 하더라도 사람에 따라 질병의 경중이 다른 경우가 많다. 이것을 한의학에서는 정기와 사기라는 개념을 통해서 설명하고 있다.

정기는 오늘날의 관점에서 생각한다면 인체 면역시스템(immune system)과 유사하다고 볼 수 있을 것이다. 인체 면역시스템은 자기(self)와 비자기(non-self)를 구분하는 능력을 가지고 있으며, 자기에 대해서는 면역반응(immune response)이 유도되지 않지만 비자기에 대해서는 면역반응이 유도되도록 하는 인체 생리기능이다. 외감병인에 해당하는 박테리아, 바이러스 등이 인체에 침입했을 때 정기가 충분하다면 적절한 면역반응을 통해 이를 처리하게 된다. 하지만 같은 병인이 작용하더라도 정기가 부족한 상황에서는 면역반응이 충분히 작동하지 않아 병인을 잘 처리하지 못하는 상황이 있을 수 있다. 이것이 '정기 존내 사불가간'의 의미이다.

그러므로 외감성 질병의 발생과 발전, 또 치료와 치유과정에는 정기와 사기의 세력 관계가 중요한 요소로 작용한다. 사기는 대체로 표表병증을 일으키고 사기의 세력이 강하거나 초기 병증이 제대로 치료되지 않으면 점차 리裏병증으로 진입하는 방식의 전변과정을 밟는다. 한의학에서는 사기의 종류에 따라 외감병인이 인체에 작용하여 병을 일으키는 방식이나 병증의 성질, 증후의 유형을 다르게 분류한다.

정기의 부족은 외감성 질병의 발생과 발전을 유도하는 중요한 내부요인이 된다. 하지만 사기가 강할 경우에는 정기가 감당하기 어렵고 사기에 대항하여 싸우는 과정에서 정기가 손상되기도 한다. 이때에는 인체 장부 기능이나 정신기혈진액의 인체 구성요소에 실조失調가 일어나 치료라는 의학적 중재가 없으면 인체 스스로 회복할 수 없는 단계로까지 질병이 발전한다. 정기와 사기의 싸움이 격렬할 경우 이에 대한 반응으로 증상도 격렬하고 심한 양상을 띠는데 주로 표증, 열증, 실증으로 표현된다.

정기와 사기의 세력관계는 질병의 전과정에서 소장성쇠消長盛衰의 변화를 겪는다. 정기가 강하면 사기가 쇠퇴하고, 사기가 강하면 정기가 손상되어 약해진다. 이 과정에서 질병은 호전되기도 하고 악화되기도 하며, 치유되기도 하고 위중해지기도 한다. 대체로 질병의 초기에는 사기의 힘이 비교적 강하고 정기도 쇠퇴하지 않아 병세가 심하고 격렬하다. 이 단계를 지나 사기의 힘이 약해지고 손상된 정기가 세력을 회복하게 되면 질병은 치유의 단계에 접어들게 되며, 이때 사기도 정기에 의해 제압되어 인체가 질병으로부터 완전히 회복된다.

상한론의 육경변증이나 온병의 위기영혈변증은 이 과정을 임상적으로 체계화한 것이다.

2) 체질과 질병의 발생

사람의 체질 또한 질병의 발생과 양상에 영향을 미치는 요소다. 첫째, 체질은 개인의 질병에 대한 감수성에 영향을 미친다. 체질이 장실壯實한 사람은 정기도 강해 사기에 잘 저항함으로써 병에 잘 걸리지 않는다. 반면에 체질이 허약한 사람은 쉽게 사기를 감수感受하여 병에 잘 걸리게 된다. 둘째, 체질은 질병에 대해 사람마다 다른 반응을 나타내게 한다. 사람들은 타고난 형체, 장부의 기능과 강약이 다르기 때문에 같은 발병 원인이라도 질병의 양상이 한寒을 따라 변하기도 하고 열熱을 따라 변하기도 하며, 허虛를 따라 변하기도 하고, 실實을 따라 변하기도해서 사람마다 매우 다르게 나타난다.[30] 사상체질의학에서는 태소음양인의 체질에 따라 잘 나타나는 고유한 병증이 있으며 이를 소증素證과 연결지어 진단하고 치료한다. 그리고 동일한 병증에 대해서도 체질적인 취약점을 고려하여 서로 다른 치료법을 사용한다.

3) 음양대사와 질병 발생 기전 - 음양실조陰陽失調

인체 내에서 일어나는 모든 변화는 자극-대사-반응의 관점에서 살필 수 있다(그림 4-1).

윤길영은 인체 내에서 일어나는 대사과정을 음, 양 두 세력 사이의 관계를 통해 설명하면서 이를 음양대사라고 이름 붙였다. 즉, "생명현상은 자극-대사-반응이 동시에 연속적으로 계기하는 현상이니, 대사와 생명현상은 표리적 관계"[31]에 있다. "대사과정에서 양화기陽化氣가 일어나고 음성형陰成形이 일어나는데 양화기를 일으키는 세력을 양세력(陽氣)이라 하고 음성형을 일으키는 세력을 음세력(陰氣)이라 한다. 양화기는 생체에너지 즉, 기氣를 일으키는 것이고, 음성형은 생체물질 즉, 혈血을 형성하는 것이다. 양화기에는 기화氣化

---

30) 〈醫宗金鑑 36 傷寒心法要訣〉 "人感受邪氣誰一, 因其形藏不同, 或從寒化, 或從熱化, 或從虛化, 或從實化, 故多端不齊也."

31) 윤길영. 동의학의 방법론 연구. 서울: 성보사; 1983. p. 28.

는 물론이고, 열화熱化, 동화動化가 함께 일어나고, 음성형에는 형화形化 즉, 생체물질의 형성과 한화寒化, 정화靜化가 함께 일어난다."[32] 음기와 양기가 내외부환경의 자극을 받아 끊임없이 유동하면서 동태적 평형을 유지하려는 과정이 인체의 정상적인 생명활동이다.

음세력(음기)과 양세력(양기)은 관여하는 인자에 따라 양세력이 우세하기도 하고, 음세력이 우세하기도 하면서 유동적으로 음양평형을 유지한다. 병리적인 관점에서 볼 때 외감병인(육음)과 내상병인(칠정, 음식, 노일)들은 모두 인체 음양대사의 평형을 깨뜨려 질병을 발생시키는 원인이 된다. 자극-대사-반응에 따라 대사의 결과는 생리적, 병리적 현상으로 나타나는데 음양적 관점에서 대사를 요약한 음양대사는 그 결과 또한 형기, 동정, 한열 등 음양현상으로 관찰된다.

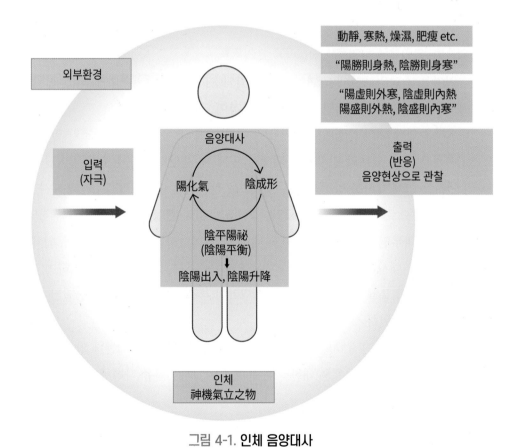

그림 4-1. 인체 음양대사

---

32)   윤길영. 동의학의 방법론 연구. 서울: 성보사; 1983. p. 28.

(1) 형기形氣–비수肥瘦, 기혈氣血

모든 대사는 우리 몸을 기반으로 일어난다. 그러므로 형形은 대사의 주체(體)이고 기氣는 그 작용(用)이다. 양화기, 음성형하므로 만약 인체에 양세력만 있으면 인체는 다 기화氣化하여 소멸해 버리고 말 것이고, 음세력만 있으면 냉각되어 물질만 남고 말 것이다.[33] 그러므로 양세력과 음세력의 균형이 이루어질 때 그 결과로서 인체 형形(형체)과 기氣도 균형을 이룬다. 하지만 어떤 원인에 의해 음세력이 우세하게 되면 형체가 비반肥胖하고 기는 쇠하게 되며(形胖氣虛), 양세력이 우세하게 되면 기화가 활발해지고 형체는 소수消瘦하게 된다(形瘦陰虛). 또 이것은 기혈氣血의 관점에서 살필 수도 있다. 양세력과 음세력의 유동에 따라 기(생체에너지)와 혈(생체물질)의 성쇠와 생성이 영향을 받게 된다. 그러므로 형기形氣, 비수肥瘦, 기혈氣血 등은 음양대사의 결과로 나타나는 현상들의 중요한 지표다.

(2) 팔강八綱–음양陰陽, 한열寒熱, 허실虛實, 표리表裏

자극인자들이 음양대사에 관여하여 양세력이 이상항진異常亢進하게 되면 신열身熱하고, 음세력이 이상항진하게 되면 신한身寒한 증상이 나타난다.[34]

허증虛證은 인체 내의 물질이나 기가 부족해서 인체 내 음양대사의 실조가 일어난 것이고, 실증實證은 인체 외부의 인자가 가세해서 인체 내 음양대사의 실조가 일어난 것이다. 외부의 인자는 인체 대사를 항진시키는 방향으로 작용하는 인자도 있고, 인체 대사를 억제(침쇠)하는 방향으로 작용하는 인자도 있다. 인체의 병리 현상을 음양허실陰陽虛實의 관점에서 분류하면 외부인자가 가세하여 인체 내 대사가 이상항진된 양실증陽實證, 인체 내 양세력이 부족하여 대사가 이상침쇠異常沈衰된 양허증陽虛證, 외부인자가 가세하여 인체 내 대사가 이상침쇠된 음실증陰實證, 인체 내 음세력이 부족하여 대사가 이상항진된 음허증陰虛證으로 구분할 수 있다.

음양허실증은 각각 인체 내외에서 한열현상을 특징적으로 나타내는데 양실증은 외열外熱, 양허증은 외한外寒, 음실증은 내한內寒, 음허증은 내열內熱을 나타낸다.[35] 여기서 내외

[33]   윤길영. 동의학의 방법론 연구. 서울: 성보사; 1983. p. 29.
[34]   <黃帝內經 素問 陰陽應象大論> "陽勝則身熱, 陰勝則身寒"
[35]   <黃帝內經 素問 調經論> "陽虛則外寒, 陰虛則內熱, 陽盛則外熱, 陰盛則內寒."

內外는 표리表裏와 치환될 수 있는 개념이다. 인체의 한열현상은 인체 음양세력의 전체적 우열상황을 판단할 수 있는 현상적 지표로서 중요한 의미가 있다. 한의학에서는 이를 팔강 八綱으로 정리하였다(그림 4-2).

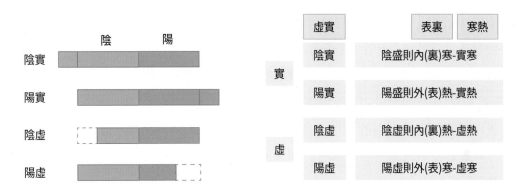

그림 4-2. **음양대사의 관점에서 본 병증(팔강)**

4) 장부와 질병의 발생

전일론적인 관점에서 볼 때 인체 오장은 인체 전체시스템을 구성하는 하위시스템으로 기능한다. 그리고 인체 오장시스템은 오장 사이의 상생, 상극의 피드백 관계를 통해 일종의 동태적 평형 상태인 상대적인 안정성을 유지한다. 음양대사와 마찬가지로 오장 사이의 동태적 평형의 역학적 관계도 인체 내,외부 환경의 자극을 받아 끊임없이 유동하고 변화한다. 이 과정에서 어떤 자극에 의해 한 장기가 평형상태에서 벗어났을 때 다른 장기들이 도와 평형을 회복할 수 있는 상태가 생리적인 상태이고, 평형한도를 이탈하여 시스템 자체의 능력으로 평형상태를 회복할 수 없을 때가 병리적인 상태이다.

병리적인 관점에서 외감병인(육음)과 내상병인(칠정, 음식, 노일)들은 모두 오장 상호관계의 평형을 깨뜨려 질병을 발생시키는 원인이 된다. 이렇게 발생한 장부와 관련된 병증은 모두 장상연계표에 기초하여 다양한 장변수와 상변수의 관계로 표현된다. 한의학에서는 사진四診에 의해 인체에서 출력되는 정보들을 수집하고 이를 종합하여 환자의 질병상태를 오장과 관련된 다양한 장변수로 분석하는 장부변증臟腑辨證 과정을 거친다. 그리고 평형한도를 벗어난 인체 시스템을 한약, 침, 뜸 등을 사용하여 정상 상태로 되돌린다. 이것을 체계적으로 정리한 것이 오장을 중심으로 하는 장부변증논치다.

5) 기, 혈, 진액의 대사 장애와 질병의 발생

기, 혈, 진액은 인체를 구성하는 중요한 구성요소이다. 외감병인과 내상병인은 모두 기, 혈, 진액의 인체내 대사과정에 영향을 미친다. 그 결과, 기의 운행장애를 초래하고 어혈, 담음 등 혈과 진액의 병리적인 산물들을 만들어 낸다.

기의 운행장애로는 기체氣滯, 기울氣鬱, 기결氣結, 기역氣逆, 기함氣陷, 기폐氣閉, 기탈氣脫 등이 있다. 이는 장부의 기능장애에 의해서도 발생한다.

혈은 기와 밀접한 관련이 있다. 기능생혈氣能生血하므로 기허는 혈허를 유발하며, 기허나 기체로 인한 기의 운행장애는 혈의 인체 내 순환에도 장애를 일으켜 혈과 관련된 다양한 병증을 만들어낸다.

진액은 인체 장부의 기능이나 기혈의 병변에 의해 생성, 수포, 배설의 대사가 영향을 받는다. 비, 폐, 신 3장의 기능장애는 진액대사에 차질을 일으켜 병리적 산물인 담음을 만들어내고, 기의 운행장애는 진액의 수포, 배설에도 영향을 미치며, 혈과 진액은 같은 근원에서 나온 것으로 한쪽이 부족하면 다른 쪽도 부족하게 된다.

기, 혈, 진액의 병리적 변화는 인체에서 다양한 병증을 유발하는 속발성 병인으로 작용한다.

3. 질병의 발전과 전변傳變

전변이란 '병증이 한 단계에서 다른 단계로 옮겨가는 병리과정'을 말한다. 시간에 따른 질병의 변화를 분석한 것이라 할 수 있다. 질병의 위치(病位)와 성질(病性)의 변화가 주된 요소다.

외감열병은 육음이나 여기癘氣에 의해 유발되는 것으로 발열을 주요 증상으로 하는 질병이다. 외감열병의 발생, 발전, 전변, 치유의 과정은 비교적 규칙적이며 상한론에서는 삼음삼양 육경변증, 온열병론에서는 위기영혈변증, 습열병론에서는 삼초변증으로 체계화해 놓았다.[36]

상한병은 크게 삼양병과 삼음병으로 구분되며, 삼양병은 사기가 성하고 정기도 약하지 않은 실증의 단계이고, 삼음병은 사기가 깊이 들어오고 정기가 이미 쇠해 저항력이 약해진 허증 상태이다.[37]

삼양병 중 태양병은 사기가 아직 표表 부위에 있는 표증表證이며, 양명병은 사기가 깊이 리裏로 들어가 위장에 결취되어 있는 리증裏證 상태다. 소양병은 사기가 태양(표)과 양명(리) 사이에 있는 반표반리증半表半裏證의 상태다.[38]

사기는 표를 먼저 침범하므로 태양병으로부터 외감병이 시작된다. 태양병의 단계에서 치료되지 못하거나 잘못 치료하게 되면 양명으로 전해지고 뒤에 소양으로 전해진다. 또는 태양병에서 소양병으로 전해졌다가 다시 양명으로 전해지기도 한다. 삼양병이 낫지 않으면 정기가 손상되어 삼음병으로 전변된다. 또 때로는 이러한 규율을 따르지 않고 태양에서 소음으로 바로 전입되거나, 소양에서 궐음으로, 양명에서 태음으로 바로 전입되기도 한다. 이와 같이 표리 관계에 따라 이루어지는 전변을 통틀어 표리전表裏傳이라고 한다.[39] 대개 외감열병은 표에서 리로 전해지는 표리전의 형식을 띤다.

장부의 병증에서는 오장 사이에 전변이 이루어지는 오장상전五臟相傳, 표리를 이루는 장과 부 사이에 전변이 이루어지거나 상통相通 관계에 있는 장과 부 사이에 전변이 이루어

---

36) 한방병리학 교재편찬위원회 편저. 한방병리학(개정판). 용인: 한의문화사; 2007. p. 534.

37) 한방병리학 교재편찬위원회 편저. 한방병리학(개정판). 용인: 한의문화사; 2007. p. 534.

38) 한방병리학 교재편찬위원회 편저. 한방병리학(개정판). 용인: 한의문화사; 2007. p. 534.

39) 한방병리학 교재편찬위원회 편저. 한방병리학(개정판). 용인: 한의문화사; 2007. p. 534.

지는 장부상전臟腑相傳이 일어난다.[40)

질병의 전변은 질병 고유의 특징에 따르기도 하지만 개인적 특성과 상황에 따라 차이를 보이기도 한다. 서양의학에서는 이제껏 원인과 증상에 집중하여 질병을 치료해 왔고, 그 과정에서 어떤 사람은 낫고, 어떤 사람은 같은 치료 방법을 사용해도 낫지 않음을 알게 되었다. 그래서 최근 대두되고 있는 것이 맞춤의학(Personalized Medicine)이다. 개개인의 특징(유전체 정보)을 파악한 뒤 개별적 차이를 고려하여 진단 및 치료를 해야 한다는 것이다. 한의학에서는 사상체질의학에서 이같은 개인적 차이를 체질적 특성으로 보고 질병의 인식과 치료에 응용해 왔다. 예를 들어 이제마는 <동의수세보원>에서 장중경張仲景의 <상한론>에서의 육경병증을 평가하면서 옛날 의사들은 체질을 잘 몰랐기 때문에 병을 오해하여 잘못된 치료를 하는 경우가 많았다고 했다. 그러면서 <상한론>에서 말하는 삼음병은 모두 소음인 병증이고, 소양병은 소양인의 병증이며, 태양병증과 양명병증은 소양인, 소음인, 태음인의 병증이 섞여 있는데 그 중에서도 소음인의 병증이 많은 부분을 차지한다고 했다.[41) 이것은 체질이 질병의 발생과 발전, 전변과정에 영향을 미친다는 것을 말한 것으로 체질을 알면 질병이 어떻게 발전하고 전변할지 잘 파악할 수 있다고 본 것이다.

실제 진료를 하는 의사의 입장에서 전변과정을 아는 것은 매우 중요하다. 환자를 치료하고 다음에 만났을 때 이 환자가 앓고 있는 질병의 전변과정을 알고 있어야 환자에게 '당신은 어느 정도 좋아졌고 다음에 치료를 받으면 어떻게 될 것이다' 등으로 예후를 설명해주고 신뢰를 얻을 수가 있다. 반대로 병세가 심해진 상태로 내원했을 때에도 환자의 상태를 파악하여 병이 왜 심해지는 것인지, 다른 합병증이 무엇이 생길 수 있는지, 추가적인 검사나 치료가 필요한지, 빠르게 상급병원으로 전원 해야 하는지 등을 파악해서 설명해 줄 수 있다.

---

40) 한방병리학 교재편찬위원회 편저. 한방병리학(개정판). 용인: 한의문화사; 2007. pp. 272-4.

41) <東醫壽世保元 醫源論> "三陰病證 皆少陰人病證也. 少陽病證 即少陽人病證也. 太陽病證陽明病證則 少陽人少陰人太陰人病證均有之而 少陰人病證居多也."

제2절 　질병의 진단과 변증논치

　　질병은 인체의 일부 또는 전체가 육체적, 정신적인 기능장애를 일으켜 정상적인 활동을 하기 힘든 상태를 말한다. 질병은 사고로 인한 외상이나 병원성 미생물 감염 등 외적인 요인으로 생기는 것도 많지만, 만성적인 질병은 대개 자라온 환경과 평소 생활 습관, 직장 사회 환경 등 다양한 요인이 복합적으로 작용하여 개체의 항상성이 깨질 때 발생한다. 따라서 의사는 환자에게 영향을 끼친 다양한 요소들을 총체적으로 파악하여 질병의 원인을 파악하고 치료의 방침을 세워야 한다.

　　환자에게서 질병의 발생과 치료 경과, 증상 변화 등에 영향을 끼친 요소를 파악하는 방법으로 혈액생화학적 검사, 진단방사선 검사 등 장비에 의한 검사 외에도 보고望 듣고聞 묻고問 만져서切 파악하는 사진법四診法이 있다. 장비를 이용한 검사와 망문문절望聞問切 사진을 통해 얻은 정보를 바탕으로 치료의 근거가 되는 변병辨病과 변증辨證을 행하고 그 결과에 따라 치료의 방침과 방법을 정한다.

　　현대 의료기기를 활용한 검사는 병인에 대한 객관적 정보를 얻을 수 있지만 인체는 동일한 병인에 대해서도 체질이나 처한 환경에 따라 각기 다른 반응을 나타내므로 개체에 따라 서로 다른 치료가 필요할 수 있다. 한의 치료는 여기에 초점을 맞춰 변증논치辨證論治라는 방법을 활용한다.

　　질병에 초점을 맞춰 병인을 찾고 병인을 제거함으로써 병적 상태를 개선하는 변병과 달리 변증은 질병이 아닌 사람에 초점을 맞춰 인체가 전체적인 조화를 회복해서 생리적 지표들이 정상으로 돌아오도록 한다. 변증은 치료의 근거가 되는 단서를 수집하고 분석하여 증거를 찾는 과정으로, 환자의 체질과 상태에 따른 구체적인 치법을 정하는데 필요한 과정이다. 변증은 팔강변증, 육경변증, 장부변증 등 다양한 방법을 활용한다.

1. 사진四診

사진은 혈액생화학적 검사, 진단방사선 검사 등 현대 의료기기에 의한 검사로 파악하기 힘든 정보를 인간의 감각을 활용하여 환자로부터 얻어내는 진찰법으로, 환자로부터 큰 그림의 정보를 얻어 내는 필수적인 과정이다. 망문문절의 4가지 방법을 통하여 환자로부터 다양한 정보를 얻어 변증의 기본 자료로 활용하고 치료의 단서를 찾을 수 있다.

망진은 환자의 생명 및 정신상태(神)와 색깔로 나타나는 질병의 정보(色), 영양 상태 등 신체의 모습(形), 보행 등 동작 상태(態)를 파악하는 방법이다. 문閱진은 말과 호흡, 소리 등 청각을 활용하거나 배설물, 분비물, 구취, 체취 등 후각을 활용하여 환자로부터 정보를 파악하는 방법이다. 문問진은 자라온 환경과 생활, 직장, 사회 환경 등에서부터 질병의 발병과 증상 치료경과 등을 물어서 파악하는 방법이다. 절진은 환자의 정기와 사기의 상태를 의사의 손가락 감각으로 파악하는 맥진과 의사가 환자 신체 각 부위를 직접 만져서 감각의 이상 등 질병과 관계된 정보를 얻는 촉진으로 구성된다.

1) 망진

신색형태를 살펴 환자의 상태를 파악하는 방법으로 최근에는 그 중 설진舌診을 중시한다.

(1) 신색형태

망신望神은 환자의 의식 및 정신상태(생명력)를 파악하는 방법으로 환자의 눈동자 반응, 얼굴 색, 표정, 태도, 동작을 통해 정보를 얻어 질병의 경중과 예후를 판단하는 근거로 삼는다. 망신은 3가지 상태로 구분하는데, 득신得神은 얼굴 표정과 눈빛, 동작 반응이 정상으로 질병에 걸렸다 하더라도 회복이 쉽다. 실신失神은 정신이 혼미하고 얼굴 표정이 없거나 반응이 느리고 동작이 원활치 않은 것으로 중병이므로 주의하여야 한다. 가신假神은 환자가 극도로 쇠약해진 상태에서 일시적으로 얼굴에 화색이 나고 의식이 돌아오며 말이 조리 있어지는 현상[42]으로 병이 급격히 악화되기 직전에 나타나므로 주의하여야 한다.

---

42)   불교 용어를 빌려 와 회광반조(回光返照)라 한다.

망색望色은 전신 피부의 색과 윤택을 살피는 것으로 기혈의 상태와 피부에 나타나는 질병의 특징을 살피는 것이다. 망색은 주로 얼굴색을 살피는데 백색은 허증虛證이나 한증寒證일 때 잘 나타난다. 청자색靑紫色은 저체온증이나 어혈瘀血, 극심한 통증, 심폐기능 부전에서 잘 나타난다. 홍색紅色은 신체 기능항진의 열증熱證에서 잘 나타나나 허실의 감별을 요한다. 황색黃色은 황달과 빈혈 등에서 잘 나타난다. 흑색黑色은 정精이 쇠한 신허腎虛와 어혈에서 잘 나타난다. 망색은 이외에도 내장의 질병으로 인한 피부의 색택 변화와 반진 등 각종 피부 질환을 살핀다.

망형望形은 환자 형체의 살찌고 마름肥瘦, 근육 탄력強弱 등으로 환자의 기혈 상태나 전신 대사의 항진과 저하의 경향성을 살핀다. 얼굴 모습과 체형에서는 사상체질과 형상의학의 감별 특징도 살핀다.

망태望態는 환자의 동작이나 걸음걸이, 균형 감각 등을 살펴 환자의 한열 상태와 뇌혈관 질환의 유무를 감별한다.

(2) 설진

설진은 근육과 모세혈관이 풍부한 조직인 설질舌質과 설질 위에 이끼처럼 나타나는 설태舌苔로 나누어 관찰한다.

설질은 두툼하고 밝은 붉은 색으로 표면은 윤기가 있고 백색의 설태가 살짝 덮여 있으며, 테두리에 잇자국이 없어야 정상이다. 설질은 근육 덩어리로 전신 혈류와 근육 상태가 가장 잘 드러나는 조직이다. 혀 근육에 탄력이 떨어지면 가장자리에 이에 눌린 잇자국齒痕이 생기는데 이를 반대舌胖大舌라 하며 기허氣虛나 수면부족의 상태로 본다. 혀에 영양 공급이 부족해지면 얇아지며 윤기가 없고 선홍색으로 변하며 설태가 없어지는데 이를 설홍소태舌紅少苔라 하며 음허의 상태로 본다. 혀에 혈류가 원활치 않을 경우 푸른빛을 띠거나 자흑색의 반점이 나타나는데 이는 혈액의 흐름이 정체된 것이라 어혈이나 한증의 상태로 본다. 자흑색의 어혈반은 음주 과다나 간기능장애에서도 잘 나타난다. 혀가 선홍색으로 붉어지면 이는 충혈이 된 것으로 열증의 상태로 보며 허실의 감별을 요한다(그림 4-3).

설태는 주로 구강 내 정상 미생물의 상태를 보여준다. 신체 면역기능이 유지되고 구강 내 환경이 정상이면 미생물이 균형을 이루며 적정한 정도로 증식하고, 이때 얇은 백태가 설질에 나타난다. 이처럼 얇은 백태薄白苔가 정상이다. 면역기능이 떨어지면 미생물의 과다 증식이 일어나고 이때 백태가 두꺼워진다. 이를 기허의 상태로 본다. 그래서 백태가 두 꺼워지면 먼저 감기에 주의하고, 백태가 혀 가장자리까지 덮으면 당뇨 등 만성질환을 의심 한다. 백태가 더 두꺼워져 짓뭉개지면 이태膩苔라 하며 기허에서 양허로 신체 기능이 저하 되는 것으로 본다. 신체 기능이 떨어져 구강 내 미생물의 서식환경이 파괴되면 정상 미생 물의 균형이 깨지며, 특정 세균이 과다 증식하면서 황태黃苔나 녹태綠苔가 나타난다. 황태 는 뇌혈류장애 등 뇌혈관질환에서도 잘 나타나는데, 이때는 일반적으로 혀뿌리에서부터 형성된다. 신체가 진액 부족이나 음허陰虛로 구강 내 서식환경이 더 악화되면 정상 미생물 이 증식하지 못하게 되어 설홍소태의 상태로 진입한다. 이때 곰팡이 균이 번식하면 흑태黑 苔가 나타난다(그림 4-3).

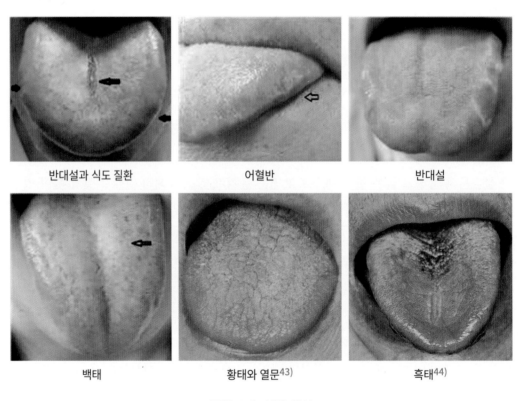

반대설과 식도 질환 어혈반 반대설

백태 황태와 열문[43] 흑태[44]

그림 4-3. 설진 예시

---

43) 顾亦楷. 费兆馥 主編. 中医诊法图谱. 上海中医学院出版社; 1988. p. 77.

44) 顾亦楷. 费兆馥 主編. 中医诊法图谱. 上海中医学院出版社; 1988. p. 79.

혀는 부분에서 전체의 상태를 반영하는 전식현상[45]이 잘 드러나는 조직으로, 설질이 갈라지는 열문이나 설태의 위치, 모양 등으로 전신 상황을 파악할 수 있다. 혀에서는 소화기 질환뿐만 아니라 뇌혈관, 심장, 자궁 등의 질환과 수면의 질, 전신 면역상태, 스트레스 강도 등을 관찰할 수 있다.[46] 투약이나 침 치료 후 설태를 살펴 정상적인 엷은 백태인지 확인하여야 하고, 환자의 주소증이 호전되었더라도 설태가 두꺼워지거나 황태 등이 나타나면 아직 회복되지 않은 것으로 판단하고 다시 점검 해 봐야 한다.

2) 문진聞診

문진은 환자의 호흡이나 심박동음, 발음, 대화 등을 듣고 환자의 심폐 기능이나 병의 상태를 파악한다. 주로 청각을 활용한 진찰법이지만 문진은 환자의 분비물이나 배설물, 체취 등을 맡는 후각을 이용한 진찰도 포함한다.

당뇨에서 특정의 구취를 나타내는 등 질병 별로 고유의 구취와 체취를 풍기기도 하고, 병세에 따라 발성의 고저장단과 언어의 조리가 다르므로 환자와의 대화를 통해 체질과 허실증, 뇌혈관 질환 유무 등의 판단에 도움이 되는 정보를 얻을 수 있다.

3) 문진問診

문진은 환자와의 대화를 통해 질병이나 환자의 상태를 파악하는 방법으로 망진, 문진, 절진이 환자의 주관이 배제된 자료를 얻는 데 비하여 환자의 주관이 많이 반영된다. 따라서 환자가 나타내는 반응의 과장과 과소, 진위를 잘 살펴야 한다. 문진 시에 쉬운 말을 사용하고 환자의 응답을 성실하게 들어 신뢰감을 형성하도록 한다.

---

[45]　부분의 생물학 특성과 생물 전체의 특성이 서로 닮았으며, 부분에 전체의 정보가 보존되어, 전체의 정보가 신체 특정 부분에서도 나타나는 현상. 부분은 전체의 상대적인 축소판으로 본다. 전체의 정보를 담고 있는 부분을 전식배(全息胚)라 하며, 전식배와 전체 혹은 전신배와 전식배 간의 전식대응관계를 전식상관성이라 한다. 그러나 생물체 각 부분이 분화하기 때문에 전식배 간 전식상관도와 전식상관의 질이 다르게 되고, 이를 전식부전(全息不全)이라 한다. 전식배와 전체는 상호 피드백으로 조절되며, 이침(耳針) 수침(手針) 등 분구침법과 동씨침법 등에서 이를 잘 활용하고 있다. 중국의 장잉칭(张颖清)은 전식현상의 실험과 증명에 노력하였고, 저서로는 <전식생물학(全息生物學)>, <생물전식요법(生物全息療法)>, <신생물관(新生物观)> 등을 남겼다.

[46]　설진에 관해 더 깊은 내용은 정종율 원장의 패턴설진을 추천하며, 다음 사이트를 참조하길 바란다.
https://www.facebook.com/tonguediagnosis/
https://cafe.daum.net/suljin

문진은 환자의 정보를 얻는 가장 적극적인 방법으로, 환자의 성장과정, 직장과 생활환경 등을 포함하여 평상시 생리적 지표인 식사, 대소변, 물 마심, 땀 흘림 등 기초적인 지표들부터 먼저 묻는다. 이후 질병과 관련된 발병 정황, 증상의 특징, 치료 경과, 과거력 등을 자세히 묻는다. 생리적 지표로부터 개체의 특성과 체질을 판별하는 정보를 얻고, 발병 이후에 변화된 생리 지표를 참조하여 한열 속성과 허실 여부를 가린다.

일반적으로 문진에서 질병과 관련하여 중요시하는 질문은 발열發熱, 오한惡寒, 땀汗, 두신頭身, 흉복胸腹, 식사, 대소변, 수면, 월경 등이다.

발열과 오한은 외감外感과 내상內傷을 감별하는 중요한 지표이다. 발열과 오한이 같이 나타나면 대개는 감기 등 외감 표증表證이다. 발열만 있고 오한이 없으면 온병溫病일 가능성이 있고, 발열은 없고 오한만 있으면 양허증陽虛證일 가능성이 있다. 오한은 실내에서 따듯하게 하여도 느끼는 냉감인데 반하여 바람이 싫은 정도의 냉감을 느끼는 것은 오풍惡風이라 한다.

땀은 인체의 진액으로 위기의 운행을 따라 배출이 조절된다. 낮에 움직임보다 과도하게 흘리는 땀을 자한自汗이라 하고, 야간에 잘 때나 깨어날 때 과도하게 나는 땀을 도한盜汗이라 한다. 일반적으로 자한은 기허나 양허에, 도한은 음허陰虛에 해당한다.

머리와 몸통의 통증 등은 근골격계 질환의 유무를 판별하는 지표로, 식사나 대소변 등 내장 기능의 변화를 동반하지 않으면 대개는 표증에 해당한다.

흉복부는 생명 유지에 필수적인 중요한 기관인 오장육부가 있는 곳으로 식사나 소화 상태, 대소변 이상변화 등으로 내장 질병의 유무를 감별한다. 대개는 리증에 해당한다.

식사와 물 마심을 통해 한열과 질병의 예후를 판별할 수 있다. 식사를 잘하면 위기胃氣가 양호하므로 질병의 예후도 좋다. 찬물을 즐기고 음수량이 많으면 열증일 가능성이 높고, 찬물을 못 마시거나 소량의 따듯한 물을 마시면 한증일 가능성이 높다. 발병 시 갈증의 유무로 질병의 경중을 가릴 수 있다. 진액 손상이 클수록 갈증을 느낀다.

대변과 소변은 양과 색깔, 단단함을 관찰하여 한열증을 가릴 수 있다. 소변량이 많고 맑으면 한증이고, 양이 적고 색이 짙으면 열증일 가능성이 높다. 대변이 굳으면 열증, 묽으면 한증일 가능성이 높다.

수면은 환자의 회복 여부를 판별하는 중요한 지표이다. 질병 진행 중에도 숙면을 취하면 회복이 양호하다. 평소 불면은 신체의 균형을 깨뜨려 다양한 질병을 유발한다.

월경은 부인과 질병과 관련하여 중요 판단 지표이므로, 월경 주기와 양, 색의 변화, 통증 유무 등을 파악해야 한다.

4) 절진切診

절진은 의사가 환자의 특정 부위에 직접 접촉하여 신체 상태나 통증의 유무, 환부의 위치 등을 파악하는 방법으로 맥진과 촉진으로 구성된다.

(1) 맥진脈診

환자의 기혈 흐름과 질병에 대한 신체의 반응을 환자의 혈액이 흐르는 혈관 위 피부에서 의사가 손가락으로 파악하는 방법이다. 맥진하는 부위는 목의 인영人迎, 발의 부양趺陽, 손목의 촌구맥寸口脈 3곳에서 하지만 최근에는 촌구맥을 주로 활용한다. 맥진은 또한 8체질침을 시술하기에 앞서 체질맥을 감별하는 방법으로도 활용된다.

촌구맥 진법은 손목 부위 요골동맥을 촌관척寸關尺 3부위로 나눈다. 요골경상돌기 부분이 관이고 손바닥 쪽으로 바로 옆이 촌, 팔꿈치 쪽으로 바로 옆이 척이다. 의사는 환자의 촌 부위에 둘째 손가락, 관 부위에 셋째 손가락, 척 부위에 넷째 손가락을 눌러 혈액 흐름의 양과 빠르기, 넓이, 세기 등 형태를 파악한다. 의사의 손가락 끝에서 느껴지는 감각을 형상으로 표현 한 것이 맥상脈象이다. 맥상은 28맥으로 구분하지만 임상에서 활용하는 기본적인 맥상 중 주요한 것은 다음과 같다.

정상맥은 평맥平脈이라 한다. 1분간 70회 내외이며, 적당한 힘과 빠르기로 조화를 이룬다. 정상맥은 나이와 체형, 비만도, 체질에 따라 조금씩 다른 특성을 보인다. 아동은 가볍고 빠르며, 여성은 부드러우면서 조금 빠르고, 뚱뚱한 사람은 가늘고 깊고, 마른 사람은 비교적 크게 느껴진다. 임신한 여성은 구슬이 구르는 듯 조금 빠른 활맥이 나타난다. 건강한 사람도 식후에는 활맥이 나타난다. 운동선수는 일반적으로 조금 느린 맥상을 보인다.

부맥浮脈은 물 위에 나무가 떠있는 듯 피하에서 바로 느껴지는 맥상으로 가볍게 누르면 나타나다 힘주어 누르면 없어진다(그림 4-4). 표증表證의 주맥主脈이다.

침맥沈脈은 가볍게 누르면 나타나지 않고 깊게 누르면 나타나는 가라앉은 맥상이다(그림 4-4). 리증裏證의 주맥이다.

지맥遲脈은 맥박이 느리게 뛰는 것으로 1분간 5-60회 정도로 나타난다. 한증寒證과 양허양虛의 주맥이다.

삭맥數脈은 맥박이 빠르게 뛰는 것으로 1분간 100회 이상을 보인다. 열증熱證의 주맥이고 간혹 허증에서도 가늘고 빠른 맥상이 나타난다.

활맥滑脈은 의사의 손끝에서 느껴지는 박동이 매끄러워 마치 쟁반에 구슬이 구르는 듯하다(그림 4-4). 임신하면 잘 나타나고, 담음痰飮에서도 나타난다.

현맥弦脈은 기타의 줄을 누르는 듯 곧고 팽팽한 느낌을 준다. 동맥경화, 고혈압 등에서 잘 나타나고 노인에게서 잘 나타난다(그림 4-4). 극심한 동통에서도 나타난다.

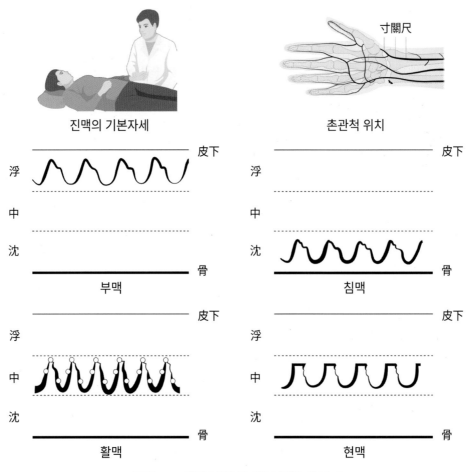

그림 4-4. 맥진 부위 및 대표 맥상 예시[47]

47) 刘冠军. 脉诊. 上海: 上海科学技术出版社; 1979. pp. 24, 35, 68, 75, 117, 127.

(2) 촉진觸診

촉진은 환자의 배수혈背輸穴과 복모혈腹募穴을 의사의 손가락으로 눌러 통증의 유무로 내장의 상태를 파악하는 방법과 환자의 환부 상태, 통증의 유무, 발열 등을 직접 접촉하여 파악하는 방법을 포함한다.

배수혈은 척추의 양쪽으로 내려간 방광경 1측선에 위치하며, 오장 육부의 경기經氣가 나타나는 반응점이다. 배수혈은 폐수肺兪, 궐음수厥陰兪, 심수心兪, 간수肝兪, 담수膽兪, 비수脾兪, 위수胃兪, 삼초수三焦兪, 신수腎兪, 대장수大腸兪, 소장수小腸兪, 방광수膀胱兪 등이 있다. 배수혈은 해당되는 장부의 병과 그 장부와 연관된 기관의 병을 진단, 치료하는 데 사용한다.

복모혈은 흉복부胸腹部에 위치해 있다. 가슴과 배의 경혈 가운데 장부의 기가 모여드는 경혈로 12개 장부에 1개씩 모두 12개가 있으며, 해당 장부와 가까이에 있다.

5) 사진합참四診合參

망문문절의 사진을 통해 얻은 자료는 환자의 주관적 호소를 포함하여 모든 정보가 혼재되어 있다. 이를 종합 분석하여 주요 증상과 부차적인 증상, 객관적인 지표와 주관적인 감각을 가려내는 과정이 필요하다. 특히 문진問診은 환자의 주관적 표현을 수집한 것이므로 다른 3가지 진찰 자료와의 비교 분석 및 교정이 필요하다. 맥진도 증상과 비교를 통해 둘이 다르게 나타날 때는 둘 중 하나가 가짜 정보일 가능성을 고려해야 한다. 이처럼 환자에게서 얻은 4진의 모든 정보를 종합하여 분석, 참고하는 것을 사진합참이라 한다. 사진합참을 통해야 정확한 변증의 근거를 찾아내고 치료 원칙과 방법을 세울 수 있다.

2. 한의학의 병病·증證·증症의 개념

1) 병病·증證·증症의 개념

인체는 정기가 일정 수준으로 유지될 때 항상성을 유지한다. 정기의 흐름에 변화가 발생하면 일정 범위 내에서 생체리듬의 변화가 나타나고 생활에 약간의 불편을 느끼는 정도의 변화가 나타나는데 이를 미병未病 상태라 한다. 아건강亞健康 상태 또는 잠재적 질병 상태인 미병 상태에서 역치를 벗어나는 자극을 받거나 정기가 약해지면 질병의 단계로 진입한다. 질병은 객관적 지표로 나타낼 수 있으며, 질병 상태에서 환자가 느끼는 불편함은 각기 다른데 이러한 주관적 차이를 포함하여 질환이라 표현한다. 병은 질병과 질환을 포함한 개념으로 개인이 갖는 사회적인 기능이상까지 포함한다.

병은 대개는 일정한 경과로 진행하지만 원인은 각기 다를 수 있고, 증상도 다양하게 나타난다. 개체에 따라 다른 반응 양상을 보일 수도 있다. 의사는 병을 진단하는 과정에서 치료의 단서가 되는 특징을 찾아내는데, 이 특징에는 환자의 성장과정, 생활, 직장, 사회 환경, 원인 미생물 등이 포함된다. 이 특징 중에서 치료의 단서가 되는 것을 증證이라 한다. 증은 증상의 조합이나 특정 미생물일수도 있고, 환자가 처한 환경일 수도 있다. 이 증을 가리는 과정을 변증辨證이라 하고 이에 근거하여 치료의 원칙이나 방법을 정한다.

증症은 환자가 나타내는 다양한 증상을 가리키는 말로 증證에 따라 일정한 증상이 나타난다. 예로 불면이라는 병은 소화가 안 되거나 빈혈이 있거나 생각이 많아도 정서적으로 불안해도 발생하는데, 불면이라는 병의 원인을 식체, 혈허, 사려과다, 칠정상 등 원인이나 유인에 따라 찾는 과정이 치료의 단서인 증證을 찾는 변증이고, 잠이 들기 힘든지, 자주 깨는지, 일찍 눈이 떠지는지 등 개별 증상은 증症이라 한다. 또 다른 예로 간염肝炎이라는 병은 환자의 상태에 따라 간비불화肝脾不和, 간양상항肝陽上亢 등 증證으로 구분되며, 복통, 설사, 황달 등 증症을 나타낸다.

2) 한의학에서의 변병과 변증

질병은 병원성미생물에 의한 감염성 질병과 비감염성 질병, 기능성 질병과 기질성 질병 등으로 나눌 수 있는데, 감염성 질병처럼 특정 원인에 의해 발병하고, 고유의 경로를 따라 진행하는 경우 병을 가려 치료에 임하는 변병辨病이 효율적이다. 그러나 개체는 동일한 병인에 대하여 각기 다른 반응을 보일 수 있고, 개체의 특성을 반영하여 동일한 질병이라도 각기 다른 치료 방법을 찾는 것이 변증辨證이다. 변병은 객관적인 질병을 찾아 이를 제거하는 것을 목표로 질병을 대상으로 하고, 변증은 인체 항상성이 깨진 원인을 찾아 이를 회복시켜 전체적인 조화를 이루도록 하는 것을 목표로 인체를 대상으로 한다. 변증은 또한 질병 이전의 단계인 미병 상태나 기능성 질병의 경우 더 큰 효과를 발휘하고, 변병 이후 개체에 맞는 개별적인 치법을 세울 때도 효율적이다. 변증은 개체의 특성을 반영하여 치료에 임하도록 하지만, 질병은 대개 고유의 경로와 특성을 지니므로 변증 이전에 항상 변병을 진행해야 한다. 임상에서는 대개 체질을 먼저 가리고, 이후 변병과 변증의 순서로 진행한다.

3. 변증논치 − 어떻게 진단하고 치법을 정하는가?

진단과 치료의 단서가 될 증거證를 찾아내는 과정을 변증辨證이라 하고 이를 근거로 치료 방침과 방법을 정하는 것을 논치論治라 한다. 혈액생화학적 검사, 진단방사선 검사 등 장비에 의한 검사와 보고(望), 듣고 냄새 맡고(聞), 물어보고(問), 만져보는(切) 네 가지 진찰법(四診)을 통해 얻은 자료 중 진단과 치료의 판단 근거가 될 수 있는 모든 것을 넓은 의미의 증이라 할 수 있다. 증은 환자의 체질, 생활환경, 병증 등에서 찾을 수 있으며, 완성된 변증은 한열허실寒熱虛實 등 병의 성질과 장부기혈 등 병의 위치에 대한 정보를 담고 있다. 따라서 증은 환자에 대한 총체적 접근을 통하여 성장과정, 생활환경, 체질, 기왕력, 현재 증상 등을 파악해야 찾을 수 있다.

변증은 대개 환자 몸 내부의 기능 이상이 외부 증상으로 발현 된 것을 병리적인 관점에서 분석하여 기전을 찾는 것이다. 증은 인체 내부 기능 실조의 반영이며, 증후症候는 증으로 인해 나타나는 외부 증상의 조합으로 둘은 구별해야 한다. 증은 내부 기관들의 조화 여부를 반영하는 지표이며, 해부학적 구조의 변화 이전에 나타나는 기능 차질을 반영하는 경향이 있어, 대개 기능성 질병을 반영하나 장기적으로 기질적 병변으로 발전할 수 있다.[48] 임상에서는 빈번하게 볼 수 있는 증은 정형화시켜 표준화된 증명을 붙여 활용하고 있다.[49][50][51]

---

48) 祝世讷. "证"—开辟功能性病理研究的新领域. 山东中医药大学学报 2007;31(5):355-7.

49) 국가한의임상정보포털(https://nikom.or.kr/nckm)에서는 특발성 안면신경마비 한의임상진료지침 등 각종 질병에 대한 표준화 된 임상진료지침을 제공하고 있다.

50) 한국표준질병사인분류에서는 표준화 된 한의병명(97건)과 한의변증(191건), 사상체질병증(18건)을 특수목적코드(U코드)를 이용하여 분류하고 있다.

51) 中国中医研究院 主编. 中医证候鑑別诊断学. 北京: 人民卫生出版社; 1987. - 중국에서 변증논치를 표준화 하면서 만든 각종 표준화 된 증에 관해 잘 정리해 놓았다.

변증논치의 방법은 형성된 시기와 특징별로 몇 가지로 구분하는데, <황제내경> 운기편의 병기病機 19조에서 병사病邪변증의 원형이 나타나긴 하지만 <상한잡병론傷寒雜病論>의 육경六經변증이 체계화 된 임상의 기원이라 할 수 있다. 이후 장상학설에 따른 장부臟腑변증, 온병溫病의 위기영혈衛氣營血변증 등이 등장하고, 이들 경험을 바탕으로 변증의 기초가 되는 팔강八綱변증 이론이 완성되어 현재의 다양한 변증 방법이 형성되었다.

팔강변증은 음양론에 바탕한 변증 방법으로 변증논치의 가장 기본적인 방법이며 기타 변증 방법에 선행하는 필수적인 방법이다.

육경변증은 <상한잡병론>에 바탕한 변증 방법으로 외감外感열병을 포함한 대부분의 질병에 대응 가능한 방법론을 제공해준다.

장부변증은 장상학설을 기반으로 형성된 방법론으로, 일반 잡병에 다양하게 활용되며, 현재 표준화된 증명을 제공하고 있다. 한국에서는 동의보감을 바탕으로 하는 형상形象의학적 방법론이 임상에서 좋은 성과를 보여주고 있다.

위기영혈변증은 온병의 대응에서 유래한 변증 방법으로, 기혈의 개념을 확대하여 기의 영역을 위의 영역衛分과 기의 영역氣分으로, 혈의 영역을 영의 영역營分과 혈의 영역血分으로 세분한다. 외감 온열병의 대응에 주로 사용하나 기타 잡병에도 다양하게 사용한다.

병사변증은 외부환경인 온도, 습도, 풍도를 상징하는 풍한서습조화風寒暑濕燥火 육기의 특징에 비유하여 발병 시 인체가 나타내는 반응 양상을 6종으로 분류 설명하는 육음六淫변증과 담음痰飮, 어혈瘀血, 칠정七情의 원인별 특징을 중심으로 판단하는 방법론을 포함한다.

1) 팔강변증

팔강변증은 음양의 2강과 한열·허실·표리의 6가지 변화인 6변의 2강6변의 변증 방법론이다. 음양은 총강으로서 상징적인 의미를 갖고 있으며, 실제는 한열·허실·표리를 구분하는 데 있다. 한열은 질병을 일으키는 사기에 반응하는 인체의 경향성을 대사의 항진과 저하라는 음양의 개념으로 구분한 것이다. 허실은 항상성을 유지하려는 힘인 정기와 질병을 일으키려는 힘인 사기의 세고 약함을 파악하는 방법론이고, 표리는 병이 있는 위치를 찾아 병의 경중을 가늠하고 치료 방법을 찾는 방법론이다.

이를 다시 몸을 지키는 정기와 질병을 일으키는 사기를 중심으로 요약하면 정기는 충만하되 질병을 일으키지 않으므로 질병과 관련해서는 정기가 부족한 허증虛證뿐이라 본허本

虛라 이름하고, 사기는 다시 인체 반응의 경향성에 따라 한증寒證과 열증熱證으로 나뉘므로 본한本寒, 본열本熱이라 이름 붙일 수 있다.[52] 따라서 팔강변증은 본허, 본한, 본열과 표리로 설명할 수 있다.

(1) 한열

한열은 증상으로는 체온과 연관된 개념이지만, 변증에서는 체온을 의미하지 않고, 개체의 대사가 항진이나 저하된 상태를 뜻하며, 병사에 대응하는 인체 반응의 경향성을 파악하는 도구이다.

좌우 또는 +-라는 2개의 좌표를 가진 도구를 이용하여 병리적 상태에서 몸의 전반적인 반응의 방향을 파악하는 수단으로 이를 한열이라 이름 지은 것이다. 한열이라 부르지만 이를 동정動靜으로 표시해도 무방한 개념이고, 한열이라 이름 붙인 것인 생명현상은 동적인 현상이고, 동적인 현상은 열의 변화를 수반하기에 한열이라 이름 지은 것에 불과하다. 실제 체온과는 연관성이 깊지 않다.

한열은 음양의 전화轉化된 개념이고, 음양을 양화기陽化氣 음성형陰成形의 대사의 양대 세력으로 인식하듯이 생리적으로는 한열이라는 용어대신 동정動靜 형기形氣라는 표현으로 사용한다. 한열은 병리적 표현이다.

맑은 날 밖에서 장시간 운동하면 맥이 빨라지고 체중이 줄면서 얼굴은 검어지고 땀이 나며, 갈증을 느끼고 물을 많이 마시나, 소변량은 줄고 색이 짙어지며 대변은 굳어지는데, 이처럼 대사가 항진되면서 나타나는 현상을 생리에서는 양화기라 하며 반대되는 상황을 음성형이라 한다. 병리에서는 이를 반응의 경향성으로 보고 한증 열증이라 한다. 임상가에서는 이러한 현상을 개체의 비수肥瘦 강약强弱[53]이라는 표현으로도 사용한다.

팔강변증에서 한열을 가리는 기준은 대개 이 기본적 생리 지표들인 대소변 상태, 음수량, 맥박수 등의 변화에 있다. 한, 열증의 지표는 대변이 굳으면 열증, 묽으면 한증, 소변 색이 짙고 탁하고 양이 적으면 열증, 색이 옅고 맑고 양이 많으면 한증, 물을 많이 마시면 열증, 적게 마시면 한증, 맥이 힘 있고 빠르면 열증, 맥이 느리면 한증, 평소보다 살이 빠지고

52) 尹吉榮. 東醫臨床方劑學. 서울: 明寶出版社; 1985. pp. 23-6.
53) 전창선. 肥瘦論. 서울: 와이겔리; 2017. pp. 25, 36-40.

얼굴이 검어지면 열증으로 가는 것, 반대로 살이 찌고 얼굴이 창백해지면 한증으로 가는 것이라 판단한다.

증상으로서 한열은 오한, 발열 등 감각으로 느낄 수 있으나, 팔강의 한열 증은 인체가 병리적 상황에서 나타내는 반응의 경향성으로서 각 개체의 평소 상태에 따라 나타나는 복합적인 특성이다. 생리적인 범주에서 한, 열증과 관계되는 것은 평소 대사의 항진이나 저하와 연관된 것들이다. 근육량에 따른 기초대사율이나 갑상선기능 등 에너지대사나 신경, 내분비계가 모두 연관되어 한, 열증 형성의 기초가 된다. 따라서 각 개체의 평상시 상태를 기준으로 한, 열증을 예측할 수도 있고, 병리적 상황에서 지표가 어느 방향으로 향하는지 대사나 반응의 경향성을 파악하여 한열 증의 판단에 사용한다. 이 경향성은 한 개체에 있어 쉽게 변하지 않기에 임상에서는 한열 대신 살찌고 마름肥瘦, 얼굴색의 검고 흼黑白, 근육량의 많고 적음强弱 등의 표현으로 한, 열증을 대신하기도 한다.

임상에서 수치화된 객관적 지표가 없기에 한열을 가리는 것은 진열가한, 진한가열 등 예로부터 쉽지 않은 문제였는데, 이제마 사상체질의학의 공헌 중 하나는 이를 체질의 문제로 간단하게 정리한 것이다.

소음인은 변비, 목 아픔咽痛, 수족열감, 혀에서 쓴 맛을 느끼는 등 열증과 유사한 증상이 나타나도 모두 팔강의 한증이거나 진한가열로 판단하고, 소양인은 복통, 설사나 수족냉증 등 한증과 유사한 증상이 나타나도 팔강의 열증이나 진열가한으로 판단한다. 태음인은 근육질로 살집이 단단하고, 감기 걸렸을 때 오한이나 콧물, 몸살보다 인통咽痛 발열이 우선이고, 겨울에도 발을 못 덮고 잔다면 열증, 그 반대면 한증으로 판단한다.

팔강의 한,열증을 가리는 이유는 치료약을 사용할 때 같은 증상이라도 약성藥性이 온열溫熱한 약을 쓸 것인가 량한凉寒한 약을 쓸 것인가를 구분하기 위한 것이다. 본초학에서는 모든 약을 병증별로 온열량한으로 구분한다.

(2) 허실

허실변증은 정기와 사기의 강하고 약함을 파악하는 방법이다. 정기가 부족하거나 빠져나가면 허증이고, 사기가 왕성하면 실증實證이다. 정기는 선천적으로 받은 원기와 후천적인 음식, 자연의 대기의 공급을 받아 형성되는데, 들어올 것이 안 들어오거나 있어야 할 것이 빠져나가면 허증 상태로 빠진다(표 4-2). 예로 식사가 불규칙하거나 출혈, 설사, 땀을 많이 흘리면 허증이 유발된다. 따라서 정기는 평소의 생활 습관과 현재 정신기혈의 상태를 파악하면 판단할 수 있다. 허증을 제외한 나머지 병증은 증상의 강약과 관계없이 모두 사기로 인한 실증이다. 임상에서는 대개 정기의 부족과 사기의 왕성함이 겹치면서 발병하게 된다.

표 4-2. 정신기혈의 허증 증상[54]

구분	증상症狀
기허氣虛	호흡이 짧고 움직일 때 숨참, 얼굴이 희고 눈에 광채가 없음, 말이 느리고 팔다리에 힘이 없음, 식은 땀 남, 식사를 잘 못함, 게을러짐, 소화되지 않은 대변을 봄, 이유 없이 두근거림 등
혈허血虛	빈혈과 생체물질 부족으로 발생. 얼굴이 창백하고 혈색이 없음, 이유 없이 두근거림, 잠 못 들고 꿈 많음, 어지럽고 눈앞이 아찔함, 귀 울림, 생리 불규칙 함, 근육 경련 잘 남, 피부 갈라짐 등
정허精虛	허리 무릎이 저림, 입 마름, 피부 거칠고 살 빠짐, 정신이 피곤하고 무력함, 건망健忘, 유정遺精, 몽설夢泄, 시력 청력 약화, 눈에 정기가 없고 오래 서 있지 못함, 생식능력 저하, 머리 빠짐, 얼굴 검어짐, 수면 불안, 정서 불안정 등
신허神虛	정신이 오락가락함, 감정 기복이 심함, 잘 놀라고 두려워함, 이유 없이 두근거림, 꿈이 많음, 건망, 불안 등

(3) 표리

표리변증은 질병을 유발하는 병사에 반응하여 증상이 나타나는 부위에 관한 설명이다.

골격근으로 보호하고 있는 인체 내부 오장육부와 정신기혈에 문제가 생기면 속에 병이 든 것으로 리증裏證이라 하고, 팔, 다리, 머리와 몸통의 근골격계에 문제가 생기면 겉에 병이 든 것으로 표증表證이라 한다.

표증은 땀내는 한汗법을 사용하여 사기를 밖으로 발산시키는 방법으로 치료하고, 리증은 토하는 토吐법이나 대소변으로 배출하는 하下법을 사용하여 몸 밖으로 빼내는 방법으로 치료하기에 치료의 방침을 정하기 위해 먼저 병의 위치를 찾는다.

리증은 오장육부와 정신기혈의 문제이므로 음식 기미氣味, 대소변, 정신활동의 변화를

54)   尹吉榮. 東醫臨床方劑學. 서울:明寶出版社; 1985. pp. 97-102

동반한다.

표증은 리증을 제외한 모든 병증이라 볼 수 있으며, 초기에는 오한발열惡寒發熱과 몸살이 대표 증상이다.

시간이 경과하면 표증이 리증으로 전변되는 경우가 많지만, 표,리증은 병에 걸린 기간에 관계없이 환자의 현재 상태로 감별해야 한다. 예로 10년된 허리통증 환자라 할지라도 대소변과 음식 기미, 정신활동의 변화가 없다면 표증이고, 초기 감기환자라도 입맛이 떨어지는 등 내장 기능의 변화가 나타나면 리증을 겸한 것이다.

2) 육경변증

육경변증은 장중경張仲景의 <상한잡병론>에서 유래한 병증 분석 체계이다. <상한잡병론>은 약 3세기 초에 장중경이 상한傷寒과 잡병雜病에 관해 기록한 책으로, 후에 왕숙화王叔和의 정리를 거쳤으나 다양한 판본이 남아 있고, 현재도 임상에서 다양하게 활용하는 전문 서적이다. 장중경의 임상방법론은 후대로 오면서 다양한 이론과 결합하여 각기 다른 학파로 발전했다. 대표적으로 병증에 처방을 일대일 대응시켜 간결함을 추구한 방증대응方證對應, 병증을 경락과 장부기능에 연계시켜 치료를 논하는 육경변증六經辨證, 상한과 온병을 통합한 체계를 세우려는 한온통일寒溫統一, 생명현상은 움직임이고 그 움직임의 근원인 인체의 양기를 중심으로 치료하는 부양학파扶陽學派 등이 있다.[55]

육경변증은 다양한 병증을 태양太陽, 양명陽明, 소양少陽, 태음太陰, 소음少陰, 궐음厥陰의 삼음삼양의 명칭을 사용하여 6개의 범주로 분류한다(표 4-3). 육경변증은 외감 열병의 치료과정을 병례 보고의 형식으로 보여주고 있는데, 감기 등 밖으로부터 유래한 병인에 대응하여 나타나는 인체의 반응을 태양병, 양명병, 소양병이라 이름 붙였고, 이 단계에서 치료가 순조롭지 않아 인체 내부로 전변되어 나타나는 병증을 태음병, 소음병, 궐음병이라는 항목으로 분류하여 다양한 치료 예를 보여준다.

육경변증은 외감 열병의 전 치료과정과 각 단계별 오치誤治로 인한 다양한 병증을 포함하고, 이들의 치료 과정을 상세히 다루고 있기에 외감外感 열병뿐 아니라 많은 잡병을 치료할 수 있는 방법론이 된다.

---

55) 郑身宏. 伤寒学术流派及其在当代中医伤寒学科的传承研究[博士学位].[中國]:广州中医药大学; 2010. pp. 108-10.

표 4-3. **육경변증 대표 증후**[56][57]

구분	증상
태양병	표증 위주의 병증으로, 맥이 부浮하고 머리와 뒷목이 뻣뻣하고 통증이 있으면서 오한이 있는 것이 특징이다(太陽之爲病, 脉浮, 頭項强痛而惡寒).
양명병	열증 위주의 병증으로, 대변이 굳어지고 잘 못 보는 것이 특징인 삼양병 중의 리증이다(陽明之爲病, 胃家實是也). 대개 신열身熱 한출汗出하면서 오한은 없고 오히려 오열惡熱, 번조煩躁, 구갈口渴 등이 나타난다. 비痞, 만滿, 조燥, 견堅, 실實이 주요 특징이다.
소양병	허증 위주의 병증으로 입이 쓰고 목마르며 눈앞이 깜깜해지며 어지러운 것이 특징이다(少陽之爲病, 口苦咽乾目眩也). 대개 한열왕래寒熱往來 흉협고만胸脇苦滿도 잘 나타난다. 소양병은 사기가 표리의 사이에 있어 반표반리증半表半裏證이라 한다.
태음병	리한증裏寒證 위주의 위장관 병으로 배가 꽉 찬 듯하고 토하며 음식을 먹지 못하는데, 설사는 더욱 심해지고 때때로 배가 아프다. 설사시키면 반드시 가슴 아래가 딱딱하게 맺히는 것이 특징이다(太陰之爲病, 腹滿而吐, 食不下, 自利益甚, 時腹自痛, 若下之, 必胸下結硬).
소음병	허증 위주의 병증으로 맥이 미세하고, 정신이 위축되고 혼미하여 자꾸 졸음이 와서 깨지 못해 다만 자려고 하는 것이 특징이다(少陰之爲病, 脉微細, 但欲寐也).
궐음병	한열이 뒤섞인 병증으로 기운이 위로 올라 가슴에 허열虛熱이 꽉 차 불편하고, 배는 허한虛寒해져 굶주려도 음식 생각이 없고, 먹으면 토하고, 사하시키면 설사가 멎지 않는 것이 특징이다(厥陰之爲病, 氣上撞心, 心中疼熱, 飢而不欲食, 食則吐, 下之 利不止).

3) 위기영혈변증

전염성 질병인 외감 열병에 대한 인체의 반응은 병사에 대항하여 열을 만들어 내는 것이다. 발열이 충분치 않으면 오한惡寒이라는 과정을 거쳐 열을 만들어 낸다. 그래서 <상한잡병론>은 오한, 발열이라는 특징을 위주로 서술하고 있다. 후대로 오면서 영양상태가 좋아진 인체는 체력이 좋아져 오한이라는 과정을 거치지 않고 바로 발열하는 경우가 많은데, 외감 열병이지만 발열만 있고 오한은 없는 특징을 가지는 병증을 상한과 구분하여 온병이라 부른다.

---

56)   전창선. 肥瘦論. 서울: 와이겔리; 2017. pp. 289-328.
57)   유도주 저. 박상영 역. 상한론통속강화. 경기도 광주: 수퍼노바; 2017. pp. 45, 204, 299.

온병은 오한을 동반하지 않거나 가벼운 오한만 있고, 바로 발열 인통 등의 단계로 들어가고 이후 내장 기관을 감염시키면서 마지막에는 진액의 고갈을 초래해 사망에 이르게 한다. 상한에서 상한의 변화과정을 육경변증으로 나타냈다면 온병에서는 온병의 변화과정을 위기영혈변증으로 파악하여 치료한다(표 4-4).

표 4-4. 위기영혈변증 대표 증후[58]

구분		주요 증상
위분증衛分證		발열이 주 증상이나 전신적인 가벼운 오한이 동시에 나타남. 땀이 나거나 기침 인후종통이 있을 수 있다. 표증이다.
기분증氣分證	온열증溫熱證	발열이 주 증상이고 오한은 없다. 땀이 나고 갈증과 입 마름이 나타난다. 리증이다.
	습열증濕熱證	발열이 있으나 심하지 않고 오한은 없으며, 땀이 나기도 하지만 시원치 않고, 소화기 증상인 복창腹脹이 나타난다. 리증이다.
영분증營分證		의식 장애가 동반되며 심번불매心煩不寐가 나타나고 심하면 섬어譫語가 나타난다. 중하면 인사불성으로 말을 못한다. 발열이 야간에 심한데 피부 온도가 높고 건조하다. 진액 손상으로 땀이 잘 없고 갈증은 오히려 줄어든다. 발진發疹이나 반진斑疹이 생긴다. 리증이다.
혈분증血分證	실증	영분증 증상이 남으면서 코피衄血, 토혈吐血, 대소변 출혈, 피하 출혈 등 출혈이 나타난다.
	허증	고열은 사라지고 저열이 오후와 밤에 심해진다. 특히 손발바닥에서 열이 나는 증상이 현저하고 손등이나 발등보다 열감이 강하다. 혀는 마르고 빨갛게 변한다. 심지어 치아가 메마르고 검은색이 나타난다. 리증이다.

4) 병사변증

인체는 스스로 조화와 평형을 유지하려고 노력하는데 외부환경의 급격한 변화나 정서상의 변동이 지나치면 동태적 평형상태 즉, 항상성이 깨진다. 항상성은 일정한 범위 내에서 등락을 거듭하면서 유지되는데, 그 역치를 벗어나면 체내 균형이 무너져 발병의 상태로

---

58) 李劉坤 강의. 이송실 통역. 임진석 정리. 臨床溫病學特講. 서울: 대성의학사; 2001. pp. 78-107.

진입한다.

이와 같이 육음, 칠정, 식적, 담음, 어혈 등의 발병 인자들이 체내에서 일으키는 특징적인 증상들로부터 병의 원인이 되는 병사를 구별하여 치료에 활용하는 것을 병사변증이라 한다(표 4-5).

표 4-5. **주요 병사의 대표 증후**[59][60]

구분		주요 특징 및 증상
육음	풍	증상 변화가 빠르고 일정치 않으며, 환부가 고정되어 있지 않고 이동하며, 떨리거나 경련마비 등 운동 장애가 있는 증상을 말한다. 예로 반복되는 두통, 유주성游走性 관절 근육통, 줄지어 나타나는 피부 발진, 반신불수 등이 있다.
	한	동통이 고정된 부위에서 움직이지 않고, 소변이 맑고 손발이 차며, 소화되지 않은 대변을 본다. 환자의 외관이나 배설물이 맑아 보이는 특징을 보인다.
	습	관절이 붓는 등 일체의 액체 상태로 인한 병리 상태를 습이라 한다. 부종浮腫과 병증에 배설물이 많고, 설사瀉痢, 맑은 대하白帶, 황달黃疸, 시원치 않은 소변 등의 증상을 특징으로 한다.
	조	체내 진액 부족으로 인한 입 마름, 목마름, 피부건조, 대변 굳음 등을 특징으로 한다.
	서(열)화	임상 표현상 흥분 항진을 특징으로 한다. 조광躁狂, 발열, 홍종열통紅腫熱痛, 먹어도 배고픈 느낌, 가슴이 답답하고 물이 땡김, 대변 굳어짐, 소변이 짙어짐 등과 발병이 여름이라는 계절과 관계될 때도 서를 병사로 잡는다.
칠정		과도한 스트레스로 희노우사비공경喜怒憂思悲恐驚의 7정이 일정한 범위를 벗어나 각종 대사에 영향을 끼쳐 다양한 병증이 나타나는데, 경계, 정충, 건망, 불면, 광조狂躁, 월경부조, 음식부진, 입맛 없음 등이 나타날 수 있다.
식적		음식 섭취의 부절제 등 소화기 장애를 유발하는 병인을 총칭한다. 구토 설사, 식사 부진, 소화 안 됨, 트림, 체중감소 등을 특징으로 한다.
담음		좁게는 호흡기나 소화기에서 배출되는 분비물을 지칭한다. 넓게는 체내에서 발생하는 모든 유형의 분비물과 그로 인한 병증을 지칭한다. 외감 육음과 내상 칠정, 음식상 등 뚜렷한 원인이 없을 때 담음을 의심해 볼 수 있다.
어혈		송곳이나 칼로 찌르는 듯한 통증이 일정한 부위에 나타난다. 밤에 심하고 오래도록 낫지 않으며, 누르면 더 아프고, 종창腫脹을 보이기도 한다. 혀에 청자색 어혈반이 나타나기도 한다. 어혈은 전신성 병리 변화를 초래하여 혈허血虛와 출혈을 일으키기도 하며, 진액 대사에 장애를 줘 담음 형성을 돕기도 한다.

59) 方药中. 辨证论治研究七讲. 北京: 人民卫生出版社; 1987. pp. 109-17.

60) 程绍恩, 徐阳孙, 刘增礼 主编. 王雨亭, 赵洪斌, 李成林 副主编. 气血病论治学. 北京: 科学技术出版社; 1990. pp. 55-8.

5) 장부변증

인체는 정신기혈을 바탕으로 외부환경 조건인 풍한서습조화의 자극을 받아 오종의 기능계를 중심으로 생명현상을 나타낸다. 간심비폐신肝心脾肺腎 오장은 인체를 구성하는 5개의 기능계통으로 내부 장기 기관 조직을 총괄하며, 생명 현상 발현에서 가장 중요한 역할을 한다. 인체 질병을 이들 오장기능계를 중심으로 관찰하는 방법론을 장부변증이라 한다.

장부변증은 병의 위치가 오장 중 어디에 있는가를 찾고 이후 병을 일으킨 사기의 성질을 가려내어 오장에 미치는 영향을 분석하고 치료 원칙을 찾는다. 장부변증은 장상학설에 바탕한 변증 방법론이며, 표준화된 변증 진단기준을 갖고 있다. 한국에서는 장부변증과 형상形象의 관찰을 결합한 형상의학적 방법론이 임상에서 널리 활용된다.

장부변증은 내용이 광범위하고 다양하여 여기서는 오장을 중심으로 병의 위치를 찾는 방법과 대표적인 장부변증 예 몇 가지만을 설명한다.

병의 위치를 찾는 방법은 대개 다음과 같다.[61] 장부변증에서 병의 위치가 간기능계인 경우를 예로 들어 본다.

첫째, 환자의 임상 증상 부위가 장상학설상 어느 장부에 귀속되는 부위인지, 어느 경맥 순행 부위에 해당하는지를 찾아 병의 위치를 찾는다.

예: 족궐음간경足厥陰肝經과 족소양담경足少陽膽經의 순행循行 노선에 근거하여 인체 머리의 측면과 정수리顚頂部, 귀 주변, 옆구리, 소복부, 서혜부, 외음부, 다리의 경맥순행 부위에 증상이 있을 때 간기능계의 병이라 한다. 두정부 통증, 측두부 통증, 귀 질환, 옆구리 창만동통脹滿疼痛, 외음부 질환 등이 있다.

둘째, 장부 기능상의 특징으로 병의 위치를 찾는다.

예: 소설疎泄, 장혈藏血, 주근主筋, 이동易動, 주결단主決斷, 장혼藏魂 등 기능에 의거한다. 소설의 기능실조로 인한 기체혈어氣滯血瘀 현상인 협늑창만脇肋脹滿, 비적痞積, 출혈, 운동 장애, 흥분 격동激動, 불면으로 잘 놀라고 자제가 안 됨, 병적인 결단불능 등이 해당한다.

셋째, 장부 활동이 신체에 나타내는 특징으로 병의 위치를 찾는다.

예: 기화재조其華在爪, 개규어목開竅於目, 재지위노在志爲怒, 재성위호在聲爲呼, 재변동위

61)　方药中. 辨证论治研究七讲. 北京: 人民卫生出版社; 1987. pp. 101-9.

악在變動爲握, 재미위산在味爲酸, 색청色靑 등 특징에 의거한다. 손톱이 쪼그라들거나 눈의 기능장애, 사시斜視, 분노 조절장애, 팔다리 운동 조절장애, 탄산呑酸, 피부의 청색 변색 등이 해당한다.

넷째, 장부와 계절 기후 관계의 영향을 분석하여 병의 위치를 찾는다.

예: 간왕어춘肝旺於春 춘병재간春病在肝에 의거하여 발병이 봄철이나 풍風과 관계가 뚜렷하다면 간병으로 판단한다.

다섯째, 장부와 병인의 관계와 영향을 분석하여 병의 위치를 찾는다.

예: 울노상간鬱怒傷肝 등에 의거하여 발병이 분노나 억울의 정서와 연관이 뚜렷하다면 간병으로 판단한다.

여섯째, 장부와 체형體型, 나이, 성별의 관계와 영향을 분석하여 병의 위치를 찾는다.

예: 목형木型의 마른 체형이나 아동, 청소년, 여성 환자는 간신肝腎과 관계가 깊어 간병으로 판단한다.

일곱째, 발병 시간과 임상 치료 경과상의 특징을 분석하여 병의 위치를 찾는다.

예: 만성병은 결국 간신에 영향을 미치므로 오래도록 낫지 않거나 열성병熱性病의 만기晩期, 한토하汗吐下를 잘 못하여 진액이 손상된 자는 간병으로 판단한다.

참고로 장부변증 예 몇 가지를 들어 본다.[62]

(1) 간혈허증

간장혈肝藏血의 기능 실조로 영양 공급이 안 되어 시력이 약해지고, 눈에서 별이 보이며, 근육 경련, 손톱 부서짐 등이 나타난다.

주증상으로 얼굴색이 창백蒼白하거나 마르고 누렇게(위황萎黃) 된다. 체중이 줄고 눈이 건조하면서 뻑뻑해지고 야맹夜盲, 어지럼증, 이명, 손발 마비, 근육경련과 생리양이 줄고 색이 옅어지며 심하면 폐경 되는 증상이 나타난다.

간혈허증肝血虛證은 허로虛勞, 현훈眩暈, 불매不寐, 마목麻木, 월경부조, 통경痛經 등의 질병에서 자주 나타난다.

---

62)　中国中医研究院 主编. 中医证候鑑別诊断学. 北京: 人民卫生出版社; 1987. pp. 99-101, 106-7, 109-12.

간혈허증은 통상 심혈허증心血虛證, 혈허생풍증血虛生風證, 간음허증肝陰虛證, 간울혈허증肝鬱血虛證과 감별을 요한다.

(2) 간기울결증

간주소설肝主疏泄의 기능 실조로 자기의 뜻을 펼치지 못해 억울과 분노로 인해 나타나는 증상을 총칭한다.

주증상으로 정신 억울과 흉협만민胸脇滿悶 혹 동통, 한숨 쉼(선태식善太息)을 잘 나타낸다. 혹 유방乳房과 소복少腹 창통脹痛, 대변실상大便失常, 월경부조月經不調 등도 나타난다.

간기울결증肝氣鬱結證은 전증癲症, 협통脇痛, 위완통胃脘痛, 복통腹痛, 매핵기梅核氣, 적취積聚, 월경병月經病과 스트레스성 질병에서 잘 나타난다.

간기울결증은 간기횡역증肝氣橫逆證, 비습간울증脾濕肝鬱證과 감별을 요한다.

(3) 간양상항증

간양상항증肝陽上亢證은 간음肝陰이 간양肝陽을 억제하지 못해 간양이 치솟거나 간기승발肝氣昇發이 지나쳐 양기가 위로 떠서 나타나는 임상 증상이다. 대부분 방실노권房室勞倦, 칠정내상七情內傷과 음식실조가 종합 작용하여 나타난다.

주증상으로 어지럽고 머리가 꽉 찬 듯 가벼운 통증과 눈앞이 깜깜해지고 밝은 빛을 싫어한다. 혹 물체가 흐리게 보이거나 미식거려 토할 듯하며 고요함을 좋아한다. 혹 얼굴이 붉어지고 이명耳鳴과 입이나 혀 마름 등을 겸할 수 있다.

간양상항증은 두통頭痛, 현훈眩暈, 이롱耳聾, 이명耳鳴 등의 질병에서 잘 나타난다.

간양상항증은 간풍내동증肝風內動證, 간화상염증肝火上炎證, 간혈허증肝血虛證, 간음허증肝陰虛證, 간신음허증肝腎陰虛證과 감별을 요한다.

4. 체질논치 – 체질별로 병증과 치료가 어떻게 다른가?

체질은 그림을 그릴 때의 캔버스 바탕색과 같다. 질병을 일으키는 병인이 개체에 작용할 때 동일한 병인이라도 바탕색에 따라 개체는 각기 다른 반응을 나타낸다. 그러므로 동일한 질병이라도 체질별로 다른 치료법이 필요하다. 예를 들어 감기에 걸리면 소음인은 행기行氣, 소양인은 청열淸熱, 태음인은 발한發汗이라는 치료법을 주로 활용한다.

체질논치體質論治는 먼저 체질을 가리고, 이후 체질 내 개체의 차이이자 체질병증 형성의 소인인 소증素證[63]에 기반하여 주방主方을 선정한 후 증상에 맞는 가감을 한다. 체질논치의 목표는 개체가 갖고 있는 체질별 생리적 지표를 정상 수준으로 회복시키는 것이다. 즉, 소증의 개선을 주목표로 한다. 체질은 평생에 걸쳐 변하지 않고 유지되며 소증은 장기간에 걸쳐 서서히 변할 수 있다. 따라서 소증에 기반한 개체별 주방은 다양한 병증에 장기간 크게 변하지 않고 적용된다. 예로 소음인 울광증 환자가 소증에 기초하여 해당하는 처방을 주방으로 선정받으면 두통이나 요통이 온다 해도 대개는 같은 처방을 사용하고, 수년 후에도 같은 처방을 사용할 가능성이 높다. 치료 효과의 판정도 두통이나 요통 등 주소主訴증의 소멸과 더불어 개체의 체질별 생리적 지표가 정상 수준으로 회복되는가를 중시한다. 이처럼 체질논치는 증상을 다스리는 대증요법이나, 개체의 반응을 중심으로 특징을 잡아내는 변증논치, 질병을 가려 치료를 논하는 변병논치 등과는 다른 특징을 가진다.

---

63) 소증은 평상시 가지고 있는 정신적 육체적 아건강(亞健康) 상태로 질병에 대한 저항력, 즉 정기의 상태에 따라 나타나는 증후(證候)를 말한다. 소증은 생리적인 체질증(體質證)으로 소증이 한 단계 진행되어 병증(病證)이 발생되고, 소증의 한열(寒熱) 속성은 병증의 한열 속성을 유발한다. 소증은 평소 건강상태 특히 보명지주의 유지 보전 정도를 판단할 수 있는 근거이다. 더 자세한 사항은 다음 논문을 참조한다. 리연화 김진영 고병희. 소증의 개념에 대한 고찰. 사상체질의학회지 2016;28(1):19-26.

사상체질의학은 개체를 태소음양인 네 가지 체질로 구분하고, 체질별로 다른 생리, 병리, 치료, 예방법을 적용한다. 본 절에서는 사상체질병증 임상진료지침 연구 논문[64][65][66][67]을 요약하여 소개한다.[68]

> 🔖 **체질논치·변병논치·변증논치**
>
> 한의학에서는 인체를 하나의 유기적인 전체로 보아 병리적인 상황에서 몸 전체의 상황을 한열寒熱, 허실虛實 등 증證으로 파악한다. 이를 증을 가려 치료를 논한다 하여 변증논치辨證論治라 한다. 현대 생의학은 몸보다는 객관적인 실체로서의 질병을 가려 치료를 논한다 하여 변병논치辨病論治라 한다. 체질논치란 체질을 가려 치료를 논한다는 것으로 평소 체질별 대사의 경향성은 질병 발생 시 반응의 경향성을 결정하므로 변증이나 변병에 앞서 체질을 가리는 것이 가장 우선적인 고려 요소가 되어야 한다는 것이다. 따라서 병리적 상황에서는 대개 체질논치 〉 변병논치 〉 변증논치라는 순으로 고려하게 된다.

---

64) 김상혁, 이시우, 이준희, 이의주. 사상체질병증 임상진료지침 : 사상체질병증 검사 및 체질진단. 사상체질의학회지 2015; 27(1):117-21.

65) 이준희, 이의주. 소음인 체질병증 임상진료지침 : 진단 및 알고리즘. 사상체질의학회지 2014;26(1):12-24.

66) 이준희, 이의주. 소양인 체질병증 임상진료지침 : 진단 및 알고리즘. 사상체질의학회지 2014;26(3):224-40.

67) 이준희, 이의주. 태음인·태양인 체질병증 임상진료지침 : 진단 및 알고리즘. 사상체질의학회지 2015;27(1):13-41.

68) 체질병증에 대한 자세한 사항은 다음 자료를 참조하기 바란다. 이의주, 고병희, 김달래, 김종열, 김종원, 박성식, 송일병, 송정모, 안택원, 장현진, 조황성. 소양인체질병증 임상진료지침: 총론. 사상체질의학회지 2014;26(3):213-23.; 전수형, 최애련, 이의주. 소양인체질병증 임상진료지침: 소양상풍병. 사상체질의학회지 2014;26(3):241-50.; 유준상, 이의주. 소양인체질병증 임상진료지침: 음허오열병. 사상체질의학회지 2014;26(3):272-80.; 이의주, 고병희, 김달래, 김종열, 김종원, 박성식, 송일병, 송정모, 안택원, 장현진, 조황성. 소음인체질병증 임상진료지침: 총론. 사상체질의학회지 2014;26(1):1-10.; 주종천, 신미란, 이의주. 소음인체질병증 임상진료지침: 망양병. 사상체질의학회지 2014;26(1):37-44.; 배효상, 김윤희, 이의주. 소음인체질병증 임상진료지침 : 울광병. 사상체질의학회지 2014;26(1):27-36.; 황민우, 박혜선, 이의주. 소음인체질병증 임상진료지침: 태음병. 소음인체질병증 임상진료지침. 사상체질의학회지 2014;26(1):45-54.; 유준상, 전수형, 이의주. 소음인체질병증 임상진료지침: 소음병. 사상체질의학회지 2014;26(1):55-63.; 이의주,고병희, 김달래, 김종열, 김종원, 박성식, 송일병, 송정모, 안택원, 장현진, 조황성. 태음인·태양인체질병증 임상진료지침: 총론. 사상체질의학회지 2015;27(1):1-12.; 최애련, 신미란, 이의주. 태음인체질병증 임상진료지침: 표병. 사상체질의학회지 2015;27(1):42-56.; 전수형, 유준상, 이의주. 태음인체질병증 임상진료지침: 리병. 사상체질의학회지 2015;27(1):57-70.; 박혜선, 주종천, 이의주. 태양인체질병증 임상진료지침. 사상체질의학회지 2015;27(1):71-81.

1) 체질 감별과 소증의 파악

(1) 체질 감별

임상에 활용하는 체질진단 방법으로는 전통적으로 체형 특징과 기상을 보는 체형기상體型氣像, 얼굴 모습과 목소리 특징을 보는 용모사기容貌詞氣, 성격의 특징과 잘하는 행동을 보는 성질재간性質材幹, 병증의 특징과 약의 반응을 보는 병증약리病證藥理 등이 있다. 이들 4가지 특징을 종합 분석하여 체질을 감별하는데, 최근에는 QSCCⅡ, 안면계측, 성문분석, 체간측정, 유전자분석 등 다양한 방법이 활용되고 있다.[69]

(2) 소증의 파악

개체는 스스로 항상성을 유지하는 힘을 갖고 있는데 이를 사상체질의학에서는 각 체질별 보명지기保命之氣라 한다. 보명지기가 일정 범위 내에서 잘 발휘되면 건강을 유지하고, 보명지기의 손상이 발생하면 각 체질별 미병未病 상태인 소증이 발생한다.

보명지기가 가볍게 손상되면 근골격계 병증 위주의 표병의 소증이 발생하고, 손상이 깊으면 음식 대소변의 이상 변화가 나타나는 리병 위주의 소증이 발생한다.

소증은 현증現證 발생 이전에 평소에 갖고 있는 증후로 각 개체가 갖고 있는 보명지기의 전반적인 상태를 판단할 수 있는 근거이다. 소증은 평소 생리적 지표인 음식 소화 상태, 대소변 상태, 음수량, 땀흘림, 수면, 성정性情 등을 중심으로 파악한다. 소증을 바탕으로 현증이 발생하므로 소증은 병리적 소인으로서의 임상적 의미가 있고, 현증의 표리表裏, 순역順逆, 경중輕重, 험위險危로의 진행에 영향을 준다.[70] 소증은 현 병증의 파악과 주방 선택에서 근거가 되는 사항이다.

69)   체질 진단에 대한 자세한 사항은 다음 자료를 참조하기 바란다. 김상혁, 이시우, 이준희, 이의주. 사상체질병증 임상진료지침: 사상체질병증 검사 및 체질진단. 사상체질의학회지 2015;27(1):110-24.; 허만회, 고병희, 송일병. 체간 측정법에 의한 체질판별. 사상체질학회지 2002;14(1):51-66.; 홍석철, 이의주, 이수경 외. 四象體質別 上顔部 Moire 形態의 特徵에 관한 硏究. 사상의학회지. 1998;10(2):271-81.; 박은아, 최인호, 김나영 외. 사상체질별 안면부 전체적 형태의 특징에 관한 연구. 사상체질의학회지 2008;20(3):58-69.; 김달래. 사상체질별 音響特性과 신체질량지수(BMI)에 關한 硏究. 사상체질의학회지 2004;16(1):53-60.; 반효정, 이시우, 진희정. 유전지표를 활용한 사상체질 분류모델. 사상체질의학회지 2020;32(2):10-21.; 최경주, 최양식, 차재훈 외. 改定된 四象體質分類檢査紙Ⅱ의 信賴度와 妥當度에 대한 硏究, 사상체질의학회지 2006;18(1):62-74.

70)   이준희, 이의주. 소음인 체질병증 임상진료지침 : 진단 및 알고리즘. 사상체질의학회지 2014;26(1):23.

질병의 발생은 보명지기의 손상을 바탕으로 하기에 표병이라 할지라도 음식, 대소변 등 리병의 증상을 어느 정도 기본으로 갖고 있고, 리병의 경우에도 표병의 증상을 겸하는 경우가 많다.

소음인은 속을 덥혀주는 따뜻한 기운인 양난지기陽暖之氣가 충족되면 항상성을 유지하면서 비교적 건강한 상태를 유지하는데, 보명지기인 양난지기가 부족해지면 체내 균형이 깨지면서 질병이 발생한다. 보명지기의 손상 정도에 따라 평소 위중胃中 온기 약화로 위가 허약하여 위장관 한증寒證인 소화기 장애를 보이며, 찬물을 싫어하고 대변이 묽다면 리증의 소증으로 본다. 평소 소화기 장애가 없으면서 찬물을 좋아하고 대변이 굳은데 신체통 등 근골격계 증상을 나타내면 표증의 소증으로 본다.[71]

소양인은 속의 열기를 식혀주는 서늘한 기운인 음청지기陰淸之氣가 보명지기인데, 평소 위국胃局 열기의 치성熾盛으로 인한 흉민번조, 대변 조燥, 소변 삭數, 신열身熱 등 리열 증상을 보이면 리증의 소증으로 본다. 반대로 신한身寒, 대변 연軟하면서 신체통 등 근골격계 증상을 나타내면 표증의 소증으로 본다.[72]

태음인은 기운을 밖으로 뿜어내주는 호산지기呼散之氣가 보명지기인데, 평소 간열의 치성으로 인해 얼굴이 검붉고, 신열身熱, 땀 흘림, 변비 등 리열 증상이 있으면 리증의 소증으로 본다. 찬물을 좋아하고 소변을 자주 보거나 정충怔忡 등이 겸할 수 있다. 평소 위완胃脘의 한寒으로 인해 얼굴이 희고 신한身寒, 무한無汗 등이 있다면 표증의 소증으로 본다. 찬물을 싫어하고 설사나 정충 등이 나타날 수 있다.[73]

태양인은 기운을 안으로 모아들이는 흡취지기吸聚之氣가 보명지기로 평소 대변이 활滑하고 크면서 양이 많아야 하는데, 대변에 변화가 생겼다면 리증의 소증으로 본다. 소변은 자주 보면서 양이 많아야 하는데 거꾸로 소변의 양이 적고 자주 보지 않는다면 이를 표병의 소증으로 본다.[74]

---

71) 이준희, 이의주. 소음인 체질병증 임상진료지침 : 진단 및 알고리즘. 사상체질의학회지 2014;26(1):23-4.
72) 이준희, 이의주. 소양인 체질병증 임상진료지침 : 진단 및 알고리즘. 사상체질의학회지 2014;26(3):236-7.
73) 이준희, 이의주. 태음인·태양인 체질병증 임상진료지침 : 진단 및 알고리즘. 사상체질의학회지 2015;27(1):25.
74) 이준희, 이의주. 태음인·태양인 체질병증 임상진료지침 : 진단 및 알고리즘. 사상체질의학회지 2015;27(1):36.

2) 소음인 체질병증

소음인 병증은 표열병表熱病인 신수열표열병腎受熱表熱病과 리한병裏寒病인 위수한리한병胃受寒裏寒病으로 분류한다.

(1) 표병과 리병의 진단

표병은 울광병鬱狂病과 망양병亡陽病, 리병은 태음병太陰病과 소음병少陰病으로 구분한다. 표열병과 리한병은 각각 '표열表熱'과 '리한裏寒'이 그 병증의 특징이다.[75]

(2) 소음인 표병[76]

소음인 표병은 표열 증상을 확인하여 진단하는데, 표열 증상은 신열身熱, 심번心煩(번뇌煩惱), 통증(두통, 신통), 두면부 및 안眼, 이耳, 비鼻, 구설부口舌部 열증, 피부 열증 등을 포괄한다. 소음인 표병에는 소복경만小腹硬滿이 있을 수 있고, 대변비조大便秘燥와 관련된 복증腹證이 동반된다.

울광병은 무한無汗이고, 망양병은 유한有汗으로, 평소 한출의 유무로 감별 진단한다.

울광병 말증에서는 극심한 번조煩躁와 동반되는 소량의 한출이 나타날 수 있다.

(3) 소음인 리병[77]

소음인 리병은 리한裏寒 증상이나 이에 수반될 수 있는 표열 증상을 확인하여 진단하는데 리한 증상은 설사泄瀉(변연便軟을 포함)를 포함하는 위장관 한증과 이것이 심화되어 나타나는 황달黃疸, 부종浮腫, 신한身寒 등의 전신증상 등을 포괄한다. 리한 증상에 수반될 수 있는 표열 증상은 구갈口渴, 구중불화口中不和, 신체통身體痛, 심번心煩 등의 증후이며, 리한과 표한이 모두 심해지면 수족궐냉手足厥冷, 심번조心煩躁 등의 증상이 나타날 수 있다.

태음병은 리한裏寒이 중심이 되는 병증이며, 소음병은 표리구병表裏俱病으로 리한에 표열을 겸한 병증이다. 태음병은 갈증이 없고, 소음병은 갈증을 느끼며 신체통, 심번 증후가

---

75) 이준희, 이의주. 소음인 체질병증 임상진료지침 : 진단 및 알고리즘. 사상체질의학회지 2014;26(1):13.

76) 이준희, 이의주. 소음인 체질병증 임상진료지침 : 진단 및 알고리즘. 사상체질의학회지 2014;26(1):14-6.

77) 이준희, 이의주. 소음인 체질병증 임상진료지침 : 진단 및 알고리즘. 사상체질의학회지 2014;26(1):15, 20.

출현하고, 심해지면 수족궐랭, 심번조心煩躁 등의 증상이 출현한다.

3) 소양인 체질병증

소양인 병증은 표병인 비수한표한병脾受寒表寒病과 리병인 위수열리열병胃受熱裏熱病으로 분류한다.

(1) 표병과 리병의 진단

표병은 소양상풍병少陽傷風病과 망음병亡陰病, 리병은 흉격열병胸膈熱病과 음허오열병陰虛午熱病으로 구분한다. 표한병과 리열병은 각각 표한表寒과 리열裏熱이 주된 특징이다.[78]

(2) 소양인 표병[79]

소양인 표병은 표한表寒 증상을 확인하여 진단하는데, 표한 증상은 신한身寒과 신체통 등이다. 신한은 오한, 외한畏寒 등과 전신, 두면부, 사지, 피부 등의 부분적인 자타각적인 냉감을 포괄하고, 신체통은 복통을 제외한 두면 및 항강부 통증, 요배통, 사지 지절통 등을 포괄한다.

소양상풍병과 망음병은 모두 표한을 공통된 증후로 가지는데, 소양상풍병은 구고口苦, 인건咽乾, 목현目眩, 심번心煩 등을 개별증상으로 한다. 망음병은 설사를 개별 증상으로 가진다.

(3) 소양인 리병[80]

소양인 리병은 리열 증상이나 이에 수반될 수 있는 표한 증상을 확인하여 진단하는데, 리열 증상은 흉번민조胸煩悶燥, 대변조大便燥 등의 위열胃熱 증후와 신열 등의 전신적인 열증을 포괄한다.

---

78) 이준희, 이의주. 소양인 체질병증 임상진료지침 : 진단 및 알고리즘. 사상체질의학회지 2014;26(3):226.

79) 이준희, 이의주. 소양인 체질병증 임상진료지침 : 진단 및 알고리즘. 사상체질의학회지 2014;26(3):227, 229.

80) 이준희, 이의주. 소양인 체질병증 임상진료지침 : 진단 및 알고리즘. 사상체질의학회지 2014;26(3):228, 232.

흉격열병과 음허오열병은 신열, 흉번민조胸煩悶燥, 대변조大便燥 등을 공통증후로 가지는데, 흉격열병은 리열이 중심이 되는 병증이며, 음허오열병은 표리구병으로 리열에 표한을 겸하는 병증이다. 흉격열병은 갈이다음渴而多飮, 다한출多汗出 등을 개별증상으로 가진다.

4) 태음인 체질병증

태음인 병증은 표병인 위완수한표한병胃脘受寒表寒病과 리병인 간수열리열병肝受熱裏熱病으로 분류한다.

(1) 표병과 리병의 진단

표병은 위완한병胃脘寒病과 위완한폐조병胃脘寒肺燥病, 리병은 간열병肝熱病과 간열폐조병肝熱肺燥病으로 구분한다. 표한병과 리열병은 각각 '표한'과 '리열'이 특징이다.[81]

(2) 태음인 표병[82]

태음인 표병은 위완한胃脘寒의 병리로부터 발생하는 표한 증상을 확인하여 진단하는데, 표한 증상은 신한身寒, 무한 등으로, 신한은 전신적 오한 및 전신 또는 두면부, 사지, 피부 등의 부분적 자타각적 냉증冷證과 이의 장기화로 나타나는 면색 청백을 포함하고, 무한은 거의 땀이 나지 않는 상태이거나, 땀이 나더라도 미약하여 제반 증상이 충분히 풀어지지 않는 상태를 포함한다.

위완한병과 위완한폐조병은 모두 표한을 공통된 증후로 가진다.

위완한병은 신체통을 공통증상으로 가지는데, 경증은 지속적 발열을 위주로 하고, 중증은 단오한불발열但惡寒不發熱의 시기가 발열무한發熱無汗의 시기와 교대로 나타난다.

위완한폐조병은 평소 잦은 설사를 보이며, 식후비만 등의 위장관 증상, 퇴각무력腿脚無力, 기단氣短, 결해結咳 등의 전신증후가 나타내고, 정충怔忡을 동반하기도 한다.

---

81)   이준희, 이의주. 태음인·태양인 체질병증 임상진료지침 : 진단 및 알고리즘. 사상체질의학회지 2015;27(1):15.

82)   이준희, 이의주. 태음인·태양인 체질병증 임상진료지침 : 진단 및 알고리즘. 사상체질의학회지 2015;27(1):16, 18-9, 20-1.

(3) 태음인 리병[83]

태음인 리병은 간열肝熱의 병리로부터 발생하는 리열 증상을 확인하여 진단하는데, 리열 증상은 신열, 유한 등으로, 신열은 면색 황적, 자각적 열감(두면부 및 안, 이, 비, 구설부 열증과 피부의 홍, 종, 열, 통 등의 열증) 또는 발열을 포괄한다. 아울러 간열의 강도에 따라 기육肌肉으로부터 발생하는 열증인 목동目疼, 비건鼻乾, 부득와不得臥, 면적반面赤斑, 인익건조咽嗌乾燥 등의 증상, 소장으로부터의 대변 비秘 혹 열리熱痢 등의 증상, 간열이 더욱 심해져서 나타나는 두면항협頭面項頰, 적종赤腫, 인후종통咽喉腫痛, 혼궤昏憒 등의 증상이 나타난다.

간열병과 간열폐조병은 신열, 유한을 공통증후로 가지는데 간열병은 리열이 중심이 되는 병증이며, 간열폐조병은 간열에 폐조를 겸하게 되는 병증이다.

간열병은 목동, 비건, 부득와, 면적반, 인익건조 등의 공통증상을 가진다.

간열폐조병은 인음引飮, 소변다小便多와 정충을 나타낸다. 또한 대변비조, 피부모발조갑건조, 수지초흑반창무력手指焦黑斑瘡無力 등의 증상을 나타낸다.

5) 태양인 체질병증

태양인 병증은 표병인 외감요척병外感腰脊病과 리병인 내촉소장병內觸小腸病으로 분류한다.

(1) 표병과 리병의 진단

표병은 요척병腰脊病 순병順病과 요척병 역병逆病(해역병解㑊病)[84], 리병은 소장병小腸病 순병順病과 소장병 역병(열격병噎膈病)[85]으로 구분한다.

---

83) 이준희, 이의주. 태음인·태양인 체질병증 임상진료지침 : 진단 및 알고리즘. 사상체질의학회지 2015;27(1):17, 21, 23-4.

84) 해역 : 상체는 완건하나 하체가 풀린 것 같아 걸을 수 없는 것을 의미한다. 하지만 다리에 마비나 붓거나 통증의 증상은 없으며 다리 힘 또한 심하게 약하지 않다.

85) 열격 : 음식물이 밖에서 들어가면서부터 방해는 받는 것을 噎, 안에서 받아들이는 것이 거부되는 것을 膈이라 한다. 먹은 것을 시간이 지나서 토하지만 복통, 장명, 설사, 이질 등의 증상이 없다.

(2) 태양인 표병[86]

태양인 표병은 소변이 양이 적고 자주 보지 않거나 이에 수반될 수 있는 증상을 확인하여 진단한다. 소변은 횟수나 양이 줄어든 상태를 포괄한다.

요척병 순병과 요척병 역병(해역병)은 모두 소변량이 적고 자주 보지 않는 증후를 가진다. 순병은 신체통, 오한발열 등을 개별증상으로 하고, 역병(해역병)은 해역 증상과 황홀恍惚 등을 나타낸다.

(3) 태양인 리병[87]

태양인 리병은 대변삽澁 증상이나 이에 수반될 수 있는 증상을 확인하여 진단하는데, 대변삽 증상은 대변의 성상이 아니라 자각적으로 양이 줄거나, 후중감後重感을 느끼거나, 대변이 활滑하지 않고 체대이다體大而多하지 않은 상태를 포괄한다.

소장병 순병과 소장병 역병(열격병)은 모두 대변삽을 공통 증후로 가지는데, 순병은 복통, 장명腸鳴, 이질痢疾, 설사 등을 개별 증상으로 가진다. 역병(열격병)은 열격 증상과 황홀 등을 나타낸다.

---

86)   이준희, 이의주. 태음인·태양인 체질병증 임상진료지침 : 진단 및 알고리즘. 사상체질의학회지 2015;27(1):29, 31.

87)   이준희, 이의주. 태음인·태양인 체질병증 임상진료지침 : 진단 및 알고리즘. 사상체질의학회지 2015;27(1):30, 33.

현대한의학의
질병 치료

현대한의학의 질병 치료

치료란 질병, 상처, 몸의 기능이상 등을 낫게 하기 위한 목적으로 어떤 의학적 행위나 수단을 환자에게 적용하거나 질병 또는 상처에 적용하는 것을 말한다. 인체에는 면역체계가 있어 외부로부터 침입한 병원체를 방어하는 능력이 있으며, 어느 정도까지는 질병이나 상처를 스스로 치료하는 자연치유능력도 갖추어져 있다. 그러므로 치료란 이와 같은 인체의 방어능력과 자연치유능력을 최대한 활용하고 강화하며 촉진하는 것을 목표로 이루어진다.

'치료'라는 용어는 두 가지 서로 다른 의미로 사용된다. '병을 치료한다'고 할 때는 질병 또는 상처에 적용되는 내과적, 외과적 처치(medical intervention) 자체를 의미하고, '병이 치료되었다'고 할 때는 치료로 말미암아 병이 나았다는 것(의학적 중재의 결과)을 의미한다. 그래서 전자의 경우는 '치료治療'(treatment)로, 후자의 경우는 '치유治癒'(healing)로 개념을 구분하기도 한다.[1]

이 두 가지 개념의 구분은 중요하다. '치료'와 '치유'가 완전히 다른 개념이기 때문이다. 첫째, 우리가 병을 '치료'한다고 해서 반드시 병이 '치유'되는 것은 아니다. 그러므로 '치료'가 곧 '치유'는 아니다. 둘째, '치유'가 반드시 '치료'로 인해 얻어지는 것도 아니다. 우리 몸에는 자연치유력이 있어 때때로 '치료'하지 않아도 '치유'되는 경우가 있다. 셋째, 우리는 '치유'가 불가능한 병에 대해서도 '치료'하는 경우가 있다. 이 경우 '치료'는 '치유'를 목표로 하지 않는다. 때로는 '치유'될 수 없는 병이지만 환자의 고통을 줄이기 위해, 병이 더 진행하지 않고 현재의 상태를 유지하기 위해 '치료'하는 경우가 있다. 아마도 '치유'를 목표로 하지 않는 '치료'가 임상에서 훨씬 더 많을지도 모른다. 그러므로 '치료'는 의학, 의술의 문제이고, '치유'는 생명론의 문제이다. '치유'는 생체의 병적 상태가 건강 상태로 되돌아가는 것을

---

1)   오모다마 히사유키 저. 신정식 역. 의학의 철학 II. 서울: 범양사출판부; pp. 186-93.

말하기 때문이다.[2]

'치료'와 '치유'는 건강, 질병 모델과 큰 관련이 있다. 실체론적 질병관(특정 병인설)에서 치료란 병인을 찾아 제거하는 과정이다. 치유는 병인이 제거되고 병소(조직, 기관, 생체 전체)가 수리되어 정상적인 기능을 회복하는 것을 의미한다. 한의학적 질병관에서 치료는 인체를 구성하는 각 요소들이 평형을 유지하는 상태로 회복시키는 것을 의미하고 치유란 평형이 회복되는 것을 의미한다.

또한 치료는 크게 원인요법과 대증요법으로 나눌 수 있다. 원인요법은 병의 원인을 직접 제거하는 치료방법이고, 대증요법은 질병으로 인한 증상을 감약減弱시키는 것을 목표로 시행되는 치료를 말한다. 또 전신요법과 국소요법이 있다. 전신요법은 인체 전체에 적용되는 치료법이고, 국소요법은 특정 부위에 적용되는 치료법을 말한다.

그리고 치료에는 치료수단에 따라 외과적 치료(수술), 내과적 치료(약물), 정신적 치료(심리치료)가 있으며, 이외에도 물리치료(온천, 광선, 전기, 안마 등을 이용한 이학요법), 방사선치료, 식이요법, 특수치료(놀이치료, 음악치료, 미술치료 등) 등이 있다.

한의학에는 어떤 종류의 치료가 있으며, 또 어떤 과정을 통해 치료가 이루어질까? 한의사는 환자의 질병을 진단하고 변증辨證을 수행한 다음 그 결과에 따라 약물, 침구, 부항, 추나요법 등 다양한 방법 중 하나 또는 복수의 치료법을 선택하고 이를 활용하여 치료에 임하게 된다. 또한 전통적으로 사용해왔던 치료도구와 기술뿐 아니라 현대과학적 연구를 통해 새롭게 개발된 치료법이나 새로운 공학기술을 적용하여 개량된 치료법들도 활발하게 이용되고 있다.

---

2)   오모다마 히사유키 저. 신정식 역. 의학의 철학 II. 서울: 범양사출판부; pp. 186-93.

제1절 양생과 치미병

<동의보감>은 기존의 다른 의서들과 다른 독특한 편제로 되어 있다. 정기신이라고 하는 인체의 기본 구성요소를 축으로 내경內景과 외형外形, 즉 몸의 안과 밖을 이해하고 이를 기초로 우리 몸의 다양한 병증('雜病')을 정리하는 체제로 되어 있다. 그리고 <동의보감>은 책의 첫머리에서 양생의 문제를 다루고 있다. 이런 편제는 병증을 중심으로 구성되어 있는 기존의 중국의서와 완전히 다르다.[3] 병증을 논하기에 앞서 사람의 몸을 논하고 양생을 논하는 것은 <동의보감>을 중시하는 한국 한의학만의 독특한 정신이라 할 수 있다. 양생을 잘 함으로써 질병을 미연에 예방하는 것이 질병이 발생한 다음에 이것을 치료하는 것보다 더 낫다고 생각한 것이다. 이런 생각은 <황제내경>의 '치미병治未病' 사상과 일맥상통한다. 따라서 이 책에서도 치료에 대해 소개하기에 앞서 양생과 치미병 사상을 먼저 살펴보려고 한다.

'양생養生'이란 '생명을 보호하고 기른다'는 의미로 한의학의 독특한 생명관, 건강관이 녹아 들어있는 용어다. 이 용어는 서양의 '위생衛生(hygiene, sanitation)'과 대응되는 개념이다. 양생은 '진생進生', '양성養性', '섭생攝生', '도생道生', '위생衛生', '보생保生' 등으로도 표현되었다. '섭생'은 구체적인 양생방법을 의미한다. 음식과 기거起居, 노동과 휴식, 정신, 정서 활동을 조절하고 도인안교導引按蹻 등의 운동 방법을 실천함으로써 체내외의 조화와 균형을 유지하고 기혈을 왕성하게 하여 질병을 예방하고 무병장수하기 위한 실천방법이다. 또 '도생'은 음양의 소장진퇴消長進退 규율을 잘 알고 이에 맞추어 생명을 조섭調攝한다는 의미다.[4] 그러므로 양생은 인간이 일상생활을 자연의 법칙에 맞게 하여 정, 기, 신을 보양하고 병을 예방하여 오래 사는 것을 말하며, 양생의 방법까지 포괄하는 용어다.

현대의 서양의학은 비교적 최근에 들어서야 발병 이후의 치료 중심에서 발병 이전의 질병 예측과 예방을 강조하는 방향으로 패러다임을 바꾸고 있다. 이에 비해 한의학은 전통적

---

3) 허준 저. 동의과학연구소 역. 역자서문. 동의보감 제1권 내경편. 서울: 휴머니스트; 2002. pp. 5-13.

4) 이남구, 윤창열. 양생에 관한 문헌적 고찰. 대한한의학원전학회지 1994;8(1):46-113.

으로 질병의 발생 이전에 양생을 통한 예방의학적 실천을 특별히 강조하고 구체적인 양생법을 발전시켜 왔다. 실제로 우리 주변에서 명확한 질병진단 이전 건강관리를 목적으로 한의학을 많이 활용하고 있는 것을 쉽게 볼 수 있다.

🔖 동아시아의 '양생養生' vs 서양의 '위생衛生'[5)]

'위생衛生'은 근대시기 일본에서 만들어진 용어다. 일본의 메이지 정부는 1868년 문명개화文明開化와 부국강병富國强兵의 기치를 내세워 메이지 유신을 단행했다. 그리고 1871년부터 73년까지 이와쿠라 도모미岩倉具視를 단장으로 하는 이와쿠라 사절단(岩倉使節団)을 유럽과 미국에 보내 서구의 발전된 문물을 살펴보고 오도록 했다. 사절단의 일원이었던 나가요 센사이(長與專齋, 1838-1902)는 서구 국가들이 국가가 국민의 건강을 보호해야 할 책임이 있음을 강조하면서 국가 행정조직을 통해 이를 실천하고 있음에 깊은 감명을 받았다. 그는 귀국하자마자 1873년 문부성 산하에 위생국을 설치하고 자신이 초대 국장을 맡았다. 나가요 센사이는 1874년 의제醫制 반포로부터 시작된 일본의 의료일원화를 주도했던 실무책임자이기도 했다. 그는 그가 접한 독일의 'gesundheitspflege(공중위생)' 개념의 중요성을 인식하고 이 단어의 번역어로 '衛生'이라는 용어를 채택했다. '衛生'은 〈장자莊子·경상초편庚桑楚篇〉에 나오는 용어로 본래 한의학에서 '양생'과 유사한 의미로 사용되던 것이었다. 하지만 이 용어가 'gesundheitspflege'의 번역어로 채택되면서 기존의 의미와 완전히 다른 새로운 개념의 용어가 되었다.

위생은 세균설에 기초한 것으로 질병으로부터 자신을 보호하고 질병의 전파를 막기 위해 자신과 자신의 주변 환경을 청결하게 유지하는 실천적 활동을 말한다. 개인위생은 개인을 대상으로 하는 위생활동이고, 공중위생은 상수도·하수도에 대한 환경위생, 공해에 대한 대책, 전염병 예방, 모자보건, 정신위생, 불량식품 단속 등 국가나 지방자치단체가 지역사회나 공장·학교 등에서 사람들의 건강 유지를 위해 시행하는 조직적인 위생활동을 말한다.

한국에서 양생은 서양의학이 본격적으로 수용되기 시작한 19세기 후반에도 여전히 유효한 방법이었다. 서양 문물의 수입에 관심과 노력을 기울였던 박영효, 유길준, 지석영 등 개화파들도 자신의 의학론을 전개할 때 양생의 개념을 원용했다. 즉, 이들은 개인의 건강 유지를 위한 정신·육체의 수양법인 양생의 개념을 빌려 국가적인 차원의 인구 보호 및 증가를 도모하는 위생의 내용을

---

5)   이 글은 "박윤재. 양생에서 위생으로-개화파의 의학론과 근대 국가 건설. 사회와역사 2003;63:2-50."을 참고하여 작성하였다.

구성했다. 하지만 1880년대 초부터 시작된 서양의학의 수용과정에서 서양의 '위생' 개념이 주목받기 시작했다. 그동안 한의학에서 부각되지 않았던 개념인 위생이 소독이나 청결을 통해 질병의 발생을 예방한다는 의미로 도입되기 시작했다.

근대적 국가 건설을 구상하고 있었던 개화파들에게는 한 국가를 구성하는 기반이라고 할 수 있는 국민들의 건강을 보호하고 육성하는 것이 중요하게 다가왔고, 서양의학에 기반한 '위생' 개념이 이들에게 적극적 관심의 대상이 되었다. 이들은 각 개인의 건강을 보호하기 위해 국가가 적극적으로 개입하는 것을 중요하게 생각하면서 위생개혁론을 제시했다. 이런 생각은 갑오개혁 시기 중앙행정기관인 위생국의 설치, 방역활동을 위한 법률, 경찰 제도의 정비로 나타난다.

이런 일련의 과정을 통해 한의학의 '양생'은 국가 제도에서 멀어졌고, 서양의학의 '위생'이 국가 보건의료 정책의 핵심 개념이 되었다.

1. 한의학의 양생사상

한의학이 발전시켜온 양생사상은 한의학의 독특한 의학적 관점과 밀접하게 관련되어 있다. 이는 곧 천인상응(인체와 자연의 상호작용)의 관점, 형신합일(몸과 신체기능의 상호작용)의 관점, 그리고 개체성을 중시하는 관점으로 요약될 수 있다.

1) 천인상응의 관점

천인상응이란 인체의 구성원리가 자연의 구성원리와 상응하며 사람과 자연이 서로 감응함으로써 영향을 주고받는 것을 의미한다. 이는 곧 한의학의 전일관과 관련되어 있다. 전통적으로 한의학은 전일관을 바탕으로 건강을 위해 자연의 변화를 잘 알고, 그 체계에 맞게 적절한 반응을 취하며 자연에 순응함으로써 우리 몸의 항상성을 유지할 것을 강조하였다. 자연법칙에 순응할 것을 강조하는 한의학의 양생사상은 도가 사상을 깊게 받아들인 것으로 <장자>에서 "사람은 땅을 본받고, 땅은 하늘을 본받고, 하늘은 도를 본받고, 도는 자연을 본받는다[6]"라고 한 내용과 <황제내경>에서 "사람은 천지의 기로 생하고 사시의 법

---

[6]   <莊子> "人法地, 地法天, 天法道, 道法自然"

으로 이루어진다"[7]고 한 내용 등에서 미친 영향을 확인할 수 있다. 현대적 관점에서 천인 상응의 양생관은, 자연환경의 제약과 변화에 적응하며 진화한 인간의 생리기능이 계절과 주야의 변화, 온도, 습도의 변화 등에 큰 영향을 받을 수밖에 없다는 사실을 강조하고, 나아가 음식, 주거, 운동 등 삶의 다양한 측면들을 우리를 둘러싼 자연환경의 변화에 맞춰 조화시킴으로써 질병을 예방하는 방법을 제시하는 것으로 이해할 수 있다.

2) 형신합일의 관점

형形은 신체를, 신神은 정신활동을 포함한 신체기능 전체를 의미한다. 현대적으로 해석하면 형신합일이란 신체와 신체기능의 조화, 또는 좁은 의미에서 육체와 정신의 조화를 말하는 것이다.

최근 인지, 정서 기능을 비롯한 정신적 측면들과 신체 다양한 영역의 생리, 병리적 현상 간 밀접한 연결 관계에 대한 과학적 이해가 깊어짐에 따라 기존의 생의학적 접근에 기반한 서양의학이 소홀했던 신체와 정신 간의 연결고리에 대한 진지한 관심도 증가하고 있다. 전통적으로 한의학은 신체와 정신의 밀접한 관련성을 중요하게 다루어왔으며 이는 한의학의 양생사상을 특징짓는 중요한 관점이라 할 수 있다.

3) 개체성(체질)의 중시

최근 유전체학(genomics)의 눈부신 발전과 기술적 성과들이 임상의학에 적용되면서 본격적으로 맞춤의학(personalized medicine)의 시대가 도래하고 있다. 이러한 흐름은 과거 통계적으로 평균적 환자에 대한 평균적 효과를 근거의 중심으로 삼았던 근거중심의학(Evidence Based Medicine, EBM) 기반 서양의학계에도 패러다임의 변화를 이끌어내고 있다. 이에 반해 한의학은 그 태동기부터 인간의 개체성을 강조하며 같은 질병에 대해서도 환자가 갖는 개별적인 특성에 따라 다른 치료방법을 쓸 것을 강조하였다. 특히 조선후기 이제마에 의해 창안된 사상의학은 질병보다 사람의 체질을 중심에 두었으며 체질에 따른 고유한 생리와 병리, 그에 따른 치료방법뿐 아니라 양생법을 제안함으로써 개체성을 중시하는 맞춤의학적 양생사상을 고도로 발전시켰다.

---

7) <黃帝內經.素問.寶明全形論> "人以天地之氣生, 四時之法成"

2. 양생법

1) 정신양생

예로부터 동아시아에서는 물욕을 없애고 이기적인 생각을 줄이며 담담한 마음을 유지하는 것을 중요하게 생각했고, 희노애락의 감정 변화를 조절하여 평정한 상태를 유지하는 중용中庸의 도를 최고의 덕목으로 여겨 왔다. 전자는 도덕적인 수양을 통해 '바른 마음'을 가짐으로써 심신의 건강을 유지하고 질병을 예방하며 장수하는 방법이다. 후자는 '평온한 마음'으로서 심신의 청정淸靜을 유지하고 불량한 정서적 자극을 조절하거나 없애는 것으로 <황제내경 소문 상고천진론>의 '염담허무恬淡虛無'한 상태를 말한다. 정서적 안정을 통해 오장의 기능을 균형있게 유지하여 질병을 예방하는 양생법이다.[8]

그러므로 한의학의 정신양생에서는 바른 마음을 가지고, 희노애락에 따른 감정의 변화를 조절하여 마음이 평온하고 안정된 상태를 유지하는 것이 중요하다. <황제내경 소문 상고천진론>에서는 "마음을 고요하고 맑게 하면 진기가 따르고 정과 신이 안을 지키니 병이 어디에서 오겠는가. 그러므로 뜻이 여유로워 욕심이 적고, 마음이 안정되어 두려움이 없으며, 노동을 하되 권태롭지 않으면 기도 순조롭게 따르게 되어 각각 그 하고자 하는 바를 따라도 모두 그 원하는 것을 얻게 된다"[9]라고 하였으며, <황제내경 영추 본신>에서는 "지혜로운 자의 양생은...기쁨과 노함 등의 감정을 조화롭게 유지한다...이렇게 하면 벽사(辟邪, 僻邪)가 이르지 않아 오래 살고 오래 볼 수 있다"[10]라고 하여 희노애락의 감정을 잘 조절하고 욕심을 적게 하는 것이 정신양생의 기본임을 제시하고 있다.

현대사회를 살아가는 사람들은 바쁘고 경쟁이 심하며 인간관계가 복잡하여 정신적으로 스트레스가 많다. 욕심을 절제하고 자족하는 삶의 태도를 통해 마음의 고요함을 유지하는 것이 중요하다.

---

8) 김창희,임병묵,박해모 외. 새로운 한의학 양생 범주에 관한 연구. 대한예방한의학회지 2015;19(1):23-33.

9) <黃帝內經.素問.上古天眞論> "恬淡虛無, 眞氣從之, 精神內守, 病安從來. 是以志閑而少欲, 心安而不懼, 形勞而不倦, 氣從以順, 各從其欲, 皆得所願"

10) <黃帝內經.靈樞.本神> "智者之養生也, ... 和喜怒...... 如是則僻邪不至, 長生久視"

2) 사시四時양생 - 사계절의 변화에 맞춘 양생법

사시는 춘, 하, 추, 동 사계절을 말한다. 그러므로 사시양생이란 사계절의 변화에 순응하여 생활하는 양생법을 말하는 것이다. 이것은 각 계절에서 나타나는 변화의 법칙을 파악해야 가능하다. 한의학에서는 각 계절에서 나타나는 특징적인 기후변화와 자연계에 대한 작용이 음, 양기의 승강에 따른 것이라고 설명한다. <황제내경 소문 궐론>에서는 "봄, 여름에는 양기가 많고 음기가 적어지며, 가을, 겨울에는 음기가 성하고 양기가 쇠하게 된다"[11]라 하였다. 즉, 사계절에는 춘온春溫, 하열夏熱, 추량秋凉, 동한冬寒의 특징적인 기후현상이 나타나고, 자연 사물에 대해서는 춘생春生, 하장夏長, 추수秋收, 동장冬藏의 작용을 일으킨다. 이것은 음양기의 소장성쇠消長盛衰의 결과로 나타나는 것이고 이런 법칙을 잘 파악하여 자연의 변화에 순응하는 생활을 하는 것이 질병을 예방하고 건강을 유지하는 양생의 중요한 요건임을 설명한 것이다.

사계절의 변화에 순응한다는 것은 어떻게 하는 것일까? <황제내경 소문 사기조신대론>에서는 사계절의 변화에 따른 양생법을 기술하고 있다.[12]

"봄 3개월은 발진發陳이라 하니 하늘과 땅이 모두 생발生發작용을 하여 만물이 새롭게 되는 계절이다. 늦게 잠자리에 들고 아침 일찍 일어나 정원을 느긋하게 거닐며, 머리를 풀어헤치고 몸의 긴장을 풀어 의지가 새로 소생하게 하라! 만물을 살리되 죽이지 말며, 무엇이든 베풀되 빼앗지 말고, 상은 주되 벌은 주지 말라! 이것이 봄의 기운에 순응하는 것이고 봄의 작용인 '생生'을 쫓아 양생하는 방법이다."[13]

"여름 3개월은 번수蕃秀라 하니 하늘과 땅의 기운이 서로 만나 만물이 꽃이 피고 열매를 맺는 계절이다. 봄보다 더 늦게 자고 아침 일찍 일어나며 긴 낮을 싫어하지 말라! 노하지 않도록 조심하며 생명력(神氣)을 발양發揚하고 기운이 울체되지 않고 밖으로 잘 소통되도록 하여 마치 사랑하는 것이 밖에 있는 것처럼 하라! 이것이 여름의 기운에 순응하는 것이고

---

11) <黃帝內經.素問.厥論> "春夏則陽氣多而陰氣少, 秋冬則陰氣盛而陽氣衰"

12) 김성환,이용범. <黃帝內經 素問 四氣調神大論> 주석서의 비교분석연구. 대한한의학원전학회지 2000;13(1):184-232.를 번역에 참고하였다.

13) <黃帝內經.素問.四氣調神大論> "春三月, 此謂發陳, 天地俱生, 萬物以榮, 夜臥早起, 廣步於庭, 被髮緩形, 以使志生, 生而勿殺, 予而勿奪, 賞而勿罪, 此春氣之應, 養生之道也."

여름의 작용인 '장長'을 쫓아 양생하는 방법이다."[14]

"가을 3개월은 용평容平이라 하니 하늘의 기운은 급박해지고 땅의 기운은 단풍이 들어 색깔이 분명해지는 계절이다. 천지만물의 변화에 맞추어 여름보다는 일찍 자고, 또 일찍 일어나되 여름보다는 조금 늦게 닭이 홰에서 나오는 시간과 함께 하라! 마음을 편안하게 하여 가을의 시들어 죽이는 기운을 완화하고, 생명력을 수렴하여 가을의 기운을 고르게 하며 뜻이 밖으로 향하지 않게 하고 폐기를 맑게 하라! 이것이 가을의 기운에 순응하는 것이고 가을의 작용인 '수收'를 쫓아 양생하는 방법이다."[15]

"겨울 3개월은 폐장閉藏이라 하니 물이 얼고 땅이 얼어 갈라지는 계절이다. 양기陽氣를 어지럽히지 말아야 하니 일찍 자고 늦게 일어나되 반드시 해가 뜨기를 기다려서 활동하라! 우리의 뜻이 엎드려있고 숨어있는 것 같이 하고, 사사로운 생각이 있는 것 같이, 또 이미 얻은 것이 있는 것 같이 하라! 추위를 피하고 몸을 따뜻하게 하며, 피부로 기가 새나가지 않도록 해서 양기를 빼앗기지 않도록 하라! 이것이 겨울의 기운에 순응하는 것이고 겨울의 작용인 '장藏'을 쫓아 양생하는 방법이다."[16]

이상의 한의학적 사시양생법을 현대적으로 표현한다면 여름과 겨울, 낮과 밤에는 각기 그 시간주기에 상응하는 인체의 생리적 반응이 나타나는데(세포의 유전자 발현의 변화부터 대사활동, 체액의 순환, 뇌신경계의 활성 등), 이들은 오랜 시간에 걸쳐 다듬어진 진화의 산물이므로 문명의 발달로 이러한 자연스러운 생리적 기능이 교란되지 않도록 조심해야 함을 의미한다고 이해할 수 있다. 밤늦은 시간에 밝은 조명과 함께 음식 섭취를 포함한 신체 및 정신 활동을 계속한다거나 여름에 지나친 냉방으로 건강을 해치는 상황을 예로 들 수 있을 것이다.

<황제내경 소문 생기통천론>에서는 "[사시의 변화에] 잘 따르면 양기가 고밀하여져서 적사賊邪가 들어와도 해치지 못하니 이것은 사시四時의 질서를 지켰기 때문이다. [사시의 변화에] 따르지 않으면 안으로 구규九竅가 닫히고 밖으로 기육肌肉이 옹체되어서 위기衛氣

---

14) <黃帝內經.素問.四氣調神大論> "夏三月, 此爲蕃秀, 天地氣交, 萬物華實, 夜臥早起, 無厭於日, 使志無怒, 使華英成秀, 使氣得泄, 若所愛在外, 此夏氣之應, 養長之道也."

15) <黃帝內經.素問.四氣調神大論> "秋三月, 此謂容平, 天氣以急, 地氣以明, 早臥早起, 與鷄俱興, 使志安寧, 以緩秋刑, 收斂神氣, 使秋氣平, 無外其志, 使肺氣淸, 此秋氣之應, 養收之道也."

16) <黃帝內經.素問.四氣調神大論> "冬三月, 此謂閉藏, 水冰地坼, 無擾乎陽, 早臥晚起, 必待日光, 使志若伏若匿, 若有私意, 若已有得, 去寒就溫, 無泄皮膚, 使氣亟奪, 此冬氣之應, 養藏之道也."

가 흩어져 버리게 되니 이것을 자상自傷이라 한다. 기가 깎인(削) 것이다"[17]라고 기술하고 있다. 이는 사계절의 변화에 맞추어 양생을 잘하면 양기가 단단하고 촘촘하게 외부를 지켜 외사가 침입하지 못하지만 만일 사계절의 변화를 거스르면 양기가 흩어져 외부를 굳게 지키지 못하므로 사기가 들어오게 되어 질병이 발생한다는 것이다. 사계절의 변화에 순응해야 건강을 유지할 수 있음을 말한다.

3) 음식과 양생

음식은 양생의 중요한 방편이다. 음식을 섭취하여 얻은 영양물질을 통하여 인체가 생장, 발육하고, 또 인체 장부와 기관이 생리활동을 영위할 수 있기 때문에 음식 섭생을 잘하는 것은 인간이 건강을 유지하고 장수하는데 필수불가결한 조건이 된다. 또 음식은 병을 치료하는 데도 활용할 수 있다. 고대로부터 한의학에서는 약으로 병을 치료하는 것 외에도 음식을 통해 병의 치료와 회복을 도왔다. 음식을 통한 양생을 '식양食養', 음식을 통한 치료를 '식료食療', '식치食治'라 했다.

(1) '식료', '식치'

음식으로 병을 치료할 수 있다는 생각은 오래되었다. <황제내경>에서도 이에 대해 언급하고 있으며, 중국 당대唐代 의가인 손사막孫思邈이 쓴 <천금요방千金要方>에서도 이미 '식치食治'가 전문적으로 다루어지고 있다. 이 책에서는 과일, 고기, 곡식, 채소 등 식재료의 성性, 미味, 효능, 주치主治를 기술하고 있다.[18]

동아시아에서는 한약재와 음식재료가 기미론이라는 같은 이론을 통해 해석되고 활용되어 왔다. 즉, '약식동원藥食同源'이라 하여 약으로 치료하는 것과 음식으로 치료하는 것이 그 바탕이 되는 이론이 같다고 본 것이다.

그러므로 한의학에서는 우리가 매일 먹는 음식의 재료에도 약과 마찬가지로 사기오미四氣五味, 즉, 기미氣味가 있다고 본다. 그렇기 때문에 한증寒證은 열약熱藥으로 치료하고 열증熱證은 한약寒藥으로 치료하듯이 음식물도 갖추어져 있는 기미에 따라 병을 치료하는데

---

17) <黃帝內經.素問.生氣通天論> "順之則陽氣固. 雖有賊邪, 弗能害也. 此因時之序. ...... 失之則內閉九竅, 外壅肌肉, 衛氣散解, 此謂自傷, 氣之削也."

18) 전국한의과대학 예방의학교실 편저. 양생학(한방예방의학) 제2판. 서울; 계축문화사; 2008. pp. 62-3.

활용된다. 예를 들어 열성 체질을 가진 사람이나 열성 병증에는 서늘하거나(량성凉性) 찬 (한성寒性) 성질을 가진 음식물을 섭취하여 청열사화淸熱瀉火하는 효과를 거둘 수 있다. 우리가 여름철에 자주 먹는 수박은 열을 내려 갈증을 없애고 진액을 보충하는 효능이 있다. 또 기침과 인후통이 있는 사람에게는 국화차菊花茶를 마시게 하여 증상을 완화시킬 수 있다. 이러한 것들은 모두 한량寒凉한 성질을 가진 음식물이다. 반대로 한성 체질을 가진 사람이나 한성 병증에는 따뜻하거나(온성溫性) 뜨거운(열성熱性) 성질의 음식물을 섭취하여 산한조양散寒助陽하는 효과를 거둘 수 있다. 감기에 생강이나 파뿌리를 달여 마시고, 풍습성風濕性 관절염에 오가피주五加皮酒를 복용하게 하여 증상을 완화시키는데 이러한 것들은 모두 온열溫熱한 성질을 가진 음식물이다.[19]

또 음식의 미味도 질병 치료에 도움을 준다. <황제내경 소문 지진요대론>에서는 "산미酸味는 간肝으로 먼저 들어가고 고미苦味는 심心으로 먼저 들어가며 감미甘味는 비脾로 먼저 들어가고 신미辛味는 폐肺로 먼저 들어가며 함미鹹味는 신腎으로 먼저 들어간다"[20]고 하여 오미가 장부의 기능에 작용함을 설명하였고, <황제내경 소문 장기법시론>에서는 "간은 급한 것을 싫어하므로 급히 감미를 먹어 완화시켜 준다. 심은 늘어지는 것을 싫어하니 급히 산미를 먹어 수렴시켜준다. 비는 습한 것을 싫어하니 급히 고미를 먹어 건조하게 한다. 폐는 기가 상역하는 것을 싫어하니 급히 고미를 먹어 설한다. 신은 건조한 것을 싫어하니 급히 신미를 먹어 윤택하게 한다"[21]라고 하여 오미를 활용하여 오장의 이상변화를 조절할 수 있음을 설명하였다.

요즘 많이 활용되는 '약선藥膳'은 한약재와 식재료를 서로 배합하여 만든 음식을 말하는 것으로 '약은 음식의 힘을 빌리고 음식은 약의 효능을 도와(藥借食力, 食助藥威)' 이 둘이 상보상성하여 서로의 장점을 극대화하는 분야이다. 약선은 높은 영양적 가치를 가지고 있을 뿐만 아니라 질병을 예방하고 치료하며 우리 몸을 건강하게 하고 연년익수延年益壽하는 효과를 나타낸다.

---

19) 전국한의과대학 예방의학교실 편저. 양생학(한방예방의학) 제2판. pp. 97-146.

20) <黃帝內經.素問.至眞要大論> "酸先入肝, 苦先入心, 甘先入脾, 辛先入肺, 鹹先入腎"

21) <黃帝內經.素問.臟氣法時論> "肝苦急, 急食甘以緩之. 心苦緩, 急食酸以收之. 脾苦濕, 急食苦以燥之. 肺苦氣上逆, 急食苦以泄之. 腎苦燥, 急食辛以潤之."

(2) '식양'

음식을 통해 생명을 기르고(양생) 질병을 예방할 수도 있다. 음식양생에는 다음과 같은 몇 가지 지침이 있다.

첫째, 음식 섭취에 절제와 균형이 있어야 한다.

건강을 유지하기 위해서는 음식을 규칙적으로 적당한 시간에 적당한 양을 섭취하는 것이 중요하다. 과식, 과음, 과도한 기아 등은 모두 인체의 건강에 위해요소가 된다. 과식이나 과음은 비위의 기능을 손상시킨다. 과식뿐 아니라 음식을 먹지 않는 과기過飢도 원기를 쇠하게 하고 줄어들게 한다.

또 음식물은 오미五味를 조화롭게, 즉, 모든 영양소를 골고루 섭취해야 장부의 기운을 증진시키거나 병적인 상태를 조절할 수 있다. <황제내경 소문 생기통천론>에서는 "오미가 잘 조화되도록 해야 뼈가 바르고 근육이 부드럽게 되며, 기혈이 잘 흐르고 주리가 고밀해진다"[22]라 하였다. 특정한 성미를 가진 음식을 과도하게 섭취하는 편식은 건강을 해치는 나쁜 습관이다. 고량후미膏粱厚味를 장기간 많이 먹으면 몸 안에 열을 조장하여 심한 경우 옹저癰疽나 창독瘡毒 따위가 생기기도 하므로 고량후미의 음식을 과도하게 섭취하지 않도록 주의하여야 한다. 또 음식의 한온寒溫을 맞추어 섭취하는 것도 중요한데 생냉지물生冷之物은 비위를 손상시킬 뿐만 아니라 쉽게 폐까지 손상시키므로 <황제내경 영추 사기장부병형>에서는 "몸을 차게하고 찬 것을 마시면 폐를 상한다"[23]고 하였다.

둘째, 음식은 어떤 사람의 체질, 사는 지역, 계절에 따라 알맞게 섭취되어야 한다.

몸이 찬 사람과 더운 사람은 각자의 체질에 맞추어 음식을 섭취하는 것이 좋다. 몸이 찬 사람은 더운 성질의 음식을, 몸이 더운 사람은 찬 성질의 음식을 섭취하여 한열의 조화를 회복하는 것이 좋다. 한의학의 사상체질의학에서는 각 체질마다 이로운 음식과 해로운 음식을 분류하여 제안하고 있다. 평상시에는 골고루 음식을 섭취하는 것이 좋지만 몸이 허약하여 생활이 불편하거나 질병이 있을 경우에는 체질에 맞는 음식을 섭취하게 하여 건강을 회복하고 질병을 예방하며 더 나아가 질병을 치료하는데 도움이 되도록 하고 있다.

---

22)   <黃帝內經.素問.生氣通天論> "謹和五味, 骨正筋柔, 氣血以流, 腠理以密"
23)   <黃帝內經.靈樞.邪氣臟腑病形> "形寒飲冷則傷肺"

또 사계절의 변화는 인체 생리기능에 영향을 미치고 계절의 변화에 적응하지 못할 경우 질병을 일으키거나 악화시킬 수 있다. 사계절에 한열온량의 기후 편차가 있으므로 이를 고려하여 음식을 섭취해야 한다. 그리고 사람이 사는 지역에 따라 기후, 풍토, 의복, 주거 환경이 다르므로 음식양생에서는 이것도 충분히 고려해야 한다.

셋째, 음식의 위생에 주의해야 한다.

세균, 기생충에 오염된 음식물이나 부패 변질된 음식물을 섭취하는 것은 양생에 이롭지 않다.

4) '도인안교導引按蹻'-운동양생

한의학적인 운동을 도인안교라 한다. 도인안교는 <황제내경>에도 중요한 치료법으로 나오는데 <황제내경 소문 이법방의론>에는 "중앙은 그 지세가 평탄하고 습濕하며...그 곳 사람들은 잡다한 음식을 먹고 노동하지 않으니 위궐痿厥과 한열병寒熱病이 많다. 치료는 도인안교가 마땅하다. 그러므로 도인안교는 중앙지역에서 나온 것이다"[24]라고 하였다. 노동이 부족한 사람에게 질병의 예방과 치료 수단으로 운동이 중요하며, 이런 필요에 따라 도인안교가 발달하게 되었다고 말하고 있다.

'도인導引'은 기공, 호흡법 또는 신체 운동요법을 말하고, '안교按蹻'는 현대의 지압, 안마요법에 해당한다. 기공氣功을 이용한 양생법에는 신체를 움직이지 않고 주로 앉거나 누워서 호흡법 등으로 수련하는 정공靜功이 있고, 운동을 통해 수련하는 동공動功이 있다. '도인'은 일종의 동공으로서 태극권, 오금희五禽戱, 팔단금八段錦 등 운동성이 큰 체조요법이다. 이 범주에는 요가나 필라테스 등도 포함할 수 있을 것이다.

적당한 운동을 하면 인체의 장부臟腑, 기혈氣血 및 형체形體가 건강해지므로 운동은 양생의 중요한 방법이 된다. <황제내경 소문 선명오기>에서는 "오래 누워있으면 기氣를 상하고 오래 앉아 있으면 육肉을 상하고 오래 서 있으면 골骨을 상하고, 오래 걸으면 근筋을 상한다"[25]라고 하여 게으르게 오래 앉아만 있거나 누워만 있는 것을 반대함은 물론 과도하

---

24) <黃帝內經.素問.異法方宜論> "中央者, 其地平以濕, 天地所以生萬物也衆. 其民食雜而不勞, 故其病多痿厥寒熱, 其治宜導引按蹻, 故導引按蹻者, 亦從中央出也."

25) <黃帝內經.素問.宣明五氣> "久視傷血, 久臥傷氣, 久坐傷肉, 久立傷骨, 久行傷筋"

게 서 있거나 걷는 것 역시 몸을 상하게 할 수 있으므로 적당한 운동과 활동이 중요함을 설명하였다.

운동은 기혈의 운행을 도와주는 작용이 있다. <동의보감>에서는 "기가 혈을 이끌기 때문에 기가 돌면 혈도 따라서 돌고 기가 멎으면 혈도 멎으며, 기가 따뜻해지면 혈의 흐름이 원활해지고 기가 차가워지면 혈이 잘 흐르지 못 한다"[26)라고 했다. 혈액순환은 기의 추동작용을 통하여 이루어지므로 기의 상태가 혈의 흐름에 영향을 미친다는 것이다. 운동을 하게 되면 기의 순환이 원활하게 되어 혈이 막히거나 머물지 않고 흐르게 되어 인체가 건강한 상태를 유지할 수 있게 된다.

안마, 즉 마사지도 양생의 중요한 방법이다. <동의보감> 내경편內景篇 신형身形문의 '안마도인按摩導引'에서는 양생을 위한 다양한 안마, 즉 마사지 방법이 소개되어 있다.

5) 생활양생

기존의 기거起居, 수면, 방사房事, 목욕 등의 양생법을 합쳐 생활양생이라고 할 수 있다.[27)

일과 휴식, 거처, 자연 및 사회적 환경, 의복 등도 양생의 중요한 측면이며, 한의학에서는 이를 기거양생이라 한다. <황제내경 소문 이법방의론>에는 중국의 동서남북중앙의 각 지역에 따라 기후, 풍토, 의복, 주거, 음식이 달라 거주민들에게 발생하는 질병의 종류가 다르고 그래서 각 지역에 맞는 서로 다른 치료법이 발전했다고 기술하고 있다. 일종의 생태의학적 인식으로서 우리가 살고있는 자연과 지리적 환경이 질병의 발생과 건강에 중요하다는 것을 표현한 것이다.

또 예로부터 한의학에서는 외사의 침입, 기거에 일정함이 없는 것, 과도한 정서 변화, 무절제한 식사, 일과 휴식의 불균형 등이 질병을 일으키는 중요한 원인으로 생각했다.[28)

기거양생에서 가장 중요한 원칙은 '기거유상起居有常'이다. 이것은 평소의 생활 습관을 자신이 처한 환경에 맞추어 합리적으로 알맞게 경영하는 것을 말한다. 현대 성인들에게 발

---

26) <東醫寶鑑.內景篇> "盖氣者血之帥也, 氣行則血行, 氣止則血止, 氣溫則血滑, 氣寒則血澁"
27) 김창희, 임병묵, 박해모 외. 새로운 한의학 양생 범주에 관한 연구. 대한예방한의학회지 2015;19(1):23-33.
28) <黃帝內經.靈樞.口問> "夫百病之始生也, 皆生於風雨寒暑, 陰陽喜怒, 飮食居處, 大驚卒恐"

생하는 만성질환들은 대부분 잘못된 생활습관에서 오는 생활습관병인 경우가 많다. 무절제한 음식섭취, 운동과 수면시간의 부족, 과도한 업무와 인간관계에서 오는 스트레스 등이 성인들의 질병을 유발하는 중요한 요인들이다. 생활습관에서 오는 병들은 의사의 치료로 일시적으로 병증이 호전될 수 있겠지만 생활습관을 고치지 않으면 같은 질병이 반복적으로 재발하면서 점점 더 악화되고 만성화 되는 경우가 많다. 병을 치료하는 의사는 질병과 함께 사람을 보아야 하며 질병의 배후에 있는 생활습관에 관심을 가져야 한다. 환자가 살고 있는 지역과 주거환경, 먹는 음식, 하는 일, 노동환경, 수면 패턴 등 기거와 관련된 양생법의 지도가 중요한 이유다.

방사房事는 성생활을 말하는 것으로 한의학의 방사양생은 보정保精을 중시하는 도교사상이 반영되어 있다. 그러므로 성생활과 관련하여 양생에서 중요하게 생각하는 것은 절욕양정節慾養精이다. 정精은 인체 생명의 근본으로 장개빈은 "양생을 잘하는 사람은 반드시 그 정을 보물로 여긴다"라고 하여 정을 보존하는 것이 양생의 요체임을 언급하였다. 또한 입방과도入房過度, 취중입방 등으로 정을 함부로 낭비하지 않을 것을 강조하였는데 <황제내경 소문 상고천진론>에서 "술을 물처럼 마시고 일상생활을 함부로 하며 술에 취하여 입방하여 정을 고갈시키고 진기를 흩어지게 한다... 그러므로 50세가 되면 쇠하게 된다"[29]라고 하여 무절제한 방사나 취중 방사 등이 일찍 노쇠하는 원인의 하나임을 명확히 밝히고 있다.

6) 약물양생

동아시아에서는 예로부터 양생을 위해 다양한 약물을 활용하였다. 오늘날까지도 약차藥茶, 약주藥酒, 약죽藥粥, 약선藥膳 등이 건강과 질병 예방을 위해 많이 활용된다. 다양한 한약재를 차로 달여 마시는 약차는 대표적인 약물양생법이다. 대추, 생강, 율무, 인삼, 구기자, 오미자, 쌍화탕 등이 차로 많이 애용되고 있다. 약주도 우리나라의 특징적인 양생법이다. <향약집성방>이나 <동의보감>에는 다수의 약주가 실려 있고 현재 시판 중인 전통주에도 인삼, 구기자 등의 보익약이 많이 활용되고 있어 술을 통해 보익, 장수하려는 양생문화

---

29) <黃帝內經.素問.上古天眞論> "今時之人不然也, 以酒爲漿, 以妄爲常, 醉以入房, 以欲竭其精, 以耗散其眞, 不知持滿, 不時御神, 務快其心, 逆於生樂, 起居無節, 故半百而衰也."

가 담겨 있다.[30)

　그리고 연년익수를 위해 처방약물을 복용하는 경우도 많이 있다. <동의보감>에는 '양성연년약이養性延年藥餌' 즉, '성性을 길러 오래 살게 하는 약'이 기재되어 있다. "경옥고瓊玉膏, 삼정환三精丸, 연년익수불로단延年益壽不老丹, 오로환동단五老還童丹, 연령고본단延齡固本丹, 반룡환斑龍丸, 이황원二黃元, 현토고본환玄菟固本丸, 고본주固本酒 등으로서 모두 오래 살게 하는 약이다."[31)라고 하였다.

3. 치미병治未病

　'치미병'은 <황제내경>에 처음 나오는 용어로 '병이 되기 전에 미리 치료한다'는 의미를 담고 있다. <황제내경 소문 사기조신대론>에는 "이런 고로 성인聖人은 이미 생긴 병을 치료하지 않고 병이 생기기 전에 치료하고, 이미 어지러워진 것을 다스리지 않고 어지러워지기 전에 다스린다고 하니 이를 말하는 것이다. 무릇 질병이 이미 자리를 잡은 후에 약을 쓰고, 이미 어지러워진 후에 다스리는 것은 비유해서 말하자면 목이 마르고서야 우물을 파고 전쟁이 일어났는데 그때서야 무기를 만드는 것과 같다. 어찌 늦지 않겠는가?"[32) 또 <황제내경 영추 역순편>에서는 "뛰어난 의사는 아직 병이 되지 않은 것을 다스리고 이미 병이 된 것을 다스리지 않는다."[33)고 하였다.

　최근 한국, 중국, 일본에서는 <황제내경>의 '치미병' 사상을 새롭게 조명하여 '미병未病' 개념을 질병과 건강 사이의 일종의 의료적 돌봄이 미치지 않는 중간 영역을 의료적으로 대처하기 위한 방편으로 적극 활용하고 있다.

---

30)　김창희,임병묵,박해모 외. 새로운 한의학 양생 범주에 관한 연구. 대한예방한의학회지 2015;19(1):23-33.

31)　<東醫寶鑑·內景·身形·養性延年藥餌> "瓊玉膏, 三精丸, 延年益壽不老丹, 五老還童丹, 延齡固本丹, 斑龍丸, 二黃元, 玄菟固本丸, 固本酒, 皆能延年益壽"

32)　<黃帝內經 素問 四氣調神大論> "是故聖人不治已病, 治未病; 不治已亂, 治未亂, 此之謂也. 夫病已成而後藥之, 亂已成而後治之, 譬猶渴而穿井, 鬪而鑄錐, 不亦晚乎."

33)　<黃帝內經 靈樞 逆順> "上工治未病, 不治已病."

1) '미병'의 개념 정의

<황제내경>에서의 '치미병'이란 건강할 때 병의 기미를 미리 알아채고 이를 다스려 병으로 발전하지 않도록 함으로써 병으로부터 몸을 지키는 일종의 예방의학 사상이었다. 그러나 현대적인 관점에서 볼 때 <황제내경>에서 언급한 '미병'이 구체적으로 어떤 상태를 가리키는 것인지 파악하는 것이 쉽지 않다. 한국, 중국, 일본에서는 '미병', '치미병'에 대한 연구를 진행하면서 '미병'의 현대적 개념에 대해 나름대로의 정의를 제시하고 있다.

현재 국내에서 '미병'은 '질병은 아니지만 신체적, 정신적, 사회적 이상 증상으로 인해 일상생활의 불편함을 겪거나 검사상 경계역의 이상소견을 보이는 상태'로 정의되고 있다. 즉, '미병'이 완전한 건강 상태는 아니지만 그렇다고 해서 질병 상태도 아닌 제3의 상태를 의미하는 것으로 본다. 이러한 상태를 지칭하는 용어들로는 병전상태病前狀態, 아임상기亞臨床期, 임상전기臨床前期, 임계상태臨界狀態, pre-clinic phase, health gray zone, health weakness status 등이 있다. '미병' 연구자들은 서양의학에서 말하는 질병 고위험군 및 의학적으로 설명되지 않는 증상군, 즉 Medically Unexplained Symptoms (MUS)도 '미병'과 부합하는 상태로 보고 있다.[34]

중국은 질병이 없는 건강상태부터 질병에서 회복된 후의 상태까지 넓은 범주를 '아건강亞健康'의 개념으로 포괄하고, 아건강에 속하는 30여 종에 달하는 다양한 증상들을 미병의 범주에 포함시키고 있다. 그러므로 중국에서는 '미병'을 질병이 발생하지 않았을 때 미리 예방하고(未病先防), 병이 나려고 하면 조기 검진·치료하며(欲病防微), 이미 질병이 발생한 경우는 전변·악화를 막고(已病防傳), 질병을 앓고 나서 회복하는 기간에는 재발을 방지하는(瘥後防復) 것 등을 모두 포함하는 넓은 범주로 사용한다.[35]

일본의 미병시스템학회에서는 '병病'을 '자각 증상과 검사상 이상이 있는 상태'로 규정하고, 이런 관점에서 '자각 증상은 없지만 검사상 이상이 있는 상태(서양의학적 미병)'와 '자각 증상은 있지만 검사상 이상이 없는 상태(동양의학적 미병)'를 모두 미병으로 규정하고 있다.[36]

---

34) 이시우. 미병의 분류기준 및 관리기술 개발 기반연구(연구보고서). 한국한의학연구원. 2016. p. 21.

35) 이시우. 동서의학 융합의 미병(미병) 진단기준 개발(연구보고서). 한국한의학연구원. 2014. p. 16.

36) 이시우. 동서의학 융합의 미병(미병) 진단기준 개발(연구보고서). 한국한의학연구원. 2014. pp. 20-1.

2) 미병의 세부 구분[37)]

이선동 등은 미병을 건강도 질병도 아닌 제3의 상태로 보았으며 이를 다시 ① 건강健康
미병상태, ② 잠병潛病미병상태, ③ 전병前病미병상태(<천금방>에서 말하는 욕병欲病)로
구분했다(그림 5-1).

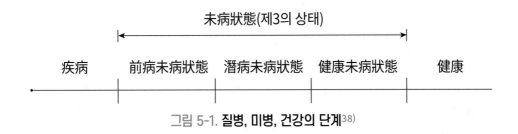

그림 5-1. **질병, 미병, 건강의 단계**[38)]

(1) 건강미병상태

건강한 상태와 가장 가까운 미병상태로, 병리적인 증상이 나타나지 않거나 약간의 병리
적인 증상이 있지만 단기간에 회복할 수 있는 상태를 말한다. 예를 들어 약간의 음주로 인
해 다음 날 피곤을 느끼는 정도의, 금방 회복될 수 있는 상태이다.

(2) 잠병미병상태

인체 내에 이미 병증이 잠재되어 있으나 표현되지 않는 상태를 말한다. 즉 병리신호가
아직 나타나지 않고 잠복하고 있으며, 사람들은 이런 병리신호를 장기간 인식하지 못하고
있는 상태이다. 예를 들어 관상동맥경화가 진행되어 있으나 아무 자각증상이 없는 환자,
B형 간염 바이러스 보균자가 이 경우에 해당된다.

---

37)   이선동, 김명동. 미병상태의 학문적·임상적 중요성과 의의에 대한 고찰. 대한예방한의학회지 1997;1(1):105-17.
38)   이선동, 김명동. 미병상태의 학문적·임상적 중요성과 의의에 대한 고찰. 대한예방한의학회지 1997;1(1):109.

(3) 전병미병상태

인체에 병증이 나타났으나 완전하게 변증진단할 수 없는 상태를 말한다. 즉 질병 초기에 나타나는 소수의 전조증상과 신체적인 징조가 있는 상태다. 기본적으로 일상생활과 활동에 영향을 주지 않는다. 예를 들면 일과성허혈발작(transient ischemic attack, TIA)의 증상(반신부전, 반신감각장애, 언어장애, 실명, 어지러움 등)은 24시간 이내에 후유증 없이 사라지는데, 이는 향후 중풍(뇌경색)이 나타날 수 있는 경고(warning) 또는 전구증상(precursors)으로서 이 경우에 해당된다.

3) 한, 중, 일의 '미병', '치미병' 프로젝트

'미병'에 대해 가장 먼저 체계적인 관심을 보인 나라는 일본이다. 1990년대 중반부터 미병 개념을 중시하는 학자들이 늘어났고, 특히 일본에서는 서양의학의 진단과 연결하여 미병의 측정과 계량화를 통한 '미병의 체계화'에 관심을 집중했다. 2003년 국제노인병학회에서 미병을 'mibyou'라고 명명했고, 미병시스템학회(Japan Mibyou System Association)를 구성하여 이 학회를 주축으로 미병 의학 교과서를 발간하고, 미병 의학 인정의 제도를 시행하는 등의 활동이 있었다. 일본에서는 미병을 측정하고 이를 계량화하는데 많은 노력을 기울이고 있으며, 생리적, 전신적 근거를 통해 이를 파악하고자 하는 것이 특징이다. 특히 어혈瘀血에 주목하여 미병을 파악하고 있으며, 설진舌診을 통한 어혈의 측정, 신경과민성 체질에 대한 인격경향의 측정 등의 계량화, 점수화를 통해서 미병 상태를 연구하였다.[39]

중국은 2008년도 초부터 대대적인 국가 차원의 '치미병' 건강 프로젝트(治未病工程)를 추진했다. '건강문화', '건강관리', '건강보험' 등을 융합시킨 소위 "KY3H" ("崑崙-炎黃健康保障"의 약칭)라는 건강보장 서비스 모델을 제시했다.[40] 2008년부터 각 지역에 치미병센터를 설치하고 시범사업을 진행했는데 2012년에는 전국 159개 기관에서 시범사업이 진행되었다. KY3H 모델에서 치미병 서비스는 일차적으로 9종 체질을 판별하는 과정으로 시작되며, 음성분석, 안면 분석 등 다양한 진단 기기들이 보조적으로 사용되어 각 체질에 맞는

---

39) 이시우. 의료수요자 중심의 건강증진을 위한 미병(未病)관리시스템 개발(연구보고서). 한국한의학연구원. 2013. pp. 19-20.

40) 이시우. 의료수요자 중심의 건강증진을 위한 미병(未病)관리시스템 개발(연구보고서). 한국한의학연구원. 2013. pp. 14-8.

건강 증진 및 질병 예방 정보를 국민들에게 제시하고 있다.[41)]

국내에서는 일본과 중국에서의 '미병'연구에 자극을 받아 2012년부터 한국한의학연구원을 중심으로 '미병'에 대한 연구가 진행되었다. '미병' 개념을 정의하고, 이 정의에 맞는 환자들을 대상으로 '미병' 진단 및 치료시스템을 개발하려고 시도했다. 특히 사상체질의학과 접목한 수요자 중심의 맞춤의학적 건강관리 프로그램으로 발전시키려고 하였다.[42)]

제2절 치법

한의학에는 환자를 치료할 때의 몇 가지 원칙들이 존재한다. 여기서는 한의학의 치료원칙과 독특한 치법인 팔법八法을 소개한다. 치료원칙은 한의사가 질병을 치료할 때 집중해야할 원칙을 말하고, 치법은 한의사들이 질병을 치료할 때 운용하는 방법을 말한다.

1. 치료원칙[43)44)]

1) '치병필구어본治病必求於本'

질병을 치료할 때에는 반드시 그 병의 본질을 파악해서 그 본질에 맞는 치료를 해야 한다는 의미이다. 겉으로 드러나는 다양한 증상이나 징후들은 그 자체가 병의 본질을 제대로 표현하는 것이 아닐 경우가 종종 있다. 그러므로 의사는 인과적 뿌리에 해당하는 '본'을 파악해서 이를 치료하도록 노력해야 한다. <황제내경 소문 음양음상대론>에서는 "음양은 천지의 규율이고, 만물의 벼리이며, 변화의 부모이고, 낳고 죽이는 근본과 시작이며, 신명의

41)   이시우. 동서의학 융합의 미병(미병) 진단기준 개발(연구보고서). 한국한의학연구원. 2014. p.20.

42)   이시우. 의료수요자 중심의 건강증진을 위한 미병(未病)관리시스템 개발(연구보고서). 한국한의학연구원. 2013.

43)   전통의학연구소 편저. 한의학사전. 서울: 성보사; 2001.

44)   김기욱. 뜻으로 푼 황제내경 소문. 고양: 법인문화사; 2014.

곳집이다. 따라서 병을 치료함에 있어 반드시 그 본질을 구해야 한다"[45]고 하여 질병의 본질이 음양 변화에 있으며, 음양의 변화를 잘 살펴 치료에 임해야 한다고 강조하고 있다.

하지만 '치병필구어본'은 음양 변화에 한정하지 않고 더 일반적인 치료원칙을 말하는 것으로 이해되어야 한다. 임상에서 의사가 만나는 환자의 증상은 복잡해서 노련한 의사들도 복잡한 증상 속에서 질병의 본질이 무엇인지 파악하는 것이 쉽지 않다. 때로는 질병의 본질과 상반된 가상假象의 증상이 환자에게 나타날 수도 있으며, 어떤 것에 치료의 주안점을 둬야 할지, 또 어떤 것을 먼저 치료해야 할지 임상적 판단이 어려운 환자도 있다. 질병은 일종의 '변變'이며 '상常'을 통해 '변'을 파악하게 되는데, 병의 원인(病因), 병의 자리(病位), 병의 성질(病性), 병의 선후, 병의 추세(病勢, 邪正관계) 등 병인과 병기病機를 잘 살펴 병의 본질을 파악한 다음 치료의 선후와 치법의 종류를 결정해야 한다. 이것이 '치병필구어본'의 일반적인 의미라 할 수 있다.

(1) 정치正治와 반치反治

"기백이 말하였다. 질병의 본질과 증상의 표현이 일치하는 경우는 정치법을 써서 치료하고, 질병의 본질과 증상의 표현이 일치하지 않는 경우는 반치법을 써서 치료한다."[46]

① 정치

정치란 질병의 성질과 반대되는 방법과 약물을 써서 치료하는 것으로서 일반적으로 가장 많이 적용되는 치료원칙이다. 예컨대 한증에는 열약을 쓰고 열증에는 한약을 쓰며, 실증에는 공법을 쓰고 허증에는 보법을 쓰는 등이다. 정치법은 질병의 본질과 임상증상이 부합할 경우의 치료원칙이다. 정치법을 '역치逆治'라고도 하는데 '역逆'은 약의 성질과 질병의 성질이 상반된다는 의미이다. '한자열지寒者熱之', '열자한지熱者寒之', '허자보지虛者補之', '실자사지實者瀉之' 등이 정치에 속한다.

---

45) 〈黃帝內經 素問 陰陽應象大論〉 "陰陽者, 天地之道也, 萬物之綱紀, 變化之父母, 生殺之本始, 神明之府也. 治病必求於本."

46) 〈黃帝內經 素問 至眞要大論〉 "岐伯曰, 正者正治, 反者反治"

② 반치

반치란 질병의 고유한 성질과 반대되는 거짓 증상이 나타날 때 적용되는 치료원칙이다. 예컨대 한이 질병의 본질이지만 가상假象으로 열증이 나타날 수도 있는데 이때 열증을 보고 한寒약을 쓰면 부작용이 발생한다. 질병의 본질이 한이므로 열약을 차갑게 복용하든지 해서 몸이 열약을 받아들일 수 있게 한 다음 열약으로 병의 본질인 한을 치료해야한다. 하지만 나타난 증상은 열증인데 열약을 쓴다고 해서 이를 반치라 한다. 반치법을 「종치從治」라고도 하는데 「종從」은 질병의 가상을 따라 약을 쓴다는 의미이다. 결국 반치는 진한가열眞寒假熱, 진열가한眞熱假寒, 진허가실眞虛假實, 진실가허眞實假虛의 경우에 적용되는 치료원칙이며 크게 보면 '치병필구어본'의 원칙에서 벗어나지 않는다. '한인한용寒因寒用', '열인열용熱因熱用', '색인색용塞因塞用(본질은 허증인데 실증의 가상이 나타날 경우의 치법)', '통인통용通因通用(본질은 실증인데 허증의 가상이 나타날 경우의 치법)' 등이 반치에 속한다.

(2) 치본治本과 치표治標

표標는 표지標識, 부호, 말末, 현상의 의미가 있고, 본本은 시작(始), 근원(原)의 의미가 있다. 여기서의 표는 주로 증상을 말하고, 본은 병의 본질과 원인을 말한다. 일반적인 상황에서는 '치병필구어본', 즉 '치본'을 하는 것이 원칙이다. 하지만 특수한 상황에서는 '치본'보다 '치표'를 먼저 해야 할 경우가 있다. 예를 들어 출혈이 심할 경우 출혈의 원인을 치료하는 것도 중요하지만 먼저 지혈을 하는 것이 필요하다. 이처럼 임상에서는 치료의 우선순위를 결정해야 하는 경우가 많다.

① 급즉치표急則治標, 완즉치본緩則治本

이것은 치료를 할 당시 표본의 완급에 따라 치료의 선후를 정하는 원칙이다. 원발병(구병舊病)과 속발병(신병新病)의 경우 원발병은 본이 되고 속발병은 표가 된다. 예컨대 본本에 의해 속발적으로 나타난 표標의 병증이 격렬하고 치명적인 경우 본보다 표를 우선으로 치료한다. 이를 '급즉치표急則治標'라고 한다. 반면 표의 병증이 제거되고 본의 증상이 완만한 경우에는 치본治本에 우선순위를 둔다. 이를 '완즉치본緩則治本'이라고 한다. 임상에서 간의 병변으로 인해 복수가 차게 되면 먼저 속발병인 복수를 치료하고 복수가 해결되면 다시 원발병인 간병을 치료하는 것과 같다.

② 표본동치標本同治

표본동치란 표와 본이 다 중한 병증 치료에 적용하는 원칙으로 표와 본을 동시에 치료하는 것을 말한다. 예컨대 기허氣虛(본)가 심한 환자가 감기(표)에 걸린 경우 임상에서는 삼소음蔘蘇飮 같은 처방을 쓰게 되는데 이것은 치본인 보기補氣와 치표인 해표解表를 동시에 수행하는 것이다.

2) 부정扶正과 거사祛邪

'정正'은 인체의 정기正氣를, '사邪'는 병을 일으키는 사기邪氣를 의미한다. '부정扶正'이란 허증虛證('정기탈즉허精氣奪則虛')에 적용하는 치료법으로 인체의 부족한 정기를 보충하여 병을 치료하는 방법을 말한다('허자보지虛者補之'). 이때의 정기는 에너지와 물질을 포괄하는 넓은 의미의 개념으로서 '부정' 또한 보기補氣, 보양補陽, 보혈補血, 보음補陰을 포괄한다. '거사祛邪'는 실증實證('사기성즉실邪氣盛則實')에 적용하는 치료법으로 인체를 침범하여 병을 일으킨 사기를 제거하는 방법을 말한다. '거사'는 해표解表, 청열淸熱, 사하瀉下, 거풍습祛風濕, 이수삼습利水滲濕, 소식消食, 활혈화어活血化瘀, 거담祛痰 등의 치법을 포괄한다.

부정과 거사는 원칙적으로 구분되어 사용된다. 부정은 허증에 거사는 실증에 사용된다. 하지만 임상에서는 마주치는 환자의 상황은 그렇게 단순하지 않다. 허와 실이 공존하는 허실협잡虛實挾雜의 상황도 많다. 이런 상황에서는 사기와 정기의 세력관계를 면밀히 살펴 부정과 거사 중 어느 것을 먼저 시행할 것인지, 함께 사용해야 한다면 어떤 것을 주로 하고 어떤 것을 보조로 할 것인지를 판단해야 한다.

정기허가 위주이고 사기실이 부차적이면 부정을 위주로 하고 거사를 보조로 하는 치법을 써야 하고, 사기실이 주고 정기허가 부차적이면 거사를 위주로 하고 부정을 보조로 해야 한다. 정기허와 사기실이 공존하더라도 정기가 사기의 제거를 견딜 수 있는 상황이면 '선거사후부정先祛邪後扶正'을 해야 하고, 정기가 견딜 수 없을 정도로 심하게 약화된 상황이면 '선부정후거사先扶正後祛邪'를 해야 한다.

3) 음양과 장부기능의 조정

음과 양의 동태적 평형이 깨져 음양실조陰陽失調 현상이 발생하고 인체 스스로 회복할 수 없는 상황에서는 외부에서의 입력(약물, 침구, 기타 치료)을 통해 인체가 동태적 평형을 회복할 수 있도록 도와야 한다. 음양실조가 발생한 원인에 따라 외부에서의 입력도 달라진다. 예를 들어 음허나 양허로 음양실조가 생긴 경우에는 음허('陰虛則內熱')에는 보음, 자음강화滋陰降火, 양허('陽虛則外寒')에는 보기, 보양을, 음성陰盛('陰盛則內寒'), 양성陽盛('陽盛則外熱')으로 음양실조가 생긴 경우에는 음성에는 온열溫熱한 약물로 음한陰寒을 제거하고, 양성에는 한량寒涼한 약물로 양열陽熱의 항성亢盛을 덜어내어 음양실조를 회복시킨다.

장부기능의 실조로 병이 생긴 경우에는 각 장부의 음양기혈 실조를 조정하거나 장과 장, 장과 부 사이의 기능 실조를 조정하여 치료한다.

2. 팔법八法[47][48]

청대 의가 정국팽程國彭의 <의학심오醫學心悟>는 팔강八綱에 관한 매우 중요한 텍스트이다. 이 책에는 팔강과 함께 팔법이 제시되어 있다. 한汗, 토吐, 하下, 화和, 온溫, 청淸, 소消, 보補의 8가지 치법이다.

팔강은 표리表裏, 한열寒熱, 허실虛實, 음양陰陽으로 인체 병증을 파악하는 가장 간편하고 효율적인 강령이다. 한의사들은 이를 통해 병의 성질과 위치를 구분하고 치료에 활용한다. <의학심오>에서 제시한 8가지 치법, 즉 팔법은 팔강의 기초 위에서 제시된 것이다. 우선 사기가 머무르는 부위에 따라 다른 치법이 적용되는데, 예를 들어 사기가 표에 있으면 한汗법, 인체의 상부에 있으면 토吐법, 중초에 있으면 소消법, 하부에 있으면 하下법을 쓴다. 또 병의

---

47) 南京中医药大学 編著. 中医学概论. 长沙: 湖南科学技术出版社; 2013, pp. 214-27. 이 책은 南京中医学院에서 1958년에 발간한 <中医学概论>을 2013년에 재발간한 것이다. 1958년의 <중의학개론>은 팔강과 팔강에 기초한 팔법을 중심으로 치료법칙을 기술하고 있는 것이 특징이다. 여기서의 팔법에 대한 설명은 <중의학개론>과 <한방병리학>을 참고하여 기술하였다.

48) 한방병리학 교재편찬위원회 편저. 한방병리학. 용인: 한의문화사; 2012. pp. 584-96.

한열허실 성질에 따라 한증에는 온溫법, 열증에는 청淸법, 허증에는 보補법, 실증에는 사瀉법[49]을 쓴다.

팔법은 필요에 따라 서로 배합하여 운용하기도 한다. 이것은 임상에서 만나는 환자의 증상이 단순하지 않기 때문이다. 임상에서는 한법과 하법, 온법과 청법, 공攻법[50]과 보법, 소법과 보법을 병용하는 경우가 많다.

1) 한법 汗法

한법은 해표법解表法이라고도 한다. 발한 작용이 있는 약물로 주리腠理를 열어 땀을 통해 병사病邪를 밖으로 몰아냄으로써 병을 치료하는 방법이다. 한법은 주로 외감병증의 초기에 사용한다. 한의학에서는 외감병을 일으키는 사기가 체표의 피모(表)를 침입한 후 점차 안(裏)으로 들어온다고 보았다. 따라서 병사가 아직 체표의 피모에 있을 때 한법을 사용하여 병사를 내쫓는 것이 가장 좋은 치료방법이라고 생각했다.[51] 해표법에는 신온해표辛溫解表와 신량해표辛凉解表의 두 가지 방법이 있는데 전자는 신온辛溫한 성질의 약물이 가진 산한발한散寒發汗 작용을 이용하여 해표하는 것이고, 후자는 신량辛凉한 성질의 약물이 가진 청열발한淸熱發汗 작용을 이용하여 해표하는 방법이다.

☯ 해표법의 현대연구

현대연구에서 해표약은 해열, 진통 작용을 하는 것으로 인식되고 있다. 또한 많은 임상 및 실험연구에서 해표제는 혈관을 확장시키고, 순환을 개선하며, 땀샘의 분비량과 신 사구체의 여과율을 증가시키고, 체내의 수분과 독소의 배출을 촉진하며, 바이러스를 억제하고, 인체면역기능을 조절하는 것으로 밝혀지고 있다.[52]

---

49) 사법(瀉法); 사법은 사기(邪氣)를 빼냄으로써 질병을 치료하는 방법으로 한법, 토법, 소법, 하법이 여기에 포함된다. 여기서는 보법에 대한 대칭적 의미로 사용되었다.

50) 공법(攻法); 공법은 공하법(攻下法)을 말하며 하법(下法)과 같은 의미이다.

51) <黃帝內經 素問 陰陽應象大論> "故善治者, 治皮毛, 其次治肌膚, 其次治筋脈, 其次治六府, 其次治五藏, 治五藏者, 半死半生也.", "其在皮者, 汗而發之."

52) 한방병리학 교재편찬위원회 편저. 한방병리학. 용인: 한의문화사; 2012. p. 585.

2) 토법吐法

토법은 '최토법催吐法'이라고도 한다. 구토를 유발하는 약물을 사용하거나 물리적 자극(옛날에는 깃털을 목구멍 깊숙이 넣어 구토를 유발)을 이용해서 병사나 정체된 담痰, 숙식宿食 및 유독물질을 입 밖으로 배출시켜 병세를 완화하고 치료하는 방법이다. 병사가 상초上焦(흉부-기관지나 식도 부위)에 정류되어 있으면 한법이나 하법을 적용할 수 없으므로 토하게 해서 맺힌 것을 풀어주어야 한다.[53] 토법은 주로 병세가 중하고 급박하며 신속하게 결취된 것을 토출해야하는 실증實證에 응용된다. 체질이 허약한 경우 정기의 손상을 유발할 수 있으며, 병증에 따라 용약을 조절해야 한다.

☯ 최토법의 현대연구

최토제는 위점막을 자극하여 연수의 구토중추를 간접적으로 흥분시켜 위 평활근의 역향逆向 운동을 일으키고 분문噴門을 개방시켜 구토를 유도하며, 또한 구토 중추를 직접 자극하여 구토를 일으킴으로써 위 내의 유독물질을 배출시키는 것으로 인식되고 있다.[54]

3) 하법下法

하법은 '사하법瀉下法'이라고도 한다. 사하작용이 있는 약물을 사용하여 대변을 강제로 통하게 함으로써 장위에 쌓여있는 실열(열결熱結)이나 열독熱毒, 또는 한적寒積, 숙식宿食, 수음水飮, 어혈 등을 풀어주는 치법이다. 구체적인 치료방법으로는 한하寒下, 온하溫下, 윤하潤下, 축수逐水 등이 있다. 한하는 고한苦寒한 약물을 사용해서 사하하는 방법이다. 주로 장위에 쌓여있는 실열을 제거한다. 온하는 온열한 약물을 사용해서 사하하는 방법으로 비위의 냉적冷積이나 한담寒痰이 결취되어 있는 것을 풀어주는 치법이다. 하법이 너무 강하거나 오래 지속되면 정기를 손상시킬 수 있으므로 주의해야 한다.

---

53) 〈黃帝內經 素問 陰陽應象大論〉 "其高者, 因而越之."
54) 한방병리학 교재편찬위원회 편저. 한방병리학. 용인: 한의문화사; 2012. p. 586.

🔮 사하법의 현대연구

사하약은 위와 장의 점막을 자극하여 장의 연동운동을 증가시키고 장도의 추진기능을 촉진시켜 설사에 이르게 하거나, 장관 내의 삼투압을 증가시켜 대량의 수분이 장관에 모이도록 하여 설사에 이르게 하거나, 함유하고 있는 유지 성분이 장도를 윤활하게 하여 배변을 촉진하는 것으로 알려져 있다. 그 외에 장의 혈류량을 증진시키고, 복강의 흡수기능을 증가시키며, 항염, 균의 증식억제 및 면역조절기능을 가진 것으로 알려지고 있다.[55]

4) 화법和法

화법은 화해법和解法이라고도 한다. 병사가 표도 아니고 리도 아닌 반표반리半表半裏에 있어 한, 토, 하법을 사용할 수 없을 때 쓴다. 한열왕래寒熱往來, 흉협고만胸脇苦滿, 구고인건口苦咽乾, 오심구토惡心嘔吐 등 소양증에 주로 사용되는 치법이다. 인체 표리, 내외를 조화, 화해시키는 작용이 있는 약물을 사용하여 치료한다. 화법은 크게 표리를 화해시키고, 간위肝胃를 조화시키며, 상하의 한열을 조정하는 것을 포함한다.

🔮 화해법의 현대연구

대표적인 화해제인 소시호탕에 대한 임상 연구결과, 만성 B형 간염, 패혈증 등의 감염성질병 및 전염병, 담즙 역류성 위염, 급성 부종성 췌장염 등의 소화기계통 질병, 해수와 같은 호흡기계통 질병, 급·만성 신염 등의 비뇨기계통 질병, 정신분열증 등의 정신과 질병에 유효한 것으로 알려지고 있다.[56]

5) 온법溫法

온법은 '온리법溫裏法'이라고도 한다. '한자열지寒者熱之'의 원칙에 따라 성질이 온열한 약물을 사용하여 리한증裏寒證, 한실증寒實證 등을 치료하는 치법이다. 이때 약물의 온열한 성질은 경락과 장부에 침범하여 쌓여있는 한사寒邪를 온산溫散시키며 양기를 보익하는 작용을 한다. 온법은 임상적인 목표에 따라 온중거한溫中祛寒, 회양구역回陽救逆, 온경산한溫

---

55)   한방병리학 교재편찬위원회 편저. 한방병리학. 용인: 한의문화사; 2012. p. 586.

56)   한방병리학 교재편찬위원회 편저. 한방병리학. 용인: 한의문화사; 2012. p. 587.

經散寒 등으로 분류할 수 있다. 회양구역은 원양元陽이 허탈하여 위중한 상황에 빠졌을 때 (망양증亡陽證) 급하게 양기를 구해내는 것을 목표로 하는 응급치법이고, 온경산한은 한寒이 경락에 응체되어 나타나는 사지궐냉四肢厥冷이나 관절통증(비증痺證)을 치료하는 치법이다. 온중거한은 평소 양기가 부족하여 비위가 허한虛寒하거나 한寒이 중초 비위에 머물러 나타나는 설사, 복통, 구토 등의 증상을 치료하는 치법이다.

☯ 온리법의 현대연구

온리방약溫裏方藥은 강심强心, 심박동실조 억제, 항shock, 미세순환개선, 건위구풍健胃驅風, 진토鎭吐, 진통鎭痛 등의 작용을 가진 것으로 알려지고 있다.[57]

6) 청법淸法

청법은 '청열법淸熱法'이라고도 한다. '열자한지熱者寒之'의 원칙에 따라 성질이 한량한 약물을 사용하여 청열淸熱, 사화瀉火, 량혈凉血, 해독解毒 작용을 통해 각종 열증熱證을 치료하는 치법이다. 구체적인 치료 방법으로는 청열해독淸熱解毒, 청열사화淸熱瀉火, 청영양혈淸營凉血, 청허열淸虛熱 등이 있다. 청법을 운용하는데 있어서 주의할 점은 한량한 본초들은 대개 비위를 손상시켜 소화기능을 저해한다는 것이다. 따라서 오래 복용하는 것을 피하고, 체질적으로 장부가 허한한 환자는 청법을 주의하여 사용해야 한다.

☯ 청열법의 현대연구

청열약은 대부분 항균, 항바이러스, 인체면역조절, 해열, 항염 작용을 가진 것으로 알려지고 있다.[58]

---

57)　한방병리학 교재편찬위원회 편저. 한방병리학. 용인시: 한의문화사; 2012. p. 588.

58)　한방병리학 교재편찬위원회 편저. 한방병리학. 용인시: 한의문화사; 2012. p. 589.

7) 소법消法

소법은 '소도법消導法', '소산법消散法'이라고도 한다. '견자삭지堅者削之', '결자산지結者散之'의 원칙에 따라 소식消食, 화담化痰, 연견軟堅, 이수利水 등의 작용이 있는 약물을 사용하여 기, 혈, 담痰, 식食이 정체되어 생긴 복내腹內의 각종 적취積聚를 치료하는 치법이다. 소법은 활용범위가 넓어 식적食積, 징가癥瘕, 나력瘰癧, 비괴痞塊 등에 폭넓게 사용할 수 있다.

☯ 소법의 현대연구

소법은 소화효소분비, 위장관의 평활근 수축 촉진작용을 가지고 있어 식욕증진, 소화촉진 작용을 하는 것으로 알려지고 있다.[59]

8) 보법補法

보법은 '보익법補益法'이라고도 한다. '허자보지虛者補之', '손자익지損者益之'의 원칙에 따라 보익補益 작용을 가진 약물을 사용하여 인체 전체 또는 특정 장부의 음양, 기혈의 허손을 보충함으로써 일체의 쇠약현상을 치료하는 치법이다. 구체적인 치료 방법은 임상적인 목표에 따라 보음補陰, 보양補陽, 보기補氣, 보혈補血로 구분하며, 각각 음허, 양허, 기허, 혈허를 치료하는 방법으로 사용된다. 하지만 실제 임상에서는 상황이 조금 더 복잡하다. '기능생혈氣能生血'하므로 혈허를 치료할 때 보혈을 하더라도 보기를 함께 사용하는 경우가 많다. 음양이 모두 허할 때에도 어느 것이 더 심하고 또 근원적인가에 따라 보음을 주로 하고 보양을 차로 하거나, 보양을 주로 하고 보음을 차로 하는 등 주차主次를 달리할 때도 있다. 인체의 음, 양, 기, 혈은 서로 깊이 연결되어 있어 혈허에 기허가 동반된다거나 음허와 양허가 함께 나타나는 경우도 많다. 따라서 상황에 따라 기혈쌍보, 음양쌍보 하기도 하는 등 각 보법을 배합하여 사용하기도 한다.

또 때로는 다른 치법의 부작용을 줄이기 위해 보법을 같이 사용하는 경우도 있다.

---

59)   한방병리학 교재편찬위원회 편저. 한방병리학. 용인시: 한의문화사; 2012. p. 589.

◉ 보익법의 현대연구

보익법은 면역기능증강, 인체 적응성 향상, 내분비 샘 호르몬의 합성과 분비 촉진, 단백질 합성 촉진, 당 및 지질대사 조절, 조혈 기능 활성화 등의 작용을 가진 것으로 알려지고 있다.[60]

3. 기타 치법[61]

1) 화음거담법化飲祛痰法

화음거담법은 체내의 진액 대사를 원활히 하여 담음으로 인해 생기는 병증을 치료한다. 담음은 인체 내에서 이르지 않는 곳이 없으며, 중풍, 담다천해痰多喘咳 등 다양한 증상으로 표현될 수 있다. 따라서 화음거담법은 다른 치법과 병용되는 경우가 많다.

◉ 화음거담법의 현대연구

화음거담법은 거담진해, 심근혈액결핍 개선, 항종양, 항균 등의 작용을 가진 것으로 알려지고 있다.

2) 거습법祛濕法

거습법은 다양한 방법으로 체내의 습사濕邪로 인한 증상들을 치료한다. 이때 습사의 위치에 따라 구체적인 치료 방법을 달리하기도 한다. 거습법은 큰 병 뒤나 평소 음허의 증상이 있는 환자에게는 사용에 주의를 요한다.

◉ 거습법의 현대연구

거습법은 이뇨, 항균, 이담利膽, 혈압강하 작용을 가진 것으로 알려지고 있다.

60)　한방병리학 교재편찬위원회 편저. 한방병리학. 용인: 한의문화사; 2012. p. 590.

61)　한방병리학 교재편찬위원회 편저. 한방병리학. 용인: 한의문화사; 2012. pp. 590-6.을 참고하여 기술하였다.

3) 이기법理氣法

이기법은 기체氣滯, 기역氣逆 등 기의 운행 실조로 인한 증상을 치료한다. 장부 기의 승강은 각 장부가 정상적인 생리기능을 발휘하는지를 판단하는 중요한 지표가 되는데 기체가 생기는 장부에 따라 행기건비行氣健脾, 소간해울疏肝解鬱 등의 치법이 사용된다.

☯ 이기법의 현대연구

이기법은 위장의 평활근 경련 완화, 이담, 기관지 평활근 이완 등의 작용을 가진 것으로 알려지고 있다.

4) 활혈화어법活血化瘀法

활혈화어법은 어혈瘀血의 생성을 막고 또 이미 생성된 어혈을 제거하는 치료법이다. 기와 혈은 밀접히 연관되어있기 때문에 활혈화어법을 사용할 때 이기법을 같이 사용하는 것이 통상적이다.

☯ 활혈화어법의 현대연구

활혈화어법은 미세순환 개선, 혈액점도 강하, 항응고, 인체 정상 섬유단백질의 용해활성 유지, 혈장 섬유단백원의 함량 감소, 망상내피 계통의 탐식기능 증강 등의 작용을 가진 것으로 알려지고 있다.

5) 안정법安定法

안정법은 안신安神 작용을 가진 약물을 사용하여 심신心神이 안정되지 못해 발생하는 심계心悸, 정충怔忡과 같은 증상을 치료한다.

☯ 안정법의 현대연구

안정법의 상용 약물은 주로 진정, 최면, 항경련, 항졸연혼도卒然昏倒, 혈압강하 등의 작용을 가진 것으로 알려지고 있다.

6) 개규법開竅法

개규법은 환자가 정신을 잃고 혼미해지는 것을 치료한다. 원인에 따라 구체적인 치료방법이 정해지는데 청열개규淸熱開竅, 화담개규化痰開竅 등의 방법이 있다.

☯ 개규법의 현대연구

현대 실험연구에서 개규법의 회복, 소생 효과가 다양한 방법으로 증명되고 있으며, 아울러 개규법은 주로 각성, 진정, 항경련, 항염, 해열, 항전간抗癲癎, 거담祛痰, 평천平喘 등의 효과를 가진 것으로 알려지고 있다.

7) 고삽법固澀法

고삽법은 수렴收斂, 고삽固澀 등의 작용이 있는 약물을 활용하여 기, 혈, 진, 액 등이 정상 범위를 넘어 체외로 과도하게 유출되는 증상을 치료한다. 이러한 증상들은 기본적으로 허증에 기반하여 발생하기 때문에, 상황에 따라 보법補法을 함께 사용하는 경우가 많다.

☯ 고삽법의 현대연구

임상연구 결과, 고삽법은 감염성 쇼크(급성 심근경색, 외상성, 중독성, 수술후 등의 쇼크), 신하수腎下垂, 영유아의 소화불량, 소아유뇨증, 붕루, 습관성 유산 등에 유효하다는 보고가 있다.

8) 구충법驅蟲法

구충법은 구충驅蟲 작용을 가진 약물을 사용하여 기생충으로 인해 발생하는 병증을 치료하는 방법이다. 의사는 구충 약물을 사용할 때 환자의 정기正氣가 손상되지 않도록 주의를 기울여야 한다.

☯ 구충법의 현대연구

실험연구 결과, 구충법은 회충, 조충, 혈흡충에 대하여 구충 작용을 가진 것으로 증명되고 있다.

제3절   약물치료

1. 한약, 한약학(본초학, 방제학)의 특징

　한약韓藥은 오랜 세월에 걸쳐 질병을 치료하고 예방할 목적으로 사용되어 왔으며 지금도 여전히 애용된다. 현재 국내 공정서에 등록된 한약재는 대한민국약전 14개 품목, 대한민국약전외한약(생약)규격집 423개 품목으로 총 437품목이며, 전체적으로 국내에서 사용 가능한 한약은 한약제제로 허가(신고)된 것 528종과 한약재로만 허가(신고)된 것 211종 등 총 739종이 등록되어 있으며, 주성분 1,406종도 함께 등록되어 있다.[62]

　한약은 사회적 필요와 주변의 발전된 과학기술을 받아들여 지금도 변화하고 발전하는 과정에 있다. 현재 중국, 일본, 대만, 미국, 유럽 등 세계 각지에서 한약과 관련된 다양한 연구가 진행되고 있으며, 이러한 각국의 연구 성과들은 발달한 정보통신 기술에 힘입어 거의 실시간 전 세계적으로 공유된다. 한국의 경우도 한약은 한의학계뿐만 아니라 다른 인접 학문 분야(서양의학, 약학, 생화학, 생물학 등)에서도 연구가 이루어지고 있다. 그리고 한약재는 의료는 물론이고 식품, 화장품 등에도 활용된다. 이러한 상황으로 인해 한약의 현대화, 과학화 성과는 다양하게 해석될 여지가 생겨난다. 기술이 발전함에 따라 한약 제형의 변화가 이루어지고, 한약에 대한 기초과학적 연구가 확장되며, 한의 임상연구를 통해 질병에 대한 한약의 치료 효과가 입증되고 있다. 다만 이러한 현대화, 과학화 연구가 다양한 학문 분야에서 공동으로 수행되고 또 연구가 서로 얽혀 있음으로써 한약과 관련된 용어의 사용도 각 분야마다 다르고 또 개념상의 혼돈이 있다.[63] 그러므로 먼저 한약과 관련한 다양한 용어들의 정의를 살펴보고, 한약을 연구하는 본초학, 방제학과 현대 약리학, 생약학과의 차이를 간략하게 살펴보는 것이 필요할 것 같다.

---

62)　국가생약정보(National Herbal Medicine Information, NHMI)[인터넷].[2022년 3월 15일 인용]. URL: https://nifds.go.kr/nhmi/main.do

63)　엄석기. 한약, 한약재, 생약과 천연물의 법규상 개념 및 정의의 문제점과 개선안. 대한한의학원전학회지 2014;27(2):77-95.

1) 한약 관련 용어들

(1) 한약韓藥

약사법 제2조[64]에서는 한약을 "동물, 식물 또는 광물에서 채취된 것으로 주로 원형대로 건조, 절단 또는 정제된 생약生藥"으로 정의한다. 여기서 약효를 유지하면서 이물질 및 비약용부위를 제거하는 과정을 '정제精製' 또는 '세정洗淨'이라 하며, 유효물이 잘 추출되고 보관이나 조제에 편리하도록 절단하는 과정을 '절제切製'라고 하는데, 이 둘을 합쳐 '수치修治'라고 한다.[65] 약사법에서의 한약은 한의 의료기관에서 한약 처방에 사용되는 수치를 거쳐 절단된 형태로 한약재 제조 및 품질관리기준(hGMP) 규격에 따라 포장된 여러 가지 한약재를 말한다.

그러나 현실에서 '한약'은 더 넓은 의미로 사용된다. 인삼, 당귀, 감초 등과 같은 원료의 약품인 단미 한약을 지칭할 때도 있지만, 여러 한약을 배합한 완제의약품인 한약 처방(조제 탕약)과 한약 처방을 다양한 방식으로 제조하여 만든 다양한 제형의 완제의약품인 한약제제도 모두 '한약'이라는 명칭으로 불리고 있다. 예를 들어 인삼, 보중익기탕(탕제湯劑), 견정산(산제散劑), 경옥고(고제膏劑), 육미지황환(환제丸劑), 다양한 한약제제(건조엑스제, 연조엑스제, 복합과립제, 정제, 시럽, 캡슐 등) 모두를 한약이라 부르고 있다.

(2) 한약제제韓藥製劑

약사법 제2조에서는 한약제제韓藥製劑를 "한약을 한방원리에 따라 배합하여 제조한 의약품"으로 정의하고 있다.[66]

---

64)   약사법 [시행 2022. 1. 21.] [법률 제18307호, 2021. 7. 20., 일부개정], 제2조(정의)

65)   엄석기. 한약, 한약재, 생약과 천연물의 법규상 개념 및 정의의 문제점과 개선안. 대한한의학원전학회지 2014;27(2):77-95.

66)   식품의약품안전처 고시(제2022-30호) 한약(생약)제제 등의 품목허가·신고에 관한 규정 '[별표1]. 한약(생약)제제의 제출자료'에 따르면 한약(생약)제제는 본질조성 또는 기원이 전혀 새로운 생약을 주성분으로 하는 단일제 또는 복합제로 된 신약, 한약(생약)제제 관련 특정 자료 제출이 필요한 자료제출의약품, 자료제출 하지 않아도 되는 의약품(식약처 고시 규정 10종 한약서 처방) 이 세 가지 방법을 통해 허가된다.

(3) 한약재韓藥材

식품의약품안전처 고시 '한약재 안전 및 품질관리 규정'[67]에 따르면 '한약재'는 '한약' 또는 '한약제제'를 제조하기 위하여 사용되는 원료 약재를 말한다.

(4) 본초本草

질병을 예방하고 치료하기 위해 약물로 사용되는 식물, 동물 및 광물을 총칭하여 예로부터 본초라 하였다. 한약재에는 동물성, 광물성 약재도 있지만 식물류가 절대적 다수를 차지하므로 '본초本草'라 명명한 것이다. 본초는 현재의 한약과 같은 의미라고 할 수 있다. 한의과대학에서는 과거 전통에 따라 한약학을 '본초학'이라 칭한다. 본초학 교과서에서는 본초학을 "한약재韓藥材의 기원, 채집, 포제炮製, 성미性味, 효능效能 및 응용 방법 등의 지식을 연구하는 학문을 말한다. 이 외에도 약물에 관한 역사와 감별, 산지에 관해서도 연구하며 최근에는 한약재 규격 설정에 필요한 이화학적인 방법과 성분, 약리 등에 관해서도 연구되고 있다."라고 정의하고 있다.[68]

(5) 생약生藥

식품의약품안전처 고시 '대한민국약전외한약(생약)규격집'[69]에서는 '생약'을 "의약품 각조의 생약은 동물·식물의 약용으로 하는 부분, 세포내용물, 분비물, 추출물 또는 광물"로 정의하고 있다. 이러한 정의는 상위법인 약사법의 '한약'에 대한 정의와 별다른 차이가 없다. 생약이란 용어의 변천사를 보면 조선 시대에 생약은 어떠한 가공도 하지 않은 날 것의 약을 의미했으며, 일제강점기에 생약은 한약을 의미했고, 대한민국 수립 이후 현재까지 한약과 생약은 개념적으로 엄밀하게 구분되지 않고 함께 사용되고 있다.[70]

---

67) 식품의약품안전처 고시 제2019-112호, 한약재 안전 및 품질관리 규정. 제2조 1항. 2019.
68) 전국한의과대학 본초학공동교재 편찬위원회 편저. 본초학. 서울: 영림사; 2020. p. 19.
69) 식품의약품안전처 고시 제2022-17호, 대한민국약전외한약(생약)규격집. [별표1] I.총칙(제2조 제1호 관련). 2022.
70) 김윤경, 조선영, 김지연, 강연석. 생약제제의 의미 변천과 정책적 문제 검토. 대한한의학방제학회지 2013;21(2):29-43.

(6) 생약제제生藥製劑

상위법인 약사법에서는 '생약제제'에 대한 정의를 내리지 않고 있으며, 하위 고시인 식약처의 '한약(생약)제제 등의 품목허가·신고에 관한 규정' 제2조[71)]에서 '생약제제'를 "서양의학적 입장에서 본 천연물제제로서 한의학적 치료목적으로는 사용되지 않는 제제를 말한다. 다만 천연물을 기원으로 하되 특정 성분을 추출·정제하여 제제화한 것은 생약제제로 간주하지 아니한다."라고 정의하고 있다.

(7) 방제方劑

방제학 교과서[72)]에서는 방제를 "한의韓醫가 변증辨證을 하고 병기病機를 알아내어 치법治法을 확립한 기초 위에서 방제조성의 원칙에 따라 알맞은 한약을 선택하고, 적당한 용량을 정하고 적절한 제형劑型 및 복용법 등을 규정하는 일련의 과정을 거쳐 마지막으로 완성된 약물 치료 처방"이라고 정의하였다. 아울러 방제학을 "방제의 제방원리製方原理·한약의 배오配伍와 임상에서의 원칙을 연구하고 밝히는 한의학의 기초 응용 과목"이라고 정의하고 있다. 쉽게 말하면 방제는 한의원, 한방병원과 같은 한의 의료기관에서 한의사가 환자를 진찰하고 환자의 질병, 증상 등을 개선하기 위한 목적으로 여러 한약을 일정한 원리로 배합하여 환자에게 투약하기 위한 한약 처방(herbal formula)이라 할 수 있다.

(8) 천연물신약

천연물신약 연구개발 촉진법 제2조[73)]에서는 '천연물'을 "육상 및 해양에 살고 있는 동물·식물 등의 생물과 생물의 세포 또는 조직배양 산물産物 등 생물을 기원으로 하는 산물"로 정의하고 있으며, '천연물신약'은 "천연물성분을 이용하여 연구·개발한 의약품으로서 조성 성분, 효능 등이 새로운 의약품"으로 정의하였다.

---

71) 식품의약품안전처 고시 제2022-30호, 한약(생약)제제 등의 품목허가·신고에 관한 규정. 제2조(정의) 2항. 2022.

72) 한의방제학 공동교재 편찬위원회 편저. 韓醫方劑學 총론. 파주: 군자출판사; 2020. pp. 1-2.

73) 천연물신약 연구개발 촉진법(약칭:천연물신약개발법) [시행 2019. 1. 15.] [법률 제16263호, 2019. 1. 15., 일부개정], 제2조(정의)

📖 한약과 생약, 한약제제와 생약제제는 다른 것일까?

약사법의 '한약' 정의와 하위 고시인 대한민국약전외한약(생약)규격집의 '생약'의 정의를 비교해 보고 현실에서 한약과 생약이라는 용어가 사용되는 용례들을 살펴보면, 한약과 생약이 같은 것임을 쉽게 알 수 있다. 그러면 한약제제와 생약제제는 다른 것일까?

한약제제에 대한 앞선 정의를 살펴보면 한약제제의 특징으로 '한방원리'를 말하고 있다. 그러나 문제는 여기서 언급된 '한방원리'에 대한 개념이 명확하게 정의된 바가 없다는 것이다. 단순히 고전 한의약 의서에 나온 그대로 적용하는 것만을 한방원리를 적용한 것이라 보는 관점은 굉장히 협소한 관점이다. 현대적으로 재해석되고 발전된 한의약 이론들과 새로운 한의약 연구 결과들이 지금 임상에서 활용되고 있기 때문이다. 따라서 기존 한의서에 나와 있는 처방뿐만 아니라 한약의 배합 원리, 가공의 원리, 제조의 원리 등을 바탕으로 현대적으로 연구·개발되고 제형이 변경된 것[74], 다양한 한약의 현대적 과학적 연구를 통해 밝혀진 새로운 한약 처방, 새로운 한약 추출물 등도 한방원리를 기반으로 이루어졌다고 보는 것이 타당할 것이다. 한의학적 원리와 한의 임상 지식에 근거하여 사용되어오던 한약 처방이 현대에 접어들어 제형이 바뀌고 약물 제조 방식이 바뀌고, 몇 가지 처방 내용이 바뀌었다고 해서 한약제제가 아닌 것일까?

마찬가지로 약사법의 하위 고시에서 생약제제의 정의를 보면, 생약제제를 '서양의학적 입장에서 본 천연물제제로서 한의학적 치료목적으로는 사용되지 않는 제제'로 정의하고 있다. 여기서도 '서양의학적 입장'이 무엇이고 '한의학적 치료목적'이 무엇인지 정확히 알 수 없다. 생약제제가 한약제제와 완전히 별개의 것이고 생약제제를 조제·제조하는 원리가 따로 있는 것처럼 정의하고 있지만, 실제 현실을 살펴보면 생약제제는 한의학적 원리를 기반으로 한 한방 처방으로 만들어진 한약제제가 대부분이다. 한약제제를 생약제제와 전혀 다른 범주의 것으로 만들어서 생약제제가 마치 양약인 것처럼 일반의약품으로 판매함으로써 한약제제의 범주를 제한하고 생약제제의 범주를 확장하고 있는 것이다.[75] 약사법에 없고 하위법에 있는 생약제제가 상위법인 약사법에 있는 한약제제를 포괄하는 듯한 잘못된 일이 벌어지고 있다.[76]

---

74) 임현진, 김지훈, 조선영 외. 약사법상 한약제제의 정의 중 한방원리의 의미에 대한 고찰. 대한한의학 방제학회지 2015; 23(1):1-14.

75) 기성 한의학 서적에 나온 전통적인 한약 처방뿐만 아니라 국내외의 현대한의학의 다양한 연구 성과가 반영된 한약 처방의 변형, 새로운 제형, 새로운 가공 방법, 한약 추출성분, 새롭게 발견된 한약 추출성분, 새로운 한약재가 추가된 한약 처방 등 모두가 한약제제에 포함되어야 하며, 생약과 생약제제란 용어는 혼란을 피하기 위해 한약과 한약제제로 통일하는 것이 합리적이지 않을까 생각한다.

76) 엄석기. 한약제제, 생약제제와 천연물신약의 법규상 개념 및 정의의 문제점과 개선안. 대한한의학원전학회지 2014;27(4): 181-98.

현재 우리나라에서 한약제제로 품목허가가 가능한 처방이 약 3만여 개로 추정되나 식품의약품안전처에서 한약제제와 생약제제를 구분하고 있지 않기 때문에 정확한 통계를 구하기 어려운 실정이다. 식약의약품안전처 의약품안전나라에 따르면 한약(생약)제제 품목은 약 4천 개 정도가 되며 전문의약품과 일반의약품으로 나뉜다(표 5-1).[77][78] 한약(생약)제제 전문의약품에는 사상체질처방 약 70여 품목이 포함되어 있다.

표 5-1. **한약(생약)제제 품목수**[79]

	전체	전문의약품	일반의약품
한약(생약)제제	4,030품목	646품목	3,384품목

2) 한의학의 본초, 방제학과 서양 약리학의 차이

(1) 한약 약성이론의 특징

한의학에는 한약의 효능을 설명하기 위한 고유의 이론들이 있다. 여기에는 오랜 시간의 임상 경험이 녹아 있으며, 일정한 원리로 파악하고자 하는 많은 노력이 들어있다. 본초학에서는 한약의 효능을 설명하는 이론을 약성론藥性論이라 한다. 약성론에는 기미氣味(사기四氣와 오미五味), 귀경歸經, 승강부침升降浮沈, 독성毒性, 금기禁忌, 형성形性(약재의 형태, 색깔, 냄새, 물리적 특성 등) 등의 이론이 있다. 일종의 한약 약리론이다.

현대에 들어 이 같은 전통적인 한약 약리론에 대한 연구뿐만 아니라 한약의 주요 유효성분들을 분리하여 추출하는 연구, 실험 연구를 통해 한약의 작용기전과 효능을 밝히는 연구, 한의약 이론을 현대 과학적으로 설명하는 연구, 복합 처방을 구성하는 한의약 이론의 규칙에 관한 연구, 한약 처방을 이용한 신약 개발, 다양한 제형의 개발, 한약의 독성 연구

---

77) 문제는 한약제제와 생약제제가 구별되지 않는 상황에서 한약제제를 생약제제로 칭하면 한의사가 처방하지 못하는 경우가 발생할 수 있다는 사실이다. 이는 보건복지부 고시[제2010-141호, 의약품 분류기준에 관한 규정. 제2조(분류의 기준)]에서 생약제제를 원칙적으로 일반의약품으로 분류한다고 규정하고, 일반의약품과 전문의약품은 의사 또는 치과의사만 사용하는 의약품으로 분류하였기 때문이다. 한의 임상을 반영하지 못하는 법령은 개정될 필요가 있다.

78) 고호연. 한약재, 한약제제, 생약제제. 한의약정책리포트 2021;6(2):36-45.

79) 식품의약품안전처. 의약품안전나라 한약(생약)제제(2021년 11월 기준)(표는 '고호연, 2021'에서 인용.)

등 다양한 과학적 한약약리학 연구도 함께 이루어지고 있다.[80] 더 나아가 2000년대 후반부터 시스템 생물학(systems biology)에 기반한 네트워크 약리학(network pharmacology)이 한약 연구에 적용되기 시작하면서 한약의 다양한 복합 성분 간의 상호작용과 인체와의 다양한 상호작용 분석을 통해 다차원적인 한약의 분자생물학적 효능과 임상적 효과를 확인하는 연구가 활발하게 수행되고 있다.[81]

서양 약리학의 경우 생약학에서 한약에 대해 연구하는데, 한약의 주요 유효성분의 추출 및 추출된 단일 특정 유효성분이 인체 내에서 작용하는 약물 작용기전(Mechanism of action, MOA), 약물동력학(Pharmacokinetics, PK) 등을 중심으로 연구가 이루어진다. 예를 들어 감초를 연구할 때 감초 전체가 아닌 감초의 주요 구성 성분인 글리시리진(glycyrrhizin)을 중심으로 인체 내 작용을 연구하는 것이 주요 접근 방식이라 할 수 있다.

(2) 한약 처방의 약리학적 특징

한약과 양약의 차이를 간단히 정의하면 양약은 합성된 단일 성분(single-compound) 의약품, 한약은 한약재에서 추출된 복합물(mixture) 위주의 의약품이라 할 수 있을 것이다. 양약은 단일 성분을 합성하여 만든 의약품으로 화학물질의 구조, 효능, 독성(흡수-분포-대사-배설), 부작용 등이 규명되어 있으며 단일 성분 의약품을 기본 전제로 임상 투약, 약리학적 관찰과 측정, 신약 허가 등이 이루어진다.[82] 반면에 한약(처방)의 중요한 특징은 다수 한약의 상호 작용으로 인한 상승효과(synergistic effect)를 통해서 약효가 증가하며, 독성과 부작용은 감소한다는 데 있다. 한약 처방은 개별 한약들이 방제학의 군신좌사君臣佐使 이론에 따라 복합 한약 처방(herbal formula)으로 만들어진 것으로 여러 약재가 군신좌사의 상호작용을 통하여 단일 약재 효능의 단순한 합이 아닌 그 이상의 특성을 보인다.[83] 예를 들어 도인-홍화를 수증기 증류법에 따라 정유를 추출하여 실험한 결과 개별 한약에서 설명할 수 없는 21종류의 성분이 새롭게 검출되었고, 금은화-연교를 함께 사용한

80)   김호철. 한약약리학. 파주: 집문당; 2012. pp. 12-6, 18-20.

81)   Wang X, Wang ZY, Zheng JH, Li S. TCM network pharmacology: A new trend towards combining computational, experimental and clinical approaches. Chin J Nat Med 2021;19(1):1-11.

82)   인창식, 이승우, 김윤경. 한약과 양약의 개념 설정 어떻게 할 것인가? 대한한의학방제학회지 2012;20(2):187-97.

83)   Zhou X, Seto SW, Chang D, et al. Synergistic Effects of Chinese Herbal Medicine: A Comprehensive Review of Methodology and Current Research. Front Pharmacol 2016;7:201.

경우 연교 단독의 경우보다 연교의 유효성분이 뚜렷하게 많이 용출되었다.[84] 한약은 기본적으로 복합성분으로 이루어진 약물이며 개별 한약(단미 한약) 자체도 단일 성분이 아닌 복합성분으로 구성되어 있다. 그러므로 복합 한약 처방(herbal formula)으로 확대할 경우 한약 처방에는 무수히 많은 성분이 혼합되어 있으며, 각 성분 사이에 수많은 상호작용과 인체와의 수많은 상호작용이 나타나게 된다. 이러한 양약과 한약의 차이를 'one drug, single compound, one target, one disease'와 'multi drugs, multi compounds, multi targets, multi diseases'로 단순하게 표현하기도 한다. 양약은 단일 성분이 인체의 단일 표적에 작용하여 하나의 질환이나 하나의 증상을 치료하며, 한약의 경우 복합 성분이 인체의 다중 표적에 작용하여 여러 질환이나 여러 증상을 치료한다는 것이다(그림 5-2).[85]

일반의약품(Ordinary medicine)
작용 방식(The mode-of-action): 단일 성분-단일 표적 상호작용(one compound-one target interaction)

한약(Herbal medicine)
작용 방식(The mode-of-action): 복합 성분-다중 표적 상호작용 (multiple compounds-multiple targets interactions)

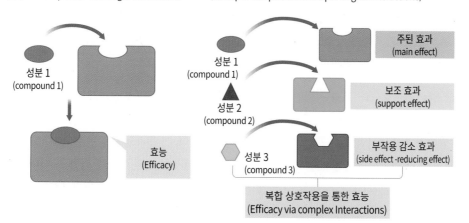

그림 5-2. **일반의약품과 한약의 작용기전의 차이를 보여주는 그림**[86]

일반의약품에서 효능은 단일 성분-단일 표적 상호작용(one compound-one target interaction)에서 비롯되었다. 이에 반해 한약의 효능은 복합 성분-다중 표적 상호작용(multiple compounds-multiple targets interactions)에서 비롯되었다.

84) 顾蕾蕾, 武露凌, 李祥, 陈建伟, 李敏. 桃仁、红花及其药对挥发油的气相-质谱分析. 中成药 2008;30(5):719-22.

85) Sawada R, Iwata M, Umezaki M, et al. KampoDB, database of predicted targets and functional annotations of natural medicines. Sci Rep 2018;8(1):11216.

86) Sawada R, Iwata M, Umezaki M, et al. KampoDB, database of predicted targets and functional annotations of natural medicines. Sci Rep 2018;8(1):11216.

📌 천연물신약, 천연물 유래 의약품은 한약일까? 양약일까?

이 질문에 대해 대다수 한의사들은 천연물신약 또는 천연물유래의약품은 '한약'이라고 답할 것이다. 한약의 원료 약재와 천연물의 범주가 거의 일치하기 때문이다. 그러나 천연물신약과 관련된 국내 상황을 살펴보면 이 문제는 단순하지 않다. 간단하게 관련 사항들을 살펴보고자 한다.

일반적으로 신약은 화합물(chemical), 바이오(biological), 천연물(natural)신약으로 나뉜다. 그 가운데 천연물의약품의 시장규모는 전 세계적으로 지속해서 성장하고 있다. 천연물신약 또는 천연물 유래 의약품은 국가에 따라 Crude Drug, Herbal Medicinal Preparation, Botanical Drug, Herbal Medicinal Product (HMP) 등 다양한 용어로 불리고 있다. 미국에서는 공식적으로 'Botanical Drugs'라는 용어를 사용하고 있고, 유럽에서는 'Herbal Medicinal Product (HMP)'라고 부르며, 중국에서는 이를 중약中药(Traditional Chinese medicine, TCM)으로 표시하고 1-6류로 분류한다.[87]

국내에서는 2000년부터 '천연물신약 연구개발 촉진법'을 제정하고 2001년부터 5년 단위로 '천연물신약 연구개발 촉진 계획'을 수립하여 시행하고 있다. 그 결과 현재까지 8종의 천연물신약이 개발(2018년 1종 허가 취소되어 7종 판매 중)되었으나 2012년 이후 국내에서 추가적인 천연물신약 개발은 없는 상태이다(표 5-3).[88][89]

국내에서는 '천연물신약' 개념 정의의 변화로 인해 한·양방의 갈등이 발생하게 되었다. 2008년 식품의약품안전처 고시에서 천연물신약에 대한 범주가 확대되어 생약한약제제의 자료제출의약품 중 일부가 천연물신약으로 규정되면서 갈등이 시작되었다.[90] 문제의 핵심은 한약제제와 생약제제의 범주가 명확하지 않은 상황에서 한약제제가 생약제제로 바뀌기 쉽게 되었고, 나아가 생약제제가 천연물신약으로 쉽게 바뀔 수 있게 된 것에 있었다. 예를 들어 아스피린, 탁솔, 아르테미시닌 등과 같은 천연물 유래 합성의약품이 천연물신약으로 생각되었던 것이 이제는 한약 전체

87) 한유진, 박선주. 천연물신약 특허 동향 분석. 대한예방한의학회지 2016;20(2):77-86.

88) 관계부처 합동. 제4차 천연물신약 연구개발 촉진 계획(2020-2024). 2020.12.

89) 이후 한약(생약)을 전체로 추출한 한약(생약)제제는 자료제출의약품 형태로 출시되었다. 대표적으로는 2019년 허가된 움카민플러스시럽(펠라고니움 시도이데스 + 아이비엽 추출물)이 있다. 2021년 4월 신약으로 승인받은 브론패스정은 한약 처방인 '청상보하탕' 중 6가지 한약재에 백부근을 더한 것으로 한약 처방의 가감방으로 '청상보하탕가감'이라 할 수 있다. 따라서 신약보다는 자료제출의약품으로 보는 것이 더 합리적이지 않을까 생각한다. 이 부분은 논란이 있을 수 있다고 생각한다.

90) 신은주. 이슈 정리-천연물신약이 한약인 까닭은. 민족의학신문[인터넷]. 2013년 1월 10일[2022년 1월 15일 인용]. URL: http://www.mjmedi.com/news/articleView.html?idxno=24052

표. 5-3. 국내 승인 천연물신약

제품명	기업명	허가 연도	주요 성분	적응증	특이사항
조인스정	SK케미칼	2001	위령선·괄루근·하고초 30% 에탄올건조엑스	골관절염	한의임상사용
아피톡신주	구주제약	2003	건조밀봉독	골관절염	봉독약침으로 한의임상에서 오래 전부터 사용
스티렌정	동아제약	2005	애엽 95% 에탄올연조 엑스	위염	한의임상사용
신바로캡슐	녹십자	2011	자오가·우슬·방풍·두충· 구척·흑두건조엑스	골관절염	자생한방병원의 청파전 처방과 유사
시네츄라시럽	안국약품	2011	아이비엽 30% 에탄올 엑스, 황련수포화부탄 올건조엑스	기관지염	아이비엽은 유럽에 서 사용, 황련은 한의임상사용
모티리톤정	동아제약	2011	현호색·견우자(5:1) 50% 에탄올연조엑스	기능성 소화 불량증	한의임상사용
레일라정	한국피엠 지제약	2012	당귀·모과·방풍·속단· 오가피·우슬·위령선·육 계·진교·천궁·천마·홍화 25% 에탄올연조엑스	골관절염	배원식 한의사의 활맥모과주 처방을 바탕으로 함.
유토마외용액	영진제약	2012	돼지폐추출물	아토피 피부염	2018년 1월 허가 취소

전부 전문의약품으로 허가됨-아이비엽과 돼지폐추출물을 제외하고 한의 임상 경험 및 지식과 일치[2020년
1월 유효기간 만료로 허가 취하되었으며, 신바로정으로 대체(신바로캡슐은 2015년까지 생산)]

추출물[예: 스티렌정(쑥)], 한약 처방 전체 추출물[예: 레일라정(활맥모과주처방)] 등이 천연물신
약이 될 수 있게 된 것이다. 한의원이나 한방병원 처방을 기반으로 한 한약 처방에 몇 가지 독성
및 약리학적 실험을 추가하고, 처방 구성, 한약재의 규격, 가공 추출법 등을 바꾸거나 서양의학적
임상 효능을 추가하면 자료제출의약품 생약제제인 천연물신약으로 허가를 받을 수 있다. 이렇
게 한약 처방이 천연물신약 생약제제로 허가받게 되면 '서양의학적 천연물제제'이며 '신약이 되

고, 양방병원에서 임상시험을 하고 전문의약품이 되어 양방 보험급여를 적용받게 되고 양의사에 의해 처방되게 된다.[91] 이러한 상황 속에서 천연물신약은 한약이며 당연히 한의사에게 처방권이 주어져야 한다는 한의계의 주장과 서양의학적 원리로 제조된 생약제제며 한의사에게 처방권이 없다는 보건당국과 제약사의 주장이 법정 다툼으로까지 번졌다.[92] 이 문제는 감사원의 지적으로 2016년 식품의약품안전처 고시 '한약(생약)제제 등의 품목허가·신고에 관한 규정 일부개정고시'에서 한약제제를 쉽게 천연물신약으로 바꿀 수 있었던 근거가 된 천연물신약 관련 정의가 삭제되면서 일부 정리되었고[93], 이후 다시는 공식적으로 천연물신약이란 용어는 사용할 수 없게 되었다.

그러나 이미 출시된 천연물신약과 천연물유래의약품 등에 대한 한의사의 처방권 문제는 여전히 해결되지 않은 상태며, 한약제제, 생약제제, 천연물의약품에 대한 모호한 정의는 현재까지 지속되고 있다.[94] 이런 가운데 '천연물신약 연구개발 촉진법'을 통해 정부는 지속해서 천연물신약 개발을 추진하고 있다.[95] 따라서 국내에서는 천연물신약 또는 천연물유래의약품을 둘러싼 갈등이 앞으로도 지속될 수밖에 없을 것으로 보인다. 이러한 갈등은 다음의 세 가지 이유로 추후 더욱 첨예해질 가능성이 크다.

첫째, 한의학의 현대화, 과학화의 빠른 진행이다. 지금 한의학 현대화의 일환으로 한약제제의 다양한 제형 개발, 새로운 약물 추출 방식의 도입, 과학적 연구에 근거한 새로운 한약 처방 등에 대한 연구가 진행되고 있다. 이에 따라 앞으로 한약과 양약은 형태적으로 구별할 수 없을 정도가 될 것이고 이러한 경향은 기술 발달과 함께 복약 및 보관의 편리성 때문에 더욱 확대될 것이다. 그러므로 가까운 미래에 한의 의료기관에서는 개별 환자에게 맞는 맞춤 한약인 탕약과 함께 특정 증상이나 질병을 치료하기 위해 사용하는 다양한 형태의 한약제제가 함께 사용될 것이다. 또 국외 및 국내에서 '네트워크 약리학(network pharmacology)' 연구와 한약 처방의 효능에 대한 병태

91) 김윤경, 조선영, 김지연, 강연석. 생약제제의 의미 변천과 정책적 문제 검토. 대한한의학방제학회지 2013;21(2):29-43.

92) 정현미. 국내 천연물신약 현황 및 천연물자원과 관련된 중의약 정책 동향을 통해 본 천연물의약품 발전 방안 [석사학위]. [서울]: 중앙대학교 대학원; 2016년.

93) 식품의약품안전처 고시 제2016-112호, 한약(생약)제제 등의 품목허가·신고에 관한 규정 일부개정고시. 2016.

94) 2022년 4월 식품의약품안전처 고시(제2022-30호) 한약(생약)제제 등의 품목허가·신고에 관한 규정 일부개정고시 '[별표 1] 한약(생약)제제의 제출자료'에서 한약제제, 생약제제란 용어가 단일제 또는 복합제란 용어로 변경되었다. 즉, 품목허가의 구분에 한약제제, 생약제제로 표시된 부분이 모두 삭제됨으로써 품목허가 과정부터 한약제제와 생약제제를 구분되는 일이 발생하지 않게 되었다. 그러나 관련 법령들과 식품의약품안전처 고시에서 한약, 양약, 한약제제, 생약제제, 천연물신약에 대한 용어 정의는 변함없이 유지되고 있다.

95) 관계부처 합동. 제4차 천연물신약 연구개발 촉진 계획(2020-2024). 2020.12.

생리학적 기전 연구(in vivo, in vitro, in silico), 처방에 대한 무작위대조군연구와 같은 임상연구도 지속해서 늘어나고 있다. 이러한 한약의 현대화, 과학화 연구 성과 중 많은 부분이 천연물신약 또는 천연물유래의약품의 개발 부분과 겹칠 가능성이 있다. 이러한 상황 속에서 일부 연구자들은 현대적 한약제제에 대한 분류 연구에서 생약과 생약제제라는 용어를 관련 규정에서 모두 삭제하고 이를 모두 한약 및 한약제제로 통일되도록 개정하여 더 이상의 혼란을 막아야 한다고 주장한다. 또 신약과 관련해서는 사용례가 없는 기원이 전혀 새로운 한약에서 추출한 유효성분과 그 제제, 한약에서 추출한 처방 근거가 없는 전문의약품에 해당하는 주사제, 경피흡수제, 한약의 새로운 약용 부위와 제제, 사용례가 없는 기원이 전혀 새로운 한약에서 추출한 유효분획과 그 제제, 새로운 가공법의 한약 및 그 제제, 한약에서 추출한 새로운 유효성분과 그 제제, 약침제제(피하, 근육, 정맥 주사) 등을 '한약신약'으로 정의하여 분류할 것을 제안하였다.[96]

둘째, 천연물신약 및 천연물유래의약품 개발이 많은 부분에서 전통 한의약 지식과 한의학의 임상경험을 바탕으로 이루어지고 있다는 점이다. 바로 이러한 천연물신약 개발 전략이 '역약리학(reverse pharmacology)'이며, 한국도 한약 및 한약 처방을 적극적으로 활용하는 이러한 전략을 채택하고 있다. 역약리학은 전통 한의약 지식을 현대 과학적으로 해석하여 천연물의약품을 개발하려는 전략이다. 이미 안전성과 임상 효능이 입증된 전통 한약, 한약 처방에 대한 활성물질 규명과 전임상/임상연구를 통한 약물후보군 또는 처방군을 개발하려는 방법이다. 이 방법은 합성신약 개발보다 개발비용과 소요 기간을 절약하여 효율적인 개발이 이루어질 수 있다는 장점이 있다.[97] 문제는 약물 개발의 출발 근거가 한약과 한의 임상 지식이라는 점이다. 물론, 약물이 선정된 이후의 개발과정은 기존의 양약의 개발과정과 동일한 과정을 밟겠지만,[98] 대상 약물들이 한의 임상과 깊이 관련되어 있다는 점에서 갈등을 피할 수 없을 것이다.

셋째, 국외에서 다양한 한약제제, 한약 유래 천연물의약품들이 지속해서 개발되는 현실적인 상황이다. 이러한 약제들은 최종적으로 미국 FDA나 주요 국가들에서 승인을 받아 글로벌 의약품으로 전 세계에 판매될 것이다. 그 가운데 중국에서 개발되는 다양한 한약제제들이 점차 그 질이

96) 김지훈, 조선영, 한상용 외. 이원화 체계 하에서의 현대적 한약제제 분류 방안 고찰. 대한한의학회지 2015;36(1):61-74.

97) Ahn K. The worldwide trend of using botanical drugs and strategies for developing global drugs. BMB Rep 2017;50(3):111-6.

98) 기존 약물 개발 방식과 다르게 개발 전 과정에서 한약 및 한의 임상 지식의 특성을 고려한 연구도 가능할 것이다. 한 예로 Zhang 등은 신약을 개발(Drug discovery)하는 방법으로 시스템 약물학(Systems Pharmacology)을 적용하여 한약 처방의 복합적 기전을 분석하고 아울러 한의학적 진단인 변증에 대해 함께 분석하여 새로운 약물을 개발하는 방식을 제시하기도 하였다. (Zhang W, Huai Y, Miao Z, et al. Systems Pharmacology for Investigation of the Mechanisms of Action of Traditional Chinese Medicine in Drug Discovery. Front Pharmacol 2019;10:743.)

개선되고 양이 늘어나 중국 국내뿐만 아니라 국외에서도 승인되어 사용되기 시작하였다. 예를 들어 중국 임상에서 사용되어 싱가포르 제약회사에서 개발, 생산된 NeuroAiD (MLC601)[99]란 상품명의 한약제제인 단기편탄교낭丹芪偏瘫胶囊(황기, 단삼, 천궁, 적작약, 수질, 토별충, 전갈, 원지, 석창포, 인공우황 등 14개 한약)은 다국가 임상연구를 통해 뇌졸중 후유증 개선 효과[100]를 보여 전 세계적으로 판매되고 있다. 이렇게 지속해서 임상연구 결과가 나오고 있고 전 세계적으로 인정되고 판매되는 한약제제가 한국에 수입된다면 누가 처방권을 가져야 할까?

천연물신약을 둘러싼 한방과 양방의 갈등은 현재도 지속되고 있다. 한의학 이론 및 한의 임상 경험을 토대로 구성된 한약 처방을 현대적 제형의 한약제제로 만들 경우 한약으로 규정하여 한의사가 처방하는 한방전문의약품으로 지정하는 것이 옳을까 아니면 천연물유래의약품으로 양의사만이 처방할 수 있는 전문의약품으로 지정하는 것이 옳을까? 이 물음에 대한 보건당국(식품의약품안전처)의 답변은 후자에 가까운 것 같다. 2021년 4월 식품의약품안전처 품목허가를 받고, 2021년 11월 건강보험공단에 급성기관지염 치료제로 급여 등재된 '브론패스정'을 보면 알 수 있다. 브론패스정은 한의학 서적인 〈수세보원〉에 실려 있는 '청상보하탕' 처방 중 6가지 한약재(숙지황, 목단피, 오미자, 천문동, 황금, 행인)에 백부근을 추가한 한약(생약)제제다.[101] 2022년 1월 기준 이 약은 전문의약품으로 분류되어 양의사만이 처방할 수 있다.

천연물신약 개발이 한의학의 현대화와 어떻게 다르고 어떻게 차별화될 수 있는가에 대해 근본적인 질문이 제기되는 상황이다.

---

99) 2018년부터 동물성 약재를 제외한 9개 한약재로 구성된 'NeuroAiDII(MLC901)'가 판매되고 있다.

100) Siddiqui FJ, Venketasubramanian N, Chan ES, Chen C. Efficacy and safety of MLC601 (NeuroAiD), a traditional Chinese medicine, in poststroke recovery: a systematic review. Cerebrovasc Dis 2013;35 Suppl 1:8-17.

101) 식품의약품안전처 의약품안전나라 의약품통합정보시스템[인터넷]. [2022년 1월 15일 인용]. URL: https://nedrug.mfds.go.kr/index

2. 한약에 대한 기초 지식-본초학

1) 약藥, 독毒, 식食

전통적으로 한의학에서는 '약藥', '독毒'[102], '식食'을 엄밀하게 구분하지 않았다. 예로부터 한의학에서는 유독有毒한 것은 '약'이었고, 무독無毒한 것은 '식'이었다. 여기서 '독'은 인체에 유해한 독물에 국한되지 않았으며, 대체로 약성이 강렬하거나 작용이 강한 약을 유독이라 하고, 약성이 약하고 작용이 완만한 약을 무독이라 하였다. 특히 성질이 강해서 장기간 복용할 수 없는 것, 그래서 질병 치료에만 잠시 사용해야 한다는 의미에서 약을 독약毒藥이라 하기도 했다. 음식은 무독한 약에 해당되었고, 음식과 약을 같은 것으로 생각하여 '약식동원藥食同源'으로 표현하였다. 무독한 약인 음식을 통해 질병을 예방하고 치료하는 '식료食療' 또는 '식치食治'에 관한 내용과 한약재와 식재료를 배합하여 만든 음식인 '약선藥膳'도 과거 문헌에서 쉽게 찾아볼 수 있다.[103] <동의보감東醫寶鑑>의 탕액편湯液篇에 음식의 재료가 되는 곡물류, 동물류, 과일류, 채소류가 약재에 포함되어 기재되어 있는 것도 이러한 전통이 반영된 것이다.[104]

2) 한약의 약성藥性이론

약성이론은 고대 의약가醫藥家들이 오랜 임상을 통해 얻은 경험을 반영하여 약물의 성격과 작용을 종합적으로 규정한 것으로 약물이 인체에 미치는 영향, 그리고 그 운용법칙을 설명하는 이론을 말한다. 즉, 약성이론은 약물에 대한 한의학의 오랜 임상 경험과 한의학 이론이 함께 집약된 것이라 할 수 있다. 약성이론에는 기미氣味, 귀경歸經, 승강부침升降浮沈, 독성毒性, 금기禁忌, 형성形性 등의 이론이 있다. 대표적인 약성이론들을 간단하게 살펴본다.

---

102) 한의학에서 '독(毒)'에 대한 개념은 약물학에만 사용되지 않았다. 약물학에서 독은 약효, 약물의 부작용, 약물의 편성(偏性, 한쪽으로 치우친 성질, 사기오미의 성질 차이) 등을 나타낸다. 덧붙여 독이란 용어는 병의 원인[병인(病因)], 병명(病名), 병증(病證), 치법(治法), 약물 효능, 처방 명칭 등에도 사용되었다. 한의학의 '독성' 개념에 대한 자세한 내용은 '이선동. 전통적인 한의학의 독성 개념. 대한예방한의학회지 1999;3(1):157-72.'를 참고할 것.

103) 차웅석, 백유상. 약선(藥膳)의 역사에 관한 소고. 한국의사학회지 2004;17(1):255-63.

104) 신동호, 정종훈. 동의보감 탕액편에 기재된 식이본초의 독성유무에 대한 분류 연구. 대한한의학회지 2011;32(1):12-35.

(1) 기미氣味

　기미론이란 한열온량寒熱溫涼의 사기四氣와 산고감신함酸苦甘辛鹹의 오미五味로 한약의 효능을 설명하는 이론이다. 전통 한의학의 약물 이론 가운데 핵심이라 할 수 있다. <신농본초경神農本草經> 이래로 거의 모든 한의서에는 각 약물의 기와 미가 기술되어 있다. 오늘날 사용되고 있는 본초학 교과서에도 한약의 효능을 설명하는 이론으로 기미는 중요하게 다루어진다. 한약의 약성을 파악할 때, 사기와 오미는 따로 적용하지 않고 항상 함께 적용하여 해석하므로 사기와 오미를 합쳐 일반적으로 기미라 칭한다.

① 사기四氣(사성四性)

　사기는 한열온량의 네 가지 약성을 말한다. 이는 음양에 입각한 약성의 분류 체계로 인체에 미치는 생리 활성도를 네 가지로 표현한 것이다. 온열溫熱은 양성陽性을 띠고 한량寒涼은 음성陰性을 나타낸다. 온성溫性의 약물은 양기陽氣를 보충하고, 차가운 기운을 없애며, 체온을 상승시키고, 경락을 소통시키며, 위장의 움직임을 좋게 하고, 설사를 멎게 하며, 강장强壯 작용, 완화 작용 등의 효과를 나타낸다. 열성熱性의 약물은 온성보다 작용이 강하여 발열, 발한, 흥분, 자극 작용을 강력하게 나타낸다. 량성涼性의 약물은 음(음기陰氣, 음정陰精)을 보충하며, 지혈止血하고, 화火를 내리고, 열을 끄는 효과를 나타낸다. 한성寒性의 약물은 량성의 약물보다 작용이 강한 것으로 해열, 소염, 진정, 지혈, 사하 작용 등을 나타낸다.[105] 약성의 사기를 임상에 적용할 때는 환자의 한열 상태와 병의 부위 등을 잘 살펴야 한다.

② 오미五味

　오미는 산, 고, 감, 신, 함의 다섯 가지 약미藥味를 뜻한다. 다섯 가지 맛은 인체의 미각기관을 통해 특정 화학 성분을 직접적으로 체험한 결과이므로 약물의 미味는 화학 성분으로 결정된다. 장상학설에 기초하여 오장으로 나누어 오미의 인체 적용 부위를 설명하기도 하는데, 이는 각각의 미에 따라 인체에 대한 작용 부위가 다르고 일정한 선택성이 있

---

105)　전국한의과대학 본초학공동교재 편찬위원회 편저. 본초학. 서울: 영림사; 2020. pp. 74-6.

음을 설명하는 것이다.[106] 미에 따른 효능은 다음과 같다.

산미酸味는 소모되고 흩어진 정기正氣와 진액津液 등을 수렴시킨다. 이와 함께 인체의 물질이 흘러내리거나 아래로 향하는 것을 멈추게 하는 효능이 있는데, 여기에는 유뇨遺尿, 유정遺精(정액이 저절로 나오는 병증), 설사, 탈항, 자궁출혈, 자궁하수 등의 병증이 해당된다.

고미苦味는 습濕을 제거하는 효능, 약성이 아래로 향하여 작용하게 하는 효능, 신음腎陰을 견고하게 하는 효능이 있다. 예를 들어, 인체의 습이 많은 병증을 치료하고, 폐기肺氣가 상승하여 발생하는 천식 환자에게 사용하여 폐기를 하강시켜 천식을 치료하는 것 등이 여기에 해당된다.

감미甘味는 허약한 것을 보충하는 효능이 있는데 보기補氣, 보혈補血, 보음補陰, 보양補陽의 효능이 있다. 이와 함께 급한 것을 완화하는 효능이 있는데 주로 복통, 근육 경련 등 갑작스럽게 발생한 증상을 완화한다. 아울러 비위脾胃를 조화롭게 하고, 위기胃氣를 보호하는 화중和中의 효능이 있으며, 모든 약물의 약성을 조화롭게 하는 화제약지성和諸藥之性의 효능이 있다. 다수의 한약 처방에 감초가 들어가는 이유가 여기에 있다.

신미辛味는 사기邪氣를 발산하고, 맺힌 것을 풀어주는 효능이 있다. 이와 함께 행기行氣, 행혈行血 효능이 있는데, 행기는 기체氣滯를 풀어 행하게 하고 울결鬱結을 푸는 것이며, 행혈은 어혈瘀血을 풀고 혈을 살아나게 하는 것이다. 덧붙여 신미는 건조한 것을 윤택하게 하는 효능이 있다.

마지막으로 함미鹹味는 딱딱하게 굳어진 것을 부드럽게 하는 효능이 있는데, 어혈이나 담음이 굳어져 발생하는 국소 병변을 치료한다. 이와 함께 함미에는 설사를 시키는 효능이 있다.[107]

106) 김호철. 한약약리학. 파주: 집문당; 2012. pp. 23-17.
107) 전국한의과대학 본초학공동교재 편찬위원회 편저. 본초학. 서울: 영림사; 2020. pp. 77-81.

(2) 승강부침升降浮沈[108]

승강부침은 한약 작용의 방향성을 설명하는 약성이론이다. 단순히 약물 작용이 가지는 방향성뿐만 아니라 약물의 승강부침의 성질을 활용하여 인체 기의 흐름을 조정한다는 의미를 포함한다.

승부升浮 약물은 약물 작용 방향이 위로(상행上行) 밖으로(향외向外) 향한다. 승부 약성을 가진 약물의 기미는 주로 온열하고 신감담辛甘淡하여 전체적으로 양陽의 성질을 가진다. 구체적 효능은 소풍疏風(풍사風邪를 없애는 효능), 산한散寒(한사寒邪를 없애는 효능), 선폐宣肺(폐기를 통하게 하는 치료법), 투진透疹(발진을 잘 돋게 하는 치료법), 승양升陽(양기를 끌어올리는 효능), 통비通痺(저림을 치료함), 최토催吐(구토를 유발하여 사기를 제거하는 효능), 개규開竅(사기邪氣가 심규心竅를 막아 정신이 혼미한 것을 치료하는 효능) 등이 있다.

침강沈降 약물은 약물 작용 방향이 아래로(하강下降) 안으로(향내向內) 향한다. 침강 약성을 가진 약물의 기미는 주로 한량하고 산고함酸苦鹹하여 전체적으로 음陰의 성질을 가진다. 구체적 효능은 통변通便(변이 막혀 나오지 않는 것을 소통시킴), 사화瀉火(화를 없애는 효능), 이수利水(수를 원활하게 빼는 효능), 진정안신鎭靜安神(정신을 안정시키고 편안하게 하는 효능), 평간잠양平肝潛陽(간장肝臟의 기운을 조화롭게 하고 비정상적인 양사陽邪를 잠재우는 효능), 평천平喘(숨이 찬 증상을 안정시킴), 강역降逆(기가 치솟은 것을 내림), 삽정澁精(정精이 밖으로 새지 않도록 하는 효능), 지대止帶(대하帶下를 그치게 하는 효능) 등이 있다.

(3) 귀경歸經

귀경은 장부경락이론에 따라 한약이 인체 각 부위에 선택적으로 작용하는 규칙을 설명하는 약성이론이다. 즉, 한약이 어떤 장부나 경락에 작용하여 효과를 나타내는가에 대한 이론으로서 현대적으로는 약물이 작용하는 작용점 또는 표적기관을 말한다. 귀경론은 약물의 작용 부위를 분명히 하여 변증용약辨證用藥의 정확성을 높이고, 장부 경락의 생리 기능 및 병리 변화와 약물 작용을 연계하여 한약이 인체에서 작용하는 기전을 설명하는데 목

---

[108]　조학준, 김용진. 藥物의 '升降浮沈' 이론과 方劑上의 運用例에 대한 연구. 대한한의학원전학회지 2006;19(3):33-46.

적이 있다.[109] 예를 들어 항경련 작용이 있는 약재들은 간경肝經에 귀속되는데 이는 모든 떨림 질환이 간과 관련 있다는 장부 생리 병리 이론과 관련이 있다. 아울러 한약의 귀경은 약물의 효능과 함께 임상에서 질병을 치료하는 과정에서 얻어진 성과로부터 추론하여 결정되기도 한다. 예를 들어 대황은 설사를 시키므로 대장경大腸經에 속하고, 마황은 천식을 치료하므로 폐경肺經에 속하며, 산조인은 정신의 안정과 불면 치료의 효과가 있으므로 심경心經에 속하는 것 등은 임상에서 경험한 약물의 효능에 의해 귀경이 정해진 것을 보여주는 예이다.[110]

(4) 형성形性 약성藥性[111]

형성形性 약성藥性이란, 약재의 성상性狀(형形, 색色, 취臭, 체體 등)으로 약물의 작용을 설명하는 이론이다. 하지만 실제 약물의 작용 설명에서 이 이론의 비중은 높지 않으며, 약물의 성격 중 일부를 설명하는 방식으로 사용된다.

① 기취氣臭

기취氣臭란 후각을 통하여 감지되는 기氣를 가리키는 것이다. 특히 향香이 있는 향약香藥이 가장 많이 언급되었는데 이 '방향芳香'은 기취의 중요 부분이다. 향이 있는 한약에 대해서는 한약의 효과를 향 고유의 특징과 연결 지어 해석하는 경우가 종종 있다. 향의 특성은 위장의 움직임을 도와주고, 오염된 기를 제거하며, 심신을 안정시키고, 습한 것을 제거하며, 경맥의 소통을 원활하게 하고, 인체 상부, 즉 머리와 눈, 코, 입, 귀 부위에 주로 작용한다. 예를 들어 진피의 향은 위장의 운동을 돕고, 곽향의 향은 오염된 기(장염)로 인한 구토, 복통 등의 증상을 치료하며, 백지와 창출의 방향성은 위장(중초)의 습濕을 제거하여 위장 질환을 치료한다.

---

109)   전국한의과대학 본초학공동교재 편찬위원회 편저. 본초학. 서울: 영림사; 2020. pp. 84-5.
110)   김호철. 한약약리학. 파주: 집문당; 2012. pp. 27-8.
111)   전국한의과대학 본초학공동교재 편찬위원회 편저. 본초학. 서울: 영림사; 2020. pp. 81-3.

② 색色

한약재의 색을 약효와 연결하는 것을 말한다. 근거는 오행 배속으로 청靑, 적赤, 황黃, 백白, 흑黑의 다섯 색깔과 간심비폐신의 오장을 연결하여 각 약물의 작용을 해석하는 것이다. 그러나 이러한 해석은 색깔과 효능이 연결 가능한 일부 한약의 효능을 설명할 때만 제한적으로 사용되었고, 일반화하여 모든 한약의 효능을 설명하는데 적용되지는 않았다.

③ 형체形體

'형'은 형상을 가리키며 약용 부위를 포함한다. 형은 약물 형태를 약물 효능과 연결하여 해석하는 것이다. 예를 들어 우슬牛膝의 경우 줄기에 있는 마디의 형상이 소의 무릎을 닮아 우슬이라는 이름이 붙여졌다. 이처럼 형태가 무릎을 닮은 것에서 무릎의 질환을 치료할 수 있다고 효능을 유추하는 것이 이 경우에 해당된다. 아울러 형은 약용 부위를 가리키기도 하는데 한의학에서는 약용 부위에 따라 효능을 다르게 해석하는 경우가 있다. 예를 들어 당귀의 머리 부위는 위로 작용하여 지혈하고, 꼬리 부위는 아래로 작용하여 뭉친 어혈을 파괴하며, 중간 몸체는 혈을 보충하는 작용을 한다는 식으로 약용 부위에 따라 효능이 달라진다고 해석하는 것이다.

'체體'는 체질體質을 말한다. 쉽게 말하면 약재의 물리적 성질을 말하는데 무게, 수분함량, 밀도 등이 여기에 해당된다. 예를 들어 가벼운 약재는 인체 상부에 작용하고 무거운 약재는 인체 하부에 작용하며, 수분함량이 적은 약재는 습을 제거하고 수분함량이 많은 약재는 인체의 건조한 증상을 치료한다고 해석하는 것이다.

(5) 유독약有毒藥과 무독약無毒藥

유독, 무독도 약성의 구성 부분이라 할 수 있다. 한의학의 약성론에서 말하는 '독'은 일반적으로 말하는 인체에 유해 반응을 일으키는 약물 독성에서 말하는 독성과 완전히 일치하지 않는다. 한의학에서의 '유독'은 인체 유해 반응을 일으키는 독성뿐만 아니라 약물의 작용이 강한 경우도 포함한다. 무독의 약물은 성질이 비교적 완만하고 인체에 대하여 독성 반응이 없는 것으로 장기간, 대량으로 사용해도 문제가 없는 약물이다. 고대 본초서에는 독성의 강약에 근거하여 본초를 분류하였는데 대표적인 책으로 <신농본초경>이 있다.

<신농본초경>에서는 한약을 약성과 독성 유무에 따라 상·중·하 삼품三品으로 나눴다. 상품 약은 무독하여 오래 복용해도 괜찮은 약물이며, 중품약은 무독, 유독한 약물로, 하품약은 다독多毒하여 오래 복용할 수 없는 약으로 구분하였다. 이후 <본초강목本草綱目>에서는 무독과 함께 대독大毒, 유독有毒, 소독小毒, 미독微毒의 4종류로 나누었고 이후 의서들에서는 이 분류를 많이 따르고 있다. 대독한 약물에는 사람의 생명에 영향을 미칠 수 있는 독성 약재들을 포함시켰다.[112]

3) 한약(본초)의 분류
(1) 한약의 분류 방법

사용하는 한약의 종류가 늘어남에 따라 한약의 분류 방법도 함께 발전했다. 약물의 효능과 독성에 따른 분류, 속성에 따른 분류(약물의 기원, 형태 등 자연 속성의 특징에 따른 분류), 효능에 따른 분류, 장부경락에 따른 분류(약물 작용을 장부나 경락에 따라 분류하는 방법), 사전식 분류(약물을 한자의 획순이나 한글 가나다순으로 분류하는 방법) 등 다양한 분류법이 사용되었다.[113]

(2) 삼품분류법三品分類法

약품을 효능과 독성에 따라 상품上品, 중품中品, 하품下品의 세 가지로 나누어 분류하는 방법이다. 앞서 언급한 <신농본초경>에서 처음 사용되었고, 이후의 의서들도 대부분 이 분류를 채용하고 있다.

(3) 효능별 분류

약물의 효능에 따른 분류 방법은 현재 대부분의 본초학 서적에서 택하고 있다. 한국 본초학 교과서의 경우 한의학적인 효능에 따라 20가지 항목으로 분류한다(표 5-4).[114] 본초의 한의학적 효능을 이해하려면 한의학의 생리, 병리, 변증 등의 개념을 함께 이해해야 한다.

---

112)   전국한의과대학 본초학공동교재 편찬위원회 편저. 본초학. 서울: 영림사; 2020. pp. 93-4.
113)   김호철. 한약약리학. 파주: 집문당; 2012. pp. 16-7.
114)   전국한의과대학 본초학공동교재 편찬위원회 편저. 본초학. 서울: 영림사; 2020.

표 5-4. 본초학 교과서 본초의 효능별 분류

해표약解表藥	청열약淸熱藥	사하약瀉下藥	거풍습약祛風濕藥
방향화습약芳香化濕藥	이수삼습약利水滲濕藥	온리약溫裏藥	이기약利氣藥
소식약消食藥	구충약驅蟲藥	지혈약止血藥	활혈거어약活血祛瘀藥
화담지해평천약化痰止咳平喘藥	안신약安神藥	평간약平肝藥	개규약開竅藥
보익약補益藥	수삽약收澁藥	용토약涌吐藥	외용약外用藥

📑 한약(본초) 기원, 감별 및 품질 연구

한약재의 경우 역사적으로 오랜 시간 여러 왕조시기를 거치면서 사용해왔고, 또 지리적 환경이 다른 여러 지역에서 채취, 재배된 것을 사용해왔기 때문에 지역마다 약재의 이름이 다르게 불리고 성질 분류에도 차이가 나는 등 혼란이 생길 여지가 많았다. 따라서 위품, 모조품, 혼합품, 저질품 등의 부적합한 약재의 사용 가능성이 높아 한약재를 감별하여 적합한 한약재가 사용되도록 하는 것이 매우 중요한 문제였다. 이러한 문제를 해결하기 위해 한약 기원에 관한 연구, 한약재 감별, 한약재 품질관리를 위한 연구 등이 지속해서 진행되고 있다.

'대한민국약전'과 '대한민국약전외한약(생약)규격집'에서는 한약재 품질에 해당하는 시험 항목으로 확인시험[박층크로마토그래피(thin layer chromatography, TLC)], 건조감량, 회분, 산불용성회분, 정유함량, 엑스함량, 정량법의 품질규격 기준을 제시하고 있다.[115] 식품의약품안전처 식품의약품안전평가원에서 운영하는 국가생약정보[116]에서는 한약 기원에 대한 연구 결과, 한약재 감별 및 한약재 품질을 위한 생약 감별 자료집, 관능검사해설서, 증거표본, 유전자 분석 결과, 이화학적 검사 결과[지표성분, 고성능 박층 크로마토그래피(high performance thin layer chromatography, HPTLC), 고성능 액체 크로마토그래피(high performance liquid chromatography, HPLC) 등] 등을 확인할 수 있다. 아울러 한약 기원 및 한약 감별에 대한 자료는 한국한의학연구원 한약자원연구센터(Herbal Medicine Resources Research Center, KIOM)[117]

---

115) 김혜진, 박우성, 배은영 외. 한국·중국·일본 세 나라 생약관련 공정서 비교연구. 생약학회지 2016;47(4):389-98.

116) 국가생약정보(National Herbal Medicine Information, NHMI)[인터넷]. [2021년 12월 15일 인용]. URL: https://nifds.go.kr/nhmi/main.do

117) 한국한의학연구원 한약자원연구센터(Herbal Medicine Resources Research Center, KIOM) [인터넷]. [2022년 1월 15일 인용]. URL: https://oasis.kiom.re.kr/herblib/main.do

에서 제공하는 한약표준자원은행, 한약기원사전, 본초감별도감, K-herb DNA(한약 자원 DNA 분석시스템)에서 추가로 확인할 수 있다. 또 전통의학정보포털(Oriental Medicine Advanced Searching Integrated System, OASIS)[118]에서는 한약재와 관련하여 약재백과(이름, 약성, 기원, 감별, 이화학, 전임상, 임상응용, 생산가공, 특허)를 제공하고, 또 한약자원연구센터와 연동하여 한약표준자원은행, 한약기원사전, K-herb DNA 등의 자료 및 K-herb Network 등의 자료를 제공하고 있다. 그리고 한약 처방과 관련해서도 다양한 정보(처방명, 구성, 효능 및 주치, 이화학 자료, 전임상 자료, 독성 자료, 임상 자료, 부작용 자료)를 제공한다.

이러한 연구 성과들이 반영되어 한약재의 제조 및 품질관리기준·포장방법·표시사항 등의 기준에 적합하도록 한약규격품[119]의 품질관리가 지속해서 이루어지고 있으며, 2015년 1월 1일부터 한의 의료기관에서는 식품의약품안전처에서 허가한 안전하고 적합한 한약규격품만을 사용하도록 의무화하고 있다.

표 5-5. **국내 한약재 및 한약제제 실험정보 참고자료**[120]

연구 기관	제공 자료
식품의약품안전처	한약재 규격기준, 한약(생약)제제 기준 및 시험법 개발 등을 위한 실험정보
농촌진흥청	한약재 품종 육성, 재배·가공 기술 확립, 제품화, 잔류독성(농약, 중금속) 등에 대한 실험정보
한국한의약진흥원	한약제제 안전성·유효성 정보 및 한약 유래 성분 정보
한국한의학연구원	한약재 표준성분, 유전자 분석 등 한약재 표준화 정보 등

118) OASIS 전통의학정보포털(Oriental Medicine Advanced Searching Integrated System)[인터넷]. [2022년 1월 15일 인용]. URL: https://oasis.kiom.re.kr
119) 식품의약품안전처 고시 제2019-112호, 한약재 안전 및 품질관리 규정. 제2조 2호. 2019.
120) 보건복지부 관계부처 합동. 제4차 한의약육성발전 종합계획 2021-2025. 2021.1

🏷 식약공용 한약재란?

식약공용 한약재란, 의약품용으로 사용되는 한약재 중에서 식품으로도 사용 가능한 품목을 말한다. 2022년 3월 8일 기준 식약공용 한약재 대상 품목은 모두 115종(식품의약품안전처 고시 제 2022-19호[121])이 지정되어 있다. 그러나 같은 품종의 한약재라도 규격품 한약과 농산물 한약재는 유통 및 관리 수준에 큰 차이가 있다. 한의 의료기관에서 사용하는 한약은 한약재 제조 및 품질관리기준(hGMP)에 따라 엄격하게 관리되며 이를 만족한 규격품 한약만이 의료기관에 공급된다(표 5-6). 문제는 너무 많은 한약재가 식약공용 한약재로 지정되어 임의 복용으로 인한 한약의 오용 및 남용 가능성이 크다는 것이다. 또한 시중에서 광고하는 각종 건강기능식품 및 영양제에 한약이 무분별하게 사용되는 문제도 우려된다.

표 5-6. **식약공용 한약재의 용도별 관리 규정 비교**[122]

		의약품용 한약재(규격품 한약)	식품용 한약재(농산물)
관리기관		식품의약품안전처, 식품의약품안전평가원	농림축산식품부, 식품의약품안전처
법규 및 공정서		약사법, 대한약전, 생약규격집	식품위생법 등 식품관련법률 식품공전(규격 없음)
검사 절차	관능검사	(수입검사 경우) 매 수입마다	(수입검사 경우) 매 수입마다
		기원 성상 이물 건조·포장상태 등 공정서 내 전체 항목	성질 상태 맛 냄새 색깔
	정밀검사	(수입검사 경우) 매 수입시마다 매 수입시마다	(수입검사 경우) 최초 수입 시에만
		건조함량, 회분 등 확인·순도시험	물리·화학·미생물적 검사
	위해물질검사 중금속	○ (품목별 상이)	내용 없음 쌀, 팥 등 일부 농산물에만 검사
	잔류농약	○ (품목별 상이)	○ (품목별 상이)
	이산화황	○ (품목별 상이)	○ (품목별 상이)
	곰팡이독소	○ (품목별 상이)	내용 없음
	벤조피렌	○ (품목별 상이)	내용 없음

---

121) 식품의약품안전처 고시 제2022-19호, 수입 식품등 검사에 관한 규정. [별표 1] 식품 이외의 다른 용도로 사용이 가능한 농·임산물(115개 품목). 2022.

122) 국민건강보험공단. 첩약 건강보험 보장성 강화를 위한 기반 구축 연구. 2018. p. 80

🏷 나고야의정서

나고야의정서(Nagoya protocol)란, 생물다양성협약(Convention on Biological Diversity, CBD)(1993년 발효)의 부속 의정서로, 정식 명칭은 '생물다양성협약 부속 유전자원에 대한 접근 및 유전자원 이용으로부터 발생하는 이익의 공정하고 공평한 공유에 관한 나고야의정서[The Nagoya Protocol on Access to Genetic Resources and the Fair and Equitable Sharing of Benefits Arising from their Utilization (ABS) to the Convention on Biological Diversity]' 이다. 2010년 일본 나고야에서 열린 생물다양성협약 총회에서 채택되어 '나고야의정서'(2014년 10월 12일 발효)라고 부르며, 생물다양성협약의 '유전자원의 접근과 그 이용으로 발생하는 이익의 공평한 공유(access to genetic resources and benefit sharing, ABS)'를 달성하기 위해 채택된 국제규범이다. 국제적 구속력을 갖는다. 우리나라는 2011년 9월 나고야의정서에 서명하였고, 2017년 5월 19일 가입, 2017년 8월 17일 발효하여 전세계 제98번째 나고야의정서 당사국이 되었다. 같은 날 동시에 국내 이행법률인 '유전자원의 접근·이용 및 이익공유에 관한 법률(유전자원법)'이 발효되었고, 유예 기간을 거쳐 2018년 8월 18일 전면 시행되었다.[123]

나고야의정서의 목적은 유전자원(생물자원)을 이용하여 발생한 이익을 자원제공국과 공유토록 함으로써, 생물자원의 보존과 지속 가능한 이용에 기여하는 것이다. 기본적으로는 유전자원 이용 시, 자원이용국은 자원제공국의 승인을 받고, 이익 공유를 해야 하며, 자원이용국은 자국의 이용자가 절차를 준수했는지 확인할 의무가 있다. 주요 절차는 첫째, 생물유전자원 이용을 위한 접근(access)으로 생물유전자원에 접근하고자 하는 이용국은 자원을 제공하는 국가가 정한 절차에 따라 사전통보승인(prior informed consent, PIC)을 취득해야 한다. 둘째, 이익 공유(benefit-sharing)로 제공자와 이용자 간에 이익 공유에 대한 상호합의조건(mutually agreed terms, MAT)을 체결하고 이행하여야 한다. MAT 내용에는 인세, 접근료 등 금전적 이익 및 보상의 기간 등 전반적인 내용이 포함된다. 셋째, 절차준수(compliance)로 각 당사국은 생물유전자원의 이용 및 제공에 관한 입법·행정·정책적 조치를 취하여야 한다. 이를 위해 각 국가는 이와 관련된 국내 법률을 제정하고, 국가연락기관, 국가책임기관, 국가점검기관을 지정해야 한다.[124]

나고야의정서가 발효됨에 따라 생물유전자원의 해외의존도가 약 60%에 달하는 우리나라는 관련 산업분야에서 자원제공국에 로열티 등을 지급해야 한다. 이로 인해 생물자원 수입원가가 상승하게 되어 산업 발전에 제약이 있을 가능성이 있다. 특히 국내 기업의 수입 유전자원 조달국 중

---

123) 환경부 국립생물자원관. 질문과 사례로 알아보는 나고야의정서. 2017.

124) 보건복지부, 한약진흥재단. 한의계 중심으로 본 나고야의정서 가이드북. 2018.

49%를 중국이 차지하고 있어 이에 대한 대응이 필요할 것으로 보인다.[125] 한의계의 경우 많은 한약재가 중국에서 수입되고 있는 현실을 감안할 때 한의약산업 발전에 나고야의정서가 끼치는 영향을 검토하고 쟁점이 되는 부분에서 국내 한의약산업을 보호하기 위한 정부의 적극적인 대응이 필요하다. 아울러 한약 관련 국내 토종 한약자원을 보호하고 발굴하여 국내산 한약자원의 주권을 확보하려는 지속적 노력이 필요할 것으로 보인다.[126]

4) 한약의 가공(포제)

(1) 포제의 정의

'포제炮製'란 한약재를 여러 가지 방법에 따라 가공처리 하는 과정을 말한다. 포제는 포구炮灸, 수치修治, 수제修製, 수사修事, 치삭治削, 법제法製 등의 용어로도 불린다. 즉, 포제란 한약재의 질을 높이고 치료에 효과적으로 사용하기 위해, 또 한약을 보관하고 조제調劑·제제製劑하는데 편리하게 하기 위해 산지 가공을 거친 한약재를 정해진 방법으로 다시 가공 처리하는 과정이다.[127] 산지에서 자연상태의 식물, 동물, 광물로부터 한약재를 채취하게 되면 가장 먼저 흙이나 섞여 있는 이물질, 비약용 부위를 제거하는 '정제'('세정'이라고도 함) 과정을 거친다. 그다음은 유효물질이 잘 추출되고 보관이나 조제에 편리하도록 절단하는 '절제'라는 과정이 필요하다. 절제한 후에는 약성을 바꾸거나 약효를 높이기 위해 '초법炒法', '자법灸法' 등의 열처리과정을 거치기도 하는데 이를 '포자炮灸'라고 한다. 앞의 정제와 절제과정을 통칭하여 '수치修治'라고 하며 수치된 약재는 '포자炮灸'를 거치는데 이 모든 과정을 통틀어 '포제'라고 한다.[128] 정제 또는 세정을 '정선淨選', 절제를 '절제음편切製飲片'이라 표현하기도 한다(그림 5-3).[129] '대한민국약전외한약(생약)규격집'[별표 2]의 'Ⅱ.포제법

---

125) 장현숙, 김정주. 중국의 생물유전자원 주권 강화와 우리 기업의 대응방안. 한국무역협회 보고서(TRADE BRIEF) No.23, 2017.7.28.

126) 한약진흥재단 약용작물종자보급센터/혁신성장일자리팀. 나고야의정서 가이드 Q&A. 한의약정책리포트 2018;3(2):98-105.

127) 전국한의과대학 본초학공동교재 편찬위원회 편저. 본초학. 서울: 영림사; 2020. p. 115.

128) 김호철. '포제'와 '수치'는 다른 용어다. 한의신문[인터넷]. 2011년 1월 14일 [2022년 3월 10일 인용]. URL:https://www.akomnews.com/bbs/board.php?bo_table=news&wr_id=29697

129) 김태양, 김대욱, 강영민. 한약재 포제법(炮製法) 표준화의 필요성: 용어 표준 중심으로. 한약정보연구회지 2019;7(1):41-69.

(제2조 제2호 관련)'에서도 포제에 대해서 '정선', '절제', '포자'의 3개 항목으로 나누어 설명하고 있다.[130]

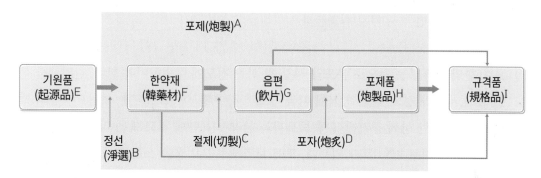

그림 5-3. 기원품에서 의약품으로 만들어지는 한약 포제법과정[131]

A: 약재를 가공 처리하는 방법의 총칭
B: 흙, 곰팡이 등의 이물질과 비약용 부분을 제거하여 약물의 사용 목적에 맞게 하는 것
C: 선별된 약재를 부드럽게 만들어 일정한 규격으로 절단하고 건조하여 질을 고르게 하는 것
D: 독성 감소, 효능 증대, 맛이나 보관성 개선 등의 목적으로 음편을 가공 처리하여 본래의 성질을 변화시키는 것
E: 자연에서 수집 및 채집한 기원 식물, 동물 또는 광물
F: 비약용 부위 또는 이물이 제거된 깨끗한 약재/한약 조제, 제조를 위한 원료 약재
G: 일정한 규격으로 절단된 약재
H: 목적에 따른 가공이 완료된 약재
I: 농산품이 아닌 의약용으로 분류된 약재. 즉, 한약

(2) 한약 포제의 목적

포제는 약물의 독성이나 부작용 감소, 약성의 변화 또는 완화, 치료 효과의 증대, 약물의 작용 부위의 변화 또는 증대, 조제·제제의 간편화, 세정과 보존기간 연장, 교미교취矯味矯臭(동물성 약물 고유의 역한 향기와 맛을 없앰) 등의 목적을 위해 시행한다.[132]

130) 식품의약품안전처 고시 제2021-64호, 대한민국약전외한약(생약)규격집. [별표2] II.포제법(제2조 제2호 관련). 2021.

131) 다음의 논문 그림과 그 내용을 일부 수정하여 인용함. '김태양, 김대욱, 강영민. 한약재 포제법(炮製法) 표준화의 필요성: 용어 표준 중심으로. 한약정보연구회지 2019;7(1):45.'

132) 전국한의과대학 본초학공동교재 편찬위원회 편저. 본초학. 서울: 영림사; 2020. pp. 115-7.

(3) 한약 포제의 종류(포자)

정제와 절제 후 구체적인 포제 처리를 하여야 하는 경우가 있는데, 이를 '포자炮炙'라 한다. 다양한 포자법이 있으며, 여기서는 '대한민국약전외한약(생약)규격집'에서 규정하고 있는 대표적인 포자법[133] 위주로 살펴본다.

① 초炒: 한약재를 볶는 것으로 온도와 시간 및 볶는 정도에 주의하여야 한다. 한약재를 볶는 불의 세기와 정도, 볶는 방식에 따라 청초淸炒, 초황炒黃, 초초炒焦, 초탄炒炭 등의 방법이 있다. 이와 함께 용기에 고체 보조재와 한약재를 함께 넣고 볶은 다음 보조재료를 걸러 버리는 보료초輔料炒가 있는데, 고체 보조재로 밀기울을 쓰는 부초麩炒가 그 대표적 예이다.

② 자炙: 한약재를 일정량의 액체 보조재료와 함께 볶아 보조재료가 약물 조직 내에 스며들게 하는 방법이다. 액체 보조재료의 종류에 따라 주자酒炙(술), 초자醋炙(양조식초), 염자鹽炙(식염), 강자薑炙(생강즙), 밀자蜜炙(꿀) 등이 있다.

③ 자煮: 한약재에 액체 보조재료를 첨가하여 보조재료가 완전히 흡수되거나 한약재를 절단하였을 때 속에 흰색이 없을 때까지 삶은 후 건조시킨다.

④ 돈炖: 한약재와 액체 보조재료를 적당한 용기 안에 밀폐하고 수욕에서 가열하든가 수증기로 쪄서 보조재료가 완전히 흡수될 때까지 가열한 후 말린다.

⑤ 증蒸: 한약재에 보조재료를 넣고 섞어서 (또는 보조재료를 넣지 않기도 함) 적당한 용기에 담아 가열하여 찌거나, 규정된 정도가 될 때까지 쪄서 말린다. 대표적으로 한약재에 술을 넣어 고르게 섞고 증법蒸法에 따라 포제하는 주증酒蒸이 있다.

⑥ 탕燙: 깨끗한 모래, 합분蛤粉, 활석滑石 등의 보조재료를 사용한다. 모래(합분, 활석)를 용기에 담아 가열하여 뜨겁게 하고 한약재를 넣고 계속하여 저어가면서 규정된 정도까지 되었을 때 꺼내어 체로 모래(합분, 활석)를 쳐내어 식힌다.

⑦ 단煅[134]: 한약재를 직접 가마나 불에 견디는 용기 내에서 고열로 가열하는 방법이다. 한약재를 먼저 작은 덩어리로 만들고 연기가 나지 않는 화로火爐 또는 적당한 용기 속에서

---

133) 식품의약품안전처 고시 제2021-64호, 대한민국약전외한약(생약)규격집. [별표2] II.포제법(제2조 제2호 관련). 2021.

134) '하(煆)'란 용어를 사용하기도 한다.

붉게 달구어질 때 꺼내어 식히거나(명단明煅) 붉게 달군 즉시 규정된 액체 보조재료에 담그고 꺼내어 건조시킨 다음 부수거나 약연藥碾으로 갈아 가루로 만든다(단쉬煅淬). 약물을 고온의 진공상태에서 가열하여 탄炭으로 만들기도 한다(밀폐단密閉煅).[135]

⑧ 수비水飛: 광물류의 한약재를 적당량의 물과 같이 갈고 여기에 물을 넣고 교반하여, 혼탁액을 기울여 따라내고 가라앉는 부분을 다시 위의 방법으로 여러 번 반복하여 현탁액을 모아서 밑에 가라앉은 것을 취하여 건조시킨다.

⑨ 천燀: 한약재를 끓는 물 속에 넣어 잠깐 저은 다음 꺼낸다. 일부 종자류 한약재는 종피가 벌어져 벗길 수 있을 정도가 되면 꺼내어 찬물에 담근 다음 종피를 제거하고 말린다.

⑩ 외煨: 한약재를 물에 적신 면이나 종이로 싸서 또는 기름종이로 균일하게 층층이 나누어 놓고 가열처리하거나 약재를 밀기울껍질(麩皮) 속에 묻고 문화文火(화력이 약하고 온화한 불의 세기)로 규정된 정도가 될 때까지 볶는다.

5) 주의해야 할 한약

(1) 독성주의 한약재

식품의약품안전처 고시 '한약재 안전 및 품질관리 규정'[136]에서는 21개 품목을 독성주의 한약재로 지정하고 있다. 21개 품목은 감수, 경분, 낭독, 밀타승, 반묘, 반하, 백부자, 보두, 부자, 섬수, 속수자, 수은, 아마인, 연단, 웅황, 주사, 천남성, 천오, 초오, 파두, 호미카이다.

(2) 곰팡이(아플라톡신) 주의 한약재

'대한민국약전'[137]에서는 감초, 결명자, 괄루인, 도인, 반하, 백자인, 백편두, 빈랑자, 산조인, 연자육, 울금, 원지, 육두구, 파두, 행인, 홍화 등 총 16품목, '대한약전외한약(생약)규격집'[138]에서는 귀판, 모과, 백강잠, 지구자 등 총 4품목을 곰팡이 주의 한약재로 지정하고 있다. 이들 한약재는 총 아플라톡신(아플라톡신 B1, B2, G1 및 G2의 합)이 15.0 ppb 이하

135) 전국한의과대학 본초학공동교재 편찬위원회 편저. 본초학. 서울: 영림사; 2020. pp. 143-5.
136) 식품의약품안전처 고시 제2019-112호, 한약재 안전 및 품질관리 규정. 별표 1. 2019.
137) 식품의약품안전처 고시 제2021-61호, 대한민국약전 제12개정. [별표4] 의약품 각조 제2부. 2021.
138) 식품의약품안전처 고시 제2021-64호, 대한민국약전외한약(생약)규격집. [별표3] III. 의약품각조 제1부. 2021.

(단, 아플라톡신 B1 10.0 ppb 이하)로 검출되어야 한다. 이들 한약은 보관 시 밀폐, 냉장 보관이 권고되고 있다.

(3) 간독성 주의 한약

한약으로 인한 간독성은 약물 자체의 문제뿐만이 아니고 매우 많은 원인이 복합적으로 작용하여 나타난다.[139] 따라서 그 원인을 분명히 밝히기는 쉽지 않다. 여기서는 간독성의 여러 원인 중 한약 약물 자체의 특성으로 간독성 가능성이 있다고 보고된 약물을 중심으로 살펴본다.

한약의 간독성에 대해 중국에서 이루어진 연구를 살펴보면 동물 실험에서 간독성이 보고된 한약은 대회향, 지유, 치자, 오배자, 상륙, 가자, 천남성, 소회향, 육계, 마두령, 목통 등이 있고, 임상에서 간독성이 보고된 한약에는 합환피, 마전자, 택사, 번사엽, 결명자, 회조灰藋, 취오동, 황독黃獨, 만년청萬年靑, 마황, 풍봉채風鳳菜, 대풍자, 모동청毛冬靑, 과루, 천련자, 육두구, 앵속, 상륙, 호장, 하수오, 대황, 피마자, 단삼, 황금, 천리광, 반지련, 방기, 정향, 상기생, 뇌공등, 포황, 기힐초基綶草, 창이자 등이 있다[140](밑줄 친 약재는 국내 등록되지 않음). 여기서 치자, 지유, 육계, 목통, 합환피, 택사, 결명자, 마황, 과루, 육두구, 하수오, 대황, 단삼, 황금, 방기, 정향, 상기생, 포황, 창이자 정도가 국내 한의 임상에서 사용되는 한약이며 나머지 약재들은 중국에서 주로 사용되고 있다. 이들 한약도 한의사가 환자 상태에 따라 적절한 용량으로 사용할 경우에는 간독성 발생 가능성이 매우 낮다고 알려져 있다.

문제는 식약공용 한약재로 지정된 한약재가 많은 국내 현실에서 일반인들이 임의로 한약을 끓여서 복용하여 간독성이 발생하는 경우다. 대표적 사례로 하수오가 있다. 하수오(*Polygonum multiflorum Thunb*)는 적하수오라고도 불리며, 독성이 없는 백수오(백하수오, 은조롱, *Cynanchum wilfordii Hemsley*)와는 다른 한약재이다. 하수오는 간독성이 있으므로 한의사들의 경우 단기간 저용량으로 매우 신중하게 사용하는 약재다. 이런 하

139) Valdivia-Correa B, Gómez-Gutiérrez C, Uribe M, et al. Herbal Medicine in Mexico: A Cause of Hepatotoxicity. A Critical Review. Int J Mol Sci 2016;17(2):235.

140) Liu C, Fan H, Li Y, Xiao X. Research Advances on Hepatotoxicity of Herbal Medicines in China. Biomed Res Int 2016;2016:7150391.

수오를 일반인들이 임의로 복용해 간독성이 다수 발생한 것을 보고한 연구[141]가 있다. 대한민국의 한 지역에서 6개월 동안 다수의 약물 유발성 간 손상 의심 환자들이 발생하였다. 3년간의 지속적인 추적 관찰을 통해 약물 유발성 간 손상으로 병원에 입원한 환자들을 조사한 결과 25명의 환자가 공통적으로 하수오(*Polygonum multiflorum Thunb*)를 섭취했던 사실이 밝혀졌다. 환자들은 대부분 하수오를 물에 끓여서 복용하였고, 일부는 술에 담가서 복용하거나 꿀에 절여서 또는 가루로 섭취하였다. 이들 25명의 환자 중 23명은 보존적 치료로 호전되었으나 1명은 간이식을 받았고 1명은 사망하였다.

(4) 신독성 주의 한약

지난 20년 동안 한약의 신독성(nephrotoxicity)에 관한 많은 기초 연구가 있었다. 주요 신독성 성분으로는 아리스톨로크산(aristolochic acids)과 알카로이드 화합물(alkaloid compounds)이 있으며 이러한 성분을 포함하는 한약에 관한 연구가 진행되었다. 한약과 관련되어 신독성에 영향을 미치는 요인으로는 한약재 자체의 독성, 한약재의 기원과 약용 부위 등 한약에 대한 잘못된 이해(예: 아리스톨로크산을 함유한 광방기를 약으로 사용하는 한방기와 착각해서 복용), 한약재의 잘못된 가공 또는 보관, 그리고 불순물혼합, 한약재 중금속 오염 등이 있다.[142] 현재는 한의 의료기관에서 한약재 제조 및 품질관리기준(hGMP)을 통과한 의료용 전문 한약재만을 사용하므로 한약재의 기원과 약용 부위의 문제, 약재의 가공과 보관의 문제, 불순물혼합, 중금속 오염 등으로 인한 위험은 매우 적다.

아울러 신독성 성분이 함유된 것으로 알려진 한약재들을 살펴보면, 많은 한약재들이 '대한민국약전' 및 '대한민국약전외한약(생약)규격집'에 포함되지 않은 한약재들이다. 이들 약재는 현재 국내 한의 의료기관에서는 사용되고 있지 않으며, 일부 한약들은 독성으로 인해 생산 및 유통이 금지되어 있다. 사용되고 있는 일부 한약재는 실제 국내 의료 현장에서 저빈도로 사용되며, 자주 사용하는 한약재의 경우 한의사들이 그 독성 가능성에 대해 충분히 인지하고 있어 신중히 적정 용량으로 적정 기간 처방하고 있다(표 5-7). 따라서 국내 한

141) Jung KA, Min HJ, Yoo SS, et al. Drug-Induced Liver Injury: Twenty Five Cases of Acute Hepatitis Following Ingestion of Polygonum multiflorum Thunb. Gut Liver 2011;5(4):493-9.

142) Yang B, Xie Y, Guo M, et al. Nephrotoxicity and Chinese Herbal Medicine. Clin J Am Soc Nephrol 2018;13(10):1605-11.

의 의료기관에서 한의사가 처방한 한약의 경우에는 신독성 가능성이 매우 낮다고 할 수 있을 것이다. 하지만 한약으로 인한 신독성 가능성에 대해서는 늘 주의할 필요가 있다.

문제는 앞서 간독성 문제와 마찬가지로 식약공용 한약재가 많은 국내 현실에서 민간에서 임의로 한약을 달여서 섭취하는 경우다. 예를 들어, 세신은 한약재로 쓰일 때 뿌리를 사용하는데, 뿌리에는 낮은 수준의 아리스톨로크산을 함유하고 있어 큰 문제가 되지 않는다. 하지만 세신의 잎과 줄기에는 높은 수준의 아리스톨로크산이 함유되어 있어, 신장에 문제가 발생할 수 있다. 이러한 사실을 모르고 민간에서는 두통, 감기, 천식, 비염 등을 치료한다며 세신 전체를 임의로 달여서 복용하는 경우가 있다.

표 5-7. 신독성 성분이 함유된 것으로 알려진 한약[143]

대한민국약전, 대한민국약전 외 한약(생약)규격집 등록 한약	위령선, 세신, 마전자, 오두, 파두, 결명자, 번사엽, 대황, 낭독, 택사, 보골지, 치자, 상륙
민간 생약으로 등록	마두령, 뇌공등, 북두근, 천리광, 청목향靑木香, 분방기粉防己, 관목통關木通(*Aristolochia manshuriensis* Kom, 생산 유통 금지)
국내 미등록 한약 (한자명, 라틴명 함께 표기)	광방기廣防己(*Aristolochia obliqua* S. M. Hwang, 수입 유통 금지) 주사련朱砂蓮(*Aristolochia cinnabarina* C.Y.Cheng et J.L.Wu) 심골풍尋骨風(*Aristolochia mollissima* Hance) 관란향管蘭香(*Aristolochia cathcartii* Hook) 납매臘梅[*Chimonanthus praecox* (Linn.) Link] 첨기목려호尖基木藜蘆(*Leucothoe griffithiana* C.B. Clarke) 감청오두甘靑烏頭[*Aconitum tanguticum* (Maxim.) Stapf.] 팔각련八角蓮[*Dysosma versipellis* (Hance) M. Cheng ex Ying] 유모아담자柔毛鴉膽子(*Brucea mollis* Wall)

---

143) 다음의 논문 내용을 재분류함. 'Yang B, Xie Y, Guo M, et al. Nephrotoxicity and Chinese Herbal Medicine. Clin J Am Soc Nephrol 2018;13(10):1605-11.'

(5) 임신부 주의 한약

　　국내 임신부 관련 임상연구를 분석한 연구에 따르면 임신부의 임신오조(입덧), 습관성 유산, 절박 유산, 유산 방지, 감기, 순산, 안면마비, 요통, 기타 산과적 합병증 등을 치료하기 위해 한약이 널리 사용되고 있으나 한약을 복용한 임신부에게 심각한 약물이상반응이 나타났다는 보고는 거의 찾을 수 없었다.[144]

　　임신 중 약물 처방은 산모와 태아에게 해가 없도록 신중하게 이루어져야 한다. 따라서 금기 약물이나 부작용 가능성이 보고된 약물 사용은 피해야 하며, 만일 불가피하게 사용해야 할 땐 용량, 처방 구성, 복용 시기, 복용 기간 등에 주의해야 한다. 대한한의사협회는 2012년 고운맘 카드 지침에서 본초학회의 자문을 받아 임신 중 금기 및 신중하게 사용해야 할 한약에 대한 지침을 발표하였다(표 5-8).[145] 이들 한약은 위험 대비 이득이 높은 경우에만 사용해야 하며, 환자에게 자세히 설명한 후 동의를 얻어 적절한 용량으로 처방되어야 한다. 중국의 한 연구에서는 1979년 미국 FDA (Food and Drug Administration)에서 도입 후 전 세계적으로 사용되고 있는 태아에 대한 약물 위험도 5등급(A, B, C, D, X) 분류를 한약에 적용하여 발표하였다. 이 연구에서 A등급에는 갱미, 생강, 총백, 소엽 등이, B등급에는 반하, 황기, 지황, 인삼, 황금, 방풍, 길경 등이, C등급에는 도인, 홍화, 지각, 계지, 황련, 치자 등이, D등급에는 우슬, 천궁, 수질, 맹충, 대황, 망초, 부자 등이, X등급에는 웅황, 비상, 반모, 마전자, 섬수, 감수, 원화, 천오, 초오 등이 각각 분류되었다. 정상적인 상황에서 A와 B등급 약물을 사용할 수 있으며, C와 D등급 약물은 신중하게 사용해야 하고, X등급 약물은 사용이 금지된다.[146] 추가로 2017년 대한모유수유한의학회에서 발표한 '임산부·영유아 약물 투여 지침'에서 임신부 및 영유아의 한약 복용 문제를 자세하게 다루고 있으므로 참고할 만하다.[147]

---

144) JY Jo, SH Lee, JM Lee, et al. Use and safety of Korean herbal medicine during pregnancy: A Korean medicine literature review. European Journal of Integrative Medicine 2016;8(1):4-11.

145) 대한한의사협회. 2012년 대한한의사협회 고운맘 카드 지침. 2012.

146) 王宇光, 金锐, 孔祥文, 张冰. 中药妊娠期用药的安全性等级研究. 中国中药杂志 2016;41(1):150-3.

147) 대한모유수유한의학회. 임산부·영유아 약물 투여 지침 Ver 1.1. 2017.

표 5-8. 임신 중 피하거나 주의해서 사용해야 하는 한약[148]

독성이 강한 약물, 작용이 맹렬한 약물, 破氣·破血·降泄의 작용이 있는 약물들	오두, 파두, 견우자, 대극, 감수, 상륙, 원화, 건칠, 반묘, 수질, 맹충, 수은, 마전자, 경분, 웅황 등
임신 중 신용(신중하게 사용)해야 할 약물	도인, 홍화, 대황, 지실, 건강, 육계, 반하, 익모초, 관중, 우슬, 동규자, 의이인, 대자석, 구맥, 괴각, 삼릉, 봉출, 사향, 조각 등
동물에서 자궁수축을 일으킨다고 보고된 것으로 용량에 주의할 것(다량 사용 시 자궁수축 가능)	지골피, 구맥, 지각, 산사, 포황, 천궁, 현호색, 익모초, 홍화, 천패모, 상백피, 원지, 결명자, 사향, 속단, 당귀, 빈랑
동물에서 유산 가능성이 보고된 것 (다량 사용 시 유산 가능)	박하, 천화분, 목단피, 금은화, 감수, 위령선, 유향, 강황, 아출, 우슬, 반하, 마두령, 합환피, 사향, 빙편

※ 임신 초기 4주까지는 특히 주의해서 한약을 사용해야 하며, 태반이 완성되는 임신 16주까지는 사용에 주의해야 할 것임.

(6) 스포츠 도핑(doping) 주의 한약

국민체육진흥법 제2조 제10항[149]에서는 '도핑'을 "선수의 운동능력을 강화시키기 위하여 문화체육관광부 장관이 고시하는 금지 목록에 포함된 약물 또는 방법을 복용하거나 사용하는 것"으로 정의하고 있다. 국내의 경우 한약이 직접적으로 금지 약물 목록에 포함되어 있지는 않다. 하지만 한국도핑방지위원회에서는 도핑 금지성분을 포함할 가능성이 있는 한약재에 대해 공지[150]하고 있다. 최근 한국, 중국, 일본에서 '도핑 금지성분을 포함할 가능성이 있는 한약재' 및 '금지하고 있는 한약재'를 분석한 연구에 따르면, 마황, 마자인, 마전자(호미카), 보두(여송과), 반하, 백굴채, 앵속각(마약류로 분류되어 유통 금지됨), 맥문동, 생지황, 육종용, 지실, 지각, 사향, 귀판, 해구신, 자하거 등이 도핑 관련 한약재로 분류되었다. 특히, ephedrine 성분이 있는 마황, Δ9-tetrahydrocannabinol (THC) 성분이 있는 마자인, strychnine 성분이 있는 마전자(호미카), Etio 성분이 있는 사향, higenamine

148) 대한한의사협회. 2012년 대한한의사협회 고운맘 카드 지침. 2012.

149) 국민체육진흥법 [시행 2021. 6. 9.] [법률 제17580호, 2020. 12. 8., 일부개정], 제2조 10항.

150) 한국도핑방지위원회(KOREA ANTI-DOPING AGENCY, KADA) [인터넷], 공지사항-도핑금지성분을 포함할 수 있는 한약재 관련 정보[2022년 3월 11일 인용]. URL: https://www.kada-ad.or.kr/boardView?where=alm/alm_ kada_notice_view&board_seq=853&board_kind=notice

을 함유한 연자심 등은 도핑 양성 가능성이 크므로 주의해야 하며, 이외에도 higenamine 을 함유한 연자육, 부자, 포부자, 세신, 고량강, 산초, 정향, 황백, 화초, 지부자, 오수유, 법제 천오 등은 용량에 따라 도핑 양성 가능성이 있으므로 사용에 주의가 필요하다.[151]

🔋 한약을 먹으면 간이 나빠진다?

결론부터 말하자면 이러한 일반화된 명제는 틀렸다고 할 수 있다.

경구로 투여된 모든 약물은 위장관에서 흡수되어 간(liver)에서 그 대사가 이루어진다. 모든 약물은 간을 통과하게 되고, 특별한 경우 특정 약물에 의해 간 손상이 발생하게 된다. 이러한 경우를 약물 유발성 간 손상(Drug Induced Liver Injury, DILI)이라 한다. 그리고 그 약물이 한약으로 인한 경우를 한약 유발성 간 손상(Herb-Induced Liver Injury, HILI)이라 한다.

최근 한약 유발성 간 손상에 대해 여러 국가의 관련 연구를 분석한 연구에서는 DILI 중 HILI의 비율이 0.5-24.2%까지 나타나고 있으며 연구마다 편차가 크다고 보고하였다. 아울러 같은 연구에서 중국의 경우 전체 DILI 중 약 80%가 양약에 의한 것으로, 약 20%가 한약으로 인한 것으로 보인다고 주장하였다.[152]

이러한 간 손상을 유발하는 원인은 크게 세 가지로 나눌 수 있다. 약물 자체의 문제(약물 특성, 과용량 복용, 장기간 복용 등), 환경적 요인(음식, 알코올, 독성 물질 등), 개체 요인(연령, 성별, 몸무게, 질병 유무, 유전적 요인, 면역 상태 등)이다(그림 5-4).[153] 이러한 다양한 요인들이 복합적으로 작용하여 간 손상이 유발된다는 것이다.

또한 약인성 간 손상은 발생 메커니즘에 따라 예측이 어려운 개체특이적(idiosyncratic) 간 손상과 비교적 예측이 가능한 내인성(intrinsic) 간 손상으로 나눌 수 있다. 기존 연구에 따르면 HILI의 대부분은 약물 자체에 의한 문제보다는 복합적 원인에 의한 특이 체질의 형태(idiosyncratic

---

151) 김주란, 윤성중, 이윤규 외. 한약의 도핑 안전성에 대한 고찰. 대한한의학회지 2019;40(3):139-76.

152) Wang JB, Zhu Y, Bai ZF, Wang FS, Li XH, Xiao XH, et al. Guidelines for the Diagnosis and Management of Herb-Induced Liver Injury. Chin J Integr Med 2018;24(9):696-706.

153) Valdivia-Correa B, Gómez-Gutiérrez C, Uribe M, et al. Herbal Medicine in Mexico: A Cause of Hepatotoxicity. A Critical Review. Int J Mol Sci 2016;17(2):235.

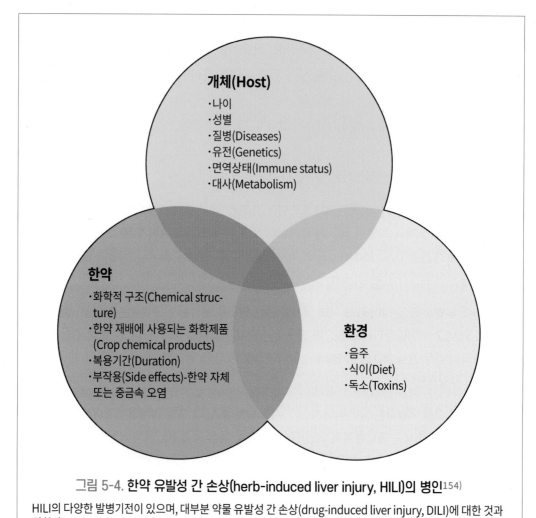

그림 5-4. 한약 유발성 간 손상(herb-induced liver injury, HILI)의 병인[154]

HILI의 다양한 발병기전이 있으며, 대부분 약물 유발성 간 손상(drug-induced liver injury, DILI)에 대한 것과 겹친다.

154) Valdivia-Correa B, Gómez-Gutiérrez C, Uribe M, et al. Herbal Medicine in Mexico: A Cause of Hepatotoxicity. A Critical Review. Int J Mol Sci 2016;17(2):235.

type)로 발생한 것이었다.[155] 즉, 특발성으로 나타난 것으로 특정 환자에게 예기치 않게(un-predictable) 발생한 개체특이적 반응이라는 것이다. 물론 간독성이 있는 것으로 확인된 적하수오, 애엽, 피마자, 창이자, 상산, 합환피, 황약자, 고련피, 뇌공등, 상륙, 상사자 등 한약 자체의 내재적 원인으로 인한 간 손상 가능성을 아예 배제할 수는 없다.[156] 이러한 한약들은 임상에서 대부분 고빈도, 고용량으로 사용되지 않고 사용할 경우 신중히 사용되며 일부는 거의 사용되지 않는다.

한약으로 인한 간 손상의 위험도를 보기 위한 몇 건의 임상연구를 살펴보면 한약의 안전성을 확인할 수 있다. 2015년 국내에서 발표된 대규모의 후향적 코호트연구에 따르면 2005년에서 2013년 사이 같은 재단에 속한 7개 병원에 입원한 근골격계 질환에 처방된 한약을 복용한 환자를 대상으로 한 연구에서 입원 시 혈액검사 결과가 정상이었던 환자 4,769명 중 27명(0.6%)이 퇴원 시 간 수치가 상승하였다.[157] 이 연구에서 HILI가 낮은 발생 빈도를 보인 것에 대해 연구 방법론의 결함 때문이라는 지적이 많았고, 이러한 비판을 받아들여 문제가 되었던 환자 선정/제외 기준 및 DILI 기준을 엄격하게 적용하여 다시 분석한 결과 그 결과는 더욱 좋아져 DILI 환자는 0명으로 감소하였다.[158] 또 다른 연구인 2017년 한국한의학연구원이 주도하여 전국의 10개 한방병원의 입원 환자 1,001명(입원 기간 중 한약만 최소 11일 이상 복용)을 대상으로 한 다기관 전향적 관찰연구 결과, 6명(0.6%)에서 HILI가 발생하였는데, 간 손상으로 인한 임상증상이 나타나지 않은 경도의 HILI였고 한약 복용 중단 후 바로 자연적으로 회복되었다.[159] 해외 연구로는 1994년부터 2015년까지 독일의 한 병원에 입원하여 한약 치료를 받은 21,470명 환자에 대한 대규모 전향적관찰연구 결과가 있다. 26명(0.12%)에서 간손상이 나타났으며, 모두 치료 중단 직후에 정상

155) Teschke R, Larrey D, Melchart D, Danan G. Traditional chinese medicine (TCM) and herbal hepatotoxicity: RUCAM and the role of novel diagnostic biomarkers such as microRNAs. Medicines (Basel) 2016;3(3):18.

156) Jing J, Teschke R. Traditional Chinese Medicine and Herb-induced Liver Injury: Comparison with Drug-induced Liver Injury. J Clin Transl Hepatol 2018;6(1):57-68.

157) Lee J, Shin JS, Kim MR, et al. Liver enzyme abnormalities in taking traditional herbal medicine in Korea: A retrospective large sample cohort study of musculoskeletal disorder patients. J Ethnopharmacol 2015;169:407-12.

158) Lee J, Shin JS, Lee YJ, et al. Battle Over Herb-Induced Liver Injury: Low Prevalence Confirmed through Secondary Evaluation and Research Team's Clarifying Rebuttal to Unwarranted Public Claims. J Altern Complement Med 2019;25(3):260-4.

159) Cho JH, Oh DS, Hong SH, et al. A nationwide study of the incidence rate of herb-induced liver injury in Korea. Arch Toxicol 2017;91(12):4009-15.

으로 회복하였다.[160] 이들 연구를 통해 한약으로 인한 간 손상은 발생 비율이 낮으며, 간 손상이 나타나더라도 자연적으로 회복될 정도로 그 손상 정도가 심하지 않음을 알 수 있다.

앞서 살펴본 바와 같이 한약의 안전성은 매우 높은 편이다. 그렇지만 일부 한약의 경우 실제 간독성을 일으킬 수 있으며, 실제 독성이 없는 한약에서도 낮은 빈도지만 임상에서 복용하는 사람의 특성에 따라 예기치 않게 환자에게 간 손상이 나타날 수 있다. 따라서 한의사는 환자에 대한 진찰을 통해 환자의 상태를 고려한 한약의 선택, 투약 용량, 투약 기간, 약재의 간독성 가능 유무 등을 종합적으로 판단하여 한약을 처방함으로써 한약으로 인한 간 손상 가능성에 대비하고 있다.

(7) 약물감시(pharmacovigilance) 및 한약 이상반응보고체계

세계보건기구(World Health Organization, WHO)에서는 '약물감시(Pharmacovigilance)'를 "의약품 등의 이상사례 또는 안전성 관련 문제의 탐지·평가·해석·예방에 관한 과학적 활동"으로 정의하였다.[161] 의약이 발달함에 따라 많은 약물이 사용되면서 약물로 인해 예기치 않은 약물이상반응[162]이 발생하는 경우가 많아지게 되었고 이에 따라 약물감시가 중요한 상황이 되었다.

탈리도마이드(thalidomide)에 의한 약화 사고에 대응하기 위해 WHO에서는 1968년 국제약물부작용모니터링 프로그램을 구축하였고, 이를 지원하기 위해 1978년에 WHO의 후원으로 스웨덴 웁살라에 세계보건기구 웁살라모니터링센터(World Health Organization-Uppsala Monitoring Center, WHO-UMC)를 설립하여 세계 각국에서 보고되는 부작용 자료를 접수하고 분석하는 업무를 수행하고 있다.[163] 2004년 WHO는 전 세계적으로

160) Melchart D, Hager S, Albrecht S, et al. Herbal Traditional Chinese Medicine and suspected liver injury: A prospective study. World J Hepatol 2017;9(29):1141-57.

161) World Health Organization. World Health Organization The importance of pharmacovigilance. Geneva: World Health Organization; 2002.

162) 학술적으로 부작용(side effect), 이상사례(Adverse Event, AE), 약물이상반응(Adverse Drug Reaction, ADR)을 엄밀하게 나누어 정의하고 있으나, 일반적으로 이들 용어는 섞어 사용되고 있다. 의약품등의 투여·사용 중 발생한 바람직하지 않고 의도되지 않은 징후, 증상 또는 질병이라는 점에서 이상사례 또는 이상반응이 더 적절한 용어라 생각된다. 본서에서는 이상반응이란 용어를 주로 사용하였고 필요한 경우 부작용이란 용어도 함께 사용하였다. 각 용어의 자세한 정의는 '한국의약품안전관리원 안전정보관리팀. 2020년 의약품등 안전성정보 보고동향. 한국의약품안전관리원. 2021.'의 용어설명을 보기 바란다.

163) WHO-UMC [Internet]. [cited 2022 Mar 11]. Available from: https://who-umc.org/

한약 사용의 중요성이 커짐에 따라 기존 약물감시 체계 내에 한약 안전성 모니터링을 위한 지침을 개발[164]하였고, 이후 의약품으로 사용되는 한약의 부작용 보고를 접수하고 있다.

국내의 경우 한국의약품안전관리원에서 의약품부작용보고시스템(Korea Adverse Event Reporting System, KAERS)을 운영하고 있다. 이 전산시스템은 의약전문가, 제조/수입회사, 소비자 등으로부터 의약품 등으로 인한 이상사례를 효율적으로 보고받고 관리할 수 있도록 구축되었다. KAERS database는 국제 약물감시 프로그램과 호환되며 주기적으로 WHO-UMC로 전송된다.[165] 그러나 이 시스템은 현재 한약을 대상으로 한 보고체계로 활용되지 못하고 있으며 국내 한약 부작용 보고 시스템은 아직 완전히 확립되지 않았다고 할 수 있다.[166] 이러한 상황 속에서 2012년 설립된 한국의약품안전관리원에서 2013년부터 지역의약품안전센터 사업을 총괄하게 되었는데 전국의 종합병원에서 운영되던 지역의약품안전센터에 2014년 27번째로 대한약사회가 합류하였고, 2020년에 28번째로 동국대학교 일산한방병원이 한방병원 최초로 지역의약품안전센터로 합류하였다. 동국대학교 일산한방병원에 개설된 한약(생약)제제 지역의약품안전센터는 제제 한약에 특화된 센터라는 특징을 갖는다. 한약 관련 지역의약품안전센터가 지정되었다는 점에서 의미가 있지만 현재 한약제제만을 보고하는 한계를 가지고 있어, 추후에 제제약뿐만 아니라 첩약, 원내 조제약, 약침 등의 제형에 대한 보고가 추가되어야 할 것이다.[167]

추가로 한약 약물 이상반응에 대한 국외 보고체계를 중국, 일본, 대만을 중심으로 살펴보면 다음과 같다.

중국의 경우 1989년 최초로 위생부약품불량반응감찰중심(卫生部药品不良反应监察中心, China National Center for Adverse Drug Reaction Monitoring, CNADRM)을 설립하였다. 이후 중국은 약물 개발, 제조, 유통 및 사용의 과정을 다루는 약물 감시와 관련된 20개 이상의 법률과 규정을 통과시켰고, ADR 모니터링을 위해 국가 기관으로 구성되는 계통적인 보고체계를 갖추게 되었다. 이 시스템은 4단계로 국가-성(省)-시(市)-현(县) 단

164) World Health Organization. WHO guidelines on safety monitoring of herbal medicines in pharmacovigilance systems. Geneva: World Health Organization; 2004.

165) 한국의약품안전관리원. 2020 의약품등 안전성정보 보고동향. 2021.

166) 최혁재. 국내 한약의 부작용 보고 현황과 전망: 한약 부작용 보고의 필요성과 과제. 약물역학위해관리학회지 2018;10:1-8.

167) 최동준. 한약제제 사용 모니터링 및 안전관리체계 구축방안. 한의약정책리포트 2021;6(1):22-30.

위의 4단계 행정관리체계로 구성되었다. 의료기관, 제약 제조업체, 의약품 유통업체 등은 ADR이 발생하면 지역의 ADR모니터링센터에 보고하게 되고 점차 상위 기관으로 보고가 취합되어 최종적으로 국가약품감독관리국에서 총괄하게 된다.[168] 2003년부터 자발적으로 ADR을 보고할 수 있는 자기 보고(self-reporting) 인터넷 기반 모니터링 시스템을 운영하고 있다.[169] 현재 국가약품감독관리국(国家药品监督管理局, National Medical Products Administration, NMPA) 소속 기관인 국가약품감독관리국약품평가중심(国家药品监督管理局药品评价中心, Center for Drug Reevaluation of NMPA)(국가약품불량반응감측중심, 国家药品不良反应监测中心, National Center for ADR Monitoring)에서 약물이상반응에 대한 모니터링 및 관련 업무를 담당하고 있다.[170]

일본은 2004년부터 PMDA (Pharmaceuticals and Medical Devices Agency)라는 기관에서 일본 후생노동성(the Ministry of Health, Labor, and Welfare, MHLW)과 협력하여 의약품의 부작용에 대한 사항을 관장하고 그에 대한 보상에 관여하는 시스템을 갖추고 있다. PMDA에서는 제약회사, 의사, 약사, 소비자 등으로부터 약물이상반응에 대한 보고를 받고 있다. 이와 함께 PMDA는 웹사이트에서 약물 안전 정보를 제공하며, 일본 후생노동성은 PMDA 자료를 바탕으로 웹사이트에 전문의약품 및 일반의약품에 대한 약물이상반응 데이터 보고서를 게시하고 있다.[171]

대만은 의약품 부작용보고시스템을 1998년에 도입하였으며 약해구제기금회(藥害救濟基金會, Taiwan Drug Relief Foundation, TDRF) 산하 약물이상반응보고센터인 전국약물불량반응통보중심(全國藥物不良反應通報中心)에서 의약품 이상반응보고시스템인 전국약물불량반응통보계통(全國藥物不良反應通報系統, Taiwan Adverse Drug Reaction

168) Zhao Y, Wang T, Li G, Sun S. Pharmacovigilance in China: development and challenges. Int J Clin Pharm 2018;40(4):823-31.

169) Chen Y, Niu R, Xiang Y, et al. The Quality of Spontaneous Adverse Drug Reaction Reports in China: A Descriptive Study. Biol Pharm Bull 2019;42(12):2083-8.

170) 국가약품감독관리국(国家药品监督管理局, National Medical Products Administration, NMPA) [Internet]. 直属单位 [cited 2022 Mar 15]. Available from: https://www.nmpa.gov.cn/

171) Shimada Y, Fujimoto M, Nogami T, et al. Adverse Events Associated with Ethical Kampo Formulations: Analysis of the Domestic Adverse-Event Data Reports of the Ministry of Health, Labor, and Welfare in Japan. Evid Based Complement Alternat Med 2019;2019:1643804.

Reporting System, TADRRS)을 운영하고 있다.[172] 대만에서는 기존 ADR 보고 체계가 양약 중심으로 되어 있어 한약 이상반응 보고에는 적합하지 않은 문제를 해결하기 위해 한약 약물이상반응보고시스템인 TADRRS-HM (Taiwan Adverse Drug Reaction Reporting System for Herbal Medicine)을 2001년부터 공식적으로 운영하여 한약 관련 약물이상반응에 대한 정보를 제공하고 있다.[173]

4. 방제(한약 처방)의 구성 - 방제학

1) 방제를 구성하는 목적

방제方劑는 환자의 질병 상태와 한약의 효능에 근거하여 선택한 2가지 혹은 2가지 이상의 한약을 함께 배합하여(배오配伍) 구성한 한약 처방을 말한다.

여러 한약을 배합하여 한약 처방인 방제를 구성하는 목적은 다음과 같다.

첫째, 여러 약물의 상호 작용을 통해 약물의 작용과 치료 효과를 증가시키기 위한 것이다. 둘째, 약물의 종합 작용으로 치료 범위를 확대하여 비교적 복잡한 병세에 적응시키기 위한 것이다. 셋째, 한 가지 한약인 단미약單味藥이 가지고 있는 여러 작용 중 특정 효능이나 작용을 유도하기 위해 다른 한약을 추가하는 것이다. 넷째, 일부 한약이 가지고 있는 부작용이나 독성 등의 이상 반응을 다른 한약의 작용을 통해 줄이거나 없애 약물 사용의 안전성을 확보하기 위한 것이다. 다섯째, 여러 한약을 함께 사용함으로써 개별 한약에 없던 새로운 작용을 형성하는 것이다.[174]

---

172) 식품의약품안전평가원. 한약부작용 보고를 위한 분류코드 체계 마련 연구. 2018.

173) Chang HH, Chiang SY, Chen PC, et al. A system for reporting and evaluating adverse drug reactions of herbal medicine in Taiwan from 1998 to 2016. Sci Rep 2021;11(1):21476.

174) 한의방제학 공동교재 편찬위원회 편저. 韓醫方劑學 총론. 파주: 군자출판사; 2020. pp. 79-81.

2) 방제 구성 원리

(1) 칠정七情175)

약물과 관련된 한의학 최고 고전인 <신농본초경>에는 한약을 배합하는 일곱 가지 원칙인 '칠정화합七情和合'이 제시되어 있다. 이 칠정 중 한약을 단미로 사용하는 단행單行 항목을 제외한 상수相須·상사相使·상외相畏·상쇄相殺·상오相惡·상반相反의 6가지 유형은 모두 두 종류의 한약을 배오한 후에 나타나는 효과를 말하는 것이다. 이후 한약의 상호 작용을 전통적으로 '약의 칠정'이라고 한다.

상수相須는 서로 비슷한 효능의 두 가지 약물을 배합하였을 때 약효가 시너지 효과를 내는 것을 말하며, 상사相使는 어떤 약물의 주 효능을 보조약이 증가시키는 것을 말한다.

상외相畏는 어떤 한 약재가 다른 약재의 독성이나 극렬한 성질을 억제하는 것을 말하고, 상쇄相殺는 어떤 한 약재가 다른 약재의 독성을 감소시키거나 없애는 것을 말하며, 상오相惡는 한 약물이 다른 약물의 효능을 약화시키거나 파괴하는 것을 말한다.

상반相反은 두 가지 약물을 배합했을 때 독성이나 부작용이 나타나는 것으로서 배오 금기로 인식되고 있다.

(2) 약대藥對

약대란 대자對子, 형제약兄弟藥, 자매약姉妹藥, 약조藥組 등으로 불리며 상대적으로 고정된 약물 배오 형식으로서, 임상에서 일상적으로 사용하는 두 가지 약물의 조합을 말한다.176) 약대는 칠정 배오 관계의 기초 위에서 두 가지 약물을, 상호 작용을 통해 효능을 증가시키거나 새로운 작용을 만들어 내고, 독성 부작용을 줄이거나 해소하는 것을 목적으로 사용하는 처방의 최소 단위이다. 약대는 단독으로 쓰이는 경우도 있지만 대부분 용량, 제형 등을 달리하여 방제(복합 처방) 중의 중요한 부분으로 사용된다. 단미에서 복합 처방(방제)으로 이행하는 중간 역할을 한다고 할 수 있다. 따라서 약대는 기존의 방제를 분석하고 이해하는 도구가 될 뿐만 아니라, 새로운 방제를 만들어 내는 단서가 되기도 한다.177) 한의

---

175) 김호철. 한약약리학. 파주: 집문당; 2012. p. 45.

176) 전국한의과대학 본초학공동교재 편찬위원회 편저. 본초학. 서울: 영림사; 2020. p. 98.

177) 양윤홍, 권재원, 이장천, 이부균.『東醫寶鑑』에 활용된 川椒(蜀椒, 花椒) 藥對에 관한 연구. 대한한의학 방제학회지 2014; 22(1):1-11.

학 문헌에는 약 394개의 약대가 나와 있다.[178] 최근에는 주요 약대의 작용에 대한 합리적 근거를 밝히기 위해 약대의 기전연구, 임상연구 등이 진행되고 있다.[179]

(3) 군신좌사君臣佐使

군신좌사君臣佐使 이론은 한약 복합 처방, 즉 방제를 구성하는 중요한 원칙으로서 한의학에서는 전통적으로 이 이론에 근거하여 방제를 구성하여 질환을 치료해왔다. 이는 처방을 구성하는 다양한 한약들이 아무런 규칙 없이 배합되는 것이 아니라 군신좌사 이론을 기초로 각각의 개별 한약이 처방 내에서의 일정 역할에 따라 배합된다는 것을 의미한다(그림 5-5). 이러한 배합의 결과 기존 개별 한약이 가지고 있는 효능뿐만 아니라 이들 개별 한약 간의 복합적인 상호 작용을 통한 상승효과(synergistic effect)와 새로운 효능을 기대할 수 있게 된다.

군신좌사 이론을 활용하여 방제를 이해할 경우, 처방 해석의 편리성, 처방 응용범위의 확장, 방제 가감의 용이성, 새로운 처방의 원리로 활용하는 등의 장점이 있다.[180]

군신좌사 각각의 의미와 구체적인 역할은 다음과 같다.[181]

군약君藥은 주병主病이나 주증主證에 대해서 주된 치료 작용을 하는 약물을 말한다. 즉, 군약은 목표로 하는 병증에 대해 가장 주된 치료 작용을 일으키는 결정적인 작용과 주도적인 작용을 하는 약물이다. 따라서 군약은 주로 표적성과 효능이 다른 약에 비해 강하고, 작용이 다른 약보다 전면적이며 약의 용량도 다른 약보다 상대적으로 많다.

178) Ung CY, Li H, Cao ZW, et al. Are herb-pairs of traditional Chinese medicine distinguishable from others? Pattern analysis and artificial intelligence classification study of traditionally defined herbal properties. J Ethnopharmacol 2007;111(2):371-7.

179) Wang S, Hu Y, Tan W, et al. Compatibility art of traditional Chinese medicine: from the perspective of herb pairs. J Ethnopharmacol 2012;143(2):412-23.

180) 이태경, 강정수, 김병수. 君臣佐使에 대한 연구. 동의생리병리학회지 2007;21(3):596-604.

181) 이 부분은 다음의 자료를 참고하여 정리하였다.
한의방제학 공동교재 편찬위원회 편저. 韓醫方劑學 총론. 파주: 군자출판사; 2020. pp. 85-92.
이태경, 강정수, 김병수. 君臣佐使에 대한 연구. 동의생리병리학회지 2007;21(3):596-604.
김도회, 서부일, 김보경 외. 방제구성의 표준적 규격-군신좌사(君臣佐使). 대한한의학 방제학회지 2003;11(2):1-18.

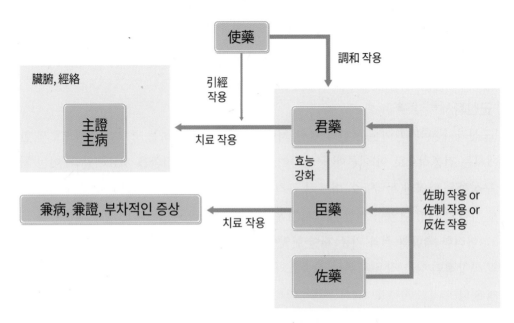

그림 5-5. 방제에서 군신좌사 약물의 작용

신약臣藥은 군약을 보조하여 군약의 치료 효과를 높이는 역할을 한다. 이러한 신약은 군약과 성미와 효능이 비슷한 같은 류의 약물인 경우가 많으며, 약의 칠정 중 주로 상수, 상사 배오에 해당하는 약물들로 구성된다. 일부 신약이 군약과 약성이 다른 경우도 있지만 이 경우도 군약과는 다른 측면에서 그 치료 작용을 공동으로 발휘한다. 아울러 신약은 겸병兼病과 겸증兼證을 치료하는 역할을 하기도 한다.

좌약佐藥은 세 가지 기능을 한다고 할 수 있다. 첫째, 좌조佐助 작용으로 군약과 신약의 치료 효과를 증가시키고, 겸증이나 부차적인 증상을 치료하는 작용을 한다. 둘째, 좌제佐制 작용으로 군약과 신약의 약성이 너무 강하거나 독성이 있을 때, 이를 제어하고 부작용을 억제하는 작용을 한다. 셋째, 반좌反佐 작용으로 병증이 심할 경우 약물에 대한 거부 반응이 나타나므로 군약의 약성과 상반된 약물을 사용하여 복용이 용이하도록 하는 것과 군약의 약성이 너무 한쪽으로 치우칠 경우 적절하게 작용하도록 반대되는 약성의 약물을 소량 넣어 상호 작용을 통해 치료 효과를 높이는 것이다. 예를 들면 온열제溫熱劑 중에 소량의 한량약寒涼藥을 넣거나 한량제寒涼劑 중에 소량의 온열약溫熱藥을 넣는 것이 이에 해당한다.

사약使藥은 두 가지 의미가 있다. 첫째는 처방의 약물이 병소病所에 도달하도록 하는 인경약引經藥의 의미가 있다. 둘째는 처방 내의 모든 약물을 조화시켜 치우친 약성으로 인한 부작용을 막고 비위脾胃가 상하지 않도록 하는 조화약調和藥의 의미가 있다.

3) 방제의 구성 변화(가감)

임상에서 마주하게 되는 환자의 상태는 매우 다양하며 같은 질환이라도 환자에 따라 서로 다른 양상을 보이는 경우가 많다. 이는 환자의 나이, 성별, 체질, 체력, 병의 원인, 병의 중등도, 기존 병력 등이 서로 다르기 때문이다. 이러한 환자 개개인의 상태를 고려한 개인 맞춤의학(Personalized Medicine)으로서 한의학의 특징을 실제 임상에서 구체적으로 확인할 수 있는 부분 중 하나가 바로 방제의 가감加減이다. 일반적으로 한의사는 환자 진찰 후 개별 환자에게 맞는 변증진단을 하고 그에 적합한 방제를 선택한다. 이때 기존 방제 중에 하나를 선택하여 처방 구성에 변화를 주지 않고 그대로 사용하는 경우도 있지만 대부분은 개별 환자의 상태를 반영하기 위해 적절하게 한약을 가감하는 경우가 많다. 한의사는 변증진단을 바탕으로 약물의 가감을 통해 다양한 환자 상태와 질병에 대해 적절하게 대응하게 된다.

방제의 가감은 기존 방제에 대한 철저한 이해와 현재 환자의 임상적 상태에 대한 진단에 근거하여 이루어진다. 방제 가감은 크게 다음의 3가지 유형으로 나눌 수 있다.[182]

첫째, 약미가감藥味加減의 변화이다. 약미가감은 군약은 변화를 주지 않고 처방 중의 기타 약물을 가감하여 환자의 현재 상태에 대응하는 것이다. 여기에는 일반적으로 두 가지 상황이 있다. 하나는 주증主證에 수반되는 겸증兼證(병증이 겸해 있는 것, 부차적인 증상)의 차이에 따라 그 구성에 변화를 주는 것으로, 임상에서 흔히 보이는 증證에 따라 넣고 빼는 '수증가감隨證加減'이 이에 해당된다. 다른 하나는 방제 구성 약물 중 일부 약물을 다른 약물로 바꾸거나 기존 처방에 다른 약물을 추가하여 주요 약물의 배오 관계를 바꾸는 것으로 이를 통해 기존 처방과 다르게 그 작용과 적응증이 바뀌게 된다.

둘째, 약량가감藥量加減의 변화이다. 약량가감은 방제를 구성하는 약물에는 변화를 주지 않고 단지 처방 중 특정 약물의 용량만 가감하는 것이다. 특정 약물의 용량을 바꿈으로

---

182)　한의방제학 공동교재 편찬위원회 편저. 韓醫方劑學 총론. 파주: 군자출판사; 2020. pp. 92-9.

써 그 약물의 작용을 강하게 하거나 약하게 하여 작용과 적응증을 변화시킬 수 있다.

셋째, 제형변경劑型變更의 변화이다. 동일한 방제로 구성된 약물이라도 조제된 제형이 다르면 그 작용과 적응증이 달라진다. 예를 들어, 약의 효과를 강하게 하려면 탕제湯劑를 사용하고, 약의 효과가 완만하게 작용하기 위해서는 환제丸劑를 사용한다.

4) 방제의 분류

초기에는 '칠방七方[183]', '십제十劑[184]' 등의 방제 분류 방법이 있었다. 후대로 내려오면서 방제의 분류는 병증에 따른 분류, 비슷한 처방(유방類方)에 따른 분류, 치법治法에 따른 분류, 종합적 분류 등의 방법으로 다양화되었다. 현재 방제학 교과서에서는 처방이 치법에 따라 분류되어 있다(표 5-9).[185]

표 5-9. 치법에 따른 방제학 교과서 한약 처방(방제) 분류

해표제解表劑	사하제瀉下劑	화해제和解劑	청열제淸熱劑
거서제祛暑劑	온리제溫裏劑	표리쌍해제表裏雙解劑	보익제補益劑
고삽제固澁劑	안신제安神劑	개규제開竅劑	이기제理氣劑
이혈제理血劑	치풍제治風劑	치조제治燥劑	거습제祛濕劑
거담제祛痰劑	소식제消食劑	구충제驅蟲劑	용토제涌吐劑
치옹양제治癰瘍劑	사상체질방제*	천연물신약#	

*, #는 치법과 상관없는 기타 분류

---

183) 칠방(七方) ; 병의 성질에 따라 중한 질병에는 약의 종류와 양이 많은 대방(大方), 가벼운 질환에는 소방(小方), 만성적인 질환에는 약성이 부드러운 완방(緩方), 응급 질환에는 약성이 강한 급방(急方) 등으로 분류하였다. 약물의 수에 따라 단미약(單味藥) 또는 구성 약물의 합계가 홀수인 경우 기방(奇方), 두 가지 약물 또는 구성 약물의 합계가 짝수인 경우 우방(偶方)으로 분류하였다. 복방(復方)은 두 가지 처방 혹은 여러 개의 처방을 함께 사용하는 것이다.

184) 십제(十劑) ; 방제를 그 효능에 따라서 10가지로 분류한 처방 분류 방법 중의 하나이다. 즉 선제(宣劑)·통제(通劑)·보제(補劑)·설제(泄劑)·경제(輕劑)·중제(重劑)·활제(滑劑)·삽제(澁劑)·조제(燥劑)·습제(濕劑) 등의 10가지를 말한다.

185) 한의방제학 공동교재 편찬위원회 편저. 韓醫方劑學 각론 상,하. 파주: 군자출판사; 2020.

5) 방제의 제형劑型

한약을 포함한 의약품의 제형이라 함은 약물을 사람 또는 동물에 투여하여 효과를 발휘하도록 그 목적에 적합한 형상이나 성질을 갖춘 상태로 가공하여 만든 형태를 말한다.[186] 즉, 방제의 제형은 질병의 상황과 약물의 성질 및 투약경로를 근거로 약물을 가공하여 적합한 형태로 만들어 방제가 가장 좋은 치료 효과를 발휘하도록 하는 것이다. 방제의 제형은 오랜 시간에 걸쳐 다양하게 발전하였다. 현대에 와서는 한의학의 현대화, 과학화에 따라 전통적인 제형의 보존과 개선 그리고 새로운 제형의 개발 두 방향에서 방제의 제형이 발전하고 있다. 다양한 제형들이 있지만 여기서는 현재 자주 사용되고 있는 방제 제형 위주로 살펴본다.[187]

(1) 탕제湯劑

탕제는 현재 임상에서 가장 광범위하게 사용되는 제형으로 고대에는 '탕액湯液'이라고 했고, 현대에는 '탕약湯藥'으로 부르고 있다. 탕제는 처방된 약물을 물에 넣어서 일정한 시간을 끓인 다음 찌꺼기를 제거하고 즙을 취하여 만든 액체 제형이다. 일부 처방의 경우 물과 술을 같은 분량으로 섞은 뒤(주수상반酒水相半) 약물을 달이기도 한다. 탕제는 환자 상태에 따라 약물의 가감이 쉽고, 조제가 간편하며, 흡수가 빨라서 치료 효과가 빠른 장점이 있다.

(2) 산제散劑

산제는 분제粉劑라고도 하며, 하나 또는 여러 종류의 약물을 분쇄하여 잘 섞은 분말 형태의 제제를 말한다. 전통적인 제형 중 하나로 내복內服 또는 외용外用 산제로 구분할 수 있다.

---

186) 최현정, 방나영, 송보완 외. 한약제형 선호도에 관한 설문조사. 경희의학 2004;20(1):46-57.

187) 이하 내용은 다음의 자료를 참고하여 정리하였다.
한관석, 이영종. 전통한방제형(傳統韓方劑型)에 대한 문헌적 고찰. 대한본초학회 1989;4(1):73-83.
식품의약품안전처 고시 제2019-102호, 대한민국약전. [별표2] 제제총칙. 2019.
한의방제학 공동교재 편찬위원회 편저. 韓醫方劑學 총론. 파주: 군자출판사; 2020. pp. 101-24.
대한약침학회 학술위원회·약침의학연구소 저. 약침학 2판. 서울: 엘스비어코리아; 2011. pp. 3-12.

(3) 환제丸劑

환제는 환약丸藥이라 칭하기도 한다. 환제는 약물을 부드럽게 가루를 내거나 약재에서 추출한 물질에 적절한 접착제나 기타 보조적인 재료를 넣어서 구형 또는 구형 유사 형태로 만든 고체 제형이다. 환제는 전통 제형으로 오늘날까지 광범위하게 사용되고 있다. 환제는 그 제조 방법에 따라 범제환泛製丸(약물을 곱게 가루 내어 적당한 액체를 접합제로 사용하여 작은 구형으로 환제를 만드는 것), 소제환塑製丸(약물의 분말과 적절한 접착제를 혼합하여 굳기가 적당한 가소성 알갱이를 만들고, 연후에 다시 분할하여 환 알갱이를 만드는 것), 적제환滴製丸(녹는점이 비교적 낮은 지방성 혹은 수용성 물질을 이용하여 주 약물을 용해·현탁懸濁·유화乳化 시킨 후에 적절한 장치를 이용하여 혼합되지 않는 액체냉각제로 떨어뜨려 만든 환제)[188]으로 나눌 수 있다. 밀환蜜丸, 수환水丸, 호환糊丸, 농축환濃縮丸, 납환蠟丸 등의 전통적인 제형이 있으며, 현대에 만들어진 미환微丸, 적환滴丸 등의 제형이 있다.

전통적으로 환약의 크기는 씨앗이나 곡물의 크기 등을 기준으로 하였다. 대표적으로 벽오동나무의 씨 크기[오(동)자대梧(桐)子大], 검은 콩 크기(대두대大豆大), 팥 크기(소두대小豆大), 녹두[호두胡豆(청반두靑斑豆)[189]] 크기(녹두대綠豆大), 삼의 씨(마인麻仁) 크기[마자대麻子大(대마대大麻大)], 참깨 크기[세마대細麻大(호마대胡麻大)], 탄환 크기[탄자대彈子大(탄환대彈丸大)], 계란 노른자 크기(계자황허대鷄子黃許大) 등으로 환약의 크기를 분류하였다. 이를 현대적으로 환산하면 오(동)자대의 지름을 6.5 mm로 할 때 대두대는 5.2 mm, 소두대 4.1 mm, 녹두대는 3.6 mm, 대마대는 2.8 mm, 세마대는 2.0 mm, 탄자대는 16.4 mm, 계자황허대는 22.1 mm로 크기를 추정할 수 있다.[190]

---

188) '용해'는 약물이 액체 속에서 균일하게 녹는 것이고, '현탁'은 액체에 완전히 용해되지 않은 고체의 미립자가 분산되어 있는 것이며, '유화'는 서로 용해되지 않은 두 액체의 한쪽이 미립자가 되어 다른 액체 속에 분산되어 있는 것을 말한다.

189) 호두(胡豆)[청반두(靑斑豆)]를 완두콩으로 볼 수도 있지만, 김인락의 연구에서는 녹두로 해석하였고, 이를 따라 녹두로 기술하였다.

190) 김인락. 《傷寒論》에서 환제의 크기와 복용방법. 대한본초학회지 2021;36(1):51-7.
이 논문에서는 오(동)자대의 지름을 6.5 mm로 할 때 대두대는 5.15905 mm, 소두대 4.09474 mm, 녹두대는 3.57709 mm, 대마대는 2.83914 mm, 세마대는 1.98427 mm, 탄자대는 16.37897 mm, 계자황허대는 22.11484 mm라고 되어 있다. 본문에서는 반올림해서 소수점 한 자리로 크기를 표시하였다.

(4) 단제丹劑

단제는 단약丹藥이라 칭하기도 한다. 단제는 일반적으로 네 가지 의미로 사용되었다.

첫째, 광물성 약물을 밀폐된 상황에서 가열하여 화학반응이 일어난 후 얻어진 제제를 단제라 한다. 대표적으로 수은, 유황, 납 등의 광물이 사용되었는데 주로 내복약보다는 외용제로 사용되었고, 현재는 약물 독성으로 인해 거의 사용되지 않는다. 제형적인 측면에서는 첫 번째 의미가 주로 사용되었다. 둘째, 제형의 크기로 환丸이 큰 것을 단丹이라 부르기도 하였다. 셋째, 약품이 귀중하거나 약효가 현저한 것을 단이라고 불렀다. 넷째, 도교에서는 항노화나 수명 연장의 효과를 나타내는 약물을 단이라 부르기도 하였다.

(5) 고제膏劑

약물을 물이나 식물성 기름에 졸여서 즙을 취해서 농축한 반고체 제형이다. 크게 내복용 고제와 외용 고제로 구분한다. 내복용 고제는 약물을 오랜 시간 동안 달여서 졸인(농전濃煎) 뒤 찌꺼기를 제거하고 다시 약한 불(문화文火)에서 농축한 다음 당糖이나 꿀 등을 넣어 짙은 농도의 걸쭉한 상태로 만든 반유동체의 제제이다. 복용 시에는 적절한 양을 따뜻한 물에 녹여 복용한다(충복沖服). 외용 고제는 고약膏藥이라도 부르는데 크게 경고硬膏와 연고軟膏로 나눌 수 있다. 경고는 식용 식물성 기름으로 약물을 일정 정도까지 졸인 후에 찌꺼기를 제거하고 황단黃丹(납을 가공하여 얻은 산화연), 꿀벌 집에서 나온 밀랍蜜蠟(beeswax), 소나무의 진을 말린 송향松香 등을 넣어서 만든다. 대표적인 경고에는 종기를 치료하는 이명래고약李明來膏藥이 있다. 연고는 약물을 세분하여 적당한 기질基質과 더불어 적당한 끈적임을 가지고 있도록 만든 반고체의 외용제제이다. 연고 중 유제乳劑형 기질을 사용한 것을 유고제乳膏劑라 부른다. 현대의 다양한 기질을 사용하여 만든 각종 한방 연고가 외용제로 임상에서 사용되고 있다. 대표적인 한방 외용 연고에는 피부 질환에 사용되는 자운고紫雲膏가 있다.

(6) 주제酒劑(주정제酒精劑, Spirits)

주제는 약주藥酒라고 부르기도 하는데, 약재를 술 종류에 일정 시간을 담가두거나 중탕하여 찌꺼기를 버리고 즙약을 취하여 만든 맑은 액체 제제이다.

(7) 다제茶劑

다제는 찻잎을 포함하거나 찻잎을 포함하지 않은 약물을 갈아 만든 고운 가루 형태의 제품으로 일부는 적당한 접착제를 넣어 덩어리의 제형으로 만든 제제도 있다. 복용 시에는 끓는 물을 넣어 다제를 우려내서 복용하거나 물에 넣고 함께 끓여서 복용한다.

(8) 노제露劑

노제는 약로藥露라고도 부르는데 이것은 약재를 증류하여 만든 아로마 성분이 함유된 맑은 물 용액의 액체 제제이다.

(9) 정제錠劑

정제는 약재를 부수어서 매우 고운 가루로 만든 것에 적당량의 접착제(혹은 약재 자체의 점성을 이용)를 가하여 만든 규정된 형상을 가진 고체 제제이다. 현재는 이러한 전통적인 정제뿐만 아니라 양약의 제조에 사용되는 방식과 같은 당류 또는 당알코올류 및 고분자 화합물 등의 적절한 코팅제로 코팅한 한약 정제도 사용되고 있다.

(10) 전제栓劑

전제는 좌약坐藥이라 부르기도 하는데, 약물과 기질을 혼합하여 일정한 모양을 만들고, 이것을 항문이나 질 내에 삽입하여 그 속에서 용해되어 점차 약물이 방출되도록 하는 외용 고체 제제이다.

(11) 엑스제(Extracts)

엑스제는 보통 한약의 침출액을 농축하여 만든 제제로 연조엑스제, 건조엑스제 두 종류가 있다. 한약을 달인 침출액을 여과하고 적당한 방법으로 농축 또는 건조하여 만든다. 연조엑스제는 달인 탕약을 농축하여 물엿과 같은 점조도로 만든다. 건조엑스제는 분무건조 또는 냉동건조한 후 부형제를 첨가하여 과립상이나 정제 형태의 분쇄할 수 있는 덩어리 또는 분말 형태로 만든다. 이때 부형제의 경우 주성분 함량 규정을 고려하여 적절한 용량을 넣어야 한다. 이 제형은 현대에 들어서 많이 사용하게 되었는데, 한방 의료보험용 한약제제가 이 제형으로 만들어져 사용되고 있다. 한방 의료보험용 한약제제는 초기에는 68종 단미 한약 건조엑스산제와 단미 한약 건조엑스산제를 혼합한 56개 한약 처방 건조엑스산제가 한약제제로 승인되어 사용되었다. 최근에는 연조엑스제, 현대적인 정제 제형으로 바뀐 의료보험용 한약제제도 승인되어 임상에서 사용되고 있다. 다만, 의료보험용 한약제제는 수십 년째 56개 처방에 묶여 그 수가 늘어나지 않고 있다.

(12) 시럽제(Syrups)

중국에서는 당장제糖漿劑라고 칭한다. 약물을 달여서 찌꺼기를 제거하고 즙액을 취하여 농축한 후에 적당량의 당류 또는 감미제를 섞어 만든 점조성의 액상 또는 고형의 내용제이다.

(13) 과립제(Granules)

현대적인 제형으로 약재 추출물에 적당량의 부형제 혹은 일부 약재의 세분을 넣어 건조 과립상 혹은 덩어리 모양으로 만든 내복 제제를 가리킨다. 이 제제는 용해 성능에 따라 용액용 과립제, 현탁용 과립제, 발포 과립제 등으로 분류된다.

(14) 캡슐제(Capsules)

중국에서는 교낭제膠囊劑라고 한다. 캡슐제는 한약을 액상, 현탁상, 반고형상, 분말상, 과립상, 또는 성형물의 형태로 캡슐에 충전하거나 캡슐기제로 피포성형하여 만든 고형제 제이다.

(15) 틴크제(Tinctures)

한약을 에탄올 또는 에탄올과 정제수의 혼합액으로 침출하여 만든 액상의 제제이다. 이 제제는 따로 규정이 없는 한 한약을 조말 또는 세절한 다음 침출법 또는 퍼콜레이션법(percolation法-침출기에 충전한 생약에 침출제를 통과시켜 가용성 성분을 침출하는 방법)에 따라 만든다.

(16) 현탁제(Suspensions)

현탁제懸濁劑는 주성분을 미세 균질하게 현탁한 액상의 제제이다.

(17) 가글제(Gargles)

가글제(Gargles)는 입안을 헹구어 구강, 인두 등의 국소에 적용하는 액상 제제를 말한다. 한약의 침출액을 가글제로 사용하여 구강 내 질환을 치료하는 경우가 해당된다.

(18) 점비액제(Nasal Solutions)

점비액제點鼻液劑는 비강 또는 비점막에 적용하는 액상제제 또는 쓸 때 녹이거나 현탁하여 쓰는 제제이다. 이 제제는 필요에 따라 스프레이펌프 등의 적절한 분무용 기구를 써서 분무 흡입한다. 코 질환 치료를 위해 사용하는 한약으로 만든 코 스프레이가 여기에 해당한다.

(19) 약침제제 및 주사제

주사제注射劑는 보통 피하, 근육 내 또는 혈관 등의 체내조직·기관에 직접 투여하는 멸균 용액, 현탁액, 유탁액 또는 사용 시 용제에 녹이거나 현탁하여 쓰는 고형의 무균제제이다. 중국의 경우, 한약으로부터 추출된 한약 주사제가 1930년대에 시작되었고 오늘날 거의 100종 이상의 한약 주사제가 치료 효과를 인정받아 광범위하게 임상에서 사용되고 있다. 한국의 경우 한약 주사제는 약침藥鍼제제로 발전하였으며, 현재 한의 임상에서 보편적으로 사용되고 있다. 약침은 환자의 체질, 질병 상태 등을 고려하며 변증진단을 한 뒤 그에 맞는 치료 경혈, 체표 반응점 및 피하, 근육 내 또는 혈관 등에 특정 한약에서 정제 추출한 약침 제제를 주입기로 일정량 주입하여 질병을 치료하는 방법이다. 여기서 사용되는 약침제제는 알코올 수침법, 증류추출법, 저온추출법, 압착법, 희석법 등 다양한 추출방법으로 제조된다.

6) 복약 방법
(1) 복용 시간

한약 복용 시간에는 다양한 이론들이 있다. 일반적으로 한약은 식전 1-2시간 전에 복용하는 것이 좋다. 건강보험 적용 한약제제의 경우는 식전 또는 식간(식사 때와 식사 때 사이) 복용이 권고된다. 위장에 자극이 있는 약은 식후에 복용하고 위장기능을 도와주는 약은 식전에 복용하는 것이 좋다. 안신약安神藥은 수면 전에, 맛이 진하고 걸쭉한 자보약滋補

藥은 공복 시에, 급성 중병은 시간에 구애받지 말고 복용하고, 만성병 환자로 환丸, 산散, 고膏, 주酒를 복용하는 자는 일정한 시간을 정하여 복용한다. 이외 병의 상태에 따라 여러 번 복용할 수도 있고, 차처럼 연하게 전탕하여 시간에 상관없이 복용할 수도 있다.[191] 유형별로 분류하여 보면 보익제補益劑, 고삽제固澁劑, 활혈거어제活血祛瘀劑, 치풍제治風劑 등은 공복에 복용하며, 사하제瀉下劑, 청열제淸熱劑, 금속류 등은 식후에 복용하고, 안신제安神劑는 잠들기 전, 이기제理氣劑는 시간에 구애받지 않고 복용할 수 있다.[192]

(2) 복용 방법

탕제는 일반적으로 하루에 2회 또는 3회 복용하는데, 일반적으로 따뜻하게 복용한다. 병의 상태가 중하거나 급할 때는 한꺼번에 고용량을 복용할 수도 있으며, 필요에 따라 계속 조금씩 복용하여 치료 효과를 유지하게 하는 경우도 있다. 한약 복용 시 환자의 병증 및 약물의 특징에 따라서 복용 방법을 결정하기도 한다. 열증熱證인 경우 약을 차게 하여(냉제冷劑) 복용시키고, 한증寒證에는 약을 뜨겁게 하여(열제熱劑) 복용시키기도 한다. 병이 하초下焦에 있거나 보양약補養藥의 경우 식사 전에 복용하게 하고 병이 상초上焦에 있으면 식사 후에 복용하게 하기도 한다. 병이 하부에 있는 경우 다량으로 한 번에 복용하게 하는 경우가 있고, 병이 상부에 있는 경우 소량을 여러 차례 나누어 마시게 하는 경우도 있다.[193]

환丸, 산散, 고膏, 단丹 등의 약은 일반적으로 하루에 2회 복용하는데 환자 상태에 따라 1회나 3회 복용할 수도 있다. 약을 복용할 때는 대부분 물과 함께 복용하며, 상황에 따라 술, 미음, 소금물, 연뿌리즙, 무즙, 약물 전탕액 등으로 복용하는 경우도 있다. 소아나 노인의 경우 복용 약물의 용량을 낮추어야 한다.[194]

요컨대 질병의 정도, 병의 위치, 병의 특성 및 약물과 제형의 특징에 따라 적절한 복용 방법을 결정해야 한다.

---

191) 김호철. 한약약리학. 파주: 집문당; 2012. pp. 43-4.

192) 김윤경, 김정숙, 최훈. 전통적인 한약의 전탕법과 복용법에 대한 현대적 고찰. 한국한의학연구원논문집 2004;10(2):63-72.

193) 한의방제학 공동교재 편찬위원회 편저. 韓醫方劑學 총론. 파주: 군자출판사; 2020. pp. 144-6.

194) 김호철. 한약약리학. 파주: 집문당; 2012. p. 44.

(3) 복약식기服藥食忌

복약식기는 한약을 복용할 때 주의해야 할 음식을 말한다. 주로 병증病證에 해가 될 음식과 약물의 치료 효과를 저하시키는 음식을 말한다. 여러 고전문헌에서 복약식기를 언급하고 있지만 이에 대한 충분한 현대적 연구가 이루어지고 있지는 않다. 현재까지 언급된 고전문헌의 복약식기의 의미를 정리하면 다음과 같다. 첫째, 일부 음식물은 어떤 약물과 상오相惡 또는 상반相反의 배오配伍 관계가 존재할 수 있어 이러한 음식물을 섭취하면 한약의 치료 효과가 감소하거나 부작용이 발생할 수 있다. 둘째, 어떤 음식들은 소화 및 흡수 기능을 방해하여 약물의 흡수를 저하시켜 치료 효과를 떨어지게 할 수 있다. 일반적으로 환자들은 위장 기능이 약한 경우가 많아 익히지 않은 날 음식, 찬 음식, 튀긴 음식, 지방이 많은 음식, 자극적인 음식 등을 섭취할 경우 약물 흡수가 저하되어 치료 효과가 떨어질 수 있다. 셋째, 어떤 음식물은 어떤 병증에 불리하게 작용하여 환자의 회복에 영향을 줄 수 있다.[195] 예를 들어 단 음식, 짠 음식, 음주, 기름진 음식, 과도한 커피 섭취, 지나치게 찬 음식 등은 환자의 질병에 영향을 줄 수 있다. 마지막으로 한국 한의학의 독창적인 면이라고 할 수 있는 사상체질에 따른 음식 섭취다. 특정 음식은 특정 체질에 적합하여 환자의 건강회복을 도와주지만, 체질과 맞지 않는 음식물을 섭취할 경우 환자의 상태가 나빠질 수 있다.

(4) 한약과 양약 복용 시 주의사항

임상에서 만나는 환자들은 기저질환을 가지고 있는 경우가 많으며, 대다수가 이미 다양한 양약을 복용하고 있다. 이러한 환자들에게 한약 투약 시 한약과 양약의 상호작용(herb-drug interaction)에 대한 세심한 고려가 있어야 한다. 2000년 이후 한약-양약 상호작용 관련 연구들이 꾸준히 발표되고 있으나 실제 의료 현장을 반영한 대규모 임상연구는 아직 부족한 상황이다. 현재까지 이루어진 다양한 관련 연구를 종합하여 2020년 대한한의사협회에서 발표한 자료[196]에서는 대사증후군(고지혈증, 당뇨, 고혈압) 약물, 심장질환 약물(강심제, 항혈전제 등), 면역억제제, 부신피질호르몬제, 항악성종양제, 항우울제, 수면진정제, 조현병 약물, 마취제, 항경련제, 정신운동성 흥분약 등과 한약의 상호작용 가능성을 보고하

---

195) 한의방제학 공동교재 편찬위원회 편저. 韓醫方劑學 총론. 파주: 군자출판사; 2020. pp. 148-50.

196) 대한한의사협회.《한약·양약 병용투여 관련 연구 결과 및 바람직한 한의 임상 적용》학술세미나 배포용 자료. 2020.2.2.

고 있다. 이들 질환으로 양약을 복용하고 있는 환자 진료 시 한약–양약 상호작용에 대한 고려가 필요할 것으로 보인다.

🍶 한약–양약 상호작용 연구

현재 한약-양약 상호작용(herb-drug interaction)에 관한 연구는 비임상실험이나 증례연구가 주를 이루고 있으며 실제 진료 현장을 반영한 대규모 임상연구는 아직 부족한 상황이다.[197] 다행인 것은 2000년대 들어서면서 한약-양약 병용투여 및 상호작용에 대한 많은 연구가 국내외에서 이루어지고 있다는 점이다. 최근 국내에서 발표된 건강보험심사평가원 자료를 이용하여 건강보험 급여 한약제제와 양방 처방의약품의 병용투여를 연구한 논문[198]은 실제 임상 현장을 반영하고 있어 의미 있는 연구라 할 수 있다. 앞으로 보험 한약제제뿐만 아니라 실제 한의 임상에서 환자에게 투여되고 있는 다양한 제형의 한약을 중심으로 한약-양약 병용투여 현황 및 한약-양약 상호작용에 관해 연구하는 것이 필요할 것이다. 국외에서도 한약의 사용이 늘어감에 따라 한약과 양약의 상호작용 기전에 관한 연구가 증가하고 있으며, 한약-양약 상호작용에 대한 통합적인 데이터베이스 구축의 필요성 또한 제기되고 있다.[199] 앞으로 한의와 양의의 병행 진료가 점차 늘어날 것으로 예측되므로 임상 진료에 기반한 체계적인 한약-양약 약물상호작용 연구가 국가 주도로 이루어져야 할 것으로 보이며, 통합 데이터베이스의 구축도 필요할 것으로 생각된다.

최근 한약-양약 상호작용에 대한 국가 주도의 연구가 시작되었다. 2020년부터 시작되어 총 10년간 보건복지부(한국보건산업진흥원)가 지원하는 한의약 연구개발(R&D) 사업인 '한의약 혁신기술개발사업'(2020-2029년)이 진행된다. 이 사업 중 '약물상호작용 연구' 분야에서 한약제제-합성의약품(고혈압·당뇨약 등) 간 약물상호작용 연구 및 근거 기반 병용투여지침 개발을 지원하고 있다.[200] 일부 성과로 한약제제-합성의약품 병용투여지침 개발 매뉴얼 Ver 1.0[201]이 개발되었다.

---

197) 한의약융합연구정보센터(KMCRIC). KMCRIC 한의약 과학 한마당 - 조선영. 한약-양약 약물상호작용 연구동향[인터넷]. 2019년 11월 18일[2022년 1월 15일 인용]. URL: https://www.kmcric.com/science/oriental/view_oriental/39720?page=1

198) 이혜재, 윤난희, 박소현 외. 건강보험 급여 한약제제와 양방 처방의약품의 병용투여 현황. 대한예방한의학회지 2021;25(2):1-11.

199) Borse SP, Singh DP, Nivsarkar M. Understanding the relevance of herb-drug interaction studies with special focus on interplays: a prerequisite for integrative medicine. Porto Biomed J 2019;4(2):e15.

200) 보건복지부 보도자료. 2029년까지 "한의약 혁신기술개발사업"추진한다. 2019.08.29.

201) 한국한의약진흥원. 한약제제-합성의약품 병용투여지침 개발 매뉴얼 Ver 1.0. 2021.12.27.

현재 추천할 만한 국내 데이터베이스로는 한의약융합연구정보센터(KMCRIC)에서 운영하는 'KMCRIC 약물상호작용 DB'와 전통의학정보포털(Oriental Medicine Advanced Searching Integrated System, OASIS)[202)이 있다. KMCRIC 약물상호작용 DB는 보완대체의학에 관한 양질의 근거중심(evidence-based) 정보를 수록한 Natural Standard에 기반을 둔 데이터베이스로 한약-양약(herb-drug), 한약-식이보충제(herb-dietary supplement), 한약-음식(herb-food) 등의 약물 상호작용에 대한 최신의 정보를 제공하고 있다.[203)

🏷 탕제湯劑는 어떻게 만들어지나?

전통적으로 한국에서 한약 처방 조제 시 기본 단위는 첩貼이었다. 이런 이유로 탕약湯藥 또는 탕액湯液을 첩약貼藥이라 하기도 한다. 그러므로 보통 한약 처방 내의 개별 한약의 용량은 1첩貼 분량의 용량을 말한다. 본래 1첩은 한약을 탕전하기 전 약복지藥袱紙(첩약을 싸는 데 사용하는 네모반듯한 종이)에 싼 약뭉치 하나를 말했다. 성인 기준 하루 복용 분량은 2첩 분량으로 2첩을 탕전하여 하루 3회로 나눠서 복용한다. 일반적으로 한의 의료기관에서 탕제 처방은 20첩 분량으로 이루어지는데 20첩을 1제劑라고 하며, 10일 복용 분량이다. 즉, 한약 1제는 20첩으로 하루 3회 복용 기준 10일 분량을 말한다. 탕약은 주로 한약 포장용 파우치(한약 전탕팩)에 포장되는데, 성인 기준 1회 복용량 1팩은 보통 120 mL 정도다.

현재 탕전은 한의 의료기관 내에서 이루어지는 원내 탕전과 외부탕전업체에 맡기는 원외탕전으로 나뉘어 이루어진다. 조제 한약의 안전성 및 질 관리를 위해 2017년부터 한국한의약진흥원에서 원외탕전실(일반한약조제 원외탕전실) 인증평가를 실시하고 보건복지부가 이를 인증하는 원외탕전실 인증평가제를 실시하고 있다. 원내 탕전의 경우 '원내 탕전실 한약조제 안전 관리 가이드라인'[204)이 있어 안전한 원내 한약 조제가 이루어지도록 관리한다. 2019년부터는 보건복지부 '한약(탕약) 현대화-원외탕전실 탕약 안전 관리' 사업의 일환인 품질 모니터링을 한국한의약진

202) OASIS 전통의학정보포털(Oriental Medicine Advanced Searching Integrated System)[인터넷]. [2022년 1월 15일 인용]. URL: https://oasis.kiom.re.kr/

203) 한의약융합연구정보센터(KMCRIC). 한의약융합데이터센터- KMCRIC 약물상호작용 DB[인터넷]. [2022년 1월 15일 인용]. URL: https://www.kmcric.com/database/interact_search

204) 대한한의사협회 약무위원회. 탕전실 한약조제 안전 관리 가이드라인. 2019.

홍원 품질인증센터에서 무상으로 시행하고 있다. 모니터링 측정항목은 중금속(납, 비소, 카드뮴, 수은), 잔류농약(320종), 곰팡이독소(아플라톡신 B1, B2, G1, G2), 벤조피렌, 미생물(호기성미생물, 진균, 대장균, 살모넬라, 황색 포도상 구균, 녹농균), pH이며, 2021년부터는 원내 탕전실도 참여할 수 있게 되었다.[205]

식품의약품안전처 고시[206]에서는 '표준탕액'에 대해 '한약서의 조제방법에 따라 전통적인 추출방법(무압력 방법)으로 전탕煎湯한 것이거나 한약서에 별도의 추출방법이 없는 경우 약탕기에 한약 총량의 10배량의 물을 넣고 80-100℃에서 일정시간(2-3시간) 추출액량이 1/2이 되도록 전탕하여 여과한 것'으로 정의하고 있다. 덧붙이면 탕전 전에 용기(약탕기)에 한약을 넣고 냉수를 넣어서 30분 정도 담가두는데, 이는 유효성분이 추출되기 쉽게 하는 것으로 이를 '침포浸泡'라고 한다.

탕전 시 주의해야 하는 약재들이 있는데 광석류, 패각류, 갑각류 등의 단단한 약재는 유효성분이 원활하게 추출되게 하기 위해, 유독성 약물들은 독성을 줄이기 위해, 다른 약재들보다 30분 이상 더 달인다. 이를 선전先煎이라 하는데 선전해야 하는 한약에는 귀판, 금몽석, 녹각상, 대자석, 모려, 문합, 별갑, 부자, 석결명, 석고, 석종유, 수우각, 와릉자, 우여량, 자석, 자석영, 적적지, 진주모, 천오, 청몽석, 초오, 활석 등이 있다. 이와 반대로 정유 성분이 많거나 유효성분이 쉽게 파괴되는 한약들은 탕전 마지막에 넣어서 5-10분 정도만 달인다. 이를 후하後下라고 하는데 후하하는 한약에는 강향, 계지, 곽향, 교이, 다엽, 대황(사하 목적일 때), 마황, 망초, 목향, 박하, 백두구, 번사엽(센나엽), 사인, 서장경, 세신, 용뇌, 육계, 육두구, 자소엽, 정향, 조구등, 청호, 초과, 초두구, 총백, 침향, 행인, 형개 등이 있다.[207]

205) 이국여. 한약(탕약) 품질 모니터링. 한의약정책리포트 2021;6(1):108-10.
206) 식품의약품안전처 고시 제2019-143호, 한약(생약)제제 등의 품목허가·신고에 관한 규정. 제2조. 2019.
207) 최고야. 안전하고 정확한 조제를 위한 주의해야 할 한약재. 한의정책 2020;8(2):26-33.

🏷 명현 반응이란?

명현瞑眩을 대한한의학회 표준한의학용어집 2.1[208]에서는 "종종 약물반응과 관련되어 쓰여지는 안목眼目의 혼현昏眩 현상"으로 정의하고 있으며, 한의학사전[209]에서는 "본래는 머리가 어지럽고 눈앞이 아찔하여 눈을 뜰 수 없는 증상을 말한 것인데 고서에서는 때로 이 증상을 약물반응과 연관시키고 있다. 즉, 약물을 복용한 후에 메스껍고 머리가 어지러우며 가슴이 답답한 등의 반응이 나타나는 것을 가리키고 있다."고 정의한다. 즉, 명현 반응은 약물 복용 후 나타나는 인체의 여러 반응 중 환자가 불편해하는 반응을 가리킨다고 할 수 있다.

그렇다면 명현 반응은 정상적인 치료과정 중 나타나는 호전 반응일까? 아니면 약물 이상반응일까? 이에 대한 두 편의 연구를 살펴보도록 하자.

먼저 정 등[210]의 연구에 따르면 본래 명현 반응은 조선 시대 말까지는 약의 효력이 너무 강하여 머리가 어지럽고 눈앞이 아찔한 증상이 몸에 나타나는 것을 의미하는 용어로 사용되었다. 그러나 이후 일본 고방파에서 치유과정 중 예상할 수 없는 발한, 구토, 복통, 설사, 소변빈삭, 발열, 부종, 두드러기, 피부 가려움증 등의 증상이 일정 기간 나타났다 사라지는 것으로 확대해석한 관점이 우리나라에 들어오면서 전자의 약물 이상반응으로 보는 관점과 후자의 치료반응의 일부로 나타나는 일시적 증상이라는 두 관점이 함께 존재하고 있다고 하였다. 또 다른 연구로 China Academic Journal (CAJ)에 보고된 명현 반응 관련 연구를 분석한 연구[211]를 살펴보면 이 연구에서는 명현 반응을 진단이 올바르고 처방이 합당하다는 전제하에서 일반적인 과정을 벗어나서 일시적으로 극렬하고 다양한 증상들이 나타났다가 이러한 증상이 소실되면서 병증이 호전되는 특이한 반응이라고 서술하였다. 즉, 치료과정 중에 나타나는 다양한 증상들을 명현 반응이라고 본 것이다.

앞의 두 연구를 종합해보면 명현 반응은 치료과정에서 나타나는 호전 반응뿐만 아니라 너무 극렬한 약을 사용하여 나타나는 부작용까지 모두 포괄하여 말하고 있는 것으로 보인다. 따라서 두 연구 모두 실제 임상에서 한약 투약 후 나타나는 다양한 증상들을 치료과정에서 볼 수 있는 긍정적인 명현 반응이라고 판단하는 것에 매우 신중해야 함을 강조하고 있다. 이는 명현 반응을 수반

---

208) 대한한의학회 표준한의학용어집 2.1[인터넷]. [2022년 1월 15일 인용]. URL: https://cis.kiom.re.kr/terminology/search.do

209) 전통의학연구소 편. 한의학사전. 서울: 성보사; 1994. p. 386.

210) 정용재, 이준희, 이수경 외. 명현현상에 대한 사상의학적 고찰. 사상체질의학회지 2009;21(1):20-7.

211) 윤철호. 명현 반응에 대한 보고 연구-China Academic Journal을 중심으로-. 대한한의학회지 2009;30(5):1-15.

하지 않고 호전되는 경우가 많기에 명현 반응을 치료에 꼭 필요한 과정으로 오해해서는 안 되며, 이런 맥락에서 무분별하게 명현 반응이란 용어를 사용해서는 안 된다는 것이다. 약물이상반응이나 부작용을 치료과정의 긍정적인 명현 반응으로 잘못 판단해서는 안 되기 때문이다. 따라서 한약 투여 후 나타나는 환자의 다양한 증상 변화에 대해서는 항상 세심한 관찰과 주의가 필요하며, 부작용, 약물 독성, 약물이상반응 등의 가능성을 항상 염두에 두어야 하고, 치료반응이라는 의미에서 명현 반응이란 용어를 사용할 때는 매우 신중하게 최소로 사용해야 한다.

제4절   침구치료 - 침구의학[212]

1. 침구의학의 현황

침구요법鍼灸療法은 긴 역사를 가진 치료법으로 시대에 따라 학문과 기술이 발전하면서 그 내용이나 개념이 조금씩 변화해왔다. 최근 발간된 침구의학 교과서(2020)에서는 침구요법을 "음양오행설·경락학설·장상학설 등 한의학의 기초이론을 근거로 하여 체표 상의 일정한 부위에 각종 침구鍼灸와 조작 방법을 운용하여 물리적 자극을 주어 생체에 반응을 일으키게 함으로써 질병을 예방, 완화, 치료하는 한의학 의료기술의 한 분야"로 정의한다.[213]

현대 침구의학에는 우리가 일반적으로 알고 있는 침, 뜸, 부항뿐만 아니라 도침, 매선, 레이저 광선, 피내침, 약침[약침용 주입기(주사기)와 약침액] 등과 같은 새로운 침 도구들과

---

212)   다음의 서적을 주된 참고자료로 기술하였다.
대한침구의학회 교재편찬위원회 편저. 침구의학. 서울: 한미의학; 2020.
대한약침학회, 사단법인 약침학회 교재편찬위원회 공저. 약침학 3판. 서울: 한미의학; 2019.
Ilkay Zihni Chirali MBAcC RCHM 저, 부산대학교 한방병원 침구의학과 공역. 부항요법 3판. 서울: 한미의학; 2021.(원서 - Ilkay Zihni Chirali MBAcC RCHM. Traditional Chinese Medicine Cupping Therapy. 3rd ed. London: Churchill Livingstone; 2014.)
213)   대한침구의학회 교재편찬위원회 편저. 침구의학. 서울: 한미의학; 2020. p. 5.

조작 방법이 포함되어 있다.[214) 또 이러한 도구의 변화와 함께 경락학설의 기초 위에 서양의학의 해부학적 지식, 생리학적(신경, 내분비, 면역 등) 지식 등이 결합된 신침요법新鍼療法이 개발되고, 기존 침구치료도 이들 이론으로 새롭게 재해석되어 임상에서 응용되고 있다. 앞으로도 침구의학의 현대화, 과학화를 통해 새롭게 개발되고 발전된 도구와 치료 방법들이 침구의학을 더 새롭고 풍부하게 만들 것이다.

침구의학은 다양한 치료 방법을 포함하는 매우 방대한 체계를 갖춘 분야다. 그러므로 이 책에서 침구의학의 전체 내용을 상세하게 다룰 수는 없다. 여기서는 현대 침구의학의 전체 그림을 보여주는 데 초점을 맞추고 지금 한의 임상에서 주로 사용되는 내용을 중심으로 소개하려고 한다. 침치료의 경우 특별한 언급이 없는 한 임상에서 일반적으로 사용되고 있는 호침毫鍼을 위주로 서술할 것이다. 그리고 현재 한의 임상에서 많이 사용하고 있는 대표적인 치료 방법들은 좀 더 자세하게 소개할 것이다(그림 5-6).

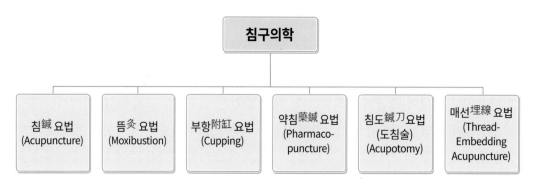

그림 5-6. **침구의학의 대표적 치료 방법**

---

214) 2016년부터 침구의학 교과서의 영문 명칭이 《The Acupuncture and Moxibustion Medicine》에서 《Acupuncture Medicine》으로 변경되었다. 'Acupuncture'의 의미를 '침'이라는 하나의 도구만 지칭하는 것이 아닌 한의사가 활용하는 침 및 여러 치료 도구 모두를 포괄하는 의미로 정의한 것이다.

📖 침구치료 파트에 사용된 용어의 정리

침구의학의 경우 오랜 역사를 가지고 있기 때문에 같은 용어라도 문헌에 따라 문맥에 따라 의미가 다르게 사용되는 경우가 많다. 뜻글자인 한자어의 특성상 엄밀한 개념적 정의가 이루어지지 않아 한 용어가 여러 가지 의미를 내포하고 있는 경우도 있고, 동의어도 많아 침구의학의 배경지식이나 맥락에 대한 이해가 없는 초심자의 경우 혼란을 겪을 수 있다. 여기서는 독자들을 위해 이 책의 침구치료 파트에서 사용한 침구의학 관련 몇 개 용어들의 용법과 의미를 살펴보고 정리하려고 한다.

1. 침구鍼灸

① 침치료와 뜸치료 두 가지 구체적 치료 방법을 말할 때 사용한다.

② 침치료과 뜸치료만이 아니라 침구요법 또는 침구의학 전체를 가리키기도 한다.

2. 침법鍼法

대한한의학회 표준한의학용어집 2.1[215]에서는 침법鍼法을 '침으로 체표의 혈위를 자극하여 질병을 예방, 치료하는 방법'으로 정의하였고, 자법刺法을 동의어로 제시하였다. 침법은 한의학에서 많이 사용되는 용어로서 연구에 따르면 침법은 다음과 같은 다양한 의미로 사용된다.[216]

① 침구요법鍼灸療法을 통칭하는 의미로 사용된다.

② 침자刺鍼 수법을 가리키며, 자법刺法이라고도 함. 진침進鍼·행침行鍼·출침出鍼 과정에서 운용하는 각종 방법을 포괄한다. 즉, 침을 인체에 찌르는 전체 조작과정을 말한다(수기법手技法).

③ 치료 방법의 하나로서 침치료를 가리킨다. 침자요법鍼刺療法이라고도 부르며 침으로 혈들을 자극하여 병을 예방 및 치료하는 방법을 말한다. 침 도구 종류에 따른 방법, 여러 가지 침을 놓는 수법인 침을 인체에 넣는 방법(진침 방법), 보사 방법(행침 방법), 침을 빼는 방법(출침 방법), 침 시술 주의사항 및 의료사고 예방 방법 등까지 포함한다.

---

215) 대한한의학회 표준한의학용어집 2.1[인터넷]. 전자도서관[2022년 6월 15일 인용]. URL: https://cis.kiom. re.kr/terminology/search.do

216) 계강윤, 김병수. 韓醫學 鍼 處方의 구성 방법 및 主次 개념에 관한 고찰. 대한한의학회지 2020;41(3):9-21.

④ 특정 한의학 이론을 중심으로 하는 수혈臟穴 조합 방법론(침구 처방 방법)의 의미로 사용한다. 침치료에 관한 연구에서 쓰이는 각종 침법의 의미도 여기에 해당[217]하며 본 장에서는 침법이라는 용어를 이 의미로 사용하려고 한다.

예: 체침요법, 사암침법, 오행침법, 동씨침법, 태극침법 등[218]

3. 침자법鍼刺法 또는 자법刺法

① 침치료 시행 시 침을 인체에 찌르는 방식을 가리킨다(수기법手技法). 손으로 침을 조작하는 방식을 말하는 것으로 진침進鍼·행침行鍼·출침出鍼 과정에서 운용하는 각종 방법을 포괄한다. 본 장에서는 이 의미로 사용한다.

예: 직자법直刺法-살갗에 수직이 되게 침을 놓는 방법

② 침치료 시행 시 손으로 침을 조작하는 방식뿐만 아니라 인체 어떤 부위에 침을 놓을지 결정(경혈 선택)하는 방법까지 포함한다.

예: 무자법繆刺法[219] - 침을 놓을 경혈을 선택하는 방법의 하나로, 한쪽 낙맥絡脈에 병이 있을 때 반대쪽의 대칭되는 부위에 침을 놓는 방법

③ 특정 침 도구를 사용하는 치료법을 의미한다.

예: 호침자법毫鍼刺法-침 도구 중 호침을 사용하는 침치료 방법을 말함

④ 침법鍼法과 동일한 의미로 사용된다. 특정 이론을 바탕으로 환자 상태를 해석하고 그에 따른 특정 혈위穴位 선정 및 고유 침 자극 방식을 포함하는 특정 침치료 방식 전체를 말한다.

예: 오행침자법五行鍼刺法-오행침법과 동의어. 오행의 상생과 상극의 원리를 이용한 침법. 12경락을 오행의 속성별로 나눈 오수혈五兪穴[220]을 사용하며, 허虛한 경우에는 그 모혈母穴을 보補하고 실實한 경우에는 그 자혈子穴을 사瀉하는 방법을 사용

---

217) 계강윤, 김병수. 韓醫學 鍼 處方의 구성 방법 및 主次 개념에 관한 고찰. 대한한의학회지 2020;41(3):9-21.

218) 한창현, 박지은, 안상우, 최선미. 한국 침법에 대한 인식도 및 연구방향에 관한 설문 조사. 한국의사학회지 2005;18(1):89-101.

유준상, 한수지, 안다영. 체질침법 연구 경향을 통한 사상체질침법 정립에 관한 연구. 사상체질의학회지 2019;31(3):9-18.

219) 대한한의학회 표준한의학용어집 2.1[인터넷]. 전자도서관[2022년 6월 15일 인용]. URL: https://cis.kiom. re.kr/terminology/search.do

220) 오수혈(五兪穴): 십이경의 사지 팔꿈치와 무릎 이하에 있는 각 정(井), 형(滎), 수(兪), 경(經), 합(合)의 5개 특정 수혈을 말함. 각 오수혈은 오행에 배속됨.

4. 혈위^{穴位}

침구치료의 자극점으로 경혈經穴(14경맥에 속하는 혈위), 경외기혈經外奇穴, 아시혈阿是穴을 통틀어 이르며 체표와 경락, 장부가 서로 통하는 점이고 경맥의 기운이 생겨나는 구멍이며 침구 시술의 부위이다. 동의어로 수혈腧穴, 수혈輸穴, 수혈兪穴, 침혈鍼穴, 혈穴, 혈자리 등이 있다.[221]

5. 침구 처방

침구 치료를 위해 병의 증세에 따라 수혈腧穴을 조합한 결과물이다.[222]

6. 선혈법^{選穴法}, 취혈법^{取穴法}

병증에 따라 효과적인 혈을 취하는 방법이다.[223]

7. 배혈^{配穴}

배혈配穴은 2개 또는 2개 이상의 혈위를 일정한 규율에 따라 서로 배합하고 조합하여 사용하는 방법으로, 침구처방의 최소 단위이자 가장 기본적인 구성이다. 방제학에서는 환자의 병적 상태와 한약의 효능에 근거하여 선택한 2가지 혹은 2가지 이상의 한약을 함께 배합하는 것을 배오配伍라고 칭한다. 침구 관련 문헌을 읽다 보면 혈위의 배합을 말할 때 배혈과 같은 의미로 배오라는 용어를 사용하는 경우가 많은데 본 장에서는 배혈로 통일하여 기술한다.

8. 침구^{鍼具}(Acupuncture Equipment)

침치료 시행 시 사용하는 침 도구를 말한다. 다양한 형태의 침 도구가 있다.

---

221) 대한한의학회 표준한의학용어집 2.1[인터넷]. 전자도서관[2022년 6월 15일 인용]. URL: https://cis.kiom. re.kr/terminology/search.do

222) 계강윤, 김병수. 韓醫學 鍼 處方의 구성 방법 및 主次 개념에 관한 고찰. 대한한의학회지 2020;41(3):9-21.

223) 대한한의학회 표준한의학용어집 2.1[인터넷]. 전자도서관[2022년 6월 15일 인용]. URL: https://cis.kiom. re.kr/terminology/search.do

1) 침구의학에 대한 국제적 관심

1970년대에 접어들어 전 세계적으로 침에 대한 관심이 높아졌다. 이런 관심을 반영하여 세계보건기구(World Health Organization, WHO)는 1976년 6월 중국 베이징에서 침 관련 국제 심포지엄을 개최하였다. 베이징 회의의 목적은 침에 대한 임상, 연구, 교육, 기술 교류에 대한 표준모델을 만드는 방법을 모색하는 데 있었다. 이 회의에서는 침치료가 적합한 43개 질환을 선정하여 발표하기도 했다. 그러나 이때 발표된 침치료 적합 질환 목록은 임상연구가 아닌 전문가 합의로 작성한 것이어서 일찍부터 한계가 있음이 지적되었다. 이에 WHO에서는 2002년에 임상연구에 기반한 침치료 관련 보고서를 출간하였다. 이 보고서에서는 침치료가 적합한 107가지 특정한 조건(28개 질환, 증상 및 특정 환자 상태)을 제안하였다.[224]

한국, 중국, 일본, 대만 등의 동아시아 국가들을 제외하고 침치료가 가장 활발하게 이루어지는 국가는 미국이다. 미국에서는 미국국립보건원(National Institutes of Health, NIH) 주도로 1998년 메릴랜드에서 다양한 질환에 대한 침치료 절차의 방법, 위험, 이득에 대한 과학적 및 의학적 데이터를 평가하기 위한 'NIH Consensus Development Conference on Acupuncture'를 개최하였다. 이 회의의 결과물로 침에 대한 NIH 합의 성명서(NIH Consensus Statement)가 발표되었다. 이 성명서에서는 침치료 관련 임상연구의 어려움, 침치료가 효과적인 질환, 침치료에 대한 기전 연구의 결과 및 전망 등을 언급하면서 침치료의 가치에 대한 충분한 증거가 있으므로 추가적인 연구가 장려되어야 한다고 결론을 내리고 있다.[225]

현재 침치료는 전 세계에서 광범위하게 이용되고 있으며, 지속적으로 확대되는 추세에 있다. 2013년 발표된 'WHO 전통의학 전략(2014-2023)' 보고서에 따르면 침치료는 전 세계 183개국에서 시행되고 있다고 한다.[226] 그리고 한 시장조사 기관에 따르면 세계 침치료 시장은 지난 7년(2014-2021년) 동안 13.7%의 역사적인 연평균 성장률(compound an-

224) World Health Organization. Acupuncture: Review and Analysis of Reports on Controlled Clinical Trials. Geneva: World Health Organization; 2002.

225) Acupuncture. NIH Consens Statement 1997;15(5): 1-34.

226) World Health Organization. WHO traditional medicine strategy: 2014-2023. Geneva: World Health Organization; 2013.

nual growth rate, CAGR)을 기록하였고, 침치료 시장의 전 세계 수익은 2021년 말 271억 달러에 이르렀으며, 세계 시장은 2032년 말까지 16.3%의 높은 연평균 성장률로 증가하여 2032년 말에는 1,436억 달러의 시장 가치에 도달할 것으로 추정된다고 보고하였다.[227]

2) 한국 침구의학의 특징

한국 침구의학의 다양한 면을 몇 가지로 정리한다는 것은 쉽지 않은 일이다. 이러한 다양성 자체가 한국 침구의학의 특징일 수도 있다. 다소 거칠게 정리하면 한국 침구의학에는 전통 한의학의 관점, 독창적인 체질의학적 관점, 침구의학의 현대화 및 과학화의 관점, 실용주의적 관점, 통합의학적 관점이 공존하고 있다.

먼저, 한국 침구의학은 전통 한의학의 관점을 발전적으로 계승하고 있다. 전통적인 14경맥의 경혈經穴, 경외기혈經外奇穴, 아시혈阿是穴을 사용하는 체침요법에 대한 이론 연구, 문헌 연구 등이 지속적으로 이루어지고 있으며, 이런 연구의 기반 위에서 체침요법은 현재 한의 임상에서 가장 많이 사용되는 침법이다.[228] 아울러 조선 시대부터 이어져 온 한국의 사암침법도 지속적으로 연구되어 임상에서 폭넓게 활용되고 있다.

둘째, 한국 침구의학에는 독창적인 체질의학적 관점이 반영되어 있다.[229] 고유의 체질의학에 바탕을 둔 침법이 발전되었는데, 태극침법, 팔체질침법 등이 여기에 해당한다.

셋째, 한국 침구의학은 전통적인 관점뿐만 아니라 현대화, 과학화의 방향에서도 많은 연구가 이루어지고 있다. 이러한 연구를 바탕으로 약침요법, 매선요법, 침도(도침)요법 등과 같은 새로운 침법들이 개발되었으며, 전침, 레이저침 등과 같은 현대적인 침 도구 또한 개발되어 사용되고 있다. 아울러 정확하고 안전한 치료를 목적으로 초음파를 활용한 (Ultrasound-Guided) 침치료, 약침치료, 도침치료 등도 한의 임상에서 사용되는 빈도가 늘어나고 있다.[230] 초음파를 침 시술에 활용하기 위한 연구가 지속되어 한국한의학연구원

227) Persistence Market Research [Internet]. Market Research [cited 2022 Oct 10]. Available from:https://www.persistencemarketresearch.com/market-research/acupuncture-treatment-market.asp

228) 한창현, 박지은, 안상우, 최선미. 한국 침법에 대한 인식도 및 연구방향에 관한 설문 조사. 한국의사학회지 2005;18(1):89-101.

229) 안창식, 채윤병, 고형균 외. 한국 침구의학의 체질관점과 실용적 통합치료 의학으로서의 특징. 대한경락경혈학회지 2006;23(2):19-27.

230) 이상훈. 초음파 영상기기 활용을 통한 침치료 발전 전망. 대한연부조직한의학회지 2021;5(1):8-11.

에서는 2019년에 초음파 유도하 침 시술에 대한 가이드북을 출판하였다.[231]

넷째, 한국의 침구의학은 실용주의적 관점에서 동씨침법, 평형침법 등과 같이 임상 경험을 바탕으로 만들어진 특효혈을 이용한 새로운 침법도 받아들여 임상에서 활용하고 있다. 이는 한국 침구의학이 국외에서 개발된 다양한 침법을 실용적 관점에서 개방적으로 수용하고 있음을 보여준다.

마지막으로 한국의 침구의학은 서양의학의 해부학적 지식, 다양한 과학적 침 기전 연구 성과들을 적극적으로 수용하여 기존의 침구의학을 재해석하고 이러한 지식을 통합하여 통합의학적 성격의 의학으로 발전하고 있다. 기존의 경근자법經筋刺法을 새롭게 해석한 IMS (Intra-Muscular Stimulation)와 근막통증증후군(myofascial pain syndrome, MPS) 등은 이미 1990년대부터 한국 한의학계에서 연구가 이루어져 비판적으로 수용되었고, 신경해부학적 지식에 바탕으로 둔 분절 침(segmental acupuncture) 등도 한의 임상에서 사용된다.

📋 오늘날에도 배우는 고전침자법古典鍼刺法

왜 현대에 매우 오래된 한의학 고전문헌을 읽고, 고전침자법古典鍼刺法을 공부하는 것일까? 그리고 고전문헌의 내용을 어떻게 바라봐야 할까?

침법鍼法과 뜸치료(구법灸法)는 오랜 역사를 거치는 동안 다양한 임상 경험, 한의학 이론과 결합하면서 발전하였다. 그 기원은 석기시대로 거슬러 올라가고, 이후 문자가 발명되면서 침구와 관련된 다양한 임상적·이론적 내용들이 서적으로 전해지게 되었다. 침구의학의 대표적인 고전 문헌인 〈황제내경黃帝內經〉은 대략 전국시대戰國時代(기원전 475-221년)부터 후한後漢에 이르는 긴 시간에 걸쳐 저술된 것으로 알려져 있다. 〈황제내경〉은 한의학 이론과 임상의 바탕이 되는 서적으로 〈소문素問〉과 〈영추靈樞〉로 구성되어 있다. 특히 〈영추〉는 81편 중 60편이 침구경락과 관련된 내용이어서 '침경鍼經'이라 불리기도 한다. 〈영추〉에는 경락이론이 상세하게 기술되어 있으며, 다양한 자침 방법(삼변자三變刺, 오사자五邪刺, 오위자五衛刺, 오자五刺, 구자九刺, 십이자十二刺 등)[232], 자침과 관련된 침의 작용 원리, 자침 시 고려해야할 사항, 자침 시 주의사항 등이

---

231) 이상훈, 김재효, 추홍민, 김종욱. 안전하고 효과적인 침 시술을 위한 초음파 유도하 침 시술가이드북. 대전: 한국한의학연구원; 2019.

232) 대한침구의학회 교재편찬위원회 편저. 침구의학. 서울: 한미의학; 2020. pp. 21-38.

상세하게 담겨 있다.[233] 또 다른 주요 저작인 〈난경難經〉은 대략 동한東漢(후한後漢, 기원후 25-220년) 시대[234]에 집필된 서적으로 기경팔맥奇經八脈, 오수혈五兪穴, 복모혈腹募穴, 배수혈背兪穴, 원혈原穴, 팔회혈八會穴 등과 같이 현재 임상에도 의미있게 활용되는 다양한 침구 이론과 침자보사법鍼刺補瀉法, 침자취혈법鍼刺取穴法 등이 포함되어 있다.[235]

이 두 서적은 침구의학에서 가장 중요한 고전문헌이며, 후대 의사들이 사용해온 침법鍼法의 기초가 된다. 이들 문헌을 바탕으로 후대 의사들은 자신들의 임상 경험을 결합시키고 과거 이론들을 비판적으로 수용하여 점차 침구의학을 오늘날과 같은 형태로 체계화시키고 발전시켰다. 이 두 서적과 몇몇 대표적인 침구의학 고전문헌의 침자법 중 일부는 현재에도 새롭게 응용·발전되어 사용된다. 이러한 이유로 현재 한의과대학 침구의학 교육 내용에는 고전침자법 부분이 포함되어 있다.[236] 중요한 것은 현재 한의과대학에서 교육되고 있는 고전침자법은 과거 문헌 내용을 무비판적으로 수용한 것이 아닌 오랜 시간, 여러 의사의 비판적 검토를 통해 임상에서 중요하게 생각되는 내용이 취사선택된 것이라는 점이다. 앞으로도 고전침자법은 새롭게 개발된 현대적인 침자법과 함께 한의 임상을 풍부하게 할 것이다.

2. 침치료를 위한 기초지식

1) 침 도구(침구鍼具, acupuncture equipment) 종류

침자법의 기원은 '폄자요법砭刺療法'이었다. 여기서 '폄砭'은 '폄석砭石'으로 즉, 돌로 만든 침이었다. 당시 동물의 뼈, 대나무, 도기 등도 침으로 사용되었다. 금속으로 된 침구鍼具가 사용된 것은 대략 청동기 시대부터로, 이후 철기 시대를 거치면서 침 도구의 제작이 점점 더 정교해졌다. 〈황제내경·영추〉에 기술된 '구침九鍼'은 청동기 시대에 시작되어 철기시대에 이르러 발전, 완성된 것으로 보인다.[237] 구침은 형태와 용도에 따라 만들어진 것으로 대침大鍼, 장침長鍼, 호침毫鍼, 원리침圓利鍼, 피침鈹鍼, 봉침鋒鍼, 시침鍉鍼, 원침圓鍼, 참침鑱

233) 강미숙.《黃帝內經 靈樞》를 통한 刺鍼 小考. 대한침구의학회지 2016;33(4):1-6.

234) 김진호.『難經』의 용어 '原氣'의 시대적 배경에 대한 小考. 한국의사학회지 2014;27(1):51-60.

235) 김남일. 난경(難經)의 침구(鍼灸)에 관한 내용 연구. 대한원전의사학회지 1995;9:239-62.

236) 대한침구의학회 교재편찬위원회 편저. 침구의학. 서울: 한미의학; 2020. pp. 19-47.

237) 대한침구의학회 교재편찬위원회 편저. 침구의학. 서울: 한미의학; 2020. pp. 10-2.

鍼의 9가지 형태의 침을 말한다(그림 5-7). 이후 여러 변화를 거치면서 이들 중 일부가 현대 한의 임상에서도 사용되고 있는데 호침, 장침, 삼릉침 등이 여기에 해당된다. 호침은 매우 가는 침으로 오늘날 한의 임상에서 가장 많이 사용되는 침 종류이며, 봉침은 오늘날의 삼릉침으로 개량되어 사용되고 있다.[238] 침 도구는 지속적으로 변화 발전하였고 또 발전하는 중이다. 현재 피하에 매립하는 피내침, 침과 뜸의 효과를 겸한 온침溫鍼과 화침火鍼, 전기 자극을 주는 전침, 약과 침의 효과를 동시에 주는 약침藥鍼, 도침刀鍼, 매선埋線, 레이저침 등이 개발되어 폭넓게 사용되고 있다.

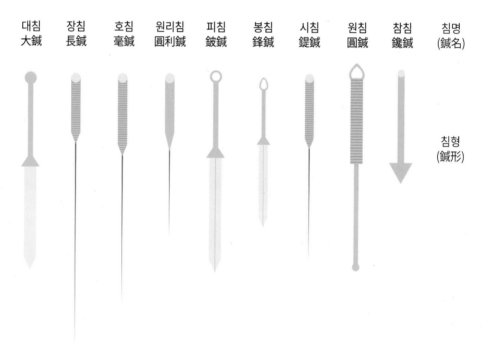

| 대침 | 장침 | 호침 | 원리침 | 피침 | 봉침 | 시침 | 원침 | 참침 | 침명 |
| 大鍼 | 長鍼 | 毫鍼 | 圓利鍼 | 鈹鍼 | 鋒鍼 | 鍉鍼 | 圓鍼 | 鑱鍼 | (鍼名) |

침형 (鍼形)

그림 5-7. **구침도**九鍼圖[239]

---

238) 손인철, 권오상, 김유리 외. 구침의 형태와 용도에 대한 문헌연구. 경락경혈학회지 2011;28(1):157-69.

239) 莊育民. 中國鍼灸學. 香港: 上海印書館; 1976, p. 13.

현재 사용되고 있는 침 도구는 대개 스테인리스 스틸(stainless steel)로 만들어진 일회용 멸균 제품이다. 이 재질은 강인하고 쉽게 녹슬지 않는 장점이 있어 임상에서 널리 사용된다. 아울러 침치료를 편하게 하기 위한 침관도 함께 사용되는데 일회용 플라스틱 침관이 주로 임상에서 사용된다(그림 5-8).

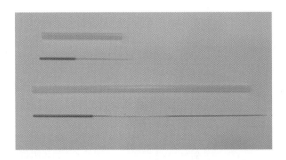

그림 5-8. 위에는 일회용 호침(0.20 × 30 mm)과 해당 일회용 플라스틱 침관,
아래는 일회용 장침(0.30 × 90 mm)과 해당 일회용 플라스틱 침관. 이 두 침의 형태가
한의 임상에서 가장 많이 사용된다. 침 규격은 앞의 숫자가 침의 두께(지름), 뒤의 숫자가
침체(손잡이 제외한 부분)의 길이를 말하며 다양한 규격의 제품이 출시되고 있다.

표 5-10. **침 관련 국내표준 현황**[240]

KS번호	표준명	내용	제정일
KS P ISO 17218	일회용멸균 호침	한의학 의료용으로 사용하는 스테인리스 강선으로 제작된 일회용 멸균호침의 치수, 재료, 품질, 시험, 포장 및 표기 방법에 대하여 규정	2009.08.20(제정) 2016.12.20(개정)
KS P 3008	이침	한의학 의료용으로 사용하는 스테인리스 강재로 제작된 이침의 치수, 재료, 품질, 시험, 포장 및 표기 방법에 대하여 규정	2010.12.30(제정) 2015.07.31(확인)
KS P 3009	피내침	한의학 의료용으로 사용하는 스테인리스 강재로 제작된 피내침의 치수, 재료, 품질, 시험, 포장 및 표기 방법에 대하여 규정	2010.12.30(제정) 2015.07.31(확인)
KS P 2000	한의약 - 침시술안전 관리	침시술 시 발생할 수 있는 감염 및 이상반응 등의 위험으로부터 환자, 의료인 및 보조 인력의 건강을 보호하기 위한 침시술 안전관리에 대하여 규정	2012.01.02(제정) 2017.12.29(확인) 2019.11.25.(폐지); KS P 2012로 대체
KS P 2012	한의약 - 침시술감염 관리	임상행위를 제외한 침 시술 시 고려해야할 사항을 규정	2020.12.30(제정)
KS P 3010	한의약 - 인체 경혈 명칭 및 위치 - 14경맥	14경맥의 명칭과 361개 경혈의 명칭, 위치 및 체표 표면의 경혈을 찾는 방법에 적용	2012.01.02(제정) 2017.12.29(확인)
KS P ISO 20487	전침용 일회용 침의 시험방법	전침 시술용 일회용 침의 내식성을 비교하기 위한 공통 시험방법 규정	2019.11.25(제정)

---

240) 한국한의학연구원 한의학표준정보서비스[인터넷]. 표준화활동현황[2022년 6월 3일 인용]. URL: https:// standard. kiom.re.kr/sub0201

2) 침치료의 작용 원리(효과)

(1) 전통적인 관점[241]

침치료는 혈위에 자극을 가함으로써 경락의 기능을 활성화하여 치료작용을 나타내게 된다. 이러한 침구치료의 작용원리를 <황제내경>에서는 '조기調氣'[242]와 '치신治神'[243]이라고 하였고 이를 합쳐 조기치신調氣治神이라 한다. 이후 전통적인 침치료의 작용원리를 말할 때 조기치신이 가장 중요한 원리로 지속적으로 언급되었다.

조기調氣는 장부과 경락의 기氣의 불균형을 조절하는 것이다. 아울러 조기는 기혈氣血의 운행을 조화시키는 것인데 이는 영기營氣[244]와 위기衛氣[245]를 소통시키고 조절함으로써 정상적으로 운행하도록 하여 '내영외위內營外衛'의 작용을 일으키는 것이다.

치신治神은 '신동기행神動氣行'을 유도하여 조기調氣의 효과를 높이고 경락 중의 기혈의 운행을 강화하는 것이다. 여기서 '신神'은 우리 몸의 생명력으로 기의 생성과 유행流行을 제어하는데, 신동기행은 침치료가 신을 활성화시켜 기의 흐름을 원활하게 하는 것을 가리켜 말한 것으로 보인다.[246] 이를 통해 생체의 각 기관조직의 기능실조를 조절하여 치료 효과가 나타나게 된다. 또 침치료의 '치신'에는 '이이기신以移其神'의 작용이 있는데 인체에 침을 놓았을 때 관찰되는 득기得氣 현상을 의미하는 것으로 이해된다.[247]

---

241) 대한침구의학회 교재편찬위원회 편저. 침구의학. 서울: 한미의학; 2020. pp. 15-7.

242) <영추(靈樞)·자절진사(刺節眞邪)> "用鍼之類(法) 在于調氣"

243) <소문(素問)·보명전형론(寶命全形論)> "凡刺之眞 必先治神"

244) 영기(營氣) ; ① 음식물에서 화생되고 비위에서 발원하여 중초로 나가 경맥을 통해 운행되는 정기(精氣). 혈액을 화생하고 혈과 함께 전신을 순환하면서 전신을 영양한다. ② 수곡의 정기(精氣). (출처 ; 대한한의학회 표준한의학용어집 2.1)

245) 위기(衛氣) ; 인체를 외사로부터 방어하는 기능을 가진 기운. 맥외를 운행하면서 인체내외를 온양(溫養)하고, 기표(肌表)를 호위하며, 외사에 저항하고, 주리(腠理)를 자양하며, 땀구멍을 열고 닫는 기능을 한다. (출처 ; 대한한의학회 표준한의학용어집 2.1)

246) 이 문구에 대한 다른 해석도 있다. 여기서 치신(治神)을 수신(守神), 치신(治神)의 의미로 해석하여 모든 질병 치료 시 우선 정신(精神)에 근본을 두어야 한다는 해석이다. 이 경우 정신의 의미는 두 가지로 의사의 주의력과 환자의 정신상태를 가리킨다고 해석하였다. 이러한 해석은 '강미숙.《黃帝內經 靈樞》를 통한 刺鍼 小考. 대한침구의학회지 2016;33(4):1-6.'에서 자세하게 다루고 있다.

247) 뒤의 원문을 보면 기가 이르게 된다는 표현(氣至)이 있는 것으로 보아 이러한 해석이 가능할 것 같다.
<영추(靈樞)·종시(終始)> "凡刺之法, 必察其形氣. 形肉未脫, …以移其神 氣至乃休."

(2) 현대적 관점-침치료 효과 기전

침치료의 효과가 어떻게 나타나는가에 대한 현대적, 과학적 연구는 생각보다 오랜 역사를 가지고 있다. 1965년에 생리학자 Melzack과 Wall이 통증 기전에 대해 "Gate control theory"를 제안하였는데, 이 이론이 침의 진통 기전과 관련 있다는 연구가 1970년대에 발표되었다. 1970-1980년대에 침의 진통 효과(acupuncture analgesia)에 대한 생물학적, 생리학적 메커니즘을 발견하려는 연구들이 본격적으로 진행되었다.[248] 이후 침의 진통 효과뿐만 아니라 침의 다양한 효과에 대한 수많은 기전 연구들이 발표되기 시작하였고 2000년대 이후 관련 연구가 급격히 증가하고 있다. 침치료는 매우 복잡한 치료이며 따라서 침치료의 효과 또한 여러 경로(pathways)를 통해 동시적으로 이루어지므로 다양한 측면에서의 기전 연구들이 진행되고 있다.

최근의 연구들을 보면 침치료가 전신적으로는 신경계(말초신경, 척수, 뇌), 면역계(immune system), 내분비계(endocrine system), 위장관계(gastrointestinal tract) 등에 작용하여 다양한 질환들을 치료한다고 보고되고 있다. 이들에 대한 작용은 인체 내 다양한 물질(신경전달물질, 호르몬, 면역물질, 대사물질 등)에 의해서 매개되며, 이러한 복합적인 작용을 신경-내분비-면역(nerve-endocrine-immune, NEI) 체계(network) 관점[249] 및 장-뇌 축(gut-brain axis)의 관점[250]에서 이해하려는 연구가 이루어지고 있다.

국소적으로는 침치료 부위의 국소 혈류 증가, 결합조직(근육, 인대, 힘줄 등)의 변화, 국소 진통, 국소 면역반응 등의 기전이 보고되었다.[251] 침치료 시 나타나는 이러한 다양한 인체 내 작용을 개별적인 것이 아닌 서로 관계된 것(network)으로 파악하여 국소 부위에 침작용(경혈 네트워크)이 먼저 일어나고 다음으로 전신적 작용(경락 네트워크)이 일어나서 치료하고자 하는 표적 장기에서 치료 효과(질병 네트워크)가 발생하여 인체의 항상성을 회

248) Zhuang Y, Xing JJ, Li J, et al. History of acupuncture research. Int Rev Neurobiol 2013;111:1-23.

249) Sheikh Faruque ELAHEE, Hui-juan MAO, Ling ZHAO, et al. Meridian system and mechanism of acupuncture action: A scientific evaluation. World Journal of Acupuncture - Moxibustion 2020;30(2):130-7.

250) Zhang B, Shi H, Cao S, et al. Revealing the magic of acupuncture based on biological mechanisms: A literature review. Biosci Trends 2022;16(1):73-90.

251) Adrian White, Mike Cummings, Jacqueline Filshie 공저, 이승훈 역. 침의 과학적 접근의 이해. 서울: 한미의학; 2021, pp. 43-6.

복시킨다는 관점이 제안되기도 하였다.[252] 침치료 관련 연구는 하루가 다르게 발전하고 있고 그 내용 또한 방대하므로 여기서는 몇 가지 대표적인 침치료 효과와 그 기전에 대해서만 간단하게 살펴본다.

① 진통 효과(acupuncture analgesia)

먼저 대표적으로 침치료의 진통 효과가 있다. 침 자극이 말초신경, 척수, 뇌 각각에서 다양한 생리활성 화학물질(bioactive chemicals)(신경전달물질, 호르몬, 면역물질, 오피오이드 등)을 조절하여 진통 효과 및 항염증 효과를 나타내는 다양한 기전에 대한 연구가 진행되었다.[253] 기존 연구에 추가로 경혈에서 비경혈에 비해 침 신호를 매개하는 혈관들(blood vessels), 비만세포(mast cell), 신경섬유(nerve fiber) 등이 더 쉽게 활성화되어 진통 효과가 나타나며, 척수에서 척수 미세아교세포(spinal microglia)와 성상교세포(astrocytes)가 비활성화되어 장기적 진통 효과가 나타나고 신경교세포(glial cells)에서 방출되는 다양한 통증 관련 물질도 감소할 수 있다는 연구도 보고되었다.[254]

② 항염증(anti-inflammatory) 효과

침치료에는 항염증 효과가 있다. 이를 통해 전신에서 발생하는 염증과 관련된 다양한 질환에 대해 치료 효과를 나타내게 된다. 국소 부위에서 침의 항염증 효과는 경혈 부위에서 면역 세포 기능 조절, 면역 관련 물질 및 관련 경로의 활성화, 결합조직의 변형 등으로 나타나며, 전신적으로는 신경-면역 조절(neuro-immune regulation)을 통해 다양한 경로[미주신경-부신 수질-도파민, 교감신경 경로 등의 여러 신경 면역 경로, 시상하부-뇌하수체-부신 축(hypothalamus-pituitary-adrenal axis)]로 항염증 효과가 나타난다.[255] 또

252) Li NC, Li MY, Chen B, Guo Y. A New Perspective of Acupuncture: The Interaction among Three Networks Leads to Neutralization. Evid Based Complement Alternat Med 2019;2019:2326867.

253) Zhang R, Lao L, Ren K, et al. Mechanisms of acupuncture-electroacupuncture on persistent pain. Anesthesiology 2014;120(2):482-503.

254) Chen T, Zhang WW, Chu YX, Wang YQ. Acupuncture for Pain Management: Molecular Mechanisms of Action. Am J Chin Med 2020;48(4):793-811.

255) Li N, Guo Y, Gong Y, et al. The Anti-Inflammatory Actions and Mechanisms of Acupuncture from Acupoint to Target Organs via Neuro-Immune Regulation. J Inflamm Res 2021;14:7191-224.

한 전침치료가 경혈 위치, 자극 강도 의존적으로 자율신경계를 통해 전신 염증을 조절하는 기전에 관한 연구[256], 전침치료를 통해 미주신경-부신 축(vagal-adrenal axis)을 조절함으로써 전신의 염증을 치료하는 신경해부학적인 기전 및 전침 자극 강도에 따른 효과 차이에 대한 기전 연구가 주목받고 있다.[257]

③ 신경계(nervous system)에 대한 효과

침치료는 신경계(뇌, 척수, 말초신경)에 다양한 영향을 미친다. 이에 대한 침치료의 효과 연구가 많이 보고되었다.

먼저 침치료는 자율신경계(autonomic nervous system)를 조절하여 다양한 효과를 나타낸다. 침자극이 체성교감신경반사(somatosympathetic reflex) 및 혈관외액의 흐름에 변화를 주어 자율신경계를 조절하고[258], 교감신경과 부교감신경의 불균형으로 인한 다양한 질병에서 분명한 뇌 영역을 활성화시킬 뿐만 아니라 관련 뇌 영역의 적응성 신경전달물질을 조절하여 자율신경 반응을 완화시킨다.[259]

다음으로 침치료는 신경의 재생과 회복에 영향을 미친다. 침이나 전침을 이용한 말초신경 자극은 중추신경계에서 뇌유래신경영양인자(brain-derived neurotrophic factor, BDNF), 교세포유래신경영양인자(glial cell line-derived neurotrophic factor, GDNF), 신경생장인자(nerve growth factor, NGF) 등의 신경영양인자(neurotrophic factors, NTFs)의 발현을 증가시켜 신경 조직에 대한 보호(neuroprotection)효과와 신경조직발생(neurogenesis)을 촉진시킬 수 있는데, 특히 뇌에서 이러한 효과가 나타날 수 있다. 또한 침은 손상 초기에 활성화되는 신경줄기세포 증식을 촉진하고 분화를 더욱 촉진하

256) Liu S, Wang ZF, Su YS, et al. Somatotopic Organization and Intensity Dependence in Driving Distinct NPY-Expressing Sympathetic Pathways by Electroacupuncture. Neuron 2020;108(3):436-50.

257) Liu S, Wang Z, Su Y, et al. A neuroanatomical basis for electroacupuncture to drive the vagal-adrenal axis. Nature 2021;598(7882):641-5.

258) 전선우, 남혜정, 김진명 외. 침자극의 기전 및 효과에 대한 고찰 - 자율신경계와의 관계를 중심으로. 동의생리병리학회지 2010;24(5):748-52.

259) Li QQ, Shi GX, Xu Q, et al. Acupuncture effect and central autonomic regulation. Evid Based Complement Alternat Med 2013;2013:267959.

여 뇌손상 후 기능장애 회복에 기여할 수 있다.[260] 아울러 침치료는 신경전달물질 시스템 (neurotransmitter system)의 조절을 통해 신경영양인자에 영향을 주어 신경을 회복시킨다.[261]

마지막으로 침치료는 뇌의 신경활동(neural activation)과 연합성(connectivity)을 증가시킨다. 침 자극 후 말초에서 중추까지의 효과 기전을 조사하여 침 자극에 의해 유도되는 말초의 분자 수준의 신호가 대뇌 신경 반응(neural activation)을 변화시키고 결과적으로 기능적 연결성(functional connectivity)에 영향을 미치는 기전이 보고되었다.[262]

④ 내분비계(endocrine system)에 대한 침의 효과

시상하부-뇌하수체-부신 축(hypothalamus-pituitary-adrenal axis, HPA), 시상하부-뇌하수체-생식샘 축(hypothalamus-pituitary-gonadal axis, HPG) 및 시상하부-뇌하수체-갑상선 축(hypothalamus-pituitary-thyroid axis, HPT)이 내분비계 활성화에 중요한 역할을 한다. 침치료는 이러한 HPA, HPG, HPT 축의 기능을 조절하여 효과를 나타내며, 이에 대한 관찰 지표로 관련 호르몬을 사용할 수 있다.[263]

⑤ 면역계(immune system)에 대한 침의 효과[264][265]

침치료에 의한 면역계의 변화는 다양하며 그 기전 또한 계속 밝혀지고 있다. 그 내용이 방대하므로 여기서는 간략하게 기술하고자 한다.

260) Shin HK, Lee SW, Choi BT. Modulation of neurogenesis via neurotrophic factors in acupuncture treatments for neurological diseases. Biochem Pharmacol 2017;141:132-42.

261) Xiao LY, Wang XR, Yang Y, et al. Applications of Acupuncture Therapy in Modulating Plasticity of Central Nervous System. Neuromodulation 2018;21(8):762-76.

262) Park JY, Cho SJ, Lee SH, et al. Peripheral ERK modulates acupuncture-induced brain neural activity and its functional connectivity. Sci Rep 2021;11(1):5128.

263) Ding SS, Hong SH, Wang C, et al. Acupuncture modulates the neuro-endocrine-immune network. QJM 2014;107(5):341-5.

264) Ding SS, Hong SH, Wang C, et al. Acupuncture modulates the neuro-endocrine-immune network. QJM 2014;107(5):341-5.

265) Cui J, Song W, Jin Y, et al. Research Progress on the Mechanism of the Acupuncture Regulating Neuro-Endocrine-Immune Network System. Vet Sci 2021;8(8):149.

먼저 침치료는 경혈에 국소 면역조절(immunomodulation) 효과를 일으킨다. 비만세포(mast cell)가 경혈에 모여 여러 생리 활성 물질을 분비하여 혈관 확장, 국소 투과성 증가 및 국소 반응을 일으킨다. 동시에 염증 세포 침윤, 사이토카인(cytokines) 등이 증가하여 국소 염증 반응이 일어난다. 아울러 침치료는 면역세포에 작용하는데, 대식세포(macropharge)의 식균작용(phagocytosis)을 증가시키고 자연살해세포(Natural killer cell, NK cell)의 수와 활성을 증가시킬 수 있다. 또한 침치료는 미세아교세포(microglia)를 조절하여 뇌 보호 효과를 발휘한다. 면역인자 관련해서는 면역인자에 리소자임(lysozyme), 디펜신(defensins), 보체(complement), 사이토카인(cytokines) 등이 포함되는데, 이들 대부분은 침에 의해 양방향으로 조절될 수 있다. 특히 면역인자와 관련한 수많은 연구에서 사이토카인이 신경-내분비-면역 네트워크(NEI network)의 핵심 매개체임이 확인되었다.

마지막으로 침치료는 세포성 면역(cellular immunity)과 체액성 면역(humoral immunity) 모두에 일정한 조절 효과가 있다. 세포 면역에 미치는 영향은 주로 T 세포(T cells)의 증식을 촉진하고 CD4+ T 세포/CD8+ T 세포[266]의 비율을 개선하며 면역 반응에서 사이토카인의 합성과 분비를 조절할 수 있다. 체액성 면역에 미치는 영향에는 다양한 종류의 면역글로불린(immunoglobulin) 합성 및 분비의 조절, 사이토카인을 분비하는 T 보조 림프구(T-helper lymphocytes)를 촉진하는 것이 해당된다. 이와 함께 Th1/Th2[267]의 균형을 조정해주는데, 이는 알레르기 질환과 관련된다.

⑥ 침의 신경-내분비-면역(neuro-endocrine-immune) 체계(network) 조절 효과[268][269]

침치료는 신경내분비계(neuro-endocrine system)를 자극하여 신경전달물질(neurotransmitters), 신경펩티드(neuropeptides), 호르몬의 방출을 조절할 수 있다. 또한 침치료는 특히 면역 기관(immune organs) 및 면역 세포(immune cells)의 해당 수용체에

---

266) CD ; cluster of differentiation. CD4+ T cell은 T 보조 세포(T helper cell)로도 불림. CD8+ T cell은 세포 독성 T 세포(cytotoxic T cell)로도 불림.

267) T 보조 세포(T helper cell) type 1, T 보조 세포(T helper cell) type 2.

268) Cui J, Song W, Jin Y, et al. Research Progress on the Mechanism of the Acupuncture Regulating Neuro-Endocrine-Immune Network System. Vet Sci 2021;8(8):149.

269) Sheikh Faruque ELAHEE, Hui-juan MAO, Ling ZHAO, et al. Meridian system and mechanism of acupuncture action: A scientific evaluation. World Journal of Acupuncture - Moxibustion 2020;30(2):130-7.

작용하는 신경내분비 시스템에서 방출되는 물질을 구현하여 신경내분비 시스템을 조절함으로써 면역 시스템에 간접적으로 영향을 미칠 수 있다. 한편 침치료는 면역계를 조절하여 신경내분비계에도 영향을 미칠 수 있다. 신경계, 내분비계 및 면역계는 유기적 네트워크를 형성하면서 서로를 조절하고 조정하는데 침치료는 이러한 NEI 체계에 동시에 영향을 미쳐 질병을 치료하고 인체의 항상성을 유지하게 만든다. 침치료가 NEI 체계에 미치는 영향에 관한 여러 연구가 수행되었으며, 세 시스템과 관련된 지표로 신경전달물질, 내분비 호르몬, 면역 세포 또는 사이토카인 등을 관찰하였다.

⑦ 장-뇌 축(gut-brain axis)에 대한 효과

침치료는 장-뇌 축에 작용하여 장내에 염증성 인자의 감소, 세로토닌과 내재 통증 억제 신경전달물질을 증가시켜 내장통증(visceral pain)을 감소시킨다.[270] 또한 위장관 질환, 특히 과민성대장증후군에 대한 침치료의 기전을 장-뇌 축의 조절로 설명하는 연구들이 지속적으로 발표되고 있는데[271] 이는 침 자극이 장내 신경전달물질을 조절하고[272] 염증성 인자를 감소시키는 것[273]과 관련이 있다.

270) Lee IS, Cheon S, Park JY. Central and Peripheral Mechanism of Acupuncture Analgesia on Visceral Pain: A Systematic Review. Evid Based Complement Alternat Med 2019;2019:1304152.

271) Yaklai K, Pattanakuhar S, Chattipakorn N, Chattipakorn SC. The role of acupuncture on the gut-brain-microbiota axis in irritable bowel syndrome. Am J Chin Med 2021; 49:285-314.

272) Sun J, Wu X, Meng Y, et al. Electro-acupuncture decreases 5-HT, CGRP and increases NPY in the brain-gut axis in two rat models of diarrhea-predominant irritable bowel syndrome (D-IBS). BMC Complement Altern Med 2015; 15:340.

273) Song YF, Pei LX, Chen L, et al. Electroacupuncture relieves irritable bowel syndrome by regulating IL-18 and gut microbial dysbiosis in a trinitrobenzene sulfonic acid-induced post-inflammatory animal model. Am J Chin Med 2020; 48:77-90.

3. 침치료 실제 1 – 침구치료의 목표와 치료원칙

1) 침구치료의 목표[274]

침구치료는 음양을 조화하고, 부정거사扶正祛邪하며, 경락을 소통하는 등의 작용이 있어 이를 통해 다양한 질병을 치료할 수 있다. 그러므로 침구치료는 첫째, 인체 음양의 불균형을 바로잡는 것을 목표로 시행된다. 둘째, 인체의 기능 활동과 질병에 대한 저항력인 인체의 정기正氣를 돕고, 인체에 해로운 발병 요소인 사기邪氣(외감육음外感六淫, 담음痰飮, 어혈瘀血, 식적食積 등)를 제거하는 부정거사를 목표로 시행된다. 셋째, 경락을 소통하는 것을 목표로 시행된다. 경락은 오장육부와 인체의 체표, 사지 부위, 오관五官[275], 칠규七竅[276]를 상호 연계하는 통로로서 기혈을 운행하여 인체의 상하표리上下表裏를 교통交通시키고 장부조직의 기능 활동을 조절하는 작용을 한다. 이러한 경락기혈에 문제[277]가 발생하면, 이로 인해 각종 질환이 나타나게 되는데, 이런 상황에서 침구치료는 경락을 소통시키고, 기혈을 조절하여 치료 효과가 나타나게 한다.

2) 침구치료의 원칙

침구치료의 대상인 인체는 매우 복잡하여 질병의 징후가 다양하게 표현되고 병리변화 또한 복잡하게 나타난다. 따라서 침구치료를 시행하기 전에 환자 체질이나 전반적인 몸 상태의 강약 및 각 질병의 한열허실寒熱虛實 성질을 파악하고, 질병의 표증標證와 본증本證을 나누며, 질병의 급한 것과 급하지 않은 것을 구별하고, 국소 부위와 인체 전체의 관계를 잘 파악하여 접근할 필요가 있다.[278] 여기서는 표증과 본증을 중심으로 침구치료의 원칙을 간략하게 설명하고자 한다.

---

274) 대한침구의학회 교재편찬위원회 편저. 침구의학. 서울: 한미의학; 2020. pp. 339-41.

275) 오관(五官) ; 오장에 배속된 코, 눈, 입, 혀, 귀 등의 다섯 기관.

276) 칠규(七竅) ; 얼굴에 있는 7개의 구멍. 귀(2개), 눈(2개), 코(2개), 입(1개).

277) 경락기혈 흐름의 문제에는 한쪽으로 기혈이 치우침[편성편쇠(偏盛偏衰)], 기혈의 기능장애[역란(逆亂)], 기혈의 흐름이 정체됨[조체(阻滯)] 등이 있다.

278) 대한침구의학회 교재편찬위원회 편저. 침구의학. 서울: 한미의학; 2020. pp. 340-1.

실제 침구치료를 시행할 때 침구처방을 구성하는 원칙 중 하나가 질병의 표증과 본증을 나누고 그 중 완급에 따른 치료의 선후를 결정해서 적절한 침법과 처방 구성을 계획하는 것이다.[279] 즉, 증상 혹은 질병을 직접 치료하는 방식의 표치標治와 변증을 통한 병의 원인을 조절하기 위한 방식의 본치本治로 나누어 침구치료를 시행하게 된다는 것이다.[280] 표치의 경우 표증 치료에 대한 경혈 선혈(혈위 선택) 방법이 적용되는데, 표증 치료는 주로 국소적인 증상 개선(대증요법)에 사용되는 경우가 많다. 예를 들어 근골격계 질환의 표증 치료 시에는 특정 질환 또는 증상에 유용하다고 보고된 혈위(경혈의 주치), 국소 병적 반응이 제일 뚜렷한 곳의 혈위(압통점 확인)를 선택하고, 신경분절에 의한 배혈법을 응용하며, 근막통증증후군의 방아쇠점 등을 선택한다. 내과 질환의 표증 치료 시에는 병적 반응이 뚜렷한 혈위, 해당 질환에 가장 효과적이고 구체적인 정황에 맞고 치료 작용이 강한 혈위(경혈의 주치), 여러 가지 병이 겹쳐 있을 때는 동시적 치료를 할 수 있는 혈위, 특정 효과가 보고된 특효혈 등을 선택한다. 본치의 경우 본증 치료에 따른 경혈 선혈 방법이 적용되는데, 본치 치료는 전신적인 원인개선을 목표로 하는 접근 방식이다. 여기에는 환자의 몸에서 나타나는 전체적인 변화를 경락 유주와 관련한 질병 발생 부위의 특성과 연결지어 이해하는 경락변증, 장부의 생리 및 병리기전의 특징을 반영한 특성과 연결 지어 이해하는 장부변증 등이 활용된다. 특히 장부변증으로 병의 원인과 위치를 찾아내고, 이를 개선하기 위해 오수혈을 사용하는 사암침법이 대표적인 본치법이라 할 수 있다.[281]

279) 경희대학교 한방병원 침구과. 침구과 진료 매뉴얼. 서울: 우리의학서적; 2015. p. 3.

280) 이인선, 류연희, 채윤병. 표치와 본치의 측면에서 경혈 선혈의 원리. Korean J Acupunct 2020;37(3):203-8.

281) 경희대학교 한방병원 침구과. 침구과 진료 매뉴얼. 서울: 우리의학서적; 2015, pp. 3-5.; 이인선, 류연희, 채윤병. 표치와 본치의 측면에서 경혈 선혈의 원리. Korean J Acupunct 2020;37(3):203-8.

4. 침치료 실제 2 - 침자법(호침자법을 중심으로)

1) 자법刺法이란

자법은 침치료를 시행할 때 침을 인체에 찌르는 방법(수기법手技法)을 말한다. 손으로 침을 조작하는 방식을 말하는 것으로 특정 침 도구가 피부에 들어가게 하는 방법, 침이 삽입된 뒤 이루어지는 조작법, 침을 빼는 과정 등 침치료 전체에서 운용하는 각종 수기 조작 방법을 포함한다. 자침과정에는 다양한 수기법들이 사용된다. 일반적으로 기본수기법, 보조수기법, 기본보사수기법, 종합보사수기법으로 나눌 수 있다. 기본수기법은 단순한 조작으로 득기得氣, 행기行氣를 유도하거나 보사補瀉를 시행하는 방법이며, 보조수기법은 기본수기법의 과정 중 또는 전후에 사용되어 보조하는 작용을 한다. 기본보사수기법은 기본수기법과 보조수기법을 응용하여 허실虛實을 치료하기 위해 보사를 이용하는 방법이며, 종합보사수기법은 각종 행기법 등을 더하여 배합 응용한 것이다.[282]

자법은 사용하는 침 도구, 환자의 특성 및 병의 상태(증상 경중, 양상, 부위 등), 침치료 부위 등에 따라 달라지게 된다. 일반적으로 한의 의료기관에서 이루어지는 대표적인 침자법은 침 도구로 호침을 사용하는 호침자법毫鍼刺法이다. 따라서 본 장에서 설명하는 대부분의 자법 내용은 특별한 언급이 없는 한 호침자법과 관련된 것이다. 자법 관련 내용이 방대하므로 대표적인 과정과 몇 가지 중요한 수기법 위주로 간략하게 언급한다.

2) 자침과정(침자법)

(1) 진침법進鍼法

침을 피부에 넣을 때 양손의 다양한 조작 방법(진침법進鍼法) 중 어떤 방식으로 침을 자입刺入할지를 먼저 결정해야 하고 자침의 각도와 깊이를 결정해야 한다. 진침법은 크게 양손을 이용하는 방법과 한 손을 이용하는 방법이 있는데, 현재 임상에서는 감염의 우려와 자침 시 통증 때문에 침관을 이용한 관침진침법管鍼進鍼法(침관법鍼管法)이 많이 사용되고 있다.

---

282) 강하라, 최영두, 최유나 외. 침치료가 사용된 임상연구에서의 수기법 활용에 대한 고찰. 대한침구의학회지 2016;33(3): 129-44.

(2) 자침의 각도와 깊이

자침의 각도는 혈위의 부위에 따라 달라진다. 피부에 수직으로 자입하는 직자直刺는 근육이 풍부한 부위의 혈위에 사용된다. 피부에 30~60° 각도로 자입하는 사자斜刺는 깊게 찌를 수 없는 혈위에 주로 사용하고, 두피와 같이 근육이 매우 얇은 곳은 피부와 15° 정도의 횡자橫刺를 사용한다. 자침의 깊이는 질병의 종류, 침 자극의 강도 등에 따라 결정된다. 예를 들어 강한 침 자극을 주기 위해서는 침을 깊게 찌르는 경우가 많다. 아울러 장기, 신경 손상 등을 피하기 위해서는 해부학적 지식에 근거하여 자침 깊이를 정해야 한다.[283]

(3) 득기得氣와 행기行氣

① 득기와 행기란

득기는 침 자극에 대한 반응으로 침 시술 동안 침 시술자 혹은 환자가 느끼는 주관적인 감각과 반응이다. 침 시술자는 자침 시 손끝에서 긴삽감緊澁感[284]이 느껴지고, 환자는 침 시술 부위에서 시큰함(산酸), 저림(마麻), 묵직함(중重), 팽창감(창脹), 가려움, 편안함, 시원함, 따뜻함 등의 감각을 느끼는데 이를 득기감 또는 침감鍼感이라 한다.[285] 득기는 침 임상시험에서 대조군으로 활용되는 거짓침(sham needle)과의 차이를 나타낼 수 있는 고유한 반응이며, 침 임상연구에서 침치료의 적절성을 평가하는 지표로도 사용된다.[286] 전통적으로 환자의 득기감과 침치료 효과는 서로 깊은 연관성이 있으며, 득기의 과정에서 침치료 효과가 극대화된다고 알려져 있다. 현대한의학에서도 득기는 침치료의 효과에 영향을 미

---

283) 금유정, 임향기, 최서영 외. 특정혈 취혈법에 대한 고찰 -LU7의 자침 깊이와 BL62 KI6 혈위를 중심으로-. Korean J Acupunct 2020;37(1):31-6.

양현정, 심호연, 이광호. MRI를 통한 황문혈(BL51)과 지실혈(BL52)의 자침 깊이에 대한 연구. 대한침구의학회지 2016;33(2):89-96.

박해인, 양현정, 방상균, 이광호. Computed Tomography를 통한 천추(ST25)의 자침 깊이에 대한 후향적 연구. 대한침구의학회지 2015;32(3):61-7.

양현정, 박해인, 이광호. MRI를 통한 풍부혈(GV16)의 안전 자침 깊이에 대한 연구. 대한침구의학회지 2015;32(4):11-6.

Byun H, Kang MJ, Jung CY, et al. Determination of safe needling depth via X-ray at TE17 (Yifeng) and ST7 (Xiaguan). J Acupunct Res 2007;24(6):69-73.

284) 침 시술자가 인체에 자침 시 느끼는 팽팽하고 긴장된 저항감 같은 느낌.

285) 채윤병, 김윤주, 최일환 외. 거짓침 피부접촉부 형태에 따른 침감 차이 연구. 대한경락경혈학회지 2006;23(4):85-99.

286) 강하라, 최영두, 최유나 외. 침치료가 사용된 임상연구에서의 수기법 활용에 대한 고찰. 대한침구의학회지 2016;33(3):129-44.

치는 중요한 요소로서 침치료 기전의 핵심적인 역할을 한다고 보고 있다.[287][288] 그리고 득기와 함께 임상에서 중요시되는 것으로는 행기行氣가 있다. 행기란 자침의 감응이 일정한 부위를 향하여 확산되고 전도되는 현상이다. 임상적으로 침자 반응이 질병 부위에까지 이르게 될 경우 치료 효과가 뛰어나게 되므로, 질병 부위와 일정한 거리에 있는 혈위에 자침을 할 경우 행기를 통해 침치료의 효과를 극대화할 수 있다.[289]

② 득기와 행기를 위한 침자수기법

득기감을 얻고 행기를 시키기 위하여 침 시술자는 자침과정 중 다양한 수기법을 사용한다. 수기법은 다양한 방법으로 자극의 강도를 조절하여 득기감을 얻게 하고 행기를 시켜 치료 효과를 내게 하는 방법이다.[290] 대표적인 수기법으로 제삽법提揷法, 염전법捻轉法 등의 기본 침자법, 자침 전후에 다양한 방법으로 혈위 주변부를 자극하는 방법(침자 전후 보조수법補助手法), 자침된 침에 손으로 자극을 주는 방법(행침 보조수법) 등이 있다.[291] 임상에서 가장 많이 사용되는 기본적인 수기방법은 염전법과 제삽법이다. 이 중 염전법은 시술자가 일정한 깊이만큼 자침한 후 침을 회전 운동시키는 것으로, 다양한 빈도와 각도로 그 자극량을 조절할 수 있는 방법이다.[292] 호침의 염전법을 시행할 때 염전의 각도가 크고 빈도가 높고 횟수가 빠를수록 자극량이 크다. 제삽법은 침 끝을 일정 깊이까지 자입한 후 침을 피하 혹은 근육 내를 상하로 진행하는 진퇴운동을 시키는 것으로, 폭이 크고 횟수가 빠를수록 자극량이 커진다.[293]

287) 오현진, 이은솔, 이윤주 외. 인체 부위별 경혈에 따른 득기감의 질적, 양적 특성에 관한 연구. 대한침구학회지 2013;30(5): 65-76.

288) Zhu SP, Luo L, Zhang L, et al. Acupuncture De-qi: From Characterization to Underlying Mechanism. Evid Based Complement Alternat Med. 2013;2013:518784.

289) 김성철. 鍼感 및 鍼響에 대한 문헌적 고찰. 대한침구학회지 2001;18(3):201-14.

290) 오현진, 이은솔, 이윤주 외. 인체 부위별 경혈에 따른 득기감의 질적, 양적 특성에 관한 연구. 대한침구의학회지 2013; 30(5):65-76.

291) 대한침구의학회 교재편찬위원회 편저. 침구의학. 서울: 한미의학; 2020. pp. 63-71.

292) 한예지, 조수정, 손영남 외. 정량적 측정 시스템을 이용한 족삼리와 6가지 모델의 침감 비교 연구. 대한침구의학회지 2013; 30(5):87-94.

293) 대한침구의학회 교재편찬위원회 편저. 침구의학. 서울: 한미의학; 2020. p. 63.

(4) 침자보사鍼刺補瀉

침자보사란 득기를 유도하기 위한 수기법들 중 질병의 허실虛實을 교정하기 위한 방법을 말한다.[294] 즉, 질병을 치료함에 있어 한의학 기본 이론인 보허사실補虛瀉實에 맞게 침구치료에 있어서도 질병의 허실에 따라 수기법을 사용해야 한다는 것이다. 여기서 보사법은 보법補法과 사법瀉法의 치료기법을 아울러 이르는 말로 정기正氣가 부족한 허증虛證에는 보하고, 사기邪氣가 남아도는 실증實證에는 사법을 행하는 것을 말한다.[295] 침자보사법은 오래전부터 발전되어 왔으며 그 종류가 매우 다양하고 복잡하다. 가장 대표적인 보사법에는 염전보사법捻轉補瀉法, 제삽보사법提揷補瀉法, 영수보사법迎隨補瀉法 등의 기본보사법이 있으며, 이외에도 다양한 종합보사법이 있다.[296][297]

(5) 유침留鍼과 출침出鍼

유침留鍼은 진침 후 침을 혈위 내에 일정 시간 머무르게 하여 득기감을 유지하고 침의 효과를 강화하는 방법이다.[298] 대부분의 침구의학 서적에서 유침 시간은 15-30분으로 언급되고 있으나, 득기 여부, 질병, 환자의 상태 등에 따라 유침 시간을 다르게 설정하기도 한다.[299] 출침出鍼은 진침, 행침, 유침 후 마지막으로 행하는 동작으로 침을 체내에서 빼는 것으로 발침拔鍼이라고도 한다. 출침 시 알코올 솜으로 소독하며 미세 출혈 시 수 초간 압박하여 멍이 들지 않도록 한다.

3) 안전한 침 시술을 위한 표준 가이드라인

안전한 침 시술을 위해서는 침 시술 전후의 감염 관리와 안전 관리가 매우 중요하다. 이에 감염 및 부작용 예방을 위한 적절한 침 시술의 절차와 관련 내용들을 정리한 지침서들이 국내외에서 꾸준히 발표되었다.

---

294) 김유종, 김은정, 신경민 외. ≪황제내경≫ 6가지 기본 보사수법의 정량적 분석연구. 대한침구의학회지 2012;29(5):151-8.

295) 대한한의학회 표준한의학용어집 2.1 [인터넷]. 전자도서관[2022년 7월 30일 인용]. URL: https://cis.kiom.re.kr/terminology/search.do

296) 대한침구의학회 교재편찬위원회 편저. 침구의학. 서울: 한미의학; 2020. pp. 72-86.

297) 오두한, 김종현, 김연섭, 김송이. 『영소침구경』 보사법 분석. Korean J Acupunct 2019;36(3):171-80.

298) 박춘하, 김재홍, 위통순 외. 留鍼에 관한 문헌적 고찰. 대한침구학회지 2003;20(1):85-96.

299) 왕개하, 이은솔, 조현석, 김경호. 留鍼시간에 대한 문헌적 고찰: 중국 문헌을 중심으로. 대한침구학회지 2011;28(5):65-76.

국내에서는 한국산업표준으로 2012년에 'KS P 2000:2012(한의약-침 시술 안전 관리)'가 제정되었다. 이후 2018년에 국제표준화기구(International Organization for Standardization, ISO)에서 제정된 'ISO/TR 20520:2018 Traditional Chinese medicine - Infection control for acupuncture treatment'를 기초로 수정된 'KS P 2012:2020(한의약-침 시술 감염 관리)'[300]이 2020년에 제정되었다.

ISO뿐만 아니라 세계보건기구(World Health Organization, WHO)에서도 안전한 침 시술과 관련하여 1999년에 'Guidelines on basic training and safety in acupuncture'[301]를 발표하였고, 2021년에는 이를 업데이트한 'WHO benchmarks for the practice of acupuncture'[302]를 발표하였다. 이와 관련 미국 내에서 발표된 침 시술 관련 지침서 또한 참고할 말한다. 미국 침술 및 한의학 심의 위원회(National Certification Commission for Acupuncture and Oriental Medicine, NCCAOM)의 인증과 주 면허 취득, 학생들의 실습 등을 위해 침술 및 한의과대학 평의회(Council of Colleges of Acupuncture and Oriental Medicine, CCAOM)가 'CCAOM Clean Needle Technique Manual-Best Practices for Acupuncture Needle Safety and Related Procedures(제7판, 2020)'[303]를 출판하였다. 이 책에서는 침 시술 관련 감염 관리 및 안전한 시술 절차(침치료, 뜸치료, 부항요법, 전침요법, 피내침요법, 추나요법 등), 제반 감염 관련 지식, 시술 시 주의사항 등을 자세하게 기술하고 있다.

국내 한의과대학 침구의학 교육에서도 이 부분을 매우 중요하게 다루고 있다. 안전한 침 시술 관련 내용들은 대한침구의학회 교재편찬위원회에 출판한 '침구의학鍼灸醫學 임상

---

300) e나라표준인증[인터넷]. 국가표준[2022년 7월 30일 인용]. URL: https://e-ks.kr/streamdocs/view/sd;stre amdoc-sId=72059242143172808

301) World Health Organization. Guidelines on basic training and safety in acupuncture. Geneva: World Health Organization; 1999. (PDF; [cited 2022 Jul 30]. Available from: https://apps.who.int/iris/bitstream/handle/10665/66007/WHO_EDM_TRM_99.1.pdf?sequence=1&isAllowed=y)

302) World Health Organization. WHO benchmarks for the practice of acupuncture. Geneva: World Health Organization; 2020. (PDF; [cited 2022 Jul 30]. Available from: https://apps.who.int/iris/bitstream/handle/10665/340838/9789240016880-eng.pdf?sequence=1&isAllowed=y)

303) CCAOM Clean Needle Technique Manual. 7th Ed. Maryland: Council of Colleges of Acupuncture and Oriental Medicine; 2016. (Council of Colleges of Acupuncture and Herbal Medicine(CCAHM) [Internet]. CLEAN NEEDLE TECHNIQUE [cited 2022 Jul 30]. Available from: https://www.ccahm.org/ccaom/CNT_Manual.asp)

실기지침'[304] 1장에서 매우 상세하게 기술하고 있으며, 감염 관리 제반 지식, 구체적인 감염 관리(한의사, 환자, 치료 기구 등) 방법, 안전한 시술 절차 등의 내용이 포함되어 있다. 한의과대학 학부생들은 침구 실습에 앞서 이러한 내용을 숙지해야만 한다.

5. 침치료 실제 3 – 침구처방의 구성

1) 선혈법選穴法[305]

선혈법은 질병의 상황에 맞추어 혈위를 선택하는 원리 또는 법칙으로서 넓게 보면 약물 치료에서와 동일하게 변증논치辨證論治를 시행하는 방법 중 하나라고 할 수 있다. 임상에서는 침구치료를 시행할 때 아래와 같은 몇 가지 선혈법에 근거하여 혈위를 선택한다. 선혈법은 침구처방을 선택한 후에 부수적인 다양한 증상을 치료하기 위한 혈위 가감加減에 사용되기도 하고, 배혈配穴이나 침구 처방을 구성하는 기본 근거가 되기도 한다. 이러한 중요성 때문에 역사적으로 많은 선혈법들이 만들어져 사용되었다. 선혈법은 인법引法, 상법上法, 하법下法, 거법巨法, 무법繆法, 개법開法 등의 6가지로 정리할 수 있다.

(1) 인법引法

통상적으로 말하는 '양병치음陽病治陰, 음병치양陰病治陽, 종양인음從陽引陰, 종음인양從陰引陽'의 원리를 이용한 선혈법이 인법이다. 병이 장부에 있을 때 많이 사용되는 선혈법인데 오장은 음에 속하고 육부는 양에 속하며, 후면부(등 부위)에 있는 배수혈背兪穴은 양에 속하고 전면부(복부)에 있는 복모혈腹募穴은 음에 속하므로 오장병은 배수혈을 이용하여 치료하고, 육부병은 복모혈을 이용하여 치료하는 원리이다.

---

304) 대한침구의학회 교재편찬위원회 편저. 침구의학 임상실기지침. 서울: 한미의학; 2020.

305) 이 부분은 침구의학 교과서를 위주로 정리하였다.
대한침구의학회 교재편찬위원회 편저. 침구의학. 서울: 한미의학; 2020. pp. 348-50.

(2) 상법上法

양기陽氣를 끌어올리는 데(승제升提) 사용하는 선혈법으로 주로 인체 상부, 특히 백회혈百會穴 등 두면부에 있는 혈위들을 많이 사용한다.

(3) 하법下法

기를 아래로 끌어내리는 데 사용하는 선혈법으로 주로 발목 이하의 인체 하부나 손가락 끝에 있는 혈위들을 많이 사용한다. 보통 상법上法과 하법下法을 배합해 사용하여 기 흐름의 오르고 내림을 조화시킨다. 배혈配穴방법의 상하배혈법이 여기에 속한다.

(4) 거법巨法

거자법巨刺法으로 좌병취우左病取右(좌측의 병을 치료하기 위해 우측 부위의 혈위를 치료), 우병취좌右病取左(우측의 병을 치료하기 위해 좌측 부위의 혈위를 치료)하여 경맥經脈 위의 혈위를 선택하는 것으로 일반적으로 병변 부위와 평행한 반대측 부위의 혈위를 취한다. 또 병변 부위와 평행하지 않은 반대측 부위에서 혈위를 취하는 방법도 있다. 예를 들어 두부 좌측에 두통이 있으면 우측 하지 부위에서 선혈하는 등의 경우다.

(5) 무법繆法

무자법繆刺法으로 좌병취우左病取右, 우병취좌右病取左하되 낙맥絡脈 위의 혈위를 선택하는 것이다. 거자법이 경맥 위의 혈위를 취한다면 무법은 낙맥 위의 혈위를 취하는 점이 다르다.

(6) 개법開法

임상에서 급증急症(위급한 증상)306)에 증상 완화를 목적으로 혈위를 선택하는 것을 말한다.

---

306) 한의학에서는 기혈의 소통이 완전히 막히거나 항상 움직이며 동적 평형을 맞춰야 하는 인체의 음양이 서로 분리될 경우 인체 생명 대사에 문제가 나타나 생명이 위험한 급증(急症)이 발생한다고 보았다. 이러한 기혈의 막힘을 소통시키고 인체의 음양대사가 원활하게 이루어지게 하려고 특정 위급혈을 사용하여 급증을 치료한다는 의미에서 '개(開) - 열다, 통하다, 통달하다'라는 용어를 사용한 것이다.

2) 침구처방의 구성원칙

(1) 배혈법配穴法307)

배혈법은 2개 또는 2개 이상의 혈위를 일정한 규율에 따라 서로 배합하여 사용하는 방법으로, 침구처방의 최소 단위이자 가장 기본적인 구성이 된다.

① 전후배혈법前後配穴法

전前은 흉복胸腹 부위(가슴과 배), 후後는 요배腰背 부위(등과 허리)를 가리킨다. 전후배혈법은 인체 흉복부와 요배부의 혈위들을 배합하여 사용하는 것이다. 위치 상 장부臟腑의 질병을 치료하며, 음기陰氣와 양기陽氣의 흐름을 조정한다.

② 상하배혈법上下配穴法

상부 혈위와 하부 혈위를 배합하여 사용하는 것이다. 위에 모여 있는 양기를 아래로, 아래에 모여있는 음기는 위로 올라가도록 해서 기氣의 오르고 내림을 조화롭게 한다.

③ 좌우배혈법左右配穴法

인체 좌측의 혈위와 우측 혈위를 배합하여 사용하는 것이다. 인체 좌우의 기혈 운행을 조절하여 평형을 회복하는 것을 목표로 한다.

④ 원근배혈법遠近配穴法

근近은 질병 부위와 비교적 가까운 곳의 혈위를 말하며, 원遠은 질병 부위와 비교적 먼 곳의 혈을 말한다. 원혈遠穴과 근혈近穴은 경락에 있어 서로 관계가 있고 연계되어 있다. 경락에서 기혈이 병변 부위로 움직이게 해서 병을 치료한다.

⑤ 표리배혈법表裏配穴法

표表는 양경陽經을 가리키며 리裏는 음경陰經을 가리킨다. 음경과 양경에서 혈위를 선택하여 배혈하는데, 음양경의 경기經氣를 조정하고 장부음양의 기 흐름을 조정하여 병을 치

---

307) 대한침구의학회 교재편찬위원회 편저. 침구의학. 서울: 한미의학; 2020. pp. 350-2.

료한다.

⑥ 내외배혈법內外配穴法

내內는 내측 혈위를 말하며 음에 속하고, 외外는 외측 혈위를 말하며 양에 속한다. 이 배혈법은 내외음양內外陰陽을 조절하는 것을 목표로 사용된다. 예를 들면 발목 손상 시 발목 안쪽의 혈위와 바깥쪽의 혈위를 함께 사용하는 경우가 이에 해당된다.

(2) 침구처방의 구성[308]

침구처방은 크게 주혈主穴과 배혈配穴의 두 부분으로 구성된다. 구체적으로는 처방 중 주도적인 작용을 하는 주혈主穴, 주혈의 치료 작용을 강화하기 위해 사용되는 주혈배혈主穴配穴, 질병의 병리적인 기전에 근거하여 혈을 선택하는 병기배혈病機配穴, 겸증兼證과 겸병兼病을 치료하기 위한 종증배혈從症配穴, 혈위의 특수한 효능과 특성에 근거한 특수배혈特殊配穴의 다섯 가지로 나눌 수 있다. 침구처방 구성은 방제 구성(한약 처방)의 원칙인 군신좌사君臣佐使의 개념을 떠올리게 하는데, 이에 대해서는 추후 자세한 연구가 필요할 것으로 보인다.[309]

① 주혈主穴

처방 중 주도적인 작용을 하는 혈위를 말하는 것으로 주증主證 또는 주병主病에 맞추어 선택된다. 처방의 치료 방향과 치료목적, 나아가 치료 수단을 결정하며 처방 중에서 가장 중요한 부분을 차지한다.

② 주혈배혈主穴配穴

주혈의 치료 작용을 강화하기 위한 목적으로 선택되는 혈위를 말한다. 주혈과 더불어 처방 중 주요 배혈을 구성하여 처방의 기본적인 구성을 이루게 된다.

---

308) 대한침구의학회 교재편찬위원회 편저. 침구의학. 서울: 한미의학; 2020. pp. 352-4.

309) 계강윤, 김병수. 韓醫學 鍼 處方의 구성 방법 및 主次 개념에 관한 고찰. 대한한의학회지 2020;41(3):9-21.

③ 병기배혈病機配穴

질병의 병리기전에 근거하여 혈위를 선택하는 것을 말한다. 예를 들어, 어지러움을 가진 환자가 한의학의 변증진단상 기허氣虛로 인한 어지러움으로 판단되면 기허를 치료하는 혈위를 선택하는 것이다.

④ 종증배혈從症配穴

겸증兼證과 겸병兼病을 치료하기 위한 혈위의 선택을 말한다.

가. 순경循經선혈: 순경취혈법循經取穴法, 본경선혈법本經選穴法이라고도 한다. 병이 있는 장부 기관 및 직접 연계된 경락에서 혈위를 선택하여 치료하는 방법이다. 예를 들어, 외감풍한外感風寒310)에 두통이 겸했을 때, 외감풍한을 없애는 대추大椎혈을 주혈로 하고 두통 증상을 치료하기 위해 두통 부위를 지나가는 경락의 혈위를 배혈하는 것이다.

나. 대증對症선혈: 환자의 주된 병증에 함께 나타난 특정 증상을 완화하기 위해 혈위를 선택하는 것을 말한다. 예를 들어, 외감풍한의 환자가 복통을 겸한 경우 복통을 완화하는 효과를 가진 천추天樞혈을 배혈하는 것이다.

⑤ 특수배혈特殊配穴

혈위의 특수한 효능과 속성에 근거하여 혈위를 선택하는 것이다.

가. 특정혈을 사용하는 방법이다. 예를 들어, 오수혈의 오행속성을 이용하여 혈위를 선택하는 것과 팔회혈八會穴311)을 사용하는 경우가 여기에 해당된다. 구체적 예를 들면 근육이 약한 경우 근회筋會인 양릉천陽陵泉혈을 배혈하는 것이다.

---

310) 한의학적인 병으로 몸 바깥[외(外)]의 풍한(風寒)의 사기(邪氣)가 몸에 들어온 것[감(感)]을 말하는 것이다. 오늘날 갑작스럽게 발생하여[풍(風)] 오한을 느끼고[한(寒)] 전신에 옮겨 다니는[풍(風)] 근육통[한(寒)] 등의 증상이 있는 감기라고 생각하면 이해하기 쉬울 것이다.

311) 팔회혈(八會穴)은 장(臟), 부(腑), 기(氣), 혈(血), 근(筋), 맥(脈), 골(骨), 수(髓)의 기가 모이는 혈위로 각 혈위와 관련된 병들을 다룰 수 있는 대표적인 여덟 혈자리를 말한다.

나. 특수혈을 사용하는 방법으로 특정 질병을 치료하는 혈위를 말한다. 예를 들어, 충수염이나 장의 염증에 경외기혈인 난미蘭尾혈을 사용하는 경우가 해당된다.

6. 침치료 실제 4 – 다양한 침법들

국내 한의 임상에서 사용하는 침치료의 종류는 매우 다양하다. 침구의학 교과서에서는 다양한 침치료를 특정 이론에 따른 침자법(침법), 자극 방법에 따른 침자법(침법), 부위에 따른 침자법(침법)[312]으로 분류하였다(표 5-11).[313] 자극 방법에 따른 침법은 일반침(호침) 이외의 다른 자극 도구 및 자극 방식을 사용하는 경우와 호침에 다른 치료가 추가되는 것을 말한다. 이것은 근대 이전부터 사용해왔던 전통적인 도구들을 이용한 전통 침법, 현대적 도구들을 이용한 침법, 약침요법 등으로 나눌 수 있다. 자극 부위에 따른 침법은 인체 특정 부위에 침치료를 시행하는 것으로 인체 특정 구역에 미세한 침 자극을 준다고해서 분구미세침법分區微細鍼法이라 하기도 한다. 일부는 한의학 고유의 관점을 적용하여 발전되었고, 또 다른 침법, 즉 이침耳鍼, 두침頭鍼 등과 같은 경우는 한의학적 관점과 서양의학의 해부학적 관점을 결합하여 발전된 것이다. 이 침법들은 인체 특정 부위에서 미세한 침 자극을 통해 전신의 병증을 치료하는 것으로서 각 침법마다 고유한 혈위와 이론을 가지고 있다. 특정 이론에 따른 침법은 각 침법의 고유 이론 또는 한의학의 특정 이론에 대한 강조를 기반으로 각 침법마다 혈위의 선택(침구처방), 수기법 등이 다르게 구성되어 있다. 일반적으로 침법을 지칭할 때는 특정 이론에 따른 침법을 말한다고 할 수 있다.

---

312) 침자법(鍼刺法)이란 용어는 앞서 설명한 바와 같이 다양한 의미가 있는데, 여기서는 특정 이론, 도구, 치료 부위 등에 따른 침치료 방법(혈 위의 선택 방법, 자극 도구, 고유 수기법 등) 전체를 말한다. 따라서 침치료 종류를 말할 때, 손으로 조작하는 방법(수기법)의 의미로도 이해될 수 있는 침자법이란 용어보다는 침치료 전체를 의미하는 침법(鍼法)이란 용어를 사용하는 것이 더 적절할 것 같다.

313) 대한침구의학회 교재편찬위원회 편저. 침구의학. 서울: 한미의학; 2020. pp. 127-316.

표 5-11. 침치료 분류 Ⅰ

분류 기준		해당 침법
특정 이론에 따른 침법		체침요법體鍼療法, 오행침자법五行鍼刺法, 사암음양오행침법舍巖陰陽五行鍼法, 태극침법太極鍼法(체질침법體質鍼法), 팔체질침법八體質鍼法, 동씨침법董氏鍼法, 평형침법平衡鍼法, 과학적 기전에 근거한 침법 등
자극 방법에 따른 침법	고전 침구鍼具 (침 도구) 침법	피내침皮內鍼요법, 화침火鍼요법, 시침鍉鍼요법, 피부침皮膚鍼요법, 망침芒鍼요법, 온침溫鍼요법, 자락刺絡요법 등
	새로운 침구鍼具 침법	전침요법, 온냉경락요법, 경피경락광선요법, 전기자극요법, 혈위자기요법, 레이저침요법, 침도鍼刀(도침)요법, 매선埋線요법, 성형침구법, 경근자법經筋刺法 등
	약침요법藥鍼療法 (약침액 종류 및 이론에 따른 분류)	경락經絡약침, 팔강八綱약침, 봉약침蜂藥鍼요법, 수침요법水鍼療法 등
자극 부위에 따른 침법 (분구미세침법分區微細鍼法)		이침耳鍼요법, 두침頭鍼요법, 면침面鍼요법 비침鼻鍼요법, 인중침人中鍼요법, 설침舌鍼, 수침手鍼요법, 족침足鍼요법, 완과침腕踝鍼요법, 제2장골측第二掌骨側침법, 수지침手指鍼과 수족침手足鍼요법 등

침구의학 교과서(2020) 분류를 기준으로 하여 일부 수정하였고, 약침요법은 약침학회 교재(3판, 2019)를 기준으로 하였다. 음영 진 부분은 침구의학 교과서에서 따로 설명하고 있지 않으나 현재 한의 임상에서 사용되고 있는 침법이므로 언급하였다.

전침요법은 일반적인 침치료(호침)에 전침 치료가 추가되는 형태이다. 성형침구법에는 일반적인 침치료뿐만 아니라 매선요법, 약침요법, 뜸치료, 기기 및 광선 이용한 성형경피자극법 등 다양한 치료가 복합되어 하나의 항목으로 따로 분류하였다. 경근자법에는 침치료(호침), 약침요법, 전침요법 등이 함께 사용될 수 있으므로 하나의 항목으로 따로 분류하였다.

그러나 이 세 가지 분류는 일부 겹치는 부분이 있을 수 있다(그림 5-9). 먼저 다양한 분구미세침법들은 각각의 고유한 이론 및 고유의 경혈을 가지고 있으므로 특정 이론에 따른 침법에 포함될 수 있을 것이다. 아울러 침도요법, 매선요법, 경근자법, 약침요법 등은 자극 방법에 따른 분류에 포함되지만, 모두 나름의 이론을 가진 침법이므로 특정 이론에 따른 침법으로도 분류할 수 있다. 성형침구법는 일반적인 침치료뿐만 아니라 매선요법, 약침요법, 뜸치료, 기기 및 광선 이용한 성형경피자극법 등 다양한 치료가 복합되고 얼굴이라는 인체의 특정 부위를 대상으로 나름의 이론을 가지고 시술되므로 세 가지 분류에 다 포함될 수 있다.

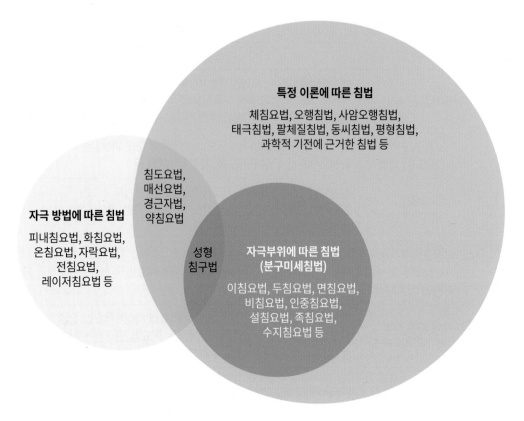

특정 이론에 따른 침법

체침요법, 오행침법, 사암오행침법,
태극침법, 팔체질침법, 동씨침법, 평형침법,
과학적 기전에 근거한 침법 등

침도요법,
매선요법,
경근자법,
약침요법

자극 방법에 따른 침법

피내침요법, 화침요법,
온침요법, 자락요법,
전침요법,
레이저침요법 등

성형
침구법

자극부위에 따른 침법
(분구미세침법)

이침요법, 두침요법, 면침요법,
비침요법, 인중침요법,
설침요법, 족침요법,
수지침요법 등

그림 5-9. **침치료 분류 Ⅱ**

특정 이론에 따른 침법: 진단에 따라 특정 치료 수혈을 결정하는 고유의 이론을 가지고 있는 경우를 말한다.

분구미세침법: 인체 특정 부분만을 치료 부위로 하며 각각 고유의 치료 수혈을 가지고 있으므로 특정 이론에 따른 침법에도 포함된다.

자극 방법에 따른 침법: 단순히 호침이 아닌 치료 도구를 사용하거나 호침에 새로운 치료 도구가 추가되는 경우와 호침이 아닌 치료 도구의 사용과 함께 고유의 이론을 가지고 있는 경우로 나눌 수 있는데 여기서 고유 이론을 가진 침법(침도요법, 매선요법, 경근자법, 약침요법)은 특정 이론에 따른 침법에 포함될 수 있다.

성형침구법: 호침뿐만 아니라 다양한 도구를 복합적으로 사용하며 고유의 이론에 따라 특정 부위를 치료하는 침법이다.

한 연구에서는 침법에서 사용하는 혈위를 기준으로 세 가지로 분류하기도 하였다. 인체 전체 정경正經의 혈위, 기경奇經의 혈위, 아시혈阿是穴 등을 사용하는 침법 모두를 '체침요법體鍼療法'의 범주에 넣었고, 인체 특정 국소 부위를 치료하는 침법들을 분구미세침법에 넣었고, 마지막으로 기타 혈위를 사용하는 침법들을 하나로 묶었다.[314]

여기서는 모든 침법을 다루기에는 분량상 한계가 있으므로 현재 한의 임상에서 많이 사용되는 침법 위주로 간단하게 기술하였다.

1) 특정 이론에 따른 침법

(1) 체침요법體鍼療法

체침요법은 인체 전 부위를 자침 부위로 하는 침법으로 국소 기관만을 대상으로 하는 분구미세침법分區微細鍼法과 상대적으로 쓰이는 용어다. 전통적인 침자요법이다.[315] 즉, 체침요법은 전통적인 14경맥의 경혈 및 경외기혈經外奇穴[316], 아시혈阿是穴[317] 모두를 사용하는 침법으로[318] 국내외에서 가장 보편적으로 사용하는 침법이며 일반적으로 침치료라고 하면 체침요법을 가리킨다.

(2) 사암음양오행침법舍巖陰陽五行鍼法(사암침법)

조선시대 중기에 형성된 것으로 알려진 사암음양오행침법舍巖陰陽五行鍼法(이하 사암침법)은 음양오행의 원리에 근거하여 장부의 허실에 따른 보사법補瀉法을 상생 관계뿐만 아니라 상극 관계까지 결합시키고, 여기에 자경自經과 타경他經 보사법을 결부시켜 임상에 활

---

314) 계강윤, 김병수. 새로운 분류 모델에 기초한 鍼法 고찰 : 韓醫學에서 사용되고 있는 鍼法을 중심으로. 대한한의학회지 2021;42(3):9-25.

315) 대한한의학회 표준한의학용어집 2.1[인터넷]. 전자도서관[2022년 7월 30일 인용]. URL: https://cis.kiom.re.kr/terminology/search.do

316) 경외기혈(經外奇穴) ;십사경맥에 속하지 않는 혈위로 경험적으로 특정 질병에 치료 효과가 있는 혈자리를 말함. 기혈(奇穴)이라 하기도 함.

317) 아시혈(阿是穴) ; 경혈과 경외기혈 이외에 눌러 보아서 민감하게 반응하는 부위. 동의어로 부정혈(不定穴), 응통혈(應痛穴), 천응혈(天應穴)이 있음.

318) 계강윤, 김병수. 새로운 분류 모델에 기초한 鍼法 고찰 : 韓醫學에서 사용되고 있는 鍼法을 중심으로. 대한한의학회지 2021;42(3):9-25.

용하도록 창시된 침법이다.[319]

　사암침법의 가장 큰 특징은 오수혈五兪穴[320]을 사용한다는 점과 보사법을 사용한다는 점이다. 먼저 진단을 통해 오장육부의 허실을 판단한 후 오행의 상생과 상극의 원리에 바탕을 둔 '허즉보기모虛則補其母 억기관抑其官' 및 '실즉사기자實則瀉其子 보기수補其讐'의 원칙에 따라 자경과 타경에서 오수혈(오행 배속 성질을 이용함) 중 각각 2개의 혈위, 총 4개의 혈위를 사용하여 치료한다. 때로는 변용을 하여 1-2개의 혈위를 사용하여 치료하기도 한다. 사암침법에서는 여러 보사법을 용용할 수 있는데, 주로 영수보사迎隨補瀉, 호흡보사呼吸補瀉, 수법보사手法補瀉(염전보사捻轉補瀉) 등을 사용한다.[321]

　한국의 독창적인 침법인 사암침법은 현재도 한의사들이 많이 사용하고 있으며, 그동안 이에 대한 연구도 많이 진행되었다. 2006년 9월까지 국내에서 진행된 사암침법 관련 연구 논문을 분석한 연구에 따르면 1964년을 시작으로 총 50편의 연구논문이 발표된 것으로 조사되었다. 문헌논문이 총 24편(48%)으로 가장 많았고, 증례보고가 13편(26%), 대조군이 존재하는 임상시험연구가 8편(16%), 기초실험연구는 5편(10%)이었다. 임상연구는 1999년부터 시작되었고 요통 관련 질환 3편, 뇌졸중 환자(언어장애, 혈압강하) 관련 2편, 교통사고로 인한 불면증, 구안와사 후의 이후동통, 퇴행성슬관절염 등 모두 8편이었으며 모두 유효한 효과가 있었다.[322] 이외에 2021년 3월까지 국내외에 발표된 사암침법 관련 임상연구를 분석한 논문에 따르면 29편의 증례보고, 19편의 무작위대조군연구(RCTs), 4편의 비무작위연구가 있었다. 19편의 무작위대조군연구는 12편이 한국에서 7편이 중국에서 출판되었고, 뇌졸중 관련 연구가 5편, 화병 관련 연구가 4편으로 가장 많았다.[323]

319)　김달호, 김중한. 舍巖鍼法의 著作時期 및 形成背景에 關한 硏究. 대한원전의사학회지 1993;7:113-60.

320)　오수혈(五兪穴, 五輸穴, 五腧穴) ; 12경맥(經脈) 별로 사지 팔꿈치나 무릎 이하에 존재하는 정(井), 형(滎), 수(兪), 경(經), 합(合)의 다섯 개의 특정 혈위를 말한다. 5개의 혈위는 사지말단으로부터 팔꿈치나 무릎 방향으로 배열하고 있으며 각각 목(木), 화(火), 토(土), 금(金), 수(水) 오행(五行)에 배속되는데, 12경맥 중 음경(陰經)은 목화토금수, 양경(陽經)은 금수목화토의 순으로 배속된다.

321)　정유용, 이덕호, 안상우. 사암침법의 전통과 독자성에 관한 연구. 대한침구학회지 2012;29(4):537-53.

322)　한창현, 신미숙, 박선희, 최선미. 국내에서 보고된 사암침법에 대한 연구 동향. 한국한의학연구원논문집 2006;12(2):15-30.

323)　Jinwoong Lim, Yong-hwa Kim, Yu-gon Kim, et al. A Literature Review of Clinical Studies Using Sa-am Acupuncture. J Acupunct Res 2021;38(3):183-91.

(3) 동씨침법董氏鍼法

동씨침법은 중국 산둥성山東省 핑두현平度县 태생의 타이완 사람 동징창董景昌(1916-
1975)에 의해 개발된 침법이다. 이후 그의 수제자 양웨이지에楊維傑(양유걸)에 의해 정리되
면서 하나의 학설로 자리잡게 되었다. 동씨침법에서 사용하는 혈위는 약 740개의 동씨기혈
董氏奇穴이다. 전신을 12개의 부위로 나누었는데, 손(手), 팔(臂), 발(足), 다리(腿), 귀(耳), 얼
굴과 머리(頭面), 몸통(前胸, 後背) 등의 전신에 기혈이 분포한다.[324] 동씨기혈과 12경맥 경
혈의 관계를 살펴보면 먼저 동씨기혈은 12개 신체 구역에 각각 혈위가 있어 인체 구역의 개
념이 강한 반면, 12경맥은 경맥의 순환에 따라 전신이 연결되는 개념이 강하다. 혈위의 위치
를 살펴보면 12경맥의 혈위와 동씨기혈이 일치하는 경우가 일부 있지만 많은 부분 서로 다
르다.[325] 일부 공통부분이 있는 것은 창시자가 밝힌 바와 같이 동씨침법이 기존의 12경맥
에 대한 연구를 바탕으로 창안되었기 때문이며 동씨침법을 사용할 때 기존의 12경맥도 함
께 임상에서 폭넓게 응용할 수 있다.[326]

동씨침법의 특징은 먼저 수기법으로 보사補瀉를 한다는 개념이 없다는 것이다. 동씨침
법의 독특한 침법을 구사하면 자연스럽게 경락의 기 흐름이 조절된다는 것으로 수기법을
사용하지 않고 유침留鍼만을 하는데 이를 '평보평사平補平瀉'라 한다. 이와 함께 인체에 자
연적 저항력과 상대적인 평형점이 있다고 생각하여 좌측 병에 우측 치료/우측 병에 좌측
치료 및 병소로부터 멀리 있는 혈위를 선택하여 경락의 기를 소통시키는 '교경거자交經巨
刺'를 사용한다. 이러한 특징을 바탕으로 독특한 동기침법動氣鍼法, 도마침법倒馬鍼法, 견인
침법牽引鍼法의 세 가지 침법을 제시하고 있다. 동기침법은 평보평사, 교경거자를 적용하여
병변 부위 반대에 있는 원위 혈위에 자침한 상태에서 환부를 안마하거나 운동하게 하는 침
법이다. 다음으로 도마침법은 두 개 또는 세 개의 침을 병렬로 자침하여 치료 효과를 증가
시킨 일종의 특수 침법으로 기혈의 60%가량이 도마침법의 혈위에 해당할 정도로 중시된
다. 마지막으로 견인침법은 제자인 양웨이지에楊維傑가 개발한 침법으로 대측(건강한 측)
먼 부위에 하나의 혈위를 선택하고 또 동측(병변 부위 측) 먼 부위에 하나의 혈을 선택하여

---

324) 박유리, 강배규, 김호겸 외. 동씨침법의 의의와 임상적 응용. 대한경락경혈학회지 2002;19(2):119-31.

325) 장진요, 김경식, 손인철. 董氏鍼法과 十二正經의 상관성에 관한 연구. 대한경락경혈학회지 2002;19(1):107-30.

326) 전형준, 남상수, 이재동 외. 正經穴과 董氏奇穴의 관계에 대한 고찰-하지부의 혈위 및 주치를 중심으로-. 대한침구학회지
2008;25(1):169-78.

동시에 침체를 돌리면서(염침捻鍼) 자극을 주어 양측이 서로 감응하게 함으로써 기가 소통되어 치료 효과가 나타나게 하는 방법이다.[327][328]

(4) 태극침법太極鍼法

태극침법은 이병행이 <침도원류중마鍼道源流重磨>에 발표한 침법으로 이제마의 <동의수세보원東醫壽世保元·장부론臟腑論>을 토대로 사상의학과 침치료를 연관시킨 것이다. 사상의학에서는 심心이 사장四臟의 범주에 속하지 않는 통합적 역할을 하는 장기이므로 이에 근거하여 태극침법에서는 수소음심경手少陰心經의 오수혈五輸穴을 이용해서 병을 치료한다. 오행이론에 근거하여 사장四臟(큰 장기)의 오행속성을 억제할 수 있는 속성의 혈을 취하는 것이다.[329] 태극침법은 심경의 오수혈을 이용하여 체질을 감별하고 해당 체질인의 장부의 대大 또는 소小에 따라 해당 장부의 원혈原穴을 사瀉하거나 보補하는 것이 체질별 치료의 원칙이며, 임상에서는 주로 심인성 질환에 그 적용성이 높다.[330] 아울러 만성 근골격계통증 환자에서도 태극침법의 임상적 유효성이 보고된 바 있다.[331]

(5) 팔체질침법八體質鍼法

팔체질침법은 사상침법을 연구하던 권도원이 창시한 침법이다. 사상과는 달리 8개의 유형으로 구분되는 맥상에 기초하여 8개의 체질(금양金陽, 금음金陰, 토음土陰, 토양土陽, 목양木陽, 목음木陰, 수양水陽, 수음水陰)로 나누고 있다. 그리고 각 체질의 장부대소에 따라 각 체질별 침처방을 제시하였다. 팔체질침법은 8개의 체질별 장부 허실虛實을 오행五行의

---

327) 박유리, 강백규, 김호겸 외. 동씨침법의 의의와 임상적 응용. 대한경락경혈학회지 2002;19(2):119-31.

328) 이지윤, 이승욱, 김도형 외. 동기침법의 임상 활용에 관한 연구 동향 - 한국과 중국을 중심으로 -.동의생리병리학회지 2012; 26(5):599-609.

329) 정인기, 강성길, 김창환. 오수혈을 이용한 침법의 비교 고찰- 사암침법, 태극침법, 팔체질침법 중심으로-. 대한침구학회지 2001;18(2):186-99.

330) 김재규. 태극침법의 임상 적응증에 대한 소고. 대한침구학회지 2011;28(2):69-73.

331) 김재규, 김건영, 노승희, 김유리. 만성 근골격계 통증환자에 대한 태극침법의 임상적 유효성: 후향적 의무기록 분석 연구. 대한침구의학회지 2014;31(2):145-52.

상생·상극相生·相克 관계를 이용하여 조절하는 침법이다.[332)333)] 이를 위해 오수혈을 중시하였는데 오수혈이 장기간臟器間의 경락을 통한 연락을 담당하게 되므로 기존의 오수혈을 장부혈臟腑穴이라고 명칭하였고, 치료는 장부혈을 통해 장기 사이의 촉진과 억제의 영향력을 조절하여 정상적인 균형을 되찾아 주는 것이라 보았다.[334)]

구체적인 침처방에는 각 체질별로 기본처방이 되는 기본방, 보조적인 부방副方이 있으며, 부방에는 살균방殺菌方, 활력방活力方, 정신방精神方, 장계염증방臟系炎症方, 부계염증방腑系炎症方 등이 있다. 침치료 시 기본방만을 쓰는 경우와 기본방과 부방을 결합하여 사용하는 경우가 있다.[335)] 팔체질침법은 기존의 침법처럼 유침하거나 득기를 목표로 하지 않으며, 각 제질에 맞는 혈위에 잠시 자침했다가 발침하는 이른바 단자법單刺法을 사용한다.[336)]

(6) 평형침법平衡鍼法

평형침법은 중국의 왕원위안王文远 교수에 의해 창시된 침법이다. 평형침구학은 전통의학을 계승하고 현대 과학 이론을 흡수하여 발전된 현대 침구학이라고 주장한다. 중의학의 심신心神 조절 이론과 서양의학의 신경 조절 이론을 바탕으로 침구, 심리, 생리, 사회, 자연이 서로 적응된 정체의학整体医学[337)] 조절 모형이라고 정의하고 있다.[338)] 평형침구학에서 설명하는 질병의 원인은 환자의 대뇌고위중추 관리 계통에 문제가 있다는 것이다. 인체 내고유의 자기 균형 시스템인 대뇌고위중추 계통을 침치료를 통해 자극하고 조절하여 인체평형을 되찾도록 하는 것이 치료의 목표다.[339)] 경험에 의한 특효혈 위주로 구성되어 있는

332) 유준상, 한수지, 안다영. 체질침법 연구 경향을 통한 사상체질침법 정립에 관한 연구. 사상체질의학회지 2019;31(3):9-18.

333) 정인기, 강성길, 김창환. 오수혈을 이용한 침법의 비교 고찰- 사암침법, 태극침법, 팔체질침법 중심으로-. 대한침구학회지 2001;18(2):186-99.

334) 김민수. 舍巖鍼法과 八體質鍼法 處方의 組成 原理에 대한 比較 硏究. [박사학위 논문]. 부산: 동의대학교 대학원 한의학과; 2008, p.42.

335) 유준상, 한수지, 안다영. 체질침법 연구 경향을 통한 사상체질침법 정립에 관한 연구. 사상체질의학회지 2019;31(3):9-18.

336) 정인기, 강성길, 김창환. 오수혈을 이용한 침법의 비교 고찰- 사암침법, 태극침법, 팔체질침법 중심으로-. 대한침구학회지 2001;18(2):186-199.

337) 중국어 '整体医学'은 'holistic medicine'으로 영문 번역되는데, '전인(全人) 의학'을 의미한다고 할 수 있다.

338) 王文远. 中国平衡灸疗学理论研究. 针灸临床杂志. 2005;21(2):1-5.

339) 韩笑马, 文珠. 平衡针的临床研究概况. 北京中医药大学学报(中医临床版). 2012;19(5):53-7.

것이 특징이며, 각각의 혈위는 주치 및 효능에 따라 이름이 붙여져 있다.[340) 중국 내에서 주로 관련 연구가 이루어지고 있으며, 국내에서는 관련된 몇 편의 증례보고 연구가 있다.

(7) 과학적 기전에 근거한 침법

서양의학의 해부학(근육학, 신경해부학 등), 생리학 등의 과학적 기전을 통해 침치료를 이해하고 접근하지만 실질적인 침 시술 자체는 기존 침구의학과 유사한, 과학적 기전에 근거한 침법이 있다.[341)

과학적(서양의학적) 기전에 근거한 침법에서 치료 부위의 선정은 질환이 존재하는 신체 부위 주변의 경혈을 선혈하는 방식(국소 효과, local effect), 질환이 존재하는 부위에서 척수분절을 고려하여 선혈하는 방식(분절 효과, segmental effect), 중추 조절 효과를 고려하는 방식(일반 효과, general effect)으로 구분하여 이루어진다. 국소(local) 치료는 환부를 직접 자침하는 근위 취혈을 말하는 것으로 국소 신경종말을 자극하면 다양한 화학물질이 방출되어 해당 부위의 혈류가 증가되고, 아데노신(adenosine)이 방출되어 통증 신호를 차단함으로써 국소 진통 효과가 나타나며, 장기간 긴장된 근육을 이완시키는 효과가 있다. 이는 일종의 아시혈 요법과 같다고 할 수 있다. 다음으로 분절(segmental) 치료는 환자 주소 증상의 원인이 되는 조직이나 기관 같은 '목표' 조직과 동일한 척수신경에 의해 지배되는 척추분절 관련 부위에 자침하는 방법이다. 피부분절(dermatome)이 단일 척수분절에 의해 공급되는 피부 영역을 구성하듯이 근육분절(myotome, 감각신경 및 운동신경), 내장분절(viscerotome, 자율신경), 골분절(sclerotome, 감각신경)도 동일한 척수분절에 따라 구성될 수 있다. 병변 부위와 멀리 떨어져 있지만 해부학적인 척추분절로 연결된 부위를 치료함으로써 진통 효과와 자율신경 조절 효과가 나타나게 된다. 마지막으로 전신 치료는 침이 전신에 작용하는 효과를 말하는 것으로 손과 발 같은 인체 원위부에 침을 놓으면, 그 신호가 척수를 거쳐 뇌에 도달하여 다양한 신경전달물질을 분비해 진통 효과가 나타난

---

340) 경희대학교 한방병원 침구과. 침구과 진료 매뉴얼. 서울: 우리의학서적; 2015, p.27.

341) '서양의학적 관점 침(Western medical acupuncture)'라고 지칭하기도 한다. 그러나 기존 침구의학에서 그 출발점이 시작되었다는 점, 기존 침구의학의 임상 경험이 반영되었다는 점 등을 볼 때, 기존 침구의학을 해부학(근육학, 신경해부학 등), 생리학 등의 과학적 방식으로 재해석한 것으로 침구의학의 한 분류로 보는 것이 적합하다. 따라서 기존 침구의학과 전혀 상관없는 새로운 것이 아닌 침구의학의 현대화, 과학화의 일부로 보는 것이 타당할 것 같다.

다. 아울러 침의 전신 자극이 이완, 기분 및 감정, 자율신경계, 다양한 호르몬계, 면역계, 기타 중추 작용을 포함한 뇌 기능에 영향을 미치는데 이러한 침의 영향을 '중추 조절(central regulation)'이라 한다. 이는 진통뿐만 아니라 침의 전신 효과가 인체 전체의 항상성을 회복시킨다는 것을 의미한다.[342]

2) 자극 방법에 따른 침법

자극 방법에 따른 침법은 일반적으로 사용되는 호침이 아닌 다른 도구를 사용하거나 호침에 다른 도구 또는 무언가 방법이 추가되는 경우를 말한다. 현대 이전부터 사용됐던 전통적인 도구를 사용하는 침법에는 피내침요법皮內鍼療法, 화침요법火鍼療法, 시침요법鍉鍼療法, 피부침요법皮膚鍼療法, 망침요법芒鍼療法, 온침요법溫鍼療法, 자락요법刺絡療法 등이 있으며, 현대적인 도구를 사용한 침법에는 전침요법, 온냉경락요법, 경피경락광선요법, 전기자극요법, 혈위자기요법, 레이저침요법, 침도요법鍼刀療法, 매선요법埋線療法, 성형침구법, 경근자법經筋刺法, 약침요법藥鍼療法 등이 있다. 여기서는 한의 임상에서 주로 사용되는 침법 위주로 간략하게 살펴본다.

(1) 피내침요법皮內鍼療法

피내침요법은 특수하게 제작된 작은 침을 혈위의 피내皮內에 비교적 오랜 시간 두는 방법으로 매침埋鍼이라고도 부른다. 주로 이침요법耳鍼療法에서 많이 사용된다.[343] 피내침요법은 고대의 천자법淺刺法과 유침술留鍼術을 배합한 일종의 신침요법이다.[344]

(2) 화침요법火鍼療法

화침요법(fire-needling, fire acupuncture)은 자침 전에 불을 이용하여 침을 붉게 달군 후 신체의 일정한 부위나 경혈에 신속하게 자입하고 발침함으로써 각종 질병을 치료하

342) Adrian White, Mike Cummings, Jacqueline Filshie 공저, 이승훈 옮김. 침의 과학적 접근의 이해. 서울: 한미의학; 2021, pp. 12-5, pp. 43-99. (원서 - Adrian White, Mike Cummings, Jacqueline Filshie. An Introduction to Western Medical Acupuncture, 2nd ed. Amsterdam: Elsevier; 2018.)

343) 대한침구의학회 교재편찬위원회 편저. 침구의학. 서울: 한미의학; 2020. p. 129.

344) 김지영, 김순중, 정수현. 피내침 요법을 적용한 통증 환자 치험 3례. 경락경혈학회지 2012;29(1):109-16.

는 방법이다. 고대에는 쉬자焠刺, 번침燔鍼, 소침燒鍼 등으로 불렸다.[345]

화침요법은 비증痺症이나 냉증冷症에 국한되지 않고 외과, 내과, 부인과, 오관과 등 다양한 질환에 사용된다.[346] 그 가운데 인대 질환, 통증 조절 등의 근골격계 질환이 상당 부분을 차지하고 있다.[347] 최근 남한과 북한에서 발표된 화침요법 관련 연구를 분석한 연구에 따르면, 남한에서는 근골격계통 및 결합조직 질환을 대상으로 한 연구가 총 25편(89.3%)으로 가장 많았으며 그 외 뇌경색, 전신 또는 수족 냉증과 같은 순환계통 질환 연구가 2편이었다. 북한의 경우 신경계통(삼차신경통, 대상포진), 순환계통(레이노증후군), 피부 및 피하조직의 질환(심상성 백반, 주사성 좌창)이 각각 2편, 소화계통(만성 저산성 위축성 위염), 근골격계통 및 결합조직(류마티스 관절염), 비뇨생식계통(다발성 혈전성 치핵)의 질환 관련 연구가 각각 1편씩 있었다.[348]

화침요법은 직접적으로 열을 가한 침을 피부에 자입하기 때문에 통증 발생, 화상으로 인한 조직 손상과 감염 우려가 매우 크다. 실제 많지 않지만 화침요법 관련 임상연구에서 이상반응으로 통증, 공포감, 시술 부위 발적 등이 보고된 바 있다.[349] 동물세포를 이용하여 화침 시술의 안전성을 확인한 논문에 따르면 일회용 호침을 이용한 화침 시술 시 화상의 정도는 크지 않다는 것이 확인되었다.[350]

(3) 온침요법溫鍼療法

온침요법(warm needling, warm acupuncture)은 호침을 자입한 후 침 끝에 쑥을 붙이고 태워서 열을 가하는 방법으로 침치료와 뜸치료가 결합된 치료 방법이라 할 수 있다. 온침요법은 비록 쑥을 사용하지만 열을 가한다는 점에서 화침요법과 같은 범주에 속한다.[351]

---

345) 신용승, 우수진, 임수일 외. 火針療法에 關한 文獻的 考察. 대한침구학회지 2003;20(4):192-208.

346) 박상준, 안수기. 火鍼療法의 研究動向과 D.I.T.I를 活用한 臨床的 考察. 대한침구학회지 1998;15(2):407-25.

347) 문수정, 공재철, 조동찬 외. 화침에 대한 국내외 연구 경향 고찰. 한방재활의학과학회지 2011;21(4):67-76.

348) 임수란, 김시혜, 김유라 외. 남, 북한의 화침 연구문헌에 대한 비교연구. 대한침구학회지 2021;38(4):209-21.

349) 문수정, 공재철, 조동찬 외. 화침에 대한 국내외 연구 경향 고찰. 한방재활의학과학회지 2011;21(4):67-76.

350) 연선희, 이새봄, 권오상 외. 화침의 안전성 평가에 관한 고찰. 한국한의학연구원논문집 2012;18(3):103-10.

351) 대한침구의학회 교재편찬위원회 편저. 침구의학. 서울: 한미의학; 2020. pp. 138-9.

온침요법은 풍한습風寒濕과 관련된 질환에 다양하게 사용되었다. 중국 내에서 온침요법의 활용 현황을 분석한 연구에 따르면, 온침요법은 근골격계 질환에 가장 많이 사용되었고, 다음으로 신경계 질환, 비뇨생식기계 질환, 산부인과 질환 등의 순이었다.[352] 2019년 11월까지 국내에서 발표된 온침요법 관련 논문을 분석한 연구에 따르면, 총 29편의 임상연구(증례보고 24편, 비무작위대조군연구 3편, 무작위대조군연구 2편)가 있었다. 적용된 질환을 살펴보면 근골격계 질환(17편), 신경계 질환(9편), 생식기계 질환(2편) 등의 순서로 연구가 이루어졌다.[353]

주목할 만한 것은 온침요법 시술의 표준화를 위한 관련 실험연구가 국내외에서 지속적으로 이루어지고 있다는 사실이다. 연구에 따르면 2018년 9월까지 국내외에서 발표된 온침요법 실험연구는 총 12건이 진행되었다. 침 재질 관련 2건, 사용되는 뜸쑥의 용량 관련 4건, 뜸쑥 밀도 관련 1건, 발화 위치 관련 2건, 치료 환경 관련 1건의 연구가 수행되었다.[354]

(4) 자락요법刺絡療法

자락요법은 삼릉침 등의 도구를 사용하여 일정한 신체부위의 모세혈관이나 피하정맥을 자침함으로써 소량의 혈액을 방출시켜 양성적 체내 생리반응을 유도하여 질병을 치료하는 방법이다.[355] 사혈瀉血, 방혈요법放血療法, 방혈자放血刺, 사혈법瀉血法, 자락刺絡, 자락요법刺絡療法, 자혈요법刺血療法 등으로도 불린다.[356]

문헌적 연구에 따르면 자락요법은 이비인후과 질환과 구강질환에 가장 많이 적용되었으며, 내과 질환, 통증·마비질환 및 근골격계 질환, 외과 질환, 부인과 질환, 소아과 질환, 발

---

352) 황재필, 박장우, 허동석 외. 溫鍼의 활용에 대한 중의 임상논문 고찰-1991년 이후 발표된 논문 중심으로-. 한방재활의학과 학회지 2007;17(3);105-18.

353) Chang Wan Kim, Jin Seo Park, Jee Yeong Won, et al. Warm Needling Treatment in Korea: A Literature Review. J Acupunct Res. 2020;37(2):69-78.

354) Ji Won Choi, Seo Young Choi, Ji Sun Lee, Gi Young Yang. Characteristics of Warm Acupuncture Reported in Experimental Studies: A Descriptive Narrative Review. J Acupunct Res. 2019;36(3):131-9.

355) 장명준, 이상용. 靈樞 素問에 나타난 刺絡에 대한 문헌적 고찰. 대한의료기공학회지 2005;8(1):53-81.
권영완, 이상룡. 東醫寶鑑에 나타난 刺絡療法에 대한 고찰. 경락경혈학회지 2011;28(3):201-20.

356) 대한한의학회 표준한의학용어집 2.1[인터넷]. 전자도서관[2022년 7월 30일 인용]. URL: https://cis.kiom.re.kr/terminology/search.do

열·구급 질환 등의 순으로 많이 사용되었다.[357]

(5) 전침요법(Electroacupuncture)

전침요법이란 2개 이상의 경혈에 자침한 후 침병鍼柄(침 손잡이)이나 침체鍼體(침 몸통)에 약한 전류를 통과시켜 침자극과 함께 전기적 자극을 주어 질병을 치료하는 방법이다.[358]

전침요법은 국내 한의 임상에서 매우 빈번하게 사용되고 있으며, 근골격계 질환 및 통증 질환에 가장 많이 사용되고 있다. 비만, 신경계 질환 등에도 사용된다.[359] 국외에서는 통증 질환(치과 치료 시 치통, 수술 후의 통증, 대장내시경 등의 검사 시의 통증, 전이암의 암성 통증, 수술 후 통증 등), 뇌졸중, 발기부전, 메스꺼움 및 구토, 이명, 야뇨증, 무릎 관절염, 위장관 운동의 조절, 화상 및 헤르페스 등에 의한 피부 질환, 우울증, 신경인성 방광 등 다양한 질환에 대한 전침 임상연구가 이루어졌다.[360]

국내에서 전침 관련 연구는 1997년 이후로 점차 증가하기 시작하였다. 2017년 12월 기준 전침 관련 논문은 총 677편이 발표되었다. 이 중 기초연구가 395편(58%), 임상연구가 210편(31%), 종설(체계적문헌고찰연구 포함) 68편(10%)이었다. 전침 논문의 연구 주제를 분석한 결과 신경 계통의 질병 169편(25%), 근육과 연결 조직의 질병 134편(20%), 전침의 작용 기전 111편(16%), 소화기 계통의 질병 73편(11%), 내분비선, 영양 및 순환계 40편(6%), 정신적, 행동적 장애 27편(4%), 순환기 계통의 질병 26편(4%), 기타 104편(14%)이었다.[361]

전침요법은 비교적 안전한 치료 방법으로 국내에서는 전침 시술 부위의 통증, 발적과 가려움 등의 가벼운 이상반응만 보고되었다.[362] 그러나 사망과 같은 전기 자극에 의한 심각한 이상반응이 보고된 바 있으므로 주의해서 시술되어야 한다. 특히, 심각한 이상반응으

---

357) 민부기, 오민석. 刺絡療法의 文獻的 考察. 대전대학교 한의학연구소 논문집 2004;13(2):277-87.

358) 대한침구의학회 교재편찬위원회 편저. 침구의학. 서울: 한미의학; 2020. p. 142.

359) 문진석, 이상훈, 김정은 외. 한의사의 전침사용 임상실태 조사보고. 대한침구학회지 2011;28(6):53-68.

360) 서동민, 강성길. Pub Med 검색을 통한 전침의 최신 연구에 관한 고찰-임상 논문 중심으로-. 대한침구학회지 2002;19(3):168-79.

361) 권선오, 이정원, 김승태. 한국의 전침연구 동향 분석. 대한침구학회지 2018;35(3):123-9.

362) 문진석, 이상훈, 김정은 외. 한의사의 전침사용 임상실태 조사보고. 대한침구학회지 2011;28(6):53-68.

로는 상복부 또는 전흉부에 전침요법이 시술되어 심장박동조절기(pacemaker) 기능부전
과 삽입형 제세동기(implantable cardioverter defibrillator, ICD) 쇼크(shock)가 발생
한 경우와 심장 병력 환자에게서 심장 응급 상황(흉통)이 일어난 경우가 있었다.[363] 따라서
전침요법에 대한 금기증을 지켜야 하는데, 전침요법을 기피하는 환자, 심장박동조절기를
사용하는 환자, 특정한 국소 부위(흉곽, 경동맥이나 정맥동 부위, 임산부의 자궁 부위, 부종
조직 등) 등에는 전침요법을 시행해서는 안 된다. 아울러 전침 시술 부위의 근육 수축 결과
로 침이 휘어지거나 부러질 가능성, 직류전류 사용 시 전류에 의한 직접적인 손상으로 전
기분해의 위험성과 국소 화상의 위험성 등에 대해서도 주의를 가지고 살펴봐야 한다.[364]

(6) 레이저침요법(Laser acupuncture)

침구의학 교과서(2020)에서는 레이저침요법(Laser acupuncture)을 레이저 광선을 경
혈에 조사해서 그 에너지 자극으로 체내 경락계통에 자극을 주어 자침과 유사한 치료 효과
를 나타내는 일종의 경락자극요법이라 정의하고 있다.[365] 해외에서는 2018년 10월에 열린
제12차 세계광생체조절요법협회(World Association for photobiomoduLation Ther-
apy, WALT) 국제 학술대회에서 전문가 집단의 토론을 통해 레이저침요법에 대한 정의를
내린 바 있다. 여기서는 레이저침요법을 "일반 침치료(needle acupuncture) 및 광생체조
절(PhotoBioModulation, PBM)[366]의 이점(benefits)과 유사한 치료 효과를 발생시키기
위한 경혈(acupuncture points)과 주변 부위에 대한 광자극(Photonic stimulation)"으
로 정의하였다.[367]

레이저침요법은 1973년 Plog가 침구의학의 경락이론과 레이저를 접목하여 경혈자극
시 침 대신 He-Ne레이저를 사용하여 임상에서 활용하면서 시작되었다.[368] 이후 레이저침

363) Park JH, Lee JH, Lee S, et al. Adverse events related to electroacupuncture: a systematic review of single case studies and case series. Acupunct Med 2020;38(6):407-16.
364) 대한침구의학회 교재편찬위원회 편저. 침구의학. 서울: 한미의학; 2020. p. 149.
365) 대한침구의학회 교재편찬위원회 편저. 침구의학. 서울: 한미의학; 2020. p. 199.
366) 광생체조절(PhotoBioModulation, PBM) 요법을 예전에는 저출력 레이저치료(low-level laser therapy, LLLT)라 하였다.
367) Litscher G. Definition of Laser Acupuncture and All Kinds of Photo Acupuncture. Medicines (Basel). 2018 Oct 30;5(4):117.
368) 대한침구의학회 교재편찬위원회 편저. 침구의학. 서울: 한미의학; 2020. p. 199.

요법 관련 연구가 전 세계적으로 이루어졌다. 2020년 3월 기준 PubMed에서 1,015편의 관련 연구논문이 검색되고 있다. 영문으로 출판된 논문을 기준으로 볼 때 중국에서 가장 많은 논문이 발표되었고, 그 다음으로 오스트리아, 미국, 독일, 호주, 한국, 일본, 캐나다 등의 순으로 논문이 많이 발표되었다. 한 가지 고려해야 할 점은 러시아어로 수백 편의 관련 논문이 출판되었다는 사실이다.[369]

레이저침요법의 임상 효과에 대한 체계적문헌고찰연구에 따르면 레이저침요법은 근막통증증후군(MPS), 수술 후 메스꺼움 및 구토, 만성 긴장성 두통 등에 효과가 있었다.[370] 아울러 다양한 질환에 대한 임상연구가 무작위대조군연구, 위약 대조군 증례보고 등의 방법으로 보고 되었는데, 소아 두통, 금연보조, 뇌성마비(cerebral palsy), 신경인성 소양증, 사시 수술 후 오심구토, 경도 혹은 중등도의 우울증, 주관절 외상과병증, 슬부 골관절염, 턱관절 장애, 슬부골괴사, 일주 리듬 장애, 주의력결핍 과잉행동장애 등에 효과가 있다고 보고 되었다.[371]

(7) 침도(도침)요법鍼刀(刀鍼)療法

도침술(침도침술)은 고대부터 행해져 왔으며, 폄석 중 날카로운 도자기 편과 전통 구침九鍼 중 칼 모양의 침인 피침鈹鍼을 활용하여 경피經皮뿐 아니라 경근經筋, 경맥經脈의 사기邪氣를 몰아내고 기혈을 조정했던 한의학 고유의 침법이었다. 현대에는 2002년 현대화된 도구인 일회용 도침刀鍼이 정식 한방의료기기로 등록되면서 국내 임상에서 사용이 점차 증가하고 있다.[372] 그러나 침도요법을 지칭하는 용어는 국내외를 막론하고 아직까지 완전하게 통일되지 못하여 현재 다양한 명칭이 사용된다.[373] 한 연구에서는 국내외에서 침도요법의 명칭으로 침도침술과 도침술이 가장 많이 사용되고, 이외에 소침도, 인침刃針, 소관침小管針, 신구침新九針, 원리침도, 피침鈹鍼 등의 용어가 사용된다고 하였다. 영문명으로는

369) Litscher G. History of Laser Acupuncture: A Narrative Review of Scientific Literature. Med Acupunct 2020; 32(4):201-08.

370) Baxter GD, Bleakley C, McDonough S. Clinical effectiveness of laser acupuncture: a systematic review. J Acupunct Meridian Stud 2008;1(2):65-82.

371) 김현호, 남동우, 이상훈. 레이저침의 원리와 연구동향 분석. 대한침구학회지 2009;26(6):21-30.

372) 손영훈, 윤상훈, 육동일 외. 도침술의 시대적 고찰을 위한 문헌조사연구. 대한침구의학회지 2013;30(4):175-80.

373) 여기서는 침구의학(2020) 교과서를 따라 침도요법이란 용어를 제목으로 사용하였다.

'Acupotomy'와 'Miniscalpel acupuncture'가 가장 많이 사용되고 있다.[374]

    침구의학 교과서에서는 침도요법을 "신침요법으로 연부조직의 유착을 박리하거나 절개, 혹은 절단하여 연부조직의 손상으로 인한 고질적 동통성 질환을 치료하는 침법"으로 정의한다.[375] 치료기전을 간단하게 기술하면 침도시술로 연부조직[376] 사이의 유착을 박리시키고 근육을 풀어주면 침도의 기계적 자극으로 인해 열에너지가 발생하여 유착으로 인한 국부의 미소순환 장애가 제거된다. 이를 통해 혈액순환이 회복되고 손상된 연부조직에 수분과 영양공급이 확대되어 손상된 연부조직이 회복되고 근육이 본래의 탄성(동적 평형)을 회복하게 된다는 것이다.

    침도요법에 사용되는 도침刀鍼은 일반침과 달리 침 끝이 수평의 칼날 형태를 하고 있다 (그림 5-10). 현재 일회용 도침에 대한 표준화 작업이 국제표준화기구(ISO)(2022년 6월 기준 예비작업항목 단계)에서 이루어지고 있다.[377]

그림 5-10. **침도(도침)요법에 사용하는 도침. A는 일반호침, B는 도침, C는 도침 끝 모양**

374)   윤상훈, 정신영, 권찬영 외. 한국 내 도침술의 정의와 용어 표준화를 위한 제한. 대한한의학회지 2018;39(2):13-28.

375)   대한침구의학회 교재편찬위원회 편저. 침구의학. 서울: 한미의학; 2020. pp 173-4.

376)   연조직(soft tissue)과 같은 말이다. 인체에서 근육, 근막, 건(힘줄), 인대, 관절낭, 피부, 지방 등과 같이 뼈나 연골을 제외한 조직을 말한다.

377)   한국한의학연구원 한의학표준정보서비스[인터넷]. 표준화활동현황[2022년 7월 19일 인용]. URL: https://standard.kiom.re.kr/sub0201

침도요법은 날카로운 도침이 인체의 깊은 곳까지 들어가서 강한 수기 조작으로 연부조직의 유착을 박리하는 요법이므로 일반적인 침치료에 비해 강한 자극이 주어지는 침습적인 치료다. 따라서 시술의 안전성 문제는 매우 중요한 부분이다. 정확한 해부학적 지식과 시술 전후의 무균 상태 유지 등이 안전한 시술을 위한 필수 조건이 된다. 이와 관련하여 한 연구에서는 침도시술의 무균조작을 위한 환경관리 기준을 질병관리본부(2020년 9월 질병관리청으로 승격)의 '의료관련감염 표준예방지침'[378] 수준으로 할 것과 안전한 시술을 위한 침도시술 전후의 체크리스트를 제안하였다.[379] 국내 임상연구를 대상으로 침도시술의 이상반응을 분석한 체계적문헌고찰연구에 따르면 45개의 관련 연구 중 15개 연구에서 이상반응을 보고했으며 대부분 국소 통증 등 경미한 것이었다.[380]

침도요법은 임상에서 근골격계 질환 치료에 주로 사용된다. 침도요법에 대한 69개의 무작위대조군연구(randomized controlled trials, RCTs)를 포함한 11개의 체계적문헌고찰연구(systematic reviews, SRs)를 고찰(overview)한 연구에 따르면 침도요법은 오십견, 경추증, 제3요추 횡돌기 증후군, 방아쇠수지, 무릎 골관절염, 요추척추관협착증 등에서 좋은 치료 효과를 보였다.[381] 국내 한 한의원에 내원하여 침도시술을 받은 551명의 환자에 대한 의료기록을 후향적으로 분석한 연구에서도 대부분의 환자가 척추 및 근골격계 질환 환자였다.[382]

(8) 매선요법埋線療法

매선요법(Thread embedding acupuncture therapy)은 혈위매장요법穴位埋藏療法 중의 하나로 혈위, 경근經筋, 경피經皮, 경락 또는 통증과 질병을 일으키는 부위에 매선을 매

---

378) 질병관리본부. 의료관련감염 표준예방지침. 충북: 질병관리본부; 2017.

379) 조희근, 송민영, 윤상훈 외. 환자 안전을 위한 경추 및 요추부 도침시술 전후 체크리스트 제안: 예비연구. 한방재활의학과학회지 2018;28(1):61-72.

380) Sang-Hoon Yoon, Chan-Young Kwon, Jungtae Leem. Adverse events of miniscalpel-needle treatment in Korea: A systematic review. European Journal of Integrative Medicine 2019;27:7-17.

381) Kwon CY, Yoon SH, Lee B. Clinical effectiveness and safety of acupotomy: An overview of systematic reviews. Complement Ther Clin Pract 2019;36:142-52.

382) Kyungho Kang, Jihyeon Hwang, Hongmin Chu, et al. Usage Status and Regional Variations of Acupotomy in a Korean Medicine Clinic: A Single-Center, Retrospective Analysis of Medical Records. J Acupunct Res.2022;39(1):36-9.

입함으로써 혈위에 지속적인 자극을 주어 질병을 치료하는 방법이다.[383] 즉, 매선요법은 유침留鍼과 매선의 원리를 근거로 형성된 새로운 혈위자극요법으로, 치료 효과는 매선의 매립과정 중에 발생하는 물리적 자극 효과와 이물질에 의한 화학적 효과의 두 가지 원리로 설명할 수 있다.

매선의 도구는 혈위를 자극하는 금속 공구와 혈위에 직접 매입되어 자극되는 매장물로 구성된다. 매장물의 종류에는 돼지, 양, 닭, 토끼 등의 부신, 뇌하수체, 지방 등 동물 조직과 약물, 단단한 고리[384], 자석 덩어리[385] 등이 사용되었는데, 양羊의 창자로 만든 장선腸線(양장선羊腸線)이 흔히 사용되었다.[386] 지금 국내에서는 PCL (poly-caprolactone), PDO (polydioxanone) 및 chromic 등의 성분으로 만든 외과 수술용 녹는 실이 주로 사용되며, 매선자입기를 사용하여 매선을 자입한다.[387] 시술 전후 멸균 환경을 유지하여 안전한 시술이 이루어지도록 해야 한다.

매선 관련 연구는 2000년대에 들어서 국내외에서 지속적으로 보고되고 있다. 2003년부터 2014년까지 국내 한의 학술지에 보고된 매선 관련 논문을 분석한 연구에 따르면, 이 기간에 총 37편의 논문이 출판되었는데, 종설이 8편, 기술적 연구 12편, 실험연구 2편, 증례보고가 15편이었다.[388] 2016년에 발표된 국내외 매선요법 관련 임상 논문을 분석한 연구에 따르면, 매선 관련 임상연구 논문은 총 100편(국내 39편, 해외 61편)으로 증례/환자군 연구가 55편으로 가장 많았고, 무작위대조군연구가 39편, 대조군연구가 6편이었다. 연구 대상 질환에 따라 분류하면 내과 관련 연구가 22편으로 가장 많았고, 근골격계 관련 연구가 21편, 이비인후과 관련 연구가 15편, 부인과 관련 연구가 12편, 비만 관련 연구가 9편이었다.[389] 또한 2017년 9월까지 국내외에서 발표된 매선 관련 체계적문헌고찰연구(systematic reviews, SRs)를 분석한 연구(overview)를 살펴보면, 2011년에 최초로 매선요법 관련 SRs 논문이 발표되었고, 2017년까지 24편이 발표되었다. 다루어진 질환은 단순 비만

---

383) 대한침구의학회 교재편찬위원회 편저. 침구의학. 서울: 한미의학; 2020. p. 181.

384) 인용 논문에는 '강권(剛圈)'으로 표기되어 있음. 역자가 임의로 번역함.

385) 인용 논문에는 '자괴(磁塊)'로 표기되어 있음. 역자가 임의로 번역함.

386) 이광호, 이동희, 권기록 외. 埋線療法에 대한 文獻的 考察. 대한약침학회지 2003;6(3):15-21.

387) 대한침구의학회 교재편찬위원회 편저. 침구의학. 서울: 한미의학; 2020. pp. 181-3.

388) 권강. 국내 한의학 학술지에 게재된 매선요법 관련 논문들의 현황 분석. 한방안이비인후피부과학회지 2014;27(4):16-44.

389) 이용석, 한창현, 이영준. 매선 요법의 국내외 논문 분석 - 임상 논문 중심으로 -. 대한예방한의학회지 2016;20(3):93-113.

6편, 알레르기 비염 3편, 원발성 월경통 2편, 천식 2편, 뇌전증(epilepsy) 2편, 기타 질환 7편이었다.[390]

매선요법은 침습적인 치료 방법이기에 시술 전후의 감염 예방을 위한 관리 및 안전한 시술이 매우 중요하다. 매선요법의 안전성에 관해 분석한 연구를 살펴보면, 2020년 2월까지 발표된 매선 관련 임상연구 중 이상반응을 보고한 61건의 연구(45편의 무작위대조군연구, 16건의 증례연구)가 있었으며, 여기서 총 620건의 이상반응이 보고되었다. 보고된 이상반응 중 가장 흔한 것은 경결, 출혈, 반상출혈(멍), 발적, 부종, 발열 및 통증이었으며 약 75%가 여기에 해당하였고 증상 정도는 경미하였다. 2013년부터 2017년까지 장선腸線을 사용한 경우에서 심각한 이상반응 5건(괴사 3건, 다발성 피부궤양 1건, 화농 1건)이 보고되었다. 심각한 이상반응 모두 후유증 없이 대증치료 후 회복되었으며, 지금은 새로운 흡수성 외과용 봉합사가 임상에서 널리 사용되고 있어 이러한 심각한 이상반응은 거의 볼 수 없다.[391]

(9) 경근자법經筋刺法

경근經筋은 경맥經脈의 순행 부위 상에 분포하는 체표 근육계통의 총칭이다.[392] 하나의 경근은 여러 개의 근육(muscle), 건(tendon), 인대(ligament), 근막(fascia) 등으로 이루어져 있으며 각 골격의 결합을 주관하여 관절의 굴신운동에 관여한다.[393] 또 경근은 해부학적인 구조물을 가리키는 동시에 그에 반영되는 기능과 병증에 근거하여 체표 근육을 유기적으로 연계시킨 개념이기도 하다.[394]

국내에서 경근 연구는 다방면으로 이루어졌다. 특히 근육, 근막 등의 해부학적인 내용과 결부시켜 연구되는 경향이 강한 편이다. 구조와 움직임에 관한 연구는 근육학적 해석과 근막통증증후군(myofascial pain syndorme, MPS)을 통한 해석이 대부분의 연구에서 다

390) 부지연. An overview of systematic reviews of thread embedding acupuncture(매선요법을 다룬 체계적 문헌고찰에 대한 소고) [석사학위]. 서울: 경희대학교 대학원; 2018. pp. 9-11.

391) Huang JJ, Liang JQ, Xu XK, et al. Safety of Thread Embedding Acupuncture Therapy: A Systematic Review. Chin J Integr Med 2021;27(12):947-55.

392) 황민섭, 윤종화. 經筋理論에 대한 硏究. 대한침구학회지 2005;22(1):29-39

393) 심원보, 김용득, 안영남 외. 十二經筋과 筋肉과의 關係에 대한 연구. 대한경락경혈학회지 2003;20(2):137-53.

394) 문수정, 김성하, 이상훈. 근육의 경근 배속에 대한 국내 연구 고찰. 한방재활의학과학회지 2014;24(4):83-96.

루어졌으며, 일부 연구에서는 근육 간의 연속성과 움직임의 측면에서 근막경선(myofascial meridian)과 경근의 분포 부위를 비교하는 연구도 이루어졌다.[395]

경근자법經筋刺法은 촉진을 통해 경근상의 문제점을 직접 찾아내고 자침을 통해 해당 부위의 문제점을 해결해주는 것으로 경근상에 문제점이 있을 때 관련 아시혈阿是穴 및 혈위를 선택하여 자침함으로써 통증을 없애고 기능을 회복시키는 치료법이다.[396] 실제 임상에서는 경근의 문제를 해결하기 위해 호침을 이용한 자침뿐만 아니라 전침요법, 약침요법, 부항요법(건식 및 습식), 추나요법 등이 사용되기도 한다.

현대에 들어서 침구의학이 과학화, 현대화를 통해 새롭게 재해석되어 이해되는 경우가 많아지고 있다. 대표적으로 해부학과 밀접한 관련이 있는 경근자법은 현대적인 용어와 개념으로 해석하기에 비교적 용이하다. 경근자법을 현대적으로 해석한 것으로 알려진 것에는 IMS (intramuscular stimulation)와 근막통증증후군(myofascial pain syndrome, MPS) 등이 있다. 이들은 경근자법의 일종으로 새롭게 해석된 침구의학의 한 부분이라 할 수 있으며, 1990년대부터 여러 한의과대학에서 교육되고 있다.

IMS는 말레이시아 출신의 푸젠성 계통의 화교인 Dr. Chan Gunn에 의해 정리된 치료법으로 검사에서 원인이 밝혀지지 않는 만성통증의 원인을 근육의 단축과 이로 인한 신경의 비정상적인 감각과민증(hypersensitivity)[신경병(neuropathy)]으로 설명하고 있으며, 자침을 통해 단축된 근육을 이완시킴으로써, 명백한 외상이나 염증의 소견 없이 나타나는 근골격계의 만성통증을 치료하는 방법이다.[397] Gunn은 그의 저서 'The Gunn Approach to the Treatment of Chronic Pain'[398]에서 IMS는 침술에서 비롯되었다고 밝히고 있다. 단축된 근육을 풀어주는 것과 동시에 척추주변에 있는 근육의 단축을 풀어주는 것을 매우 중요시하였는데, 이는 침구의학의 아시혈 및 아시혈과 같은 척수신경분절에 속하는 협척혈夾脊穴과 같은 것으로 볼 수 있다.[399] 득기得氣를 인정하였고, 근위부와 원위부

395) 이상민, 이종수. 국내의 經筋 연구동향에 대한 고찰. 척추신경추나의학회지 2009;4(2):211-23.

396) 대한침구의학회 교재편찬위원회 편저. 침구의학. 서울: 한미의학; 2020. pp. 195-6.

397) 권기록, 곡경승, 김성욱. IMS(Intramuscular Stimulation Therapy)의 이론적 배경과 임상적 운용에 대한 고찰. 대한약침학회지 2003;6(2):159-64.

398) Gunn CC. The Gunn Approach to the Treatment of Chronic Pain: Intramuscular Stimulation for Myofascial Pain of Radiculopathic Origin. 2nd ed. London: Churchill Livingstone; 1996.

399) 한재복. IMS란 무엇인가. 대한침구학회지 2007;24(5):127-36.

를 함께 촉진하는 진단, 호침을 이용한 자침, 염전과 제삽 같은 침구의학의 수기법을 사용하는 것을 볼 때[400] IMS는 경근자법을 재해석한 것으로서 척추증, 신경근병, 신경차단성 초과민성, 신경병성 통증, 근 구축 등의 개념을 조합하여 근골격계의 만성통증의 병리와 침치료 기전을 쉽게 이해하도록 한 침법이라 할 수 있다.[401]

근막통증증후군(MPS)은 근육이나 연부조직에 매우 예민한 통점과 단단한 소결절이 있고 운동범위의 제한, 근약증과 피로감 및 압박 시 원위 부위로 뻗치는 연관통(referred pain)을 동반하는 증후군이다.[402] 임상적으로 근막통증증후군은 하나의 근육이나 어떤 특정한 근육군 내에 있는 방아쇠점(trigger point)의 활성화로 인하여 시작되는데, 방아쇠점은 골격근 또는 그 근막의 촉진 시 단단한 띠 형태(taut band) 안에서 발견되며, 이 방아쇠점에 압력을 가할 때 특징적인 연관통, 자율신경 증상, 국소연축반응 등이 나타난다.[403] 진단은 주로 촉진을 통해 이루어지며, 치료는 문제된 근육의 방아쇠점을 찾아 자침을 통해 방아쇠점을 해소하는 것이다. MPS의 치료 방법으로 Travell은 분무요법(냉각 스프레이법), 스트레칭, 심부 열치료, 전기자극 치료, 방아쇠점에 대한 침술(dry needling)이나 주사(국소마취제, 수용성 스테로이드제제, 생리식염수 등) 등을 이용하였다.[404] 침구의학의 관점에서 MPS는 경근병으로 경근이론에 속하며 방아쇠점은 아시혈과 유사하다.[405] 따라서 MPS의 치료는 경근상의 문제점인 아시혈을 찾아 직접 자침하는 경근침술의 아시혈 요법이라고 볼 수 있다. dry needling은 호침을 이용한 침술이고 주사는 약침요법에 해당되며, 분무요법은 혈위약물요법의 일종이고, 전기자극 치료는 전침요법에 해당하며, 스트레칭은 침자 시 운동요법을 병행하는 동기법動氣法 등에 해당된다고 할 수 있다.[406]

400) 대한침구의학회 교재편찬위원회 편저. 침구의학. 서울: 한미의학; 2020. pp. 196-7.

401) 한재복. IMS란 무엇인가. 대한침구학회지 2007;24(5):127-36.

402) Simon DG, Travell JG, Simons LS. Myofascial Pain and Dysfunction, The Trigger Points mannual. vol 1. 2nd ed. Baltimore: Williams & Wilkins; 1992, pp. 22-35.

403) 한무규, 허수영, 김성진. 근막통증증후군과 경근이론의 연관성에 대한 고찰. 동서의학. 2000;25(2):39-48.

404) Simon DG, Travell JG, Simons LS. Myofascial Pain and Dysfunction, The Trigger Points mannual. vol 1. 2nd ed. Baltimore: Williams & Wilkins; 1992, pp. 22-35.

405) 조수미, 이인선. 근막통증증후군의 한의학적 고찰. 한방재활의학과학회지 1996;6(1):113-51.

406) 대한침구의학회 교재편찬위원회 편저. 침구의학. 서울: 한미의학; 2020. pp. 198-9.

3) 자극 부위에 따른 침법

자극 부위에 따른 침법은 인체 특정 부위를 치료하는 침법으로 분구미세침법分區微細鍼法이라 한다. 우리 몸은 통일된 하나의 유기체이며 인체의 한 부분이 인체 전체와 유기적으로 연결되어 있다는 한의학의 전일론적 개념이 그 바탕에 있다. 따라서 특정 인체 부위를 치료함으로써 인체 전체를 치료할 수 있게 된다. 이침耳鍼요법, 두침頭鍼요법, 면침面鍼요법, 비침鼻鍼요법, 인중침人中鍼요법, 설침舌鍼요법, 수침手鍼요법, 족침足鍼요법, 완과침腕踝鍼요법, 제2장골측第二掌骨側침법, 수지침手指鍼과 수족침手足鍼요법 등 신체 부위에 따른 다양한 침법이 있다. 이 가운데 일부는 한의학적 관점과 이론을 바탕으로 만들어졌고, 다른 일부는 한의학 이론과 서양의학의 해부·생리학적 지식을 함께 응용하여 만들어졌다. 여기서는 현대 한의 임상에서 많이 쓰이고 있는 이침요법, 두침요법을 간단하게 소개한다.

(1) 이침요법耳鍼療法

이침요법(Auricular acupuncture)은 이곽耳廓(귓바퀴)에 자침함으로써 인체 각 부위의 질병을 치료하는 분구미세침법이다. 한의학에서는 매우 오래전부터 귀를 이용하여 질병을 치료해왔다. 현재와 같은 형태의 이침요법은 1956년 프랑스 의사인 Paul Nogier가 이혈耳穴 분포의 규칙성을 발표하면서 시작되었다. 장부에 병이 있을 때 귀의 특정 혈위(이혈)에 반응이 나타나는 것을 관찰하고 이혈의 분포와 정확한 위치를 탐측하여 이것을 체계화시켰으며, 귀의 모양이 흡사 태아가 거꾸로 누워 있는 모습과 같은 것으로 보고 이를 기초로 연구를 진행하였다.[407] 이침은 주로 피내침을 이혈 부위에 매립하는 방법을 사용한다. 금연, 금주 등 중독성 질환과 내과 질환, 근골격계 질환, 정신과 질환, 비만 등 다양한 질환에 사용된다.[408] 아울러 노인 인구의 다양한 질환에도 이침요법이 많이 활용된다.[409] 국외의 경우 중국에서 이침요법의 연구와 임상 활용이 활발하게 이루어졌다. 2007년에서 2016년까지 중국 내에서 발표된 이침요법 관련 연구를 분석한 결과, 총 4,071편의 연구가 진행된 것으로 조사되었다. 이침요법이 적용된 질환은 불면증이 가장 많았고, 통증 질환,

---

407) 대한침구의학회 교재편찬위원회 편저. 침구의학. 서울: 한미의학; 2020. pp. 231-2.

408) 김애란, 이상훈, 김정은 외. 임상 한의사의 이침 사용 실태 조사 보고. 경락경혈학회지 2011;28(4):67-77.

409) 권찬영, 이보람. 노인 인구에 대한 이침치료와 이압요법의 국내 임상연구 동향. 동의신경정신과학회지 2021;32(3):219-34.

비만, 변비, 고혈압, 당뇨 및 관련 증상, 여드름, 딸꾹질, 두통, 우울증, 편두통, 근시 등의 순서로 임상에서 많이 활용되었다.[410]

이침요법은 비교적 안전한 치료 방법이다. 이침요법의 이상반응(adveres events)에 대한 체계적문헌고찰연구에 따르면, 이침요법을 시행할 때 가장 빈번하게 보고된 이상반응은 삽입 시 통증, 현기증, 국소적인 불편감, 경미한 출혈 및 메스꺼움 등이었으며, 대부분 일시적이고 경미한 정도였고 심각한 이상반응은 보고되지 않았다.[411]

(2) 두침요법頭鍼療法

두침요법(Scalp acupuncture)은 한의학의 경락이론 및 침구요법의 기초 위에 신경과학의 대뇌피질(cerebral cortex) 이론을 결합시킨 것으로, 발병 부위에 상응하는 두피의 부위에 자침하여 신체 각 부위의 기능을 개선, 회복시키는 치료법이다.[412] 운동 기능, 감각 입력, 언어, 청력, 균형 등 중추신경계 기능을 담당하는 대뇌 피질 부위에 해당하는 두피의 특정 부위에 침을 피하로 삽입하는 치료법으로 현대에 개발된 새로운 침법 중 하나이다.[413] 두침요법은 임상에서 신경계통 질환(뇌졸중, 파킨슨병, 중증근무력증, 다발성 경화증, 진전, 마비 질환, 삼차신경통, 두통 등), 정신 질환(불면증, 자폐증 등), 통증과 감각이상 질환, 고혈압, 동맥경화증, 남자성기능장애, 여성월경곤란, 구토, 설사 등에 주로 사용되고 있다.[414][415][416]

---

410) Zhao B, Meng X, Sun J. An Analysis of the Development of Auricular Acupuncture in China in the Past 10 Years. Med Acupunct 2018;30(3):133-137.

411) Tan JY, Molassiotis A, Wang T, Suen LK. Adverse events of auricular therapy: a systematic review. Evid Based Complement Alternat Med. 2014;2014:506758.

412) 대한침구의학회 교재편찬위원회 편저. 침구의학. 서울: 한미의학; 2020. pp. 255-6.

413) Hao JJ, Hao LL. Review of clinical applications of scalp acupuncture for paralysis: an excerpt from Chinese scalp acupuncture. Global Adv Health Med 2012;1:102-21.

414) 대한침구의학회 교재편찬위원회 편저. 침구의학. 서울: 한미의학; 2020. pp. 263-4.

415) 김민기, 오민석. 두침요법의 연구동향에 대한 고찰. 대전대학교 한의학연구소 논문집 2008;17(1):113-27.

416) Sun L, Fan Y, Fan W, et al. Efficacy and safety of scalp acupuncture in improving neurological dysfunction after ischemic stroke: A protocol for systematic review and meta-analysis. Medicine (Baltimore) 2020;99(34):e21783.

7. 침치료의 이상반응 및 금기[417]

1) 침치료 이상반응[418]

(1) 침 도구의 이상 및 발침 이상

침의 이상반응에는 침 도구 자체의 이상으로 인한 경우가 있다. 자침 후 침체가 휘어지는 만침彎鍼, 침이 부러져 피하에 남아 있는 상태인 절침折鍼 등이 여기에 해당된다. 현재는 품질이 인증된 일회용 스테인리스 스틸(stainless steel)로 된 침이 사용되고 있어 절침의 부작용은 현저히 줄었다. 아울러 발침 이상으로는 과도한 수기법이나 국소 근육 긴장으로 침이 근육 내에서 빠지기 힘든 상태로 되는 체침滯鍼이 있다.

(2) 일반적인 이상반응

침치료 시 종종 경험할 수 있는 일반적인 이상반응이 있다. 이러한 이상반응은 강도가 심하지 않으며 대부분 별다른 이상없이 회복되긴 하지만 주의가 필요하다.

먼저, 대표적인 전신적인 침 이상반응으로 훈침暈鍼이 있다. 자침 이상반응인 훈침에 대해서는 매우 오래전인 <황제내경黃帝內經> 시대부터 현재까지 많은 문헌에서 지속적으로 언급되어 왔고[419] 현재 임상에서도 중요하게 다루어진다. 훈침은 환자의 체질이 허약하고 과도한 정신적 긴장, 때로는 피로, 심한 발한, 공복, 심한 설사 등으로 환자의 전반적인 상태가 좋지 않을 때 그리고 침의 치료 자극이 지나치게 강할 때 나타난다. 훈침의 증상은 다양하다. 자침 주변부 및 전신의 통증 양상으로 나타나기도 하고, 안색의 창백함, 시야 흐려짐, 가슴의 답답함, 두근거림, 어지러움, 메스꺼움과 구토, 과도한 발한, 팔다리가 싸늘해지는 증상 등이 나타나기도 한다. 심한 경우 실신할 수 있다. 서양의학적으로 볼 때 훈침은 자율신경의 문제로 혈관미주신경성실신에 해당되며 훈침 발생 시 적절한 응급조치를 해서

---

417) 이 부분은 침구의학(2020) 교과서를 위주로 정리하였음을 밝힌다.

대한침구의학회 교재편찬위원회 편저. 침구의학. 서울: 한미의학; 2020. pp. 87-97.

418) 부작용(side effect)으로도 기술되지만, 시술 중 발생한 바람직하지 않고 의도되지 아니한 징후, 증상 또는 질병이라는 점에서 이상반응(adverse event or adverse reaction)이 더 적절한 용어라 생각된다. 따라서 본서에서는 이상반응이란 용어를 주로 사용하였다.

419) 허성욱, 안창범. 자침의 부작용에 관한 문헌적 고찰. 한의학연구소 동의한의연. 1998;2(1):41-67.

환자가 후유증없이 회복되도록 해야 한다.[420]

다음으로 자주 접할 수 있는 국소적인 이상반응으로는 자침 부위 피부의 과민반응(발적, 소양감 등), 국소적인 피하출혈과 멍 등이 있다. 출혈이 심할 경우 혈종이 발생할 수 있으며 발침 이후 국소 출혈이 보이는 경우 기본적으로 압박해서 지혈해야 한다. 특히, 항응고제 치료 중인 환자의 경우 침 시술 시 출혈에 대한 특별한 주의가 필요하다.

(3) 감염(염증)

침시술 전후 적절한 감염 관리가 이루어지지 못할 경우 국소적인 감염 또는 전신적인 감염이 드물지만 나타날 수 있다.

(4) 손상(내부 장기, 신경, 혈관 등)

내장과 상응하는 부위에 지나치게 깊이 자침하면 위험한 결과가 초래될 수 있다. 먼저, 흉곽, 특히 늑간과 척추 주위, 쇄골상부를 잘못 자침하면 폐를 찌르게 되어 기흉(pneumothorax)이 발생할 가능성이 있다. 그리고 전흉부 부위에 잘못해서 깊이 자침하게 되면 심장 손상으로 인한 심장 눌림증(cardiac tamponade) 가능성이 있다. 이외에도 깊게 자침할 때는 간, 비장, 신장 등의 장기 손상 가능성도 있으므로 조심해야 한다. 자침으로 인한 장기 손상 시 응급 상황이 발생할 수 있으므로 주의해야 한다. 아울러 잘못 자침하면 척수, 신경근, 혈관 등의 손상 가능성도 있으므로 관련 부위를 자침할 때는 정확한 해부학적 지식을 바탕으로 자침 깊이와 방향을 신중하게 결정해야 한다.

2) 침치료 금기

침치료 금기는 <황제내경>에서 처음 기술되었고, 이후 시대를 거치면서 임상경험과 학술적 관점에 따라 금기 내용이 조금씩 변화하고 발전하였다. 현대에 와서는 감염 예방을 위한 시술 전후의 멸균과 소독이 의무화되고, 해부학을 기초로 시술을 피해야 하는 경혈 및 부위에 관한 연구도 많이 진행되어 과거보다는 근거에 기반한 실제적인 내용으로 채워

---

420) Christensen KA, Gosse BJ, Hildebrand C, Gershan LA. Acupuncture-Associated Vasovagal Response: Revised Terminology and Hospital Experience. Med Acupunct 2017;29(6):366-76.

지고 있다. 금기는 절대적으로 하지 말아야 하는 것으로 이해되기도 하지만, 오늘날에 와서는 사고를 막기 위한 신중한 접근으로 해석되기도 한다.

침치료 금기는 크게 몇 가지로 정리할 수 있다. 먼저 환자 상태에 따른 금기로 감정의 이상(분노, 놀람, 불안 등)이나 신체 상태가 안정되지 않은 상태(음주, 탈수 상태, 과식이나 심한 공복 등)에서는 침치료에 신중을 기해야 한다. 다음으로 병증에 따른 금기로 발열이 심할 때, 오래된 병으로 수척한 경우, 땀을 많이 흘린 후, 설사를 많이 한 후, 출산으로 대량의 출혈이 발생한 후 등 정기正氣가 극도로 허약할 때는 침치료에 신중해야 한다. 무엇보다 중요한 것은 자침 부위에 따른 금기이다. <황제내경>에서 자침을 금해야 할 부위와 그 부위에 자침 시 나타나는 이상반응을 언급한 이래로 많은 문헌에서 금침혈禁鍼穴을 언급하였다. 이들 금침혈 부위를 분석해 보면, 대부분 해부학적으로 중요한 내장 기관의 주변 혈위나 비교적 굵고 얕은 부위에 있는 혈관, 신경 및 뇌, 척추, 눈, 귀, 젖가슴 주변 혈위다. 이 부위에 자침할 경우는 매우 신중하게 접근할 필요가 있다. 덧붙여 임신부에 대한 침치료의 이상반응은 실제로 거의 보고된 바 없으나[421][422] 많은 의학문헌에서 임신부에 대한 치료 시 항상 주의하여야 하며 불필요하게 과한 치료는 피해야 함을 강조하고 있다.[423]

8. 침치료에 대한 현대적 연구

1) 침치료 임상연구

침치료의 임상적 유효성을 확인하기 위한 임상연구는 2000년대에 들어서면서 증가하기 시작하였다. 한 연구에 따르면 침 관련 임상논문은 2000년부터 2007년까지는 전 세계적으로 연간 100편 미만이었던 것이 매년 점진적으로 증가하여, 2017년에는 가장 많은 320편의 논문이 발표되었다고 한다. 2000년에서 2019년까지의 침 임상연구 논문 출판 수

---

421) Park J, Sohn Y, White AR, Lee H. The safety of acupuncture during pregnancy: a systematic review. Acupunct Med 2014;32(3):257-66.

422) Moon HY, Kim MR, Hwang DS, et al. Safety of acupuncture during pregnancy: a retrospective cohort study in Korea. BJOG 2020;127(1):79-86.

423) 장리, 손영주, 이용범, 이향숙. 임신 시 침구 치료의 고전문헌 고찰. 경락경혈학회지 2011;28(2):87-104.

를 국가별로 살펴보면 미국(898건, 28.4%), 중국(893건, 28.2%), 영국(310건, 9.8%), 한국(275건, 8.7%), 독일(240건, 7.6%), 호주(165건, 5.2%), 대만(136건, 4.3%), 캐나다(114건, 3,6%), 스웨덴(96건, 3.0%), 브라질(94건, 3.0%) 등의 순이었다.[424] 몇 가지 주목할 말한 해외 연구가 있는데, 2000년대 독일에서 수행되었던 대규모 침 임상연구[425]와 영국에서 진행된 침 안전성 관련 대규모 연구[426][427]이다. 이들 연구를 통해 침치료의 효과와 안전성에 대한 근거가 제시되었다. 침치료가 오랜 시간 이루어졌던 동아시아가 아닌 곳에서 이루어진 연구라 더욱 의미가 있다.

침의 임상연구 방법과 연구의 질을 개선하기 위한 노력이 이어지고 있다. 대표적으로 침치료에 대한 무작위대조군연구의 질을 높이기 위한 보고 지침인 STRICTA (STandards for Reporting Interventions in Clinical Trials of Acupuncture)[428]가 2010년에 제안되었고, STRICTA 한글판[429]도 출판되었다. 이후에도 침 임상연구의 질을 높이기 위한 연구가 계속되고 있다.[430] 임상연구에 관한 구체적인 내용은 이 책의 '현대한의학의 연구–한의 임상연구' 에서 자세하게 다루고 있으므로 여기서는 이 정도로 간략하게 언급한다.

424) 전상호, 이인선, 이향숙, 채윤병. 침 치료 임상연구 동향에 대한 계량서지학적 분석. Korean J Acupunct 2019;36:281-91.

425) 윤주연, 한국인, 정진수 외. 2000년부터 독일에서 수행된 대규모 침 임상연구들에 대한 고찰: ASH, ART, ARC, GERAC. Korean J Acupunct 2013;30:21-6.

426) White A, Hayhoe Ṡ, Hart A, et al. Survey of adverse events following acupuncture (SAFA): a prospective study of 32,000 consultations. Acupunct Med 2001;19(2):84-92.

427) MacPherson H, Thomas K, Walters S, Fitter M. A prospective survey of adverse events and treatment reactions following 34,000 consultations with professional acupuncturists. Acupunct Med 2001;19(2):93-102.

428) MacPherson H, Altman DG, Hammerschlag R, et al. Revised STandards for Reporting Interventions in Clinical Trials of Acupuncture (STRICTA): extending the CONSORT statement. PLoS Med 2010;7:e1000261.

429) 이향숙, 차수진, 박희준 외. STRICTA(침 임상연구에서 중재 보고를 위한 표준) 개정판 : CONSORT Statement의 확충안. 경락경혈학회지 2010;27(3):1-23.

430) Zhang YQ, Jiao RM, Witt CM, et al. How to design high quality acupuncture trials-a consensus informed by evidence. BMJ 2022;376:e067476.

침 임상연구에서 '거짓' 침('sham' acupuncture)

임상연구에서는 실제 치료의 효과를 확인하기 위해 실제 치료군과 비슷한 대조군을 설정한다. 약물 연구의 경우 약리적 효과가 전혀 없으나 실제 약물과 비슷한 모양을 가지고 있어 연구자와 환자 모두가 진짜 약물과 구별할 수 없는 위약僞藥(placebo)을 대조군에게 투여하여 약물의 효능을 확인한다. 마찬가지로 침 임상연구에서도 실제 침치료가 시행된 시험군과 비교할 수 있는 적절한 대조군을 설정하는 것은 중요한 문제다. 그러나 실제 침치료와 비교할 수 있는 플라시보 대조군을 설정하는 것은 쉬운 일이 아니다. 어떠한 형태로든 처치가 주어지면 환자들은 영향을 받을 수 있으며 침 시술자 역시 실제 침치료가 아닌 것을 알고 있기 때문이다. 따라서 수술이나 수기법과 같은 물리적 중재에서 사용하는 것과 같이 침 임상연구에서도 플라시보라는 말보다는 '거짓(sham)'이라는 용어를 사용하게 된다. 문제는 어떤 형태의 '거짓침(sham acupuncture)'이 침 임상연구에 적절한지에 관해 끊임없는 논란이 있을 수밖에 없다는 것이다.[431]

'거짓침(sham acupuncture)'을 사용한 임상연구는 1960년대에 일본에서 처음으로 수행되었고, 서양에서는 1970년대 초부터 수행되었다. 이후 다양한 거짓침이 대조군으로 사용되었다. 초기에는 자침을 하는 침습적인 거짓침이 사용되었다. 경락이나 경혈의 위치에서 벗어난 부위에 자침하는 방법, 해당 질환에 직접적인 치료 효과가 없는 경혈에 자침하는 방법, 비경혈 자리에 천자(얕게 찌르는) 하는 방법 등이 사용되었다. 그러나 근래에는 실제 자침하지 않고 자침한 것 같은 느낌을 주는 비침습적인 거짓침이 여러 종류 개발되었다. 모두 침첨을 뭉뚝하게 만들어 혈위 혹은 비경혈 부위의 피부를 직접 뚫지 못하게 하면서 겉으로 보았을 때 침이 자입되는 듯한 느낌을 주는 방법이었다. 1998년에 Streitberger가 최초로 비침습적인 거짓침을 개발하였고, 이후 Park과 Takakura에 의해 더 발전된 비침습적 거짓침이 개발되었다.[432][433]

침 임상연구에서 사용되는 '거짓침(sham acupuncture)'이 타당성을 가지려면 두 가지 조건을 만족해야 한다. 두 조건은 피험자가 어떤 치료를 받는지 구분할 수 없어야 하고 생리적 활성이 없어야 한다는 것이다. 그러나 많은 연구에서 거짓침이 생리적 활성을 유발하여 거짓침 사용 시에도 효과가 나타나는 경우가 있어, 거짓침이 플라시보 대조군으로서의 완전한 조건을 갖추지 못

431) 이향숙. 거짓침을 이용한 침연구의 현황. 대한경락경혈학회지 2006;23(1):95-109.

432) Birch S, Lee MS, Kim TH, Alraek T. Historical perspectives on using sham acupuncture in acupuncture clinical trials. Integr Med Res 2022;11(1):100725.

433) 정찬영, 장민기, 조재용 외. 침 임상시험 논문에 적용한 Sham Acupuncture에 대한 고찰. 대한침구학회지 2008;25(6):77-94.

하는 한계가 있었다.[434] 2009년에서 2018년까지 이루어진 거짓침을 이용한 임상연구를 분석한 결과 임상연구에서 거짓침에 대한 보고의 질이 매우 낮았다는 결과가 나타났다.[435]

적절하지 못한 거짓침을 사용한 침 임상연구의 경우 침치료의 효과에 대한 과소평가나 오해의 소지가 있는 결과를 얻게 될 가능성이 높다. 따라서 적절한 거짓침을 개발하기 위해 거짓침과 침치료의 차이[436], 침치료 시의 플라시보 효과[437] 등에 관한 지속적인 연구가 필요하며, 임상연구 시 시행되는 거짓침에 대한 자세한 보고 또한 이루어져야 할 것이다. 이를 통해 침치료의 효과를 보다 객관적으로 입증해나갈 수 있을 것이다.

2) 침치료 안전성 및 이상반응 연구

여러 국가에서 시행된 대규모 전향적 조사연구에 의해 밝혀진 바와 같이 침치료는 숙련된 전문가에 의해 이루어질 경우 매우 안전한 치료 방법이다. 그럼에도 이상반응(Adverse Events, AEs)이 없을 수는 없으므로 이에 대해 충분히 알고 대처하는 것은 중요한 문제이다. 여기서는 대표적인 침치료 안전성 관련 연구 및 보고된 침치료 이상반응에 대해서 살펴보고자 한다.

먼저 국내에서 발표된 침치료 안전성 관련 연구를 살펴보면, 한국에서 발생한 침구요법의 이상반응 보고사례를 체계적으로 분석한 연구[438], <대한침구학회지>와 <대한침구학회임상논문집>에 게재된 논문 중 침치료를 포함한 한방치료의 이상반응 보고사례에 대해 고찰한 연구[439], 말초성 안면신경마비로 입원한 환자 50명의 침치료 이상반응을 조사한 전

434) 장진영, 김소정, 김남식 외. 침 임상연구에 사용된 거짓침의 분석. 대한침구학회지 2011;28(5):29-38.

435) Lee YS, Kim SY, Kim M, et al. Reporting quality of sham needles used as controls in acupuncture trials: A methodological evaluation. Chin Med 2022;17(1):64.

436) Birch S, Lee MS, Kim TH, Alraek T. On defining acupuncture and its techniques: A commentary on the problem of sham. Integr Med Res 2022;11(2):100834.

437) 채윤병, 엔크 폴. 침의학에서 플라시보 대조군과 플라시보 효과. Korean J Acupunct 2018;35(2):47-55.

438) 박지연, 김송이, 채윤병 외. 한국에서 발생한 침구요법의 이상반응 보고사례에 대한 체계적 분석. 대한한의학회지 2010; 31(2):78-90.

439) 김동혁, 서창완, 백용현 외. ≪대한침구학회지≫, ≪대한침구학회임상논문집≫ 게재 논문 중 한방치료의 이상반응 보고사례에 대한 고찰. 대한침구학회지 2011;28(1):45-63.

향적 관찰연구[440], 국내 침구임상시험에서 나타난 이상반응 발생률 및 유형을 분석한 연구 [441], 침구 치료 이상반응 설문지 개발과 관련된 연구[442] 등이 있다. 그러나 국내에서 대규모 환자들을 대상으로 한 전향적 임상연구는 보고된 바 없다.

이와 달리 외국에서는 침치료의 안전성과 관련하여 대규모 전향적 임상연구가 다수 발표되었다. 그 가운데 대표적인 연구들만 간단하게 살펴본다.

먼저 영국에서 2001년 White 등에 의해 진행된 연구에서는 78명의 영국 침구사, 의사, 물리치료사가 시행한 31,822건의 침치료 중 2,178건의 이상반응이 있었다고 보고하였다. 대부분이 출혈, 치료 부위의 통증, 증상의 악화 등이 발생한 매우 경미한 경우였으며, 발작이 한 건 보고되었을 뿐 심각한 이상반응은 보고되지 않았다.[443] 또다른 연구로는 영국의 MacPherson 등이 547명의 전문적인 침 시술자들 대상으로 시행한 전향적 설문조사 연구가 있다. 34,407건의 침치료를 대상으로 한 이 연구에서도 역시 중대한 이상반응은 나타나지 않았다. 총 43건의 유의한 이상반응(significant minor AEs)이 보고되었는데, 심한 메스꺼움, 실신, 예상치 못한 증상 악화, 장기간 참을 수 없는 통증 및 타박상, 심리적 및 정서적 이상반응 등이었다. 그리고 15%에서 경미한 이상반응이 보고되었는데, 경미한 타박상, 통증, 출혈 등이었다.[444]

독일에서도 두 건의 연구가 진행되었다. 먼저 2004년 발표된 Melchart 등의 전향적 조사연구에서는 7,070명의 침 전문가가 97,733명의 환자를 대상으로 시행한 총 760,000건의 침치료를 대상으로 하였다. 이 중 자침 시 통증, 혈종, 출혈, 기립성 문제 등의 가벼운 이상반응이 6,936명의 환자(7.1%)에서 총 16,316건 보고되었고, 2건의 기흉과 우울증 악화, 급성 혈압 상승, 미주신경반응, 고혈압을 동반한 천식 발작 및 협심증 등 6건의 심각한 이

440) 김동혁, 김경욱, 김종환 외. 침치료 이상반응에 대한 전향적 관찰: 말초성 안면신경마비 입원 환자 50명을 대상으로. 대한침구학회지 2011;28(4):65-76.

441) 정희정, 박지은, 류연 외. 침구임상시험에서 나타난 이상반응 발생률 및 유형 분석. 경락경혈학회지 2012;29(3):421-30.

442) 김서연, 이준환, 육태환 외. 침구 치료 이상반응 설문지 개발과 타당도 평가. 대한침구학회지 2015;32(4):177-89.

443) White A, Hayhoe S, Hart A, et al. Survey of adverse events following acupuncture (SAFA): a prospective study of 32,000 consultations. Acupunct Med 2001;19(2):84-92.

444) MacPherson H, Thomas K, Walters S, Fitter M. A prospective survey of adverse events and treatment reactions following 34,000 consultations with professional acupuncturists. Acupunct Med 2001;19(2):93-102.

상반응이 보고되었다.[445] 또 다른 독일의 전향적 관찰 연구에서는 독일 의사 13,579명이 환자 229,230명을 대상으로 약 2,200,000건의 침치료를 시행하였는데, 19,726명의 환자 (8.6%)에서 총 24,377건의 이상반응이 있었다고 조사되었다. 이 중 절반 이상이 출혈이었다. 2명의 환자에서 기흉이 발생하였고, 180일 정도 지속된 신경 손상 이상반응이 한 건 있었다.[446]

마지막으로 일본에서 Yamashita 등이 진행한 조사연구에 따르면, 84명의 일본 침구사들이 시행한 총 65,482건의 시술에서 94건(0.14%)의 이상반응이 있었다고 보고하였다. 침치료 종료 후 침이 제거되지 않았던 9건의 사례가 있었으며, 중대한 이상반응은 보고되지 않았다.[447] 또 Furuse 등의 연구에 따르면 일본의 8개의 의료기관을 대상으로 한 다기관 전향적 조사연구에서 232명의 일본 침구사가 2,180명의 환자를 대상으로 총 14,039회 침구치료를 시행한 결과 847회(6.03%)의 이상반응이 있었다고 보고되었다. 가장 주된 이상반응은 피하 출혈과 멍(370회, 2.64%)이었고, 그다음으로 불편감(피로감, 졸림, 어지러움, 메스꺼움, 일과성 열감, 두근거림, 기절 등)(109회, 0.78%), 침치료 부위 잔여 통증(94회, 0.67%) 순이었다. 역시 감염이나 심각한 이상반응은 보고되지 않았다.[448]

다음으로 침치료 이상반응 관련 고찰연구 2편을 소개하고자 한다.

2015년까지 발표된 침치료 이상반응에 대한 17건의 체계적문헌고찰연구(systematic reviews)를 분석(overview)한 논문에서는 침치료로 인한 심각한 이상반응은 전반적으로 드물지만, 장기나 조직 손상으로 인한 심각한 이상반응이 보고된 경우가 있으므로 전문가에 의한 안전한 침시술이 필요함을 강조하였다.[449] 그리고 2021년에 발표된 침치료 이상반응 관련 전향적 임상연구(cohort studies, RCTs, surveys or surveillances) 22편의 논

445) Melchart D, Weidenhammer W, Streng A, et al. Prospective investigation of adverse effects of acupuncture in 97,733 patients. Arch Intern Med 2004;164(1):104-5.

446) Witt CM, Pach D, Brinkhaus B, et al. Safety of acupuncture: results of a prospective observational study with 229,230 patients and introduction of a medical information and consent form. Forsch Komplementmed 2009;16(2):91-7.

447) Yamashita H, Tsukayama H, Tanno Y, Nishijo K. Adverse events in acupuncture and moxibustion treatment: a six-year survey at a national clinic in Japan. J Altern Complement Med 1999;5(3):229-36.

448) Furuse N, Shinbara H, Uehara A, et al. A Multicenter Prospective Survey of Adverse Events Associated with Acupuncture and Moxibustion in Japan. Med Acupunct 2017;29(3):155-62.

449) Chan MWC, Wu XY, Wu JCY, Wong SYS, Chung VCH. Safety of Acupuncture: Overview of Systematic Reviews. Sci Rep 2017;7(1):3369.

문에 대한 체계적문헌고찰 및 메타분석을 한 연구를 살펴보면, 침치료 환자의 9.31%, 침치료의 7.57%에서 적어도 하나의 이상반응이 보고되었다고 한다. 평균적으로 100회 치료에서 9.4회의 이상반응이 발생했는데, 절반은 치료 부위의 출혈, 통증 또는 발적 등이었다. 결론적으로 침치료는 심각한 이상반응은 드물며, 가벼운 이상반응은 흔하지만, 그 정도는 매우 경미한 정도로 매우 안전한 치료법이라고 할 수 있다.[450]

> 📖 '서양의학 관점 침(Western medical acupuncture)'은 한의학의 침과 전혀 다른 것인가?
>
> 침구의학은 과거에 머물러 있는 분야가 아니다. 한의학의 다른 분야도 마찬가지지만 침구의학은 현대화, 과학화가 매우 빠르게 진행되고 있는 분야다. 이런 빠른 발전은 침구의학이 전 세계적으로 확산되어 세계 각국에서 다양한 연구(기전연구와 임상연구 모두에서 양적 증가뿐만 아니라 질적 수준의 향상도 동반됨)가 진행되고 있는 것에 기인한다. 침구의학 분야의 다양한 연구들에 의해 기존의 전통적인 침구의학에 새로운 현대 지식이 더해지면서 과거보다 침구의학에 대한 이해가 더 깊어졌다. 침구의학은 지금 더욱 높은 수준의 임상의학으로 발전해나가는 중이다.
>
> 침구의학 분야의 연구는 전통적인 한의학 이론(경락학설, 장상학설, 변증진단 등)이나 전통적인 침법에 근거한 연구에서부터 기전연구(실험연구), 근거중심의학에 기반한 임상연구에 이르기까지 매우 다양한 차원에서 이루어지고 있다. 이에 따라 한의사들도 임상에서 전통적인 한의학 이론뿐만 아니라 해부학적 지식, 다양한 기전연구의 결과, 근거중심의학에 기반한 임상연구 성과를 바탕으로 침구치료를 시행한다.
>
> 이런 현실에도 불구하고 현재 서양(유럽, 미국 등)에서 사용되는 침구치료 방법 중 일부를 '서양의학 관점 침(Western medical acupuncture)'[451]으로 정의하고 동아시아의 침구치료와는 전혀 다른 침구치료 방법이라고 주장하는 사람들이 있다. 최근 대표적인 책이 번역되어 소개되었

---

450) Bäumler P, Zhang W, Stübinger T, Irnich D. Acupuncture-related adverse events: systematic review and meta-analyses of prospective clinical studies. BMJ Open 2021;11(9):e045961. 450)

451) 'Western medical acupuncture'에 대한 번역은 아래 서적의 번역을 따랐다. 아래 서적에서 '서양의학 관점 침'으로 번역하였는데, 서론에서 이 용어의 번역에 대한 고민을 밝히고 있다. 이 용어는 과학적 기전에 근거한 침, 서양의 침, 해부생리 기반 침 등으로도 번역될 수 있을 것이다.
Jacqueline Filshie, Adrian White, Mike Cummings 편저, 강중원, 권승원, 김건형 외 역. 침의 과학적 접근과 임상활용. 서울: 한미의학; 2019. (원서 - Jacqueline Filshie, Adrian White, Mike Cummings, editors. Medical Acupuncture: A Western Scientific Approach. 2nd ed. Amsterdam: Elsevier; 2016.)

는데, 이 책에서 저자들은 '서양의학 관점 침(Western medical acupuncture)'을 "가는 실 모양의 침을 자입하는 치료 기술로서, 현재 통용되는 해부학, 생리학, 병리학, 근거중심의학의 원리를 적용하여 전통 동아시아에서 사용하던 침치료를 변환한(adaptation) 것"으로 정의하였다.[452] 이 책의 주장대로 서양의학 관점 침치료는 현재 한의학의 침치료와 전혀 다른 종류의 것일까? 이 주장에 대해 세 가지 정도의 반론이 가능할 것 같다.

첫째, 이 책의 저자들은 서양의학 관점 침치료와 전통 동아시아의 침치료를 대비하고 있는데 이들은 서양 중심적 시각에서 서양의학 관점 침을 강조하기 위해 전통 동아시아의 침치료를 오래되고 전근대적인 형태로 규정하고 있다. 이러한 인식은 공정하지 않다. 이들은 의도적으로 근대 이후에 발전된 현대 침구의학의 존재를 무시하고 있다. 서양의학 관점 침은 현대 침구의학 분야에서 이루어진 현대화, 과학화 연구 성과들과 많은 부분이 겹친다. 현대 침구의학은 일찍부터 해부학적 관점을 받아들였고, 해부학을 경혈 및 경락과 결합하여 임상에서 활용하고 있다. 또 국소 및 전신적인 치료 기전에 관한 연구들이 발표되면서 침구치료의 효과에 대한 입증 및 재해석이 이루어지고 있고, 임상 관련해서는 근거중심의학적 관점에서 다양한 침 관련 임상연구가 보고되고 있다. 서양의학 관점 침의 많은 부분이 이러한 현대 침구의학의 연구 내용과 겹쳐있다.

둘째, 이들은 서양의학 관점 침이 경혈, 경락 등의 전통 침구의학에 영향받지 않고 발전했으며, 전통 침구의학과는 전혀 다른 체계라는 주장을 한다. 그러나 서양의학 관점 침치료의 출발점은 분명히 전통 동아시아의 침구의학이다. 서양에서는 동아시아의 침구의학이 전해지기 전까지 체계적인 침 관련 이론과 임상경험이 없었다. 따라서 서양의학 관점 침치료의 대부분 임상 경험과 접근법은 동아시아의 전통적인 침치료에서 유래한 것이다. 아울러 전통 침구의학에는 경락, 경혈뿐만 아니라 아시혈, 경외기혈, 경근, 경피 등의 다양한 이론들이 있어, 전통적인 경혈 이외의 부위도 치료 부위로 사용해왔다. 이런 부분까지 포함하면 서양의학 관점 침은 더욱더 전통 침구의학과 분리해서 생각할 수 없다. 서양의학 관점 침치료에 대한 책에서도 이 치료가 전통적인 침 시술 자체와 유사하며, 오랜 임상 경험을 통해 확립된 경혈들이 이미 치료에 가장 적절한 위치를 제공하고 있으므로 서양의학 관점 침치료를 할 때도 매우 자주 사용될 것이라고 밝히고 있다.[453] 아울러 〈침구처방학〉이라는 침구 서적과 서양의학 관점 침치료를 비교해서 분석한 연구에 따르

---

452) Adrian White, Mike Cummings, Jacqueline Filshie 저, 이승훈 역. 서론(Introduction). Jacqueline Filshie, Adrian White, Mike Cummings eds, 강중원, 권승원, 김건형 외 역. 침의 과학적 접근과 임상활용. 서울: 한미의학; 2019. pp. 3-4.

453) Adrian White, Mike Cummings, Jacqueline Filshie 저, 이승훈 역. 서론(Introduction). Jacqueline Filshie, Adrian White, Mike Cummings eds, 강중원, 권승원, 김건형 외 역. 침의 과학적 접근과 임상활용. 서울: 한미의학; 2019. pp. 4-5.

면, 서양의학 관점 침의 접근 방법이 신경해부를 기준으로 하고 있어 처방 구성 방법에는 차이가 있지만 그 최종 결과는 〈침구처방학〉의 방법과 유사하게 도출되거나, 한의학의 침법에 포함되는 내용으로 이루어져 있음을 밝히고 있다.[454]

셋째, 서양의학 관점 침은 실제 임상에서 경혈, 경락 등과 상관없는 치료를 하고 있다고 주장한다. 현재 침 임상연구에서 표준적으로 쓰이고 있는 것은 전통적인 경혈이다. 전통적인 경혈은 매우 오랜 시간의 임상 경험의 축적을 통해 만들어진 것으로 그 자체로 임상적 가치가 있다고 할 수 있다. 그 결과 대부분의 침 관련 임상연구에서는 전통적인 경혈이 주요 치료 부위로 제시된다. 마찬가지로 서양의학 관점 침치료에서도 전통적인 경혈을 사용한 침 관련 임상연구를 치료 근거로 제시하고 있으며, 실제 치료 부위로 전통적인 경혈을 언급하고 있다. 서양의학 관점 침의 저자들은 서양의학 관점 침이 경혈, 경락 등의 전통 침구의학과 전혀 상관이 없다고 주장했지만 실제 치료에서는 전통 침구의학의 임상 경험과 경혈을 사용하고 있는 것이다.

결국 서양의학 관점 침은 전통적인 동아시아의 침구 이론 및 임상 경험에 대해 과학적 해석을 가해 침구의학을 재해석한 것이며 침구의학의 현대화, 과학화의 성과가 반영된 것이다. 그러므로 이 침법은 현대 침구의학의 한 부분이라 할 수 있다. 이에 대해 미국 내에서도 논란이 있었는데, 미국 내 침술 및 한의과대학 평의회(Council of Colleges of Acupuncture and Oriental Medicine, CCAOM)에서도 서양의학 관점 침에서 말하는 'dry needling'을 기존 침치료의 한 부분이라고 선언했다. 미국의학협회(American Medical Association, AMA), 미국전문 침술안전연합(The American Alliance for Professional Acupuncture Safety, AAPAS) 등에서도 서양의학 관점 침의 'dry needling'을 기존 침치료와 구별할 수 없다고 선언하고 있다.[455]

---

454) 계강윤, 김병수. 韓醫學 鍼 處方의 구성 방법 및 主次 개념에 관한 고찰. 대한한의학회지 2020;41(3):9-21.

455) Fan AY, Xu J, Li YM. Evidence and expert opinions: Dry needling versus acupuncture (I) : -The American Alliance for Professional Acupuncture Safety (AAPAS) White Paper 2016. Chin J Integr Med 2017;23(1):3-9.

Fan AY, Xu J, Li YM. Evidence and expert opinions: Dry needling versus acupuncture (II) : -The American Alliance for Professional Acupuncture Safety (AAPAS) White Paper 2016. Chin J Integr Med 2017;23(2):83-90.

Fan AY, Xu J, Li YM. Evidence and expert opinions: Dry needling versus acupuncture (III) : -The American Alliance for Professional Acupuncture Safety (AAPAS) White Paper 2016. Chin J Integr Med 2017;(3):163-5.

9. 약침요법藥鍼療法

1) 약침요법의 정의

약침요법은 침구요법과 약물요법이 결합된 신침新鍼요법의 일종으로서, 침구요법의 경락론과 약물요법의 기미론 모두를 근간으로 한다. 약침요법은 특정 한약에서 정제 추출한 약침액을 주입기나 흡입기 등을 이용하여 치료 경혈 및 체표 반응점에 주입하는 한방 의료 행위로 전통에 바탕을 둔 현대적인 치료 기술이라 할 수 있다.[456]

2) 약침의 종류

약침은 약재의 성질이나 형태 또는 사용 의도에 따라 다양한 방식으로 추출되어 사용된다. 현재 사용되는 추출 방식에는 알코올 수침법, 증류추출법, 저온추출법, 압착법, 희석법 등이 있다.[457] 복합 한약 처방, 동물성 단미 한약재[웅담, 우황, 녹용, 자하거(태반) 등], 식물성 단미 한약재(산삼, 당귀, 홍화자, 호도 등), 한약재 추출 단일 성분(봉독, 사향, 동물성 독 등) 등이 다양한 추출 방식을 통해 추출되어 약침액으로 사용되고 있다.

현재 한의 임상에서는 여러 가지 종류의 약침요법이 시술되는데 약침요법마다 그 요법의 목적에 맞는 고유의 약침액이 개발되어 사용된다.

약침 추출 조제과정은 감염 예방을 위해 무균실에서 이루어진다. 이를 위해 보건복지부에서는 2018년부터 안전한 약침액 조제를 위해 KGMP (Korea Good Manufacturing Practice, 의약품 제조 및 품질관리기준) 기준에 준하는 항목으로 구성된 약침조제 원외탕전실 평가인증 제도를 시행하고 있다. 현재 한의사들은 약침조제 원외탕전실 인증을 통과한 원외탕전실로부터 안전한 약침액을 공급받아 임상에서 사용하고 있다.

---

456) 대한약침학회, 사단법인 약침학회 교재편찬위원회 공저. 약침학 3판. 서울: 한미의학; 2019. pp. 3-4.
457) 대한약침학회, 사단법인 약침학회 교재편찬위원회 공저. 약침학 3판. 서울: 한미의학; 2019. pp. 9-32.

3) 약침요법의 종류

현재 한의 임상에서는 다양한 종류의 약침요법이 사용된다. 대표적인 약침요법에는 경락약침經絡藥鍼, 팔강약침八綱藥鍼, 봉약침요법蜂藥鍼療法 등이 있다. 또 자하거(태반)약침, 오공(지네)약침, 섬수(두꺼비 독)약침, 산삼약침 등 특수한 한약재를 추출한 약침도 임상에서 활용된다. 이외에도 한약재를 원료로 다양한 추출과정을 거쳐 만들어진 제제를 주사기를 통해 경혈뿐만 아니라 피부, 근육 또는 정맥에 주입하는 수침요법水鍼療法도 있다. 수침요법은 현재 중국에서 주로 시술되고 있으며, 현재 130종의 중약주사제들이 개발되어 근육주사, 정맥주사, 국소주사, 혈위주사 등의 방법으로 사용되고 있다.[458] 여기서는 국내에서 주로 시술되는 대표적인 약침요법 위주로 간략하게 살펴본다.

(1) 경락약침經絡藥鍼[459]

경락약침은 한의학 이론을 바탕으로 남상천이 개발한 독창적인 이론과 치료법이다. 경락약침에서 사용하는 경락이라는 용어는 기존 침구의학의 경락과는 다르게 정의된다. 경락약침에서 경락은 분포 영역과 작용에 따라 유사한 속성을 나타내는 포괄적 부위 개념에 가깝다. 경락은 성질에 따라 풍냉열습조화風冷熱濕燥火의 6가지로 나뉘는데 이를 육원六元 경락이라 하였다.

경락약침에서는 인체 특정 부위가 영양물질(영혈榮血, 윤潤)이 부족해지면 민감해지고 딱딱하게 경결된다고 한다. 질병상태에서 나타나는 이러한 경결 부위는 경락체 또는 경락조직이라 부른다. 경결이 발생한 경락조직에 적절한 약침액(윤제潤劑 또는 기제氣劑)을 주입하면 경락의 균형이 조절되어 건강을 회복할 수 있게 된다.

---

458) 황지혜, 최수현, 송호섭. 중약주사제 실태현황 분석을 통한 국내 약침 연구 방향 모색. 대한침구학회지 2021;38(4):250-66.
459) 대한약침학회, 사단법인 약침학회 교재편찬위원회 공저. 약침학 3판. 서울: 한미의학; 2019. pp. 99-145.

(2) 팔강약침八綱藥鍼460)

팔강약침은 한의학 진단의 대원칙인 음양陰陽, 표리表裏, 한열寒熱, 허실虛實의 팔강八綱 이론을 기초로 약침을 이용하여 질병을 치료하는 방법이다. 한약을 증류 추출하여 약물의 귀경이론에 따라 주된 치료 경혈에 직접 주입하여 자침과 약물의 효과가 동시에 발현되게 하는 시술 방법이다.

팔강약침은 인체의 불균형을 바로 잡기 위하여 각 장부의 한열허실을 변증한 후 그에 맞는 약침을 시술한다. 시술 시 인체를 상초上焦, 중초中焦, 하초下焦와 좌우로 나누어 변증에 해당되는 경락, 주된 치료 혈위(오장육부와 관련 깊은 복모혈腹募穴, 배수혈背兪穴을 많이 사용함)에 약침을 시술한다. 환자 상태에 따라 중초와 하초의 동시 치료, 삼초(상초, 중초, 하초)의 동시 치료, 상초와 하초의 동시 치료를 시행하기도 한다.

(3) 봉약침요법蜂藥鍼療法461)

봉약침요법(bee venom pharmacopuncture therapy)이란 살아있는 꿀벌(Apis mellifera)의 독낭에서 봉독을 추출, 가공하여 약침제제로 만든 후, 질병과 유관한 부위 및 변증을 통하여 선정된 혈위에 적정량 주입함으로써 침 자극의 효과와 벌의 독이 지닌 약리학적 작용을 동시에 이용하는 치료 방법이다. 즉, 봉약침요법은 인체 경혈에 물리적 자극뿐만 아니라 화학적인 자극을 가하는 약침요법의 일종이다.

봉약침요법은 현재 한의 임상에서 매우 광범위하게 사용되고 있다. 아울러 봉약침과 관련된 기초연구 및 임상연구가 국내에서 활발하게 이루어지고 있으며, 봉약침 임상 시술에서 문제가 되었던 알레르기 반응을 줄인 봉약침액(Sweet Bee Venom, Sweet BV)이 개발되어 이전보다 안전하게 사용할 수 있게 되었다. 지금까지 보고된 봉독의 대표적인 약리작용에는 소염, 진통작용, 면역계의 조절작용, 혈액순환 촉진작용, 항균작용 등이 있다.

---

460) 대한약침학회, 사단법인 약침학회 교재편찬위원회 공저. 약침학 3판. 서울: 한미의학; 2019. pp. 147-64.

461) 대한약침학회, 사단법인 약침학회 교재편찬위원회 공저. 약침학 3판. 서울: 한미의학; 2019. pp. 165-98.

4) 약침 시술 방법

(1) 시술과정

멸균 공정을 통해 추출된 약침액은 바이알(vial) 형태로 멸균 포장된다. 약침의 시술은 무균상태의 약침용 주입기(주사기)를 사용하여 이루어지는데 주입기의 바늘은 일반적으로 26-32 gauge를 많이 사용하며, 주입기는 보통 1.0 mL 용량의 것을 사용한다.

먼저, 약침 시술에 앞서 환자의 상태를 진찰하여 한의학적 변증진단을 하고, 이를 기초로 환자의 상태와 질병에 맞는 약침요법 종류 및 약침액을 선택하며, 치료 경혈을 선정하고, 약침 주입 용량을 결정한다. 이것이 약침 시술 전 단계라 할 수 있다. 이후의 과정은 취혈 및 시술 그리고 효과 판정의 순으로 진행된다.[462]

약침 시술과정을 조금 더 구체적으로 설명하면 다음과 같다. 먼저 환자를 진찰한 후 시술하고자 하는 혈위를 선정한다. 다음으로 사용하고자 하는 약침액을 정하고 각 부위의 주입량을 계산한 뒤 오염되지 않도록 약침액을 주사기로 뽑는다. 이때 주입기에 공기가 들어가지 않도록 주의한다. 시술하고자 하는 혈위 부위를 알코올 솜으로 소독한 뒤 주입기로 부드럽게 목표지점까지 삽입한다. 적정량을 주입한 뒤 신속하게 발침한다. 발침 후 알코올 솜으로 가볍게 눌러준다. 만약 출혈이 있을 경우 30-60초 정도 약간 세게 출혈 부위를 압박하여 지혈시킨다. 시술 후 시술 부위나 환자의 반응을 잠시 관찰하여 문제가 없는지 확인한다. 특히 봉약침요법 시술 시 전신 즉시형 과민반응(아나필락시스 반응)이 15분 이내 발생할 수 있으므로 시술 후 15분 정도는 환자를 안정시키며 환자의 반응을 관찰하기를 권고한다. 시술 시 약침액 주입 용량은 질병의 경중, 연령, 주입 부위 및 약물의 성질과 농도 등을 고려해서 결정해야 하며 혈위가 있는 부위, 병변 조직, 질병의 상태에 따라 자침 각도와 주입의 깊이를 정해야 한다.[463]

---

462) 대한약침학회, 사단법인 약침학회 교재편찬위원회 공저. 약침학 3판. 서울: 한미의학; 2019. pp. 35-56.
463) 대한약침학회, 사단법인 약침학회 교재편찬위원회 공저. 약침학 3판. 서울: 한미의학; 2019. pp. 57-61.

(2) 시술 시 주의사항[464]

약침 시술 전후로 멸균 상태와 청결을 유지하는 것이 매우 중요하며 시술 전 과정에서 준수되어야 한다. 철저한 손소독, 약침액과 주입기를 다루는 과정에서 멸균 상태 유지, 시술 부위의 철저한 소독이 필요하며 필요한 경우 멸균 글러브를 착용하기도 한다.

다음으로 동물성 약침액(봉약침, 오공약침 등)이나 알레르기 유발 보고가 있는 약침액인 경우에는 약침 시술 전에 알레르기 반응검사(skin test)를 반드시 실시해야 한다. 또 시술 전 환자에게 충분한 설명과 함께 시술 동의서를 작성하도록 한다.[465]

이 외 일반적인 약침 시술 시 주의사항은 다음과 같다.

먼저 환자에게 약침에 대해 충분히 설명한다. 시술 중 청결을 유지하여 감염을 방지해야 하며 약침액은 청결한 환경에서 냉장 보관되어야 한다. 시술 시 적정한 용량이 시술되도록 해야 하며 혈관, 인대, 건, 척추강, 장기 등은 피해서 주입해야 하고 너무 깊게 주입하지 않도록 한다. 시술과정에서 심한 통증이나 부작용이 나타나는지 세심하게 살펴야 하고 필요한 경우 적절한 처치를 시행한다.

5) 약침요법 이상반응

국내에서 시술되는 약침요법 전체를 대상으로 이상반응(adverse events)을 조사한 대규모 임상연구는 지금까지 이루어진 바가 없다.[466] 국내에서 이루어진 전체 약침 관련 무작위대조군연구를 분석한 연구에 따르면 분석 대상인 29개의 무작위대조군연구 중 5개의 연구에서 약침 관련 이상반응을 보고하였다. 이들 연구에서 보고된 이상반응은 시술 부위 통증, 반상출혈, 발적, 경미한 메스꺼움, 가려움증 등의 가벼운 증상들이 대부분이었다. 연구 목적이 이상반응 조사에 있지 않았고 많은 연구에서 이상반응이 언급되지 않았다는 점에서 한계가 있지만 약침요법의 안전성을 어느 정도 시사해준다고 볼 수 있다.[467] 또한 국

464) 대한약침학회, 사단법인 약침학회 교재편찬위원회 공저. 약침학 3판. 서울: 한미의학; 2019. pp. 61-6.

465) 김민정. 한방병원의 봉약침 시술 동의서의 사용 현황과 표준 시술 동의서 개발에 대한 제안. 대한한의학회지 2020;41(3): 66-80.

466) Park JE, Kang S, Jang BH, et al. Adverse events from pharmacopuncture treatment in Korea: A protocol for systematic review and meta analysis. Medicine (Baltimore). 2021 Mar 19;100(11):e25107.

467) Park J, Lee H, Shin BC, et al. Pharmacopuncture in Korea: A Systematic Review and Meta-Analysis of Randomized Controlled Trials. Evid Based Complement Alternat Med. 2016;2016:4683121.

내 38명의 한의사들을 대상으로 한 약침요법 관련 설문 조사 연구에 따르면, 약침 시술 후 발적, 소양감, 열감, 부종, 피하출혈, 피부변색, 자입 시 통증, 자입 직후 통증 등이 보고되었고, 이러한 이상반응은 일시적이었으며 심각한 이상반응은 없었다고 보고하고 있다.[468]

봉약침의 경우 봉약침액의 알레르기 반응 가능성 때문인지 이상반응 관련 보고들이 지속적으로 이루어졌다. 우선 봉약침 시술 후의 알레르기 반응에 대한 몇 편의 임상 증례들이 보고되었다.[469] 2014년까지 발표된 무작위대조군연구 중에서는 10편의 국내외 연구에서 봉약침액 관련 이상반응을 보고하였다. 가려움증, 국소 부종 및 홍반 등의 부작용이 대조군에 비해 봉약침 시험군에서 유의미하게 더 자주 발생한 것으로 조사되었다.[470] 그리고 2020년 4월까지 영문으로 발표된 봉약침 관련 무작위대조군연구 중 이상반응을 보고한 6편의 연구를 분석한 결과 봉약침액 이상반응은 대부분 가려움증, 발진, 부종 등과 같은 경미하고 일시적인 피부 반응이었다. 아나필락시스(anaphylaxis)와 같은 심각한 부작용이 보고되지 않은 것은 적은 환자 규모의 연구, 아나필락시스의 낮은 발생률, 임상시험에서 알레르기 검사(피부 테스트) 및 알레르기 병력 환자의 제외 등이 이유로 지적되었다.[471] 또한 국내에서 500명의 한의사를 대상으로 한 설문 조사 연구 결과를 보면, 봉약침 시술 그룹이 비 봉약침 시술 그룹에 비해 이상반응 발생률이 높았다. 그러나 통증, 발적, 부종, 저림 등의 경미한 증상의 강도는 차이가 없었다. 과호흡과 흉통 등의 중증 증상은 봉약침 그룹에서 증상 강도가 심했으나, 대부분 1시간 이내 완화되었고 감염 및 응급 상황은 보고되지 않았다.[472]

468) 홍권의. 약침제제(藥鍼製劑)의 시술 후 안전성 및 유효성에 대한 설문 조사 분석. 대한약침학회지 2010;13(3):91-102.

469) 윤현민. 봉약침요법으로 발생한 Anaphylaxis에 대한 임상보고. 대한침구학회지 2005;22(4):179-88. ;윤광식, 조은, 강재희, 이현. 봉독약침 시술 후 발생한 봉독 과민반응에 대한 임상고찰. 대전대학교 한의학연구소 논문집 2012;21(1):117-24. ;김진희, 김민수, 이지영 외. 봉약침 시술 후 발생한 Anaphylaxis 환자의 증례보고. 한방재활의학과학회지 2015;25(4):175-82.

470) 이운섭, 김성수. 봉침을 이용한 무작위배정 비교임상시험연구에서의 유해사례 보고에 대한 체계적 문헌고찰. 한방재활의학과학회지 2014;24(4):97-109.

471) Jang S, Kim KH. Clinical Effectiveness and Adverse Events of Bee Venom Therapy: A Systematic Review of Randomized Controlled Trials. Toxins (Basel) 2020;12(9):558.

472) Kim K, Jeong H, Lee G, et al. Characteristics of Adverse Events in Bee Venom Therapy Reported in South Korea: A Survey Study. Toxins (Basel) 2021;14(1):18.

6) 약침요법 연구

(1) 기초연구

1986년 국내에서 약침 관련 연구가 발표된 이래로 약침에 대한 기초 연구논문이 지속해서 발표되고 있다. 2006년까지 대한침구학회지에 게재된 약침요법 관련 논문을 분석한 연구에 따르면, 문헌연구가 14편, 실험논문이 355편, 그리고 임상논문이 70편 정도 발표된 것으로 조사되었다. 실험논문 비중이 81%로 높았으며, 실험논문은 항암·면역·항산화 관련 논문이 가장 많았고 다음으로 골·관절염 관련 논문, 간·담도계·독성 관련 논문, 혈액 및 혈압 관련 논문 순으로 많았다.[473] 또한 2006년까지 대한약침학회지에 발표된 약침요법 관련 논문을 분석한 연구에서도 실험논문이 94편으로 전체의 48%를 차지하여 가장 많았으며, 간·담도계·독성 관련 논문, 항암·면역·항산화 관련 논문, 골·관절염 관련 논문 등의 순서로 많이 발표되었다.[474] 이후의 약침 관련 연구 동향은 2008년부터 2018년 6월까지 국내에서 출판된 약침 관련 논문을 분석한 연구를 살펴보면 알 수 있다. 이 연구에 따르면, 이 기간에 총 533편의 논문이 발표되었고, 비임상연구(문헌연구, 동물연구 등)는 292편(54.8%), 임상연구는 241편(45.2%)이었다.[475] 특히, 약침 관련 다양한 특허 연구가 국내에서 진행되었는데, 대부분 새로 개발한 약침액 관련 실험 특허였다. 이외 약침액의 경구 투여 또는 세포 실험연구, 동물을 대상으로 한 특허 연구 등도 진행되었다.[476]

(2) 임상연구

2008년부터 2018년 6월까지 국내에서 출판된 약침 관련 연구를 분석한 논문에 따르면, 이 기간에 241편의 임상연구가 보고되었는데 주로 증례보고 형식의 연구였다. 약침요법은 척추관 협착증, 척추 추간판 질환, 요통, 견비통, 슬관절염, 경항통, 전신통, 기타 척추질환, 골다공증, 류마티스 관절염, 슬부 이하의 족부질환, 주부 이하의 수부질환 등의 근골격계통 및 결합조직 질환에 가장 많이 적용되었으며, 다음으로 불면증, 지간신경종, 중풍, 긴장성

473)　백승일, 안중철, 김영진 외. 대한침구학회지에 게재된 약침관련논문의 유형 분석. 대한침구학회지 2006;23(6):19-27.

474)　이종영, 한영주, 김진호 외. 대한약침학회지에 게재된 약침관련논문의 유형 분석. 대한약침학회지 2006;9(3):147-54.

475)　윤정민, 김경한, 오용택 외. 약침 관련 국내 연구 동향분석. 대한예방한의학회지 2018;22(2):55-63.

476)　우성천, 강준철, 김송이, 박지연. 국내 약침 특허 현황에 대한 분석연구. 대한침구학회지 2017;34(4):191-208.

두통, 신경마비 및 손상 등의 신경계통 질환 등에 적용되었다.[477] 약침 관련 무작위대조군 연구(randomized controlled trials, RCTs)는 2003년 2편을 시작으로 점차 늘어나는 경향을 보인다.[478] 2014년 12월까지 발표된 국내 약침 관련 RCTs를 분석한 연구에 따르면, 총 1,211명의 참가자가 참여한 29개의 RCTs가 조사되었다.[479] 추후 약침요법 관련 RCTs가 지속적으로 늘어나 약침요법의 임상적 근거가 더욱 확보될 것으로 기대된다.

(3) 표준화연구

한국한의약진흥원에서는 2015년부터 '한의약침약제 규격 표준화 사업'을 진행하고 있다. 이 사업은 약침제제 제조공정 규격화·표준화를 통한 품질관리기준을 마련하고 약침제제 안전성 및 안정성 평가를 통한 품질관리와 안전성 및 유효성 평가를 통한 고품질 약침제제 생산을 목적으로 한다. 이러한 성과를 바탕으로 2018년부터 보건복지부가 인증하는 약침조제 원외탕전실 평가인증 제도가 시행되게 되었다.[480]

10. 뜸치료(구법灸法)

1) 뜸치료(구법灸法)의 기초
(1) 뜸치료의 정의와 원리

뜸치료는 뜸쑥을 혈위에 부착시켜 연소시킬 때 얻어지는 열 자극이나 화학적 자극을 이용하여 질병을 치료하는 방법이다.[481]

---

477) 윤정민, 김경한, 오용택 외. 약침 관련 국내 연구 동향분석. 대한예방한의학회지 2018;22(2):55-63.

478) 박봉기, 조정효, 손창규. 무작위 배정 비교 임상 시험을 통한 국내의 약침 연구에 대한 체계적 고찰. 대한한의학회지 2009; 30(5):115-26.

479) Park J, Lee H, Shin BC, et al. Pharmacopuncture in Korea: A Systematic Review and Meta-Analysis of Randomized Controlled Trials. Evid Based Complement Alternat Med 2016;2016:4683121.

480) 보건복지부, 한국한의약진흥원. 원외탕전실 2주기(2022년-2025년) 인증기준. 2022. (PDF; URL: https://nikom.or.kr/nikom/html.do?menu_idx=95)

481) 임진웅, 이상훈. 뜸의 특성 연구 방법론에 대한 문헌고찰. 대한침구의학회지 2012;29(6):1-10.

먼저, 뜸치료는 화열火熱의 특성이 있어 인체 양기陽氣를 북돋우는 "보양부양補陽扶陽"의 기능이 있다. 또 뜸치료는 보음補陰하는 기능도 있다. 아울러 한증寒症을 치료하며 양허陽虛에 속한 병증을 치료할 수 있다. 뜸치료는 경맥에 작용하여 기혈을 순환시키며, 열이 뭉쳐있다고 판단되는 병증에 적용하여 순환을 통해 열기를 외부로 발산시킬 수도 있다. 마지막으로 뜸치료는 혈을 순환시키고 어혈을 제거하며, 뭉쳐 있는 기를 순환시키는 효능이 있다.[482]

2) 뜸치료 실제
(1) 뜸 재료

현재 사용되는 뜸 재료는 대부분 쑥이 위주가 된다. 쑥잎(애엽艾葉)을 채취하여 햇볕에 말린 다음 돌절구에 넣고 빻아서 체로 쳐 줄기나 흙 등을 제거한다. 이 과정을 여러 번 반복하면 부드러운 솜털 같은 애융艾絨이 만들어진다. 이 애융을 뭉쳐서 여러 가지 크기로 만들어서 임상에서 사용한다. 현대에는 쑥을 가공하여 연기가 나지 않게 만든 무연뜸, 황토 등과 섞은 쑥탄 등을 사용하기도 한다.

(2) 뜸치료 종류

뜸치료는 크게 쑥을 원료로 사용하는 애구법艾灸法(애주구艾炷灸, 애권구艾卷灸 등), 기타 재료를 원료로 사용하는 기타 구법(전기구, 천구天灸 등), 특별한 구법기기를 사용하여 현대적으로 만들어진 쑥탄 등을 사용하는 기기구법 등으로 나눌 수 있다(표 5-11).

애구법은 쑥덩어리인 애주艾炷를 만들어 사용하는 방식과 솜털 같은 말린 쑥(애융艾絨)을 종이로 싸서 원통형(연필 모양)의 애권艾卷(애조艾條)을 만들어 사용하는 방식이 있다. 애주구의 경우 피부에 직접적으로 뜸을 붙이는 직접구, 피부와 뜸 사이에 생강, 마늘, 소금, 부자, 창출, 파, 황토(밀가루와 섞어서 납작한 떡 모양을 만들어 사용), 밀랍 등을 놓는 간접구로 크게 나눌 수 있다. 기타 구법 가운데 최근에는 전자식 구치료 기기가 개발되어 임상에서 사용되고 있으며, 자극적인 약물(백개자, 반모, 한련 등)을 피부에 붙여 수포를 유발하는 천구도 드물게 사용된다. 최근에는 연기가 나지 않은 쑥탄을 사용하여 특정 구법기기

---

482) 이건목, 이길승, 이승훈 외. 뜸의 대중화 및 유용성 방안에 대한 연구. 대한침구학회지 2003;20(6):63-79.

에서 쑥탄을 태워서 열을 전달하는 기기구법도 임상에서 많이 사용된다.

표 5-11. 뜸치료의 분류[483]

구법灸法	애구법艾灸法	애주구艾炷灸	직접구直接灸 - 화농구化膿灸, 비화농구非化膿灸
			간접구間接灸 - 격강구隔薑灸, 격산구隔蒜灸, 격염구隔鹽灸, 격병구隔餠灸, 황납구黃蠟灸, 유황구硫黃灸, 황토구黃土灸
		애권구艾卷灸 - 애조구艾條灸, 태을신침太乙神鍼[484], 뇌화침雷火鍼[485]	
		온통구溫筒灸	
	기타 구법	일광구日光灸	
		전기구電氣灸 - 전자식 구(뜸)치료 기기[486]	
		천구天灸(약물발포법藥物發泡法) - 모간구毛茛灸, 반모구斑蝥灸, 한련구旱蓮灸	
		훈증구薰蒸灸, 구배법灸杯法(유리관을 통한 열력 전달), 구대법灸袋法(쑥찜팩)	
	기기구법	다양한 구법기기를 사용한 구법	

3) 뜸치료 금기 및 이상반응

(1) 뜸치료 금기[487]

뜸치료 중에서도 특히 직접구를 시술할 때 주의해야 할 부분이 많다. 먼저, 환자 상태에 따른 금기가 있다. 과식, 기아, 음주, 심한 탈수, 대출혈, 극심한 쇠약자, 오랜 병을 앓고 있는 환자, 노인 및 소아 등 극심한 자극을 감내하기 어려운 자나 정신적 충격, 격렬한 운동

---

483) 대한침구의학회 교재편찬위원회 편저. 침구의학. 서울: 한미의학; 2020. p. 103.

484) 애융과 가루로 만든 특정 한약 처방을 혼합한 애권을 만들어 사용함.

485) 태을침법의 전신으로 한약 처방 구성 약물이 다름.

486) 2011년 국내에서 개발됨.
지민정, 황민혁, 임성철 외. 연소식 灸치료와 전자식 灸치료의 선호도에 대한 비교연구. 대한침구의학회지 2014;31(4): 133-41.

487) 대한침구의학회 교재편찬위원회 편저. 침구의학. 서울: 한미의학; 2020. pp. 105-6.

및 극도로 피로할 때는 뜸치료를 피해야 한다. 둘째, 감염병, 발열, 전신부종, 극심한 탈수, 대출혈 및 출혈성 질병, 외상, 피부궤양, 내장 급성 염증 질환, 종양, 악성 빈혈, 급성 염증 등 뜸치료에 적합하지 않은 병증이나 부작용이 우려되는 병증일 경우 뜸치료 시술에 신중해야 한다. 셋째, 부위에 따른 금기로 안면부, 상처가 잘 낫지 않는 관절 활동 부위, 혈관 부위, 임신부의 복부, 유두, 성기, 고환 등에는 직접구를 하지 않는다. 넷째, 상황에 따른 금기로 극도의 피로, 정서불안, 땀을 많이 흘린 경우, 너무 춥거나 너무 추운 날씨 등에는 뜸치료를 신중하게 해야 한다.

(2) 뜸치료 이상반응

뜸치료는 비교적 안전한 치료이지만, 피부에 직접적인 열자극을 가하는 직접구의 경우 화상으로 인한 감염과 화상 흉터가 가장 흔한 이상반응이다.

뜸치료 관련 증례보고에서는 이상반응으로 피부 알레르기, 화상, 감염 등이 주로 보고되었다.[488] 뜸 관련 임상시험에서는 피부 발적, 물집, 가려움증, 연기로 인한 불편감, 전신피로, 위장장애, 두통 및 화상과 같은 다양한 이상반응이 보고되었으며, 드물지만 임신부에서 조산 및 출혈 등이 보고된 바 있다.[489]

4) 뜸치료의 현대적 연구
(1) 기전 연구

최근 뜸치료 효과의 기전을 밝히려는 현대적인 연구가 활발하게 진행되고 있다.

뜸치료의 기전 연구는 크게 열 효과(thermal effect), 방사 효과(radiation effect), 뜸쑥 등 연소 물질의 약리작용 등 세 방면에서 이루어지고 있다.[490] 이러한 기전 연구를 통해 뜸치료가 인체에 미치는 영향들이 조사되었다. 그 결과를 살펴보면, 뜸치료는 빈혈 증상을 개선하며, 혈청 중의 지질 및 혈당을 감소시키는 효과가 있다. 또 면역기능을 강화하며, 혈

---

488) Xu J, Deng H, Shen X. Safety of moxibustion: a systematic review of case reports. Evid Based Complement Alternat Med 2014;2014:783704.

489) Park JE, Lee SS, Lee MS, et al. Adverse events of moxibustion: a systematic review. Complement Ther Med 2010;18(5):215-23.

490) Deng H, Shen X. The mechanism of moxibustion: ancient theory and modern research. Evid Based Complement Alternat Med 2013;2013:379291.

압을 낮추고, 근육의 피로 방지와 피로 해소에 효과가 있으며, 신장 기능을 활성화하고, 위장 운동을 촉진하고, 발모에 영향을 주고, 태아운동에 영향을 미치며, 요실금에 효과가 있다.[491] 아울러 골다공증, 간손상의 회복, 부인과 질환 개선, 각종 호르몬 분비 촉진 등의 효과가 있다.[492]

(2) 임상연구

2000년대에 접어들어 전 세계적으로 뜸치료 관련 기초연구 및 임상연구의 수가 급격하게 증가하였다. 2000년부터 2019년까지 국내외에서 발표된 뜸치료 관련 연구를 분석한 논문에 따르면, 염증성 장 질환, 둔위(breech presentation)[493], 과민성장증후군, 골관절염, 뇌졸중 등 특정 의학적 상태에 대한 뜸 적용 연구가 주로 이루어졌다.[494] 1999년부터 2018년까지 국내에서 발표된 임상연구를 분석한 논문에 따르면, 그 기간 뜸치료 관련해서 증례보고 25편, 대조군 없는 임상연구(uncontrolled clinical trials) 16편, 대조군 임상연구(controlled clinical trials) 7편, 무작위대조군연구(randomized controlled trials) 11편이 각각 발표되었다. 근골격계 및 결합조직 질환 관련 임상연구가 가장 많았고 다음으로 순환계 질환, 신경계 질환 등의 순서로 임상연구가 이루어졌다.[495]

임상연구가 늘어감에 따라 뜸치료 관련 임상연구의 질을 높이기 위해서 뜸치료에 대한 보고지침인 STRICTOM (STandards for Reporting Interventions in Clinical Trials Of Moxibustion, 2013)[496]이 제안되었다. 국내에서는 STRICTOM의 부족한 점을 보완하여 실제 뜸 임상연구에 도움을 줄 수 있는 뜸 임상시험 가이드라인(Moxibustion Randomized Controlled Clinical Trial Guideline, MOXRATE)이 제안되기도 했다.[497]

---

491) 대한침구의학회 교재편찬위원회 편저. 침구의학. 서울: 한미의학; 2020. pp. 113-5.

492) 이건목, 이길승, 이승훈 외. 뜸의 대중화 및 유용성 방안에 대한 연구. 대한침구학회지 2003;20(6):63-79.

493) 태아의 골반부가 아래쪽에, 머리가 위쪽에 있는 이상태위

494) Park H, Lee IS, Lee H, Chae Y. Bibliometric Analysis of Moxibustion Research Trends over the Past 20 Years. J Clin Med 2020;9(5):1254.

495) Ju-Hyeon Lee, Doo-ree Hwang, Seung-Hyo Hong. Recent Research Trends in Moxibustion Treatment in Korea. J Acupunct Res 2020;37(1):1-12.

496) Cheng CW, Fu SF, Zhou QH, Wu TX, Shang HC, Tang XD, et al. Extending the CONSORT statement to moxibustion. J Integr Med 2013;11:54-63.

497) 김혜수, 김소연, 유정은 외. 뜸 임상시험 가이드라인 개발 연구. 동의생리병리학회지 2017;31(4):233-7.

(3) 표준화 연구

2022년 6월 기준 뜸치료와 관련하여 만들어진 국내표준에는 일반식 온구기, 뜸기구의 일반 요구사항, 무연뜸기구 일반 요구사항, 뜸 시술공간 일반 요구사항 등이 있다(표 5-12).

표 5-12. **뜸치료 관련 국내표준 현황**[498]

KS번호	표준명	내용	제정일
KS P ISO 3104	일반식 온구기	의료에 사용하는 일반식 온구기에 대하여 규정	1979.05.02(제정) 2018.08.22(개정)
KS P 3000	한의약 - 뜸 - 일반 요구사항	의료용으로 사용하는 뜸의 종류, 뜸을 뜨는데 사용되는 재료 및 뜸을 뜨는데 사용되는 재료의 시험방법과 포장 및 표기 방법에 대하여 규정	2012.01.02(제정) 2017.09.29(폐지) ; KS P 1928로 대체
KS P 1928	한의약 - 뜸기구의 일반 요구사항	뜸기구의 구성, 재질, 성능 및 안전성에 대한 일반 요구사항을 규정	2017.09.29(제정)
KS P ISO 21366	한의약 - 무연뜸기구 일반 요구사항	무연뜸기구의 성능 및 안전성에 대한 일반 요구사항 규정. 연기 밀도, 뜸 시술 온도, 유해가스 농도 및 그에 대한 시험법 규정	2019.11.25(제정)
KS P ISO 2081	한의약 - 뜸 시술공간 일반 요구사항	뜸 시술공간의 실내 공기 질, 화재 안전 요소를 규정하고 이를 시험하기 위한 시험법과 시설기준 규정	2020.12.30(제정)

498) 한국한의학연구원 한의학표준정보서비스[인터넷]. 표준화활동현황[2022년 6월 3일 인용]. URL: https:// standard. kiom.re.kr/sub0201

제5절   비약물 비침구치료

1. 부항附缸요법[499]

1) 정의

부항요법이란 배杯[500], 관罐[501], 항缸[502] 등의 도구를 사용하는 치료법이다. 열 또는 각종 방법으로 부항도구 속의 공기를 제거하여 음압을 조성하고 이를 이용하여 부항도구를 피부 표면에 흡착시킴으로써 사혈을 시키거나 피부에 울혈을 일으키고, 또 물리적 자극을 주어 사기邪氣를 제거하고 혈血을 깨끗하게 하며 체질을 개선하여 질병을 치료, 예방하는 방법이다.[503]

2) 부항(관罐) 장비의 종류

현재 임상에서 다용되고 있는 부항은 합성수지부항과 유리부항이다. 특히, 합성수지부항이 가장 많이 사용되고 있는데, 합성수지로 체부를 만들고, 흡인기(펌프)를 착탈할 수 있도록 배기 밸브가 달려 있다[504][흡인기가 권총 모양으로 되어 있고, 밸브가 있어 권총 핸들 밸브 부항(pistol-handle valve cups)이라 하기도 한다](그림 5-10). 이외에도 실리콘부항, 대나무로 만들어진 죽관竹罐, 도자기로 만들어진 도관陶罐 등이 있다. 이와 함께 전자기 부항 장치, 휴대용 부항 펌프, 나사 방식 부항, 압착식 고무 손잡이 부항, 자석 압착식 고무

---

499) 부항요법은 침구의학과 한방재활의학 모두에서 중요한 치료방법으로 다루고 있다. 이 책에서는 치료를 학문분류가 아니라 치료수단을 기준으로 약물치료, 침구치료, 비약물비침구치료로 나누어 기술하고 있으므로 부항요법을 비약물비침구치료에 포함시켜 설명하였다.

500) 杯(배): 잔, 그릇 등

501) 罐(관): 두레박, 항아리 등. 현대 중국어에서는 항아리, 단지, 캔 등을 의미함. 한의학에서는 부항을 의미함.

502) 缸(항): 항아리

503) 이병이, 송윤경, 임형호. 부항요법에 대한 문헌고찰 및 부항시술 현황 조사. 한방재활의학과학회지 2008;18(2):169-91.

504) 대한침구의학회 교재편찬위원회 편저. 침구의학. 서울: 한미의학; 2020. pp. 119-20.

손잡이 부항, 복합식 전기자극 부항 등이 사용되기도 한다.[505]

그림 5-10. **부항 흡인기 및 일회용 합성수지부항**

3) 시술 방법 및 운용[506]

(1) 흡착 및 배기 방법–음압 발생 방법

흡인기(배기펌프)를 합성수지부항의 배기 밸브에 연결하여 부항 속의 공기를 뽑아냄으로써 음압을 발생시키는 방법(추기법抽氣法)이 가장 많이 사용된다. 유리부항의 경우 불을 이용하여 관내 공기(산소)를 연소시켜 발생한 음압을 이용하여 피부에 부착하는 방식(화관법火罐法)을 사용한다. 대나무부항의 경우 끓는 물에 담근 뒤 물을 빼고 입구만 식힌 뒤 피부에 부착시키는 방법(수관법水罐法)을 사용한다.

---

505) Ilkay Zihni Chirali MBAcC RCHM 저, 부산대학교 한방병원 침구의학과 공역. 부항요법 3판. 서울: 한미의학; 2021. pp. 9-18.

506) 대한침구의학회 교재편찬위원회 편저. 침구의학. 서울: 한미의학; 2020. pp. 120-4.

(2) 운용 방법

부항요법은 임상적으로 사혈瀉血(출혈을 유발) 유무에 따라 건식乾式부항과 습식濕式부항으로 나눈다. 건식부항은 사혈을 하지 않고 부항을 붙이는 것으로서, 건식부항에는 부항을 붙였다가 바로 떼어내는 것을 여러 번 반복하는 섬관법閃罐法, 3분에서 15분 정도 관을 부착시켜 놓았다가 떼는 유관법留罐法, 피부에 윤활제를 바른 뒤 관을 부착시킨 상태로 상하좌우로 여러 차례 이동하는 주관법走罐法 등이 있다.[507]

습식부항은 자락관법刺絡罐法이라고도 하며, 작은 혈관을 무통사혈침, 삼릉침 등으로 찌른 뒤 관을 부착시켜 출혈을 시키는 방법이다. 한 연구에 따르면 평균 사혈량은 1-30 cc였다.[508]

4) 부항요법의 효과[509]

기혈氣血의 흐름을 조절하고 순환을 촉진하는 것이 부항요법의 가장 중요한 특징이며, 부항요법은 풍한습열風寒濕熱의 외부 사기邪氣를 제거하는 데도 효과적이다. 아울러 부항요법은 적혈구와 백혈구를 증가시키고, 산성 혈액을 알칼리성 혹은 중성으로 변화시키는데 이러한 부분은 혈액을 정화하는 효과를 가져온다. 한 임상연구에서는 자락요법을 통해 사혈한 혈액에서 산화물질이 높게 검출된 것을 통해 부항요법의 혈액 정화 효과를 설명한 바 있다.[510] 또한 부항요법은 혈액과 림프의 순환 기능을 개선하며, 자율신경계 조절 및 개선 등의 효과를 가지는데, 자율신경계가 통제하는 관련 장기에 긍정적 영향을 끼쳐 내과 질환을 치료하는데도 효과가 있다고 한다. 국소적으로는 근골격계 통증을 제거하고, 경직된 근육을 이완시키는 효과가 있다.

507) 이병이, 송윤경, 임형호. 부항요법에 대한 문헌고찰 및 부항시술 현황 조사. 한방재활의학과학회지 2008;18(2):169-91.

508) 한창현, 김선웅, 신미숙, 최선미. 국내 자락(사혈)요법 임상 실태 파악을 위한 면접조사. 대한침구학회지 2007;24(3):9-18.

509) Ilkay Zihni Chirali MBAcC RCHM 저, 부산대학교 한방병원 침구의학과 공역. 부항요법 3판. 서울: 한미의학; 2021. pp. 71-4. 대한침구의학회 교재편찬위원회 편저. 침구의학. 서울: 한미의학; 2020. p. 124.

510) Tagil SM, Celik HT, Ciftci S, et al. Wet-cupping removes oxidants and decreases oxidative stress. Complement Ther Med 2014;22(6):1032-6.

5) 유의 사항[511]

부항요법 시 몇 가지 유의 사항이 있다.

환자의 상태에 따라 자극 강도를 조절하는데 처음에는 약한 자극부터 시작해야 하며 일정 부위에 지나치게 많은 부항을 부착하거나, 부항 부착 시간을 지나치게 길게 하는 것을 삼가야 한다. 피로감이 심할 경우 2–3일 휴식을 취하도록 해야 한다.

골절된 부위, 임신부의 하복부에는 부항 시술을 삼가야 한다.

시술 시 부작용을 예방해야 하는데 특히 화관법火罐法으로 시술할 때는 화상을 조심해야 하며, 습식부항을 적용할 때는 출혈량이 되도록 10 mL가 넘지 않도록 해야 한다. 부항요법을 시행할 때는 감염이 일어나지 않도록 조심해야 하는데 감염을 예방하기 위해 멸균 소독된 부항이나 멸균 처리된 일회용 부항을 사용하는 것이 중요하다. 습식부항의 경우는 시술 전후 피부 부위 소독, 멸균 일회용 부항 등을 사용하여 감염 예방에 특별히 신경을 써야 한다.

6) 부항요법 이상반응

부항요법은 비교적 안전한 치료 방법이다. 부항요법의 이상반응(adverse events)은 대부분 가벼운 정도에 그치지만 드물게 심각한 이상반응도 있을 수 있어 전문가에 의한 안전한 부항 시술이 필수적이다. 먼저, 국내 부항요법 관련 임상논문에서 보고된 이상반응을 분석한 연구에 따르면, 관찰연구에서는 5건의 빈혈, 2건의 지방층염, 2건의 헤르페스 바이러스 감염, 1건의 경추 경막외 농양 등이 보고 되었고, 무작위대조군연구에서는 이상반응이 드물었다. 중등도 이상의 이상반응은 대부분 의료인이 아닌 무자격자나 환자 스스로 시술한 경우에 많았으며, 사혈하는 습식부항 시술에서 주로 발생하였다.[512] 다음으로 한국을 포함하여 21개국에서 수행된 부항요법 관련 임상연구에서 안전성을 분석한 연구를 살펴보면, 부항요법 관련 대부분의 이상반응은 흉터였고 그다음으로 화상이 주된 이상반응이었다. 이외에 두통, 소양증, 현기증, 피로, 근육 긴장, 빈혈, 메스꺼움, 수포 형성, 부항 부위의 작은 혈종 또는 통증, 농양 형성, 피부 감염, 불면증, 색소 침착 및 혈관미주신경 발작 등의

---

511) 대한침구의학회 교재편찬위원회 편저. 침구의학. 서울: 한미의학; 2020. pp. 124-5.

512) Kim TH, Kim KH, Choi JY, Lee MS. Adverse events related to cupping therapy in studies conducted in Korea: a systematic review. Eur J Integr Med 2014;6(4):434-40.

이상반응이 보고되었다. 대부분의 이상반응은 훈련받은 전문가에 의해서 시술이 이루어지고 일반적인 감염관리 지침, 위생적인 시술 방법, 안전성 및 적절한 치료 지침이 준수될 경우 예방할 수 있는 것이다.[513]

7) 부항요법의 현대적 연구

(1) 기전 연구

부항요법의 효과에 대한 다양한 기전 연구(mechanism study)가 국내외에서 이루어져 왔다. 그러나 지금까지 부항요법의 효과에 대한 명확한 기전은 밝혀지지 않았으며, 몇 가지 주요 기전들이 제안되었다. 대표적인 기전으로 음압으로 인한 말초 혈류 순환 개선과 면역력 향상이 제시되고 있다.[514] 부항요법의 효과에 관한 기전 연구는 다음의 네 가지로 나눌 수 있다(그림 5-11).[515]

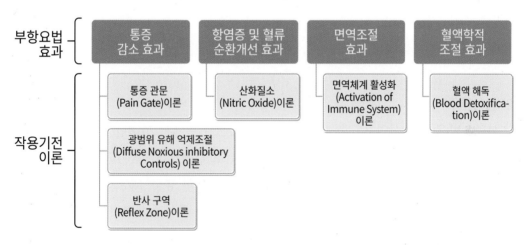

그림 5-11. **부항요법 효과와 작용기전 이론의 연관성**[516]

513) Al-Bedah AM, Shaban T, Suhaibani A, et al. Safety of cupping therapy in studies conducted in twenty one century: a review of literature. Br J Med Med Res 2016;15(8):1-12.

514) Aboushanab TS, AlSanad S. Cupping Therapy: An Overview from a Modern Medicine Perspective. J Acupunct Meridian Stud 2018;11(3):83-7.

515) Al-Bedah AM, Elsubai IS, Qureshi NA, et al. The medical perspective of cupping therapy: Effects and mechanisms of action. J Tradit Complementary Med 2019;9:90-7.

516) Al-Bedah AM, Elsubai IS, Qureshi NA, et al. The medical perspective of cupping therapy: Effects and mechanisms of action. J Tradit Complementary Med 2019;9:93.

첫째, 부항요법은 통증을 감소시킨다. 부항요법의 통증 감소 효과에 대한 기전으로 통증 관문(Pain Gate) 이론, 광범위 유해 억제 조절(Diffuse Noxious Inhibitory Controls) 이론, 반사구역(Reflex Zone) 이론 등이 제안되었다.

둘째, 부항요법은 항염증 및 혈류 순환개선 효과가 있다. 이와 관련한 기전으로 산화질소(Nitric Oxide) 이론이 있다. 부항요법으로 인한 내피세포 유래 산화질소가 혈관 확장, 혈관저항 감소, 혈소판의 응집 및 유착 억제, 백혈구(leukocyte)의 유착(adhesion)과 이동(migration)의 억제 등을 유발한다는 것이다.

셋째, 부항요법은 면역조절(immunomodulation) 효과가 있다. 부항요법은 면역체계를 활성화한다. 면역조절 이론은 피부 자극에 의한 미세환경 변화가 생물학적 신호로 전환되어 신경-내분비-면역계를 활성화할 수 있다고 제안한다.[517]

넷째, 부항요법은 혈액학적 조절(hematological adjustment) 효과를 통해 혈액을 해독(detoxification)시킨다. 혈액 해독 이론에서는 부항요법 시 요소, 요산, 중성지방 및 콜레스테롤 수치 감소, 기타 혈액학적 조정, 화농성 액체와 삼출물 및 세균에 의해 생성된 독소 배출, 체내 중금속 제거 등의 가능성을 설명하고 있다.

(2) 임상연구

부항요법 관련 임상연구도 점차 증가하고 있다. 2009년에서 2019년 사이 발표된 부항요법 무작위대조군연구(randomized controlled trials, RCTs)는 총 41편(샘플 사이즈가 50례 이상)이었다. 임상연구 결과 목 통증, 요통, 무릎 관절 통증, 대상포진, 여드름, 피부 가려움증, 질베르병(Gilbert's disease), 노인성 가려움증, 급성 두드러기, 외인성 발열, 기침, 위장관 장애, 편두통, 안면 질환 등에 부항요법이 효과가 있었다.[518] 2010년에서 2020년 사이 발표된 부항요법 관련 13편의 체계적문헌고찰(systematic reviews, SRs) 연구를 분석하여 부항요법의 임상적 근거(evidence)를 확인한 연구에 따르면, 목 통증, 무릎 골관절염, 판상 건선, 만성 두드러기, 강직성 척추염, 대상포진, 편두통 등에 대한 임상연구에서

517) Guo Y, Chen B, Wang DQ, et al. Cupping regulates local immunomodulation to activate neural-endocrine-immune worknet. Complement Ther Clin Pract 2017;28:1-3.

518) Wang SZ, Lu YH, Wu M, et al. Cupping Therapy for Diseases: An Overview of Scientific Evidence from 2009 to 2019. Chin J Integr Med 2021;27(5):394-400.

부항요법의 잠재적 이점의 근거를 확인할 수 있었다.[519]

부항요법에 대한 보고지침인 STRICTOC (STandards for Reporting Interventions in Clinical Trials Of Cupping, 2020)[520]이 최근에야 만들어졌다. 이전에 수행된 대부분의 부항요법 관련 임상연구에서는 표준화된 보고가 이루어지지 않은 한계가 있으며, 대규모 다기관 연구의 부족, 장기적 추적 관찰이 없는 점, 부정적 결과가 보고되지 않은 점(출판 편향 가능성) 등의 한계가 있다.[521] 추후 이러한 부분이 보완된 부항요법 관련 임상연구가 이루어져야 할 것이다.

(3) 표준화 연구

2022년 6월 기준 부항 관련 국내 표준에는 공기 배출형 부항기 국내표준(표 5-13)이 있다.

표 5-13. 부항요법 관련 국내표준 현황[522]

KS번호	표준명	내용	제정일
KS P ISO 19611	한의약 - 공기 배출형 부항기	음압을 사용하여 작동하는 공기 배출형 부항기에 대한 요건을 규정	2018.08.22(제정)

---

519) Choi TY, Ang L, Ku B, et al. Evidence Map of Cupping Therapy. J Clin Med 2021;10(8):1750.

520) Zhang X, Tian R, Lam WC, et al. Standards for reporting interventions in clinical trials of cupping (STRICTOC): extending the CONSORT statement. Chin Med 2020;15:10.

521) Wang SZ, Lu YH, Wu M, et al. Cupping Therapy for Diseases: An Overview of Scientific Evidence from 2009 to 2019. Chin J Integr Med 2021;27(5):394-400.

522) 한국한의학연구원 한의학표준정보서비스[인터넷]. 표준화활동현황[2022년 6월 3일 인용]. URL: https:// standard.kiom.re.kr/sub0201

2. 추나요법

1) 추나요법의 정의

추나요법推拿療法(Chuna manual therapy, CMT)이란 한의사가 손 또는 신체의 일부분이나 추나 테이블 등 기타 보조기구를 이용하여, 환자의 신체 구조에 유효한 자극을 가함으로써 인체의 구조나 기능상의 문제를 치료하는 한의 수기요법을 말한다.[523]

2) 한국 추나요법의 발전 및 특징

추나요법은 <황제내경黃帝內經>의 도인導引, 안교按蹻, 안마按摩 등에서 유래하였다. 명대 이전에는 수기요법을 통칭하여 안마라고 하였으나, 명대부터 추나推拿라는 명칭이 사용되기 시작하였고, 청대에 이르러 추나라는 용어로 통일되었다.[524] 한국의 경우 중국과의 교류로 비슷한 과정을 밟아 발전한 것으로 보이나 추나요법 관련 의서가 많지 않아 정확한 발전 단계를 파악하기 어렵다. 그러나 조선시대 의서들을 살펴보면, 조선 중기까지 도인導引, 안마按摩 등의 형태로 추나요법이 존재했으며, 조선 후기 의서에 청대 의서인 <의종금감醫宗金鑑>의 정골법正骨法의 내용이 반영되어 있고 추나란 용어가 사용된 것을 볼 때 조선 후기에 이르러 추나요법이 본격적으로 활용된 것으로 보인다.[525]

일제 강점기에는 추나요법이 제도권 안에서 흡수되지 못하고 민간요법으로 전락해 있었다. 이로 인해 추나요법은 오랫동안 개인적으로 전수되거나 특정 그룹 안에서만 연구되어 체계화되지 못한 상태로 명맥을 이어 왔다. 이러한 상황에서 1992년 대한추나의학회가 설립되었으며, 이를 계기로 추나요법이 체계적으로 정리되어 학문적으로 재정립되게 되었다. 현재는 전국의 한의과대학 및 한의학전문대학원의 정규 교육과정에 포함되어 정식 교과목으로 교육이 이루어지고 있다.[526] 학회 설립 후 추나요법의 표준화 및 임상적 근거(evidence)에 관한 연구도 늘어났다. 그 결과 2017년에 전국 65개 한의 의료기관(15개 한방병원, 50개 한의원)에서 추나요법 건강보험 시범사업이 실시되었고, 2019년 4월 8일 전

523) 척추신경추나의학회 편저. 추나의학 2.5판. 서울: 척추신경추나의학회; 2017, p. 4.
524) 신병철, 윤상협, 이종수. 推拿療法의 醫史學的 考察. 대한추나의학회지 2000;1(1):9-43.
525) 임진강, 김남일. 한국 전통추나의학에 대한 의사학적 고찰. 한국의사학회지 2007;20(2):111-5.
526) 한방재활의학과학회 저. 한방재활의학 5판. 파주: 글로북스; 2020. p. 347.

면적으로 추나요법의 건강보험 급여화가 이루어지게 되었다.[527)

한국의 추나요법 외에도 전 세계적으로 많은 수기요법들이 존재한다. 대표적인 수기요법으로는 미국의 카이로프랙틱(Chiropractic) 의학, 중국의 추나[튀나(Tuina), 推拿], 일본의 유도정복술(주도세이후쿠쥬츠, 柔道整復術), 지압(시아쯔, 指圧) 등이 있다. 한국 추나요법은 한의학의 장부학설과 경락학설에 기반을 둔 한국 한의학의 전통적 수기법을 바탕으로 미국 카이로프랙틱 의학의 수기법, 중국의 추나 등의 장점을 수용하여 실용적 관점에서 발전시킨 것이다.[528) 한국의 추나요법에는 중국에서는 좀처럼 볼 수 없는 영상 기반 진단을 사용한다는 특징이 있으며, 또 일본과 미국에서는 볼 수 없는 변증진단(장부변증, 팔강변증 등)을 시행한다는 특징이 있다.[529) 최근에는 동·서양의 추나 수기요법의 장점을 수용하는 것뿐만 아니라 한의학적인 원리를 바탕으로 한 전통 추나요법을 생물학, 해부학, 생리학, 생체역학 등의 기초과학 및 임상병리, 영상의학 등의 현대 의료기술과 융합하는 방향으로 발전해 나가고 있다.[530)

3) 추나요법의 치료원리[531)

(1) 추나요법의 전통적 원리

첫째, 추나요법은 음양을 조절하는 효과가 있다. 추나요법은 체표 국소 부위의 경락經絡을 통하여 기혈氣血을 움직이게 하고, 근육과 뼈를 유지하게 하며, 이로 인한 경락에 대한 작용은 내장과 기타 부위에까지 미치게 된다. 아울러 골격구조에 있어 음양평형을 가능하게 하는데, 이는 골격구조의 변위를 교정하여 구조적인 균형을 유지시키는 것을 말한다.

둘째, 추나요법은 경락을 소통시키고 행기활혈行氣活血하는 효과가 있다. 추나요법은 직접적인 수기 자극을 통해 경락을 소통시켜 기혈 순환을 개선하고, 촉진하는 작용을 한

527) Yu J, Shin BC, Kim H, et al. The process of National Health Insurance coverage for Chuna Manual Therapy in Korea: A qualitative study. Integr Med Res 2022;11(1):100746.

528) 박종민, 신상우, 박종현. 推拿의 개념 비교연구. 대한한의학원전학회지 2008;21(2):173-91.

529) 부산대학교. 추나요법 근거창출 임상연구-유효성, 안전성, 경제성 평가-. 보건복지부. 2018, p. 8.

530) 한방재활의학과학회 저. 한방재활의학 5판. 파주: 글로북스; 2020. p. 347.

531) 이 부분은 한방재활의학과 교과서(2020)를 주로 인용하여 서술하였다.
한방재활의학과학회 저. 한방재활의학 5판. 파주: 글로북스; 2020. pp. 348-52.

다. 기혈이 운행되면 음양평형이 유지되고, 근육과 뼈에 영양이 공급되어 관절이 부드럽게 된다.[532)]

셋째, 추나요법은 이근정복理筋整復, 활리관절滑利關節의 효과가 있다. 근육, 뼈, 관절 등이 손상되면 반드시 기혈에 영향을 미치게 되고 맥락脈絡이 손상되어 기의 운행이 원활하지 못하게 되고(기체氣滯), 혈이 뭉치고 운행에 장애가 발생하여(어혈瘀血) 이에 따라 붓고 아프며 팔다리와 몸, 관절에 영향을 주게 된다. 이때 추나요법을 시행하면 이근정복, 활리관절의 효과로 손상된 부위가 회복된다. 구체적으로 그 의미를 살펴보면 먼저, 수기법이 손상된 국부에 작용하여 기혈운행을 촉진하고 붓고 뭉친 것을 풀어서 기를 다스려 통증을 그치게 한다. 다음으로 추나 정복수기整復手技를 통해 역학적으로 뼈 및 관절의 미세한 어긋남과 근육, 힘줄, 인대 등의 비정상적인 변위(이완, 수축, 회전, 이탈 등)를 교정하게 된다.[533)] 그리고 적당한 수동적인 운동을 통해서 유착이 풀어지고 관절 움직임이 부드럽게 된다.

넷째, 추나요법은 장부 기능을 조절하고 부정거사扶正祛邪하는 효과가 있다. 추나치료는 인체의 체표에 상응하는 경락과 혈위에 작용하여 관련 장부 기능을 개선하고 질병 저항력을 증가시킨다.

(2) 추나요법의 현대적 원리

추나요법의 현대적 원리를 살펴보면, 첫째, 추나요법은 척추복합체의 움직임을 평가하여 유착이 진행된 과소운동성(hypo-mobility)을 가진 분절들이 원래의 정상적인 운동 범위까지 움직일 수 있도록 하는데 가장 적절한 방법이라 할 수 있다.[534)] 둘째로 추나요법은 손상된 세포나 조직 또는 주변 조직에 자극을 가함으로써 손상된 조직이나 세포를 재생시켜 손상 이전의 기능을 회복할 수 있도록 하는 재활치료의 의미가 있다. 셋째로 추나요법은 임상에서 환자의 역학적 기능부전을 비교적 초기 단계에서 찾아내고 이것이 비가역적

---

532) <영추靈樞·본신本神> "行血氣而營陰陽, 濡筋骨, 利關節"

533) 고전문헌에서는 뼈와 관절, 인대, 힘줄, 근육 등의 해부학적인 미세한 변위를 "골착봉(骨錯縫)", "근출조(筋出槽)"로 표현했고 현재 중국에서 이 용어는 추나 치료와 관련해서 많이 사용되고 있다.

534) 이 부분은 척추아탈구(vertebral subluxation complex), 체성기능장애(somatic dysfunction) 등의 개념과 관련이 있으며, 이 두 개념은 한국표준질병사인 분류체계에서 아탈구 복합(Subluxation complex)과 관절 또는 신체의 기능장애(Segmental and somatic dysfunction) 등과 관련이 있다.

인 만성적인 단계로 진행하기 이전에 치료할 수 있도록 하는 예방치료의 의미가 있다. 넷째로 추나요법은 적절한 진단 평가를 통해 잘못된 자세나 인체의 부정렬을 파악하여 이들의 원인이 되는 나쁜 생활 습관 및 선천적 기형, 발달상의 이상, 외상, 질병 등에 의해 나타나는 인체의 구조적 변형을 적절히 제거할 수 있도록 하여 올바른 체형과 자세를 회복하도록 한다.

4) 분류

국내에서는 추나시술 기법의 안전성과 난이도에 따라 단순추나요법, 복잡추나요법, 특수추나요법으로 분류하고 있다. 구체적으로 관절가동추나·관절신연추나·근막추나는 단순추나요법으로, 관절교정추나는 복잡추나요법으로, 탈구추나·내장기추나·두개천골추나는 특수추나요법으로 분류하였다(표 5-13).[535]

표 5-13. 한의 의료행위 추나요법 분류

분류	세부 추나 기법
단순추나요법	관절가동추나, 관절신연추나, 근막추나
복잡추나요법	관절교정추나
특수추나요법	탈구추나, 내장기추나, 두개천골추나

(1) 단순추나요법

해당 관절의 정상적인 생리학적 운동 범위 내에서 관절을 가동 또는 신연시키거나 근육(경근)을 이완 또는 강화시켜 치료하는 행위를 말한다. 관절가동추나, 관절신연추나, 근막추나가 포함된다.

---

535) 한방재활의학과학회 저. 한방재활의학 5판. 파주: 글로북스; 2020. pp. 345-6.

(2) 복잡추나요법

해당 관절 또는 근육 조직에 단순추나기법을 사용하여 적절히 이완시킨 후, 해당 관절의 변위와 기능부전의 회복을 목적으로 관절의 생리학적 범위를 넘어 순간교정기법을 사용하여 치료하는 행위를 말한다. 관절교정추나가 여기에 해당한다.

(3) 특수추나요법

정상적인 해부학적 위치에서 이탈된 탈구 상태를 원위치로 복원시키는 정골교정기법을 적용하여 치료하는 행위인 탈구추나, 특수구조인 내장기를 조절하는 내장기추나, 두개천골계를 교정하는 두개천골기법이 있다.

5) 추나요법의 진단

추나요법을 시술하기 위해서는 시술 전에 인체 전체의 불균형 상태와 구조적 질병에 대한 정확한 진단과 평가를 내리는 것이 필수적이다. 일차적으로 경락, 장부, 맥진과 각종 변증 이론에 따라 사진四診 내용을 세밀하게 검토하여 변증 관련 진찰 및 진단을 하고, 이차적으로 해부학적 구조와 기능장애에 따른 진단과 평가를 시행한다.[536] 이차적인 정확한 진단은 기능해부학/생체역학/운동학적 지식, 정확한 환자 병력 청취, 세밀한 관찰, 그리고 완전한 검사에 달려 있다. 추나 진단 평가과정은 자세한 병력 청취, 환자에 대한 전체적인 관찰, 환자 신체에 대한 개괄적인 검사(physical examination), 정밀 검사(촉진, 기능적 검사, 신경학적 검진, 특수한 이학적 검사), 영상 검사, 진단의학 검사 등으로 이루어진다. 이러한 과정을 통해 환자 상태에 대한 진단 평가가 이루어지면 개별 환자에게 가장 적합한 추나 치료 계획을 세우게 된다(그림 5-12).[537]

---

536) 한방재활의학과학회 저. 한방재활의학 5판. 파주: 글로북스; 2020. p. 352.
537) 대한한의사협회. 추나요법 급여 사전교육. 2019, pp. 19-20.

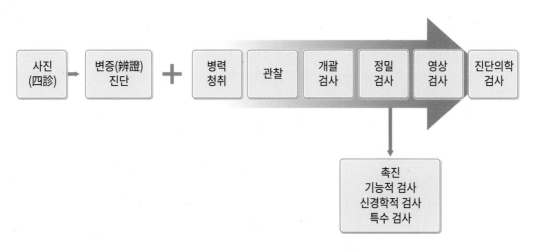

그림 5-12. **추나 진단 평가과정**[538]

일차적 진단 평가(변증) + 이차적 진단 평가(해부학적 구조와 기능장애에 대한 진단)

6) 추나요법 관련 연구

(1) 추나요법의 효과에 대한 임상연구

추나요법이 임상적으로 효과(effectiveness)가 있는지를 확인하기 위해 국내외 무작위 대조군임상연구(RCTs)논문과 체계적문헌고찰(SR)논문을 검색하여 조사한 연구보고서가 있다.[539] 국내문헌 19편(RCTs)과 중국문헌 91편(SRs 9편, RCTs 82편), 그 외 국외문헌 11편 (SRs 4편, RCTs 7편) 총 121편을 분석한 이 연구보고서에 따르면, 추나요법은 근골격계 질환(경부통, 경추부 염좌, 경추증, 요통, 요추부 염좌, 요추간판탈출증, 어깨 통증, 어깨관절주위염, 발목염좌, 골관절염, 골다공증, 턱관절 장애)뿐만 아니라 경추성 두통, 경추성 어지러움, 안면신경마비, 뇌졸중, 본태성 고혈압, 알레르기 비염, 감기, 만성피로 증후군, 불면증, 비만, 우울증, 원발성 월경통, 변비 등에도 효과가 있다고 한다. 그리고 2017년 추나요법의 근골격계 질환에 대한 효과(effectiveness)를 분석하기 위해 영어, 중국어, 일본어 및 한국어 데이터베이스 15개를 검색하여 최종 66개의 무작위대조군임상연구(RCT) 논문(연

---

538) 대한한의사협회 추나요법 급여 사전교육 자료집(2019)에서 인용함. 일부 내용 추가함.

539) 척추신경추나의학회. 추나요법의 임상적 유효성에 대한 연구 보고서. 2014

구대상자 총 6,170명)에 대해 체계적문헌고찰 및 메타분석을 실시하였다. 이 연구[540])에 따르면, 추나요법은 근골격계 질환의 통증 감소와 기능 개선에 효과적이고 안전한 치료 방법이다. 이 연구에서는 척추(경추, 흉추, 요추, 천추, 미추) 질환, 어깨 질환, 상완골 질환, 무릎 질환, 발목 질환 등 다양한 근골격 질환에 대해 추나요법이 치료 효과가 있음을 보여주고 있다.

(2) 추나요법의 안전성 연구

추나요법에 의해 초래되는 심각한 손상은 상대적으로 드물며, 적절한 추나요법은 다른 치료 방법들에 비해 시술자에 의해 손상이 일어나는 일이 비교적 적다. 추나요법의 안전성에 관해 국내에서 보고된 임상연구에 따르면 경추 추나요법에 의한 이상반응(advesre events)의 85-90% 정도는 경도나 중등도의 증상이며, 심각한 이상반응이나 합병증 발생률은 낮은 것으로 나타났다.[541]) 그러나 적지만 일부 심각한 이상반응 및 합병증도 국내에서 보고된 바가 있다. 경추부 추나치료 후 뇌경색, 경막파열, 경부혈종, 추간판탈출증 등이 보고되었고, 요추부 추나치료 후 마미증후군, 추간판탈출증의 발생 또는 악화 등도 보고된 바 있다. 여기에는 한의사가 아닌 비전문가에 의한 추나치료로 발생한 이상반응도 포함되어 있다.[542]) 국외에서는 국내보다 더 심각한 이상반응이 경추 추나와 관련되어 보고되었다. 그러나 이 연구에는 추나 시술자가 숙련된 의료인이 아니고 충분한 교육 및 훈련을 받지 못한 시술자에 의한 수기치료도 포함되어 있어 국내보다 심각한 부작용이 더 많았던 것으로 보인다.[543]) 국내 한의사들의 추나요법 후 이상반응에 관한 대규모의 후향적 관찰연구를 살펴보면, 2009년 12월에서 2019년 3월까지 국내 14개 한방병원에서 근골격계 질환 환자 289,953명에게 2,682,258회 추나치료가 시행되었는데 그 이상반응을 분석한 결과 통증의 악화 29례, 갈비뼈 골절 11례, 시술 중 낙상 6례, 흉통 2례, 현기증 1례, 경미한 불편감 1례가 확인되었다. 이중 49례는 경도나 중등도 이하의 이상반응이었고, 수술이 필요할

---

540) NW Lee, GH Kim, KW Kim, et al. Chuna (Tuina) Manual Therapy for Musculoskeletal Disorder: A Systematic Review and Meta-Analysis of Randomized Controlled Trials. Evidence-Based Complementary and Alternative Medicine. 2017;2017:8218139.

541) 고연석, 박태용, 공재철 외. 경추 추나치료의 안전성에 대한 임상보고. 한방재활의학과학회지 2006;16(4):83-95.

542) 이병이, 장건, 이길재 외. 추나 시술 부작용에 대한 국내 현황 보고. 척추신경추나의학회지 2007;2(2):161-70.

543) 정선영, 이차로. 척추수기치료의 부작용에 대한 국내 및 국외 현황 비교. 척추신경추나의학회지 2015;10(1):15-33

정도로 통증이 악화된 대퇴골두무혈성괴사 환자 1례만 중증 이상반응에 해당하였다. 이를 통해 잘 훈련된 전문가(한의사)에 의해 추나시술이 시행될 경우 비교적 안전함을 알 수 있다.[544]

추나 시술에는 약간의 이상반응(국소 부위 불편함, 두통, 경직, 피로 등)이 동반될 수 있으며 매우 드물지만 경추부의 경우 척수 손상, 뇌혈관 사고, 병적 골절 및 탈구 등의 심각한 부작용도 있을 수 있으므로 숙련된 한의사가 국제적인 수기의학 가이드라인[545]과 학회 권고에 따른 추나요법 금기 사항을 고려하여 안전하게 시술하여야 한다.[546]

3. 한방물리요법[547]

1) 한방물리요법 개요

한방물리요법이란 수기적, 이학적 자극 및 기계적 자극을 이용하여 인체의 기혈영위氣血營衛의 순행로인 경락經絡과 내부 장기의 반응점인 경혈經穴, 그리고 관절에 연속하여 전신의 동작을 주관하는 경근經筋, 경맥과 낙맥의 피부 구분인 경피經皮 등에 자극을 주어 질병을 치료하고 건강증진에 효과를 미치는 치료법을 말한다. 이러한 한방물리요법은 생리적 균형조절과 기능향상을 통하여 국소적인 근골격계 통증과 기능장애를 개선할 뿐만 아니라 내과적인 기능 회복에도 영향을 미쳐 전신적인 건강증진에 도움을 준다.[548]

---

544) Kim S, Kim GB, Kim HJ, et al. Safety of Chuna Manipulation Therapy in 289,953 Patients with Musculoskeletal Disorders: A Retrospective Study. Healthcare (Basel) 2022;10(2):294.

545) 세계 수기/근골의학연합회(FIMM) 저, 척추신경추나의학회 역. 세계 수기/근골의학 연합회 기본교육 및 안전 지침서 (FIMM가이드라인 2013년판). 서울: 척추신경추나의학회; 2017[2022년 10월 5일 인용]. (PDF; URL: https:// www.fimm-online.com/file/repository/Korean_Guidelines.pdf)

546) 이와 관련하여 세계보건기구(WHO)에서 몇 가지 수기치료 관련 가이드라인을 발간하였다.
World Health Organization. WHO guidelines on basic training and safety in chiropractic. Geneva: WHO Press; 2005.
World Health Organization. WHO benchmarks for the practice of tuina. Geneva: World Health Organization; 2020.

547) 이 부분은 한방재활의학과 교과서(2020)를 중심으로 기술하였다.
한방재활의학과학회 저. 한방재활의학 5판. 파주: 글로북스; 2020. pp. 391-438.

548) 최보미, 홍서영. 한방물리요법에 대한 문헌적 고찰. 한방재활의학과학회지 2011;21(2):211-26.

한방물리요법은 한의 의료기관에서 폭넓게 시행되고 있다. 2009년 11월 한방물리요법 중 온습포 등을 경피 또는 경근 부위에 대어주는 경피경근온열요법, 적외선램프를 이용하여 해당 부위에 적외선을 조사해주는 경피적외선조사, 냉습포 등을 경피 또는 경근 부위에 대어주는 경피경근한냉요법 등의 3항목이 건강보험 급여에 포함되었다.

한방물리요법에는 전기에너지를 이용한 전기치료, 빛에너지를 이용한 광선치료, 물의 특성을 이용한 수치료, 운동치료 등이 포함되는데 여기서는 어떤 종류가 있는지만 간단하게 살펴본다.

2) 전기치료(Electrotherapy)

전기치료는 경혈, 경락, 경근, 경피 등에 다양한 방식으로 전기 자극을 주어 기의 흐름을 조절함으로써 질병을 치료하는 것으로 통경락요법通經絡療法이라고 한다. 전류의 물리적인 특성에 의한 열 효과, 전자기 효과, 화학적 효과 등을 기대할 수 있다. 현대 과학기술의 발전으로 만들어진 다양한 의료 장비를 사용하며, 전류가 흐르는 모양과 크기, 주파수, 접촉 방식 등에 따라 다양한 종류의 전기치료가 있다. 이와 함께 초음파, 충격파 등을 사용한 치료 또한 이루어지고 있다.

현재 한방물리요법에 포함되는 전기치료에는 한방통전약물요법(iontophoresis therapy of herbal medicine), 혈위도전요법(electrical stimulation therapy, EST), 경피전기자극치료(transcutaneous electrical nerve stimulation, TENS), 기능적전기자극요법(functional electrical stimulation, FES), 경근간섭저주파요법(interferential current therapy, ICT), 경피경혈자극요법(silver spike point, SSP), 경근미세전료자극요법(micro-current electrical therapy, MET), 혈위단파요법(short-wave), 혈위극초단파요법(micro-wave), 혈위초음파요법(ultra-sound), 체외충격파요법(extracorporeal shock wave therapy, ESWT) 등이 있다.

3) 광선치료(Photoptherapy)

광선치료는 빛에너지를 이용한 치료 방법이다. 현재 한방물리요법에 포함되는 광선치료에는 사용되는 광선의 종류에 따라 경피적외선조사요법, 경피자외선조사요법, 종합가시광선조사요법, 레이저치료(laser), 특정전자파치료(Tending Diancibo Pu, TDP) 등이 있다.

4) 수치료(Hydrotherapy)

수치료는 온도와 압력 같은 물의 물리적 특성을 이용하여 혈액순환을 촉진하고 질병을 치료하는 방법이다. 전통적인 한의학의 수치료는 크게 분류하여 약물을 끓인 탕액이나 소금물, 물 등으로 상처 부위를 닦는 세법洗法, 약물을 태운 연기 또는 약물을 끓인 증기를 이용하여 상처 부위를 훈증하거나 인후부로 흡입하는 훈법熏法, 습포요법에 해당하는 위법熨法 등이 있다.

현대한의학에서 수치료는 그 종류가 다양하다. 첫째, 찜질, 열위요법熱熨療法으로는 경피경근온열요법(hot pack), 파라핀욕, 고온습포(찜질), 진흙욕(mud bath), 열위법熱熨法[549] 등이 있다. 둘째, 경피냉각요법으로는 얼음팩, 한랭침수욕, 얼음마사지, 크리오에어 요법 등이 있다. 셋째, 물에 몸을 직접 담그는 침수욕은 몸이 침수되는 정도에 따라 완전침수욕과 부분침수욕으로 나뉘며, 물의 온도에 따라 고온욕, 한랭욕, 중온욕, 냉온욕(전신교대욕) 등으로 분류된다. 넷째, 기구를 이용한 수치료에는 와류욕(whirlpool bath), 하버드탱크(Hubbard tank), 압주욕(douche), 분무욕(spray) 등이 있다. 다섯째, 증기를 이용한 수치료에는 러시안욕, 증기욕, 터키욕, 핀란드욕(사우나), 훈세요법熏洗療法[550] 등이 있다. 마지막으로 약재를 욕탕물에 넣거나 약재를 끓인 약액을 욕탕물에 넣은 약물욕 등이 있다.

5) 운동요법

(1) 운동요법 개요

한의학에서는 다양한 운동요법을 전통적으로 도인안교導引按蹻라 하였다. 도인안교는 <황제내경·소문·이법방의론>[551]에서도 언급되었으며, 이후에도 한의학의 다양한 문헌들에서 언급되었다. 간략하게 말하면 '도인導引'은 기공, 호흡법 또는 신체 운동요법을 말하고, '안교按蹻'는 현대의 지압, 안마요법에 해당한다고 할 수 있다. 이러한 도인안교는 건강을 유지하고 증진하는 양생養生의 측면, 질병을 치료하는 치료운동의 측면, 질병 후 회복을

---

549) 열위법(熱熨法) ; 벽돌, 굵은 소금, 병 등의 전열 물체나 잘게 부순 약재에 열을 가한 후 천으로 싸서 인체의 일정 부위에 놓고 움직이며 치료.

550) 훈세요법(熏洗療法) ; 약물 전탕을 이용하여 피부에 열자극을 가하거나 환부에 훈증하여 치료하는 방법.

551) <黃帝內經.素問.異法方宜論> "中央者, 其地平以濕, 天地所以生萬物也衆. 其民食雜而不勞, 故其病多痿厥寒熱, 其治宜導引按蹻, 故導引按蹻者, 亦從中央出也."

위한 재활운동의 측면, 질병 치료를 위한 수기요법의 측면 모두를 포괄하고 있다.

후대로 가면서 팔단금八段錦, 오금희五禽戲 등과 같은 구체적인 도인법이 만들어져 사용되기 시작하였고, 도인안교뿐만 아니라 안마按摩, 기공氣功, 추나推拿 등의 단어도 운동요법과 관련해서 등장했다. 그러나 이러한 용어들은 엄격히 구분되어 사용되지 못하였으며, 지금까지도 도인법과 기공 관련해서는 일부 용어의 혼란이 있다.

기공이라는 용어는 오래전 문헌에 등장하였으나 비교적 현대인 1949년에 이르러서 확립되었고 1950년대에 널리 알려져 활용되기 시작하였다. 이후 일부에서 도인이란 용어를 기공과 혼용하여 사용되는 경우가 발생하였는데, 이는 기공이 도인에 영향을 받았으며 기공 속에 도인의 성격이 포함되어 있기 때문이다.[552] 이러한 혼란 속에서 국내에서는 도인법과 기공을 엄밀하게 구별하기 시작하였다.[553] 그러나 국외에서는 전통적인 도인법인 팔단금八段錦, 육자결六字訣, 오금희五禽戲 등을 도인법이 아닌 기공 중 동공動功의 일부로 분류하여 기술하고 있다.[554] 이 부분은 추후 국내외에서 좀 더 연구가 진행되어야 할 것으로 보인다. 나아가 현대에 들어서 전통적인 도인안교 중 일부는 현대한의학의 운동요법으로 발전하였는데, 한의 의료행위에 속하는 도인운동요법, 근건이완수기요법이 이에 해당한다.

여기서는 오늘날 사용되는 대표적인 한의 운동요법을 간단하게 살펴보고자 한다.

(2) 도인법導引法

도인법은 한의학의 전통적인 치료 운동으로서, 질병 치료 및 양생 건강법으로 주로 사용되었다. 도인법은 호흡과 함께 몸을 굽히고 펴는 방법, 팔과 다리를 구부렸다 폈다 하는 동작을 통해 혈과 기를 유창하게 소통시켜서 내부 장기에까지 원활한 기혈순환이 되도록 하여 건강을 촉진하는 방법을 말한다. 도인법의 경우 기공과 달리 행기行氣, 즉 기혈순환에

---

552) 황의형, 권영규, 허광호 외. 한의학적 운동치료로서 기공과 도인의 효과에 따른 차이 고찰. 동의생리병리학회지 2013; 27(5):594-601.

553) 장영준, 이장원, 채한 등. 강의평가 설문 결과를 이용한 양생기공 교육의 효과 분석. 동의생리병리학회지 2013;27(4):471-80.
안재규, 이상현, 김현태 등. 기공 운동 치료가 고혈압에 미치는 영향: 체계적 문헌 고찰. 척추신경추나의학회지 2020; 15(2):9-18.

554) Zhang YP, Hu RX, Han M, et al. Evidence Base of Clinical Studies on Qi Gong: A Bibliometric Analysis. Complement Ther Med 2020;50:102392.

더 중점을 두고 있다.[555] 여러 가지 도인법이 전해져 내려오고 있는데 여기서는 대표적인 도인법인 팔단금八段錦과 오금희五禽戱에 대해 간략하게 살펴본다.

먼저, 팔단금은 8개의 동작으로 이루어진 도인법이다. 중국 남조南朝 시대 양梁나라 때 만들어진 것으로 전해져 내려오던 여러 방법이 중국 송대宋代부터 완성되기 시작하여 오늘날까지 전해지게 되었다. 팔단금은 구부리는 자세, 서 있는 자세, 정적 및 동적 동작으로 구분되며, 이러한 동작들은 전반적인 인체 근육의 수축과 이완 및 관절의 굴곡과 신전 동작을 호흡조절과 함께 반복함으로써, 전신의 근력 강화 및 심폐기능을 향상하는 데 매우 효과적이다.[556]

다음으로 오금희는 서진西晉 시대 진수陳壽의 삼국지三國志에서 처음 언급되었고, 동한東漢 말기의 화타華陀가 만든 도인법으로 알려져 있으며, 최초의 도인법이라 할 수 있다. 이후 여러 사람에 의해 전승되어 내려오는 과정에서 다양한 형식으로 발전하여 여러 형태의 오금희가 오늘날까지 전해지게 되었다.[557] 오금희는 건강 장수하는 다섯 가지 동물(호랑이, 사슴, 곰, 원숭이, 새)들의 동작을 모방해 각각의 동작을 배합하여 뼈와 근육을 강하게 하고 질병을 치료하는 효과를 얻고자 만들어진 도인법이다.[558]

팔단금과 오금희에 대해서는 현대적 임상연구가 지속해서 발표되었다. 주로 심장, 폐, 간, 대장 등 내장 관련 질환이나 내장 기능과 관련된 연구가 많았다.[559] 팔단금, 오금희 등은 국외에서는 도인법이 아닌 기공 중 동공으로 분류되어 임상연구가 진행되었으며 기공의 효과로 발표되고 있다. 팔단금 관련 임상연구가 가장 높은 비율로 보고되고 있다.[560] 도인법과 기공의 관계에 관한 국내외 학계의 연구와 합의가 필요할 것으로 보인다.

555) 황의형, 권영규, 허광호 등. 한의학적 운동치료로서 기공과 도인의 효과에 따른 차이 고찰. 동의생리병리학회지 2013; 27(5):594-601.

556) 조형준, 배동렬, 김희나 외. 팔단금 도인 운동이 고혈압에 미치는 영향 : 체계적 문헌 고찰. 척추신경추나의학회지 2017; 12(1):43-56.

557) 이재준, 이종수. 華陀五禽戱의 의사학적 고찰 및 현대적 활용가능성. 한방재활의학과학회지 2015;25(4):65-74.

558) 정현우. 傍生導引 五禽戱와 臟腑와의 상관성 연구. 동의생리병리학회지 2012;26(1):1-9.

559) 황의형, 권영규, 허광호 등. 한의학적 운동치료로서 기공과 도인의 효과에 따른 차이 고찰. 동의생리병리학회지 2013; 27(5):594-601.

560) Zhang YP, Hu RX, Han M, et al. Evidence Base of Clinical Studies on Qi Gong: A Bibliometric Analysis. Complement Ther Med 2020;50:102392.

(3) 도인운동요법導引運動療法

현재 한의 의료행위에서 말하는 도인운동요법은 전통적인 도인운동요법과 같지 않다. 현재 도인운동요법은 전통적인 도인법 중 일부를 가져와 발전시킨 것으로 척추 및 사지 관절의 통증, 신체의 불균형, 여러 가지 원인으로 발생한 중추성 또는 말초성 마비질환으로 인한 기능장애가 발생했을 때, 환자의 호흡을 조절하면서 피동적, 능동적 운동을 적용하여 치료하는 방법이다.[561] 한의사가 환자에게 교육하는 자가운동법이면서 치료 기법에 따라 한의사가 손으로 수동적인 운동요법을 시행하는 것이다.[562]

(4) 근건이완수기요법

근건이완수기요법은 근육과 힘줄(건)의 기능장애 및 통증의 치료에 사용되는 한방물리 요법으로, 도인법 중 스스로 몸을 주무르고 누르거나 두드리는 동작(안마按摩)에서 발전하였다.[563] 이는 손가락이나 기구를 이용하여 섬유의 횡방향으로 병변에 직접적인 마사지를 가하여 병변 부위의 유동성을 증가시키고 비정상적인 섬유조직을 선형의 정상적인 결합조직 다발로 재생되도록 촉진하는 한방수기요법의 일종이다.[564]

(5) 기공氣功

기공은 기의 축적을 위한 특별한 자세와 유파에 따라 특별한 호흡법을 필요로 하는 수련법으로 그 목적은 기의 축적을 통한 공력의 증진이며, 부수적으로 전신의 기혈순환을 목표로 한다.[565]

현재 기공은 인정비급여 항목으로 한의사 의료행위의 하나로서 기공공법지도(Coaching Qigong for individual)에 속한다. 기공공법지도는 "참장공站椿功 등의 정공靜功 또는

---

561) 한방재활의학과학회 저. 한방재활의학 5판. 파주: 글로북스; 2020. p. 430.

562) 박현선, 강신우, 박서현 외. 특발성 척추측만증의 과거력을 가진 요통 환자에서 도인운동요법을 병행한 한방치료의 효과: 증례 보고. 한방재활의학과학회지 2022;32(3):153-60.

563) 한방재활의학과학회 저. 한방재활의학 5판. 파주: 글로북스; 2020. pp. 429-31.

564) 박재원, 박서현, 문소리 외. 침치료 후 근건이완수기요법을 적용한 주관절 외상과염 환자 치험 3례. 한방재활의학과학회지 2017;27(2):101-108.

565) 장영준, 이장원, 채한 등. 강의평가 설문 결과를 이용한 양생기공 교육의 효과 분석. 동의생리병리학회지 2013;27(4):471-480.

태극기공太極氣功 등의 동공動功, 기공을 바탕으로 한 태극권太極拳, 형의권形意拳 등의 기 운동을 바탕으로 한 내가권內家拳 운동을 교육하여 환자의 신체를 단련하고 질환의 치료나 예방을 목적으로 하는 한방물리요법으로 목적 및 행위 시간에 따라 단순/전문/특수로 분류 된다."로 정의된다.[566]

기공의 종류에는 신체를 움직이지 않고 주로 앉거나 누워서 호흡법 등으로 수련하는 정 공이 있고, 운동을 통해 수련하는 동공이 있다. 움직이지 않으면서 시행하는 정공에는 대 표적으로 참장공站樁功이 있다. 일부 연구에서는 단전호흡, 명상 기공, 뇌호흡 등을 정공의 일종으로 분류하기도 한다.[567] 움직이면서 시행하는 동공에는 형의오행권形意五行拳, 태극 기공太極氣功 등이 있으며, 국외 연구에서는 전통적인 도인법인 팔단금, 육자결, 오금희 등 을 동공으로 분류하기도 한다. 이외에도 기공의 종류와 유파가 매우 다양한데 많은 임상연 구에서는 기공을 '신체 동작, 자세, 호흡, 명상을 통한 기의 흐름을 강화하는 프로그램' 등 움직임을 수반하는 중재로 정의하고 있으며, 이러한 정의는 기공을 정공보다는 동공 위주 로 이해하고 있음을 보여준다.[568] 많이 보급되어 사용되고 있는 태극권[569]은 무술로 분류 되지만 바른 자세로 앉고, 서고, 걸으며, 동작과 호흡의 일치를 통한 힘의 방출 등 도인법과 기공에 통하는 면이 있어, 일부 기공의 측면에서 받아들이는 예도 있다.[570]

명상, 태극권, 요가 등의 연구에 비해 그 수는 적지만, 기공과 관련한 임상연구는 국내 외에서 지속해서 이루어지고 있다. 최근 국외의 연구 동향을 발표한 연구에 따르면, 기공 관련 연구 질환은 정신행동 및 신경계 질환이 가장 큰 비중을 차지하고 있으며 그다음으로 신생물, 순환계, 근골격계 질환의 분포를 보였다. 연구 대상 나이는 중년 및 노년 인구가 가

---

566) 한방재활의학과학회 저. 한방재활의학 5판. 파주: 글로북스; 2020. p. 432.

567) 김태윤, 김정현, 정선용 외. 수행능력 향상을 위한 국내 기공 연구 고찰: 스포츠 현장에 적용 가능한 기공 프로그램 개발을 위한 예비 연구. 동의신경정신과학회지 2019;30(1):13-21.

568) 최원영, 서효원, 김종우. '기공'의 국외 임상연구 최신동향: 스코핑 고찰을 중심으로 한 예비연구. 동의신경정신과학회지 2021;32(3):207-217.

569) 태극권(太極拳)은 본래 음양오행학설과 경락이론, 도가의 양생 이론을 바탕으로 창시된 무술로서, 현재는 일종의 의료 체 조와 같이 알려진 가장 많이 보급된 무술이다. 의료용 태극권은 호주 의사 Paul Lam이 1997년도에 만든 관절염 태극권 (Tai chi for Arthritis)이 가장 유명하다.

570) 장영준, 이장원, 채한 등. 강의평가 설문 결과를 이용한 양생기공 교육의 효과 분석. 동의생리병리학회지 2013;27(4):471-80.

장 많은 분포를 차지하였다.[571)]

4. 한방정신요법

한의학의 정신요법은 정신과 육체의 이원론적 개념이 아닌 심신일여心身一如라는 불가분리의 원칙을 세우고 정기신精氣神을 보양하는 것을 이론적 기초로 삼고 있다.[572)] 한의학에서는 심리구성요소 중 인지, 행동보다는 정서를 중시하는데, 정서의 역동성을 강조하고 병리적 변화는 기氣를 통해 드러난다고 생각한다.[573)] 따라서 한방정신요법은 정서를 직접 다루는 대표적인 치료 방법으로 정서가 인체에 영향을 미쳤을 때 나타나는 기의 변화를 안정시킴을 기본으로 하여 정서에 직접 접근하는 치료법이다.[574)] 연구에서 사용된 한방정신요법은 오지상승요법五志相勝療法, 이정변기요법移精變氣療法, 지언고론요법至言高論療法, 경자평지요법驚者平之療法, 암시요법, 자율훈련법, 감정자유기법(emotional freedom technique, EFT), 최면, 명상 등으로 다양한 신경정신질환을 치료하는 데 사용되었다.[575)] 이 가운데 대표적인 한방정신요법 네 가지를 간략하게 살펴본다.[576)] 먼저 지언고론요법至言高論療法은 대화요법과 같은 의미로 의사는 환자에게 관심과 동정을 가지고 대화를 통해 환자를 안심시키고 따뜻함을 느끼게 하는 심리치료 방법이다. 다음으로 이정변기요법移精變氣療法은 이정역성요법移情易性療法이라고도 하는데 환자의 정신작용을 전이하고 이로써 병리 상태를 조절하고 교정하여 질병 회복을 촉진하는 방법이다. 그리고 오지상승요법五志相勝療法은 정서적인 병변에 대해 이를 오행의 상극相克 이론을 활용한 정서를 유발함으로써 정신질환을 치료하는 방법이다. 오지는 노怒, 희喜, 사思, 비悲, 공恐 다섯 가지 정지情志

571) 최원영, 서효원, 김종우. '기공'의 국외 임상연구 최신동향: 스코핑 고찰을 중심으로 한 예비연구. 동의신경정신과학회지 2021;32(3):207-217.

572) 서주희, 유춘길, 조아람 외. 한방정신요법의 연구현황. 동의신경정신과학회지 2013;24(1):63-88.

573) 이승기. 한방정신요법과 서구 정신요법의 비교연구. 동의신경정신과학회지 2010;21(1):145-157.

574) 정선영, 김재영, 조명의 외. 한방정신요법의 의안 분석. 동의신경정신과학회지 2016;27(2):43-55.

575) 서주희, 유춘길, 조아람 외. 한방정신요법의 연구현황. 동의신경정신과학회지 2013;24(1):63-88.

576) 이 부분은 아래 논문에서 대부분을 참고하여 인용하였음.
정선영, 김재영, 조명의 외. 한방정신요법의 의안 분석. 동의신경정신과학회지 2016;27(2):43-55.

의 변동과 오장 五臟의 기능이 관련되어 있음을 말하는 것으로 정서로 인한 병을 다른 정서를 유발하여 치료하는 것이다. 서구의 단기역동정신치료와 유사하다고 할 수 있다.[577] 마지막으로 경자평지요법驚者平之療法은 불안이나 증상을 일으키는 원인이 되는 자극을 약한 것으로부터 순차적으로 강한 자극을 주어 이들 자극에 습관이 되게 함으로써 증상을 해소하는 방법을 말한다.

---

577) 정선영, 김재영, 조명의 외. 오지상승요법과 단기역동 정신치료에 대한 비교 연구. 동의신경정신과학회지 2016;27(2):57-65

06

현대한의학의 연구

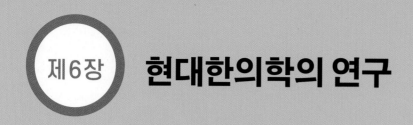

제6장 현대한의학의 연구

제1절　현대한의학의 기초연구

1. 경락經絡, 경혈經穴 연구

경락은 경맥經脈과 락맥絡脈을 총칭한다. 경맥은 장부와 연계된 12개의 정경正經과 별도의 기경팔맥奇經八脈으로 구성되어 있으며, 락맥은 15개의 큰 락맥과 작은 부락浮絡, 손락孫絡 등을 포함하고 있다. 이 중 12개의 정경과 기경팔맥중 임맥督脈과 독맥督脈을 합하여 14경맥이라고 지칭하며 이들 경맥상에는 360여 개의 경혈이 분포하고 있다. 이상에서 묘사된 한의학의 전통적인 경락체계는 현대 과학적으로 파악된 인체의 신경계와 혈관계를 포함한 그 어떤 체계와도 같지 않다. 이 때문에 경락 및 경혈 체계는 흔히 과학이 아직 발견하지 못한 초과학적 현상으로 신비화되거나, 때로는 과학지식이 부족했던 고인들이 인체의 생리와 병리, 침구임상경험을 나름의 방식으로 설명하려 노력했던 허구 정도로 치부된다. 아마도 진실은 양 극단 사이의 어딘가에 있을 것이다. 경락이론의 상당 부분은 혈관 순환계에 대한 경험적 인식을 포괄하고 있으며, 동시에 신경계에 의한 생리적·병리적 현상 및 외부 자극에 대한 반응 기전에 대한 경험을 포괄하고 있을 것으로 생각된다. 동시에 고인들의 경락과 경혈 이론은 현대과학이 아직 밝히지 못한 인체의 복잡한 작동방식의 면면들을 포착해내고 있으며 이는 침구 치료를 시행하는 임상 현장에서 한의학적 실천을 통해 지금도 매우 유용하게 활용되고 있다.

1950-60년경부터 중국, 일본, 한국뿐 아니라 서양의 여러 나라들에서 경락 및 경혈에 대한 과학적 연구가 이루어져 왔다. 그동안의 연구 역사와 성과들이 매우 다양하고 복잡하

여 이를 모두 열거하고 소개하는 것은 이 책의 범위를 벗어난다. 본 장에서는 이들 연구성
과들을 이해하는 데에 필요한 기초사항을 안내하고, 이어서 최근 주목할 만한 과학적 성과
들을 일부 선별하여 간략하게 소개한다.

1) 경락 연구, 경혈 연구, 침구요법 연구

경락 및 경혈을 주제로 하는 과학적 연구들을 (1) 경락에 대한 과학적 연구와 (2) 경혈에
대한 과학적 연구, 그리고 (3) 침구요법의 작용기전에 대한 연구로 나누어 볼 수 있다. 물론
이들은 상호배타적인 관계가 아니며 실제로 많은 연구들이 셋 중 하나로만 분류되기는 어
렵다. 그럼에도 불구하고 각 연구주제에 따라 연구자가 밝히고자 하는 대상과 구체적인 접
근이 상이할 수 있으므로 그 차이점을 이해하는 것이 도움이 된다.

먼저 경락 연구는 경맥선상에서 객관적으로 측정가능한 물리적, 조직학적 특징 등을 조
사함으로써 경맥노선에 대한 고인들의 인식에 상응하는 '통로'를 찾는 것을 목표로 한다.
예컨대 조직 삼투압에 대한 측정을 통해 조직액이 잘 흐르는 통로를 찾고 이를 경맥노선과
비교한다든가, 방사성동위원소를 조직에 주입하여 경맥에 따라 이동하는 궤적을 조사하는
등의 연구들이 수행된 바 있다.

경혈 연구는 경맥노선보다는 침구요법의 진단 및 치료 지점이 되는 경혈 그 자체에 대
해 객관적으로 묘사하고 기전을 설명하는 것을 목표로 한다. 예를 들어 경혈들의 신경해부
학적 특징을 조사하고 신경생리학적 기전을 연구한다든가, 질병상태에서 나타나는 신경인
성 염증(neurogenic inflammation) 반응과 경혈과의 유사성을 검토한다든가, 서양의학
에서 임상적으로 관찰되는 근막통증증후군 환자의 방아쇠점(trigger points)과 경혈과의
일치율을 조사하는 등의 연구들이 있다. 이러한 연구들은 반드시 한의학 이론에서 전제하
는 경맥노선의 존재를 가정할 필요는 없으며, 침구요법의 효과를 매개하는 경혈점에 대한
과학적 이해만을 목표로 이루어지는 경우가 많다.

마지막으로 침구요법의 기전 연구는 경락이나 경혈과 같은 한의학적 이론에 대한 과학
적 이해를 목표로 하기보다는, 임상을 통해 확인되는 침구요법의 객관적 기전을 이해하는
것을 목표로 한다. 지난 수십 년간 경혈의 침구자극에 의해 나타나는 말초 및 중추의 신경
생리학적 기전에 대해, 특히 침의 진통기전을 중심으로 많은 연구들이 수행되었으며 많은
성과가 있었다. 또한 최근엔 경혈에 대한 침자극과 함께 기능성자기공명영상(functional

magnetic resonance imaging, fMRI) 등의 뇌영상 기법을 이용하여 뇌 수준에서의 변화를 관찰하는 연구가 활발하게 이루어지며 침구요법의 뇌과학적 기전에 대한 이해가 빠르게 증대되고 있다. 이들 연구들을 경혈에 대한 기전 연구라고 볼 수도 있겠으나, 사실상 이들 중 다수의 연구는 경혈의 실체 규명을 목적으로 하기보다는 침술의 작용 기전을 규명하는 것을 목표로 수행되었으므로 침구요법에 관한 연구로 보는 것이 적합할 것이다.

2) 현대적 경락 및 경혈 연구의 역사

1960년대 초 북한의 평양의학대학 김봉한 교수가 경락의 해부학적 실체를 발견했다는 연구결과를 발표하였다. 이 결과는 북한 정부의 대대적인 지원과 함께 국제적으로 많은 관심을 받았지만 알 수 없는 이유로 오래지 않아 봉한학설과 관련된 모든 사항들이 북한에서 자취를 감추게 되었다. 논문의 불충분한 실험정보로 인하여 당시 다른 과학자들 역시 김봉한의 실험결과를 재현해내지 못하였기에 이 발견은 최근 우리나라의 연구팀이 관련 연구를 재개하기 전까지 오랜시간 잊혀져 있었다[최근 우리나라 연구진들이 봉한관 연구를 발전시킨 프리모 시스템(primo vascular system)에 대한 연구를 수행하여 주목을 받은 바 있다.[1]]. 1960년대 김봉한의 연구에 자극을 받은 중국 연구자들은 경락에 대한 본격적인 해부조직학적 연구를 시작하게 되었다. 이후 중국의 경락연구는 70-80년대 인간의 감각경험을 대상으로 하는 '순경감전현상(propagated sensation along the channels)' 연구, 방사성동위원소 추적 기반의 조직내 저저항 통로 연구 등 다양한 접근으로 발전하게 되었다. 중국뿐 아니라 일본과 서양의 연구자들 역시 비슷한 시기 현대적 경락 연구를 시작하고 있었다. 1950년 일본의 나카타니 요시오(中谷義雄)는 피부의 전기저항 측정을 통해 전기저항이 낮은 통로를 발견하고 양도락이라고 명칭하였다. 1961년 프랑스의 의사 Niboyet 역시 피부의 전기저항 측정을 통해 경혈이 다른 피부부위보다 낮은 전기저항을 나타내며 이러한 경향이 경락을 통해 나타남을 발견하였다.[2] 이상의 연구들은 초창기 경락, 경혈의 연구들이 현대과학적 방법론을 동원하여 주로 경락 및 경혈의 실체를 밝히는 데 집중하여 왔음을 보여준다.

---

1) 강석기. 봉한선과 림프선. 동아사이언스 [인터넷]. 2015년 8월 3일(2022년 10월 22일 인용). URL: www.dongascience. com/news.php?idx=7757

2) Zhuang Y, Xing JJ, Li J, et al. History of acupuncture research. Int Rev Neurobiol 2013;111:1-23.

그러나 현재 SCI급 학술지[3]를 중심으로 하는 국제과학학술계에서, 경락의 실체에 대한 연구들은 침술 연구 관련 과학자들의 커뮤니티에서 활발하게 논의되며 검증되고 있지는 못한 상황이다. SCI급 학술지를 중심으로 이루어지는 서구 과학기술계의 관심사와 판단기준의 편향성이 미치는 영향도 있겠지만, 주류 과학계에서 요구하는 높은 수준의 객관적 근거가 부족한 탓이라고도 할 수 있을 것이다. 지난 수십 년간 침술과 관련하여 가장 활발한 논의와 검증을 통해 발전해온 분야는 침의 신경생리학적 기전(neurophysiological mechanism) 연구 분야라고 할 수 있다. 1965년 미국과 캐나다의 신경생리학자 Melzack과 Wall이 생리학적 통증조절 기전으로서 제안한 관문조절설(gate control theory)이 침의 진통기전을 설명할 수 있는 가설로 주목을 받았으며[4], 70-80년대 이 영향을 받아 많은 서구와 중국 연구자들이 침 진통기전의 신경생리학적 연구에 뛰어들었다. 1972년 중국의 Han Jisheng 연구팀은 침자극을 받은 토끼의 뇌척수액을 조사하여 침이 뇌에서 신경조절물질을 분비시킴으로써 진통작용을 일으킨다는 결과를 발표하였으며[5], 이후 과학자들의 연구를 통해 엔케팔린(enkephalin), 베타 엔돌핀(beta-endorphin)과 같은 다양한 내인성 오피오이드의 분비를 통해 침의 진통작용이 매개된다는 '오피오이드 가설'이 많은 지지를 받게 되었다. 침의 진통작용 외에도 다양한 질병과 증상에 대한 기전연구가 수행되어왔으며 오피오이드 가설 외에도 체성-자율신경 반사[6], 분절성 억제(segmental inhibition)[7], DNIC (diffuse noxious inhibitory control)[8], 아데노신 수용체 매개 기전[9] 등 다양한 신경생리학적, 분자생물학적 기전들이 제안되었다. 2000년대 이후 동물이 아

---

3) SCI (Science Citation Index, 과학기술 논문 인용 색인)급 학술지란, 학술 문헌 인용 색인 데이터베이스(database)인 Web of Science에서 심사 및 관리하는 목록에 등재된 학술지를 의미한다. SCI는 공공기관이 아닌 사설 기업이 제공하는 인용 색인이지만 SCI 등재 여부가 학술지의 수준을 가늠케 하는 사실상 표준 지표처럼 이용되는 경향이 있다.

4) Melzack R. Acupuncture and pain mechanisms (author's transl). Anaesthesist 1976;25(5):204-7.

5) Research Group of Acupuncture Anaesthesia, Peking Medical College. The role of some neurotransmitters of brain in finger acupuncture anaesthesia. Scientia Sinica 1974;17(1):112-30.

6) Ma Q. Somato-Autonomic Reflexes of Acupuncture. Med Acupunct 2020;32(6):362-6.

7) Baeumler PI, Fleckenstein J, Benedikt F, et al. Acupuncture-induced changes of pressure pain threshold are mediated by segmental inhibition-a randomized controlled trial. Pain 2015;156(11):2245-55.

8) Murase K, Kawakita K. Diffuse noxious inhibitory controls in anti-nociception produced by acupuncture and moxibustion on trigeminal caudalis neurons in rats. Jpn J Physiol 2000;50(1):133-40.

9) Goldman N, Chen M, Fujita T, et al. Adenosine A1 receptors mediate local anti-nociceptive effects of acupuncture. Nat Neurosci 2010;13(7):883-8.

닌 사람을 대상으로 뇌의 구조나 대사량, 혹은 혈류량을 측정할 수 있는 뇌영상기술의 발달에 따라 침의 뇌 수준 기전에 대한 관심이 증대되었고, 관련 연구결과가 빠르게 누적되고 있다.[10] 한 예로서 2017년 한국한의학연구원과 미국 하버드의대 공동연구진은 손목터널증후군 환자에게 진짜침과 가짜침을 시술했을 때, 진짜침이 가짜침에 비해 효과가 더욱 좋을 뿐 아니라 진짜침만이 뇌의 백질구조와 fMRI 상의 기능적 반응, 그리고 정중신경의 신경생리학적 기능을 개선함을 보인 바 있다.[11] 이상의 연구들을 볼 때 침자극은 해당 증상과 자극 방식에 따라 다양한 신경생리학적, 생화학적 기전을 통해 말초, 척수, 뇌 수준에서 복합적으로 작용하는 것으로 생각된다.

그러나 활발하게 수행되고 있는 이들 연구들은 앞서 서술하였다시피 경혈과 경락에 대한 연구라기보다는 침요법의 기전규명 연구로서 한의학의 기초이론인 경혈, 경락 이론에 대한 연구와는 간극이 있는 것이 사실이다. 고무적이게도 최근 첨단 연구기법들을 통해 경혈의 신경해부학적 실체를 밝히는 수준 높은 연구들이 발표되고 있으며 아래 이러한 연구의 한 사례로서 미주신경-부신 축을 통한 경혈의 작용에 대한 최신 연구동향을 소개한다.

3) 최신 연구사례: 미주신경-부신 축을 통해 작용하는 경혈의 신경해부학적 실체 연구

하버드의대 Qiufu Ma 교수 연구팀은 하지에 위치한 족삼리(ST36)혈에 대한 전침 자극이 미주신경-부신 항염 축(vagal-adrenal anti-inflammatory axis)을 활성화시킴으로써 원위부에 항염작용을 발휘하는 반면, 복부에 위치한 천추(ST25)혈에 대한 전침 자극은 척수 교감반사(spinal sympathetic reflex)를 통해 질병상태 특이적으로 항염 혹은 염증유발작용을 일으킨다는 사실을 확인하고 이를 신경과학 분야 권위지인 'Neuron'에 발표하였다(그림 6-1A).[12] 이는 전침자극이 경혈과 자극조건에 따라 상이한 기전과 반응을 동원함으로써 치료 효과를 발휘함을 과학적으로 확인한 것이다.

---

10) Huang W, Pach D, Napadow V, et al. Characterizing acupuncture stimuli using brain imaging with FMRI-a systematic review and meta-analysis of the literature. PLoS One 2012;7(4):e32960.

11) Maeda Y, Kim H, Kettner N, et al. Rewiring the primary somatosensory cortex in carpal tunnel syndrome with acupuncture. Brain 2017;140(4):914-27.

12) Liu S, Wang ZF, Su YS, et al. Somatotopic Organization and Intensity Dependence in Driving Distinct NPY-Expressing Sympathetic Pathways by Electroacupuncture. Neuron 2020;108(3):436-50.e7.

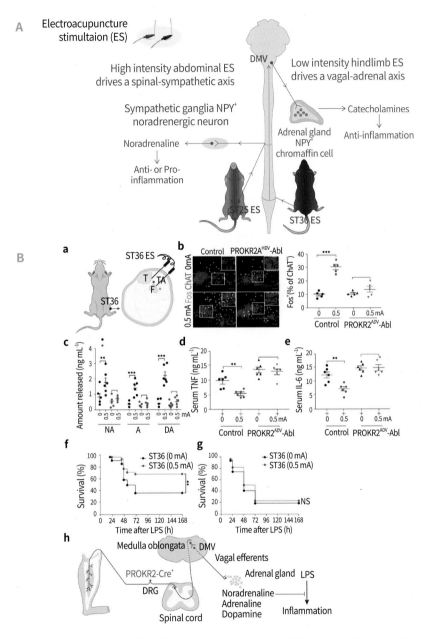

그림 6-1. **미주신경-부신 축을 통해 작용하는 경혈의 신경해부학적 작용기전 연구(A[13], B[14])**

13) Liu S, Wang ZF, Su YS, et al. Somatotopic Organization and Intensity Dependence in Driving Distinct NPY-Expressing Sympathetic Pathways by Electroacupuncture. Neuron 2020;11:108(3):436-50.e7.

14) Liu S, Wang Z, Su Y, et al. A neuroanatomical basis for electroacupuncture to drive the vagal-adrenal axis. Nature 2021;598(7882):641-5.

연구팀은 이 연구로부터 족삼리혈 부위에 특이적으로 분포하는 감각 뉴런이 존재한다는 가설을 세우고 그 신경해부학적 실체를 밝히는 연구를 진행하였고, 연구 결과가 2021년 자연과학 분야 최고 권위의 국제학술지인 'Nature'에 발표되었다(그림 6-1B).[15] 먼저 이들은 생쥐모델 사지부의 깊은 근막에 특이적으로 분포하는 감각세포 그룹을 발견하였고, 광학적 방법으로 그들을 직접적으로 흥분시켰을 때 미주신경이 활성화되고 부신에서의 노르아드레날린, 아드레날린, 도파민 분비가 증가함을 확인하였다. 즉, 이들 뉴런의 흥분에 의해 미주신경-부신 항염축이 활성화된다는 것을 보인 것이다. 또한 반대로 해당 신경세포군을 특이적으로 제거한 생쥐모델에서는 족삼리혈의 저강도 전침자극에 의한 항염작용이 사라짐을 보임으로써 이들 세포군이 미주신경-부신축 활성화에 필수적이라는 것을 밝혔다. 나아가 동일한 모델에서 천추혈의 고강도 전침자극이 유도하는 항염작용은 여전히 유효함을 보임으로써, 발견된 신경세포들은 미주신경-부신 항염축만을 특이적으로 유도할 뿐 척수 교감반사를 유도하는 데는 관여하지 않음을 확인하였다. 추가적으로 족삼리 경혈 위치에서의 표피영역, 후근육근인 비복근, 반힘줄근 내의 비경혈점들에 저강도 전침자극을 가하였을 때는 항염반응이 유도되지 않았다. 반면 생쥐 앞다리에서 요골골막의 경혈점(수삼리, LI10)에 전침자극을 가하자 족삼리혈 자극시와 동일한 항염반응이 유도되었으며, 이들 결과는 모두 발견된 신경세포 무리의 분포패턴과 일치하였다.

연구진은 이 같은 연구 결과가 축적되면 특정 질환의 치료에서 특수한 자율신경경로 유도를 위한 침자극의 매개변수(자침 위치, 깊이, 강도 등)의 최적화가 가능할 것으로 기대한다고 밝혔다. 본 연구는 특정 자율신경 경로가 활성화됨에 있어 경혈의 선택성(selectivity)과 특수성(specificity)이 존재하는 것에 대한 신경해부학적 근거를 제공할 뿐 아니라, 한의학의 침구경험과 경혈이론에 대한 탐구를 통해 현대과학이 아직 밝혀내지 못한 신경해부학적 사실들을 새롭게 도출해 내었다는 점에서 그 의미가 크다.

---

15) Liu S, Wang Z, Su Y, et al. A neuroanatomical basis for electroacupuncture to drive the vagal-adrenal axis. Nature 2021;598(7882):641-5.

4) 데이터마이닝(Data mining) 기반 경혈 및 경락 연구

2000년대 들어 한의학 관련 고전문헌들과 관련 자료들이 대부분 데이터베이스에 등록되고, 현대 한의 임상연구 관련 문헌들도 데이터베이스에 등록되어 많은 자료에 쉽게 접근할 수 있게 되었다. 이러한 상황 속에서 데이터 분석에 관련된 학문과 컴퓨터 공학의 발전으로 데이터를 분석하는 기술과 연구 방법들이 발전하게 되었다. 그 가운데 대표적인 방법의 하나가 데이터마이닝(data mining)이라 할 수 있다. 데이터마이닝이란 '대용량 데이터에서 의미 있는 통계적 패턴(pattern)이나 규칙(rule), 관계(relation)를 찾아내 분석하여 유용하고 활용할 수 있는 정보를 추출하는 기술'을 말한다.[16]

2010년대 들어서 침구의학 분야에서도 한의학 고전문헌이나 현대 임상연구 데이터베이스 등을 대상으로 데이터마이닝 방법을 통해 특정 질환에 사용된 경혈의 빈도 및 특성, 경혈이 사용된 패턴(경혈의 조합), 경혈의 주치 등을 분석하여 경혈과 질병의 관계를 파악하는 연구가 보고되기 시작하였다. 먼저, 고전문헌 관련 연구를 보면, 데이터마이닝 방법을 통해 <침구경험방鍼灸經驗方> 및 <동의보감東醫寶鑑> 등의 고전문헌에서 사용된 경혈 패턴을 분석하여, 질병과 경혈의 관계나 경혈선택에 있어 한의학 이론의 영향을 파악하는 연구가 진행된 바 있다.[17][18][19]

다음으로 임상연구 데이터베이스를 이용한 연구가 있다. 예를 들면, 데이터마이닝을 통해 질병과 경혈의 관계를 분석하기 위해, 코크레인 데이터베이스(Cochrane Database of Systematic Reviews, CDSRs)에서 30개 질환을 대상으로 침구 치료에 사용된 경혈 정보를 추출하여 분석한 연구가 있다.[20] 또한 코크레인 데이터베이스에서 주요 질환별 경혈의

16) 한국정보통신기술협회 정보통신용어사전[인터넷]. [2022년 10월 15일 인용]. URL: http://terms.tta.or.kr/ dictionary/dictionaryView.do?word_seq=040402-16

17) Jung WM, Lee T, Lee IS, et al. Spatial Patterns of the Indications of Acupoints Using Data Mining in Classic Medical Text: A Possible Visualization of the Meridian System. Evid Based Complement Alternat Med 2015;2015:457071.

18) 채윤병, 류연희, 정원모. 데이터마이닝을 이용한 동의보감에서 경락의 주치특성 분석. Korean J Acupunct 2019;36(4):292-9.

19) Jang DY, Oh KC, Jung ES, et al. Diversity of Acupuncture Point Selections According to the Acupuncture Styles and Their Relations to Theoretical Elements in Traditional Asian Medicine: A Data-Mining-Based Literature Study. J Clin Med 2021;10(10):2059.

20) Hwang YC, Lee IS, Ryu Y, et al. Identification of Acupoint Indication from Reverse Inference: Data Mining of Randomized Controlled Clinical Trials. J Clin Med 2020;9(9):3027.

사용 빈도 및 이 가운데 원혈原穴의 사용 빈도를 분석하고, 원혈이 사용되는 질환의 패턴, 원혈과 질병과의 관계 분석 및 이를 통한 원혈의 주치 특성을 분석한 연구도 있다.[21]

이외에도 특정 질환이나 증상과 관련된 임상연구에서 사용된 경혈의 패턴을 분석하여 질병과의 상관성을 분석한 연구들도 보고되고 있다.[22]

앞으로 데이터마이닝 방법뿐만 아니라 빅데이터 시대 속에서 다양한 분석 방법들이 도입되고 인공지능(artificial intelligence, AI) 기술이 도입되어 경락, 경혈, 침구의학 연구가 이루어질 것으로 전망된다.[23]

2. 한약물 연구

1) 한약물의 효능 및 독성에 대한 실험적 연구

한약물이라고 해도 약물학적 효능이나 독성을 연구하는 실험적 방법은 기존의 합성화학의약물과 다르지 않다. 다만, 현대의 약리학적인 연구방법론이 단일 저분자(small molecule) 화합물의 효력(potency), 효능(efficacy) 및 안전성(safety)을 평가하기 위해 발전해 왔기 때문에, 다중 성분들의 복합물 형태인 한약물의 경우, 이를 정확히 적용하기에는 어려움이 있다.

효능과 기전(mechanism of action, MOA)에 대한 실험적 연구는 크게 시험관 및 세포 수준의 in vitro 연구와 실험동물 등을 이용하여 유기체 내에서 수행하는 in vivo 연구로 나누어진다. 조금 더 확장한다면 유기체의 조직 등을 분리하여 외부 환경에서 실험하는 ex vivo 연구도 포함될 수 있다.

---

21) 최다현, 이서영, 이인선 외. 데이터마이닝을 이용한 임상연구 데이터베이스 기반 원혈의 주치 특성. 대한침구학회지 2021;38(2):100-9.

22) Hwang YC, Lee IS, Ryu Y, et al. Exploring traditional acupuncture point selection patterns for pain control: data mining of randomised controlled clinical trials. Acupunct Med 2020:964528420926173.

23) 채윤병. 인공지능시대의 경혈 주치 연구를 위한 제언. 동의생리병리학회지 2021;35(5):132-8.

(1) in vivo 실험 연구

특정한 질환에 대한 한약물의 효능을 평가한다고 할 때, 적합한 동물모델(주로 설치류)에 투약하여 동물의 증상이나 행동학적 변화 등 표현형(phenotype)을 측정하거나 질환 바이오마커(biomarker)를 분석하는 방식으로 진행한다. 이때, 질환이 유발되기 전 투약하는 것(pre-treatment)과 유발된 후(post-treatment)투약하는 경우를 나누어 각 약물의 예방 효과(preventive effect)와 치료 효과(therapeutics effect)를 평가하는 것으로 보기도 한다.

(2) in vitro 실험 연구

질환 병태와 관련된 주요 세포 종류와 신호전달 표적 분자들이 알려져 있는 경우, 전체 유기체가 아닌 특정 세포주(cell line)[24] 및 일차세포(primary cells)[25]에 한약물을 처리함으로써 효능 확인이 가능하다. 또한 정제된 특정 분자들에 한약물을 직접 처리하여 효소 반응 등에 대한 촉진/억제 효능을 평가할 수 있다. 다만 앞서 언급한 바와 같이 한약물은 화학적 특성이 서로 다른 다중 성분들을 포함하고 있고, 제조 시마다 일정한 성분 구성 등의 품질을 유지하는 것이 어려운 바, in vitro 실험은 결과값의 변동이 크며 유기체에 투약한 상황을 정확히 반영하지 못하는 한계가 있다. 일반적으로 동물실험에서 나타난 효능에 대한 기전을 연구하기 위한 접근방법으로 in vitro 실험을 응용하는 경우가 많다.

(3) 비임상 독성시험

실험동물을 이용하여 약물의 안전성과 부작용을 예측하기 위해 수행하는 시험을 비임상 독성시험(non-clinical toxicological study)이라고 한다. 법률적으로 생쥐, 랫드, 햄스터, 저빌, 기니피그, 토끼, 돼지, 개, 원숭이 등 총 9종의 실험동물이 독성시험에 사용되고 있다.[26]

---

24) 특정 조직의 세포에 유전자 변이를 일으켜 불멸화(immortalized)시킨 것을 뜻하며, 무한정 분열할 수 있으므로 실험실에서 계속 배양하여 사용할 수 있는 장점이 있으나, 원래 세포의 특성을 많이 잃어버리게 됨.

25) 조직에서 신선하게 분리, 배양한 세포로 세포주보다 유기체의 특성을 더 잘 가지고 있으나, 배양이 더 까다롭고 수명이 짧은 단점이 있음.

26) 실험동물에 관한 법률 시행령(약칭: 실험동물법 시행령) [시행 2020. 8. 28.] [대통령령 제30979호, 2020. 8. 27., 타법개정], 제8조(우선 사용 대상 실험동물).

독성시험의 목적은 약물이 독성을 나타내는 표적장기와 모니터링 인자를 찾고, 부작용 예측 용량과의 상관성(독성동태, toxicokinetics) 관찰 및 무독성용량(no observed adverse effect level, NOAEL)을 구하여 임상시험을 위해 안전한 투여 용량 등을 확인함에 있다.

그 세부적인 목적에 따라 설치류나 비설치류를 이용한 급성 독성을 확인하는 단회투여시험과 장기투여 시 독성을 관찰하는 반복독성시험 등으로 구성된 일반독성시험 외 유전독성, 생식발생독성, 국소독성, 피부감작성, 발암성독성, 항암성독성 등 특수독성시험 등으로 나누어진다.[27]

독성시험은 투약 후 조직세포의 형태학적, 조직화학적 및 기능적 변화를 최종적으로 확인하므로, 일반적인 식품의 안전성 연구에도 활용되고 있으며, 따라서 한약물 또한 현재의 독성시험 체계를 그대로 적용하고 있다.

🏷 한약의 군신좌사君臣佐使 원리의 과학적 연구

군신좌사君臣佐使는 한약 처방의 구성원칙으로, '군'은 가장 주된 약효를 제공하는 약이며, 군의 약효는 신하에 비유되는 '신좌사'에 의해 극대화된다. 2015년 이상엽 KAIST 특훈교수팀은 생명공학 분야 저명 저널인 '네이처 바이오테크놀로지(Nature Biotechnology)'에 게재한 논문에서 한약의 성분들이 군신좌사의 원리에 따른 다양한 상승작용(synergistic effect)을 가진다는 사실을 분석해냈다. 연구팀은 먼저 한약에서 유래한 화합물들과 인체 대사산물들의 구조 유사도(structural similarity)를 분석하였다.[28] 분석 결과 한약 유래 화합물들이 서양의학의 허가된 약물들보다 인체 대사산물들과 높은 구조 유사도를 보이는 것으로 나타났다. 이는 한약의 복합적인 구성 화합물들이 인체 내의 더욱 다양한 대사 반응들에 강한 약효를 보일 수 있으며, 인체 내 다중 표적에 더 유리하게 작용할 수 있음을 보여주는 것이다. 연구팀은 이어서 한의학의 군신좌사 이론을 바탕으로 전통 한의학의 약효 원리가 명확히 밝혀진 화합물들을 분석하였으며, 상승 효과를 갖는 성분의 화합물 조합들은 대부분 주요 약효를 전달하는 화합물들과 이를 보조하는

---

27) 식품의약품안전평가원. 의약품등의 독성시험기준 해설서(민원인 안내서). 2012.
28) Kim HU, Ryu JY, Lee JO, Lee SY. A systems approach to traditional oriental medicine. Nat Biotechnol 2015;33:264-8.

화합물들로 구성되어 있고, 이러한 화합물 조합의 구성이 한의학의 처방 원리인 군신좌사 이론과 관련이 있는 것으로 분석했다.[29]

2) 전통한약물을 통한 신약개발

한약재 복합 추출물을 이용한 의약품은 식품의약품안전처 고시에 따르면 「한약(생약)제제」로 품목허가를 받을 수 있으며[30], 최근 천연물신약이라는 의약품 연구개발의 주요 분야 중 하나로 주목을 받고 있다.

한약물은 합성의약품과 달리 다중 약물 표적을 가지는 복합 성분들이 포함되어 있고, 상대적으로 안전하여 만성질환에 장기복용하기에 유리하다. 또한 우리나라는 역사적으로 한의학이 주요 보건의료를 담당하며 한약재를 활용한 질병 치료에 많은 경험이 축적되어 있으므로, 이를 활용한 신약 개발에 유리하다고 볼 수 있다.[31]

2000년 1월 「천연물신약 연구개발 촉진법」이 제정된 뒤, 다음해인 2001년부터 5개년 단위로 천연물신약 연구개발 촉진 계획이 수립 및 시행되고 있는 등 국가적으로 연구개발을 지원하고 있다. 지난 20여년 동안 스티렌(애엽), 조인스(위령선, 괄루근, 하고초), 레일라(당귀 등 12종 한약재), 신바로(우슬 등 6종 한약재) 등 8개 이상의 천연물신약이 품목허가를 받고 출시되었으며, 대다수가 연 100억 원 이상의 매출액을 올리는 등 시장에서 성공적인 결과를 보였다(표 6-1).

---

29) 이 연구의 배경, 전반적 내용에 대한 부분은 다음의 자료를 참고할 것.

　　　과학기술정보통신부[인터넷]. 보도자료-한의학 처방 원리(군신좌사) 규명으로 신약개발 토대 마련(2015년 3월 12일) [2022년3월 15일 인용]. URL: https://www.msit.go.kr/bbs/view.do?sCode=user&mId=113&mPid=112&bbsSeqNo=94&nttSeqNo=1253047.

30) 식품의약품안전평가원. 한약(생약)제제 등의 품목허가·신고에 관한 규정 해설서. 2016

31) 김선영. 한의약의 현대화. 과학과 기술 2007;40(3):37-41.

표 6-1. 국내에서 한약물 기반으로 개발된 신약들

제품	제조사	주성분	적응증
조인스	SK케미칼	위령선 등	골관절염
모티리톤	동아에스티	현호색 등	기능성 소화불량증
시네츄라	안국약품	황련 등	기관지염
기넥신에프	SK케미칼	은행엽	혈액순환
스티렌투엑스	동아에스티	애엽	위염
레일라	피엠지	당귀 등	골관절염
신바로	녹십자	우슬 등	골관절염

전세계적으로도 천연물신약의 연구개발은 증가하는 추세이며, 시장 규모 또한 2018년 279억 달러에서 2023년 406억 달러가 될 것이라고 예상하고 있다.[32] 미국은 2004년 FDA에서 천연물의약품 규정(Botanical Drug Development Guidance for Industry)을 마련한 이후(2016년 개정), 현재까지 외음부 사마귀 치료제인 Veregen(녹차 추출물)과 에이즈 환자 설사 치료제인 Mytesi(용혈나무 추출물) 등 2개의 의약품이 허가되었다.[33] 유럽 또한 2004년 유럽전통약초의약품법령(The Traditional Herbal Medicinal Products Directive 2004/24/EC)을 마련하여, 전 유럽이 공동으로 천연물의약품을 합성의약품과 유사한 기준으로 철저히 관리하도록 조치하였고, R&D 촉진 정책 등으로 천연물의약 시장을 활성화시키고 있다. 천연물의약품은 유럽의약품청(European Medicines Agency, EMA) 내 천연물의약품위원회(Committee on Herbal Medicinal Products, HMPC)에서 담당하고 있고, 현재 대마 추출물인 Sativex(다발성경화증 치료제), Tebonin 등 은행잎추출물(혈액순환장애 치료제) 및 다양한 일반의약품 제품들이 시장에 출시되어 있다.

---

32) 관계부처 합동. 제4차 천연물신약 연구개발 촉진계획('20~'24). 2020.

33) Wu C, Lee SL, Taylor C, et al. Scientific and Regulatory Approach to Botanical Drug Development: A U.S. FDA Perspective. J Nat Prod 2020;83(2):552-62.

중국은 「중약현대화연구와 산업화개발」('99), 「혁신약물과 중약 현대화 계획」('02), 「중의약법」 및 「TCM 일대일로 발전계획」('16) 등 정부 주도로 중의약(TCM) 발전을 지원하고 있으며, 전 세계에서 단일국가로 가장 큰 시장을 형성하고 있다. 유럽과 달리 의사의 처방이 필요한 전문의약품(prescription drug, Rx)이 80% 이상을 차지하고 있다.

신약 개발은 후보 약물을 발굴하는 기초연구과정과 실험적으로 효능과 기전 및 독성시험 등을 수행하는 비임상 연구(nonclinical studies)를 거쳐 임상시험을 단계별로 수행한 뒤, 최종적으로 규제기관의 품목허가를 받고 시장에 출시되게 된다.

한약물을 이용한 신약개발의 전략적 장점을 역약리학(reverse pharmacology)이라고 표현하는데(그림 6-2) 일반적인 합성신약 개발이 초기 후보물질 발굴에 긴 시간과 비용이 든다. 또한 임상시험에서 예상하지 못한 독성이 발생하여 중단되는 위험이 높은 반면, 한약물은 이미 특정 질환에 사용되고 있는 소재들 중심으로 연구를 시작할 수 있고, 안전성도 알려져 있어서 시간과 비용, 성공 가능성 측면에서 우위에 있다고 할 수 있다.[34]

의약품은 유효성과 안전성이 가장 중요하다고 할 수 있지만, 실제 규제기관의 허가를 받고 산업화를 하는 측면에서는 일관성 있는 품질을 가지는 제조생산 관리 또한 필수적이다. 이러한 분야를 제약업계에서는 CMC라고 하는데, 화학(Chemistry), 생산(Manufacturing), 품질관리(Control)를 의미한다.

한약물의 경우, 기존 합성의약의 CMC와는 달리 품질의 일관성을 보장하기 위해 관리해야 할 영역이 더 넓고 복잡하다. 한약물을 구성하는 개별 약재들은 생육 환경, 채취 시기나 가공과정에 의해 성분적 변화가 발생하므로, 이러한 재배, 가공과정에서 관리가 필요하고, 또한 어떤 성분이 최종적인 약리학적 활성을 대표하는지 정확히 알기 어려우므로 다중성분들을 동시에 분석하거나 성분들의 패턴을 분석하는 방법을 도입해야 한다. 미국, 유럽 등의 선진국의 경우, 화학적 성분 분석만으로 품질 보장이 어려우므로, 약리 기전과 관련된 생물학적 시험법을 추가로 요구하기도 한다.[35]

34)   Ahn Kyungseop. The worldwide trend of using botanical drugs and strategies for developing global drugs. BMB Rep 2017;50(3):111-6.

35)   이두석, 김영우. 복합 처방 품질 관리를 위한 시스템 차원의 연구 동향. 동의생리병리학회지 2016;30(6):397-401.

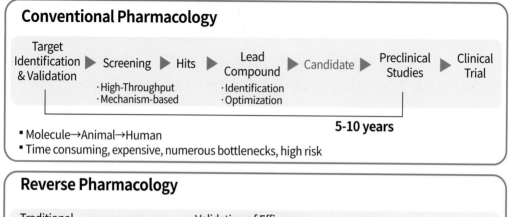

이미 존재하는 후보물질을 "확인"하는 **Reverse Approach**

그림 6-2. **역약리학(Reverse pharmacology): 천연물 개발의 특징**

3) 한약물 제형 연구

제형(dosage form)이란 약물의 사용 목적과 용도에 맞게 형상이나 성질을 가공하여 만든 형태를 뜻한다. 경구제로서 정제, 과립제, 캡슐제, 시럽, 현탁액 등이 있으며, 혈관이나 피하/근육 등에 주사하여 투약하는 주사제 및 피부에 바르는 도포제, 스프레이나 네뷸라이저와 같은 흡입제 등 다양한 종류가 있고, 약물의 특성과 작용부위 등을 고려하여 선택하게 된다.

한약물은 전통적으로 경구제로 복용하고 있으며, 탕제(湯劑), 음제(飮劑), 환제(丸劑), 산제(散劑), 단제(丹劑) 등이 현재까지 상용되고 있다.

한의사의 처방에 따른 조제 한약의 경우, 열수 추출 후 액상 형태로 파우치 포장하는 형태가 아직까지 대다수를 차지하고 있으며, 환자 개인 증상 및 체질에 맞추어 처방하는 임상 현장 특성상 아직 고가의 설비와 함께 높은 비용이 발생하는 기타 제형들을 적용하기에는 어려움이 있다.

　제조 의약품인 한약제제에서는 복용과 휴대가 편리한 제형 개발에 대한 국민적 수요에 맞추고자 현대적인 제형 개발에 대한 국가적 사업이 진행되었고, 성공적인 결과를 얻은 바 있다. 지난 2012년부터 2021년까지 한국한의약진흥원에서 수행한 「한약제제 현대화사업(제형개선)」을 통해 보험급여 한약제제들은 기존 산제(가루제)에서 정제, 연조엑스 등으로 개발되어 보험급여목록에 등재되었고, 시장 활성화에 기여하였다.

　중국은 국가의 주도적이고도 지속적인 지원을 통해 중약제제의 현대화를 진행하고 있는 바, 탕제뿐만 아니라 주사제, 서방제, 경피제제, 외용제, 비강투여제, 외용첩부제, 점안제, 구강붕해정 등의 다양한 제형에 대한 연구가 진행되고 있다.[36)]

　한약물을 전달하는 새로운 제형으로서 앞으로 더욱 발전이 기대되는 한국의 약침제제 및 중국의 중약주사제에 대해 좀 더 설명하고자 한다. 약침요법에 사용되는 약침제제는 다양한 한약으로부터 추출되는데, 2000년대 후반부터 약침요법과 관련된 다양한 비임상연구와 임상연구가 발표됨에 따라 필요한 약침제제도 함께 개발되었다.[37)] 1999년 이래로 많은 수는 아니지만, 여러 종류의 약침제제에 대한 연구 및 특허 신청이 지속해서 이루어지고 있으며, 대표적인 약침제제에는 봉독蜂毒이 있다.[38)] 한국의 경우 한국한의약진흥원에서 한의약침약제규격표준화사업을 진행하고 있으며, 2018년부터 약침 조제의 안전성과 질 관리를 위한 약침조제 원외탕전실 인증제를 시행하고 있다. 중국의 경우 공식적으로 1941년에 첫 번째 중약주사제가 개발되었고, 1980년대에 많은 수의 약물이 중약주사제로 개발되면서 그 수가 폭발적으로 증가하였다. 이후에는 중약주사제의 안전성과 독성, 질 관리가 강화되면서 발전하는 중이다. 2017년 기준 중약주사제 976품목이 국가식품약품감독관리총국(国家食品药品监督管理总局, China Food and Drug Administration, CFDA)에 등록되어 있으며, 주된 투약 경로는 근육 내(intramuscular injection), 정맥 내(intravenous drip) 등이다. 현재 중약주사제 관련 다양한 연구가 진행되고 있으며, 앞으로도 표준화, 질 관리, 안전성 문제, 작용 기전 연구, 임상적 근거 등에 관한 연구가 지속해서 이어질

36)　최송이, 안언주, 이미영. 중약 제형의 연구동향. 한약정보연구회지 2016;4(3):11-9.

37)　윤정민, 김경한, 오용택 외. 약침 관련 국내 연구 동향분석. 대한예방한의학회지 2018;22(2):55-63.

38)　우성천, 강준철, 김송이, 박지연. 국내 약침 특허 현황에 대한 분석연구. 대한침구학회지 2017;34(4):191-208.

것으로 보인다.[39)]

4) 한약제제 품질에 관한 연구

한약제제에는 여러 한약재들에서 추출된 많은 성분이 포함되어 있다. 복합 처방에 들어가는 개별 한약재들이 생육 환경, 발달 단계, 채취 시기 등에 따라 구성 성분에 차이가 있고, 약재의 가공 및 복합 처방의 제조 단계에서도 성분의 변화가 있을 수 있어, 한약제제의 품질을 관리하는 것은 쉬운 일이 아니다.[40)] 구성 한약재의 유효성분이 밝혀져 있는 경우 이를 중심으로 지표성분을 지정하여 한약제제를 관리하고 있으나, 지표성분의 함량이 전체 약효를 적절하게 대변하지 못하는 경우가 많고, 적절한 지표성분을 설정하는 것 자체가 거의 불가능한 경우도 많아 이에 대한 대처가 필요한 상황이다. 이에 식품의약품안전처는 한약제제의 품질관리에 적합한 방법으로 '성분프로파일(Chemical profile)'을 채택하였다. 식품의약품안전처는 2010년 '한약(생약)제제의 성분프로파일 설정 가이드라인'를 발표하였고, 2016년 10월 10일 식품의약품안전처 고시 '한약(생약)제제 등의 품목허가·신고에 관한 규정'의 개정을 통하여 성분프로파일 자료의 제출을 의무화하였으며, 2016년 12월 가이드라인 개정판을 발표하였다.[41)] 이 가이드라인에서는 성분프로파일을 '원료의약품(추출물 등)이나 그 제품의 화학적 특징, 즉 다양한 성분의 조성과 면적비를 포괄적으로 보여주는 크로마토그램 패턴으로 액체크로마토그래프법(high performance liquid chromatography, HPLC) 및 핵자기공명분광법(nuclear magnetic resonance spectroscopy, NMR spectroscopy) 등 다양한 분석 기술을 활용한 결과물'로 정의하였다. 또 식품의약품안전처 고시 '한약(생약)제제 등의 품목허가·신고에 관한 규정'에서도 성분프로파일을 "한약(생약)제제의 분석자료(고속액체크로마토그램 등)로부터 구성 성분의 분포와 함량에 대한 특징을 정리한 자료"로 정의하였다.[42)] 표준성분프로파일은 각각의 표준시료들로부터 성분프로파일을 확보하고 그 피크면적 및 유지 시간의 평균값을 구하여 표준성분프로파

39) Li H, Wang S, Yue Z, et al. Traditional Chinese herbal injection: Current status and future perspectives. Fitoterapia 2018;129:249-56.

40) 이두석, 김영우. 복합 처방 품질관리를 위한 시스템 차원의 연구 동향. 동의생리병리학회지 2016;30(6):397-401.

41) 식품의약품안전처 식품의약품안전평가원 바이오생약심사부 생약제제과. 한약(생약)제제의 성분프로파일 설정 가이드라인. 2016.12.

42) 식품의약품안전처 고시 제2019-143호, 한약(생약)제제 등의 품목허가·신고에 관한 규정. 제2조 22항. 2019.

일에 대한 수치값을 확보한 뒤, 표준시료들의 크로마토그램을 중첩하여 확립한다. 바로 이 표준성분프로파일이 한약제제 품질 평가의 기준으로 사용되고 있다.[43]

5) 한약의 안전성, 부작용 및 약물이상반응 연구

(1) 한약의 안전성 연구

① 한약 위해물질 기준

식품의약품안전청(현재 식품의약품안전처)에서는 '생약 등의 잔류·오염물질 기준 및 시험방법' 고시[44]를 통해 한약(생약)의 중금속, 잔류농약, 잔류이산화황과 같은 위해물질의 허용기준을 제시하였다. 먼저 중금속 허용기준을 살펴보면, 식물성 생약은 납 5 mg/kg 이하, 비소 3 mg/kg 이하, 수은 0.2 mg/kg 이하, 카드뮴 0.3 mg/kg 이하로 기준이 제시되었고, 생약의 추출물은 총 중금속 30 mg/kg 이하로 기준이 제시되었으며, 생약만을 주성분으로 하는 제제는 총 중금속 30 mg/kg 이하, 납 5 mg/kg 이하, 비소 3 mg/kg 이하로 허용기준이 제시되었다. 다음으로 한약(생약)의 추출물의 잔류농약 기준을 살펴보면, 총 BHC (benzene hexachloride) 0.2 mg/kg 이하, Aldrin 0.01 mg/kg 이하, Endrin 0.01 mg/kg 이하, Dieldrin 0.01 mg/kg 이하, 총 DDT (dichlorodiphenyltrichloroethane) 0.1 mg/kg 이하로 허용기준이 규정되었다. 그리고 잔류이산화황은 30 mg/kg 이하로 허용기준이 제시되었다.

② 한약 위해물질 관련 연구

한방 의료기관에서 처방되는 한약은 주로 전탕을 통해 제조된 탕약 형태다. 따라서 전탕 후 환자가 복용하는 탕약에 위해물질이 있는가는 매우 중요한 문제가 아닐 수 없다. 이와 관련된 연구를 살펴보면, 전탕 전과 후의 중금속, 잔류농약 및 잔류이산화황의 농도 변

---

43) 식품의약품안전처 식품의약품안전평가원 바이오생약심사부 생약제제과. 한약(생약)제제의 성분프로파일 설정 가이드라인. 2016.12.

44) 식품의약품안전청 고시 제2011-42호, 생약 등의 잔류·오염물질 기준 및 시험방법. 제4조 1,4,5항. 2009.

화를 소화기계 약[45], 감기약[46], 다빈도 사상처방[47], 십전대보탕 구성 처방[48], 보양·보음 처방[49], 다빈도 한약처방[50]에서 분석한 일련의 연구가 보고되었다. 이 연구들의 결과를 종합해보면, 모든 처방에서 전탕 전과 후 모두에서 잔류농약은 검출되지 않았고, 잔류이산화황의 경우 몇몇 처방에서 전탕 전에 기준치 이하로 소량 검출되는 경우가 있었으나, 전탕 후에는 모든 처방에서 잔류이산화황이 검출되지 않았다. 납, 비소, 수은, 카드뮴과 같은 중금속은 전탕 전에 허용기준 이하로 검출되는 처방이 있으나, 전탕 후에는 모든 처방에서 전탕 전보다 평균적으로 약 90% 이상 중금속이 감소되어, 허용기준보다 매우 낮은 수치로 중금속이 검출되었다. 이후 다섯 가지 다용 한약 처방의 전탕 전후 유해 중금속 이행률을 조사한 연구에서도 중금속의 탕액으로의 이행률이 매우 낮아 실제 탕액 내에서는 기준값과 비교해 매우 낮은 극소량이 측정되었으며, 이는 인체에 무해하다고 할 수 있는 정도다.[51]

(2) 한약 이상반응(adverse drug reaction, ADR) 연구
① 정의

한국의약품안전관리원 용어 설명[52]에 따르면 "'부작용(side effect)'이란 의약품 등을 정상적인 용량에 따라 투여할 경우 발생하는 모든 의도되지 않은 효과를 말하며, 의도되지 않은 바람직한 효과를 포함한다."고 정의하고 있다. 또 "'약물이상반응(adverse drug reaction, ADR)'이란 의약품 등을 정상적으로 투여·사용하여 발생한 유해하고 의도하지 아니한 반응으로서 해당 의약품 등과의 인과관계를 배제할 수 없는 경우를 말하며, 자발적으로

---

45) 서창섭, 황대선, 이준경 외. 전탕 전과 후의 중금속, 잔류농약 및 잔류이산화황의 농도변화 - 소화기계 약을 중심으로-. 대한본초학회지 2008;24:111-9.

46) 서창섭, 황대선, 이준경 외. 전탕 전과 후의 중금속, 잔류농약 및 잔류이산화황의 농도변화-감기약을 중심으로-. 대한본초학회지 2008;23:51-8.

47) 태음인 사상 처방 서창섭, 황대선, 이준경 외. 중금속, 잔류농약 및 잔류이산화황의 전탕 전, 후의 농도변화-다빈도 태음인 사상처방을 중심으로-. 사상체질의학회지 2009;21:237-46.

48) 서창섭, 황대선, 이준경 외. 전탕 전과 후의 중금속, 잔류농약 및 잔류이산화황의 농도변화-십전대보탕 구성처방을 중심으로-. 대한한의학회지 2009;30:108-17.

49) 서창섭, 황대선, 이준경 외. 한방처방의 전탕 전과 후의 위해물질 농도변화-보양·보음 처방을 중심으로-. 대한한의방제학회지 2009;17(2):53-63.

50) 서창섭, 황대선, 이준경 외. 전탕 전과 후의 한약재 및 처방에 포함된 위해물질의 농도 변화-다빈도 한약처방을 중심으로-. 대한본초학회지 2009;4:13-20.

51) 김기동. 다섯 가지 다용한약처방의 전탕 전후 유해 중금속 이행률 조사. 대한예방한의학회지 2015;19(3):103-13.

52) 한국의약품안전관리원 안전정보관리팀. 2020년 의약품등 안전성정보 보고동향. 한국의약품안전관리원. 2021.

보고된 유해 사례 중에서 의약품 등과의 인과관계가 알려지지 않은 경우에는 약물이상반응으로 간주한다."고 정의하고 있다. 두 용어의 공통점은 부작용과 약물이상반응 둘 다 약물을 정상 용량으로 사용했을 때 의도치 않게 발생하는 약물에 대한 반응을 말한다는 것이다. 다른 점은 부작용은 유해한 반응뿐만 아니라 유익한 반응까지 모든 약물 반응이 포함되며, 임상시험을 통해 이미 광범위하게 추적되고 조사된 부분으로 어느 정도 예측 가능한 반면, 약물이상반응은 유해한 반응만을 말하며, 예상치 못하고 설명할 수 없는 경우가 많다는 차이점이 있다.[53]

② 원인

한약의 부작용 및 약물이상반응의 원인은 다양하며 복합적이다. 원인을 특정할 수 없는 경우도 많다. 대체로 한약 약물이상반응의 문제는 한약 자체의 독성(intrinsic toxicity), 불순물의 포함(adulteration) 및 잘못된 표식(mislabeling)과 같은 유통과정의 문제, 대체약물의 사용(substitution), 오염(contamination), 약물의 오인(misidentification) 및 남용(abuse) 또는 오용(misuse), 한약-양약 상호작용(herb-drug interactions), 표준화의 미흡(lack of standardization), 약리학 및 독성에 대한 배경지식을 사용하여 예측할 수 없는 예상치 못한 특발성 부작용 등으로 발생하는 것으로 추정된다.[54][55] 의료용 한약 유통이 정부에 의해서 엄밀하게 관리되고 있는 국내 현실에서 한의 의료기관에서 발생하는 한약의 부작용 및 약물이상반응은 주로 예측할 수 없는 특발성일 가능성이 크다. 그러나 식약공용 한약재가 많은 국내 현실에서 한의사가 처방하지 않은 한약을 일반인들이 임의로 복용하여 발생하는 한약의 남용 또는 오용 문제, 건강기능식품에 광범위하게 사용되어 특별한 제한 없이 복용되는 한약의 문제 등이 한약 부작용 및 약물이상반응의 또 다른 주된 원인이 될 수 있을 것이다.

53)   Shelby Leheny. 'Adverse Event,' Not the Same as 'Side Effect'. Pharmacy Times [Internet]. 2017 Feb 22. [cited 2021 Nov 11]. Available from: https://www.pharmacytimes.com/view/adverse-event-not-the-same-as-side-effect

54)   고성규, 장병은, 최재선. 한약물의 ADR. 동의생리병리학회지 2004;18(4):957-64.

55)   Shaw D, Graeme L, Pierre D, et al. Pharmacovigilance of herbal medicine. J Ethnopharmacol 2012;140(3):513-8.

③ 한약 이상반응 연구

국내 한약 이상반응에 관한 연구는 미흡한 상태라고 할 수 있다. 여기서는 두 개의 한약 이상반응 관련 연구를 살펴보고자 한다. 먼저 일반인을 대상으로 한 설문 조사 연구[56]를 살펴보면, 전체 응답자 1,134명 중 693명(61.1%)이 지난 1년 이내에 한약을 복용했다고 답변했고, 한약을 복용한 사람 중 46명이 이상반응을 경험했으며, 가장 빈번하게 보고된 증상은 소화기 장애(52.2%)였고 다음으로 피부 문제(34.8%)였다. 부작용을 경험한 46명의 참가자 중 20명(43.5%)만이 한의사에게 진료를 받은 후 한약을 복용한 경우였고, 나머지는 한의사 진료 없이 한약을 복용한 경우였다. 또 다른 연구는 국내 한 한방병원에서 한약을 처방받아 복용한 환자들을 대상으로 한 전향적코호트연구[57]로 341명의 환자 중에서 22건의 약물유해반응이 발견되었다. ADR의 가장 빈번하게 보고된 임상 증상은 소화불량 6건(20.7%)이었고, 메스꺼움과 설사가 각각 5건(각각 17.2%)으로 그 뒤를 이었다. ADR의 중증도는 대부분 경증(89.7%)이었고 심각한 ADR은 발견되지 않았다.

국외에서는 대만에서 발표된 연구가 참고할 만하다. 1998년(한약 전담 보고체계는 2001년 정식 설립)부터 시작된 대만 한약이상반응보고시스템(Taiwan Adverse Drug Reaction Reporting System for Herbal Medicine, TADRRS-HM)에서는 한약 ADR로 의심되는 약물이상반응을 체계적으로 문서화하고 한약의 안전사항 개요서(safety profiles)를 평가하고 있다. 1998년에서 2016년 사이 TADRRS-HM에 제출된 2,079건의 한약 관련 ADR 보고서를 평가한 연구[58]에 따르면, 단일 한약 941건, 민간 한약 87건, 임상시험 842건, 기타(식품, 건강 식품, 건강 보조 식품 및 한약 요리 등) 209건으로 분류되었다. 이 연구에서 ADR의 기관계대분류(System Organ Class, SOC)에 따르면, 위장관장애(33.4%)가 가장 흔한 것으로 확인되었으며, 피하 및 피하조직장애(21.2%), 면역체계질환(14.9%), 신경계장애(11.6%) 등으로 나타났다. Modified Hartwig and Siegel scale을 사용한 중증도 평가에 따르면 ADR의 72.4%가 경증, 17.4%가 중등도, 6.5%가 중증으로 분류되었다.

56) Jang S, Kim KH, Sun SH, et al. Characteristics of Herbal Medicine Users and Adverse Events Experienced in South Korea: A Survey Study. Evid Based Complement Alternat Med 2017;2017:4089019.

57) Kim MK, Han CH. Adverse drug reactions in Korean herbal medicine:A prospective cohort study. European Journal of Integrative Medicine 2017;9:103-9.

58) Chang HH, Chiang SY, Chen PC, et al. A system for reporting and evaluating adverse drug reactions of herbal medicine in Taiwan from 1998 to 2016. Sci Rep 2021;11(1):21476.

ADR이 가장 많이 보고된 다섯 가지 한약은 부자, 마황, 감초, 단삼, 중국 당귀(*Angelicae Sinensis Radix*)였고, 다섯 가지 한약 처방은 소청룡탕, 마행감석탕, 가미소요산, 혈부축어탕, 지백지황환이었다(표 6-2).[59]

표 6-2. 1998-2016년 TADRRS-HM에서 자주 보고된 상위 10개 한약 및 한약 처방. TADRRS-HM은 대만 한약이상반응보고시스템

순위*	개별 한약	빈도수	순위	한약 처방	빈도수
1	부자	22	1	소청룡탕	21
2	마황	18	2	마행감석탕	20
3	감초	17	2	가미소요산	20
3	단삼	17	4	혈부축어탕	18
3	중국 당귀#	17	5	지백지황환	17
6	대황	16	6	반하사심탕	16
7	생강	13	7	육미지황환	13
8	지황	11	7	향사육군자탕	13
9	황련	11	9	천왕보심단	12
10	창이자	10	10	갈근탕	11
10	선퇴	10	10	용담사간탕	11

*Naranjo 척도 점수가 1 이상인 의심되는 한약과 관련된 보고 빈도(ADR을 유발하는 한약 가능성과 관련하여 1-4점은 'possible', 5-8점은 'probable', 9점 이상은 'definite'로 간주함)
#중국 당귀는 국내에서 사용되는 참당귀와 다른 품목임

59) Chang HH, Chiang SY, Chen PC, et al. A system for reporting and evaluating adverse drug reactions of herbal medicine in Taiwan from 1998 to 2016. Sci Rep 2021;11(1):21476.

3. 한의진단 연구

1) 한의학 진단체계의 표준화 및 과학화 필요성

한의학의 변증진단은 환자 증상의 종합적인 관찰을 통해 병리적 본질(증, 證)을 규명하는 것으로, 환자 개개인의 증에 적합한 치료를 결정하는 역할을 한다. '증'이라는 개념은 증상 혹은 질병 자체가 아닌 질병으로부터 발생한 인체의 불균형적 상태를 표현하는 것으로, 인체의 종합적 상태와 환자 개개인의 개별성이 고려된다. 이렇듯 변증진단은 질병보다는 인체에 중심을 두고 개개인의 기질적 차이를 중시하는 한의학의 개인 맞춤 의학적 특성을 잘 보여준다.

그러나 변증진단을 위한 정보수집과정이 환자가 호소하는 주관적인 증상표현과 한의사의 감각(四診; 望聞問切)에 의존적이며 한의사마다의 변증체계나 방법에 대한 관점 차이가 인정되기 때문에 진단의 객관성을 담보하는데 한계가 있다. 이렇듯 변증진단과정의 주관성으로 인해 임상치료 및 연구성과를 객관적으로 기술하고 자료화시키는 것이 어렵다는 것이 임상치료 및 학문 연구의 장애요인으로 지적되어 왔으며, 이를 극복하기 위한 표준화된 진단체계 마련과 진단 및 치료의 과학적 근거산출을 위한 실증적 연구의 필요성이 대두되고 있다.

2) 변증 객관화 연구 동향

(1) 변증 설문지

1980년대 이후 변증을 객관화 및 정량화하기 위한 목적으로 설문을 이용한 진단평가도구를 개발하는 연구가 꾸준히 진행되어 왔다.[60] 초기 설문지는 주로 사상체질 감별도구[61]

---

60) 유현희, 이혜정, 장은수 외. 한열 변증 설문지 개발에 관한 연구. 동의생리병리학회지 2008;22(6):1410-5.

61) 고병희, 송일병. 四象體質辨證 方法論 研究 (第一報) -辨證을 爲한 基礎設問作成-. 대한한의학회지 1987;8(1):139-45.

로 사용되었으며, 이후 변증유형(오장[62], 팔강[63][64][65], 담음[66], 어혈[67], 조습[68] 등) 혹은 특정 질환(비만[69][70], 중풍[71], 치매[72] 등)별 변증진단의 보조도구로서 활발히 연구되기 시작하였다.

변증 설문지 개발은 일반적으로 문헌고찰 및 전문가 위원회를 활용한 델파이기법[73]을 통하여 주요 변증 지표 및 증상 발굴, 항목별 가중치 부여 및 설문지의 신뢰도/타당도 평가[74] 과정으로 이루어진다.[75]

설문조사는 구조화된 도구를 사용하여 필요한 정보를 매우 효과적으로 수집할 수 있는 방법이다. 설문 작업을 통해 정량적으로 축적된 데이터는 임상통계의 기반 자료로 사용될 수 있으며, 표준화된 진단 및 치료 체계를 구축하고 임상 효과 입증에 중요한 역할을 할 수 있을 것으로 생각된다. 그러나 보다 신뢰성 있는 변증 설문지의 개발과 임상활용도를 재고하기 위해서는 실제 임상에서 활용되고 있는 타 진단 방법과의 비교 및 결합과정, 대규모 환자군 대상의 설문지 검증과정 등이 요구된다.

62) 장은수, 김윤영, 박양춘 외. 한의 오장 변증·평가 설문지 개발을 위한 신뢰도 및 타당도 평가. 동의생리병리학회지 2017; 31(3):173-81.

63) 김숙경, 박영배. 寒熱辨證 說問紙 開發. 대한한의진단학회지 2003;7(1):64-75.

64) 유현희, 이혜정, 장은수 외. 허실 변증 설문지 개발 가능성에 대한 고찰. 동의생리병리학회지 2009;23(3):534-9.

65) 조혜숙, 배경미. 寒熱虛實 辨證 診斷 설문지의 개발에 대한 연구. 동의생리병리학회지 2009;23(2):288-93.

66) 박재성, 양동훈, 김민용 외. 痰飮辨證 說問 開發. 대한한의진단학회지 2006;10(1):64-77.

67) 양동훈, 박영재, 박영배, 이상철. 瘀血辨證說問紙 開發. 대한한의진단학회지 2006;10(1):141-52.

68) 인창식, 박히준, 서병관 외. 燥濕辨證 설문개발을 위한 연구 I. 대한한의진단학회지 2004;8(1):206-14.

69) 문진석, 강병갑, 강경원 외. 전문가 가중치 부여를 통한 비만변증설문지 적용. 한방비만학회지 2008;8(1):51-61.

70) 강경원, 문진석, 강병갑 외. 한방비만변증 설문지를 바탕으로증상 척도에 따른 변증진단 비교. 한방비만학회지 2009;9(1):37-44.

71) 김소연, 이정섭, 오달석 외. 한국형 중풍 변증 표준안 - II와 한열허실 변증지표의 연관성 연구. 동의생리병리학회지 2010; 24(1):15-21

72) 허유정, 이상원, 전원경 외. 치매의 한열허실 변증 지표문항에 대한 예비분석. 동의신경정신과학회지 2015;26(3):283-92.

73) 델파이기법: 적절한 해답이 알려져 있지 않거나 일정한 합의점에 도달하지 못한 문제에 대하여 다수의 전문가를 대상으로 반복적인 설문을 통해 의견을 수집 교환함으로써 전문가 집단의 의견을 수렴하고 합의를 도출해 내는 조사 방법

74) 통상적으로 신뢰도 평가에는 검사-재검사법, 동형검사법, 반분검사법, 내적일치도 검사법 등이 다용되며, 타당도 평가에는 내용타당도, 동시타당도, 예측타당도, 이해타당도, 수렴타당도, 판별 타당도 등이 이용된다.

75) 장은수, 이은정, 윤용기 외. 한의 변증 설문지 개발 표준프로세스 제안. 동의생리병리학회지 2016;30(3):190-200.

(2) 표준임상진료지침

국제적인 근거기반 의학의 확산 추세와 함께 표준임상진료지침에 대한 필요성이 대두되었으며, 한의학 분야의 임상진료지침 개발 사업은 2008년 처음 시행되었다.

한의임상진료지침 개발 보고 가이드[76]에서는 해당 질환에 대한 한의학적 진단(예: 변증분류 및 체질)과 양의학적 진단기준을 참고로 함께 기술하며, 도출된 권고사항을 기반으로 진단 및 치료를 위한 단계별 의사결정 알고리즘을 제시하도록 권고하고 있다.

변증 진단기준을 기술하는 양식은 참고문헌을 기반으로 변증분류별 권고 치법을 제시하는 것이 일반적이나 각 지침마다 다소간의 차이를 보인다. 요통 침구임상 진료지침에서는 전문가 위원회의 문헌자료 검토를 기반으로 10가지 요통분류를 합의 도출하였으며, 이를 바탕으로 각 분류에 대한 감별증과 전신증, 설진과 맥상을 조사하여 제시하였다. 사상체질병증 한의표준임상진료지침에서는 사상체질변증을 위한 대분류(표리변증), 중분류(순역변증), 소분류(경중험위 변증), 세분류(현증변증, 소증변증) 등으로 체질병증의 분류체계를 제시하였다. 불면장애 한의표준임상진료지침에서는 기 개발 및 평가된 불면의 변증 설문지를 변증진단의 보조도구로서 제시하였다.

(3) 진단 검사기기 기반의 변증 연구

변증진단을 위한 환자의 증상과 징후 수집과정의 객관성과 재현성을 담보하기 위한 일환으로 현대 과학적 기술을 응용한 검사기기를 활용해 진단지표를 가시화하기 위한 노력이 점차적으로 강화되고 있다. 현재까지는 맥진기, 설진기, 사상체질진단기, 복진기 등 전통한의학적 진단기술을 중심으로 한 검사기기 개발이 활발히 이루어져왔다.

정량적으로 측정 가능한 생리학적 지표와 변증진단과의 상관성을 연구한 사례로는 변증과 심박변이도의 상관성 연구[77], 사지복부 한열감각의 바이오 마커 규명[78], 천식환자 대

76) 이명수, 이주아, 최태영, 최지애, 전지희. 韓醫임상진료지침 개발 보고 가이드(PRIDE-CPG-KM). 대전:한국한의학연구원. 2015.

77) 최상옥, 박선영, 정희진 외. 변증과 심박변이도의 상관성 연구. 동의생리병리학회지 2013;27(3):318-26.

78) Pham DD, Lee J, Kim G, et al. Relationship of the Cold-Heat Sensation of the Limbs and Abdomen with Physiological Biomarkers. Evid Based Complement Alternat Med 2016;2016:2718051.

상의 허실변증과 혈액 사이토카인 간 관련성 규명[79], 한열변증과 체형 및 체성분의 연관성 분석[80], 팔강변증에 따른 맥파 특성 연구[81]등이 있다.

(4) 시스템 생물학(Systems biology) 기반의 변증 연구

시스템 생물학은 기존의 환원주의적 연구방법론으로는 생명현상의 복잡성을 설명하기에 부족하다는 인식에서 출발하여 유전자, 단백질, 대사체 등의 발현 및 각종 상호관계를 연구함으로써 생명현상에 대한 시스템 차원의 이해를 목표로 하는 생물학의 확장 분야이다.[82]

현대에 들어 발전된 시퀀싱 기술을 기반으로 막대한 양의 오믹스 데이터가 생성되고 이를 분석하기 위한 빅데이터 처리기술이 발전함에 따라, 시스템 생리학을 의학 연구에 도입하여 다차원적이고 복잡한 생명현상을 통합적으로 분석하고자 하는 시도가 활발히 이루어졌다. 더욱이 시스템 생물학의 전체론적 관점은 한의학의 인체관과 부합한다는 측면에서 한의학 연구자들의 기대감을 모았으며, 최근 그 연구 결과들이 많이 발표되고 있다.[83][84]

현재까지의 시스템 생물학적 연구방법론을 적용한 변증 연구는 변증별 바이오마커, 유전체, 단백질체, 대사체 등의 차이를 규명함으로써 증에 대한 과학적이고 객관적인 기반을 제시하고자 하는 연구가 주를 이룬다.[85] 대표적으로 Li[86] 등은 한증, 열증 각각의 네트워크를 신경전달물질과 신경–내분비–면역 시스템의 유전자들로 구성하여 비교 연구하였다 (그림 6-3). 그 결과 한증 네트워크에서는 내분비 관련 인자가, 열증 네트워크에서는 면역 관련 인자들이 우세함을 발견하였으며 관절염 동물모델에서 한증과 열증에 사용되는 처방

79) 유창환, 강성우, 홍성은 외. 천식환자 허실변증별 혈액 싸이토카인 및 임상적 특성에 관한 단면적 연구. 대한한방내과학회지 2020;41(4):583-98.

80) 문수정, 박기현, 이시우. 한열변증과 체형 및 체성분의 연관성 분석 - 50세 이상 장년 및 노년층을 대상으로. 동의생리병리학회지 2020;34(4):209-14.

81) 이인선, 전수형, 강창완 외. 500명 여성을 대상으로 한 팔강변증에 따른 맥파 특성 연구. 동의생리병리학회지 2021;35(6):274-9.

82) Wolkenhauer O. Systems biology: the reincarnation of systems theory applied in biology? Brief Bioinform. 2001;2(3):258-70.

83) 김창업, 이충열. 한의학과 시스템생물학의 만남, 의미와 전망. 동의생리병리학회지 2016;30(6):370-5.

84) 박영철, 이선동. 시스템생물학의 한의학적 응용. 대한예방한의학회지 2016;20(1):99-110.

85) 이수진. 시스템 생리학에 기반한 한열 변증의 이해. 동의생리병리학회지 2016;30(6):376-84.

86) Li S, Zhang ZQ, Wu LJ, et al. Understanding ZHENG in traditional Chinese medicine in the context of neuro-endocrine-immune network. IET Syst Biol. 2007;1(1):51-60.

각각이 실제 한/열 네트워크의 허브노드에 영향을 미친다는 것을 확인하였다. Guo 등[87]은
만성 B형 간염, 간경변 환자들에서 변증(간담습열肝膽濕熱, 간울비허肝鬱脾虛)별 G 단백질
연결 수용체(G-protein coupled receptor, GPCR) 신호전달 경로의 유전자 공동발현 패
턴의 차이가 있음을 확인하였다. Li 등[88]은 건선 환자의 혈액 내 대사체를 프로파일링하여
변증별(어혈瘀血, 혈열血熱, 혈조血燥) 차이를 분석하고, 혈소판 활성 인자가 어혈증의 건선
환자에 대한 임상적 진단 및 변별을 위한 바이오마커로 사용될 수 있음을 제안하였다.

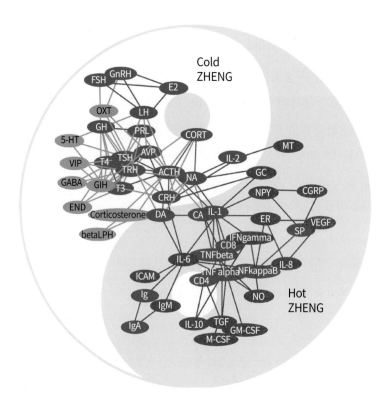

그림 6-3. 한/열증의 신경전달물질 네트워크[89]

87) Guo Z, Yu S, Guan Y, et al. Molecular Mechanisms of Same TCM Syndrome for Different Diseases and Differ-
     ent TCM Syndrome for Same Disease in Chronic Hepatitis B and Liver Cirrhosis. Evid Based Complement
     Alternat Med 2012;2012:120350.

88) Li L, Yao DN, Lu Y, et al. Metabonomics Study on Serum Characteristic Metabolites of Psoriasis Vulgaris Pa-
     tients With Blood-Stasis Syndrome. Front Pharmacol 2020;11:558731.

89) Li S, Zhang ZQ, Wu LJ, et al. Understanding ZHENG in traditional Chinese medicine in the context of neuro-
     endocrine-immune network. IET Syst Biol 2007;1(1):56.

(5) 인공지능(Artificial Intelligence, AI) 기반의 변증 연구

인공지능이 한의학 연구에 도입되던 초창기에는 1970년대에서 1980년대까지 인공지능 분야에서 활발하게 연구되었던 지식기반 시스템(knowledge-based system) 기술을 이용하여 전문가 지식을 컴퓨터로 프로그램화한 한의학 진단 전문가 시스템 개발[90]이 주를 이루었다.

근래에는 기계학습(machine learning, ML)[91] 기술을 기반으로 한의사의 진단결과를 재현하기 위한 데이터 패턴을 스스로 학습하는 인공지능 모델을 개발하는 연구가 다수 보고 되었다. 특정 질환군의 전자의무기록(Electrical Medical Record, EMR)을 학습하여 한의사의 변증진단을 예측하는 인공신경망(Artificial Neural Network, ANN) 모델의 개발[92] 연구 등이 대표적이다.

한편, 한의사 변증진단결과를 예측하는 AI모델 구축을 넘어 변증진단과정에 대한 모델링을 시도한 연구들도 있었다. Zhang 등[93]은 신허腎虛로 분류된 환자 데이터에 latent tree model을 적용하여 데이터의 잠재구조를 학습하도록 하였고, 모델에 의해 도출된 잠재변수(latent variables)가 신허증腎虛證의 하위변증(신양허腎陽虛, 신음허腎陰虛, 신정부족腎精不足)으로 해석될 수 있음을 보임으로써 한의학 변증 이론이 데이터의 유의미한 군집 구조를 반영하는 것으로 나타났다(그림 6-4, 표 6-3). 배 등[94]은 한의사의 변증과정을 기계학습의 데이터 차원축소(dimensionality reduction) 기법으로 이해할 수 있음을 제안하였다(그림 6-5). 저자들은 변증과정에서 일어나는 정보처리 특성(예: 차원축소를 통해 얼마나 정보를 추상화시키는가, 차원축소과정에서 보존되어야 할 정보는 무엇인가 등)을 기계학습 관점에서 이해하고 수학적으로 분석함으로써 한의사의 머릿속에서 일어나는 인

90)   김두현, 신동하, 박세영. 인공지능 도입 초창기 출연연구소의 연구활동 소개-한의진단시스템과 한국어처리를 중심으로. 정보과학회지 2021;39(12):24-9.

91)   기계학습은 인공지능의 한 분야로, 사람이 자연적으로 수행하는 학습 능력을 컴퓨터에서 실현하고자 하는 기술이나 방법이다. 즉 명시적 프로그램 없이 컴퓨터가 주어진 데이터를 스스로 학습하고 정보를 처리할 수 있는 능력을 갖도록 한다.

92)   Liu GP, Yan JJ, Wang YQ, et al. Deep learning based syndrome diagnosis of chronic gastritis. Comput Math Methods Med 2014;2014:938350.

93)   Zhang NL, Yuan S, Chen T, Wang Y. Latent tree models and diagnosis in traditional Chinese medicine. Artif Intell Med 2008;42(3):229-45.

94)   Bae H, Lee S, Lee CY, Kim CE. A Novel Framework for Understanding the Pattern Identification of Traditional Asian Medicine From the Machine Learning Perspective. Front Med (Lausanne) 2022;8:763533.

지과정을 정량적으로 다룰 수 있다는 점을 강조하였으며, 나아가 해석 가능한 의료인공지능 개발을 위한 기반을 제공할 것이라고 설명하였다.

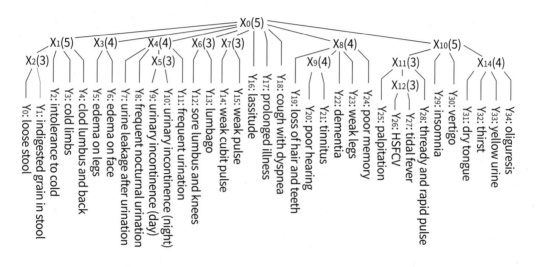

그림 6-4. Latent tree model이 포착한 신허 환자 데이터의 잠재구조[95]

표 6-3. 모델이 포착한 잠재변수와 한의학변증과의 대응관계[96]

X0	KD (KIDNEY DEFICIENCY)
X1	KYD (KIDNEY YANG DEFICIENCY)
X3	EKDY (EDEMA DUE TO KYD)
X4	KFCUB (KIDNEY FAILING TO CONTROL)
X8	KEI (KIDNEY ESSENCE INSUFFICIENCY)
X10	KYD (KIDNEY YIN DEFICIENCY)

95) Zhang NL, Yuan S, Chen T, Wang Y. Latent tree models and diagnosis in traditional Chinese medicine. Artif Intell Med 2008;42(3):240.

96) Zhang NL, Yuan S, Chen T, Wang Y. Latent tree models and diagnosis in traditional Chinese medicine. Artif Intell Med 2008;42(3):241.

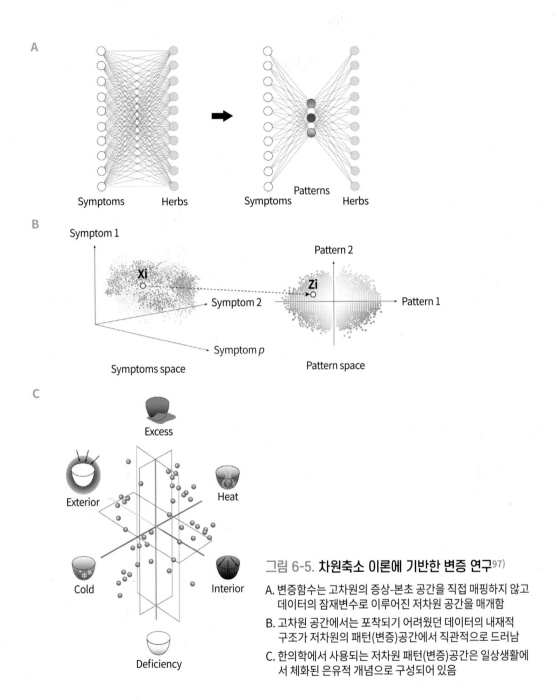

그림 6-5. **차원축소 이론에 기반한 변증 연구**[97]

A. 변증함수는 고차원의 증상-본초 공간을 직접 매핑하지 않고 데이터의 잠재변수로 이루어진 저차원 공간을 매개함

B. 고차원 공간에서는 포착되기 어려웠던 데이터의 내재적 구조가 저차원의 패턴(변증)공간에서 직관적으로 드러남

C. 한의학에서 사용되는 저차원 패턴(변증)공간은 일상생활에서 체화된 은유적 개념으로 구성되어 있음

97)   Bae H, Lee S, Lee CY, Kim CE. A novel framework for understanding the pattern identification of traditional Asian medicine from the machine learning perspective. Front Med (Lausanne) 2022;8:763533.

4. 사상체질 연구

사상의학은 인간을 태양인, 소양인, 태음인, 소음인의 4가지 체질로 구분하고 각각의 체질이 고유한 생리, 병리적 현상 및 병증을 나타내므로 치료 역시 이에 따라 달라져야 함을 주장한다. 인간중심적 사고를 바탕으로 기존 한의학과 차별화되는 새로운 해석을 시도한 사상의학은 현재 많은 한의사들에 의해 임상현장에서 활발히 활용되며 한국 한의학만의 독특한 진단 및 치료를 제공하고 있다. 그러나 유학의 철학적 이론을 바탕으로 추상적으로 기술되고 있는 사상의학의 많은 개념들은 과학적 분석을 통해 객관적으로 그 기전과 원리를 밝혀내기 매우 어려운 것이 사실이다.

과연 사상의학의 독특한 관점과 임상경험을 설명하는 물질적 실체는 무엇일까. 사상의학에서 말하는 체질이란 선천적으로 결정되어 있으며, 개인의 생리, 병리, 치료 및 예방 전략에 이르기까지 광범위한 영역에서 중요한 역할을 한다는 점에서 현대의 유전자 개념과 매우 밀접한 관련이 있을 것으로 기대할 수 있다. 유전학, 분자생물학의 발전으로 인류는 20세기에 이미 유전자의 기본적인 구조와 기능, 작동원리를 상당 부분 파악하였다. 21세기의 시작과 함께 완성된(정확히는 2003년) 인간게놈프로젝트(Human Genome Project)는 30억 쌍의 염기서열에 부호화된 유전정보만으로 인간을 모두 설명하기엔 부족하다는 한계점을 깨닫게 해주었지만, 동시에 개인별 유전체를 해독함으로써 질병의 예측, 예방, 그리고 최적의 맞춤치료를 선택한다는, 다음 세대의 의학이 추구해야 할 바를 명확하게 제시했다. 정밀의학(precision medicine)이라 불리는 이러한 새로운 의학적 패러다임은 당연하게도 사상의학과 많은 부분에서 그 지향점을 공유한다. 다만 한쪽은 빠르게 발전하는 첨단 생명과학, 정보기술을 바탕으로 철저하게 생의학적 근거에 입각하여 완전히 새로운 이야기를 찾아나가는 중이라면, 다른 쪽은 전통의 지혜와 직관, 임상적 관찰과 경험들을 바탕으로 설명 모델을 구축하고 그 모델을 바탕으로 임상적 실천을 수행하고 있다. 전자는 정량적이고 구체적인 기전에 대한 이해를 바탕으로 정밀한 맞춤형 예측 및 제어방법을 개발해 나가고 있는 반면, 후자는 정성적이고 추상적인 설명모델을 바탕으로 복잡한 인체와 질병, 약물의 상호작용을 제어하고자 노력하고 있다. 전자는 정량적, 환원주의적 접근으로 설명 가능한 현상에만 국한하여 탐구를 집중하는 반면, 후자는 환원이 어려운 복잡한 현상과 실천경험들도 과감하게 설명모델에 포함시키고 이를 바탕으로 임상을 수행하고 있다. 비슷한 지향점을 공유하지만 다른 접근을 하고 있는 두 체계는 자신과 다른 방법론에서 발전과 도약의 힌트를 얻을 수 있다. 사상의학의 임상적 실천경험과 이를 뒷받침해 온 이론체계는 객관적이고 정량적인 실증적 연구를 통해 더욱 구체화되고 발전할 수 있으며, 현재 시점에서 사상인별 유전적 차이에 대한 조사는 아마도 이를 위한 가장 가까운 노력일 것이다.

인간게놈프로젝트 이후 다양한 개인들의 유전체를 해독함으로써 질병에 대한 소인이나 생리적 특성을 담당하는 유전자를 밝히는 연구들이 활발하게 이루어져 왔다. 특히 전장유전체연관분석(Genome-Wide Association Study, GWAS) 기반의 연구가 우선적으로 광범위하게 수행되었는데 GWAS는 수십만 개의 단일염기다형성(Single Nucleotide Polymorphism, SNP)들의 유전자형을 조사함으로써 연구집단 내에서 임상 혹은 역학 변수들에 영향을 미치는 유전변이를 선별해내는 것을 목표로 한다. 예를 들어, 특정 질환을 가진 환자 군과 대조군 간에 미리 선별된 SNP들의 변이유형을 비교하고 통계적으로 유의미한 빈도로 차이가 발견되는 SNP를 발굴하게 된다. 이후 이 유전변이들에 대한 심도 있는 연구를 통해 질병을 예측하거나 치료의 표적으로 삼을 수 있다. 나아가 2000년대 중후반 등장한 차세대염기서열분석법(Next Generation Sequencing, NGS)의 비약적인 발전은 유전변이 중 단일염기다형성만을 평가하는 GWAS의 한계를 넘어 인간 유전체 전체를 해독함으로써(전장유전체해독, Whole Genome Sequencing) 거의 모든 유전변이를 탐색할 수 있는 기회를 제공하고 있다.

사상체질별로 나타나는 특성의 근거를 확보하고자 연구자들은 유전학을 활용한 사상의학 연구들을 진행해왔으며 그 동향을 간략하게 소개하고자 한다. 사상의학의 유전자 수준 연구는 1990년대 후반에 활성화되기 시작하여 2000년 이후 많은 연구가 이루어졌다.[98] 사상의학에 따르면 사상체질은 부모로부터 품부稟賦받은 것으로 보고 이를 변하지 않는 것으로 규정한다. 이와 같은 부모와 자식 간의 체질 간 관련성을 탐색하기 위하여 부모-자식 관계 173쌍을 대상으로 체질 일치 여부에 대한 후향적 연구가 수행되었다.[99] 분석 결과, 부모체질의 구성이 모두 태음인 또는 소음인, 소양인으로 같은 경우 자녀의 체질이 부모의 체질과 같은 경우가 82.9%, 87.5%, 83.3%로 각 체질의 비율에 비해 유의성 있게 높게 나

98) 박준형, 박지은, 이슬 외. 유전학을 이용한 사상의학 임상연구 동향 분석. 사상체질의학회지 2021;33(3):72-86.

99) 이수헌, 윤유식, 김홍기 외. 부모-자식간 사상체질 분포에 대한 임상 연구. 동의생리병리학회지 2004;18(6):1904-7.

타났으며(표 6-4), 이는 부모의 체질이 자녀의 체질에 영향을 미치고 있음을 보여준다. 가족관계에 있는 사람들을 대상으로 한 사상체질 및 유전적 분석 역시 수행되었다.[100] 가족관계에 있는 사람 40명에 대한 연계분석(linkage analysis) 및 혈연관계가 아닌 사람에 대한 연관분석(association analysis)을 수행한 결과, 염색체 8q11.22-23, 11q2.1-3이 사상체질의 유전에 대한 유의한 연계성을 가진 후보위치로 확인되었다(표 6-5).

표 6-4. 부모체질에 따른 자녀체질의 분포[101]

Parents				Children			Total
Father	Mother			TE	SE	SY	
TE	TE	Count		29	6		35
		row %		82.9%	17.1%		100.0%
	SE	Count		15	7		22
		row %		68.2%	31.8%		100.0%
	SY	Count		28	2	11	41
		row %		68.3%	4.9%	26.8%	100.0%
SE	TE	Count		11	6	1	18
		row %		61.1%	33.3%	5.6%	100.0%
	SE	Count		1	7		8
		row %		12.5%	87.5%		100.0%
	SY	Count		5	5	8	18
		row %		27.8%	27.8%	44.4%	100.0%

100) Won HH, Lee SW, Jang ES, et al. A Genome-Wide Scan for the Sasang Constitution in a Korean Family Suggests Significant Linkage at Chromosomes 8q11.22-23 and 11q22.1-3. J Altern Complement Med 2009;15(7):765-9.

101) 이수헌, 윤유식, 김홍기 외. 부모-자식간 사상체질 분포에 대한 임상 연구. 동의생리병리학회지 2004;18(6):1905.

표 6-4(이어서).

Parents			Children			Total
Father	Mother		TE	SE	SY	
SY	TE	Count	8		4	12
		row %	66.7%		33.3%	100.0%
	SE	Count	4	2	7	13
		row %	30.8%	15.4%	53.8%	100.0%
	SY	Count		1	5	6
		row %		16.7%	83.3%	100.0%
Total		Count	101	36	36	173
		row %	58.4%	20.8%	20.8%	100.0%
Pearson Chi-Square			$X^2 = 83.974^3$		df=16	p=0.000

$$X^2_{0.05}(16) = 26.296$$

16 cells (59.3%) have expected count less than 5. The minimum expected count is 1.25.* The number of Taeyangin was so small to be excluded.

표 6-5. 사상체질에 대해 유의하게 관련된 단일 염기 다형성[102]

Chromosome region	Peak SNP	Peak Physical position (bp)	Nominal p-value
8q11.22-23	rs3849811	53,172,705	0.0399
	rs284820	53,527,202	0.0179
	rs968886	53,843,987	0.0279
11q22.1	rs7947761	100,129,809	0.0390
	rs17095486	100,143,813	0.0494
	rs17095429	100,144,512	0.0276

SNPs, single nucleotide polymorphisms.

---

102) Won HH, Lee SW, Jang ES, et al. A Genome-Wide Scan for the Sasang Constitution in a Korean Family Suggests Significant Linkage at Chromosomes 8q11.22-23 and 11q22.1-3. J Altern Complement Med 2009;15(7):765-9.

사상의학에 대한 보다 범용적인 연구를 위하여, 대단위 임상실험을 통해 사상체질별로 공통적인 유전인자 혹은 사상체질간의 구분되는 유전인자를 찾기 위한 접근이 수행되었다. 1,222명의 한국인을 대상으로 GWAS를 수행하여 체질별 대립 유전자의 빈도와 유전자의 위치, 그리고 체질별로 연관된 유전자를 규명하였으며, 태음인의 경우 Chromosomes 3q27.3가, 소음인의 경우 15q22.2, 그리고 소양인의 경우 14q22.3가 가장 관련성이 높은 유전자 위치(genetic loci)임이 보고되었다(그림 6-6).[103] 또한 GPM6A, SYT4, GRIK1 등을 포함한 15개의 유전자가 태음인과, DRGX, AKAP11 등을 포함한 12개의 유전자가 소음인과 ZFP42, CDH22, ALDH1A2, OTX2, EN2 등을 포함한 17개의 유전자가 소양인과 각각 유의한 관련성이 있는 것으로 나타났다. 이 유전자들과 관련된 생물학적 기전(biological process)의 차이를 분석한 결과, 태음인은 cytoskeleton-related pathway, 소음인은 cardio- and aminoacid metabolism-related pathway, 그리고 소양인은 enriched melanoma-related pathway와 각각 유의한 관련성이 있는 것으로 나타났다.

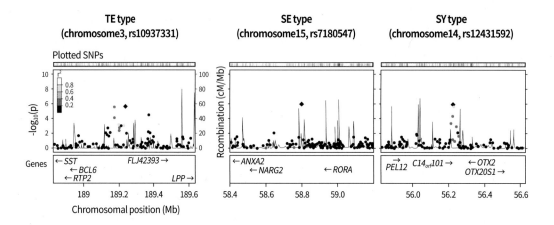

그림 6-6. **체질별 특징적인 유전자 위치**[104]

103) Kim BY, Jin HJ, Kim JY. Genome-wide association analysis of Sasang constitution in the Korean population. J Alternat and Complement Med 2012;18(3):262-9.

104) Kim BY, Jin HJ, Kim JY. Genome-wide association analysis of Sasang constitution in the Korean population. J Alternat and Complement Med 2012;18(3):266.

한편, 고혈압, 대사증후군, 당뇨 등의 만성 질환과 관련된 유전자와 체질의 연관성을 분석한 연구에서는 사상체질이 지질 관련 질환에 대한 유전적 민감도가 높은 것으로 보고된 바 있다.[105] 사상체질이 분류된 1,619명에 대한 유전자를 분석한 결과, 체질군 간에 Apo-lipoprotein A5 gene-1131T>C 유전자형 분포의 유의한 차이는 없었으나, C 대립유전자(allele)를 가진 소양인과 태음인 그룹에서 C 대립유전자를 가지지 않은 그룹에 비해 유의하게 낮은 HDL-콜레스테롤(HDL-cholesterol)과 높은 중성지질(triglyceride) 농도를 나타내었다. 대립유전자 및 체질에 따른 지방대사의 특징적 분포는 사상체질이 저HDL 콜레스테롤혈증(hypo-HDL-cholesterolemia) 및 고중성지질혈증(hypertriglyceridemia)의 위험을 예측할 수 있는 인자임을 나타낸다.

또한 체질별 장내미생물을 비교분석하는 연구가 수행되었다.[106] 16S rRNA gene을 조사한 연구에서 20대 소음인 남성과 태음인 남성에서 Firmicutes와 Bacteroidetes가 각각 두드러지는 종이며, Bifidobacterium과 Bacteroides가 소음인과 태음인을 구분 짓는 속인 것으로 나타났다(그림 6-7).

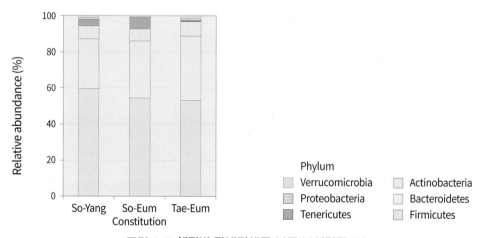

그림 6-7. 체질별 장내미생물 분포 분석결과[107]

105)   Song KH, Yu SG, Cha SW, et al. Association of the Apolipoprotein A5 Gene-1131T>C Polymorphism with Serum Lipids in Korean Subjects: Impact of Sasang Constitution, Evidence-Based Complement and Alternat Med 2012;2012:598394.

106)   BS Kim, HS Bae, C Lim, et al. Comparison of gut microbiota between Sasang constitutions. Evidence-Based Complement and Alternat Med 2013;2013:171643.

107)   BS Kim, HS Bae, C Lim, et al. Comparison of gut microbiota between Sasang constitutions. Evidence-Based Complement and Alternat Med 2013;2013:171643.

유전자 분석 외에도 사상체질의 객관적 특성을 규명해내고자 하는 연구 및 이를 바탕으로 체질진단에 응용하기 위한 여러 방면에서의 노력이 이루어져 왔다. 먼저, 성격을 중심으로 체질별 특성을 파악하는 연구들이 있다. 동의수세보원에서는 성정性情의 차이가 기氣의 승강호흡升降呼吸의 편차를 부르고 이 결과가 장부의 대소大小를 결정짓는다고 설명하고 있기 때문이다. 사상체질이 신체적 특성과 심리적 특성을 규명할 수 있는 지표임이 제안되었으며[108], 성인에 대한 사상체질 성격설문[109], 음양 기질에 따른 설문지의 개발과 검증[110]이 수행되었다. 이 외에도 체질별 고혈압 전단계(prehypertension)의 유병률[111], 태음인에서 폐쇄성 수면 무호흡[112], 복부비만[113] 및 2형 당뇨병[114]과의 연관성 등 질환과 체질에 대한 연구가 수행된 바 있다. 마지막으로 데이터 기반 접근 방식을 활용한 체질 예측 모델을 개발하려는 연구가 있었다. 1,300명 이상 환자의 체형, 성격, 소증, 병증, 한열寒熱 패턴, 과거력 및 현병력 등의 설문정보를 종합적으로 이용하는 기계학습 모델이 개발되었으며, 학습된 모델의 분석을 통해 체질 진단에 늑골각(costal angle)과 같은 체형 정보가 중요한 진단정보라는 사실이 보고되었다.[115] 또한 이 연구에서는 태음인과 나머지 체질 구분에 있어서는 체형정보가, 소음인과 소양인을 구별하는 데 있어서는 성격 정보와 한열寒熱패턴이 중요함을 보고하였다.

108) Chae H, Lyoo IK, Lee SJ, et al. An alternative way to individualized medicine: psychological and physical traits of Sasang typology. J Altern Complement Med 2003;9(4):519-28.

109) Hwang BK, Yoon YJ, Han SY, et al. Validity of Yin-Yang temperament in Sasang Personality Questionnaire. Integr Med Res 2018;7(1):77-84.

110) Chae H, Lee SJ. Personality construct of Sasang Personality Questionnaire in an adolescent sample. Integr Med Res 2015;4(1):29-33.

111) Jang E, Baek Y, Kim Y, et al. Sasang constitution may act as a risk factor for prehypertension. BMC Complement Altern Med 2015;15:231.

112) Lee SK, Yoon DW, Yi H, et al. Tae-eum type as an independent risk factor for obstructive sleep apnea. Evid Based Complement Alternat Med 2013;2013:910382.

113) Jang E, Baek Y, Park K, Lee S. Could the Sasang constitution itself be a risk factor of abdominal obesity? BMC Complement Altern Med 2013;13:72.

114) Cho NH, Kim JY, Kim SS, et al. Predicting type 2 diabetes using Sasang constitutional medicine. J Diabetes Investig 2014;5(5):525-32.

115) Park SY, Park M, Lee WY, et al. Machine learning-based prediction of Sasang constitution types using comprehensive clinical information and identification of key features for diagnosis. Integr Med Res 2021;10(3):100668.

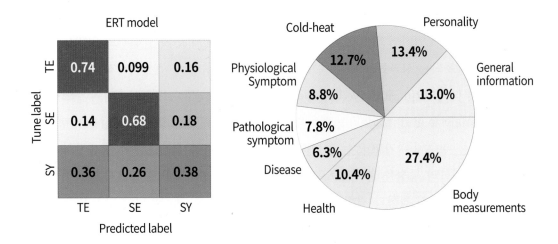

그림 6-8. **분류기 모델의 체질별 예측성능 및 주요 진단정보 규명**[116]

5. 시스템 생물학(Systems biology) 기반 한의학 연구

21세기에 접어들어 유전체(genome), 전사체(transcriptome), 대사체(metabolome) 등 다양한 대용량 데이터 생산기술(high throughput technology)의 발달과 크고 복잡한 데이터를 처리, 분석할 수 있는 빅데이터 기술의 발전에 힘입어 복잡한 생명현상과 질병을 시스템 수준에서 이해하는 것이 가능해지고 있다. 전통적으로 환원주의적 접근을 우선시했던 생물학계가 부분이 아닌 전체에 대한 이해를 강조하는 이른바 시스템 생물학(systems biology)의 시대로 진화하고 있는 것이다.[117] 그리고 이러한 패러다임의 변화와 새롭게 개발된 방법론들은 전일론적 접근(holistic approach)을 지향해 왔던 한의학의 관점을 재조명하게 하는 계기가 되고 있다.[118]

116) Park SY, Park M, Lee WY, et al. Machine learning-based prediction of Sasang constitution types using comprehensive clinical information and identification of key features for diagnosis. Integr Med Res 2021;10(3):100668.

117) Westerhoff HV, Palsson BO. The evolution of molecular biology into systems biology. Nat Biotechnol 2004;22(10):1249-52.

118) van der Greef J. Perspective: All systems go. Nature 2011;480(7378):S87.

　　중의학계는 2000년 이후 시스템 생물학의 발전에 발맞춰 새로운 방법론들을 중의학 연구에 적극적으로 도입하여 왔으며, 변증, 방제 등의 분야에서 과거 환원주의 일변도의 연구들과는 차별화되는 성과들을 빠른 속도로 내어놓고 있다.[119][120][121] 미시적 수준의 생물학적, 정량적 데이터(quantitative biological data at micro level)에 시스템 수준의 분석과 모델링(analysis and modeling at system level)을 적용함으로써 구체성을 바탕으로 거시적 이해를 추구해 나가고 있는 것이다. 한국 한의학계 역시 최근 시스템 생물학적 접근을 통해 한의학의 특성을 과학적으로 설명하는 우수한 연구들을 활발하게 발표해 오고 있다.[122][123] 전일론적 철학과 경험을 가진 한의학에 환원주의 과학이라는 맞지 않는 옷을 입히려 애썼던 것이 20세기까지의 과학화, 현대화 연구였다면 환원주의의 구체성과 시스템 과학의 전일성을 겸비함으로써 보다 몸에 맞는 과학의 옷으로 갈아입을 수 있게 된 것이 21세기의 새로운 연구 동향이라고 표현할 수도 있을 것이다.

　　본 장에서는 현재, 그리고 앞으로의 한의학에서 더욱 중요한 역할을 하게 될 시스템 생물학적 접근이 무엇인지 설명하고, 그 한의학적 적용 중 가장 활발하게 적용되고 있는 네트워크 약리학(network pharmacology) 연구를 간단히 소개하고자 한다.

119)　Wang L, Zhou GB, Liu P, et al. Dissection of mechanisms of Chinese medicinal formula Realgar-Indigo naturalis as an effective treatment for promyelocytic leukemia. Proc Natl Acad Sci USA 2008;105(12):4826-31.

120)　Li S, Zhang B, Jiang D, et al. Herb network construction and co-module analysis for uncovering the combination rule of traditional Chinese herbal formulae. BMC Bioinformatics 2010;11 Suppl 11:S6.

121)　Li S, Zhang B. Traditional Chinese medicine network pharmacology: theory, methodology and application. Chin J Nat Med 2013;11(2):110-20.

122)　Park SY, Park JH, Kim HS, et al. Systems-level mechanisms of action of Panax ginseng: a network pharmacological approach. J Ginseng Res 2018;42(1):98-106.

123)　Ko MM, Jung J, Lee JE, et al. Metabolomic analysis of Gyejibongnyeong-Hwan for shoulder pain: A randomized, wait-list controlled pilot trial. Phytomedicine 2022;104:154248.

1) 시스템 생물학

시스템 생물학(systems biology)이란 이름은 상당히 넓은 분야를 포괄하고 있다. 특정 시점에 누군가가 개념과 범위를 명확히 정의한 것이 아니고 여러 분야에서 비슷한 방향성을 추구하며 발전해오던 연구들이 21세기에 접어들어 다양한 오믹스(omics) 데이터의 발전으로 본격적으로 활성화되면서 광범위하게 사용하게 된 용어이기 때문이다. '-omics'는 우리말로 '-체학'이라고 번역하며 대상을 전체로서 파악하고 분석하는 학문을 의미한다. 유전학(genetics)에 비해 유전체학(genomics)이라고 일컬을 땐 소수의 개별 유전자에 대한 연구가 아닌 유전자 전체를 대상으로 하는 연구를 의미한다. 유전체학 외에도 전사체학(transcriptomics), 단백질체학(proteomics), 대사체학(metabolomics) 등 다양한 오믹스 분야가 있다. 이런 오믹스 분야의 탄생과 발전은 대용량의 정보를 한꺼번에 얻고 분석할 수 있는 고효율 실험기법(high-throughput technology)의 개발에 기인한다.

생물학부터 의학 분야까지, 그리고 유전자부터 개체 수준까지 시스템 생물학이란 이름 아래 다양한 분야들이 존재하지만, 이들은 모두 예외 없이 "생명체를 구성하는 분자 그 자체가 아니라 그들 간의 상호작용(interaction)에 의해 만들어지는 네트워크, 전체의 창발적 속성(emergent property)에 주목한다"는 특성을 갖고 있으며, 이것이 바로 시스템 생물학의 본질이라 할 수 있다. 그렇다면 창발성이란 무엇인가? 자동차를 구성하는 타이어와 엔진, 강판이 그저 모여 있어서는 아무런 기능을 할 수 없으며, 이들이 적절히 연결되어 관계를 맺을 때 비로소 자동차의 기능을 수행한다. 탄소, 수소, 산소를 모아 놓아도 생명체의 기능을 할 수는 없으며, 이들이 적절한 상호작용을 해야만 그 관계 속에 생명현상이 나타난다. 부분들이 적절히 연결되어 관계를 맺음으로써 부분 각각에겐 없었던 새로운 속성이 상위차원에서 나타나는 것, 이것을 창발성이라고 한다. 즉 시스템 생물학은 유전자, 단백질과 같은 개별 구성성분에 대한 환원주의적 이해에서 나아가, 이들이 모였을 때 어떻게 연결되고 시간적, 공간적으로 상호작용함으로써 보다 상위차원에서의 기능이 창발하는지를 밝히기 위해 노력하는 학문으로 이해할 수 있다. 생물학의 큰 범주 내에 시스템 생물학의 위치를 대략 그림 6-9와 같이 나타낼 수 있다. 피라미드의 가장 아래에 DNA의 염기서열(sequence)이, 그 위에 단백질과 같은 분자들의 구조(structure)와 각각의 기능(function)에 대한 지식이 위치하며 상부로 올라갈수록 복잡성은 증가한다. 시스템 생물학은 분자들이 모여 구성하는 네트워크 단계부터 시작한다. 여기서 네트워크란 '세포내 네

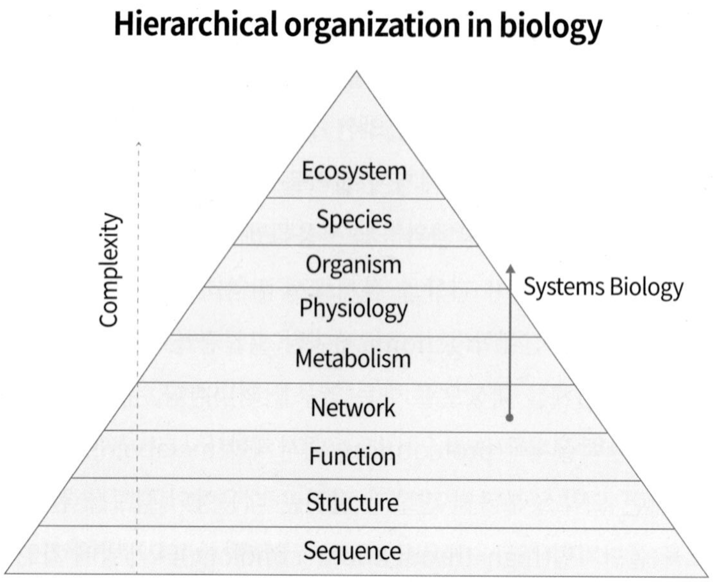

Hierarchical organization in biology

그림 6-9. 생물학 위계구조와 시스템 생물학

트워크(intracellular network)'를 나타낸다고 볼 수 있다. 그 윗 단계엔 여러 세포와 조직이 종합적으로 작용하여 만들어내는 대사과정(metabolism)이 있고 이를 포괄하는 생리학(physiology), 그리고 하나의 생물(organism)이 위치하고 있다. 이상의 범위가 현재의 시스템 생물학에서 통상적으로 다루는 범위이며 더 올라가면 인간을 포함한 다양한 종(species), 그리고 최종적으로 생태계(ecosystem) 수준까지 올라가게 된다. 이들 위계구조(hierarchy)의 각 단계에는 해당 연구분야에서 축적된 지식들이 존재하고 있으며, 근현대 생물학의 폭발적인 발전은 피라미드 가장 아래 단계의 미시수준에 집중되어 왔다. DNA의 구조를 밝히고 이들이 단백질 정보를 암호화하는 원리를 규명하였으며 단백질의 구조와 생화학적 기능을 알 수 있게 된 것이다. 만약 전체가 단순히 부분의 합이라는 환원주의적 믿음이 사실이라면, 이렇게 밝혀낸 하위레벨의 정보들을 그저 '모음'으로써 상위단계를 이해할 수 있어야 한다. 즉 '특정 유전자 → 특정 단백질→ 특정 기능'의 선형적 구조를 상정하는 것이며 이런 상황이라면 유전자의 기능을 모두 밝힘으로써 생리적 기능을 모두 이해할 수 있게 된다. 하지만 지난 수십 년간의 연구를 통해 하위단계에서 상위단계로 올라갈 때 새롭게 생겨나는 '창발적' 특성을 이해하지 않고서는 생명체(organism)의 원리를 이해할 수 없다는 것이 명확해졌다.

시스템 생물학이 이 문제의 해결을 위해 접근하는 방법에는 크게 두 가지 방향이 있다 (표 6-6).

표 6-6. 시스템 생물학의 두 가지 접근 방향

하향식&상향식 모델링의 접근법	
Bottom up (상향식) 동역학적 모델	Top down (하향식) 통계적 모델
1. 생물학적 매커니즘의 가설로부터 시작	1. 데이터로부터 시작(주로 대용량의 데이터)
2. 요소 간의 상호작용을 수식으로 표현	2. 데이터의 패턴을 찾기 위해 통계적 방법 적용
3. 예측을 위해 시뮬레이션 수행	3. 분석으로부터 추론하고 예측

첫 번째는 상향식(bottom up)의 접근으로서 하위단계의 지식을 토대로 상위단계를 설명해 올라가는 것이다. 효소와 대사물질들, 신호분자들이 서로에게 어떻게 영향을 미치는지를 수학적인 방법으로 모형화하고 컴퓨터로 시뮬레이션함으로써 시스템상에 일어나는 변화를 설명하고 예측한다. 궁극적으로 유전자, 단백질, 세포 수준에서 얻어진 실험 데이터들을 망라하여 이들의 복잡한 관계를 모사하는 가상 기관(virtual organ)을 만들고자 하며, 더 나아가 이런 가상 기관을 모아서 가상 인간을 모델링하는 것을 목표로 한다. 2000년 이전까지 전통적으로 발전해온 시스템 생물학, 혹은 계산생물학(computational biology)이 주로 이러한 방법을 취해왔다고 할 수 있다.

두 번째 방식은 하향식(top down) 접근으로 반대 방향의 접근을 취한다. 생물학적 시스템이 만들어내는 최종적인 산출 데이터를 얻고, 이 정보로부터 구체적인 작동방식을 추론해내려는 방식이다. 21세기 접어들어 급격한 발전을 이룬 대용량 데이터 생성기술과 인공지능, 네트워크 과학적 분석 등 효과적인 데이터 분석기술 덕분에 이러한 전략을 취하는 연구가 최근 빠르게 발전하고 있다. 예를 들어 한 세포, 혹은 조직의 단백질 발현 정도를 한꺼번에 조사한 후 이 데이터를 바탕으로 네트워크를 구성하고 이를 통해 요소 간의 구체적 관계를 파악한다든가, 기능성자기공명영상(functional magnetic resonance imaging, fMRI)의 혈류변화 데이터를 이용하여 뇌 네트워크(brain network)를 구성하고 뇌의 영역들이 서로 공명(synchrony)하는 양상을 밝히는 등의 시스템 수준 연구들이 이루어지고 있다. 물론 두 가지 접근법이 상호배타적인 것은 아니며, 시스템 생물학 연구가 발전할수록 두 가지 접근이 통합적으로 상호보완하는 연구들이 많아질 것으로 기대된다.

2) 네트워크 약리학을 활용한 한약 기전 연구

네트워크 약리학은 시스템 생물학적 관점과 방법론을 바탕으로 약물의 기전을 연구하는 새로운 학문분야로, 2008년 A.L. Hopkins가 기존의 단일 표적기반의 약물 접근방식의 대안으로 네트워크상의 다중표적을 고려한 약물개발 전략을 제안하면서 그 용어가 정립되었다.[124] 그는 제안을 통해, 질병은 단일유전자 혹은 단일단백질의 문제로 환원될 수 없으므로 기존의 단일약물-단일표적-단일질환(one drug-one target-one disease) 패러다임의 접근보다는, 분자들이 상호작용하는 네트워크로서 질병을 이해하고 이러한 네트워크에 동시적으로 작용하는 전략이 필요함을 역설했다. 한의학에서는 복합성분을 포함하는 약재를 다시 조합하여 투여함으로써 현대의약품에 비해 매우 복잡하고 다양한 성분이 신체에 동시적으로 작용하게 된다. 기존의 단일성분-단일표적-단일질환 패러다임 하에서 한약의 이러한 치료방식은 매우 비효율적인 전략으로 생각되었으며 질병의 원인이 되는 단일표적에 선택적으로 작용하는 유효성분만을 추출하여 최적화하는 것이 한약의 유일한 과학적 개발 전략으로 여겨졌다. 그러나 시스템 생물학의 발전과 네트워크 약리학 패러다임이 부상하면서, 한약의 복합성분-다중표적(multi compounds-multi targets) 전략은 오히려 첨단의 약리학이 추구하는 미래를 경험적으로 구현하고 있는 것으로 인식되기 시작하고 있다. 실제로 네트워크 약리학 개념이 제창된 이후 중국을 중심으로 한약의 작용기전 규명을 위해 네트워크 약리학적 연구 방법을 활용하는 연구들이 폭발적으로 발전하였으며 해당연구들은 한의학 분야를 넘어 의약학 분야의 많은 연구자들에게도 주목을 받고 있다.[125]

---

124) Hopkins AL. Network pharmacology. Nat Biotechnol 2007;25(10):1110-1.

125) Lee WY, Lee CY, Kim YS, Kim CE. The methodological trends of traditional herbal medicine employing network pharmacology. Biomolecules 2019;9(8):362.

(1) 네트워크 약리학을 활용한 한의학 연구의 개요

네트워크 약리학을 활용하여 한약의 복합성분-다중표적 기전 연구는 기본적으로 다음의 과정에 따라 이루어진다.

① 처방, 혹은 약물의 성분 정보 확보

성분 정보는 기존에 구축된 하나 혹은 복수의 데이터베이스에서 얻어지거나 HPLC (high-performance liquid chromatography)/UPLC (ultra-performance liquid chromatography) 등의 직접 실험을 통해 얻어진다. 혹은 연구자가 직접 기존의 연구문헌을 분석하여 도출할 수도 있다.

② 잠재적 활성성분 도출

약물에 포함된 모든 성분들이 경구투여에 의해서 약리적으로 활성을 보일 수 있는 것은 아니므로, 도출된 성분정보를 필터링하여 실제 작용 가능한 잠재적 활성성분을 도출할 필요가 있다. 그러나 수많은 성분에 대해 일일이 실험적으로 활성성분을 확인하는 것은 현실적으로 매우 많은 비용과 시간이 필요한 작업이므로 경구 투여 시의 생이용성(oral bioavailability), 약물유사도(drug likeliness)[126], 약물유사도 정량추정치(quantitative estimate of drug-likeness, QED)[127] 등 간단한 계산 값을 기반으로 한 예측 기반 필터링이 이용되고 있다.

③ 잠재적 활성성분의 표적 단백질 리스트 도출

도출된 잠재적 활성성분들이 인체의 1만 개가 넘는 단백질 표적 중 어떤 표적들에 상호작용하는지를 실험적으로 모두 확인하는 것은 현실적으로 불가능에 가까운 일이다. 네트워크 약리학에서는 기존에 실험적으로 확인된 바 있는 성분-표적 정보를 기본으로 활용하고, 나아가 인공지능 예측 알고리즘을 이용하여 성분-표적 상호작용을 예측한다. 외에도

---

126) Ru J, Li P, Wang J, et al. TCMSP: a database of systems pharmacology for drug discovery from herbal medicines. J Cheminform 2014;6:13.

127) Bickerton GR, Paolini GV, Besnard J, et al. Quantifying the chemical beauty of drugs. Nat Chem 2012;24; 4(2):90-8.

분자도킹(molecular docking) 시뮬레이션 등의 예측 기반 방법들이 활용된다. 성분과 표적의 상호작용 예측은 네트워크 약리학적 분석 전반에서 가장 난이도가 높은 핵심 단계라고 할 수 있다. 이에 대하여 아래 다시 상술하도록 한다.

④ 도출된 표적 단백질의 시스템 수준 해석

　최종적으로 도출된 표적 단백질 집합을 해석하는 작업이 필요하다. 가장 기초적인 방법은 enrichment 분석으로서, 특정 생물학적 경로/기능/질병과 관련된 것으로 알려진 단백질의 정보를 기존의 생물정보학 데이터베이스에서 획득하여 약물의 표적 단백질 집합과 얼마나 겹치는지 통계적으로 검증하는 것이다. 나아가, 단백질-단백질 상호작용(protein-protein interaction, PPI) 네트워크나 인터랙톰(interactome)과 같은 방대한 규모의 생물학적 네트워크상에 약물의 표적 단백질과 특정 생물학적 경로/기능/질병의 단백질을 맵핑하고, 네트워크 토폴로지에 기반하여 이들의 관련성을 조사하는 방법도 있다.

⑤ 예측 결과의 실험적 검증

　이상에서 도출된 결과들은 많은 부분 인공지능 기술을 포함한 예측결과에 기반하므로 도출된 결과를 실험적 검증하는 작업이 이어진다.

　물론 모든 네트워크 약리학 기반의 한의약 연구가 이상의 각 단계들을 모두 따르는 것은 아니며, 일부 단계는 연구 목적과 상황에 따라 생략될 수도 있다. 각 단계의 수행 방식 역시 매우 다양하며 그 구체적인 선택에 따라 연구 결과 역시 상이해질 수도 있다.

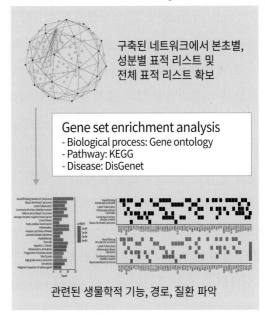

그림 6-10. 한의약의 네트워크 약리학 연구를 위한 네트워크 구축 및 분석[128]

(2) 네트워크 약리학 기반 한약 연구에서의 성분-표적 상호작용 예측

한약의 작용 기전을 네트워크 수준에서 이해하고자 할 때 가장 큰 어려움을 꼽는다면 한약에 대한 성분-표적 정보가 부족하다는 것이다. 한약 데이터베이스인 HIT (Herbal Ingredients' Targets) 데이터베이스(database)에 따르면, 한약성분 중 8%만이 검증된 표적 정보를 가지고 있는 것으로 알려져 있다. 산술적으로 연구대상인 한약에 포함된 성분이 200개이고, 인체의 단백질 표적 중 10,000개의 표적에 대하여 상호작용을 조사한다고 한다면 2,000,000쌍의 상호작용에 대한 조사가 필요하며 이는 현실적으로 매우 어려운 작업이다. 따라서 성분-표적 정보를 얻는데 소요되는 막대한 고비용을 줄일 수 있는 컴퓨터 기반의 성분-표적 정보 예측기술이 주목받고 있다.

---

128) 이원융, 김창업, 이충열. 한의학 이론 연구를 위한 새로운 방법: 네트워크 약리학을 활용한 약물중심 접근법. 동의생리병리학회지 2021;35(5):125-131.

성분–표적 상호작용 예측 방식은 사용하는 정보와 가설에 따라서 크게 화학정보학 접근(chemogenomic approach), 분자도킹 방식(docking simulation approach), 라이간드 기반 접근(ligand–based approach)로 나눌 수 있다.[129]

화학유전체학 접근방식은 성분과 표적의 정보, 그리고 이들간의 알려진 상호작용 쌍을 이용하여 잠재적인 성분–표적 쌍을 발굴해내는 방식이다. 성분과 표적의 정보를 인공지능 모델의 입력 특성(input feature)으로, 그리고 이들 간의 상호작용 여부를 정답(label)으로 기계학습의 지도학습(supervised learning)을 수행하면, 한약에 대해서도 범용적인 표적 정보를 얻을 수 있게 된다. 분자도킹 기반 접근방식은 단백질 표적에 안정적으로 결합하는 한약성분이 그 표적에 영향을 끼칠 것이란 가정 하에, 분자도킹(molecular docking) 시뮬레이션을 수행하여 성분과 단백질 간 결합을 예측하는 방식이다. 이 방식은 컴퓨팅 자원의 요구량이 매우 높아 많은 성분과 단백질들 간에 적용하기 어려울 뿐 아니라 단백질의 구조가 밝혀진 경우에만 적용할 수 있다는 한계를 가진다. 현재 한약의 네트워크 약리학적 연구에 적용되는 경우 주로 다른 예측방식이나 텍스트마이닝 기법으로 얻어진 성분–표적 관계가 실제로 가능한지 추가적으로 검증하는 방식으로 사용된다. 마지막으로, 라이간드 기반 방식은 형태적, 물리화학적으로 유사한 성질을 갖는 저분자 화합물들이 유사한 단백질에 결합할 확률이 높다는 가정 하에 단백질에 결합하는 라이간드들과 분석하고자 하는 저분자 화합물 간의 유사도를 측정하는 방식이다.

그러나 이러한 현재의 예측기법들은 단순히 성분과 표적 간의 상호작용 여부만을 예측할 수 있을 뿐, 활성/억제를 포함한 약물의 구체적인 작용기전을 예측하지는 못한다. 컴퓨터를 이용한 이상의 방법들이 갖는 한계를 명확히 인식하는 것이 중요하며, 한약의 특성에 맞는, 더욱 정확하고 효과적인 예측 및 분석 기술에 대한 개발이 지속적으로 요구된다. 일례로 우리나라 가천대한의대 연구진은 한약성분과 표적 간의 단순 상호작용을 넘어, 약물의 전사체 정보와 mol2vec 모델을 결합하여 활성과 억제를 높은 정확도로 예측하는 알고리즘을 개발한 바 있다(그림 6-11).[130]

129) Fang J, Liu C, Wang Q, et al. In silico polypharmacology of natural products. Brief Bioinform. 2018;27; 19(6):1153-71.

130) Won-Yung Lee, Choong-Yeol Lee, Chang-Eop Kim. Predicting activatory and inhibitory drug–target interactions based on mol2vec and genetically perturbed transcriptomes. bioRxiv 2021.03.18.436088.

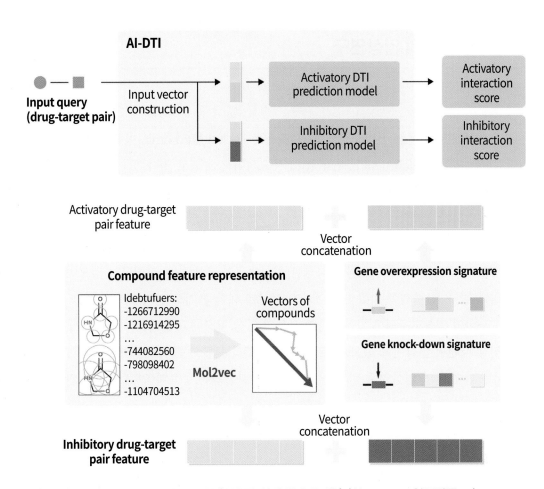

그림 6-11. 약물과 표적의 활성 및 억제 작용을 예측하는 AI-DTI 알고리즘[131]

131) Won-Yung Lee, Choong-Yeol Lee, Chang-Eop Kim. Predicting activatory and inhibitory drug–target interactions based on mol2vec and genetically perturbed transcriptomes. bioRxiv 2021.03.18.436088.

제2절   한의 임상연구

    지금 의료분야에서는 근거중심의학(Evidence-Based Medicine, 이하 EBM) 및 이를 뒷받침하는 임상연구(clinical research)의 중요성이 강조되고 있다.[132] 한의학을 비롯한 보완대체의학 분야가 세계 보건의료에서 차지하는 비중이 높아지면서 한의학 분야에 대해서도 동일하게 한의학 치료의 효능(efficacy), 효과(effectiveness) 및 안전성(safety) 등에 대한 근거를 입증해야 한다는 당위성이 생겨나게 되었다.[133] 이에 따라 2000년대부터 한의 임상의 근거를 제시하기 위한 다양한 임상연구가 활발하게 진행되고 있으며, 그 결과 한약과 침구 등 한의학 치료의 효과와 안전성에 대한 근거도 점차 확보되는 추세에 있다.[134] 또 한의 임상연구의 성과들이 한의사들의 임상 현장에 활용되기 시작하면서 한의사들의 임상 패턴이 변화하고 있고, 이로 인해 한의학의 모습도 과거와 많이 달라지고 있다. 여기서는 현대 한의 임상연구 현황과 임상연구에 사용되는 중요한 연구 방법을 간략하게 소개하고자 한다.

132)　Shea JL. Applying evidence-based medicine to traditional chinese medicine: debate and strategy. J Altern Complement Med 2006;12(3):255-63.

133)　Carter B. Methodological issues and complementary therapies: researching intangibles?. Complement Ther Nurs Midwifery 2003;9(3):133-9.

134)　Chao J, Dai Y, Verpoorte R, et al. Major achievements of evidence-based traditional Chinese medicine in treating major diseases. Biochem Pharmacol 2017;139:94-104.

1. 한의 임상연구 개괄

1) 임상연구

(1) 임상연구(Clinical Research)란?

생명윤리 및 안전에 관한 법률 제1장 제2조에서는 '임상연구'에 대해 "인간대상연구란 사람을 대상으로 물리적으로 개입하거나 의사소통, 대인 접촉 등의 상호작용을 통하여 수행하는 연구 또는 개인을 식별할 수 있는 정보를 이용하는 연구로서 보건복지부령으로 정하는 연구"[135]로 정의하고 있다. 또 질병관리청에서 운영하는 임상연구정보서비스(Clinical Research Information Service, CRIS)(국내에서 진행되는 임상시험 및 임상연구에 대한 온라인 등록 시스템)에서는 등록 대상이 되는 임상시험 및 임상연구를 "질병의 예방(Prevention), 조기 발견 및 진단(Early Detection & Diagnosis), 예후(Prognosis), 치료(Treatment) 연구 등 사람을 대상으로 하는 모든 연구"라고 정의한다.[136]

미국 국립보건원(National Institutes of Health, NIH) 산하 국립 아동보건 인간발달연구소(National Institute of Child Health and Human Development, NICHD)에서는 "임상연구(clinical research)는 사람과의 직접적인 상호작용을 통하거나 혈액, 조직 또는 기타 샘플의 수집 및 분석을 통해 사람을 연구함으로써 의학 지식을 발전시키는 것을 목표로 한다."고 정의[137]하였고, 미국 국립암연구소(National Cancer Institute, NCI)에서는 "건강과 질병을 이해하기 위해 사람 또는 사람의 데이터 또는 사람의 조직 샘플을 연구하는 연구"로 정의[138]하였다.

이처럼 임상연구에 대한 다양한 정의가 있으나 중요한 공통점은 임상연구가 '인간을 대상으로 하는 연구'라는 것이다.[139]

---

135)   생명윤리 및 안전에 관한 법률[시행 2020. 9. 12.] [법률 제17472호, 2020. 8. 11., 타법개정], 제1장 총칙 제2조(정의)

136)   임상연구정보서비스(Clinical Research Information Service, CRIS)[인터넷]. [2022년 2월 10일 인용]. URL: https://cris.nih.go.kr

137)   NIH Eunice Kennedy Shriver National Institute of Child Health and Human Development (NICHD) [Internet]. Clinical Research [cited 2021 Aug 20]. Available from: https://www.nichd.nih.gov/health/clinical-research#whatis

138)   National Cancer Institute(NCI) [Internet]. NCI Dictionaries. [cited 2022 Feb 20]. Available from: https://www.cancer.gov/publications/dictionaries/cancer-terms/def/clinical-research

139)   정희. 한의약 임상연구에 대한 국가 R&D 투자와 현황. 한의정책 2015;3(1):25-33.

(2) 임상연구 분류

임상연구는 관찰연구(Observational study)와 중재(interventions)[140]의 효과를 보기 위한 실험연구(Experimental study)로 크게 구분된다(그림 6-12).[141]

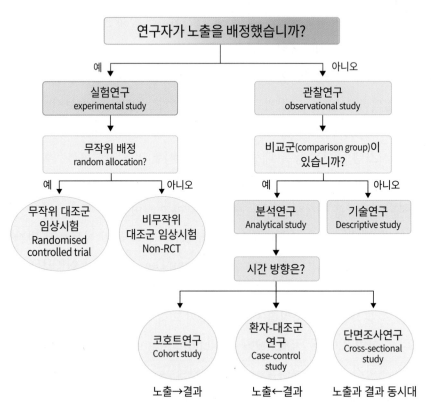

그림 6-12. 임상연구 유형 분류에 대한 알고리즘
(Algorithm for classification of types of clinical research)[142]

---

140) 중재(interventions) - 결과에 수정을 가하려는 의도를 가지고 개입, 간섭하는 행위를 말함. 의학에서 중재는 보통 환자의 상태를 치료하기 위하여 행하는 의료적 조치를 말한다고 할 수 있음.

141) Grimes DA, Schulz KF. An overview of clinical research: the lay of the land. Lancet 2002;359(9300):57-61.

142) Grimes DA, Schulz KF. An overview of clinical research: the lay of the land. Lancet 2002;359(9300):58.

관찰연구는 가설을 생성하는 연구로서 기술적 연구(descriptive study)와 분석적 연구 (analytic study)로 나눌 수 있다. 기술적 관찰연구는 노출(exposure)과 결과(outcome) 에 대한 설명을 제공하는 연구이고, 분석적 관찰연구는 노출과 결과 사이의 연관성과 인과 성을 측정하는 연구이다. 여기에는 증례보고(case reports, case studies) 및 환자군연구 (case series), 환자-대조군연구(case-control study), 단면연구(cross-sectional study), 코호트연구(cohort study) 등이 포함된다.

실험연구는 가설을 검증하는 연구로 여기에는 노출과 결과 사이의 연관성을 시험하는 중재가 포함된다. 실험연구에는 무작위대조군연구(randomized controlled trial, RCT)와 비무작위대조군연구(non-randomized controlled trial)가 있는데 전자는 비뚤림(bias) 을 줄이기 위해 연구자에 의해 참여자가 무작위로 중재군이나 대조군으로 분류되지만, 후 자의 경우는 무작위 배정을 하지 않는다는 차이가 있다.[143]

근거중심의학(EBM)에서는 임상연구의 설계에 따라 근거(evidence)에 위계가 있다고 말하고 있다. 즉, 관찰연구보다는 무작위대조군연구가 더 높은 수준의 근거가 있고, 하나의 무작위대조군연구보다는 다수의 무작위대조군연구에 대한 체계적문헌고찰(systematic reviews)이 더 높은 수준의 근거가 있는 것으로 인식한다(그림 6-13). 그러나 근거의 위계 가 단순히 연구설계에 따라 결정되는 것은 아니다. 같은 무작위대조군연구일지라도 논문 의 질에 따라 근거의 질이 다를 수 있다. 이런 문제의식 때문에 근거의 질에 대한 좀 더 구 체적인 평가 필요성이 대두되었고, 이에 대한 해결 방법을 GRADE (Grades of Recom- mendations, Assessment, Development and Evaluations) working group에서 제시 하였다.[144] GRADE 방법론은 근거의 수준과 질에 대한 평가를 담은 요약을 개발하고 제시 하기 위한 투명한 프레임워크로 임상진료 권고안을 만들기 위한 체계적인 접근방식을 제 공한다.[145] 현재 많은 연구 기관에서 활용하고 있다.

143) Chidambaram AG, Josephson M. Clinical research study designs: The essentials. Pediatr Investig 2019;3(4): 245-52.

144) Djulbegovic B, Guyatt GH. Progress in evidence-based medicine: a quarter century on. Lancet 2017;390 (10092):415-23.

145) BMJ Best Practice [Internet]. What is GRADE?. [cited 2022 Jan 20]. Available from: https://bestpractice.bmj. com/info/toolkit/learn-ebm/what-is-grade/

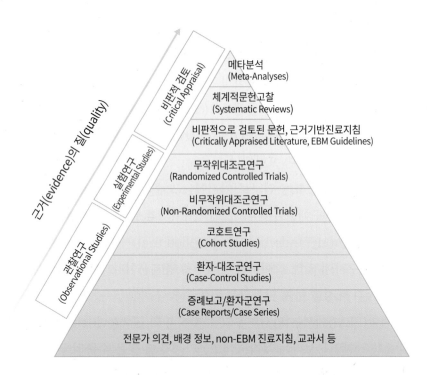

그림 6-13. 근거중심의학(EBM)에서 근거수준(hierarchy of evidence pyramid)[146]

146) The above image is based on the EBM Page Generator (2006) from Dartmouth College and Yale University and the Coursera MOOC "Understanding Clinical Research: Behind the Statistics" (2016). [cited 2022. Mar 13]. Available from: http://libguides.cmich.edu/cmed/ebm/pyramid

2) 한의 임상연구[147]

(1) 한의 임상연구 현황

2000년대에 접어들어 전 세계적으로 한의 임상연구가 증가하기 시작하였다. 연구에 따르면 2000년에서 2019년까지 중복을 제외하고 총 7,094편의 한의 무작위대조군연구(RCT) 논문이 PubMed[148]에서 검색된다고 한다. 지난 20년 동안 출판된 한의 RCTs 논문 수의 변화를 살펴보면 2000년에서 2007년 사이에 크게 증가하고, 이후 10년 동안 그 숫자가 꾸준히 유지되는 양상을 보이고 있다(그림 6-14).[149] 또 2000년 10월부터 2015년 9월까지 ClinicalTrials.gov에 등록된 한의 임상연구(중재연구)의 경향을 분석한 연구에 따르면, 침연구(54.4%), 한약연구(35.8%), 태극권 및 기공(8.1%), 부항연구(0.9%), 추나연구(0.7%) 등의 비율로 연구가 진행된 것으로 나타나고 있다.[150]

국내에서는 질병관리청에서 운영하는 임상연구정보서비스(Clinical Research Information Service, CRIS)에 2010년 5월부터 2019년 12월 31일까지 총 399건의 한의 임상연구가 등록되었고, 이 가운데 중재연구가 307건(76.9%), 관찰연구가 92건(23.1%)이었다. 임상연구의 수는 매년 증가하는 경향을 보이고 있다(그림 6-15).[151]

이와 함께 국내 한의 임상연구의 분야별 연구 동향을 살펴보면 2010년부터 2020년 1월 2일까지 CRIS에 등록된 한의 임상연구(중재연구) 중 침연구가 44%, 한약연구 44%, 뜸연구 5%, 추나연구 3%, 약침연구 1% 등의 비율로 연구가 진행된 것으로 나타났다.[152]

---

147) 한국의 한의학(韓醫學, Korean Medicine), 일본의 캄포의학(漢方醫學, Kampo medicine), 중국의 중의학(中醫學, Traditional Chinese Medicine, TCM), 서양에서 한의학의 치료 내용이 다루어지고 있는 보완대체의학(Complementary and Alternative Medicine, CAM), 전통의학(Traditional Medicine), 통합의학(Integrative medicine)에서 이루어지고 있는 임상연구를 특별한 경우를 제외하고 '한의 임상연구'로 통칭함.

148) PubMed ; 미국국립의학도서관 산하 NCBI (National Center for Biotechnology Information)에서 무료로 제공하는 최신의학서지 정보를 검색할 수 있는 데이터베이스

149) Tian G, Zhao C, Zhang X, et al. Evidence-based traditional Chinese medicine research: Two decades of development, its impact, and breakthrough. J Evid Based Med 2021;14(1):65-74.

150) Chen J, Huang J, Li JV, et al. The characteristics of TCM clinical trials: a systematic review of ClinicalTrials.gov. Evid Based Complement Alternat Med 2017;2017:9461415.

151) 장혜경, 정인철, 박소정 외. 질병관리본부 임상연구정보서비스(CRIS)를 활용한 한의약 임상연구 동향 분석. 대한예방한의학회지 2020;24(2):43-55.

152) 정창운, 전선우, 조희근. 한약 임상시험의 특성:질병관리본부 임상연구정보서비스(CRIS)를 중심으로. 대한한방내과학회지 2020;41(6):959-66.

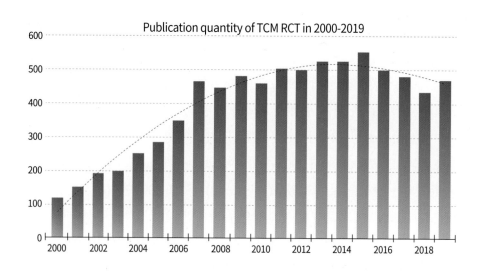

그림 6-14. 2000년부터 2019년까지 PubMed에서 검색된 출판된
한의 무작위대조군연구(RCTs) 논문수의 변화[153]

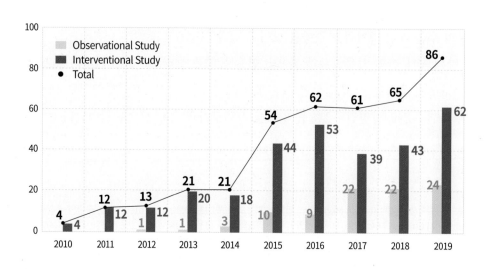

그림 6-15. 임상연구정보서비스(CRIS) 시스템에 등록된 국내 한의 임상연구의 수(총수 = 399편)[154]

153) Tian G, Zhao C, Zhang X, et al. Evidence-based traditional Chinese medicine research: Two decades of development, its impact, and breakthrough. J Evid Based Med 2021;14(1):67.

154) 장혜경, 정인철, 박소정 외. 질병관리본부 임상연구정보서비스(CRIS)를 활용한 한의약 임상연구 동향 분석. 대한예방한의학회지 2020;24(2):48.

🏷 임상연구등록시스템(임상연구 레지스트리)

전 세계적으로 임상연구가 급격하게 늘어나면서 정보의 공유를 위한 임상연구(시험)등록시스템의 필요성이 제기되었다. 보다 객관적인 임상연구 시행의 필요성, 출판 치우침(좋은 결과의 임상연구만 출판, 특정대상의 이득을 위한 출판)의 문제 및 불필요한 임상시험의 중복 문제 해결, 연구 관련자들에게 세계적 연구동향 및 지식의 제공, 일반인들에게 정보공개를 통해 임상연구에 참여할 수 있는 기회의 제공 등이 등록시스템의 주요 목표였다.[155]

이에 따라 국제의학학술지편집인협의회(International Committee of Medical Journal Editors, ICMJE)는 2005년 7월부터 시작되는 모든 임상시험에 대해 임상시험 시작 전 임상시험 등록을 하도록 권유하였다.[156] 2013년 헬싱키 선언 35조에서는 '모든 인간 대상 연구는 최초 연구대상자를 모집하기 전에 공개적으로 접근할 수 있는 데이터베이스에 등록하여야 한다'고 명시하였다.[157]

대표적인 임상연구 레지스트리로는 미국 국립의학도서관(United States National Library of Medicine)에서 운영하는 ClinicalTrials.gov, 세계보건기구(World Health Organization, WHO)에서 운영하는 세계임상시험등록플랫폼(International Clinical Trials Registry Platform, ICTRP)이 있다.

ClinicalTrials.gov는 미국 국립보건원 산하 미국 국립의학도서관의 지원을 받아 운영되는 임상연구 등록 웹사이트로 2000년부터 운영되기 시작하였고 이때부터 임상시험 등록이 본격화되었다. ClinicalTrials.gov에는 2022년 3월 13일 기준 미국 국내 및 220개 국가에서 진행되는 407,403건의 임상연구가 등록되어 있다.[158]

WHO ICTRP는 2005년 WHO가 임상시험등록정보를 국제적으로 공유하고 대중들이 해당 정보에 쉽게 접근할 수 있도록 하기 위해 만든 검색포털로 각국의 자격을 갖춘 임상시험 등록 웹사이트로부터 임상시험 자료를 받아 운영하고 있다. 여기에는 미국, 영국, 중국, 일본, 한국 등 전 세

---

155) 박현영. 국내 임상연구등록시스템 구축 배경과 활성화 방안. 대한의사협회지 2011;54(1):92-97.

156) Catherine De Angelis, Jeffrey M Drazen, Frank A Frizelle, et al. Clinical trial registration: a statement from the International Committee of Medical Journal Editors. N Engl J Med. 2004;351(12):1250-1.

157) World Medical Association(WMA) [Internet]. World Medical Association Declaration of Helsinki - Ethical Principles for Medical Research Involving Human Subjects [cited 2022 Feb 20]. Available from: https://www.wma.net/policies-post/wma-declaration-of-helsinki-ethical-principles-for-medical-research-involving-human-subjects/

158) ClinicalTrials.gov [Internet]. [cited 2022 Mar 13]. Available from: https://clinicaltrials.gov

계 17개국의 임상시험 자료가 등록되어 있다.[159]

국내에서 진행되는 임상시험 및 임상연구에 대한 온라인 등록 시스템으로는 임상연구정보서비스(Clinical Research Information Service, CRIS)가 있다. 보건복지부의 지원을 받아 질병관리청에서 운영한다. 2010년부터 운영되고 있는 CRIS는 WHO ICTRP에 세계 11번째 레지스트리로 가입하였으며, 2022년 3월 13일 기준 7,057건의 임상연구가 등록되어 있다.[160]

(2) 한의 임상연구의 특징

문헌이나 특정 학술유파의 임상 경험 분석이 위주였던 기존의 한의 임상연구는 근거중심의학이 영향력을 넓혀감에 따라 근거중심의학에 기반한 한의 임상연구로 빠르게 전환되었다.[161] 그리고 임상연구를 진행하는 과정에서 서양의학의 임상연구 방식을 그대로 한의 임상연구에 적용하기에는 여러 가지 한계와 제한점이 존재한다는 것도 발견하게 되었다. 한의 임상의 특성이 서양의학의 임상 특성과 다르기 때문이다. 한의 임상연구의 특징을 정리하면 다음과 같다.

① 한의 임상연구의 경우 서양의학의 임상연구와 출발점이 다를 수 있다.

한의 치료는 서양의학과 달리 역사적으로 오랜 기간 임상 현장에서 환자들에게 폭넓게 사용되어 왔다는 특징이 있다. Fønnebø 등은 한의 임상연구의 경우 실제 임상 진료(clinical practice)에서부터 연구가 출발해야 하며, 안전성, 비교 유효성(comparative effectiveness) 평가, 효능 평가, 생물학적 기전 연구 등의 순서로 연구가 이루어지는 것이 가능하다고 주장하였다(그림 6-16).[162] 아울러 Tang도 한의 연구의 경우 동물 실험을 통해

---

159) World Health Organization(WHO) [Internet]. WHO International Clinical Trials Registry Platform(ICTRP) [cited 2022 Mar 10]. Available from: https://www.who.int/clinical-trials-registry-platform

160) 임상연구정보서비스(Clinical Research information Service, CRIS) [Internet]. [cited 2022 Mar 13]. Available from: https://cris.nih.go.kr

161) Liu B, Zhang Y, Hu J, et al. Thinking and practice of accelerating transformation of traditional Chinese medicine from experience medicine to evidence-based medicine. Front Med. 2011 Jun;5(2):163-70.

162) Fønnebø V, Grimsgaard S, Walach H, et al. Researching complementary and alternative treatments--the gatekeepers are not at home. BMC Med Res Methodol. 2007 Feb 11;7:7.

특정 약물의 효과를 찾는 기존 연구 방식(mechanism based approach)보다는 이미 오랜 기간 실제로 환자에게 적용되어 왔기 때문에 실제 임상에서 나타나는 효능, 효과 중심의 임상연구(efficacy based approach)를 우선하는 것이 필요하다고 주장하였다.[163]

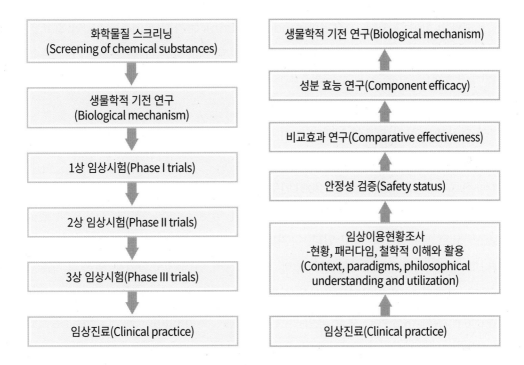

그림 6-16. 연구 전략-기존 약물 연구(왼쪽) vs. 한의 임상연구(오른쪽)[164]
화살표는 임상연구가 진행되는 방향이다.

② 한의 임상 중재의 고유한 특징이 있다.

한의 임상 중재는 복잡하고 다양한 양상을 가진다. 예를 들어, 같은 질병이라도 환자의 상태에 따라 한약 치료뿐만 아니라 침치료, 뜸치료, 부항 치료, 추나 치료 등 다양한 치료가 다양한 조합으로 이루어진다. 이와 함께 한의사가 직접 환자를 진찰하고 치료하면서 형성

163)   Tang JL. Research priorities in traditional Chinese medicine. BMJ 2006;333(7564): 391-4.

164)   Fønnebø V, Grimsgaard S, Walach H, et al. Researching complementary and alternative treatments--the gatekeepers are not at home. BMC Med Res Methodol 2007;7:7.

되는 긍정적인 환자-의사 관계(심리적 안정감, 신뢰감, 협력, 치료에 대한 기대 및 믿음 등) 또한 한의 임상 중재의 한 부분이 될 수 있다. 또 같은 질환의 환자라도 환자 개개인의 체질적 특성에 따라 환자마다 다른 치료가 이루어질 때가 많다. 이러한 한의 임상 중재의 복잡성과 환자와의 깊은 연관성, 환자 개개인에 맞춰 이루어지는 치료(개인맞춤의학)의 특성은 표준화된 하나의 중재, 무작위화(randomization), 눈가림(blinding) 등이 필요한 무작위대조군연구(RCT)를 한의 임상연구에 일률적으로 적용하는 데 어려움을 가져올 수 있다.[165]

③ 한의 임상에는 한의 고유의 진단 기준이 사용된다.

한의 임상에서는 한의학 고유의 이론이 반영된 변증辨證이라는 독특한 진단 기준에 기반해서 진료가 이루어진다. 물론, 2011년부터 한의 진단 분류가 한국표준질병사인분류(KCD)에 통합되어 한의사들이 임상에서 서양의학 병명을 우선적으로, 한의학의 변증명을 보조적으로 사용하도록 하고 있다. 하지만 한의사들이 서양의학 병명을 우선적으로 사용한다고 해도 실제 임상에서는 한의학적 진단과정이 있어야만 환자를 위한 처방구성이 가능하다. 따라서 한의 임상연구에서도 이런 현실을 반영하여 서양의학의 병명과 한의학의 변증명을 함께 사용하는 것을 고려할 필요가 있다. Watanabe 등[166]도 한의 임상연구에서 한의학적 진단명이 사용되지 않은 문제를 지적하였고, Jiang 등[167]은 몇몇 RCT 연구에서 한의학적 진단이 무시된 채, 서양의학적 진단에 따라 한의 치료를 시행함으로써 실제 한의 치료의 효과를 평가하는 데 실패하였다고 지적하였다. 앞으로 한의 임상연구에서 객관화되고 검증되고 표준화된 한의학적 진단 기준을 사용하는 부분은 중요한 이슈가 될 것이다.

---

165) 정기용, 고호연, 전찬용 외. 한의 임상 연구에 대한 국내외 현황 및 논쟁에 관한 고찰-미래 임상 연구 전략 I-. 동의생리병리학회지 2014;28(2):137-45.

166) Watanabe K, Matsuura K, Gao P, et al. Traditional Japanese Kampo Medicine: Clinical Research between Modernity and Traditional Medicine-The State of Research and Methodological Suggestions for the Future. Evid Based Complement Alternat Med 2011;2011:513842.

167) Jiang M, Yang J, Zhang C, et al. Clinical studies with traditional Chinese medicine in the past decade and future research and development. Planta Med 2010;76(17):2048-64.

근거중심의학(Evidence-based medicine, EBM)과 한의학

근거중심의학은 1992년 캐나다 맥매스터(McMaster) 대학의 고든 가이엇(Gordon Guyatt) 연구팀에 의해 처음 시작되었다. 이들은 초기에 "근거중심의학은 직관(intuition)적이고 체계적이지 않은 임상경험(unsystematic clinical experience)과 병태생리학적 근거(pathophysiologic rationale)를 임상적 의사결정을 위한 충분한 근거로 강조하지 않으며, 임상연구(clinical research)에서 나온 증거를 검토할 것을 강조한다."라고 정의하였다.[168]

그 뒤 근거중심의학의 정의는 "근거중심의학은 개별 환자의 치료를 위한 임상적 결정을 내리는 데 있어, 현재의 최선의 근거를 성실하고 분명하고 신중하게 사용하는 것(conscientious, explicit and judicious use of current best evidence in making decision about care of individual patients)이다. 근거중심의학의 실천은 개별 임상의의 임상 전문 지식(individual clinical expertise)을 체계적인 연구에서 얻어진 최상의 외적인 임상적 근거(the best available external clinical evidence)와 통합하는 것을 의미한다."라고 수정되었다.[169] 여기서 임상 전문 지식은 개별 임상의의 임상 경험과 임상 진료를 통해 획득한 숙련 및 판단 능력 등을 말하며, 외적인 임상 증거는 환자 중심의 임상연구뿐만 아니라 기초과학 등 다양한 연구에서 얻어진 연구 결과를 말한다. 초기에 임상연구만을 강조했던 것에서 다양한 근거의 존재를 인정한 것이 중요한 진전이다. 물론 여전히 무작위대조군연구와 체계적문헌고찰, 메타분석을 가장 중요한 근거로 제시하고 있다는 점에는 변함이 없다. 하지만 지금 근거중심의학은 '임상 전문성(clinical expertise)과 환자의 가치(patient values)를 최선의 연구 근거(best research evidence)와 통합'하는 것으로 재정의되었다.[170] 여기서 환자의 가치란 환자 개인이 임상적 상황에서 보여주는 고유한 선호, 관심, 기대 등을 말한다. 의사가 임상적 판단을 내릴 때 환자의 심리적 상태, 신념 등을 함께 고려해야 한다는 것이다.

---

168) Evidence-Based Medicine Working Group. Evidence-based medicine. A new approach to teaching the practice of medicine. JAMA 1992;268(17):2420-5.

169) Sackett DL, Rosenberg WM, Gray JA, et al. Evidence based medicine: what it is and what it isn't. BMJ 1996;312(7023):71-2.

170) Haynes RB, Devereaux PJ, Guyatt GH. Clinical expertise in the era of evidence-based medicine and patient choice. Vox Sang 2002;83 Suppl 1:383-6.

전통 한의학에서도 임상 진료의 근거가 되는 '근거'가 존재하였다. 이에 대해 엄 등[171]은 '문헌자료자체', '문헌에 근거한 임상경험가의 주장'을 전통적인 근거로 제시하였다. 문헌자료자체에 대한 연구는 다양한 집서集書와 총서叢書 등의 의학 서적 형태(한의학 고전 의서)로 나타났고, 문헌에 근거한 임상경험가의 주장에 관한 연구는 다양한 학파간의 논쟁, 방론方論, 의안醫案의 형태로 나타났다는 것이다. 이러한 전통 한의학의 연구는 현대의 관점으로 보면 비록 체계적이지는 않지만 문헌고찰(narrative review), 증례보고, 관찰연구, 기술연구(descriptive research), 경험에 기초한 전문가의 견해, 임상 전문가들의 합의 등으로 볼 수 있을 것이다.

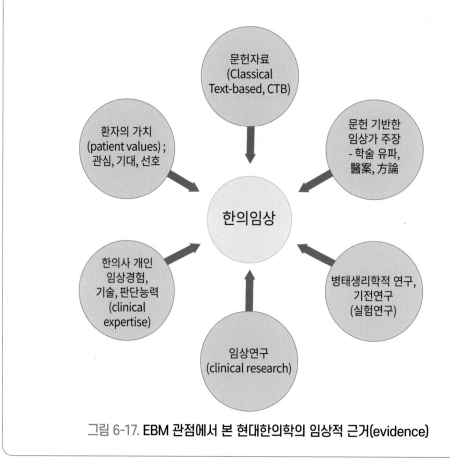

그림 6-17. **EBM 관점에서 본 현대한의학의 임상적 근거(evidence)**

171)   엄석기, 김세현, 최원철. 전통한의학 연구방법론의 현대화에 대한 소고-역사적 근거중심의학에 대한 제언. 대한한의학원전학회지 2010;23(2):89-105.

현대한의학에서는 문헌 기반의 전통 한의학 임상 근거(Classical Text-based, CTB) 중에서 임상적 효용성이 학계에서 보편적으로 받아들여지고 있는 부분과 최신의 한의 임상연구(clinical research)의 결과 모두가 임상 근거로 활용되고 있다. 아울러 전 세계적으로 보고되는 한약(개별 한약 및 처방), 침, 약침, 뜸, 부항, 추나, 기공 등의 치료에 대한 다양한 기전연구(mechanism study) 또는 병태생리적 연구(pathophysiologic study)도 임상적 근거로 활용된다. 특히 최근에는 시스템 생물학(Systems Biology)[172], 시스템 생물학에 기반한 네트워크 약리학(Network Pharmacology)[173], 신경·내분비·면역(neuro-endocrine-immune network) 관점의 연구 등을 중심으로 다양한 기전연구가 이루어지고 있다. 여기에 한의사(임상의) 개인의 임상적 경험과 임상진료를 통해 얻은 기술과 판단능력까지 추가하여 개별 환자를 진료하게 되는 것이다(그림 6-17).

앞서 언급한 임상 전문성과 환자의 가치를 최선의 연구 근거와 통합한다는 근거중심의학의 정의를 생각해볼 때 근거중심의학은 지금 어느 정도 한의 임상에서 자리를 잡아 가고 있는 것으로 생각된다. 특히 2000년대에 들어서면서 한의 임상 관련 무작위대조군연구가 전 세계적으로 많이 늘어나고 있는 상황은 한의 임상이 점차 근거중심의학의 기초 위에 세워지고 있음을 확실하게 보여주는 증거다. 물론 개별 환자에 대한 맞춤의학적 성격을 가진 한의 임상 특성을 고려할 때, 근거중심의학에서 강조하는 무작위대조군연구 방식을 한의 임상연구에 그대로 적용하는 것이 적절한가에 대해서는 많은 논란이 있었고, 그 한계에 대해서도 많은 논의가 있었다.[174] 이러한 문제와 함께 개별 한의 임상의들이 어느 정도 수준으로 각각의 근거들을 활용하고 있는가의 문제와 앞으로 어떻게 높은 수준의 한의 임상 근거들을 확보하느냐의 문제는 지속해서 현대 한의 임상연구의 중요 문제가 될 것으로 보인다.

---

172) 시스템 생물학(Systems Biology)과 현대한의학 연구와의 관계에 대해서 다음의 몇 편의 논문을 참고할 것.

김창업, 이충열. 한의학과 시스템생물학의 만남, 의미와 전망. 동의생리병리학회지 2016; 30(6):370-5.

박영철, 이선동. 시스템생물학의 한의학적 응용. 대한예방한의학회지 2016;20(1):99-110.

이승은, 이선동. 최근 중의학에서 시스템생물학의 발전 현황-한의학에 미치는 영향 및 시사점을 중심으로-. 대한예방한의학회지 2017;21(2):1-13.

173) Wang X, Wang ZY, Zheng JH, Li S. TCM network pharmacology: A new trend towards combining computational, experimental and clinical approaches. Chin J Nat Med 2021;19(1):1-11.

174) 현대 한의 임상연구 관련 다양한 논쟁에 대해서는 다음의 논문들을 참고할 것.

Shea JL. Applying evidence-based medicine to traditional chinese medicine: debate and strategy. J Altern Complement Med 2006;12(3):255-63.

정기용, 고호연, 전찬용 외. 한의 임상 연구에 대한 국내외 현황 및 논쟁에 관한 고찰-미래 임상 연구 전략 I-. 동의생리병리학회지 2014;28(2):137-45.

2. 주요 한의 임상연구

여기서는 앞서 언급한 임상연구의 여러 유형 중 가장 대표적인 임상연구에 대해 소개하고 이러한 임상연구를 바탕으로 이루어지는 이차적인 연구인 체계적문헌고찰(systematic reviews, SR) 및 메타분석(meta-analysis, MA), 한의임상진료지침(clinical practice guideline, CPG)에 대해 간략하게 살펴보고자 한다.

1) 관찰연구

(1) 증례보고(Case report) 및 환자군연구(Case series study)

증례보고란 의학적, 과학적 또는 교육적 목적으로 개인이나 다수의 환자가 경험한 의학적 문제에 대해 상세하게 서술하는 것을 말한다. 증례보고는 주로 의료 환경 속에서 얻어진 임상적 관찰을 다룬다. 이미 알고 있는 이로운 효과 및 부작용의 확인, 새로운 질병의 발견 및 흔한 질환의 드문 형태나 희귀질환의 소개, 미래 연구의 가설 제공, 의학 교육을 위한 자료 제공 등이 증례보고가 갖는 큰 장점이다. 그러므로 낮은 수준의 근거에도 불구하고 현재에도 중요한 연구 방법으로 많은 증례보고가 이루어지고 있다.

증례보고 논문을 작성할 때 증례보고의 완성도와 투명도를 높이기 위해 13개 항목으로 구성된 보고지침(reporting guideline)인 CARE (CAse REport) 지침 점검표가 제안되어 2013년부터 활용되고 있다.[175] 국내 대부분의 한의 학술지에서도 증례보고 논문 투고 시 CARE 지침을 참고하여 작성하도록 권유하고 있으며, 2015년에 'CARE 지침 한국어판'이 대한침구의학회지에서 출판되었다.[176]

아울러 임상의들의 증례보고를 활성화하기 위해 한국한의학연구원(Korea Institute of Oriental Medicine, KIOM)에서는 2019년 5월부터 '코어(Korean medicine case Report, KORE) 프로젝트'를 시행하여 임상의들의 증례보고 작성을 돕고 있다.[177]

---

175) Gagnier JJ, Kienle G, Altman DG, et al; the CARE Group. The CARE Guidelines: Consensus-based Clinical Case Reporting Guideline Development. Glob Adv Health Med 2013;2(5):38-43.

176) 이승민, 신예슬, 남동우, 최도영. CARE 지침 한국어판 제작. 대한침구의학회지 2015;32(4):1-9.

177) Sungha Kim. Introduction to Korea Institute of Oriental Medicine's Korean Medicine Case Report Program. J Acupunct Res 2020;37(4):290-3.

환자군연구란 단일 증례가 아닌 유사한 치료를 받은 환자와 관련된 그룹 또는 시리즈로 발간된 증례보고를 말한다. 여기에는 일반적으로 개별 환자에 대한 인구통계학적 정보(예: 연령, 성별, 민족)와 진단, 치료, 치료에 대한 반응 및 치료 후 추적에 대한 정보 등 자세한 정보가 포함된다.[178]

관련 국내 현황을 보여주는 연구를 살펴보면 2000년 1월부터 2018년 12월까지 일차 의료기관인 한의원에서 보고된 증례보고 및 환자군연구를 분석한 연구에 따르면 이 기간 동안 총 266건의 논문이 보고되었다. 가장 많이 보고된 사례는 피부질환이었으며, 2010년 이후로 게재 논문수가 급격히 증가하기 시작하였다.[179]

최근 일선 한의원에서 증례보고 및 환자군연구가 증가하고 있는 것은 한의 임상의 질이 지속적으로 높아지고 있음을 나타내며, 이러한 변화는 한의 임상의 근거를 구축하는 데 큰 도움이 될 것으로 보인다.

(2) 단면연구(Cross-sectional study)

단면연구는 노출과 결과 사이의 연관성을 동시에 평가하는 데 사용되는 연구 설계이다. 빈도조사 또는 유병률 조사라고도 하며 특정 시간에 질병의 유무와 노출의 유무를 조사하기 위해 수행된다. 따라서 발생률[180]이 아니라 유병률[181]에 초점이 있다. 결과와 노출이 동시에 확인되기 때문에 둘 사이의 시간적 관계가 불분명하여 어느 것이 원인이며 결과인지 인과성을 명확히 구분할 수 없는 한계가 있다.[182]

---

178) National Cancer Institute(NCI) [Internet]. NCI Dictionaries [cited 2022 Mar 10]. Available from: https://www.cancer.gov/publications/dictionaries/cancer-terms/def/case-series?redirect=true

179) Park JH, Lee S, Kim TH, et al. Current status of case reports and case series reported by Korean Medicine doctors in primary clinics: A systematic review. Integr Med Res 2020;9(4):100417.

180) 발생률(incidence rate) : 질병 발생 위험성이 있는 집단에서 특정 기간 동안 발생한 새로운 환자수의 비율을 말함. 이 경우 분자는 일정기간 동안 발생한 새 환자수이고, 분모는 그 기간 동안 질병이 발생할 위험성이 있는 전체 인구집단의 수임.

181) 유병률(prevalence rate) : 어느 시점(특정일)에서 어느 지역 내에 특정 병을 갖고 있는 환자의 수를 그 지역 전체 인구수로 나눈 것. 발생률이 일정 기간 새로 생긴 환자의 수라면 유병률은 질병 발생 시기와 상관없이 특정 시점에서 그 질병을 앓고 있는 모든 환자수를 말함.

182) Grimes DA, Schulz KF. An overview of clinical research: the lay of the land. Lancet.2002;359(9300):57-61.

(3) 환자-대조군연구(Case-control study)

환자-대조군연구는 질병이 있는 대상(환자군)과 질병이 없는 대상(대조군) 두 그룹을 비교하여 위험 요인의 차이를 찾는 연구 설계로, 이 연구 방식은 특히 희귀한 질병의 위험 요소 또는 병인을 연구하는 데 사용된다. 따라서 환자-대조군연구는 가설 검정 연구도 될 수 있으므로 인과 관계를 제안할 수는 있지만 증명할 수는 없다. 코호트 연구보다 비용이 적게 들고 시간이 덜 소요되는 장점이 있다. 다만, 환자-대조군연구는 환자군과 대조군의 비율을 비교적 일정한 비율로 연구하기 때문에 질병의 유병률을 정확하게 추정할 수 없고, 환자군의 경우 대조군의 사람들보다 위험인자를 더 잘 기억하기 쉽다는 회상 비뚤림(recall bias)이 발생하기 쉽고, 환자군과 대조군이 해당 질병의 유무 외에는 다른 조건이 모두 비슷한 사람들로 선정되어야 하는데 그러지 못할 경우 연구 결과가 부정확할 수 있는 한계가 있다.[183]

환자-대조군연구의 예를 들면, 흡연과 심장 관상동맥 질환의 관련성을 조사하기 위한 환자-대조군연구를 한다고 가정해보자. 먼저 심장 관상동맥 질환을 앓고 있는 환자들로 환자군을 선정하고, 비슷한 인구 집단의 심장 관상동맥 질환이 없는 사람들로 대조군을 설정한다. 그 다음으로 각 군에서 흡연자와 비흡연자를 조사하여 비율을 계산한다. 만일 흡연과 심장 관상동맥 질환의 발생 사이에 관련성이 있다면, 환자군에서 흡연자(노출)의 분율이 대조군의 흡연자(노출) 분율보다 더 클 것이다.

(4) 코호트연구(Cohort study)

코호트연구는 비슷한 속성을 가진 연구대상을 정하고, 노출/위험요인이 있는 연구대상자 집단과 노출/위험요인이 없는 연구대상자 집단을 선택하여, 장기적으로 해당 대상자들을 관찰하여 두 집단의 결과/질병 발생률의 차이를 비교하는 연구이다. 대부분의 경우 코호트연구 설계는 단일 노출/위험요인의 결과를 연구하는 데 사용된다. 따라서 코호트연구는 가설 테스트 연구가 될 수 있으며, 특정 요인에 대한 노출과 제안된 결과 사이의 인과 관

---

183) Chidambaram AG, Josephson M. Clinical research study designs: The essentials. Pediatr Investig 2019;3(4): 245-52.

계를 추론하고 해석할 수 있게 해준다.[184]

코호트연구는 크게 전향적코호트연구(prospective cohort study)와 후향적코호트연구(retrospective cohort study)로 분류할 수 있다. 전향적코호트연구는 특정 요인에 노출된 연구대상자 집단과 특정 요인에 노출되지 않은 연구대상자 집단을 초기에 나누고 시간이 지남에 따라 질병 또는 특정한 결과를 관찰하면서 진행한다. 이것은 질병 또는 특정한 결과가 발생하기까지 최대 몇 년이 걸릴 수 있으므로 시간이 많이 걸리고 비용이 많이 든다. 반면에, 후향적코호트연구는 과거 기록(의료 기록)을 기반으로 특정 요인에 노출이 있는 대상자와 없는 대상자를 식별한 다음 연구 당시 질병 또는 특정한 결과가 발생했는지 평가한다.[185] 최근 건강보험 청구자료, 전자의무기록(Electronic Medical Records, EMR) 등과 같은 실사용데이터(Real World Data, RWD)를 분석하여 실사용증거(Real World Evidence, RWE)를 생성하는 연구가 많이 이루어지고 있는데 RWD를 활용한 연구의 경우는 연구 시작 시점에 약물 노출과 질병 발생이 모두 일어났으므로 후향적코호트연구로 간주한다.[186]

이외에 코호트 내 환자-대조군연구(Nested case-control study)가 있다. 이것은 기본 코호트설계의 특별한 변형으로서 전향적코호트연구나 후향적코호트연구 자료에서 환자-대조군 자료를 추출하여 환자-대조군연구를 진행하는 것을 말한다.[187] 먼저 연구대상자를 코호트로 정의하고, 정의된 코호트 내에서 결과(질병)가 발생한 사람을 환자군으로 정의하고, 결과(질병)가 발생하지 않고 환자군과 유사한 대조군을 사전에 정의된 코호트 내에서 선정하여 비교하는 방법이다.[188]

184) Chidambaram AG, Josephson M. Clinical research study designs: The essentials. Pediatr Investig 2019;3(4):245-52.

185) Grimes DA, Schulz KF. An overview of clinical research: the lay of the land. Lancet 2002;359(9300):57-61.

186) 식품의약품안전처. 의료정보 데이터베이스 연구에 대한 가이드라인(민원인 안내서). 2021.6. (PDF; [2022년 1월 25일 인용]. Available from: https://www.mfds.go.kr/brd/m_1060/view.do?seq=14861)

170) 김순덕, 염용태. 코호트 연구(Cohort Studies). 한국역학회지 1994;16(1):116-35.

188) 장은진. 보건의료빅데이터 활용방안-성과연구 중심으로. HIRA 정책동향 2017;11(1):8-16.

(5) 관찰연구 보고지침

STROBE (Strengthening the Reporting of Observational Studies in Epidemiology)는 단면연구, 환자-대조군연구, 코호트연구와 같은 관찰연구의 질을 높이기 위해 제안되었다. 2004년 처음 작성된 후 현재 2007년 10월 개정된 STROBE 지침이 쓰이고 있으며, 총 22개 항목의 점검표로 구성되어 있다. 18개 항목은 세 가지 연구 디자인 모두에 공통적인 반면 4개 항목은 연구 디자인에 따라 다르며 항목의 전체 또는 일부에 대해 다른 버전이 있어, 세 가지 연구 설계 각각에 대해 별도의 점검표를 사용한다.[189]

🏷 보고지침(Reporting Guideline)

보고지침이란 "분명한 방법론을 사용하여 개발된 특정 유형의 연구를 보고할 때 저자를 안내하는 점검표(checklist), 흐름도(flowchart) 또는 구조화된 텍스트(structured text)"를 말한다.[190] 임상연구자들은 특정 유형의 임상연구에 대한 보고서를 작성할 때, 해당 연구 설계와 관련된 보고지침을 활용하여 임상연구 결과를 보고하면 연구와 관련된 필수적인 내용이 누락될 가능성을 줄일 수 있어 질 높은 임상연구 보고서를 작성할 수 있게 된다. 따라서 임상연구자들은 임상연구 보고서를 작성할 때, 임상연구 설계에 따른 적절한 보고지침을 반드시 이용하여야 한다. 보고지침과 관련해서는 2006년 설립된 EQUATOR (Enhancing the Quality and Transparency of Health Research) Network를 주목할 필요가 있다. EQUATOR Network는 철저하고 세밀한 보고지침의 사용을 촉진하여 출판되는 보건관련 연구 문헌의 신뢰성과 가치를 향상시키기 위해 만들어진 국제적인 연구 네크워크다. EQUATOR Network가 운영하는 웹사이트(www.equator-network.org)는 종합적인 최신 보고지침 목록을 제공하고 있으며, 보고지침 작성을 위한 교육과 훈련 활동을 제공하여 철저하고 세밀한 보고지침이 개발될 수 있도록 지원하고 있다.[191] 대표적으로 무작위임상시험의 CONSORT 지침, 관찰연구의 STROBE, 체계적문헌고찰연구의 PRISMA, 임상시험계획의 SPIRIT, 임상진료지침의 AGREE 등의 보고지침이 있다.

---

189) von Elm E, Altman DG, Egger M, et al. The Strengthening the Reporting of Observational Studies in Epidemiology (STROBE) Statement: guidelines for reporting observational studies. Ann Intern Med 2007; 147(8):573-7.

190) EQUATOR Network [Internet]. What is a reporting guideline? [cited 2022 Feb 15]. Available from: https://www.equator-network.org/about-us/what-is-a-reporting-guideline/

191) Simera I, Moher D, Hirst A, et al. Transparent and accurate reporting increases reliability, utility, and impact of your research: reporting guidelines and the EQUATOR Network. BMC Med 2010;8:24.

(6) 한의 임상연구에서 관찰연구

한의 임상의 대표적 중재인 침치료의 경우 침치료의 복잡성과 환자마다 다른 개별화된 치료라는 특성 때문에 실제 임상 현장(real world)을 반영한 임상연구를 진행하는 것이 쉽지 않다. 가장 이상적인 임상연구 방법으로 여겨지는 무작위대조군연구도 이러한 한의 임상의 특징 때문에 실제 한의 임상 현장(real practice)을 반영하지 못한다는 비판에 자주 직면한다.[192] 이에 대한 보완적 성격의 연구로 전향적 관찰연구의 필요성이 제기되었다. 한의 임상연구에서 전향적인 관찰연구는 구체적인 실제 한의 임상 진료 내용들을 파악할 수 있게 해준다는 점에서 추후 이루어질 무작위대조군연구와 같은 임상연구를 설계하는 데 도움을 줄 수 있을 것이다. 아울러 잘 설계된 전향적 관찰연구는 그 자체로 임상의 좋은 근거(evidence)가 될 수 있다.[193] 이와 관련해서 다양한 질환을 대상으로 대만 내에서 이루어지고 있는 한의 임상에 대한 코호트 연구들은 주목할 만하다. 대만은 2003년 이래 전민건강보험연구자료고(全民健康保險硏究資料庫, National Health Insurance Research Database, NHIRD)라는 이름의 데이터베이스를 구축하였고, 여기서 제공하는 임상 데이터들을 분석하여 한의 임상 관련 다양한 코호트 연구들을 보고하고 있다.[194] 이들 내용들이 대부분 후향적 관찰연구이고 국내 한의 임상 현장과 차이가 있다는 한계가 있지만, 그럼에도 불구하고 한의 임상 현황과 효과를 보여주고 있다는 점에서 의미가 있다. 추후 국내외에서 한의 임상 관련 질 높은 관찰연구가 지속적으로 이루어져 한의 임상연구의 발전과 한의 임상 근거의 구축에 도움이 되길 기대한다.

192) Luo J, Xu H, Liu B. Real world research: a complementary method to establish the effectiveness of acupuncture. BMC Complement Altern Med 2015;15:153.
193) 정기용, 이민혜, 최유경, 이충열 외. 한의 임상 연구에 대한 국내외 제언 고찰 - 미래 임상 연구 전략 II -. 동의생리병리학회지 2015;29(2):115-26.
194) 정창운, 조희근, 설재욱. 대만 건강보험청구데이터(NHIRD)를 이용한 전통 동아시아 의학(TEAM) 임상연구의 현황. 한방재활의학과학회지 2017;27(2):67-75.

2) 실험연구

실험연구는 중재연구라고도 불리며, 크게 무작위대조군연구와 비무작위대조군연구로 나누어진다. 여기서는 일반적으로 가장 근거의 위계가 높다고 평가받는 무작위대조군연구를 중심으로 서술한다.

(1) 무작위대조군연구(Randomized Controlled Trial, RCT)

무작위대조군연구는 비교 그룹(중재군과 대조군)에 중재를 무작위로 할당(random allocation)하여 통제된 조건에서 수행되는 전향적이고(prospective), 두 군을 비교하는 (comparative), 양적인(quantitative), 실험(experiment) 연구다. 의료기술이나 약제의 효능(efficacy)을 연구할 때 비뚤림(bias)을 줄이기 위한 목적으로 수행하는 임상시험의 한 유형이다.

무작위대조군연구를 수행할 때는 연구대상자 모집의 분명한 기준(포함 기준 및 배제 기준), 무작위배정(randomization, random allocation)과정, 중재의 눈가림(blinding), 결과평가(outcome assessment), 결과 정의, 요구되는 연구대상자 수, 윤리적 요구사항, 연구대상자 동의 절차, 연구 데이터 관리 및 처리 방법 등이 분명하게 정의되어야 한다. 특히 연구의 비뚤림을 최소화하기 위해서는 무작위배정, 배정은닉(allocation conceal-ment), 눈가림이 잘 이루어져야 한다. 무작위배정은 임상시험에 참여하는 대상자들을 중재군(관심 의료기술 시술 집단이나 시험 약제 투여 집단)과 대조군(위약 투여 혹은 다른 치료 혹은 표준 치료를 받는 집단)에 무작위로 할당하는 것을 말한다. 두 연구 집단에 동일한 확률로 연구대상자가 무작위배정되기 위해서는 컴퓨터 프로그램을 이용한 난수의 발생과 같이 적절한 방법을 사용하는 것이 필요하다. 아울러 무작위대조군연구에서는 배정은닉이 매우 중요한데, 배정은닉은 연구자, 연구대상자 모두 무작위배정 결과를 알지 못하도록 하는 것을 말한다. 무작위배정 후 연구가 수행되는 동안에는 눈가림이 이루어져야 한다. 눈가림은 중재가 시행되는 동안 연구대상자, 연구자, 결과평가자 모두 어떤 중재가 이루어지고 있는지 모르게 연구가 수행되는 것을 말한다. 이렇게 무작위배정, 배정은닉, 눈가림 등이 잘 이루어진 무작위대조군연구는 비뚤림이 최소화되고, 중재와 결과 사이에 인과 관계

가 존재하는지 여부를 가장 잘 보여주는 엄격한 연구가 될 수 있을 것이다.[195]

무작위대조군연구의 경우 방법론적으로 연구의 질이 낮은 문제, 연구 결과 보고의 불완전함, 선택적 결과보고 비뚤림(효과 과대평가, 부정적인 결과 보고 누락 등)의 문제들이 발생할 수 있다. 무작위대조군연구의 질을 높이고 비뚤림을 최소화하며 연구결과 보고의 투명성을 높이기 위해서 제안된 것이 CONSORT (Consolidated Standards of Reporting Trials) 2010 지침(statement)이다. CONSORT 2010 지침에는 무작위대조군연구의 결과를 보고할 때 꼭 들어가야할 25개 항목으로 구성된 점검표(checklist)와 흐름도(flow diagram)가 포함되어 있다.[196] 이 지침을 이용할 경우 연구의 질을 높일 수 있고 필수적인 요소들이 누락될 가능성이 적어지므로 무작위대조군연구 시 이 지침을 반드시 이용해야 한다. 한글 번역본[197]도 한국역학회지를 통해 출판되어, 편리하게 이용할 수 있다.

(2) 한약 무작위대조군연구

한약 무작위대조군연구에 대한 동향을 살펴볼 수 있는 연구로는 2010년 1월부터 2019년 12월까지 출판된 한약 관련 무작위대조군연구를 MEDLINE[198], EMBASE[199] 및 Cochrane Library[200] 데이터베이스에서 검색하여 분석한 연구가 있다. 이 연구에 따르면 총 227개의 한약 관련 무작위대조군연구 논문이 발표되었고, 매년 발표되는 논문 수는 비슷하게 유지되는 경향(그림 6-18)을 보이는 것으로 나타났다. 이와 함께 한약 무작위대조군연구에서 다루고 있는 질환을 보면 순환기 질환, 비뇨생식기 질환, 내분비/영양/대사질환, 호흡기

195) Bhide A, Shah PS, Acharya G. A simplified guide to randomized controlled trials. Acta Obstet Gynecol Scand 2018;97(4):380-7.

196) Schulz KF, Altman DG, Moher D, for the CONSORT Group. CONSORT 2010 Statement: updated guidelines for reporting parallel group randomized trials. AAnn Intern Med 2010;152:726-32.

197) Lee JS, Ahn SY, Lee KH, Kim JH. Korean translation of the CONSORT 2010 Statement:updated guidelines for reporting parallel group randomized trials. Epidemiology and Health 2014;36:e2014029.

198) MEDLINE ; 미국 국립의학도서관(U.S. National Library of Medicine)에서 개발한 의학문헌 서지데이터베이스, 온라인을 통해 MEDLINE을 검색하는 온라인 검색 시스템이 PubMed임.

199) EMBASE ; 네덜란드 Elsevier사에서 제작한 검색엔진으로 1947년 이후 현재까지 생물의학 및 약학 관련 정보를 제공. 의학 연구에 있어 PubMed, Cochrane Central과 함께 핵심(core) 데이터베이스라 할 수 있음.

200) Cochrane Library ; Cochrane 및 기타 연구기관에서 제공하는 의학 및 기타 의료 전문 분야의 데이터베이스 모음으로 The Cochrane Database of Systematic Reviews (CDSR)-Cochrane Reviews, The Cochrane Central Register of Controlled Trials (CENTRAL)-Clinical Trials, Cochrane Clinical Answers (CCAs)의 세 가지 데이터베이스를 제공하고 있음.

질환, 종양질환, 근골격계/결합조직질환 등의 순서로 다양한 질환에 대한 한약 무작위대조군연구가 진행되고 있는 것을 알 수 있다(그림 6-19).[201]

한약 무작위대조군연구의 특성을 반영하면서 연구의 수행과 보고의 질을 높이기 위해 한약과 관련된 무작위대조군연구에 적용할 수 있는 CONSORT 확충안인 CONSORT-CHM Formulas[202]가 2017년에 제안되었다.

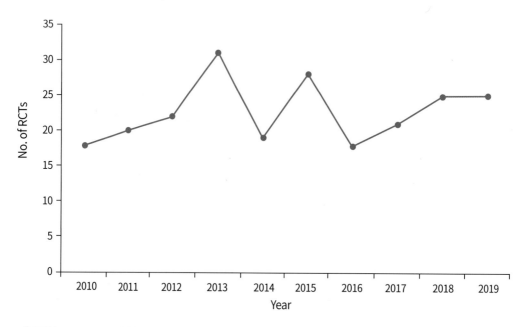

🔖 그림 6-18. **2010년에서 2019년까지 발표된 한약 관련 무작위대조군연구(RCTs) 논문의 수**[203]

201) Hu J, Zhang HN, Feng S, et al. Randomized controlled trials of Chinese herbal medicine published in English from 2010 to 2019: a bibliometrics study. Ann Palliat Med 2021;10(12):12945-54.

202) Cheng CW, Wu TX, Shang HC, et al. CONSORT extension for Chinese herbal medicine formulas 2017: recommendations, explanation, and elaboration. Ann Intern Med 2017;167:112-21.

203) Hu J, Zhang HN, Feng S, et al. Randomized controlled trials of Chinese herbal medicine published in English from 2010 to 2019: a bibliometrics study. Ann Palliat Med 2021;10(12):12948.

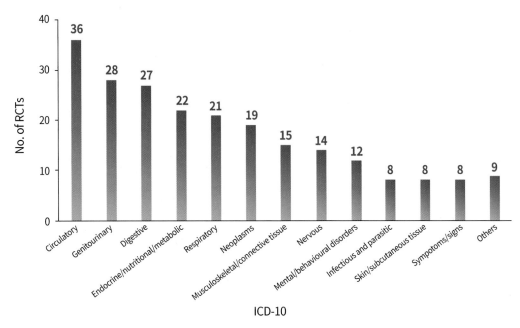

그림 6-19. 한약 관련 무작위대조군연구(RCTs) 논문에서 언급된 질환에 대한 국제질병분류
(International Classification of Disease revision 10, ICD-10)에 따른 분류[204]

(3) 침 무작위대조군연구

침 관련 연구 동향을 살펴볼 수 있는 연구로는 1995년에서 2014년까지 발표된 침 관련 임상 연구논문을 PubMed에서 검색하여 분석한 연구가 있다. 이 연구에 따르면 이 기간 동안 총 12,339편의 논문이 출판되었고, 이들 중 증례보고가 7.3%(895편), 비무작위대조군연구가 27.2%(3,351편), 무작위대조군연구가 22.5%(2,771편), 비체계적문헌고찰(narrative reviews)이 13.7%(1,686편), 체계적문헌고찰이 7.7%(952편), 메타분석이 2.0%(246편)이었다. 또 매년 침 관련 임상연구의 수가 현저히 증가하는 추세이고 특히, 무작위대조군연구가 가장 빠른 속도로 증가하고 있으며, 현재 가장 주된 침 임상연구 형태라고 보고하고 있다(그림 6-20).[205]

---

204)   Hu J, Zhang HN, Feng S, et al. Randomized controlled trials of Chinese herbal medicine published in English from 2010 to 2019: a bibliometrics study. Ann Palliat Med 2021;10(12):12949.

205)   Ma Y, Dong M, Zhou K, et al. Publication Trends in Acupuncture Research: A 20-Year Bibliometric Analysis Based on PubMed. PLoS One 2016;11(12):e0168123.

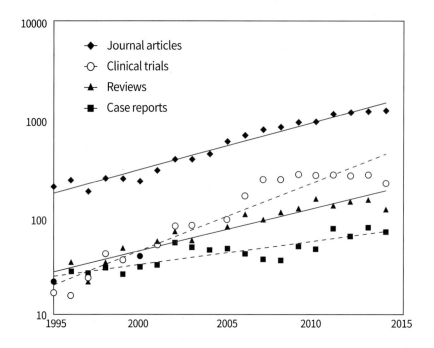

그림 6-20. **20년(1995-2014) 동안 PubMed 침 임상연구 출판물의 수 증가**[206]

일부 주요 유형의 침 출판물의 기하급수적인 증가 추세(Y축은 로그 형식)

2000년에서 2019년 9월까지 침 임상논문을 분석한 다른 연구에서도 2000년에서 2009년까지 발행된 논문 수(781건)보다 최근 10년 동안(2010년부터 2019년 9월까지) 발행된 논문의 수(2,226건)가 대략 2.9배 정도 많고, 침을 활용한 임상연구의 수가 매년 꾸준하게 증가하고 있다고 보고하였다.[207]

침 무작위대조군연구는 침시술과정의 복잡성, 시술자의 숙련도에 대한 차이, 이중맹검의 어려움 등 일반적인 약물 중재에 대한 무작위대조군연구에 비해 복잡하여 고려해야 할 변수가 많다. 따라서 침 무작위대조군연구의 비뚤림을 최소화하고 엄밀하고 객관적인 연구의 수행과 연구 보고의 질을 높이기 위해 2010년 침 무작위대조군연구에 적용할 수 있는 CONSORT 확충안인 STRICTA (STandards for Reporting Interventions in Clinical

206) Ma Y, Dong M, Zhou K, et al. Publication Trends in Acupuncture Research: A 20-Year Bibliometric Analysis Based on PubMed. PLoS One 2016;11(12):e0168123.

207) 전상호, 이인선, 이향숙, 채윤병. 침 치료 임상연구 동향에 대한 계량서지학적 분석. 대한침구의학회지 2019;36:281-91.

Trials of Acupuncture)[208] 보고지침이 제안되었고, STRICTA 한글판[209]도 출판되었다. 이를 이어 뜸(moxibustion) 치료에 대한 보고지침인 STRICTOM (STandards for Reporting Interventions in Clinical Trials Of Moxibustion, 2013)[210]과 부항(cupping) 치료에 대한 보고지침인 STRICTOC (STandards for Reporting Interventions in Clinical Trials Of Cupping, 2020)[211]도 만들어졌다.

국내의 한 연구에서는 침 무작위대조군연구가 잘 이루어지기 위한 적합한 조건으로 한의 진단의 표준화 및 이에 따른 침치료의 표준화(경혈 자리와 깊이, 수기법 등), 대조군에 적절한 거짓침(sham acupuncture)이나 최소침을 사용하고, 눈가림으로는 단일눈가림(환자)을 실시할 것을 제안하였다.[212] 아울러 침 임상연구의 질을 향상시키려는 지속적인 노력의 결과로 한국, 중국, 캐나다, 미국, 영국, 스위스, 독일, 호주 등의 환자, 임상의, 연구원, 침 임상시험 시술자, 통계학자, 임상 역학 전문가, 임상연구 방법론 전문가 등으로 구성된 국제 패널이 침 무작위대조군연구에 대한 새로운 지침(guidance)을 2022년에 발표하였다. 이 연구에서는 침 임상연구의 독특성 및 기존 연구의 문제점들을 언급하며 침 임상연구 시 발생할 수 있는 방법론적 문제들에 대해 검토로써 침 임상연구의 질을 높이는 방안을 제시하고 있다.[213] 이는 복잡한 침치료의 특성 때문이라 할 수 있는데 이러한 복잡한 중재를 가지고 무작위대조군연구를 시행할 때, 가장 정확성과 객관성을 반영할 수 있는 연구 설계가 어떤 것인지 지속적인 고민과 노력이 필요하다.

208) MacPherson H, Altman DG, Hammerschlag R, et al. Revised STandards for Reporting Interventions in Clinical Trials of Acupuncture (STRICTA): extending the CONSORT statement. PLoS Med 2010;7:e1000261.
209) 이향숙, 차수진, 박희준 외. STRICTA(침 임상연구에서 중재 보고를 위한 표준) 개정판 : CONSORT Statement의 확충안. 경락경혈학회지 2010;27(3):1-23.
210) Cheng CW, Fu SF, Zhou QH, et al. Extending the CONSORT statement to moxibustion. J Integr Med 2013;11: 54-63.
211) Zhang X, Tian R, Lam WC, et al. Standards for reporting interventions in clinical trials of cupping (STRICTOC): extending the CONSORT statement. Chin Med 2020;15:10.
212) 한성수, 구창모, 홍권의 외. 근거 중심 의학(EBM)에 바탕을 둔 임상시험(Clinical Trial)에서 침 치료 문제점과 개선 방안에 대하여. 대한침구학회지 2006;23(6):1-8.
213) Zhang YQ, Jiao RM, Witt CM, et al. How to design high quality acupuncture trials-a consensus informed by evidence. BMJ 2022;376:e067476.

(4) 국내 한의 중재연구 동향

2010년 2월부터 2020년 4월까지 임상연구정보서비스(CRIS)에 등록된 한약 임상시험을 분석한 연구에 따르면 이 기간 동안 108건의 한약 임상시험이 등록되었고 매년 한약 임상시험의 등록 수가 지속적으로 증가하고 있다. 질환별로 살펴보면 만성 요통, 무릎 골관절염 등과 같은 근골격계질환 14.8%(16건), 허혈성 뇌경색, 파킨슨병 등과 같은 신경계질환 11.1%(12건), 화병, 주요우울장애, 수면장애 등과 같은 정신행동질환 9.3%(10건) 등의 순으로 나타났다. 등록된 정보에 따르면 식품의약품안전처가 관리하는 연구의 비율은 38.0%(41건)였고, 임상시험의 약 51.9%(56건)가 보건복지부에서 자금을 지원받았고, 22.2%(24건)가 한국한의학연구원에서 자금을 지원받아 수행된 것으로 나타났다(그림 6-21).[214]

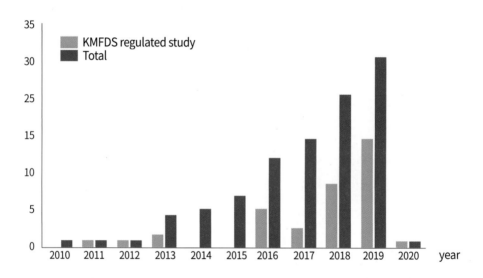

그림 6-21. **2010년 2월-2020년 4월까지 임상연구정보서비스(CRIS)에 등록된 한약 임상시험의 수(한방병원에서 수행된 한약 임상시험의 수)**[215]
(KMFDS; Korea Ministry of Food and Drug Safety, 식품의약품안전처)

214)   Boram Lee, Yujin Choi, Pyung-Wha Kim, et al. Regulation and status of herbal medicine clinical trials in Korea: a narrative review. Integr Med Res 2021;10(2):100688.

215)   Boram Lee, Yujin Choi, Pyung-Wha Kim, et al. Regulation and status of herbal medicine clinical trials in Korea: a narrative review. Integr Med Res 2021;10(2):100688.

2010년 2월부터 2020년 1월까지 임상연구정보서비스(CRIS)에 등록된 침, 뜸, 약침, 추나, 한약 등의 한의 중재연구를 분석한 연구에서는 이 기간 동안 총 267건의 임상시험 정보가 검색되었고, 분석 결과 침 연구는 117건, 뜸 연구는 14건, 약침 연구는 1건, 추나 연구는 8건, 한약 연구는 117건, 복합적 한약 중재를 연구한 것은 10건으로 확인되었다. 연도별로 보면, 2010년 4건, 2011년 7건, 2012년 14건, 2013년 17건, 2014년 15건에서 2015년 44건, 2016년 44건, 2017년 39건, 2018년 49건, 2019년 34건으로 연구가 증가하였다. 특히 한약 연구의 경우 2016년 이후 연구 수가 뚜렷하게 증가하였다. 이들 연구 중에서 무작위대조시험은 214건이었으며, 맹검법을 기재한 시험의 경우 단일맹검시험은 63건, 이중맹검시험은 72건이었다(그림 6-22).[216]

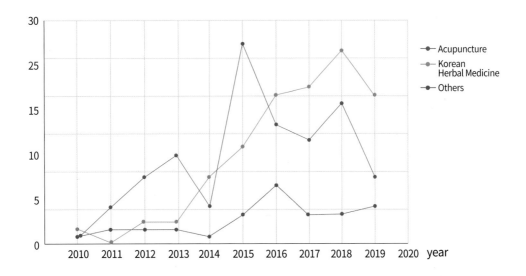

그림 6-22. 임상연구정보서비스(CRIS)에 등록된 한의 중재연구 경향[217]

216) 정창운, 전선우, 조희근. 한약 임상시험의 특성: 질병관리본부 임상연구정보서비스(CRIS)를 중심으로. 대한한방내과학회지 2020;41(6):959-66.

217) 정창운, 전선우, 조희근. 한약 임상시험의 특성: 질병관리본부 임상연구정보서비스(CRIS)를 중심으로. 대한한방내과학회지 2020;41(6):961.

3) 기타 한의 임상연구

앞서 언급한 임상연구들, 특히 무작위대조군연구(RCT)가 한의 임상연구에서 많은 부분을 차지하지만, 이런 연구들이 실제 한의 임상을 반영하는데 한계가 있는 것 또한 사실이다. 따라서 이러한 한계를 보완하기 위해 여러 연구 방법들이 대안으로 제시되었다. 그 가운데 몇 가지 대표적인 연구 방법들을 소개한다.

(1) 실용임상시험(Pragmatic Clinical Trial, PCT)

한의 분야 무작위대조군연구(RCT)의 한계를 보완하기 위해서 자주 제시되는 연구 방법이 바로 실용임상시험(pragmatic clinical trial 또는 practical clinical trial)이다. 무작위대조군연구(RCT)가 이상적인 실험 상황에서 특정 중재의 효능(efficacy)을 보기 위한 연구라면 실용임상시험(PCT)은 일상적인 진료에서 특정 중재와 표준적인 치료의 효과(effectiveness)를 비교하는 연구다. 중요한 점은 실용임상시험(PCT)이 무작위대조군연구(RCT)의 일종으로서 PCT에서도 동일하게 실험군과 대조군을 무작위 배정한다는 것이다. 다른 점이라면 PCT에서는 환자와 의사의 관계, 치료에 대한 믿음 등을 반영하기 위해 치료자 및 환자의 맹검을 하지 않으며, 실제 진료 현장을 반영하기 위해 표준화된 단일 치료가 아니라 실제 일상적인 진료(개별화된 치료 및 복합적인 치료)를 허용하고 있다는 것이다. 또 맹검이 필요가 없으므로 위약 대조군 또한 설정하지 않는다.[218] 실용임상시험(PCT)의 이러한 부분은 한의 임상의 특성과도 어느 정도 부합할 수 있어 한의 무작위대조군연구(RCT)의 부족한 부분을 보완해줄 수 있다고 생각된다. 물론 실용임상시험(PCT)은 맹검을 하지 않으므로 연구의 내적 타당도가 떨어지며, 복합적 치료를 구성하는 개별 치료 요소들이 치료 효과에 기여하는 정도를 정확히 결정할 수 없고, 개별 임상의의 능력에 따라 결과가 달라질 수 있으며, 일반적으로 연구 대상자 수가 많기 때문에 실제 연구 수행에 연구비와 시간이 많이 든다는 한계가 있다.[219] 임상연구에서 실용임상시험(PCT) 연구의 필요성이 높아짐에 따라 적절한 실용임상시험(PCT) 연구의 수행과 결과 보고의 질을 높이기 위

218)   MacPherson H. Pragmatic clinical trials. Complement Ther Med 2004;12(2-3):136-40.
219)   MacPherson H. Pragmatic clinical trials. Complement Ther Med 2004;12(2-3):136-40.

해 2008년 CONSORT 확충안으로 CONSORT Pragmatic Trials[220]가 제안되었다.

(2) N-of-1 임상시험(N-of-1 trial)

N-of-1 임상시험은 개개인의 치료에 대한 개별화된 관점을 보강할 수 있어, 몇몇 연구자들이 개인맞춤의학(Personalized medicine)의 특성을 가진 한의 임상의 연구 방법으로 지속적으로 제안해왔다.[221] N-of-1 임상시험은 무작위화 단일 증례 실험연구(randomized controlled single-patient trial)로서 중재 치료 기간과 표준 또는 위약 치료 기간 사이에 다중 교차(multiple crossovers)로 시행된다. 즉, 먼저 검증하고자 하는 중재를 시행하는 기간(Period 1)이 있고, 중간에 적절한 휴지기(Washout period)가 지난 뒤, 표준 치료 또는 위약 치료를 시행하는 기간(Period 2)이 있게 된다. 물론 반대의 순서도 가능하다. 각 기간에 대한 효과를 판정함으로써 치료 효과를 검증하게 된다. 모든 기간에서 치료 방법은 무작위 배정되고 이상적으로는 의사와 환자의 이중 맹검이 적용될 수도 있다. 따라서 N-of-1 임상시험은 엄격한 임상시험으로 객관성을 가질 수 있는 장점이 있다.[222] N-of-1 임상시험의 수행과 결과 보고의 질을 높이기 위해 2015년 CONSORT 확충안인 CENT (CONSORT extension for reporting N-of-1 trials)[223]가 제안되었고, 2019년에는 한의 분야의 N-of-1 임상시험 관련 CONSORT 확충안인 CENT for TCM (CONSORT extension for reporting N-of-1 trials for traditional Chinese medicine)[224]이 제안되었다.

220) Zwarenstein M, Treweek S, Gagnier JJ, et al; CONSORT group; Pragmatic Trials in Healthcare (Practihc) group. Improving the reporting of pragmatic trials: an extension of the CONSORT statement. BMJ 2008;337:a2390.

221) Li J, Tian J, Ma B, Yang K. N-of-1 trials in China. Complement Ther Med 2013;21(3):190-4.

222) Johnston BC, Mills E. n-of-1 randomized controlled trials: an opportunity for complementary and alternative medicine evaluation. J Altern Complement Med 2004;10(6):979-984.

223) Vohra S, Shamseer L, Sampson M, et al; CENT group. CONSORT extension for reporting N-of-1 trials(CENT) 2015 Statement. BMJ 2015;350:h1738.

224) Li J, Hu JY, Zhai JB, et al; CENT for TCM Working Group. CONSORT extension for reporting N-of-1 trials for traditional Chinese medicine(CENT for TCM): Recommendations, explanation and elaboration. Complement Ther Med 2019;46:180-8.

(3) 질적연구(Qualitative research)

무작위대조군연구로부터 만들어진 대부분의 지식들은 일반화된 형태로 연관성의 빈도 및 강도에 대한 질문에 답을 하고 있다. 반면에 질적연구(qualitative research)는 개개인의 경험에서 '왜'와 '어떻게'에 관한 구체적 정보를 만들어내기 위해 설계되며[225], 질적연구 결과는 사람들의 믿음, 경험, 행동 및 상호작용을 이해하는 데 사용된다. 질적연구가 생성하는 데이터는 숫자가 아니다. 따라서 자료수집방법도 관찰, 인터뷰, 문서수집의 세 가지 형태가 주로 사용된다.[226]

한 연구에서는 질적연구를 통해 한의 임상연구에서 얻을 수 있는 부분을 다음과 같이 정리하고 있다. 첫째, 연구에 참여하는 참여자 및 그들이 참여하는 사건(events), 정황(situations), 행동(actions)에 대한 의미를 확인하여 중재에 대한 이해를 얻을 수 있다. 둘째, 참여자들이 행동하는 특정 맥락(context) 및 그러한 맥락이 그들의 행동에 미치는 효과를 이해할 수 있다. 나아가 가장 중요한 부분은 중재 시 환자-치료자 간의 상호 작용의 역할을 확인하는 것이다. 셋째, 사건과 행동이 일어나는 과정을 이해할 수 있다. 넷째, 중재에 대해 다양한 관계자들(임상의, 환자, 연구자)의 실제 관점이 어떻게 다른지 평가할 수 있다.[227] 이렇듯 질적연구는 환자와 의사간의 관계, 다양성(개인맞춤의학적 성격, 다양한 학술 유파 및 이론 등) 및 복잡성(중재의 복합성, 문화적 맥락 등) 등의 특성이 있는 한의 임상의 실제 현장을 파악하는데 도움이 될 수 있다.

2020년 6월까지 발표된 총 39편의 질적연구 논문을 선정하여 한의학 관련 질적연구 현황을 살펴본 연구가 있다. 이 연구에 따르면 한의학 관련 질적연구 논문은 2010년 이전에는 3편 정도 발표되었고, 2011년에서 2015년까지 14편, 2016년부터 2020년까지 22편이 발표되어 관련 연구가 점차 늘어나고 있는 것으로 나타났다. 질적연구에 사용된 자료수집방법을 살펴보면 개별면담, 초점집단면담 등 면담방법을 활용한 논문이 37편(94.9%)으로 대부분이었으며, 담론분석과 문헌분석 논문이 각 1편씩 있었다. 질적연구 접근방법은 근거

225) Verhoef MJ, Casebeer AL, Hilsden RJ. Assessing efficacy of complementary medicine: adding qualitative research methods to the "Gold Standard". J Altern Complement Med 2002;8(3):275-81.

226) Pathak V, Jena B, Kalra S. Qualitative research. Perspect Clin Re 2013;4(3):192.

227) Verhoef MJ, Casebeer AL, Hilsden RJ. Assessing efficacy of complementary medicine: adding qualitative research methods to the "Gold Standard". J Altern Complement Med 2002;8(3):275-81.

이론(Grounded theory) 8편, 현상학(Phenomenology) 7편, 사례분석(Case study) 5편, 주제분석(Thematic analysis) 5편, 내용분석(Qualitative content analysis, QCA) 3편, 내러티브 연구(Narrative research) 1편, 담론분석이면서 부분적으로 민족지학적인 연구 (Discourse analysis and ethnography) 1편, 합의적 질적 연구(Consensual qualitative research, CQR) 1편이었고, 연구 접근방법을 밝히지 않은 논문이 8편이었다.[228]

📌 임상연구계획서(The Protocol of a Clinical Trial)

높은 질의 임상연구가 수행되기 위해서는 임상연구 시작에 앞서 적절한 임상연구계획서가 먼저 작성되어야 한다. 임상연구계획서는 연구 시작 전에는 해당 연구의 과학성, 윤리성, 안전성 문제에 대한 적절한 평가를 가능하게 하며, 연구 진행 중에는 연구의 일관성과 엄밀함을 유지할 수 있는 기준으로 사용되고, 연구 종료 후에는 연구 수행 및 결과에 대한 충분한 평가를 할 수 있도록 도움을 준다. 그럼에도 불구하고 무작위연구 계획서들이 일차 평가변수에 대한 정보뿐만 아니라 눈가림 방법, 이상 반응 보고 방법, 샘플 수 계산의 구성 요소, 데이터 분석 계획, 출판 방안 등이 적절하게 기술되어 있지 않은 경우가 많아 불필요한 연구계획서 수정, 불량한 연구 수행, 부적절한 연구결과 보고로 이어지는 문제가 있다. 이러한 문제를 해결하기 위해 제시된 것이 SPIRIT (Standard Protocol Items: Recommendations for Interventional Trials) 2013 성명서다. SPIRIT 2013 성명서는 33개 항목의 점검표와 도표로 구성되어 있으며 계획서가 갖추어야 할 최소한의 내용에 대한 가이드를 제공한다. 연구 계획 시 SPIRIT 2013을 사용하면 연구계획서의 투명성과 완성도를 향상시켜 질 높은 연구계획서를 작성할 수 있어 성공적인 연구 가능성을 높여준다. SPIRIT 2013 성명서의 일차적 적용 범위는 무작위 배정 연구이지만, 성명서에 담겨 있는 고려사항들은 다른 모든 종류의 임상연구에도 상당 부분 적용할 수 있다.[229]

최근에는 한의 임상연구의 특성을 반영하여, 한의 임상연구계획서를 작성하는 데 활용할 수 있는 SPIRIT 확장판인 SPIRIT-TCM (2018)[230]이 출판되었다.

228) 여진주, 현민경. 한의학 관련 질적 연구 현황. 대한예방한의학회지 2021;25(1):13-29.

229) Chan A-W, Tetzlaff JM, Altman DG, et al. SPIRIT 2013 Statement: Defining standard protocol items for clinical trials. Ann Intern Med 2013;158(3):200-7.

230) Dai L, Cheng CW, Tian R, et al. Standard Protocol Items for Clinical Trials with Traditional Chinese Medicine 2018: Recommendations, Explanation and Elaboration (SPIRIT-TCM Extension 2018). Chin J Integr Med 2019;25(1):71-9.

양질의 질적연구의 수행과 질적연구 보고의 투명성을 높이기 위한 보고지침으로는 COREQ (Consolidated Criteria for Reporting Qualitative Research, 2007)[231]과 SRQR (Standards for Reporting Qualitative Research, 2014)[232]이 사용되고 있다.

4) 체계적문헌고찰(Systematic review, SR) 및 메타분석(Meta-analysis, MA)
(1) 정의

체계적문헌고찰은 "특정 연구 질문에 대한 대답을 얻기 위해 질 높은 문헌 근거를 체계적으로 확인, 평가, 합성하는 연구 방법론"으로 정의된다. 그리고 메타분석은 체계적문헌고찰 수행과정에서 2개 이상의 개별 연구들의 요약 추정치를 합성함으로써 해당 중재법의 통합된 가중평균 요약 추정치를 정량적으로 산출하고 이를 통해 임상적 효과성을 평가하는 통계적 기법이다.[233] 쉽게 말하면, 체계적문헌고찰은 같은 문제에 대해 무작위대조군연구를 진행한 개별 연구들을 적절한 문헌검색 방법을 통해 선택하고 적절한 방법론을 사용하여 분석 및 통합함으로써 특정 임상 질문에 대한 답을 얻기 위한 방법이며, 메타분석은 체계적문헌고찰 결과 포함된 연구들로부터 얻은 개별 연구 자료들을 통계적으로 합성하는 방법이라고 할 수 있다.

(2) 현황

1997년 영문으로 된 한의 관련 체계적문헌고찰 연구가 최초로 발표된 이후로 한의 분야에서도 체계적문헌고찰 및 메타분석 논문이 본격적으로 출판되기 시작했다. 연구에 따르면 2000년에서 2019년까지 CNKI[234], Wanfang Data[235], Cochrane Library,

---

231) Tong A, Sainsbury P, Craig J. Consolidated criteria for reporting qualitative research (COREQ): A 32-item checklist for interviews and focus groups. Int J Qual Health Care 2007;19(6):349-57.

232) O'Brien BC, Harris IB, Beckman TJ, et al. Standards for reporting qualitative research: a synthesis of recommendations. Acad Med. 2014;89(9):1245-51.

233) 김수영, 박지은, 서현주, 이윤재, 손희정, 장보형, 서혜선, 신채민. NECA 체계적 문헌고찰 매뉴얼. 한국보건의료연구원. 2011.

234) CNKI (China National Knowledge Infrastructure, 中国知网) ; 중국정부와 칭화대학(清华大学)이 공동으로 주관한 중국 국가 프로젝트로 만들어진 중국 저널 온라인 데이터베이스로 1999년부터 서비스가 시작됨.

235) Wanfang Data(万方数据) ; 중국과학기술정보연구원에 의해 설립된 데이터베이스로 2000년부터 운영됨.

PubMed, Web of Science[236], PROSPERO[237] 등에 등재된 한의 분야 관련 체계적문헌고찰 및 메타분석 논문은 중복을 제외하고 총 5,629편으로 조사되었다. 이 중 1,816편이 영어로 출판되었고, 3,813편이 중국어로 출판되었으며, 매년 영어와 중국어 출판물의 수가 증가하고 있다(그림 6-23).[238]

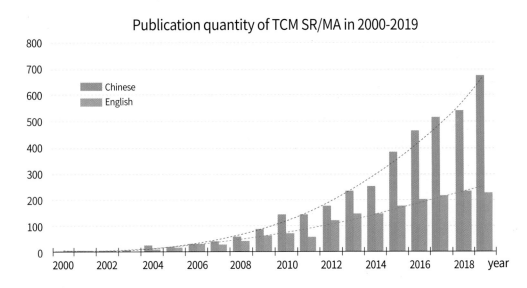

그림 6-23. 2000년부터 2019년까지 영어 및 중국어로 출판된
한의 체계적문헌고찰/메타분석 출판물 수 추이[239]

236) Web of Science ; Clarivate Analytics가 제공하는 인용색인 데이터베이스로 과학기술, 사회과학, 예술 및 인문학 분야 핵심 저널 14,000여종에 수록된 서지정보 및 인용정보를 제공. SCIE (Science Citation Index Expanded)(과학기술 분야, 2020년 1월부터 SCI와 SCIE 통합됨), SSCI (Social Science Citation Index)(사회과학분야), A&HCI (Arts & Humanities Citation Index)(예술 및 인문학 분야) 저널 검색 가능함.

237) PROSPERO ; The International Prospective Register of Systematic Reviews, 2011년 설립된 체계적문헌고찰 연구 등록 레지스트리

238) Tian G, Zhao C, Zhang X, et al. Evidence-based traditional Chinese medicine research: Two decades of development, its impact, and breakthrough. J Evid Based Med 2021;14(1):65-74.

239) Tian G, Zhao C, Zhang X, et al. Evidence-based traditional Chinese medicine research: Two decades of development, its impact, and breakthrough. J Evid Based Med 2021;14(1):68.

국내의 경우, 2000년부터 2022년 1월까지 OASIS(전통의학정보포털)[240]에서 검색된 체계적문헌고찰 논문 및 체계적문헌고찰과 메타분석이 함께 있는 논문이 총 229편이었다. 2000년대에는 관련 보고가 거의 없었으며, 2009년부터 조금씩 출판물의 수가 증가하다 2017년부터 출판물의 수가 크게 증가하는 경향을 보이고 있다(그림 6-24).

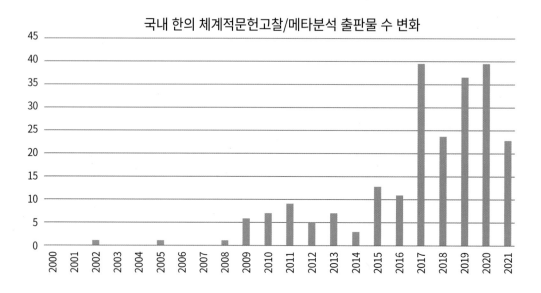

그림 6-24. **2000년부터 2022년 1월까지 전통의학정보포털(OASIS)에서 검색된 국내 한의 체계적문헌고찰/메타분석 출판물 수 추이**

(3) 보고지침

체계적문헌고찰 보고서를 작성할 때는 PRISMA (Preferred Reporting Items for a Systematic Review and Meta-analysis)그룹이 제시한 보고지침 점검표(checklist)를 참고하여 작성하는 것을 추천한다. 2009년에 처음 출판된 PRISMA는 2020년에 지난 10년간의 체계적문헌고찰 방법론과 용어의 발전을 반영하여 업데이트되었다. PRISMA 점검표는 총27가지 항목으로 구성되어 있다.[241] 최근에는 한의 임상연구의 특수성을 반영한 PRIS-

---

240) OASIS(전통의학지식포털)[인터넷]. [2022년 2월 20일 인용]. URL: https://oasis.kiom.re.kr/

241) Page MJ, McKenzie JE, Bossuyt PM, et al. The PRISMA 2020 statement: An updated guideline for reporting systematic reviews. PLoS Med 2021;18(3):e1003583.

MA 확충안이 출판되었는데, 침 연구 관련 체계적문헌고찰 및 메타분석을 위한 PRISMA-A (PRISMA for acupuncture checklist, 2019)[242], 뜸 연구 관련 체계적문헌고찰 및 메타분석을 위한 PRISMA-M 2020 (PRISMA extension for moxibustion, 2020)[243], 한약 연구 관련 체계적문헌고찰 및 메타분석을 위한 PRISMA-CHM 2020 (PRISMA extension for Chinese Herbal Medicines, 2020)[244]가 출판되었다.

(4) 체계적문헌고찰 질(quality) 평가

2007년 제안된 AMSTAR (assessment of multiple systematic reviews)는 체계적문헌고찰의 질평가를 위한 도구로 총 11개 항목의 점검표(checklist)로 되어 있다. 2017년 AMSTRA 2가 제안되었는데, AMSTRA 2는 무작위대조군연구뿐만 아니라 비무작위대조군연구도 평가할 수 있도록 개발되었고, 총 16개 항목으로 평가항목이 확대되었다.[245]

이와 관련된 몇 가지 연구를 살펴보면 2019년 6월까지 Cochrane Database of Systematic Reviews에 등록된 침 관련 체계적문헌고찰 논문을 대상으로 AMSTAR 2를 적용하여 분석한 연구가 있다. 연구 결과 검색된 50개의 침 관련 체계적문헌고찰 논문 중 48%가 중간 이상의 질의 연구로, 52%가 낮은 질의 연구로 평가되었다.[246]

국내에서는 2000년-2014년까지 출판된 국내 한의학 관련 체계적문헌고찰 논문 26편을 AMSTAR 도구를 적용하여 분석한 연구가 있는데, 연구 결과 높은 수준의 체계적문헌고찰 논문은 2편(7.7%), 보통수준 21편(80.8%), 낮은 수준은 3편(11.5%)인 것으로 나타났다.[247] 이러한 상황을 볼 때 추후 한의 관련 체계적문헌고찰 연구의 질을 높이기 위한 지속

242) Wang X, Chen Y, Liu Y, et al. Reporting items for systematic reviews and meta-analyses of acupuncture: the PRISMA for acupuncture checklist. BMC Complement Altern Med 2019;19(1):208.

243) Zhang X, Tan R, Lam WC, et al. PRISMA extension for moxibustion 2020: recommendations, explanation, and elaboration. Syst Rev 2020;9(1):247.

244) Zhang X, Tan R, Lam WC, et al. PRISMA (Preferred Reporting Items for Systematic Reviews and Meta-Analyses) Extension for Chinese Herbal Medicines 2020 (PRISMA-CHM 2020). Am J Chin Med 2020;48(6):1279-313.

245) Shea BJ, Reeves BC, Wells G, et al. AMSTAR 2: a critical appraisal tool for systematic reviews that include randomised or non-randomised studies of healthcare interventions, or both. BMJ 2017;358:j4008.

246) Zhaochen Ji, Junhua Zhang, Francesca Menniti-Ippolito, et al. The quality of Cochrane systematic reviews of acupuncture: an overview. BMC Complement Med Ther 2020;20:307.

247) 김윤영, 현혜순. AMSTAR를 활용한 국내 한의학 관련 체계적 문헌고찰 논문의 질 평가. 디지털융복합연구 2015;13(10):549-59.

적 노력이 필요할 것으로 보인다.

📋 PICO(피코, 핵심질문), PICO-SD

체계적문헌고찰을 수행하기 위해서는 연구 목적에 맞는 핵심질문(key question)을 만들어야 한다. 핵심질문은 구체적으로 만드는 것이 좋은데 일반적으로 PICO라는 형식을 사용한다. 여기에 시점(Time), 세팅(Setting), 연구 설계(Study design)를 추가하여 PICO-SD 기준에 의해 연구 방법을 구체화하기도 한다(표 6-7)[248]

표 6-7. PICO-SD 용어 및 설명[249]

P	Patient/Participant/Population/Problem	환자집단, 관심대상, 인구집단, 문제
I	Intervention/Index Test/Prognostic factor/Exposure	중재(치료법, 진단법, 예후요인, 노출 등) - 구체적으로 자세하게 기술 　(예: 용량, 투여기간, 투여경로 등)
C	Comparator/Comparison/Control	비교 타당한 현존하는 대안 중재
O	Outcomes	중재를 통해 기대하는 결과변수
T	Time	주요 결과변수의 추적관찰 기간
S	Setting	임상연구가 이루어진 세팅(예: 병원 입원, 외래 등)
SD	Study Design	체계적문헌고찰, 무작위배정비교임상시험, 비무작위임상시험, 관찰연구 등

---

248) 김수영, 박지은, 서현주, 이윤재, 손희정, 장보형, 외. NECA 체계적 문헌고찰 매뉴얼. 한국보건의료연구원. 2011.; 김수영, 박동아. 서현주, 신승수, 이수정, 이민 외. 의료기술평가방법론: 체계적 문헌고찰. 한국보건의료연구원. 2020.

249) Hi NECA, NECA백과사전[인터넷]. PICO(피코, 핵심질문), PICOTS-SD 설정 [2022년 2월 15일 인용]. URL: https://blog.naver.com/necahta/221861880201

5) 임상진료지침(Clinical Practice Guideline, CPG)

(1) 임상진료지침이란?

임상진료지침이란 "특정한 임상적 상황에서 제공되는 보건의료서비스에 대한 의료진 및 환자의 적절한 의사결정에 도움을 주기 위하여 체계적으로 개발한 진술"[250]로 정의한다. 미국의학한림원(Institute of Medicine, IOM)[251]은 2011년에 "환자 진료를 최적화하기 위한 목적으로 근거에 대한 체계적문헌고찰과 치료 대안들의 이득과 위해에 대한 평가에 기반하여 내려진 권고를 포함하는 진술"[252]로 임상진료지침을 명확히 정의하였다.

임상진료지침의 개발자들은 대부분 근거중심의학적 방법론을 채택하여 최선의 근거를 바탕으로 치료 중재 및 진단 등에 대한 권고문(recommendation)을 제시한다. 체계적문헌고찰을 통해 분석된 내용은 근거의 정도를 나타낼 뿐 바로 임상 적용에 대한 해답을 주지 못한다. 이 문제를 해결하기 위해 임상진료지침에서는 실제 진료 현장, 해당 중재를 임상에 적용할 때 고려해야 할 비용, 이득(benefit)과 위해(harm)의 균형 등을 고려하여 실제 임상 현장에서 어떻게 적용할지에 대해 GRADE (Grading of Recommendations, Assessment, Development and Evaluations) 방법론을 이용하여 근거수준(level of evidence)과 권고등급(strength of recommendation)을 결정한다. 그리고 이를 기초로 권고문을 작성하게 된다. GRADE 방법론에서 근거수준이란 현재까지의 근거에 기반하여 특정 중재의 효과에 대해 확신하는 정도를 나타내는 것으로, 효과 추정치에 따라 근거의 수준을 높음(high), 중등도(moderate), 낮음(low), 매우 낮음(very low)으로 평가한다. 권고등급이란 권고 대상 환자에게 해당 중재를 시행하였을 때 위해보다 이득이 더 클 것으로 혹은 작을 것으로 확신하는 정도를 말하는데, 권고등급의 강도는 근거수준, 효과 크기(중재로 인한 이득과 위해의 크기), 가치와 선호(해당 권고가 사용되는 환경과 사용하는 사람), 비용의 네

---

250) Huttin C. The use of clinical guidelines to improve medical practice: main issues in the United States. Int J Qual Health Care 1997;9(3):207-14.

251) 2016년부터 National Academy of Medicine(NAM)로 명칭이 바뀜.

252) IOM (Institute of Medicine). Clinical Practice Guidelines We Can Trust. Washington DC: The National Academies Press; 2011. (PDF; [cited 2021 Aug 20]. Available from: https://www.nap.edu/catalog/13058/clinical-practice-guidelines-we-can-trust)

가지 요소를 고려하여 강력한 것(strong)과 약한 것(weak)으로 등급화된다.[253]

(2) 임상진료지침 질(quality) 평가

임상진료지침이 개발되었으나 그것의 질적 수준은 서로 다를 수 있다. 그러므로 질이 낮은 진료지침의 문제를 해결하고 표준화하기 위해 국제 진료지침 개발자 및 연구자 그룹인 'the AGREE Collaboration'가 개발한 도구가 AGREE (The Appraisal of Guidelines for Research & Evaluation)이다. AGREE는 2003년도에 처음 출판되었고 이를 수정하고 보완하여 2010년에 발간한 것이 AGREE II이다. AGREE II는 6개 영역으로 구분되고 세부적으로는 구조화된 23개 핵심 항목과 전반적인 평가를 위한 2개 항목으로 구성되어 있으며, 진료지침 개발에 있어서 방법론적인 엄격함과 투명성을 측정하는 도구다.[254] 현재 한의임상진료지침에 대한 질적 평가도 AGREE II 도구를 사용하여 이루어지고 있다.

또 다른 도구로 2016년 국제 RIGHT (Reporting Items for practice Guidelines in HealThcare) 워킹 그룹이 개발한 RIGHT 평가도구가 있는데, 22개 주제에 총 35개 세부 평가항목으로 구성되어 있다.[255]

주목할만한 점은 한의학과 관련된 임상진료지침을 평가하기 위한 확장판인 RIGHT-TCM (The RIGHT Extension Statement for Traditional Chinese Medicine, 2020)[256] 과 침치료 관련 임상진료지침 평가를 위한 확장판인 RIGHT for Acupuncture (2021)[257] 가 최근에 출판되었다는 것이다. 이는 한의 임상 고유의 특성을 반영한 평가 도구의 필요성 때문에 만들어진 것이다. 추후 국내 한의임상진료지침 평가 시에도 한의 임상 고유의

---

253) Guyatt GH, Oxman AD, Vist GE, et al; GRADE Working Group. GRADE: an emerging consensus on rating quality of evidence and strength of recommendations. BMJ 2008;336(7650):924-6.

254) AGREE Next Steps Consortium. The AGREE(Appraisal of Guidelines for REsearch and Evaluation) II Instrument[Electronic version]. 2017. (PDF; [cited 2022 Feb 15]. Available from: https://www.agreetrust.org/wp-content/uploads/2017/12/AGREE-II-Users-Manual-and-23-item-Instrument-2009-Update-2017.pdf)

255) Chen Y, Yang K, Maru i A, et al.; for the RIGHT (Reporting Items for Practice Guidelines in Healthcare) Working Group. A Reporting Tool for Practice Guidelines in Health Care: The RIGHT Statement. Ann Intern Med 2017; 166(2):128-32.

256) Xie R, Xia Y, Chen Y, et al. The RIGHT Extension Statement for Traditional Chinese Medicine: Development, Recommendations, and Explanation. Pharmacol Res 2020;160:105178.

257) Tang C, Duan Y, Zhang Y, et al.; RIGHT (Reporting Items for Practice Guidelines in Healthcare) for Acupuncture Working Group. RIGHT for Acupuncture: An Extension of the RIGHT Statement for Clinical Practice Guidelines on Acupuncture. J Clin Epidemiol 2021:S0895-4356(21)00173-6.

특성이 반영된 이러한 임상진료지침 평가 도구가 도입될 것으로 예측된다.

(3) 국내 한의표준임상진료지침 개발

한의계의 임상진료지침 개발은 2008년 '임상진료지침 개발을 위한 전문가 워크숍'으로부터 시작되었다. 그리고 2013년에는 한의학연구원이 주최하고 대한한의사협회, 대한한의학회가 후원한 '근거중심기반 한의임상진료지침 개발 워크숍'이 개최되었다.[258] 2015년 한국한의학연구원에서 '韓醫임상진료지침 개발 보고 가이드(Preferred Reporting Items for DEvelopment of Clinical Practice Guideline in Korean Medicine, PRIDE—CPG—KM)'[259]가 출판되면서 근거기반 한의임상진료지침 개발을 위한 가이드가 구체적으로 제시되었다.

이후 한의표준임상진료지침 개발은 제3차 한의약육성발전종합계획(2016-2020)에서 한의학의 근거 강화와 신뢰도 제고를 위한 한의표준임상진료지침 개발 사업을 추진하기로 명시하면서 본격적으로 활성화되었고, 2016년에는 이를 위해 한의표준임상진료지침 개발 사업단이 발족하게 되었다.[260] 2016년부터 2021년까지 진행된 이 사업에서 이미 개발된 8개 분야와 22개 신규 개발 분야를 합쳐 총 30개 주요 질환에 대한 한의표준임상진료지침이 개발되었다. 2018년 개발사업단에서는 '한의표준임상진료지침 개발 매뉴얼'[261]을 발간하여 양질의 근거기반 한의표준임상진료지침을 만드는 데 필요한 개발 방법론을 제시하였다. 이 매뉴얼에서는 한의표준임상진료지침에서 사용되는 근거수준과 권고등급 방법을 제안하였다. 근거수준 등급화는 GRADE 그룹(Grading of Recommendations, Assessment, Development and Evaluations working group)의 최신 방법론을 따랐고, 한의학의 특징을 반영하여 기성 한의서에는 기록이 있지만 최신 근거를 찾을 수 없는 경우에는 '고전 근거(Classical Text-based, CTB)' 단계를 부여하도록 하였다(표 6-8). 권고등급은 권고대상 환자에서 중재를 시행하였을 때 근거수준, 이득과 위해, 적용가능성, 비용, 가치와 선호 등을

258) 이지현. 한의표준임상진료지침의 개발과 활용. 한의정책리포트. 2020;5(2):46-53.

259) 이명수, 이주아, 최태영, 최지애, 전지희. 韓醫임상진료지침 개발 보고 가이드(PRIDE-CPG-KM). 대전:한국한의학연구원. 2015.

260) 보건복지부. 제3차 한의약육성발전 종합계획 2016-2020. 2016.

261) 한의표준임상진료지침 개발사업단. 한의표준임상진료지침 개발 매뉴얼. 파주: 군자출판사; 2018. (PDF 자료; [cited 2022 Feb 20]. Available from: https://nikom.or.kr/nckm/index.do?menu_idx=32& manage_idx=24)

종합적으로 고려하여 결정하도록 하였다. 권고등급은 미국예방정책국특별위원회(U.S. Preventive Services Task Force, USPSTF) 방식[262])처럼 A–D로 등급화했고, 한의계 임상현장의 의견을 반영하기 위해서 근거가 불충분하더라도 개발 그룹의 임상적 경험에 근거하여 권고할 수 있도록 SIGN (The Scottish Intercollegiate Guidelines Network)[263])에서 사용하는 GPP (Good Practice Points) 등급을 별도로 두었다(표 6–9).[264])

표 6-8. 한의표준임상진료지침 근거수준[265])

근거수준	내용
높음(High)	효과의 추정치가 실제 효과에 가깝다는 것을 매우 확신할 수 있다.
중등도(Moderate)	효과의 추정치에 대한 확신을 중등도로 할 수 있다. 효과의 추정치는 실제 효과에 근접할 것으로 보이지만 상당히 다를 수도 있다.
낮음(Low)	효과의 추정치에 대한 확신이 제한적이다. 실제 효과는 효과 추정치와 상당히 다를 수 있다.
매우 낮음(Very low)	효과의 추정치에 대한 확신이 거의 없다. 실제 효과는 효과의 추정치와 상당히 다를 것이다.
고전 근거(Classical Text-based, CTB)	기성 한의서 등 고전 텍스트*에 기록된 근거가 있으나, 현대적 연구방법론을 활용한 근거연구가 아직 수행되지 않았다.

*보건복지부, 식약처 고시에서 규정한 한약서

262) U.S. Preventive Services Task Force(USPSTF)(미국예방정책국특별위원회) [Internet]. Grade Definitions [cited 2022 Mar 13]. Available from: https://www.uspreventiveservicestaskforce.org/uspstf/about-uspstf/methods-and-processes/grade-definitions

263) SIGN(The Scottish Intercollegiate Guidelines Network, SIGN) GRADING SYSTEM 1999-2012. (PDF; [cited 2022 Mar 15]. Available from: https://www.sign.ac.uk/assets/sign_grading_system_1999_2012.pdf)

264) 한의표준임상진료지침 개발사업단. 한의표준임상진료지침 개발 매뉴얼. 파주: 군자출판사; 2018.

265) 한의표준임상진료지침 개발사업단. 한의표준임상진료지침 개발 매뉴얼. 파주: 군자출판사; 2018. p. 145.

표 6-9. **한의표준임상진료지침 권고등급**[266]

등급	정의	표기법
A	편익이 명백하고 임상현장에서 활용도가 높을 경우 권고한다.	사용할 것을 권고한다. (Is recommended)
B	편익이 신뢰할 만하고 진료현장에서 활용도가 높거나 보통인 경우, 또는 권고의 근거관련 연구의 근거자료가 부족하더라도 임상적 이득이 명백한 경우 부여한다.	사용할 것을 고려해야 한다. (Should be considered)
C	편익을 신뢰할 수 없으나, 진료현장에서 활용도가 높거나 보통인 경우 부여한다.	사용할 것을 고려할 수 있다. (May be considered)
D	편익을 신뢰할 수 없고, 위해한 결과를 초래할 수 있다.	사용을 권고하지 않는다. (Is not recommended)
GPP*	서지학적 근거 또는 임상현장 활용도를 기반으로 전문가 그룹의 합의에 근거하여 권고한다.	전문가 그룹의 합의에 근거하여 권고한다. (Is recommended based on the expert group consensus)

*GPP ; Good Practice Points

266) 한의표준임상진료지침 개발사업단. 한의표준임상진료지침 개발 매뉴얼. 파주: 군자출판사; 2018. p. 147.

한의표준임상진료지침 개발사업단은 2021년까지 운영되었고, 이후의 한의표준임상진료지침개발 사업은 한의약 혁신기술개발사업(2020-2029)을 통해 지속되게 되었다. 2020년에서 2029년까지 10년간 지속되는 이 사업을 통해 퇴행성 관절염, 당뇨병 등 51개 다빈도 질환에 대한 한의표준임상진료지침(CPG)과 한의표준임상경로(Critical Pathway, CP)를 개발할 예정이다.[267]

(4) 국내 한의임상진료지침 개발 현황

한의표준임상진료지침 개발사업단은 한의임상진료지침 개발을 지원하고, 실제 진료지침이 임상에서 활용될 수 있도록 보급·확산하기 위해 2018년에 통합정보센터인 국가한의임상정보포털(National Clearinghouse for Korean Medicine, NCKM)을 구축하였다. 이 포털에 올라온 자료를 살펴보면 2022년 4월 기준 개발 완료된 국내 한의임상진료지침의 수는 모두 54개이며 출판된 한의임상진료지침은 척추 및 근골격계 질환, 내과 및 신경계 질환, 정신과 질환의 비중이 높았다(표 6-10).[268]

267) 보건복지부. 보도자료 "2029년까지 '한의약 혁신기술개발사업' 추진한다"[인터넷]. 2019년 8월 29일. URL: http://www.mohw.go.kr/react/al/sal0301vw.jsp?PAR_MENU_ID=04&MENU_ID=0403&page=1&CONT_SEQ=350642
박민정. 한의표준임상진료지침 개발로 국민 건강 이바지. 한의신문[인터넷]. 2022년 4월 21일[2022년 5월 10일 인용]. URL:https://www.akomnews.com/bbs/board.php?bo_table=news&wr_id=48870
268) 국가한의임상정보포털(National Clearinghouse for Korean Medicine, NCKM)[인터넷]. 진료지침 DB [2022년 5월 9일 인용]. URL: https://nikom.or.kr/nckm/index.do

표 6-10. **개발 완료된 한의임상진료지침(2022년 4월 기준)**[269]

질환 분류(수)	질환명(KCD 코드)
내과 질환(12)	고혈압(I10), 감기(J00), 기능성 소화불량(K30), 만성 피로(R53, R54), 수족 냉증(I73.0, I73.8), 비만(E66), 과민대장증후군(K58.0, K58.9) 암 관련 증상 완화(R23, R53), 유방암의 보완치료(R53, R52) 코로나 바이러스 감염증-19 한의진료 권고안(U07.1)(한의사협회)/코로나 바이러스 감염증-19(U07.1)(전국폐계내과협의회), 한의사를 위한 신증인플루엔자 A(H1N1) 예방 및 환자 관리 지침(J09, J18)
신경계 질환(6)	현훈(어지러움)(R42), 편두통(G43), 파킨슨병(G20), 중풍(I60), 특발성 안면신경마비(G510)(2015)/안면신경마비(G510)(2019)
척추 질환(10)	요통 침구(M54.5)(2013), 요추부 질환(M48.06, M51)(2007), 퇴행성 요추척추관협착증(M48.00)(2021), 요추 추간판 탈출증(M51)(2015)/요추 추간판 탈출증(M51)(2020), 만성요통증후군(M545, M5456)(2020), 요추 수술후 한의치료(Z54.0, Z98.8) 경항통 침구(M47)(2013)/경추부 질환(M51,S13.4)(2007)/경항통(M542,M501)(2021)
관절 및 근골격계 질환(11)	견비통(M75)(2015)/견비통(M750,M751)(2020) 슬통 침구(M13)(2013). 퇴행성 슬관절염(M17,M23)(2020) 족관절 염좌(S9340, S9341)(2015)/족관절 염좌(S9340, S9341)(2020) 슬관절전치환술 후 한의치료(Z96.64), 회전근개 수술 후 한의치료(Z54.0, Z98.8), 턱관절 장애(S03.0, S03.4), 교통사고 상해 증후군(S0000, T009) 골다공증(M81)
부인과 질환(3)	월경통(N94.4), 갱년기 장애 및 폐경기후 증후군(N95.1), 난임(N46,N47)
정신과 질환(7)	자폐 스펙트럼 장애(F84.0, F84.1), 치매(F00, F06.7), 불안장애(F14.1), 불면장애(F510, G470), 우울증(F32), 화병(U22.2)(2013)/화병(U22.2)(2021), 재난트라우마의 한의사 진료 매뉴얼(F43.1)
이비인후과 질환(1)	알레르기 비염(J303)
소아과 질환(1)	소아·청소년 성장장애(M892, R628)
피부과 질환(1)	아토피 피부염(L20)
기타(1)	금연침 시술 및 환자 상담 가이드라인

*중복되는 질환은 출판 주체나 출판년도를 표기함

---

269) 국가한의임상정보포털(National Clearinghouse for Korean Medicine, NCKM)[인터넷]. 진료지침 DB [2022년 5월 9일 인용]. URL: https://nikom.or.kr/nckm/index.do

📑 표준진료지침(표준임상경로)

표준진료지침(clinical pathway or critical pathway, CP)은 critical pathway, clinical pathway, care pathway, integrated care pathway, care map, care track 등의 다양한 용어로도 사용되며, 한글로 표준임상경로로 번역되기도 한다.

표준진료지침(CP)은 질환별 '표준임상진료지침(CPG)'을 기초로 개별 병원에서 적정 진료를 행할 수 있도록 질환·수술별 진료의 순서와 치료의 시점, 진료행위 등을 미리 정해 둔 표준화된 진료과정이다.[270] 즉, 의사나 간호사 혹은 기타 의료진들이 어떤 진료행위를 제공할 것이며, 그 진료행위별로 어떤 시기에 제공할 것인지를 도식화한 것이다. 표준진료지침(CP)은 최상의 진료 결과를 얻는데 목표를 두고 의료진이 이 목표를 성취할 수 있도록 병원 전 직원의 행위를 대상으로 작성되는 다원적 지침이라는 점에서 의료진의 행위만을 고려의 대상으로 삼는 임상진료지침(CPG)과 차이가 있다.[271]

---

270) 서울대학교 병원. 지역거점공공병원 표준진료지침 및 모니터링 지표 개발 연구. 2016. 11.
271) 한국보건산업진흥원. Clinical Pathway의 이해와 실무적용. 2001.

📖 더 읽을거리

1. Hugh MacPherson, Richard Hammerschlag, George Thomas Lewith, Rosa N. Schnyer. Acupuncture Research: Strategies for Establishing an Evidence Base. 1st ed. Lonodn: Churchill Livingstone; 2007.

   국내 번역서- 한국한의학연구원 침구경락연구센터 역. 침 연구: 근거 기반 구축을 위한 전략. 서울: 엘스비어코리아(유); 2009.

2. Claudia M. Witt, Klaus Linde. Clinical Research in Complementary and Integrative Medicine: A Practical Training Book. 1st ed. Munich: Urban & Fischer; 2011.

   국내 번역서 - 한국한의학연구원 역. 보완·통합의학의 임상연구. 서울: 엘스비어코리아(유); 2013.

3. 김태훈. 알기 쉬운 임상연구 입문 가이드. 파주: 군자출판사; 2021.

4. Jeremy Howick. The Philosophy of Evidence-Based Medicine, Chichester: Wiley-Blackwell; 2011.

   국내 번역서 - 전현우, 천현득, 황승식 역. 증거기반의학의 철학. 서울: 생각의 힘; 2018.

5. 한의표준임상진료지침 개발사업단. 한의표준임상진료지침 개발 매뉴얼. 파주: 군자출판사; 2018.

6. 김수영, 박동아. 서현주, 신승수, 이수정, 이민, 장보형, 차영주, 최인순, 박균익. 의료기술평가방법론: 체계적 문헌고찰. 한국보건의료연구원. 2020.

제3절   한의학의 표준화 연구

표준(Standard)이란 "합의에 의해 작성되고 공인된 기관에 의해 승인된 것으로서, 주어진 범위 내에서 최적 수준의 성취를 목적으로 공통적이고 반복적인 사용을 위한 규칙, 지침 또는 특성을 제공하는 문서"라고 정의된다. 그리고 "과학, 기술 및 경험에 대한 총괄적인 발견사항들에 근거하여야 하며, 공동체 이익의 최적화 촉진을 목표로 제정되어야 한다"고 규정하고 있다(KS A[272] ISO/IEC[273] Guide 2). 또 표준화(Standardization)에 대해서는 "실제적이거나 잠재적인 문제들에 대하여 주어진 범위 내에서 최적 수준을 성취할 목적으로 공통적이고 반복적인 사용을 위한 규정을 만드는 활동"으로 정의된다(KS A ISO/IEC Guide 2).[274] 이러한 표준화 정의에 기초하여 한의약의 표준화는 "한의약과 관련한 지식, 기술 및 한방의료 행위의 최적 수준을 성취하기 위하여 공통적인 규칙이나 지침을 개발하기 위하여 합의하는 활동"으로 정의된다.[275] 본 장에서는 국내와 국외의 한의학 관련 표준화 연구 현황 및 대표적인 연구에 대해 간략하게 살펴본다.

---

272) KS A ; KS (Korean Industrial Standards)-한국산업표준, A-기본부문

273) ISO/IEC ; ISO (International Organization for Standardization)-국제표준화기구, IEC (International ElectrotechnicalCommission)-국제전기기술위원회

274) e나라표준인증[인터넷]. 국가표준-표준, 표준화란?[2021년 1월 15일 인용]. URL: https://standard.go.kr/ KSCI/standardIntro/standardView.do?menuId=505&topMenuId=502

275) 이주연, 이민호, 최선미 외. 한의약 표준화 발전방안 연구:한-중 전통의학 표준화 정책비교를 바탕으로. 대한한의학회지 2016;37(3):97-111.

1. 국내 한의학 표준화 연구

1) 국내 한의학 표준화 관련 동향

국내 한의학 표준화 연구는 1951년 한의사제도가 제정되어 한의사가 국가보건의료체계 내에서 활동하게 되면서 본격적으로 시작되었다. 1973년 한국표준질병사인분류(Korean Classification of Diseases, KCD, 1952년 처음 제정) 1차 개정때 한의표준질병사인분류가 처음 제정되었으며, 1984년 청주, 청원 지역에서의 한방의료보험 시범 실시, 1987년 2월 1일 전국적인 한방의료보험의 실시에 앞서 1978년부터 한방약재 규격통일 연구 등 한약에 대한 표준화 연구가 진행되었다.

하지만 전문가 합의 기반의 한의학 표준화는 2000년 대한한의학회의 한의학 용어 표준화 사업에서 시작되었다고 할 수 있다. 그리고 한의학의 표준화와 관련하여 의미 있는 사건으로는 한국한의학연구원에 한의기술표준센터가 설립된 것을 들 수 있을 것이다. 2000년대 초부터 WHO, ISO 등 국제기구에서 전통의약 국제 표준화 사업이 진행되면서 한의약 표준화를 담당할 전문기구의 필요성이 제기되었다. 이에 따라 2012년 5월 한의학 표준화 연구의 컨트롤 타워로서 한국한의학연구원 한의기술표준센터[276]가 출범하였다. 한의기술표준센터는 지금 국제표준화기구 전통의학기술위원회(ISO/TC 249) 국내 간사기관으로 지정되어 있으며, 식품의약품안전처 산업표준개발협력기관(Co-operating Organization for Standards Development, COSD)이기도 하다. 또 한의기술표준센터는 보건복지부의 지원을 받아 표준화 기획을 담당하고 있고, 국제표준화 문서의 조사·검토, 국가표준 제·개정안 개발 등의 업무를 담당하고 있다.[277]

특히 보건복지부는 한국한의학연구원 그리고 관련 부처와 함께 2014년 한의약의 국내 및 국제표준화를 위한 '한의약 표준화 전략 로드맵(2015-2024) 수립' 연구를 진행하였다. 이 보고서에서는 한의약 표준 연구개발의 범위를 용어 및 의료정보, 한약, 의료기기, 한의약 서비스 4분야로 정하고, 분야별 표준화 전략을 제시하고 있다(표 6-11).[278] 그리고 변화

---

276) 한의학 표준화 현황 및 관련 정보들을 공유하기 위하여 한의학표준정보서비스(https://standard.kiom.re.kr)를 제공하고 있음.

277) 이주연 외, 앞의 글.

278) 보건복지부, 한국한의학연구원. 한의약 표준화 전략 로드맵(2015-2024). 2015.

된 환경과 이슈를 반영하여 수정된 '한의약 표준화 전략 로드맵(2018-2024)'이 추가로 발표되었다.[279]

표 6-11. **한의약 표준화 대상 중분류 체계[한의약 표준화 전략로드맵(2015-2024)]**[280]

대분류	중분류	설명
용어 및 의료정보	기초·이론	한의학 교육용어, 기초용어 등
	진단·치료(행위)	증상 및 징후, 진단명, 처방명, 행위(침술, 부항, 추나) 등
	한약·의료기기	약재, 용구 및 기기(침, 진단기기, 치료기기), 서비스 등
한약	한약재	한약재에 대한 품종, 생산(GAP), 한약규격품 제조 공정, 보관·유통, 감별, 포제법 등
	한약제제	개별 한약조제의 산업 공정과정에서의 순도시험, 효능, 품질, 순도 등 적합성 보증을 위한 제조·관리(GMP) 등
	한약용품 및 기기	한약재 및 한약 보관용기, 포장재, 파우치, 한약건조기, 제환기 등
의료기기	의료기구 및 용품	침, 뜸, 부항 등 용구
	의료기기	전침기, 맥진기 등 의료 장비
한의약 서비스	서비스 운영·관리	침, 뜸 사용 안전관리 지침, EMR (Electronic Medical Record), EHR (Electronic Health Record), 진료차트서식·시스템 등 한방 의료기관 운영 및 관리를 위한 소프트웨어(S/W)
	의료기관 시설·환경	의료기구 소독기, 환자용 베드, 침구실 용품 등 병원의 시설과 의료환경을 위한 하드웨어(H/W)

정부도 국내 한의학 표준화 정책의 수립과 추진을 위해 적극적으로 지원하고 있다. 보건복지부, 산업통상자원부, 과학기술정보통신부, 식품의약품안전처 등 여러 정부부처에서 다양한 연구사업을 지원한다.

---

279) 보건복지부, 한약진흥재단, 한국한의학연구원. 한의약 표준화 전략 로드맵(2018-2024). 2017.12.20
280) 보건복지부. 한국한의학연구원. 한의약 표준화 전략 로드맵(2015-2024). 2015. p.26.

보건복지부가 2016년 발표한 제3차 한의약육성발전종합계획(2016-2020)에는 한의학 표준화와 관련된 내용들이 포함되어 있다. 한의약의 국제경쟁력 강화를 위한 한의약 표준화 전략 기획·실행 항목에는 그 세부 내용으로 한의약 표준화 전략로드맵(2015-2024) 실행 모니터링, 전통의학 국제표준(ISO 및 WHO) 제정 참여 및 표준안 제안, 한의약 국제표준 선도를 위한 국제공조 강화 등이 들어 있다. 또 한약 품질 관리 및 유통체계 강화를 위한 계획에는 한약자원의 품질규격 표준화 사업 및 약침 규격 표준화 사업, 한약재별 포제법 표준화·과학화 사업 등이 포함되어 있다. 그리고 근거창출을 위한 임상연구 지원 계획에는 근거에 기반한 표준화된 한의 임상 진료가 이루어지도록 지원하기 위해 한의표준임상진료 지침개발사업단을 설립하여 한의표준임상진료치침(Clinical Practice Guideline, CPG)을 개발하고, 임상진료지침 정보센터를 설치하여 이를 활용 및 확산하도록 지원하는 사업 내용이 담겨 있다.[281]

한의학 표준화와 관련된 내용은 제4차 한의약육성발전종합계획(2021-2025)에도 포함되어 있다. 먼저 양질의 한의서비스가 지역 사회에 제공되게 하기 위해 한의약 건강돌봄 표준매뉴얼 개발·보급 사업이 추진된다. 한약과 관련해서는 한약재 유통 모니터링 강화 및 이력추적 시스템 구축, 한약 안전사용서비스(DUR) 근거 구축, 한약 사용현황 및 효과 등의 모니터링 시스템 구축 및 운영, 한약 부작용 모니터링센터 지정 및 정보 수집을 위한 인프라 구축 및 운영 등의 사업이 포함되어 있다. 한의표준임상진료지침 개발 사업은 지속되어 신규 한의표준임상진료지침 및 표준임상경로(Clinical Pathway, CP) 개발 사업이 추진되고, 한의표준임상진료지침 기반의 표준화된 임상 데이터 수집체계 구축 및 이를 통한 한의약 빅데이터 허브 구축 사업도 추진된다. 그리고 각국이 전통의학 표준을 선점하려는 상황 속에서 전통의약 관련 국제기구(ISO 및 WHO)의 국제표준제정에 참여를 확대하고 협력 강화를 추진하는 내용이 포함되어 있다.[282]

산업통상자원부가 공고한 제4차 국가표준기본계획(2016-2020)에서는 '한의학의 전략적 표준화 추진으로 근거 강화 및 안전 확보'를 목표로 한의표준임상진료지침과 한약(재) 제조유통체계, 한의 의료서비스 및 한방 의료기기에 대한 국제표준화를 부처별로 실행하

281)   보건복지부. 제3차 한의약육성발전 종합계획 2016-2020. 2016.

282)   보건복지부 관계부처 합동. 제4차 한의약육성발전 종합계획 2021-2025. 2021.1

는 세부실행과제를 제시하고 있다. 또 과학기술정보통신부는 국가과학기술연구회 소속 한국한의학연구원의 주요 사업으로 한의기술 표준화 사업을 지원하여, 국가/국제표준화 활동, 한의약 표준화 분과위원회 운영과 표준 확산 활동을 위한 인프라 확보에 도움을 주고 있다.[283]

> **📱 국가과학기술표준분류체계 중 한의학(한의과학)**
>
> 국가과학기술 분류에서 한의학은 어떻게 분류가 될까?
>
> 2011년 7월 한의약육성법 개정[284]을 통해 '한의약韓醫藥'에 대한 정의는 "'한의약'이란 우리의 선조들로부터 전통적으로 내려오는 한의학을 기초로 한 한방의료행위와 이를 기초로 하여 과학적으로 응용·개발한 한방의료행위(이하 "한방의료"라 한다) 및 한약사韓藥事를 말한다"로 바뀌게 되었다. 이전에는 '우리의 선조들로부터 전통적으로 내려오는 한의학을 기초로 한 의료행위'로만 정의되었지만 개정을 통해 한의약의 정의에 '과학적으로 응용·개발한 한방의료행위'라는 문구가 추가되었다. 이를 통해 '전통'에만 국한된 것이 아닌 한의학의 현대 과학적 연구와 그 성과물, 현대적인 치료·진단 기기 등을 현대한의학에서 사용할 수 있는 근거가 마련되었다. 이러한 한의학에 대한 정의 변화는 국가과학기술표준분류에도 반영되었다. 과학기술기본법 제27조[285]에 의거하여 만들어진 국가과학기술표준분류체계에서 한의학 분야는 '한의과학'이라는 명칭으로 국가과학기술의 한 분야로 포함되어 있다. 2018년 개정된 국가과학기술표준분류체계[286]에 따르면, 한의학 관련 분야는 '보건의료(대분류)' 하위 분류인 '한의과학(중분류)'으로 분류된다. 한의과학(중분류)의 소분류에는 한의기초과학, 한의임상과학, 한약/한약제제개발, 한방용 치료기기, 한방용 진단기기, 한의정보표준화시스템, 달리 분류되지 않은 한의과학 등이 포함되어 있다.

283) 문진석. 한의약 표준화 국내동향 및 발전 방향. 한의정책. 2018;6(1):19-24.

284) 한의약육성법[시행 2011. 7. 14.] [법률 제10852호, 2011. 7. 14., 일부개정], 제2조 정의

285) 과학기술기본법[시행 2021. 10. 21.] [법률 제18069호, 2021. 4. 20., 일부개정], 제27조(국가과학기술표준분류체계의 확립)

286) 과학기술정보통신부고시 제2018-10호, 국가과학기술표준분류체계. 2018.

2) 한의학 국가 표준[한국산업표준(Korean Industrial Standards, KS)]

한의약 관련 국가표준으로는 2009년 일회용 멸균호침에 대한 KS 제정 이후 2022년 5월까지 총 16건의 한의학 관련 한국산업표준(KS)[KS 의료부문(P)]이 제정되었다(표 6-12).[287]

표 6-12. 국내 한의약 국가표준 발간 현황(한국한의학연구원 한의학표준정보서비스 인용)

KS번호	표준명	내용	제정일
KS P ISO 3104	일반식 온구기	의료에 사용하는 일반식 온구기에 대하여 규정	1979.05.02(제정) 2018.08.22(개정)
KS P ISO 17218	일회용멸균 호침	한의학 의료용으로 사용하는 스테인리스 강선으로 제작된 일회용 멸균호침의 치수, 재료, 품질, 시험, 포장 및 표기 방법에 대하여 규정	2009.08.20(제정) 2016.12.20(개정)
KS P 3008	이침	한의학 의료용으로 사용하는 스테인리스 강재로 제작된 이침의 치수, 재료, 품질, 시험, 포장 및 표기 방법에 대하여 규정	2010.12.30(제정) 2015.07.31(확인)
KS P 3009	피내침	한의학 의료용으로 사용하는 스테인리스 강재로 제작된 피내침의 치수, 재료, 품질, 시험, 포장 및 표기 방법에 대하여 규정	2010.12.30(제정) 2015.07.31(확인)
KS P 2000	한의약 - 침시술안전관리	침시술 시 발생할 수 있는 감염 및 이상반응 등의 위험으로부터 환자, 의료인 및 보조 인력의 건강을 보호하기 위한 침시술 안전관리에 대하여 규정	2012.01.02(제정) 2017.12.29(확인) 2019.11.25.(폐지); KS P 2012로 대체
KS P 2012	한의약 - 침시술감염관리	임상행위를 제외한 침 시술 시 고려해야 할 사항을 규정	2020.12.30(제정)
KS P 3010	한의약 - 인체 경혈 칭 및 위치- 14경맥	14경맥의 명칭과 361개 경혈의 명칭, 위치 및 체표 표면의 경혈을 찾는 방법에 적용	2012.01.02(제정) 2017.12.29(확인)
KS P 1927	한의약 - 한약 추출기	설계압력이 0.1 MPa 미만인 압력식 및 무압력식 한약 추출기의 일반 요건에 대하여 규정	2017.09.29(제정)
KS P 3000	한의약 - 뜸 - 일반요구사항	의료용으로 사용하는 뜸의 종류, 뜸을 뜨는 데 사용되는 재료 및 재료의 시험방법과 포장 및 표기 방법에 대하여 규정	2012.01.02(제정) 2017.09.29(폐지) ; KS P 1928로 대체

287) 한국한의학연구원 한의학표준정보서비스[인터넷]. 표준화활동현황[2022년 6월 19일 인용]. URL: https:// standard. kiom.re.kr/sub0201

표 6-12(이어서).

KS번호	표준명	내용	제정일
KS P 1928	한의약 - 뜸기구의 일반 요구사항	뜸기구의 구성, 재질, 성능 및 안전성에 대한 일반 요구사항을 규정	2017.09.29(제정)
KS P ISO 19610	한의약 - 홍삼 제조 공정 일반 요구사항	Panax ginseng C.A. Meyer로만 제조할 수 있는 홍삼의 산업적 제조 공정에 대한 일반적 요구사항을 규정	2018.08.22(제정)
KS P ISO 19611	한의약 - 공기 배출형 부항기	음압을 사용하여 작동하는 공기 배출형 부항기에 대한 요건을 규정	2018.08.22(제정)
KS P ISO 2048	한의약 - 혀 영상 획득 시스템 - 일반 요구사항	혀 영상 획득 시스템의 성능 및 안전성에 대한 일반 요구사항 규정. 차폐형과 비차폐형 타입의 모든 혀 영상 획득 시스템에 적용	2019.11.25(제정)
KS P ISO 18615	한의약 - 전자식 요골동맥 맥파분석기 일반 요구사항	전자식 요골동맥 맥파분석기의 기본 안전성과 성능에 대한 일반 요구사항 규정. 압력 기반의 전자식 요골동맥 맥파분석기에 적용	2019.11.25(제정)
KS P ISO 20487	전침용 일회용 침의 시험방법	전침 시술용 일회용 침의 내식성을 비교하기 위한 공통 시험방법 규정	2019.11.25(제정)
KS P ISO 21366	한의약 - 무연뜸기구 일반 요구사항	무연뜸기구의 성능 및 안전성에 대한 일반 요구사항 규정. 연기 밀도, 뜸 시술 온도, 유해가스 농도 및 그에 대한 시험법 규정	2019.11.25(제정)
KS P ISO 2080	한의약 - 탕약 식별을 위한 표기 가이드라인	한약규격품을 사용하여 탕전실에서 조제된 탕약의 최소 포장단위에 대한 고유한 식별 라벨 및 최소한의 표기에 관한 사항 규정	2020.12.30(제정)
KS P ISO 2081	한의약 - 뜸 시술공간 일반 요구사항	뜸 시술공간의 실내 공기 질, 화재 안전 요소를 규정하고 이를 시험하기 위한 시험법과 시설기준 규정	2020.12.30(제정)

3) 한의학 분야 단체표준 개발 현황

대한한의사협회는 한의학 분야의 단체표준등록기관으로 지정되어 단체표준심사위원회를 운영하고 있다. 현재 한의약 관련 단체표준으로는 2016년 6월 16일에 제정된 '전침용 일회용 멸균 호침의 일반 요구사항(SPS-AKOM0001-6632)' 1건이 있다.[288] 이 표준은 전침 시술에 사용하는 일회용 멸균침(스테인리스 강선으로 제작)의 치수, 재료, 품질, 시험, 포장 및 표기 방법을 규정한 것이다. 전기 자극 전후의 침의 생물학적 안전성 및 기계적 안전성을 확보하고 그 시험방법을 제시함으로써 환자의 안전을 증진하고자 하였다.[289]

4) 한약 및 한약제제의 품질 기준 표준화

한약 및 한약제제의 표준화 연구는 식품의약품안전처, 농촌진흥청 등이 관련되어 있다. 식품의약품안전처에서는 한약 및 관련 제제의 규격과 품질, 효능 평가 및 안전성에 대한 연구(독성 및 유해물질에 대한 연구)를 주로 진행하고 있으며, 농촌진흥청에서는 한약재로 사용되는 약용작물의 재배(Good Agricultural Practice, GAP)와 관련된 약용작물의 품종 개발, 재배법 개발 등에 관한 연구를 진행하고 있다.[290]

이들 정부기관과 함께 한국한의학연구원, 한국한의약진흥원이 한약 및 한약제제 표준화 관련 주요 연구들을 수행하고 있다. 한약재의 표준화에는 품종(개별 약재의 종자 및 종묘), 생산(GAP), 한약규격품 제조공정, 보관·유통, 관리, 감별, 포제법, 안전성 등이 포함된다. 한약제제의 표준화와 관련해서는 한약제제의 용어정의, 분류체계 연구, 제제화 우선처방선정, 제약회사의 표준탕제 제조법, 단미엑스산 수율조사, 단미혼합제제와 복합제제 성분비교, 품질 일관성 유지를 위한 제조공정(필수 휘발성 성분 보존 방안) 등 관리 방안, 지표성분 확보 및 분석, 한약제제의 표준성분 프로파일 조건 확립 및 제제 품질 모니터링 연구, 유통, 관리, 안전성 등 매우 다양한 연구가 이루어지고 있다.[291] 여기서는 몇 가지 내용만 간략하게 살펴보고자 한다.

---

288) 단체표준종합정보센터[인터넷]. 단체표준 등록현황[2022년 3월 15일 인용]. URL: https://www.standard. go.kr/KSCI/ct/ptl/std/curstat/detail.do

289) 대한한의사협회. 전침용 일회용 멸균 호침의 일반 요구사항(SPS AKOM 0001 6632). 2016년 6월 16일[2022년 3월 15일 인용](PDF; URL: https://www.standard.go.kr/KSCI/ct/ptl/std/curstat/search.do)

290) 식품의약품안전평가원. 한약(생약) 국제표준화 기반 연구(한국한의학연구원/최고야) 최종보고서. 2017.11.30.

291) 식품의약품안전평가원. 한의약제제 표준화 연구(원광대학교/김윤경) 최종보고서. 2012.1.31.

국내에서 사용되는 한약재의 품질 신뢰성을 높이고 안전성을 강화하기 위해 2015년 1월부터 '한약재 제조 및 품질관리기준(herbal Good Manufacturing Practice, hGMP)'이 전면 도입되었다. 그리고 한의원, 한방병원 등 한의 의료기관에서는 한약재 GMP 인증을 받은 제조업소에서 생산한, 중금속, 잔류 농약 검사 등 안전성 검사를 마친 규격품 한약재만 사용하도록 의무화되었다. 이로써 한의 의료기관을 찾는 환자들이 안심하고 한약을 복용할 수 있는 환경이 갖추어졌다.

이와 함께 보건복지부는 제3차 한의약육성발전종합계획(2016-2020)에 따라 한약의 표준화, 안전성 및 유효성 검증을 위해 한약비임상연구시설, 임상시험용 한약제제 생산시설, 탕약표준조제시설의 3대 공공인프라 구축을 추진하였다. 그 결과 2019년 11월 한국한의약진흥원 산하 '한약비임상시험센터'가 전남 장흥에 세워져 한약 독성평가와 유해성 평가 등의 연구를 수행하고 있으며, 2020년 9월 식품의약품안전처로부터 비임상시험실시기관 GLP (Good Laboratory Practice, 우수실험실운영기준·비임상시험관리기준) 인증을 받았다. 임상시험 한약제제 생산시설(Good Manufacturing Practice, GMP)은 한국한의약진흥원 산하 '한약제제생산센터'로 2019년 11월 대구경북첨단의료 복합단지 내에 설치되어 주로 한약제제의 표준화, 한의약 제형 개발, 임상시험용 한약제제 및 위약 생산, 한약제제 원료의약품 생산, 한약제제 위탁생산 등의 사업을 진행하고 있다. 2020년 9월 식품의약품안전처로부터 GMP 인증을 받았다. 끝으로 탕약표준조제시설(GMP 시설기준)은 2022년 경남 양산의 부산대학교 한방병원에 부속기관으로서 국가주도용 공용원외탕전원이 설치되었다.[292]

아울러 보건복지부는 원외탕전실[293]에서 조제하는 약침과 한약의 안전성을 높이기 위해 2018년 4월부터 '원외탕전실 인증제'를 도입하였고, 2018년 9월부터 시행하고 있다. 원외탕전실 인증제는 '일반한약조제 원외탕전실'과 '약침조제 원외탕전실'로 구분하여 적용된다. 원외탕전실 인증 평가는 원료 입고부터 보관·조제·포장·배송까지 전 과정을 평가하는데, KGMP (Korea Good Manufacturing Practice, 의약품 제조 및 품질관리기준)와 HACCP (Hazard Analysis and Critical Control Point, 식품 및 축산물 안전관리인증기

---

292) 신병철. 의약품(GMP) 수준의 공용원외탕전 구축 사업소개. 한의정책리포트. 2017;2(1):45-54.

293) '원외탕전실'이란 「의료법 시행규칙」 별표 3에 의거하여 의료기관 외부에 별도로 설치돼 한의사의 처방에 따라 탕약, 환제, 고제 등의 한약을 전문적으로 조제하는 시설을 말함.

준) 기준을 반영한 기준항목에 의해 평가한다. 원외탕전실 인증제는 안전한 한약의 복용과 안전한 약침 시술을 위해 정부 차원에서 도입한 질 관리 제도라 할 수 있다. 한국한의약진흥원은 원외탕전실 인증평가 수행기관으로 지정받아 2018년 9월부터 원외탕전실 인증평가를 시행하고 있다.[294] 한의원내 탕전의 경우 '원내 탕전실 한약조제 안전 관리 가이드라인'[295]에 따라 안전한 원내 한약 조제가 이루어지도록 하고 있다.

🪧 **한국한의약진흥원**[296]

한국한의약진흥원(National Institute for Korean Medicine Development, NIKOM)은 보건복지부 소속 기관으로서 한약의 표준화, 한약의 안전성과 유효성 연구, 한약 제형 연구, 한약재 재배 및 제조, 관리까지의 유통 체계 연구, 토종 한약 자원 보존 및 보급, 한의 신약 개발, 한약의 산업화 등 한약과 관련된 전반적인 연구를 주도하는 한의약 전담 기관이다. 기존 한약진흥재단이 한의약육성법 개정안에 따라 2019년 새롭게 한국한의약진흥원으로 개편되었으며, 현재 다양한 사업을 진행하고 있다(표 6-13).

표 6-13. 한국한의약진흥원 주요 사업(2022년 4월 기준)

한의약산업육성 기반구축	한약제제 현대화사업(제형 개선), 한약제제 현대화사업(약효 표준화), 한의약 소재은행사업, 한약 토종자원의 한약재 기반구축 사업, 한의약침약제 규격 표준화 사업
한약 공공인프라 구축	한약비임상연구시설(GLP) 구축 사업, 임상시험용 한약제제 생산시설(GMP) 구축 사업, 원외탕전실 평가인증 및 한약의 품질관리 사업
진흥원 고유기능 사업화	한의약 정책지원, 한의학 글로벌 인프라 구축, 한의약 정보화 사업, 한약자원 표준화 및 고도화, 한약재유통지원시설 관리사업, 한약 및 한약제제 품질검사 기관 운영, 약용작물 종자보급센터 운영, 우수 한약제제 발굴 및 산업화 사업
한의표준임상진료지침개발	한의표준임상진료지침 개발지원 및 관리, 한의약 임상연구 지원, 국가한의임상정보센터 구축 및 운영

---

294)   한지은. 원외탕전실 평가인증제의 도입과 향후과제. 한의약정책리포트. 2020;5(2):68-71.

295)   대한한의사협회 약무위원회. 탕전실 한약조제 안전 관리 가이드라인. 2019.

296)   한국한의약진흥원[인터넷][2022년 3월 15일 인용]. URL: http://nikom.or.kr/nikom/index.do

한국한의약진흥원은 2021년 1월 28일 전통의학분야 국내 최초로 세계보건기구(WHO) 본부로부터 전통·보완·통합의학 분야 WHO 협력센터로 지정되었다. 이전까지 한국에서는 한국한의학연구원, 경희의료원 동서의학연구소, 서울대학교 천연물과학연구소가 WHO 서태평양지역사무처(WHO Regional Office for the Western Pacific, WHO WPRO)로부터 전통의학협력센터로 지정받은 바 있지만, WHO 본부로부터 전통의학협력센터로 지정된 것은 한국한의약진흥원이 처음이다.

5) 한국표준질병·사인분류(한의분류)

한국표준질병·사인분류(한의분류)는 1973년 한국표준질병·사인분류(Korean Standard Classification of Diseases, KCD) 1차 개정 때 최초로 제정되었고, 1979년 한의질병분류 제1차 개정(KCD 2차 개정), 1994년 한의질병분류 제2차 개정(KCD 3차 개정)이 있었다. 그러나 2차 개정 때까지 한의질병분류는 한국표준질병·사인분류(KCD)와 무관한 별도의 독립된 체계로 되어 있었다. 이런 이유로 한의질병분류에 대해서는 ① 한의사들이 잘 사용하지 않는 한의학 용어가 포함되어 있다, ② KCD와의 연계성이 부족하다, ③ 동일 질병임에도 한의분류 코드가 KCD와 다른 코드를 가지게 된다, ④ 질병명과 증후명이 중복 혼재되어 있다, ⑤ 국제질병분류(International Classification of Diseases, ICD)에 대응시키기가 어렵다, ⑥ 상병의 명명에 대한 규칙이 부재하며, 국제표준용어나 영어로 정의되어 있지 않다는 등 여러 가지 문제가 지속적으로 제기되고 있었다.[297] 2009년 이런 문제를 해결하고 KCD와의 연계성을 제고하는 것을 목표로 한의질병분류 제3차 개정[298]이

---

297) 한창호. 한국표준질병사인분류의 변천<6>. 한의신문[인터넷]. 2020년 11월 19일[2022년 5월 1일 인용]. URL: https://www.akomnews.com/bbs/board.php?bo_table=news&wr_id=42322

298) 초기부터 제3차 한의분류 개정까지의 과정과 자세한 내용은 한창호 교수의 다음 기고문을 참고할 것(인터넷 주소는 생략함).
한창호. 한국표준질병사인분류의 변천<1>. 한의신문. 2020년 7월 16일
한창호. 한국표준질병사인분류의 변천<2>. 한의신문. 2020년 7월 23일
한창호. 한국표준질병사인분류의 변천<3>. 한의신문. 2020년 7월 30일
한창호. 한국표준질병사인분류의 변천<4>. 한의신문. 2020년 10월 29일
한창호. 한국표준질병사인분류의 변천<5>. 한의신문. 2020년 11월 12일
한창호. 한국표준질병사인분류의 변천<6>. 한의신문. 2020년 11월 19일

이루어졌다. 개정의 주된 방향은 기존 한의분류와 KCD가 연계 가능한 병명은 KCD를 사용하고, 한의병증과 한의병명 가운데 KCD와 연계가 확실하지 않은 상병은 U코드(특수목적 코드)를 이용하여 별도 분류하도록 한 것이었다.[299] 여기서 U코드는 한의병명韓醫病名 코드, 한의병증韓醫病證 코드, 사상체질병증四象體質病證 코드로 구성되었다. 이렇게 만들어진 한의질병분류 제3차 개정은 2009년 7월 20일 고시(통계청 고시 제2009-189호)되었고, 2010년 1월 1일부터 시행되었다. 나아가 한의질병분류 제3차 개정은 2010년 7월 6일 제6차 개정한국표준질병·사인분류(KCD-6)에 통합되었고(통계청 고시 제2010-105호), 2011년 1월 1일부터 통합된 KCD-6이 시행되었다. 이로써 한의질병분류 체계와 한국표준질병·사인분류 체계가 일원화되었다. 외국 학자는 이러한 변화를 매우 획기적인(groundbreaking) 사건으로 받아들였다.[300]

2015년 7월 1일 제7차 KCD 개정안(통계청 고시 제 2015-159호)이 고시되었고, 2016년 1월 1일부터 시행되었다. KCD-7에서는 기존 KCD-6에서 U코드(특수목적 코드) 형태로 있었던 306개의 한의분류(한의병명 코드, 한의병증 코드, 사상체질병증 코드로 구성)를 149개로 통합정비하였다. 국제전통의약질병분류체계(International Classification of Traditional Medicine, ICTM)의 내용 반영, 개념(concept)의 명확성, 사용빈도 등을 개정의 주요 원칙으로 삼았다. 이와 함께 '한의韓醫'의 영문표기를 'Oriental Medicine'에서 'Korean Medicine'으로 개정하였다.

현재는 국제질병분류(ICD-10) 및 종양학국제질병분류(ICD-O-3) 최신 변경 내용, 신규 희귀질환 등이 반영된 제8차 한국표준질병·사인분류(KCD-8) 개정안(통계청 고시 제 2020-175호)이 2021년 1월 1일부터 시행되고 있다. KCD-8에서 한의병증[변증분형] 부분 중 일부를 통합(육경병증을 모두 상위개념으로 통합하였고, 육음병증, 위기영혈병증, 기혈음양진액병증, 장부병증 등은 유사개념끼리 통합)하였다. 아울러 KCD-7에 있는 코드와 ICTM과의 연계성을 고려했으며, 한의 용어의 영문표기는 WHO 표준 용어로 표준화했다. 이번 KCD-8의 한의 관련 특수목적 코드에는 2019년 개정되어 2022년 1월 1일부터 사

299) 통계청 통계분류포털[인터넷]. 한국표준질병·사인분류/KCD[2022년 3월 15일 인용]. URL: https://kssc. kostat. go.kr:8443/ksscNew_web/kssc/ccc/forwardPage.do?gubun=004_1

300) Yakubo S, Ito M, Ueda Y, et al. Pattern classification in kampo medicine. Evid Based Complement Alternat Med 2014;2014:535146.

용되는 제11차 국제질병분류(International Statistical Classification of Diseases and Related Health Problems, ICD-11)의 ICTM 내용이 완전히 반영되지는 않았으며, 다음 개정에서 전통의학분류가 포함된 ICD-11이 전면적으로 반영될 것으로 보인다.[301]

6) 한의표준임상진료지침(Clinical Practice Guideline, CPG) 개발

한의 임상진료 표준화를 위한 사업에는 한의표준임상진료지침(Clinical Practice Guideline, CPG) 개발 사업이 있다. 한의표준임상진료지침 개발 사업은 제3차 한의약육성발전종합계획(2016-2020)에 따라 한약의 과학화·표준화·보장성 강화를 위해 추진된 범한의계 프로젝트다. 이를 위해 2016년 한의표준임상진료지침 개발사업단이 발족하였고 2016년부터 2021년까지 이미 개발된 8개 분야와 22개 신규개발 분야를 합쳐 총 30개 주요 질환에 대한 한의표준임상진료지침을 개발하였다(표 6-14).[302]

표 6-14. **한의표준임상진료지침 개발 30개 질환(2016-2021)**[303]

구분	대상 질환
개발 및 인증(30개)	감기, 중풍, 기능성소화불량, 알레르기성 비염, 피로, 암 관련 증상, 유방암의 보완 치료, 고혈압, 수족냉증, 편두통, 현훈, 파킨슨병, 안면신경마비, 치매, 월경통, 갱년기 장애, 화병, 불면장애, 불안장애, 자폐, 턱관절장애, 족관절염좌, 견비통, 경항통, 만성요통증후군, 요추추간판탈출증, 슬통, 수술 후 증후군, 교통사고 상해 증후군, 퇴행성 요추척추관 협착증

---

301) 지금까지 국내 한의질병분류 개정작업은 특수목적 코드(U코드)를 통합하는 것을 주된 방향으로 삼고 있었다. 하지만 ICD-11의 ICTM에는 지금 U코드에 들어있는 것보다 훨씬 많은 408개의 전통의학 코드가 존재한다. 따라서 국내 한의 부분 U코드에 ICD-11의 ICTM 내용을 어느 수준으로 반영할지가 KCD 9차 개정작업의 중요 이슈가 될 것으로 전망된다. 사전에 한의학계의 충분한 논의가 필요할 것으로 생각된다.

302) 이지현. 한의표준임상진료지침의 개발과 활용. 한의정책리포트. 2020;5(2):46-53.

303) 보건복지부. 제3차 한의약육성발전종합계획 2020년도 시행계획. 2020.4.

또한 개발된 한의표준임상진료지침이 실제 임상에서 활용될 수 있도록 보급·확산을 위해 통합정보센터인 국가한의임상정보포털(National Clearinghouse for Korean Medicine, NCKM)이 구축되었다.[304]

2020년부터 한의표준임상진료지침 개발 사업은 보건복지부 한의약 선도기술개발사업의 후속사업인 한의약 혁신기술개발사업(2020-2029)에서 진행되고 있다. 한의약 혁신기술개발사업에서는 총 10년간 51종의 새로운 질환에 대한 임상진료지침(CPG)과 임상경로(CP)의 개발 사업을 지원하고 기존 개발된 25종 임상진료지침에 대한 임상시험을 추가해 지침을 고도화하는 사업을 함께 지원한다(표 6-15).[305]

표 6-15. **한의약 혁신기술개발사업 한의표준임상진료지침 개발 계획(2020-2029)**[306]

구분	신규 대상 질환(총 51종)
개발 완료(10종)	과민대장증후군*, 골다공증*, 소아·청소년 성장장애*, 긴장성 두통, 통풍, 2형 당뇨병, 손목터널증후군, 척추측만증, 사상체질병증, 팔강변증
개발 진행 중(6종)	위암, 산후풍, 소아 식욕부진, 류마티스관절염, 퇴행성 수지·고관절염, 금연
개발 예정(35종)	천식, 역류성 식도염, 급·만성 위염, 변비, 설사, 궤양성 대장염, 전립선 비대증, 신종인플루엔자A 등 감염병, 자율 신경 기능 이상, 구내염, 구강건조, 대상포진, 말초순환장애, 완화의료, 암(폐·기관지암, 자궁암, 직·결장암, 간암, 방광암, 전립선암, 갑상선암), 이명, 원형탈모증, 건선, 출산 전 관리, 월경 전 증후군, 오십견, 골절 후유증, 경추추간판탈출증, 좌골신경통 등

*2022년 4월 기준 3개 진료지침 공개됨

---

304) 국가한의임상정보포털(National Clearinghouse for Korean Medicine, NCKM)[인터넷] [2022년 3월 15일]. URL: http://nikom.or.kr/nckm/index.do

305) 보건복지부 보도자료. 2029년까지 "한의약 혁신기술개발사업"추진한다. 2019.08.29.

박민정. 한의표준임상진료지침 개발로 국민 건강 이바지. 한의신문[인터넷]. 2022년 4월 21일[2022년 5월 10일 인용]. URL: https://www.akomnews.com/bbs/board.php?bo_table=news&wr_id=48870

306) 박민정. 한의표준임상진료지침 개발로 국민 건강 이바지. 한의신문[인터넷]. 2022년 4월 21일[2022년 5월 10일 인용]. URL: https://www.akomnews.com/bbs/board.php?bo_table=news&wr_id=48870

임상진료지침의 구체적 내용은 이 책의 임상연구 부분에서 자세하게 다루고 있으므로 여기서는 간략하게 언급한다.

7) 한의학 용어표준화

대한한의학회는 2000-2005년까지 6년간 대한한의사협회의의 지원을 받아 '표준한의학 용어제정사업'을 수행하였고, 그 결과 2006년 '표준한의학용어집'을 발간하였다. 이후 대한 한의학회는 인터넷 기반으로 학술용어를 관리하기 위해 한국한의학연구원과 기술협약을 맺고, 2006년 이후 진행된 용어표준화 연구성과를 추가로 반영하여 표준한의학용어집 온 라인 검색 서비스인 '대한한의학회 표준한의학용어집 2.0'을 개발하였으며, 2015년부터 대 한한의학회 홈페이지에서 제공하였다.[307] 2021년 11월 1일에는 이를 보완·수정하여 '대한 한의학회 표준한의학용어집 2.1'[308]을 발간하고, 현재 학회 홈페이지에서 2.1 버전의 온라 인 용어 검색 서비스를 제공하고 있다.

8) 한의학 교육표준화

2005년 한국한의학교육평가원이 설립되면서 한의학 교육의 표준화와 질적 수준 향상 에 대한 기대감도 높아졌다. 2008년에는 부산대학교에 해방 이후 최초의 국립 한의학 교육 기관인 한의학전문대학원이 설립되었고 전문대학원 체제에 맞는 새로운 교육과정을 마련 하는 과정에서 기존의 한의과대학에서 실시하지 못했던 통합강의, 문제바탕학습, 임상술 기실습 등 새로운 교육기법이 도입되었다. 부산대 한의전의 이런 시도들은 다른 한의과대 학에도 영향을 미쳐 한의학 교육의 혁신에 기여하고 있다.

한의학 교육 인증평가기구인 한국한의학교육평가원은 2010년 부산대 한의전을 시작으 로 각 한의과대학의 한의학 교육 평가인증을 수행하고 있다. 2021년 말에는 새로운 평가인 증 기준인 KAS2022 (Korean medicine education Accreditation Standards 2022)를 발

---

307) 김춘호. 한의학회, 표준한의학용어집 온라인 검색 서비스 오픈. 민족의학신문[인터넷]. 2015년 2월 11일 [2022년 3월 15일 인용]. URL: http://www.mjmedi.com/news/articleView.html?idxno=28721

308) 대한한의학회 표준한의학용어집 2.1[인터넷]. 전자도서관[2022년 3월 15일 인용]. URL: https://cis.kiom.re.kr/termi-nology/search.do

표하여 각 대학에서 이전보다 더 향상된 기준으로 한의학 교육을 실시하도록 변화를 추동하고 있다.

한의학 교육과 관련된 자세한 내용은 이 책의 현대한의학의 교육 부분에서 다루고 있으므로 여기서는 이 정도로 간략하게 언급한다.

9) 한의 의료정보 표준화 및 임상정보 빅데이터 구축

전 세계적으로 건강검진과 환자의 진료과정에서 발생하는 의료 정보를 활용하여 질병을 예측하고 개인 맞춤 치료법을 개발하기 위한 보건의료 빅데이터 관련 연구들이 증가하고 있다. 한의약 분야 역시 이러한 흐름에 발맞추어 한의약 빅데이터·인공지능 활용 기반 구축 과제를 제4차 한의약육성발전종합계획(2021-2025년)에 포함시켰다. 관련 세부 과제에는 한의약 빅데이터 허브(Hub) 구축 사업, 한의약 빅데이터 기반 인공지능 활용체계 마련 사업 등이 있다.[309]

이 계획에 따라 보건복지부는 2021년 7월 14일 '한의약 임상정보 빅데이터 지원센터 구축사업' 수행기관으로 한국한의약진흥원을 선정하여 본격적인 사업을 시작하였다. 이 사업은 3단계로 진행될 예정이다. 우선 1단계(2021-2023년)는 한의약 전자의무기록(Electronic Medical Record, EMR) 표준안 개발 사업으로서 개발된 질환별 한의임상표준진료지침(CPG)의 용어를 기준으로 전자의무기록(EMR)으로 구현할 수 있는 표준안을 개발하고, 이를 종합하여 한의약 표준 EMR 인증시스템을 개발, 보급하는 것을 주요 내용으로 한다. 2단계(2023-2024년)는 한의약 빅데이터 센터 구축 사업으로서 한의약 표준인증 EMR을 사용하는 한방의료기관 간 임상정보 교류시스템을 구축하는 등 빅데이터 인프라를 구축하는 사업이다. 마지막으로 3단계(2024년-계속)는 한의약 빅데이터 활용 지원 사업으로서 한의약 시술의 안전성·유효성 비교연구 등을 위해 한의약 임상 정보를 비식별화하여 연구자에게 제공하는 사업이다.[310] 이 사업의 수행을 위해 한국한의약진흥원은 '한의약 임상정보 빅데이터 지원센터 추진단'을 출범시켰다.

아울러 한국한의약진흥원에서 수행하고 있는 한의약혁신기술개발사업(2020-2029년)

---

309)   보건복지부 관계부처 합동. 제4차 한의약육성발전종합계획 2021-2025. 2021.1.

310)   보건복지부 공고 제2021-495호, 한의약 임상정보 빅데이터 지원센터 구축사업 공모. 2021.6.17.

에서도 '한의약 임상연구 데이터의 공익적 2차 활용·확산' 추진 사업을 수행하고 있는데, 이는 세부 과제에서 수행하는 임상연구 데이터의 기관 간 데이터 결합을 통한 2차 연구를 지원하는 사업이다.[311] 이를 위해 임상연구 빅데이터 제공을 위한 플랫폼을 개발하고 있으며, 데이터 결합 및 세부과제에서 수집되는 다양한 임상 연구데이터의 표준화를 위해 '한의약혁신기술개발사업 임상연구 데이터 표준화 가이드라인'[312]을 개발하였다.

10) 국제 한의학(전통의학) 표준화 활동 참여

한국은 세계보건기구(World Health Organization, 이하 WHO)와 국제표준화기구(International Organization for Standardization, 이하 ISO)의 전통의학 국제표준화 활동에 적극적으로 참여하는 중요한 회원국이다. ISO 전통의학기술위원회인 ISO/TC 249 (Technical Committee 249)(Traditional Chinese Medicine)에서는 한의학과 관련하여 중국 다음으로 많은 국제표준을 제안하였고, WHO의 전통의학 표준화 사업에도 참여하여 '2008년 경혈위치표준', '2007년 전통의학 국제용어 표준', '국제질병분류 개정(ICD 11)-전통의학부문' 등의 제정에 주도적인 역할을 했다.

한국은 ISO/TC249 활동을 통해 의료기기 분야의 국제표준화에 특히 많은 역할을 하였는데, 우리나라가 제안한 피내침, 한약추출기, 뜸, 공기배출형 부항컵 등이 표준으로 제정되었다. 한약 및 한약제품 분야에서도 황기, 길경, 오미자 등의 개별 한약재 및 종자, 종묘 관련 국제표준 개발을 주도하였고, 한약재와 한약제품의 품질과 관련해서도 여러 종류의 표준을 제안하였다. 또 전침기, 맥진기, 설진기 등 한방의료기기의 국제표준을 개발 중에 있고 한약재 검경절차, 한약재 라벨링 요구사항 등 한약 분야 국제표준도 제안한 바 있다.[313]

정책적으로는 보건복지부 「한의약의 세계화」 사업의 일환으로 2014년도에 '국제표준 대응체계 강화' 사업이 시작되어, 향후 10년간의 국제표준 및 국가표준 개발을 위한 로드맵인 '한의약표준화 전략로드맵 2015-2024'를 수립하였다. 제3차 한의약육성발전종합계

---

311) 한국한의약진흥원 한의약 임상정보 빅데이터 지원센터 추진단(단장 최선미, 부단장 서병관, 박민정, 신승원, 윤영흠). 한의약 임상정보 빅데이터 허브(Hub) 구축 방안 및 제언. 한의약정책리포트. 2021;6(2):72-82.

312) 한의약혁신기술개발사업단. 「한의약혁신기술개발사업」 임상연구데이터 표준화 가이드라인 Version 2.1. 2022.3.11.

313) 최정희. 한의약 표준화 국제동향 및 발전 방향. 한의정책 2018;6(1):13-8.

획(2016-2020)에 따라 그 실행과정을 모니터링 하였고, 제4차 한의약육성발전종합계획(2021-2025)에서도 이어지고 있다.

앞서 언급한 한국한의학연구원 한의기술표준센터는 2012년 8월 ISO/TC 249 국내간사기관(지식경제부 기술표준원)으로 처음 지정되었다. 그 뒤 의료기기 및 한의약 관련 국가 및 국제표준개발업무가 식품의약품안전처로 이관됨에 따라 2016월 2월 식품의약품안전처는 한국한의학연구원 한의기술표준센터를 ISO/TC 249 국내 간사기관 및 산업표준개발협력기관으로 다시 지정하였고, 'ISO/TC 249분야 적부 확인 및 표준 활성화 지원' 사업을 통해 한의약 분야 산업표준 제·개정, 폐지 등 기술검토 및 국제표준 문서 조사·검토 및 국제표준화 활동 등을 지원하고 있다.

이와 함께 한국한의약진흥원은 2021년 세계보건기구(WHO) 본부로부터 전통·보완·통합의학 분야 WHO 협력센터로 지정되었으며, WHO 본부에서 주도하는 국제한약/생약약전 개발에 적극 참여해 관련 국제표준 제정에 기여하고 있다.[314] 이를 위해 세계보건기구(WHO) 본부와 서태평양지역사무처(WPRO)에 각각 전문가를 파견하여 WHO와 적극 협력하고 있다.[315]

2. 국제 한의학(전통의학) 표준화 연구

한의학(전통의학)과 관련된 국제표준화 작업은 세계보건기구(WHO)와 국제표준화기구(ISO)를 중심으로 진행되고 있다.[316] 전통의학 용어와 의료정보, 한약재와 한약제품, 교육, 의료기기 등 산업에 이르기까지 다양한 국제표준화 작업이 두 국제기구를 통해 이루어지고 있다. 두 국제기구의 한의학(전통의학) 표준화 연구에 대해 간략하게 살펴보고자 한다.

---

314) 한국한의약진흥원 보도자료. 한국한의약진흥원, 국내 최초로 WHO 본부 전통의학협력센터 지정. 2021.1.28.

315) 한국한의약진흥원 보도자료. 한국한의약진흥원, WHO & WPRO에 전문가 파견. 2021.5.3.

316) 한국한의학연구원. WHO ICTM(International Classification of Traditional Medicine) 프로젝트 동향 분석 보고서. 2011.

1) WHO의 한의학(전통의학) 표준화[317]

(1) WHO의 한의학(전통의학) 관리 및 표준화 정책

WHO는 1948년 4월 7일 설립된 국제연합(United Nations, UN) 보건분야 전문기구로 보건 관련 다양한 문제들에 대한 지원 및 보건 분야의 규범과 표준(setting norms and standards)을 마련하는 일을 해왔다. 전통의학 분야와 관련해서는 1978년에 '전통의약의 증진 및 발전: WHO 회의 보고서(The promotion and development of traditional medicine: Report of a WHO meeting)'가 채택되고, 2002년에 WHO 전통의약 발전전략이 발간되면서 WHO의 전통의약 분야 사업이 체계적으로 이루어지게 되었다.[318]

2002년 WHO 서태평양지역기구(Regional Office for the Western Pacific, WPRO) (이하 WHO/WPRO)에서는 '서태평양지역 전통의학 발전전략'[319]을 출간하였는데, 이 보고서에는 전통의료 시술에 대한 근거중심 연구를 독려하고 안전성, 유효성 및 질(safety, efficacy, quality) 향상을 촉진하는 내용이 담겨 있다. 그리고 용어 표준화를 기반으로 하는 임상의료정보표준화, 연구개발, 침구경혈표준화, 한약표준화, 임상진료가이드라인 등 5개 분야의 세부전략을 수립하였다.[320]

2012년 WHO/WPRO에서는 '서태평양지역 전통의학 지역전략(2011-2020년)'[321]을 발표하였다. 이 보고서는 전통의학 관련 제도와 환경이 각기 다른 회원국들을 위해 이 국가들이 직면할 수 있는 문제들을 대비하는 포괄적인 전략계획을 담고 있으며 각국의 보건의료체계 내에서 전통의학의 역할을 강화하기 위한 가이드라인을 제시하고 있다. 그리고 ① 일차보건의료의 가치와 전통의학에 대한 접근성 강화, ② 전통의약의 품질, 안전성과 효능을 지원할 수 있는 정보 공유와 협력, ③ 전통지식과 생물자원을 포함한 전통의약 자원의 보존과 보호에 중점을 둔 5개의 전략적 목표를 제시하였다. 또 이런 전략적 목표를 기초

---

317) 지금까지 WHO의 전통의약 분야 표준화 활동에 대한 자세한 사항은 '남효주, 안상영, 최서란. WHO와 한의약 국제보건 표준. 한의정책리포트. 2020;5(2):72-81.'를 참고할 것.

318) 남효주, 안상영, 최서란. WHO와 한의약 국제보건 표준. 한의정책리포트. 2020;5(2):72-81.

319) WHO Regional Office for the Western Pacific. Regional strategy for traditional medicine in the Western Pacific. 2002.

320) 한국한의학연구원. 한의약 표준 국내외 동향 및 환경분석. 2014. 4. p. 51.

321) WHO Regional Office for the Western Pacific. The Regional Strategy for Traditional Medicine in the Western Pacific Region (2011-2020). 2012.

로 각 회원국에 전통의학의 국가보건의료체계 포함, 전통의학의 안전하고 효과적인 이용 촉진, 안전하고 효과적인 전통의학에 대한 접근 증대, 전통의학 자원의 보호와 지속가능한 이용 촉진, 전통의학 지식과 기술의 생산 및 공유를 위한 협력 강화를 제안하였다.[322]

또 WHO의 전통의학 정책과 관련된 중요한 문서로는 2013년 WHO 본부에서 발표한 'WHO 전통의학 전략 2014-2023 [The WHO traditional medicine strategy (2014-2023)[323]]'이 있다. 이 전략은 회원국들에 대해서 첫째, 건강, 안녕(wellness), 사람 중심 보건의료, 보편적 의료보장(universal health coverage) 부분에서 전통보완의학(Traditional & Complementary medicine, T&CM)[324]의 잠재적 기여를 활용할 수 있도록 하고, 둘째, 전통보완의학(T&CM) 제품, 시술(practices), 그리고 시술자에 대한 규제, 연구, 통합을 통해 적절하게 의료체계 안에서 전통보완의학(T&CM)의 안전하고 효과적인 이용을 촉진하는 데 목적을 두고 있다.[325] 그리고 구체적인 전략으로 첫째, 적절한 정책으로 전통보완의학(T&CM)을 관리하기 위한 지식체계를 구축할 것, 둘째, 시술, 시술자 규제를 통하여 전통보완의학(T&CM)의 질, 안전성, 효과성을 강화할 것, 마지막으로 전통보완의학(T&CM)을 국가 보건의료 체계로 통합시켜 건강의 형평성을 촉진할 것을 제안하였다.[326]

(2) WHO의 한의학(전통의학) 표준화 활동

WHO는 전통의학 활동과 관련된 여러 종류의 가이드라인을 제안하였다. 그 중 한약/생약 평가, 우수재배기준, 부작용모니터링, 우수의약품제조관리기준, 잔류 농약 품질 평가, 품질 평가 연구 방법, 지표 물질 선정, 포제법, 제조 등의 가이드라인 제정은 평가할만하다. 아울러 한약/생약의 안정성, 활용에 대한 가이드라인과 협진, 교육에 대한 가이드라인도 중요한 성과라 할 수 있다.[327] 이와 함께 전통의학 분야의 표준화 연구도 진행하였는데, 대

322) 이종란. WHO 서태평양 전통의학 지역 전략(2011-2020)소개 - The WHO Regional Strategy for Traditional Medicine in the Western Pacific (2011-2020). 한의정책 2016;4(1):118-25.
323) WHO. WHO traditional medicine strategy: 2014-2023. 2013.
324) 이전에 WHO에서는 전통의학(traditional medicine) 용어를 주로 사용하였는데, 보완대체의학(complementary and alternative medicine) 용어가 널리 사용되면서 이러한 흐름을 반영하여 전통보완의학(Traditional & Complementary medicine, T&CM)이라는 용어를 사용하기 시작함.
325) WHO. WHO traditional medicine strategy: 2014-2023. 2013. p.11.
326) 최병희. 세계보건기구(WHO)의 전통보완의학(T&CM) 관리 전략. 한의정책 2013;1(1):17-26.
327) 남효주, 안상영, 최서란. WHO와 한의약 국제보건 표준. 한의정책리포트 2020;5(2):72-81.

표적인 내용은 다음과 같다.

① 용어 및 정보의 표준화 추진

가장 중요한 성과는 침구경혈위치 표준화, 전통의약용어 표준화, 국제 전통의학 질병분류체계 개발이라 할 수 있다.

WHO/WPRO에서는 2007년 WHO/WPRO 전통의약 국제표준용어집[328]과 2008년 WHO/WPRO 표준경혈위치[329]를 발간하였고, 각국은 자국의 언어로 번역하여 활용하고 있다(그림 6-25).

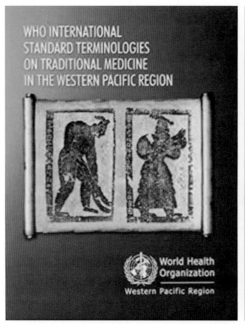 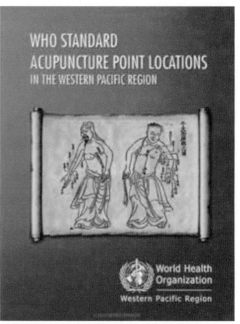

그림 6-25. **WHO/WPRO 전통의약 국제표준용어집, WHO/WPRO 표준경혈위치**

328) WHO Western Pacific Region. WHO International Standard Terminologies on Traditional Medicine in the Western Pacific Region. 2007.

329) WHO Western Pacific Region. WHO standard acupuncture point locations in the Western Pacific Region. 2008.

WHO/WPRO에서는 용어 표준화 작업의 진행과 동시에 2006년 WHO 국제표준분류체계(Family of International Classification, FIC. 이하 WHO-FIC)에 전통의약국제질병분류(International Classification of Traditional Medicine, ICTM) 제안서를 제출하였다.[330] 그리고 곧 바로 한·중·일 3국을 중심으로 동아시아 전통의학 질병분류체계 개발에 착수하여 총 3차의 개발 회의를 거쳐 ICTM/WPRO 초안을 마련했고 2007년 WHO-FIC 연례총회에서 WHO의 국제분류체계의 하나로서 ICTM 프로젝트가 승인되었다.[331]

2009년 홍콩에서 개최된 회의에서 ICTM을 WHO 본부 차원에서 진행하기로 결정하고, 2010년에 제네바에서 첫 비공식 회의(informal consultation)를 개최하여 프로젝트를 본격적으로 진행하였다. ICTM은 전통의학의 국제표준용어를 근간으로 국제적으로 통용되는 분류체계를 만들고, 그 중 진단 분류체계를 WHO ICD (국제질병사인분류)의 11차 개정 때 신생 장(Chapter)으로 포함시키는 것을 목표로 하는 프로젝트이다.

WHO에서는 2018년 6월 18일 제11차 개정판 국제질병분류(International Classification of Diseases 11th Revision, ICD-11)를 발표하였다.[332] 이 분류 안은 2019년 5월 25일 WHA(World Health Assembly)에서 통과됨으로써, 공식적인 분류체계가 되었으며 2022년 1월 1일부터 사용하도록 권고되었다. ICTM 프로젝트의 결과는 ICD-11에 26장, '26 Supplementary Chapter Traditional Medicine Conditions - Module I'에 포함되었다.[333] ICD-11 beta판에서는 독립적인 장(chapter)으로 포함(제28장)되어 있었던 전통의학 부분이 ICD-11 최종판에서는 부록 형태로 포함되었다.

---

330) 남효주, 안상영, 최서란. WHO와 한의약 국제보건 표준. 한의정책리포트 2020;5(2):72-81.

331) 한국한의학연구원. WHO ICTM (International Classification of Traditional Medicine) 프로젝트 동향 분석 보고서. 2011.

332) Christian Lindmeier. WHO releases new International Classification of Diseases (ICD 11). WHO News [Internet]. 2018 Jun 18 [cited 2022 Mar 15]. Available from: https://www.who.int/news/item/18-06-2018-who-releases-new-international-classification-of-diseases-(icd-11)

333) ICD-11 for Mortality and Morbidity Statistics(Version:02/2022) [Internet]. [cited 2022 Mar 15]. Available from: https://icd.who.int/browse11/l-m/en

② 한약 분야의 표준화 추진

WHO/WPRO의 주도로 2002년 서태평양지역의 한약(생약)을 사용하는 국가 간 한약(생약) 규정의 국제조화를 목표로 한약(생약)규격조화포럼(Forum for the Harmonization of Herbal Medicines, FHH)이 구성되었다. 이 포럼은 한약(생약)을 사용하는 국가 사이에 기준규격 등 관련규정의 기술적 조화를 통하여 천연약용 자원의 경제적 이용과 활발한 과학정보교류를 촉진하는 것이 주된 임무다.[334] 정규 회원으로는 호주, 중국, 홍콩, 일본, 대한민국, 싱가포르, 베트남이 참여하고 있으며, 특별 회원으로는 캐나다가 포함되었다.

WHO 본부는 2006년부터 국제 생약 규제 협력네트워크(International Regulatory Cooperation for Herbal Medicines, IRCH)를 운영하기 시작하였는데, 2018년 IRCH는 WHO의 공식 네트워크가 되었으며, 현재 30여 개 회원국이 참여하고 있다.[335]

2) ISO의 한의학(전통의학) 표준화
(1) ISO의 한의학(전통의학) 표준화 위원회

2009년 2월 중국이 ISO에 전통의학(중의약) 분야 표준화를 위해 기술위원회를 신설할 것을 제안하였고, 2009년 9월 ISO는 전통의학 분야 신규 기술위원회인 ISO/TC249 (Technical Committee 249)(Traditional Chinese Medicine)를 개설하였다. 중국이 간사국을 맡고 있으며, 한국, 일본을 비롯하여 호주, 독일, 대만, 미국, 남아프리카 공화국 등 정회원국 21개국과 준회원국 24개국이 가입(2022년 2월 기준)되어 있다. ISO내에서는 ISO/TC249외에 ISO/TC215가 전통의약 분야 표준 제정을 담당한다. ISO/TC215는 보건의료정보(Health Informatics) 위원회로서 전통의약 관련 의료정보 부분을 다루고 있다. 아울러 ISO/TC249의 범주A 연계기구(작업반이나 프로젝트 전문가 추천 가능함)로 세계중의약학회연합회(World Federation of Chinese Medicine Societies, WFCMS), 세계침구학회연합회(World Federation of Acupuncture-Moxibustion Societies, WFAS), WHO가 지정되어 ISO/TC249와 협력하고 있다.[336]

---

334) 한국한의학연구원. 한의약 표준 국내외 동향 및 환경분석. 2014. 4.

335) 남효주, 안상영, 최서란. WHO와 한의약 국제보건 표준. 한의정책리포트 2020;5(2):72-81.

336) ISO(International Organization for Standardization) [Internet]. ISO TECHNICAL COMMITTEES ISO/TC 249 [cited 2022 Feb 20]. Available from: https://www.iso.org/committee/598435.html

(2) ISO의 한의학(전통의학) 표준화 현황

ISO/TC249는 현재 5개의 작업반(Working Group, WG)과 1개의 공동작업반(Joint Working Group, JWG)을 두고 있다. 5개의 작업반(WG)은 한약재(WG1), 한약제품(WG2), 침(WG3), 의료기기(WG4), 용어 및 의료정보(WG5)이며, 공동작업반(JWG)으로는 TC249와 TC215의 협력을 위한 의료정보(JWG1)가 있다(표 6-16). 각각의 작업반(WG)은 각국의 관련 전문가들로 구성되어 있으며, 작업반(WG)마다 의장을 선출하여 의장국이 관련 프로젝트를 주도하고 있다.

2022년 2월 현재 ISO/TC249 국제표준은 2014년 2월 ISO 17218, Sterile acupuncture needles for single use(일회용멸균호침)의 제정을 시작으로 한약재, 한약제제, 의료기기, 용어 등 분야에서 모두 78건이 국제표준(International Standard, IS)으로 제정되었고, 33개의 표준이 개발 중이다.[337]

표 6-16. ISO/TC249 WG 현황 및 프로젝트별 구성현황(2021년 12월 기준)[338]

Working Group (WG)	명칭	프로젝트 구성 현황
TC249/WG 1	한약재 및 전통공정의 품질 및 안정성(Quality and safety of raw materials and traditional processing)	38%
TC249/WG 2	한약제품의 품질 및 안정성(Quality and safety of manufactured TCM products)	22%
TC249/WG 3	침과 침의 안전한 사용에 대한 품질 및 안전성(Quality of acupuncture needles and safe use of acupuncture)	8%
TC249/WG 4	의료기기의 품질 및 안정성(Quality and safety of medical devices other than acupuncture needles)	23%
TC249/WG 5	용어 및 의료정보(Terminology and Informatics)	11%
TC249/JWG 1	의료정보(Informatics)- ISO/TC 249 - ISO/TC 215 WG 공동 작업반	12%

---

337) ISO (International Organization for Standardization) [Internet]. ISO TECHNICAL COMMITTEES ISO/TC 249 [cited 2022 Feb 20]. Available from: https://www.iso.org/committee/598435.html

338) 한국한의학연구원 한의학표준정보서비스[인터넷]. 표준화활동현황[2022년 6월 19일 인용]. URL: https:// standard.kiom.re.kr/sub0201

🔖 전통의학 표준화 전쟁

2009년 중국 주도로 ISO/TC249가 신설되었을 때 이 기술위원회의 명칭은 잠정적이라는 조건이 붙기는 했지만 TCM (Traditional Chinese Medicine)으로 정해져 있었다. 기술위원회 참여를 거부하기 어려운 상황에서 한국과 일본은 위원회 명칭에 특정 국가명이 들어있어 많은 회원국이 참여하는 기술위원회 명칭으로 적합하지 않다는 의견을 제시하며 명칭 변경을 지속적으로 요구했다. 한국과 일본은 TC249 명칭을 TEAM (Traditional East Asian Medicine)이나 TM (Traditional Medicine) 등으로 해야 한다는 입장이었다. 하지만 중국의 압도적인 공세에 결국 2015년 6월 제6차 북경 총회에서 TC 249의 명칭이 중의학(Traditional Chinese Medicine)으로 최종 결정되었다. 우리나라는 이에 ISO에 명칭을 결정하는 의사결정과정에 대하여 이의를 제기하고 명칭에 국가명이 들어간 부분에 대하여 항의했다.

이렇듯 중국은 적극적인 중의약 세계화 및 표준화 전략을 통해 전통의약 분야에서 세계시장을 선점하려는 노력을 지속해서 하고 있다. 중국은 국가적 차원에서 ISO 및 WHO 국제활동에 적극적으로 참여함과 동시에, 세계중의약학회연합회(World Federation of Chinese Medicine Societies, WFCMS), 세계침구학회연합회(World Federation of Acupuncture-Moxibustion Societies, WFAS) 같은 국제적인 조직을 활용하여 중의학을 동아시아 전통의학의 국제적인 표준으로 만들기 위해 힘을 쏟고 있다. 이러한 노력의 배경에는 날로 확대되고 있는 세계 보완대체의학 시장과 관련 산업의 성장이 있다. 중국은 보완대체의학 시장에서 한약, 한약제제(중성약), 의료기기, 교육, 서비스 등 전통의학 관련 산업을 선점하고자 중의학 중심의 전통의학 국제표준화를 추진하고 있는 것이다. 이는 국가 간 무역에서 시장개방 시 개별 국가의 기준보다 국제표준 준용이 우선시됨으로 전통의학 국제표준을 선점하는 국가가 전통의학 시장을 차지하는 데 유리하다는 판단 때문이다. 앞으로 전통의학 국제표준화를 주도하고자 하는 관련 국가 간의 치열한 경쟁은 지속될 것으로 보인다.

📖 더 읽을거리

1. 한국한의학연구원. 한의정책. 제6권(1호). 한의학정책연구센터; 2018.

   과거 내용도 있지만, 전체가 한의약 표준화를 다루고 있음

2. 남효주, 안상영, 최서란. WHO와 한의약 국제보건 표준. 한의정책리포트 2020;5(2):72-81.

한국 의료 속의
한의학

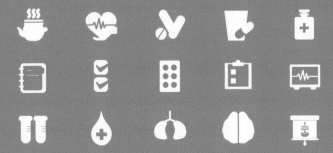

제7장 한국 의료 속의 한의학

제1절 현대한의학의 시작

1. 구한말 및 대한제국 시기 한의학

조선에 서양의학이 본격적으로 들어온 것은 1876년 개항 이후라고 할 수 있다. 이전에 중국을 통해 서양의학이 조선에 소개되기는 했지만 문자 그대로 소개였다. 임상이 빠져 있었고 의학 전체가 아니라 서양의학의 단편적인 지식만 소개되어 서양의 새로운 문물에 대한 지적인 호기심을 자극하는 정도밖에 되지 않았다. 하지만 이것이 이후 서양의학이 조선에 전입되는데 밑거름이 되었다는 것은 부정할 수 없을 것이다. 개항 후 개항장에 일본인들을 위한 서양식 병원이 생겨났고, 서양의 의료선교사들이 조선에 들어오면서 서양의학의 전입도 급물살을 탔다.

1894년 갑오개혁은 그동안 국가 의료체계의 중심 역할을 해왔던 한의학의 지위에 큰 변화를 가져왔다. 1876년 강화도 조약 이후 조선의 대외적 개방이 본격화되었고, 군사력의 열세를 절감한 조선 정부는 서양의 기술을 받아들이고자 했다. 개혁안을 제시하라는 고종의 교서에 부응하여 1882년 음력 7월부터 12월까지 100여 명이 상소를 올렸다. 이 중 17명이 동도서기東道西器론에 입각한 개혁을 제시하였는데 이른바 개화 상소다. 개화 상소에서는 부국강병富國强兵의 한 방편으로 서양의학을 채용할 것이 주장되었다. 부강은 국가를 구성하는 각 개인의 건강을 확보함으로써 달성될 수 있다고 생각한 개화파들은 서양의학의 위생에 주목하기 시작했다. 또한 외과술에 뛰어났던 서양의학은 군진의학으로서도 한의학과 비교해 강점을 가지고 있었다. 이런 이유로 조선 정부 내에서는 서양의학을 도입해

야만 한다는 당위성이 점차 공감대를 넓혀가게 되었다.[1]

그러므로 갑오개혁 시기의 보건 의료분야 개혁은 서양 의료 중심의 개혁이었다. 갑오개혁으로 내무아문內務衙門 내에 위생국이 설치되었고, 서양식 의학교와 병원을 세우려는 계획이 세워졌다. 반면에 국가 최고의 의료기관이었던 내의원內醫院은 전의사典醫司로 이름을 바꾸어 왕실 의료만 담당하게 되었고 조선시대 의료행정과 관직 의원을 양성해 온 기관인 전의감典醫監은 폐지되었다. 과거제도가 폐지되면서 의관을 선발하는 의과취재醫科取才도 함께 폐지되었다.[2][3] 대민 의료기관이었던 혜민서惠民署와 활인서活人署는 이미 1882년에 폐지되었다. 이로써 전통적으로 조선의 의료를 지탱해 오던 내의원, 전의감, 혜민서의 삼의사三醫司 제도가 무너졌다. 이처럼 갑오개혁은 서양의학 중심의 보건의료 체계 수립을 목표로 하고 있었다.

이러한 분위기는 1897년 대한제국이 선포되면서 바뀌게 된다. 대한제국기는 서양의학과 한의학이 공존하는 동서 병존의 시기라 할 수 있다.[4] 대한제국 정부는 전반적인 국가 의료 정책에서 서양의학과 한의학을 함께 활용하려고 노력하였다. 공적 영역에서도 여전히 한의를 중시하였는데 1899년 설립된 국가병원인 내부병원(1900년 광제원으로 개칭)에 한방 진료부를 두어 국가 공식 영역에서 한의학이 존속되게 하였다. 대한제국이 1900년 반포한 「의사규칙醫士規則」은 역사상 최초로 한의의 지위와 행위를 규정한 법안으로 볼 수 있다.[5] 이 의사규칙에서는 "의사는 의학을 관숙慣熟하여 천지운기天地運氣와 맥후진찰脈候診察과 내외경內外景과 대소방大小方과 약품온량藥品溫涼과 침구보사鍼灸補瀉를 통달하여 대증투제對證投劑하는 자"(제1조)[6]로 규정하였다. 즉 한의를 기준으로 '의사'를 규정한 것이다.

1)   박윤재. 한국 근대의학의 기원. 서울: 혜안; 2005. pp. 28-9.

2)   신동원. 1910년대 일제의 보건의료 정책-한의학 정책을 중심으로. 한국문화 2002;30:333-70.

3)   여인석. 조선개항 이후 한의의 동태. 동방학지. 1999;104:291-324.

4)   박윤재. 한국 근대의학의 기원. 서울: 혜안; 2005.

5)   신동원. 1910년대 일제의 보건의료 정책-한의학 정책을 중심으로. 한국문화 2002;30:333-70.

6)   「의사규칙醫士規則」,『관보官報』. 1900.1.17.

1906년에는 최초의 근대 한의학 교육기관인 '동제학교同濟學校'[7]가 설립되었다.[8] 애초 한의학과 서양의학을 모두 배우는 교육기관으로 설계되었던 '의학교'(1899년 3월 <의학교 관제>가 마련)가 학부의 의견이 강하게 작용하여 서양의학 위주의 교육기관으로 바뀌었고 이로 인해 한의계는 1904년 한의학 교육을 위한 별도의 교육기관인 대한의학교大韓醫學校 설립을 학부에 청원했다. 하지만 받아들여지지 않았다. 한의계는 1906년 다시 동제학교 설립을 청원했다. 이에 고종이 교사校舍를 하사하고 경비를 대는 등 적극적으로 후원하여 이 학교가 설립되었다. 이 학교에는 전문과와 중등보통학과 두 과가 있었으며 한의학뿐만 아니라 서양의학, 국한문, 산술, 외국어학(일본어) 등 과목이 개설되어 있었다. 하지만 동제학교는 고종의 퇴위로 동력을 잃고 재정난을 겪게 되어 설립 3년 만에 문을 닫았다.[9][10][11]

또 다른 의미 있는 사건으로는 최초의 전국규모 한의단체인 대한의사총합소大韓醫士總合所가 1898년[12]에 결성된 것이다. 대한한의사협회는 현재 이 단체를 협회의 설립 기원으로 삼고 있다.[13]

그러므로 대한제국 시기는 한의를 기준으로 의사의 지위와 행위가 법률적으로 규정되고, 근대적인 한의학 교육기관으로서 동제학교가 설립되었으며, 전국 규모의 한의단체가 최초로 등장했다는 점 등 여러 가지 면에서 현대한의학의 시작으로 평가될 수 있는 의미 있는 시기라고 할 수 있다.

---

7) 학교 명칭을 '동제의학교同濟醫學校'로 기술한 경우도 있음.
    신동원. 1910년대 일제의 보건의료 정책-한의학 정책을 중심으로. 한국문화 2002;30:333-70.; 대한한의사협회. 1989-2011 대한한의사협회사. 서울: 대한한의사협회; 2012. pp. 78-9.

8) 한의학 이외에 여러 학문이 함께 교육되었다는 사실로 '동제학교'가 근대적인 한의학 교육기관이 아니라는 주장(황영원, 2018)이 있다. 그러나 중요한 것은 한의학이 교육과정에 공식적으로 포함되었다는 사실이다. 당시 다른 의학 교육 기관과 달리 동제학교의 의학 교육에는 한의학과 서양의학이 함께 포함되었다. 현재 한의과대학 교육과정에도 다양한 학문들이 함께 교육되고 있다. 아울러 동제학교의 설립에 당시 한의계의 노력이 있었다는 점에서 동제학교가 한의학 교육기관이 아니라는 주장에 쉽게 동의하기는 어렵다.

9) 신동원. 1910년대 일제의 보건의료 정책-한의학 정책을 중심으로. 한국문화 2002;30:333-70.

10) 기창덕. 개명기의 동의와 동의학강습소. 의학사 1993;2(2):178-96.

11) 황영원. 일제시기 한의학 교육과 전통 한의학의 변모-한의학 강습소를 중심으로-. 의사학 2018;27(1):1-48.

12) 이에 대해 기창덕은 앞서 언급한 논문에서 대한의사총합소 설립 시기를 1909년으로 기술하였다.

13) 대한한의사협회. 1989-2011 대한한의사협회사. 서울: 대한한의사협회; 2012. p.72.

2. 일제강점기의 한의학[14)]

1910년 경술국치庚戌國恥(한일합병)로 조선총독부가 들어서면서 일본의 식민지 의료정 책도 본격적으로 시행되었다. 1913년 '의생규칙醫生規則'[15)]을 공포하여 1900년 의사규칙에 서 서양의학 전공 의사들과 동등한 지위를 부여했던 한의를 '의생醫生'으로 격하시켰고 서 양의학을 전공한 '의사醫師'와 차별을 두었다. 식민지 의료제도는 서양의학 중심으로 개편 되었으며 다만 일본에서와 같이 한의를 완전히 폐지하는 의료일원화는 단행하지 않았다. 서의의 수가 절대적으로 부족한 한국 상황에서 일본과 같은 의료시스템을 구축하기 어려 웠기 때문이다. 그러므로 의사보다 한 등급 낮은 한시적인 의생 제도를 만들고 한의를 재 교육시켜 국가 보건의료에 활용하려는 정책을 폈다. 통계에 의하면 1914년 당시 의생은 5,827명이었던데 반해 서양의학을 전공한 의사는 641명이었고, 이마저 외국인을 제외하면 조선인 의사는 144명에 불과했다. 1914년 당시 약종상의 수가 8,145명이었는데 이 중 조선 인 약종상은 7,601명으로 조선총독부는 이들까지도 의료 인력의 일원으로 활용해야만 하 는 형편이었다.[16)]

식민지 정부는 의생에 대해 의생규칙이 공포된 당시에만 영년의생永年醫生 면허(평생 면허)를 발급했고 이후 신규 면허자에게는 한지限地, 한시限時 면허만을 발급하여 의사가 없는 지방과 농촌에 배치하는 정책을 폈다. 실제로 서양의학을 전공한 의사들은 주로 대도 시를 중심으로 개업했고, 비도시 지역은 대부분 의생이나 약종상들이 지역주민의 건강을 돌보는 형편이었다.[17)] 이런 현상은 해방 후에도 계속되어 사회적인 문제가 되기도 했다.[18)]

식민지 정부가 영년면허를 더 이상 부여하지 않은 것은 의생이 질병이나 고령으로 사망 하게 되면 의생 수는 자연감소하고 더 이상 충원하지 않음으로써 결국에는 한의가 완전히

---

14) 이 시기 한의학 근대화에 대한 자세한 논의는 '연세대 의학사연구소 저. 한의학, 식민지를 앓다-식민지 시기 한의학의 근대 화 연구. 서울: 아카넷; 2008.'을 참고할 것.

15) 「의생규칙醫生規則」, 『조선총독부관보朝鮮總督府官報』. 1913.1.15.

16) 신동원. 1910년대 일제의 보건의료 정책-한의학 정책을 중심으로. 한국문화 2002;30:333-70.; 박윤재. 한국 근대의학의 기원, pp. 314-22.

17) 신동원. 1910년대 일제의 보건의료 정책-한의학 정책을 중심으로. 한국문화 2002;30:333-70.; 박윤재. 한국 근대의학의 기원, pp. 314-22.

18) 閒心한 農村醫療施設, 人口 10萬에 醫師 1名, 醫師의 都市集中 防止가 時急. 朝鮮日報 2면. 1947. 6. 14. 신좌섭. 군정기의 보건의료정책. 의사학 2000;9(2):212-32.

소멸되도록 하는 정책이었다. 일본이 메이지 유신을 통해 단행한 의료일원화의 식민지 버전인 셈이다.

식민지 정부는 의생들에게 서양의학 지식을 강제적으로 배우게 하고, 한의학 교육기관, 즉 한의학 의학교 설립은 제한하는 등의 한의학 홀대 정책을 폈다. 특히, 일제 시기 공식적인 한의학 교육기관은 단 한 곳도 설립되지 못하였다. 이러한 상황 속에서 1910-1920년대 한의학 교육은 주로 공인의학강습소나 동서의학연구회 부설 의학강습원 등과 같은 민간 한의학 강습소를 통해 이루어졌다. 이들 민간 한의학 강습소는 한의학 관련 과목뿐만 아니라 서양의학 교과 과목까지 수용한 동서의학을 함께 가르치는 교육방식을 택하였다.[19]

1930년대에 접어들어 한의, 한약을 활용할 수밖에 없는 식민지 조선의 열악한 의료 현실과, 일본과 세계 각국에서 한약(생약) 연구가 활성화되는 등의 상황 변화로 한의학에 대한 우호적인 분위기가 생겨나면서, 총독부의 한방의료 정책도 과거에 비해 유화적으로 변하였다.[20]

그 결과 기존에 민간에서 행해지던 한의학 교육이 1930년대 이후부터는 각지에서 식민 당국의 주관 하에 행해지게 된다. 함경북도와 충청남도의 위생과에서는 의생 양성을 목적으로 단기 의생강습회를 개최하였고 경기도와 강원도는 도립의생강습소까지 설립하였다. 기존과 달리 서양의학적 지식만 강조된 것이 아니라 한의학 지식 또한 함께 강조되었다. 이 시기 한의학 교육은 근대 서양의학 교육과정 체계를 모델로 하여 한의학 분야 기초의학-병리-진단-본초-침구-임상(임상 각과) 등의 분과 교육을 하면서 서양의학의 기초가 되는 생리, 해부 내지 병리 등 과목을 필수화하였다.[21] 이러한 동서의학 병존의 교육 체계를 취하게 된 이유는 의생면허 시험과 관련이 있었다. 초기 의생면허 시험 문제는 해부학, 생리학, 전염병학, 소독법, 내과, 산부인과 등 기본적인 서양의학 지식을 묻는 것이 대부분이었다. 그리고 1927년이 되어서야 평안남도 의생 시험에서부터 한의학 관련 문제가 출제되기 시작했다. 이렇듯 의생면허 시험에 서양의학 지식을 포함시켜 한의계 종사자로 하여금 서양의학을 지속해서 학습하지 않을 수 없게 만든 식민당국의 정책과, 발전하고 있는 근대

---

19)   황영원. 일제시기 한의학 교육과 전통 한의학의 변모-한의학 강습소를 중심으로-. 의사학 2018;27(1):1-48.

20)   신동원. 조선총독부의 한의학 정책-1930년대 이후의 변화를 중심으로-. 의사학 2003;12(2):110-28.

21)   황영원. 일제시기 한의학 교육과 전통 한의학의 변모-한의학 강습소를 중심으로-. 의사학 2018;27(1):1-48.

서양의학을 받아들이지 않고서는 한의가 생존할 수 없다는 한의들의 시대 인식, 그리고 중국·일본 등에서 동서 절충적 형태의 전통의학이 유행했던 시대적 흐름이 맞물려 한의학계가 서양의학을 받아들이는 상황이 조성되었다.[22)23)] 이러한 일제 시기 동서의학 병존의 한의학 교육 체계는 해방 후 한의과대학의 한의학 교육 체계 형성에도 일정 부분 영향을 주었다.

3. 1930년대 한의학 부흥논쟁

앞서 말한 1930년대 조선총독부의 한의학에 대한 정책 변화와 국내외적으로 조성되고 있던 한의학에 대한 긍정적인 인식과 자신감은 1930년대의 한의학 부흥논쟁[24)]으로 나타나게 된다. 한의학 부흥논쟁은 1934년, 9개월에 걸쳐 <조선일보> 지면을 통해 한의학 부흥이라는 주제를 놓고 벌인 논쟁을 말한다. 한의학의 가치를 옹호하는 관립의학교 출신인 장기무, 사상의학에 뜻을 둔 동시에 경성약학전문학교를 졸업해 약국을 운영하던 이을호, 와세다 대학 영문학부 출신으로 한의학을 독학한 조헌영과 서양의학의 가치를 옹호하는 경성제국대학 의학부 박사 출신인 정근양이 이 논쟁의 주인공이었다. 한의학 부흥논쟁은 대체로 세 단계에 걸쳐 진행되었다고 본다. 첫 번째 단계는 한의학 부흥책에 관한 논쟁을 통해 한의학 부흥운동이 필요한지 논쟁한 것이고, 두 번째 단계는 동서의학을 비교 분석하면서 동서의학의 보완적 발전이 가능한지를 논쟁한 것이며, 세 번째 단계는 신문 지상에서의

---

22) 신규환. 병존과 절충의 이중주-일제하 한의학의 서양의학 인식과 수용. 역사교육 2007;101:227-56.

23) 신규환은 '병존과 절충의 이중주-일제하 한의학의 서양의학 인식과 수용. 역사교육 2007;101:227-56.'에서 '병존'을 본뜻의 존재가치를 서로 인정하는 가운데 자신의 독자성을 추구한다는 것으로, '절충'은 한쪽에 치우치지 않고 양쪽의 장점을 아우른다는 뜻으로 동서 의학 각각의 장점을 취하는 것으로 설명하고 있다.

24) 1930년 한의학 부흥논쟁에 대한 전반적인 내용은 '전북한의약조합 편. 한의학의 비판과 해설. 서울: 행림; 1942.'에 정리되어 있다. 아울러 몇 가지 대표적인 연구를 소개하면 다음과 같다. 임병묵. 1930年代 韓醫學 復興論爭 [석사학위]. [서울]: 서울대 보건대학원; 1996년.; 정근식. 「일제하 서양의료체계의 헤게모니 형성과 동서의학 논쟁」, 『한국사회사학회논문집-한국의 사회제도와 사회변동』 제50집. 서울: 문학과 지성사; 1996.; 신규환. 병존과 절충의 이중주-일제하 한의학의 서양의학 인식과 수용. 역사교육. 2007;101:227-256.; 박윤재. 1930-1940년대 조헌영의 한의학 인식과 동서절충적 의학론. 한국근현대사연구. 2007;40:118-139.; 신동원. 「1930년대 한의의 근대성·과학성 논쟁」, 역사비평사편집위원회, 『논쟁으로 본 한국사회 100년』. 고양시: 역사비평사; 2000. pp. 146-52.; 전혜리. 1934년 조선 한의학 부흥 담론에서 나타난 한의학 정체성의 근대적 재구성 [석사학위]. [서울]: 서울대학교 대학원; 2010년.

논쟁이 일단락된 후에 의생단체인 '동서의학연구회'가 1935년 <동양의약東洋醫藥>지를 창간하여 한의계의 의견을 수렴한 것이다.[25]

<동양의약>에는 이전과 달리 서양의학에 대한 무조건적 신봉이 아닌 비판적 수용의 모습이 담겨 있으며, 한의학의 이론적, 임상적 연구내용과 치료사례, 한의학의 발전안 등을 지면에 담아 한의학 부흥을 촉진하려는 의도가 나타나고 있다.[26][27]

한의학 부흥논쟁의 의미에 대해 정근식은 제도적 측면에서는 서양 의료체계가 확실한 우위에 있었으나 지식적 측면에서는 서양의학 진영이 한의학 진영을 완전히 설득시키지 못하였음을 보여준다고 주장하였다.[28]

신동원은 논쟁에서 한의 진영이 자신감을 표출할 수 있었던 이유는 한의학이 여전히 민중의 의료를 담당하고 있었기 때문이라고 보았다.[29]

전혜리는 1934년의 논쟁이 서양의학과 한의학의 우열가름이 아닌, 전근대/근대, 비과학/과학 등의 이분법 속에서 만들어졌던 한의학의 부정적인 정체성을 부정하고 한의학을 서양의학과 함께 '근대 의학'의 양대 축으로 자리 잡도록 한의학의 정체성을 재구성하는 과정으로 보았다.[30]

한의학 부흥논쟁은 현대한의학의 형성에 큰 영향을 미쳤다고 평가할 수 있다.

첫째, 전혜리의 주장대로 이 논쟁은 현대한의학의 정체성을 새롭게 발견하고 구성하는 과정이었다. 서양의학이 보건의료제도의 중심으로 자리 잡게 되면서 한의학은 전근대적이고 비과학적인 의학으로 낙인찍히며 존폐의 위기에 몰려 있었다. 하지만 이 논쟁을 통해 한의계는 한의학이 근대에도 충분히 존재할 만한 가치가 있는 의학이라는 것을 보여주는 데 주력했고, 서양의학과 대비되는 한의학만의 정체성을 새롭게 구축하면서 한의학의 장점을 부각시켰다. 한의학 부흥논쟁은 한의학이 근대적 의학으로 발전할 수 있다는 인식을

---

25) 신규환. 병존과 절충의 이중주-일제하 한의학의 서양의학 인식과 수용. 역사교육 2007;101:227-56.

26) 정지훈. 한의학술잡지를 중심으로 살펴본 일제 강점기 한의학의 학술적 특징 [박사학위]. [서울]: 경희대학교 대학원; 2004년.

27) 전혜리. 1934년 한의학 부흥 논쟁 한의학 정체성의 "근대적" 재구성. 한국과학사학회지 2011;33(1):41-89.

28) 정근식. 일제하 서양의료체계의 헤게모니 형성과 동서의학 논쟁. 편저: 한국사회사연구회 엮음. 한국사회사학회논문집 제50집 - 한국의 사회제도와 사회변동. 서울: 문학과 지성사; 1996. pp. 270-327.

29) 신동원. 1930년대 한의의 근대성·과학성 논쟁. 편저: 역사비평사편집위원회. 논쟁으로 본 한국사회 100년. 고양: 역사비평사; 2000. pp. 146-52.

30) 전혜리. 1934년 한의학 부흥 논쟁 한의학 정체성의 "근대적" 재구성. 한국과학사학회지 2011;33(1):41-89.

국민들에게 뿐만 아니라 한의들 스스로에게도 심어주는 중요한 계기를 만들었다.

둘째, 근대시기 중국에서 중서의회통中西醫匯通 사상이 나타났듯이 한의학 부흥논쟁 과정에서도 동서의학의 장점을 결합하여 새로운 의학으로 발전해야 한다는 인식이 점차 분명한 형태로 자리 잡게 되었다는 점이다. 조헌영이 주간을 맡았던 <동양의학>에는 이 학술지의 목표를 "동양의학의 현대화, 민중화와 그 학술적 발전을 기도하는 동시에 동양의학의 재인식과 서양의학의 재검토를 행하여, 양자의 단점을 버리고 장점을 취하여 의학의 새 경지를 개척하고자 함이 그 사명이다. 이 점은 중국 국의학원國醫學院의 이상과 공통되는 바이다."라고 소개하고 있다. 또 조헌영은 <신의학의 발전과 한의학의 금후>라는 글에서 이것을 새로운 시대의 필연적인 의학 발전과정으로 해석했다. 즉, "동양학적으로 말하면 양(한의학) 음(양의학) 음양 조화(신의학)로 교역交易되는 것이다. 새 시대의 의학은 종래의 한의학도 아니요 종래의 양의학도 아닐 터인데 한의학이 그 주류 주체가 된다는 것은 무슨 까닭이냐 하면, 그때의 의학방법은 첫째 국소치료보다 종합치료를 취할 것, 둘째 외과적 견혈髸血요법보다 내과적 유도요법을 취할 것, 셋째 무기성 약물보다 유기성 약물을 취할 것, 넷째 형태적 진단보다 증후적 진단에 치중할 것, 다섯째 인공치료보다 지연치료에 주력할 것 등이니 이것이 모두 한의학적이기 때문이다. 다만 방법에 있어서 자연적·과학적 방법이 많이 채택될 터이니 그 점이 종래의 한의학과 다른 것이다"라고 주장했다.[31]

이처럼 1930년대 한의학 부흥논쟁은 지금의 현대한의학이 형성되는 중요한 토대가 되었다. 지금 봐도 충분히 현대적인 수준 높은 이 논쟁은 당대 한의들에게 미래 한의학이 가야할 방향을 보여주었고 또 많은 영감을 제공했다. 그렇기에 지금의 현대한의학은 이 논쟁의 기초위에 세워져 있다고 해도 과언이 아닐 것이다.

31) 조헌영. 신의학의 발전과 한의학의 금후. 조헌영 외 편저. 한의학의 비판과 해설. 서울: 소나무; 1997. pp. 225-9. ('전북한의약조합 편. 한의학의 비판과 해설. 서울: 행림; 1942.'을 재판한 책)

제2절　한의사 제도의 성립과 이원화 의료제도

　　해방 후 우리나라의 의료제도를 어떤 형태로 만들 것인가가 매우 중요한 문제로 떠올랐다. 제헌 국회와 제2대 국회에서 이 문제가 집중적으로 다루어졌다. 특히 제2대 국회에서는 제출된 의료법안에 대해 두 차례의 독회가 진행되었다. 그리고 열띤 토론과 논쟁을 거쳐 국민의료법이 확정되었고, 한의와 양의가 동등한 면허 수준과 자격을 갖는 이원화된 의료제도가 성립되었다.[32] 이 법안은 1951년 9월 25일 공포되었다. 3개월 후에 제정된 국민의료법시행세칙國民醫療法施行細則(제정 1951.12.25 보건부령 11호)의 제1조 3항에는 의료업자로서 한의사의 임무를 "한의사漢醫師는 한방진료漢方診療와 이에 관련關聯되는 위생지도衛生指導에 힘써 국민國民의 건강향상保健向上과 건강증진健康增進을 도모圖謀한다"고 명확히 규정하였다. 그 외의 조항에서도 의사 및 치과의사와 한의사가 대등한 권리와 의무를 갖는 것으로 규정하고 있다.[33]

　　1951년의 국민의료법은 '의생醫生'이 '한의사漢醫師'로 바뀌고, 한의업漢醫業을 행하는 의료기관의 명칭이 '한의원漢醫院'으로 되었으며, 제13조 의료업자醫療業者의 자격資格 및

---

32) 1951년 한의사 제도가 제2대 국회에서 성립되는 과정과 국회 내 논쟁에 대해서 '정기용. 해방 후 한의사 제도 성립과정 : 1951년 國民醫療法 法案 제정을 중심으로 [석사학위]. [성남]: 가천대학교 대학원; 2008년.'과 이를 성립과정과 국회 내 논쟁으로 나눠서 수정 및 보완하여 발표한 두 논문(정기용, 박왕용, 이충열. 1951년 국민의료법 한의사 제도 입법과정. 대한한의학회지 2010;31(1);112-121.; 정기용, 이충열. 1951년 국민의료법 제정과정에서 한의사 제도를 둘러싼 논쟁-국회 속기록을 중심으로-. 동의생리병리학회지 2012;26(5):588-598.)을 참고할 것.
　　'박윤재. 해방 후 한의학의 재건과 한의사제도의 성립. 동방학지. 2011;154:345-376.'도 참고할 것.

33) 국민의료법시행세칙(國民醫療法施行細則)[제정 1951.12.25 보건부령 11호]
　　한국한의학연구소. 한국한의학사 재정립 하권. 서울: 한국한의학연구소; 1995. p.268.
　　다만, 사망진단서와 사체검안서는 한의사를 원칙적으로 배제하였고 단서 조항으로 한의사가 교부하는 사망진단서에 관하여는 외인사外因死에 관한 것은 제외하고 교부할 수 있다고 규정하였으며 의사만이 출생증명과 사산(死産)증명서를 교부할 수 있게 하였다.
　　자격시험 응시 조건에서 '보건부장관이 지정한 의료기관에서 4년 이상 실지수련(實地修練)을 받은 자'라는 조항이 있는데 한의의 경우 이러한 의료기관이 없으므로 부칙 제3조에 '한의업(漢醫業)에 10년 이상 종사(從事)한 자로서 특별시장(特別市長) 또는 도지사(道知事)의 증명서(證明書)를 제출(提出)하는 자는 본령(本令) 제5조의 규정(規定)에 불구(不拘)하고 본령(本令) 시행일(施行日)로부터 5년간(年間)은 검정시험(檢定試驗)을 받을 수 있다.'라는 예외 규정을 만들었다. 이 부분을 제외하고는 의사, 치과의사와 같은 규정을 적용받았다.

면허免許 조항에 한의사가 의사, 치과의사와 함께 언급된 것이 특징이다.[34] 이러한 한의와 양의가 동등한 면허수준을 갖는 의료제도가 성립될 수 있었던 배경에는 당시의 열악한 의료 현실과 한의에 대한 대중의 지지, 값싸고 접근성 높은 한약의 존재, 한국 전쟁으로 인한 부족한 의료 자원 등의 현실적인 상황뿐만 아니라 역사적·사회적·경제적 측면에서 한의학의 가능성, 서양의학과는 다른 학문적 특성 및 임상적 효용, 미래 의료제도 발전 방향이라는 복합적인 고려가 있었다.[35]

이후 1986년의 의료법 개정으로 '한의사漢醫師', '한약漢藥', '한의원漢醫院' 등의 명칭이 현재와 같이 '한의사韓醫師', '한약韓藥', '한의원韓醫院' 등으로 변경되었다.[36]

제3절　　의료보험의 참여

우리나라가 의료보험제도를 최초로 명문화한 것은 1963년 12월 26일에 제정 공포된 '의료보험법'이었다. 그러나 실제 시행된 것은 1977년부터였다. 1977년 7월 1일 500명 이상 사업장의 피고용자들을 대상으로 의료보험이 실시되었다. 그러나 이때 한방의료 분야는 한약재 규격화와 수가체계가 갖추어지지 않았다는 이유로 의료보험 체계에서 제외되었다. 이후 한의계는 의료보험에 참여하기 위해 필요한 기초작업을 진행했고 정부와의 지속적 논의 끝에 1984년 12월 1일부터 충북 청주시와 청원군을 대상 지역으로 한방의료보험 시범사업을 실시하게 되었다. 그리고 2년 동안의 시범사업에 대한 긍정적 평가를 바탕으로 1987년 2월 1일부터 전국 2,728개소의 한의원과 19개 한방병원에서 침, 구(뜸), 부항, 진찰, 입원, 조제를 급여범위로 국한한 한방의료보험이 일제히 시작되었다.

---

34)　정기용. 해방 후 한의사 제도 성립 과정 : 1951년 國民醫療法 法案 제정을 중심으로 [석사학위]. [성남]: 가천대학교 대학원; 2008년.

35)　정기용. 앞의 글.
　　　정기용, 이충열. 1951년 국민의료법 제정과정에서 한의사 제도를 둘러싼 논쟁-국회 속기록을 중심으로-. 동의생리병리학회지 2012;26(5):588-98.

36)　의료법[시행 1986. 6. 10.] [법률 제3825호, 1986. 5. 10., 일부개정]

1990년 2월 1일 56개 처방 한약(한약제제)으로 건강보험약제 급여를 확대하였으며, 1994년 8월 양도락검사, 맥전도검사 등 한방진단검사가 급여 적용되게 되었다. 1996년 3월 15일부터 전국 32개 한의원을 대상으로 한방산재보험 시범사업이 시행되었고 1999년 4월 15일 산재보험이 전면 확대되었다. 또 같은 해에 '자동차손해배상 보장법'에 한방자동차보험 적용이 명시되었으며, 2000년 자동차보험심의위원회 산하 전문위원회에 한방분과가 구성되었다. 2009년에는 온냉경락요법(경피경근온열요법, 경피적외선조사요법, 경피경근한냉요법)이란 항목으로 한방물리요법 3개 항목에 대한 급여화가 실시되었다.[37][38] 2019년 4월 8일부터 추나요법이 건강보험에 적용[39]되고 있다(그림 7-1, 표 7-1).

표 7-1. 한의 건강보험 급여 범위(2021년 3월 기준)[40]

항목	내용
진찰	기본진료료: 11대 항목[외래 환자 진찰료, 입원료, 낮병동 입원료, 협의진찰료, 원격협의진찰료, 중환자실 입원료, 가정간호 기본방문료(방문당), 전문병원 의료질 평가지원금, 야간전담간호사 관리료, 야간간호료, 입원 환자 안전관리료]
한방 검사료	검사료: 6개 항목(양도락검사, 맥전도검사, 경락기능검사, 현훈검사, 인성검사, 치매검사)
한약제제	단미엑스제제 67종, 단미엑스혼합제 56개 처방
투약 및 조제료	한방 외래·퇴원환자 조제료(1회당), 한방 입원환자 조제·복약지도료(1일당)
한방 시술 및 치료	시술료: 16개 항목(경혈침술, 안와내 침술, 비강내 침술, 복강내 침술, 관절내 침술, 척추간 침술, 투자법 침술, 전자침술, 레이저 침술, 분구침술, 침전기자극술, 구술, 부항술, 변증기술료, 온냉경락요법, 추나요법) 처치료: 11개 항목[관장, 체위변경처치(1일당), 회음부 간호(1일당), 침상목욕 간호(1일당), 통목욕 간호(1일당), 총관도수법, 첩대총관도수법, 일반처치, 산소흡입, 비위관삽관술, 비강내영양] 한방 정신요법료: 3개 항목(개인정신치료, 정신과적 개인력조사, 가족치료)
입원환자 식대	입원환자 식대
치료재료 급여	일회용부항컵, 기타[FOLEY CATHETER, 탄력붕대, 산소(Oxygen gas)]

37) 대한한의사협회. 1989-2011 대한한의사협회사. 서울: 대한한의사협회; 2012. pp. 360-372.

38) 이준혁. 숫자로 보는 2000년대 한의 건강보험. 한의정책. 2014;2(2):6-15.

39) 보건복지부 고시 제2019-64호, 요양급여의 적용기준 및 방법에 관한 세부사항 일부개정. 2019.

40) 대한한의사협회. 한의 건강보험 요양급여비용 및 급여기준. 2021.3.

그림 7-1. 한의 건강보험 주요 연혁

최근에는 첩약의 건강보험 적용이 적극적으로 검토되고 있다. 수년간의 논의를 거쳐 2020년 11월 20일부터 세 가지 질환[안면신경마비, 뇌혈관질환 후유증(65세 이상), 월경통]에 대해 제한적인 첩약 건강보험 적용 시범사업(2020년 11월-2023년 10월)이 시작되었다. 세 가지 질환 중 한 가지 질환에 대해서만 1년 중 1회(10일 첩약 한약) 건강보험을 적용받는 시범사업이다.[41] 아직 시범사업이라는 한계가 있지만, 이것은 첩약 한약에 대한 국민의 건강보험 보장성 확대라는 측면에서 중요한 시작이 될 것으로 보인다.

최근의 한의 건강보험의 확대는 '한의약육성법'과 이에 따른 한의약육성발전종합계획에 의한 것이다. 제3차 한의약육성발전종합계획(2016-2020)에서는 '보장성 강화 및 공공의료 확대를 통한 한의약 접근성 제고'라는 목표 아래 '한의약 보장성 강화'를 추진과제 중 하나로 설정하였다. 그리고 세부 과제로 한의약 보험급여 제도 개선(한의약 건강보험 확대 및 수가 개발)을 설정하여 관련 연구와 정책적 노력을 계속하였다.[42] 이어진 제4차 한의약육성발전종합계획(2021-2025)에서도 한약 건강보험 급여화 확대를 위한 첩약 건강보험 시범사업은 지속되며, 한약제제 건강보험 제도개선도 추진된다.[43] 따라서 추후 보험 한약제제의 품목 확대, 약침 요법의 보험 적용, 첩약(탕전 한약) 보험 적용 질환의 확대 등 추가적인 한의 건강보험 적용이 논의될 것으로 보인다.

---

41) 보건복지부 공고 제2020-814호, 첩약 건강보험 적용 시범사업 지침 및 시범기관 공고. 2020.

42) 보건복지부. 제3차 한의약육성발전 종합계획 2016-2020. 2016.

43) 보건복지부 관계부처 합동. 제4차 한의약육성발전 종합계획 2021-2025. 2021.1

제4절 한의약육성법[44)45)46)47)48)]

1. 배경 및 개요

인구의 고령화로 만성질환, 난치 질환이 증가하고 또 전 세계적으로 전통의학과 보완·대체의학에 관한 관심이 증가함에 따라 우리나라도 국가 차원의 장기적이고 종합적인 전통의약 육성대책이 필요하다는 인식이 높아졌다. 이를 바탕으로 2003년 '한의약육성법'이 제정(2004. 8. 시행)되었고, 5년마다 한의약육성발전종합계획을 수립하여 실행하도록 하였다. '한의약육성법'은 국가가 한의약 분야를 집중적으로 육성하는 종합 지원책을 법적으로 보장한 것이다.

이 법에는 "한의약韓醫藥 육성의 기본방향 및 육성 기반의 조성과 한의약기술 연구·개발의 촉진에 필요한 사항을 정함으로써 국민건강의 증진과 국가 경제의 발전에 이바지함을 목적으로 한다"고 규정되어 있다.[49)] 즉, '한의약육성법'은 한의약의 육성과 기술발전을 위한 종합적인 정책 추진과 정부 지원의 근거를 마련하는 것이 주요 목적이다. 이를 통해 한의약기술 연구 및 개발에 필요한 여러 연구 사업들과 한방산업 활성화와 관련된 정책들이 추진되었고, 최근에는 한국한의약진흥원(구 한약진흥재단)의 설립, 한의표준임상진료지침 개발사업단의 출범, 임상시험용 한약제제 생산시설(Good Manufacturing Practice, GMP)과 한약 비임상연구시설(Good Laboratory Practice, GLP) 등의 설립 등이 이루어졌다.

44) 대한한의사협회. 1989-2011 대한한의사협회사. 서울: 대한한의사협회; 2012. pp. 386-387.
45) 고득영. 제3차 한의약육성발전종합계획의 수립 배경 및 추진 현황. 한의정책 2016;4(1):6-12.
46) 한국한의약연감 발간위원회. 2020 한국한의약연감. 대전: 한국한의학연구원; 2022. pp. 31-33.
47) 보건복지부. 제3차 한의약육성발전종합계획 2016-2020. 2016.
48) 보건복지부 관계부처 합동. 제4차 한의약육성발전종합계획 2021-2025. 2021.1.
49) 한의약육성법[시행 2019. 6. 12.] [법률 제15910호, 2012. 10. 22. 전문개정] 제1조(목적)

'한의약육성법'에서 주목할 부분은 '한의약'에 대한 정의다. 2011년 7월 14일 개정 공포된 '한의약육성법' 제2조에는 '한의약'에 대해 "'한의약'이란 우리의 선조들로부터 전통적으로 내려오는 한의학韓醫學을 기초로 한 한방의료행위와 이를 기초로 하여 과학적으로 응용·개발한 한방의료행위 및 한약사韓藥事를 말한다."[50]고 정의하였다. 이것은 한의약을 과거의 전통적 지식과 기술에만 한정하지 않고 이것을 현대적, 과학적으로 연구하여 얻어진 결과까지 포함하여 정의한 것이다. 지금 이 시점에 실천되고 있는 현대한의학의 실제 모습을 반영한 것이라는 점에서 큰 의미가 있다.

2. 제1차 한의약육성발전종합계획(2006-2010)

제1차 계획은 한의약의 과학화·산업화·세계화를 통한 국가경쟁력 제고를 목표로 ① 한방의료 선진화, ② 한약 관리의 강화, ③ 한의약의 산업화, ④ 한방 R&D 혁신 등 4개 분야, 12개 정책, 38개 과제로 구성되었다.

제1차 계획을 통해 민간에서 자체적으로 추진이 어려운 다양한 한의약 인프라가 구축되었다. 국립부산대 한의학전문대학원·한방병원·한방임상연구센터 개원, 한약재 집산지에 우수한약유통지원센터 건립, 순천, 청주, 부산 등 지방의료원에 한방진료부 설치 등이 이루어졌다. 또 주요 대학에 연구센터가 설립되고 지방자치단체의 산업 클러스터가 확충되는 등 정부 주도의 공공인프라가 구축되었으며, 동의보감 400주년 기념사업단이 구성되고, 동의보감 유네스코 세계기록유산 등재 등 세계화의 기반이 되는 사업들이 수행되었다. 그리고 한약규격품 사용이 의무화되었으며, 수입 한약재 정밀 검사대상 품목이 전 품목으로 확대되었다. 또한 한방물리요법의 건강보험 급여가 이루어져 의료서비스 접근성 제고에 기여하였다.

---

50) 한의약육성법[시행 2019. 6. 12.] [법률 제15910호, 2012. 10. 22. 전문개정] 제2조(정의)

3. 제2차 한의약육성발전종합계획(2011-2015)

제2차 계획은 한의약산업 10조원 시장 육성을 중점 목표로 ① 한의약 의료서비스 선진화, ② 한약(재) 품질관리 체계화, ③ 한의약 연구개발 핵심기술 확보, ④ 한의약 산업 발전 가속화 및 글로벌화 등 4개 분야, 26개 과제, 89개 세부과제로 구성되었다.

한의약 의료서비스 선진화 분야에는 한방 난임 진료지침 정립, 동의보감 400주년 기념 사업 추진, 한의 의료기관 인증제 시행 등의 사업이 포함되었다.

한약(재) 품질관리 체계화 분야에는 한약규격품 유통·사용 의무화를 추진하고, 한약재 제조 및 품질관리기준 제도 의무적용 등을 통해 한약(재) 신속 대응 안전망을 구축하는 등의 사업이 포함되었다.

한의약 연구개발 핵심기술 확보 분야에서는 한의약선도기술개발사업, 토종자원의 한약재 기반구축사업 등을 진행하고, 한약진흥재단 설치 기반을 조성하였다.

한의약 산업 발전 가속화 및 글로벌화 분야에서는 산청세계전통의약엑스포(2013)의 성공적 개최 등을 통해 한의약 산업 발전 및 한의약 세계화의 기반을 마련하는 것이 포함되었다.

이 시기 중요한 사업으로는 전국 130개 보건소에서 한의약 건강증진 프로그램을 운영한 것(2013년 기준)과 전국 944개 지역보건의료기관에서 한의과 진료실을 운영하게 된 것(2014년 기준)을 들 수 있다.

4. 제3차 한의약육성발전종합계획(2016-2020)[51]

제3차 계획은 한의약을 통한 국민건강 향상 및 국가경쟁력 제고라는 비전하에 ① 근거 강화 및 신뢰도 제고, ② 한의약 접근성 제고, ③ 한의약 산업 육성, ④ 선진 인프라 구축 및 국제경쟁력 강화 등의 4대 목표와 9대 과제, 95개 세부과제로 구성되었다(표 7-2).

표 7-2. 제3차 목표별 추진과제 및 세부 과제

1	한의표준임상진료지침 개발·보급을 통한 근거강화 및 신뢰도 제고	1. 한의표준임상진료지침 개발 　1-1. 한의표준임상진료지침 개발 　1-2. 한의표준임상진료지침 개발을 위한 임상연구지원 2. 한의표준 임상진료지침 보급·확산 　2-1. 한의표준임상진료지침 보급·확산 　2-2. 한의표준임상 지원체계 구축
2	보장성 강화 및 공공의료 확대를 통한 한의약 접근성 제고	3. 한의약 보장성 강화 　3-1. 한의약 보험급여 제도 개선 　3-2. 의·한 협진 활성화 4. 한의약 공공보건의료 강화 　4-1. 한의약 공공보건의료 강화
3	기술혁신과 융합을 통한 한의약 산업 육성	5. 한약(재) 품질관리 및 유통체계 강화 　5-1. 한약자원 생산·보관·관리체계 구축 　5-2. 한약(재) 제조·유통관리체계 선진화 6. 한의약 상품지원 　6-1. 한약제재 개발 및 특화지원 　6-2. 한약제제 활성화를 위한 기반 마련 7. 한의약 R&D 지원 　7-1. 한의약 R&D 지원 　7-2. 한약재기반 제품 개발 및 지원
4	선진 인프라 구축 및 국제 경쟁력 강화	8. 한의약 발전 인프라 마련 　8-1. 한의인력 전문성 강화 　8-2. 한의약지식 정보화 및 국가 자원화 　8-3. 한약진흥재단 정책지원 강화 9. 한의약 국제경쟁력 강화 　9-1. 한의인력 국제교류 및 한의약 세계화 추진 활성화 지원 　9-2. 한의표준화 기반 구축

---

51)　보건복지부. 제3차 한의약육성발전종합계획 2016-2020. 2016.

이 계획의 첫 번째 주요 목표는 한의표준임상진료지침을 개발·보급함으로써, 한의약 임상 기술의 근거를 강화하여 국민의 신뢰를 제고한다는 것이다. 한의표준임상진료지침을 개발하기 위한 사업단과 임상정보센터를 설치하고, 주요 30개 질환에 대한 지침개발과 임상적 연구를 지원하여 임상적 근거를 축적하는 것이 주요 내용으로 되어 있다.

두 번째 주요 목표는 한의약의 보장성을 강화하고 공공의료를 확대함으로써 한의약에 대한 접근성을 높이는 것이다. 국민건강보험에서 한의 진료가 차지하는 비중이 낮은 현상황을 개선하기 위해 한의학 특성에 맞는 수가를 개발하여 한의 진료의 보장성을 강화하고자 하였다. 아울러 한의 진료가 가능한 국공립 의료기관을 확충해 나가고 지역보건소에서 쉽게 한의학을 경험하고 건강증진에 활용하도록 지원체계를 마련하는 것을 주요 내용으로 하고 있다.

세 번째 주요 목표는 기술혁신과 융합을 통한 한의약 산업 육성이다. 한약의 품질관리와 유통체계를 강화하고, 한약제제 등 한의약의 상품화와 연구개발을 지원하는 것이다. 이를 위해 2015년 전면적으로 도입된 한약재 제조 및 품질관리기준(herbal Good Manufacturing Practice, hGMP) 제도가 잘 운용되도록 하며, 원외탕전실에 대한 관리를 강화하는 것이 주요 내용이다.

네 번째 주요 목표는 선진 인프라 구축과 국제경쟁력 강화이다. 대학 교육시스템과 졸업 후 보수교육 내실화를 통해 한의 인력의 전문성을 강화하고, 2016년 1월 설립된 '한약진흥재단'(2018년 12월 '한국한의약진흥원'으로 명칭 변경됨)이 한의약 기술개발 및 산업 진흥을 위한 정책 지원 컨트롤 타워가 될 수 있도록 지원하는 것이 주요 내용이다. 아울러 한의 국제표준화 기반을 구축하여 한의약의 국제경쟁력을 강화하는 것을 주요 목표로 삼고 있다.

5. 제4차 한의약육성발전종합계획(2021-2025)[52]

제4차 계획은 한의약을 통한 건강, 복지 증진 및 산업 경쟁력 강화라는 비전하에 ① 한의약 중심 지역 건강 복지 증진, ② 한의약 이용체계 개선, ③ 한의약 산업 혁신성장, ④ 한의약 글로벌 경쟁력 강화라는 4대 목표와 추진 전략들로 구성되었다(표 7-3).

표 7-3. 제4차 목표별 추진과제 및 세부과제

1	한의약 중심 지역 건강 복지 증진	1. 한의학 건강돌봄 활성화 1-1. 한의약 건강돌봄 연계 강화 1-2. 한의약 건강돌봄 표준화 및 제도적 기반 마련 2. 한의학 일차의료 및 공공의료 강화 2-1. 한의약 일차의료 역할 강화 2-2. 한의약 공공의료 역할 강화
2	한의약 이용체계 개선	3. 한약 접근성 및 신뢰성 제고 3-1. 한약 건강보험 급여화 확대 3-2. 한약 사용 모니터링 및 안전관리체계 구축 4. 한의 의료서비스 체계 개선 4-1. 한의 의료 접근성 및 신뢰성 제고
3	한의약 산업 혁신성장	5. 한의약 과학화를 위한 연구개발 지원 강화 5-1. 한의약 연구개발 지원체계 확대 5-2. 첨단기술을 활용한 한의약 발전 기반 마련 6. 한의약 산업 혁신성장 기반 마련 6-1. 한약재 품질 향상 및 공급체계 개선 6-2. 한의약 산업 발전을 위한 신성장 동력 발굴
4	한의약 글로벌 경쟁력 강화	7. 한의약 글로벌 교류 협력 활성화 7-1. 세계 전통의약 환경 변화 대응 체계 구축 7-2. 한의약 글로벌 네트워크 강화 8. 한의약 산업 해외진출 확대 8-1. 한의약 산업 수출 및 해외환자 유치 확대

---

52) 보건복지부 관계부처 합동. 제4차 한의약육성발전종합계획 2021-2025. 2021.1.

이 계획의 첫 번째 주요 목표는 한의학 건강돌봄 사업을 활성화하고 한의학의 일차 의료 및 공공의료를 강화하여 한의약 중심의 지역사회 건강 및 복지 증진을 추진하는 것이다. (1) 한의학 건강돌봄 사업을 활성화하기 위해 한의약 건강돌봄 지원체계 구축, 한의약 건강돌봄 표준매뉴얼 개발·보급, 전문인력 양성 교육, 보건소 한의약 건강증진사업 활성화 등의 사업이 추진된다. (2) 노인, 장애인 등 대상별 맞춤형 한의약 건강관리 서비스 제공을 추진하고 한의사의 방문진료 서비스를 활성화하며 국공립병원 등에 한의과 설치 및 확대 등을 통해 한의약 일차의료 및 공공의료 강화를 추진한다.

두 번째 주요 목표는 한의약 이용체계 개선으로 여기에는 한약 접근성 및 신뢰성 제고를 위한 사업, 한의 의료서비스 체계 개선 사업 등이 포함된다. (1) 한약 접근성을 높이기 위해 첩약 보장성 강화, 한약제제의 제형 변화를 통한 접근성 개선 및 보험 급여화 확대 등의 사업이 추진된다. 그리고 한약의 신뢰성을 제고하기 위해서 한약재 유통 모니터링 강화 및 이력추적 시스템 구축, 한약 안전사용서비스(Drug Utilization Review, DUR) 근거 구축, 한약의 위생·안전 조제 관리 강화, 한약 부작용 모니터링 및 평가 지원체계 구축 등의 사업이 추진된다. (2) 한의 의료서비스체계 개선 사업에는 한의표준임상진료지침의 개발과 확산을 통한 한의 의료 표준화, 한의 건강보험 급여 확대 등의 보장성 강화, 의한 협진 활성화 등의 사업이 포함된다.

세 번째 주요 목표는 한의약 과학화를 위한 연구개발 지원, 한의약 산업 혁신성장 기반 마련 등을 통한 한의약 산업 혁신성장이다. (1) 한의약 과학화를 위한 연구개발 지원에는 한의약 임상연구부터 산업화까지 전 주기에 대한 연구개발 지원, 한의약 산업 다변화를 위한 연구개발(만성·노인성 질환, 신변종 감염병 등 대상) 추진, 한의약 빅데이터·인공지능 활용 기반 구축 등의 내용이 포함된다. (2) 한의약 산업 혁신 성장 기반을 마련하기 위해 한약재 품질 향상 및 공급체계 개선, 한의약 산업 신성장 동력 발굴, 한의약 산업 전문인력 양성 지원 등의 사업이 진행된다.

네 번째 주요 목표는 한의약 글로벌 교류 협력 활성화, 한의약 산업 해외 진출 확대 등을 통한 한의약 글로벌 경쟁력 강화이다. (1) 세계 전통의약 환경 변화에 대응하기 위해 국제 표준제정 참여 확대 및 대응 역량 강화, WHO 한의약 협력 강화 등이 추진되고, 한의약 글로버 네트워크를 강화하기 위해 한의약 세계화 거버넌스 구축, 한의약 글로벌 협력 기반 구축, 한의약 국제 인지도 제고, 공적개발원조(Official Development Assistance, ODA) 활성화 및 남북협력 강화 등의 사업이 추진된다. (2) 한의약 산업의 해외 진출을 확대하기 위해 한의약 산업 온라인 홍보체계 구축, 한의약 해외 진출 지원, 해외 진출 확대할 수 있는 국제 네트워크 환경 조성, 한방의료기관 외국인 환자 유치 역량 강화 등의 사업이 진행된다.

제5절 국립한의학연구기관 설립 - 한국한의학연구원

해방 후 한의학계는 국가에서 한의학 전문 연구기관을 설립하고 운영할 것을 지속적으로 요구해 왔다. 이러한 한의학계의 바람은 1993년 한약 분쟁 중 당시의 보건사회부에서 국립 한의학 연구소 설치를 포함하는 한의학 발전 5개 항 정책 추진을 발표하면서 이루어지게 되었다. 그 결과 1994년 3월 24일 '한국한의학연구소법(법률 4758호)'이 제정 공포됐다. 이후 보건복지부(1994년 12월 23일 보건사회부에서 보건복지부로 개편)는 '한국한의학연구소'를 '한국한의학연구원'으로 확대 개편하기로 하였고, 1997년 11월 23일 '한국한의학연구원(Korea Institute of Oriental Medicine, KIOM)'으로 승격되었다.[53]

현재 한국한의학연구원은 "한의학 이론 및 기술, 한의 의료행위 등에 대한 전문적·체계적 연구개발을 수행하고, 그 성과를 확산함으로써 관련 산업의 육성 및 국민 보건 향상에 이바지합니다."라는 목적 아래 한의학계의 중심적인 연구기관으로서 왕성한 활동을 이어가고 있다. 2011년 2월 24일 WHO 전통의학협력센터로 지정되었고, 2012년에는 부속기관으로 한의기술표준센터가 출범하였으며, 2015년 대구 한의기술응용센터, 2018년 전남 한약자원연구센터가 각각 문을 열었다. 설립 초기 약 16억 정도 되었던 예산이 2019년 현재 예산이 약 602억 원, 인력 275명으로 크게 성장하였다. 한국한의학연구원의 논문 성과를 보면 SCI(E) 등재 논문 편수가 2004년 50편에서 2019년 117편으로 지속적으로 성장하고 있다.[54] 2022년 2월 기준 4개의 연구본부(한의과학 연구부, 한의약융합 연구부, 디지털임상 연구부, 한의약 데이터부), 1개의 연구전략부, 3개의 경영 지원부서, 3개의 센터[한의기

---

53) 대한한의사협회. 1989-2011 대한한의사협회사. 서울: 대한한의사협회; 2012. pp. 382-385.
54) 한국한의약연감 발간위원회. 2020 한국한의약연감. 대전: 한국한의학연구원; 2022. pp. 183-5.

술응용센터(대구), 한약자원연구센터(전남), 글로벌 협력센터]로 조직이 구성되어 있다.[55]

현재 한국한의학연구원은 국내 한의학 연구의 중추적 역할을 하고 있으며, 세계 전통의약 연구 분야에서도 인정받는 기관으로 자리를 잡았다.

제6절 한·양방 협진(의·한의 협진)

우리나라는 1951년 국민의료법을 통해 의사와 한의사로 이원화된 의료제도를 채택한후 두 의료체계의 교육, 인력, 업무를 뚜렷이 분리하는 정책을 시행하고 있다. 이러한 이원화 제도는 제도가 가진 장점도 분명히 있지만 의료현장에서는 한의학과 서양의학을 대립적인 관계로 만들어 한·양방 사이에 갈등을 유발하고 협력을 어렵게 한다는 비판을 받기도한다.[56] 그러므로 한의학과 서양의학 모두가 환자의 건강 회복과 삶의 질 향상이라는 동일한 목표를 가지고 있으므로 한의학과 서양의학의 장점을 결합하여 단기적으로 환자들의치료 효과를 높이고 장기적으로 국민의 전반적인 건강 수준을 증진시키기 위한 한방과 양방의 협진(협력 진료)이 필요하다는 의견이 꾸준히 제기되어 왔다.

한·양방 협진이란 한의학과 서양의학의 상호 협력을 통한 진료로서 한의사와 의사가 함께 진단과 검사를 한 후 적합한 치료 방법을 결정하는 진료 체계[57][58]라 정의할 수 있다.

한·양방 협진(의·한의 협진)은 1971년 국내 최초로 경희대병원에서 '양한방 복합진료시스템'을 도입하면서 시작되었다. 그리고 1991년에는 국립중앙의료원에 국가의료기관으로는 처음으로 한방진료부가 개설되었고, 2005년 양·한방(의학·한의학) 중풍협진센터가 설치되었다.[59] 그러나 지금까지 시도된 대부분의 한·양방 협진이 법과 제도가 갖추어지지 않

---

55) 한국한의학연구원(KIOM)[인터넷]. [2022년 2월 22일 인용]. URL: https://www.kiom.re.kr

56) 임은진, 김소윤, 손명세 외. 한·양방 통합의료의 갈등과 방향에 대한 연구 - 한·양방 의료 및 관련 종사자 대상 심층면접을 중심으로. 동의생리병리학회지 2014;28(2):243-50.

57) 이현주, 김선림, 정민수 외. 한·양방 협진 병원 종사자의 한의학 지식 정도 및 교육 요구도 평가. 대한예방한의학회지 2008; 12(1):49-60.

58) 최만규, 이준협, 이태로 외. 양·한방협진 의료기관 이용자의 인식도 및 태도. 한국보건정보통계학회지 2005;30(1):35-44.

59) 박지은. 의·한 협진 시범사업의 추진현황 및 시사점. 한의정책 2017;5(1):32-45.

은 상태에서 민간 영역인 한방병원을 중심으로 진행되어 제대로 된 협진 모델을 만드는 데까지 나아가지 못했고, 이로 인해 국가 차원에서도 체계화, 제도화된 협진 모델이 확립되지 못했다는 한계가 있었다.[60] 이러한 상황 속에서 근래에 한·양방 협진과 관련하여 몇 가지 제도적인 변화가 있었다. 먼저 2009년 개정된 '의료법'과 2010년 개정된 '의료법 시행규칙'에는 병원급 이상의 동일 의료기관 내에 의과와 한의과, 치과 등을 동시에 설치하는 것을 허용하는 내용이 포함되었다. 이것은 실질적으로 한방병원에 양방 진료과를 양방병원에 한방 진료과를 교차개설하는 것을 가능하게 하고, 또 의사와 한의사를 교차 고용하는 것을 가능하게 하는 법안이었다.[61] 이를 통해 동일 기관에 근무하는 한의사와 의사의 협진 진료가 가능하게 되었다.

이어서 정부는 협진에 의한 특성화 전문 병원을 육성하고 이를 우리나라 고유의 의료서비스 모델로 발전시킬 계획을 발표하였다. 보건복지부는 2016년 제3차 한의약육성발전종합계획(2016-2020)에서 '보장성 강화 및 공공의료 확대를 통한 한의약 접근성 제고'의 실현 방안 중 한 가지로 '양·한방 협진 활성화 및 협진 체계(수가) 마련'을 추진하면서 의·한 협진 시범사업을 시작하였다(표 7-5).[62] 이 사업은 제4차 한의약육성발전종합계획(2021-2025)에서도 이어지고 있다. 협진 시범사업 및 모델안 개선 사업(2021-2023), 의·한 협진 본 사업 추진 위한 법령 등의 개정(2024-2025)이 이에 해당된다.

이러한 정부 주도의 사업을 통해 적절한 의·한 협진 모델이 마련된다면, 추후 의과와 한의과의 협진은 더욱 확대될 것으로 보인다.

---

60)   류지선, 임병묵, 조병만 외. 협진병원 근무 의사들과 종합병원 근무 의사들의 양·한방 협진에 대한 인식도. 대한예방한의학회지 2009;13(3):29-41.

61)   의료법 [시행 2009. 1. 30.] [법률 제9386호, 2009. 1. 30., 일부개정] 제43조(진료과목 등), 의료법 시행규칙[시행 2010. 1. 31.] [보건복지가족부령 제158호, 2010. 1. 29., 일부개정] 제41조(진료과목의 표시)

62)   보건복지부. 제3차 한의약육성발전종합계획 2017년도 시행계획. 2017.4.

표 7-4. **국내 의·한 협진 다빈도 질환(2012년 1월-2013년 12월 심평원 청구자료 분석기준)**[63]

외래환자		입원환자	
상병코드	설명	상병코드	설명
M5456	상세불명의 요통, 요추부	I639	상세불명의 뇌경색증
M179	상세불명의 무릎관절증	M511	추간판 장애로 인한 좌골신경통
S3350	요추의 염좌 및 긴장	G825	사지마비 NOS
M750	어깨 관절주위염	I619	상세불명의 뇌내출혈
M170	양쪽 일차성무릎관절증	S3350	요추의 염좌 및 긴장
G510	안면마비	M501	달리 분류된 기타 질환에서의 척추병증, 상세불명의 부위
M511	추간판 장애로 인한 좌골신경통	M170	양쪽 일차성무릎관절증
M171	한쪽 일차성무릎관절증	C73	갑상선의 악성 신생물
M771	테니스팔꿈치	G510	안면마비

표 7-5. **의·한 협진 시범사업 단계별 주요 특징**[64]

단계별 구분	1단계 시범 사업('16.7~)	2단계 시범사업('17.11~)	3단계 시범사업('19.10~)
주요내용	협진 선행·후행행위 모두 급여 적용(기존 후행행위는 비급여)	표준 절차에 따라 협진 시 협진 수가 적용(협진 건당 동일 수가)	협진 성과 평가 통해 기관 등급에 따라 차등 수가 적용 (1등급 > 2등급 > 3등급)
대상자	외래 환자	외래 환자	외래 환자
대상기관	국공립병원 위주 총 13개 기관	협진 다빈도 질환	협진 성과 확인 질환 등
대상질환	전체 질환	협진 다빈도 질환	협진 성과 확인 질환 등
대상행위	급여 대상 한정(급여 한약제제 제외)	급여 대상 한정	급여 대상 한정

---

63) 보건복지부. 양·한방 융합기술 및 치료 서비스 개발 육성을 위한 제도 환경 구축 방안 연구. 2015.

64) 보건복지부. 제3차 한의약육성발전종합계획 2020년도 시행계획. 2020.4.

표 7-6. 협진 다빈도 질환 대상 협진군-비협진군 간 총 치료비용 등 비교 결과[65]

질환명	총 치료기간	총 치료비용
안면신경장애(G51)	협진군이 비협진군에 비해 7.95–9.93일 감소	협진군이 비협진군에 비해 4만 1,617원–7만 3,419원 감소
추간판장애(M51)	협진군이 비협진군에 비해 8.21–14.79일 감소	협진군이 비협진군에 비해 7만 5,011–14만 4,624원 감소
뇌경색증(I63)	협진군이 비협진군에 비해 29.75–36.76일 감소	협진군이 비협진군에 비해 13만 4,039–23만 2,339원 감소

자료: 성향점수매칭추정법(propensity score matching estimation, PSM) 통해 협진군과 비협진군 간 비교
(2017.11-2018.6월 진료분 기준)

---

65) 보건복지부, 건강보험심사평가원. [보도자료] 양질의 협진 서비스 제공을 위한 의-한 간 협진 3단계 시범사업 시행. 2019.
10.15.

📖 **더 읽을거리**

1. 연세대 의학사연구소 저. 한의학, 식민지를 앓다-식민지 시기 한의학의 근대화 연구. 서울: 아카넷; 2008.

2. 전북한의약조합 편. 한의학의 비판과 해설. 서울: 행림출판사; 1942.
   (재출판: 조헌영 외 지음. 한의학의 비판과 해설. 서울: 소나무; 1997.)

3. 이태형, 정유옹, 이덕호, 김남일. 해방 이후 한의학의 현대화 논쟁-1950년대와 1990년대 이후의 논의를 바탕으로-. 대한예방한의학회지 2012;16(3):53-73.

4. 이충열. 현대한의학의 이해-한의학의 정체성 문제 고찰을 위한 예비 연구. 동의생리병리학회지 2010;24(5):758-69.

5. 이충열. 현대한의학의 정체성 문제 연구. 동의생리병리학회지 2011;25(5):777-89.

6. 이충열. 동서의학 융합연구: 개념, 유형, 활성화를 위한 제언. 동의생리병리학회지 2019;33(6):311-21.

7. 강신익. 몸의 역사 몸의 문화. 서울: 휴머니스트; 2007.

8. 김종영. 하이브리드 한의학: 근대, 권력, 창조. 파주: 돌베개; 2019.

9. 김태우. 한의원의 인류학. 파주: 돌베개; 2021.

08

현대한의학의
교육

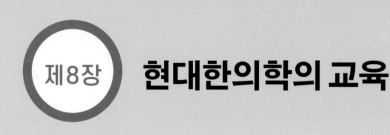

제8장 현대한의학의 교육

제1절 한의과대학의 역사와 현황

1. 한의과대학의 역사[1]

해방이 되자 조선의사회朝鮮醫士會는 경성황한의학원京城皇漢醫學院을 인수하여 동양의학전문학원東洋醫學專門學院이라는 이름의 한의학 전문교육기관 허가를 신청했고 1946년 10월 4일 미군정 당국의 허가를 받았다. 계속해서 조선의사회는 재단법인 행림학원을 설립하고, 곧바로 '동양의과대학관東洋醫科大學館'의 설립 인가를 신청했다. 하지만 정부 당국자들이 부정적인 의견을 나타내 불가피하게 '동양대학관東洋大學館'으로 교명을 변경하여 다시 인가 신청을 하게 되었다. 1948년 3월 24일에 미군정 당국의 허가(문고발 제12호)가 났고 인문학과와 동양의학과의 2개 과에 수업연한 4년인 을종대학으로 '동양대학관'이 설립되었다. 그러나 6·25 전쟁이 일어나면서 운영이 중단되었다. 1952년에 피난지인 부산 동대신동에서 천막 교사를 세우고 다시 강의를 시작했으며, 행림학원은 전쟁으로 유고상태에 빠진 이사회를 새롭게 구성하였다. 그리고 이사회는 '동양대학관'을 정규대학으로 승격시키기 위해 '서울한의과대학漢醫科大學'으로 개편하는 안을 문교부(지금의 교육부)에 제출하였다. 1953년 3월 5일 수업연한 4년의 정규대학으로 설립허가(문고 제429호)를 받았다. 서울한의과대학은 약학과 증설을 계획하면서 1955년 3월 10일 '동양의약대학東洋醫藥大學'

---

1)　이 부분은 '대한한의사협회. 1989-2011 대한한의사협회사. 서울: 대한한의사협회; 2012.', '한국한의약연감 발간위원회. 2020 한국한의약연감. 대전: 한국한의학연구원; 2022.'의 내용을 참고하여 작성함.

으로 교명을 변경하였고, 8월 1일 약학과가 신설되었다. 동양의약대학은 서양 기초의학 과목과 한방전문과목 모두를 필수과목으로 하는 교육과정을 운영하였다. 1960년부터 1963년까지 개설되었던 교과목을 보면 기초과목에는 한방생리, 한방병리, 한의학원론, 본초학, 양방생리, 양방병리, 약용식물학, 한방진단학, 양방진단학, 해부학, 미생물학, 생화학, 예방의학, 전염병학, 의사학, 법의학 등이 있었고, 임상 전공과목으로는 내과학 A, B, C, 부인과, 소아과, 침구과, 상한론 등이 있었다.[2]

하지만 동양의약대학은 1959년 말부터 재단 비리 문제가 밝혀져 어려움을 겪었으며 관선이사가 파견되어 수습을 시도했으나 실패하였다. 1962년 3월 6일 대학정비령(교육에 관한 임시특례법 제3조2항)에 의해 학생모집 중지처분을 받았다. 설상가상으로 1962년 3월 20일 의료법(법률 제1035호)이 개정되면서 동양의약대학의 설립 근거도 없어지게 되었다. 이 같은 어려움이 닥치자 전 한의계가 합심해서 의료법 개정 운동을 전개하였다. 노력의 결과로 마침내 1963년 6년제 '동양의과대학東洋醫科大學'이 설립되었고, 1963년 12월 16일 예과 2년, 본과 4년의 6년제 의과대학으로 정식 인가를 받게 되었다. 6년간의 교육과정은 1-2학년 기초교양, 3-4학년 기초의학, 5-6학년 한의학 중심의 임상 교육으로 구성되었다. 기초의학 분야에는 서양의학 기초과목과 함께 한방생리학과 한방병리학 등의 한의학 기초 전공과목이 포함되어 있었다. 이것은 근대 한의학 교육 초기부터 시행되었던 한의학과 서양의학의 교육을 병행하는 체계를 계승한 것이고 동서의학을 아우르는 의학 전문가를 양성하기 위한 것이었다.[3][4]

1910년대부터 한의학 교육기관에서 서양의학의 해부학을 강의했고, 일제강점기 동안에도 한의학 교육의 주요 목표가 동서의학東西醫學의 회통 또는 절충이었으며 이를 위해 늘 서양의학 과목이 한의학 교육과정에 포함되어 있었다. 이러한 흐름은 지금까지도 이어져 현재 한의과대학 교육과정에도 해부학, 조직학, 미생물학, 방사선학(영상의학), 법의학, 예방의학, 의학통계학 등의 서양의학 관련 과목이 포함되어 있다.[5]

2)   정우열. 한의학 100년 약사. 의사학. 1999;8(2):173-192.

3)   대한한의사협회. 1989-2011 대한한의사협회사. 서울: 대한한의사협회; 2012. pp. 344-350, 558-560.

4)   한국한의약연감 발간위원회. 2020 한국한의약연감. 대전: 한국한의학연구원; 2022. p.66.

5)   근현대 시기 한의학 교육기관의 교육과정에 대한 자세한 내용은 '백유상. 근현대 韓醫學 高等敎育機關의 敎育課程 분석. 대한한의학원전학회지 2017;30(4):123-153.'을 참고할 것.

이후 1965년 경희대학교가 동양의과대학을 흡수 합병하여 경희대학교 의과대학 한의학과로 되었고, 1976년 의과대학 한의학과가 한의과대학으로 승격되었다.[6]

그리고 1973년에는 원광대, 1979년 동국대, 1981년 대구한의대, 1982년 대전대, 1987년 동의대, 1988년 우석대, 상지대, 1990년 가천대, 1992년 동신대, 세명대 등의 11개 6년제 사립 한의과대학에 각각 신입생이 처음 입학하였고, 2008년에는 국립 한의학 교육기관인 국립부산대학교 한의학전문대학원이 개원하여 50명의 신입생이 입학하였다.

2. 한의과대학 현황

현재 6년제 한의과대학 11개와 1개의 한의학전문대학원, 3개의 한약학과에서 한의학 교육이 시행되고 있다(표 8-1). 2020년 기준 한의과대학 및 한의학전문대학원의 학부 및 한의무석사(전문학위) 입학정원 중 정원 내 인원은 총 750명이며, 정원 외 인원은 총 38명이다. 2020년 기준 총 4,638명의 학생이 재학하고 있다.[7]

표 8-1. 현재 한의과대학 현황 및 개교년도(1기 입학생 기준)

학교명	개교년도	학교명	개교년도	학교명	개교년도
경희대학교	1948*	원광대학교	1973	동국대학교	1979
대구한의대	1981	대전대학교	1982	동의대학교	1987
상지대학교	1988	우석대학교	1988	가천대학교	1990
동신대학교	1992	세명대학교	1992	부산대학교	2008

*경희대학교의 경우 동양대학관 입학생을 기준으로 함

6)   대한한의사협회. 1989-2011 대한한의사협회사. 서울: 대한한의사협회; 2012. pp. 344-350, 558-560.
7)   한국한의약연감 발간위원회. 2020 한국한의약연감. 대전: 한국한의학연구원; 2022. p.73.

국립한의학전문대학원 설치

2008년 3월 개원한 부산대학교 한의학전문대학원은 국내 유일의 국립 한의학 교육기관이다. 근대화 이후 한의학 고등교육을 국가가 직접 맡은 적은 없었다. 대한제국 시기 동제학교同濟學校가 있었으나 어디까지나 고종의 사적인 지원을 받아 설립되고 유지되었을 뿐 공식적으로 국가의 지원을 받거나 국가가 운영한 것은 아니었다. 따라서 부산대학교 한의학전문대학원의 설치는 근대 이후 최초로 국가가 한의학 교육과 연구의 직접적인 주체가 되었다는 점에서 큰 의미가 있다.

국립대학인 부산대학교 한의학전문대학원은 기존 사립대학 체제의 한계를 보완할 수 있을 것으로 기대되고 있다. 국가의 충분한 재정적 뒷받침과 지원이 가능하기 때문이다. 먼저, 연구 측면에서는 충분한 규모의 연구 시설 확보 및 연구 인력(충분한 교수)의 충원 등을 통해 질 높은 연구 환경 조성이 가능하고 이를 통해 질 높은 한의학 연구가 수행될 수 있을 것이다. 이러한 연구 환경은 교육에도 이어져 체계화된 한의학 교육과정의 개발 및 적절한 임상 실습 교육이 가능하게 되어 한의학 교육의 질 향상으로 이어질 것이다. 진료면에서는 좋은 한방병원 시설과 충분한 의료진을 통해 질 좋고 표준화된 진료가 가능한 병원 환경 및 진료 시스템이 구축될 수 있을 것이다. 나아가 다양한 산학 협력과 연구들을 통해 각 질병에 대한 한의학적인 예방 및 치료, 진료 수단의 객관화 및 표준화의 연구, 한방산업에 이바지할 수 있는 의약품 개발 및 기술 개발 등을 통해 한국 한의학의 발전을 이끌어갈 것으로 기대되고 있다.

설립 초기 한의무석사과정만 운영하였다가 현재 한의무석사과정과 학석사통합과정을 병행하여 운영하고 있다.

제2절 학부 교육과정 및 국가고시

1. 현재 한의과대학 학부 교육과정 및 전망

1964년 경희대학교 한의과대학의 전신인 동양의과대학이 예과 2년, 본과 4년의 6년제 한의학 교육과정 운영을 시작한 때부터 모든 한의과대학이 6년제 교육과정을 운영하고 있다. 한의학 전공교육은 기초의학과 임상의학 교육과정으로 나누어져 진행되며, 본과 4학년은 임상 실습 위주로 운영된다.[8]

2008년 개원한 부산대학교 한의학전문대학원은 기존의 한의과대학과 달리 1, 2학년에 한의학 관련 기초교과목(32개), 3, 4학년 과정에서 임상 교과목(29개), 20주 학분제(Quater) 통합교육과정을 시작부터 운영하였다. 2017년 이후에는 대학원 한의학과(정원 25명)와 학석사통합과정(정원 25명; 학사과정 3년+한의무석사과정 4년)의 2가지 트랙(track)으로 교육과정을 운영하고 있으며, 학석사통합과정의 한의무석사과정(4년)은 대학원 한의학과와 통합과정(4년)을 공유하고 있다. 부산대 한의학전문대학원은 2008년 신설 당시 통합강의를 개발하면서 통합교육과정을 처음 시행하였고, 문제 바탕 학습(Problem Based Learning, PBL), 컴퓨터 기반 평가(Computer Based Test, CBT), 한의면담(환자-의사 관계)(Physician Patient Interaction, PPI), 임상술기시험(Objective Structured Clinical Examination, OSCE), 진료수행시험(Clinical Performance eXamination, CPX) 등 새로운 교육·평가 기법을 한의계 최초로 도입하여 기존의 한의과대학 교육에 큰 자극을 주었다.[9]

앞으로 한의과대학의 학부 교육과정은 큰 변화를 겪을 것으로 보인다. 2015년 한국한의학교육평가원의 의뢰로 서울대학교 교육학과 연구팀이 한의사의 역할을 구체적으로 정

---

8) 홍지성. 재구조화 관점에서 본 역량중심 한의학교육:의생명과학과 전문직업성 교육의 강화 [박사학위]. [익산]: 원광대학교 대학원; 2018년. pp. 25-26.

9) 조학준. 한의학 교육과정 변화의 조건 탐색-통합교육과정을 중심으로-. 대한한의학원전학회지 2020;33(3):63-89.

의한 한의사 역량 모델을 개발하였고[10], 2016년에는 2015년 한의사 역량 모델의 구체적 활용을 위해 한의 임상에 필요한 지식, 술기, 태도가 통합적으로 표현되는 2016 한의사 역량 모델을 개발하였다(표 8-2).[11]

표 8-2. 2016년 한의사 역량 모델[12]

최선의 진료	병력청취 및 신체검사
	전문지식 및 임상술기
	통합적 치료
합리적 의사소통 능력	한의사와 환자 간 의사소통
	한의사 간 의사소통
	보건 의료 직군 간 의사소통
전문직업성 함양	직업 정체성 확립
	윤리의식 제고
	교육과 연구 활동
사회적 책무수행	지역 사회 및 국내 공공 보건 활동
	국제 협력 활동
	보건의료 정책 개발 및 참여
효율적인 의료경영 및 관리	환자 관리
	의약품 및 의료기기 관리
	재무 및 인력관리

10)   임철일, 강연석, 김영전, 한형종, 홍지성, 한라은, 이형주. 한의사 역량모델 개발. 한국한의학교육평가원. 2015.
11)   임철임, 한현종, 홍지성, 강연석. 2016 한의사 역량모델 정립 및 활용 방안. 대한한의학회지 2016;37(1):101-113.
12)   임철임, 한현종, 홍지성, 강연석. 2016 한의사 역량모델 정립 및 활용 방안. 대한한의학회지 2016;37(1):107-9.

이러한 연구 결과를 바탕으로 한국한의학교육평가원에서는 1주기(2011년~) 한의대 평가에서 한의학 교육 여건과 교육과정의 질적 수준의 표준화를 목표로 평가·인증기준을 구성했던 것을 넘어서 2주기(2017년~)에는 성과기반 역량중심의 한의학 교육과정으로의 전환과정을 평가의 주안점으로 두어 한의과대학 교육과정이 성과중심, 역량기반의 교육으로 전환되도록 유도하였다.[13]

2019년 한국한의학교육평가원은 새로운 '한의학교육 인증 기준 2021-2025 (Korean medicine education Accreditation Standards 2021, KAS2021)'을 발표하였다. KAS2021은 성과기반 역량중심 한의학 교육의 완성에 평가의 주안점을 두었고, 한의학 교육의 수준을 세계의학교육협회(World Federations for Medical Education, WFME)가 기본의학교육의 질 향상을 목적으로 제시한 '기본의학교육 질 향상 국제표준(basic medical education WFME global standards for quality improvement, 2015 revision, BME)'을 충족하는 것에 평가목표를 두었다.[14] KAS2021 평가·인증에서는 통합교육이 강조되었고, 교과과정은 기초의학, 기초한의학, 인문 사회의학, 임상의학으로 분류하였으며, 임상 실습교육이 강조되면서 진료수행평가(Clinical Performance eXamination, CPX)와 객관적구조화임상평가(Objective Structured Clinical Examination, OSCE)가 필수 기준으로 제시되었다.[15]

하지만 KAS2021이 한의학계의 충분한 의견수렴이 부족한 상태에서 결정되었고, 기준도 현실에 맞게 보완할 필요가 있다는 의견에 따라 일부 항목의 기준을 완화, 수정하여 KAS2022[16]가 개발되었다. 현재 한국한의학교육평가원에서는 새로운 인증평가 기준인 KAS2022가 한의대 교육에 성공적으로 안착될 수 있도록 노력하고 있다.

---

13) 한국한의학교육평가원. 제2주기 한의학교육 평가인증 편람. 2017.

14) 한국한의학교육평가원. 한의학교육 인증 기준 2021-2025 (Korean medicine education Accreditation Standards 2021, KAS2021). 2019. 12.

15) 조학준. 한의학 교육과정 변화의 조건 탐색-통합교육과정을 중심으로-. 대한한의학원전학회지 2020;33(3):63-89.
    한국한의학교육평가원. 한의학교육 인증 기준 2021-2025(Korean medicine education Accreditation Standards 2021, KAS2021). 2019. 12.

16) 한국한의학교육평가원. 한의학교육 인증 기준 2022 (Korean medicine education Accreditation Standards 2022, KAS2022). 2021. 12.

한국한의학교육평가원

2005년 한의학 교육 인증평가기구인 한국한의학교육평가원(이하 한평원)이 출범하였다. 한평원의 설립 목적은 "국민 의료복지의 증진과 국민 보건향상에 이바지하기 위한 의료서비스의 질적 향상을 위하여 전문 의료 인력의 육성, 배출 및 관리 등 한의학 교육과 관련한 연구, 개발 및 평가와 인증을 수행"한다고 되어 있다.[17] 한평원의 주요 사업은 각 대학의 한의학 교육에 대한 평가인증과 한의학 교육에 대한 연구 사업이다. 한평원의 사업은 한의학 교육의 질적 향상을 도모하고 양질의 한의학 인력을 양성하는 데 초점이 맞추어져 있다. 특히 2016년 5월 20일 정부로부터 한평원이 한의학 교육의 공식 평가인증 기관으로 인정을 받아 의료법(제5조) 및 고등교육법(11조의2)에 근거하여 한의학 교육 프로그램에 관한 평가인증을 수행하게 되었으며, 한평원의 평가인증 절차 및 결과가 법적 효력을 갖게 되었다.[18] 한평원은 2011년부터 1주기 한의학 교육 평가인증(2011–)을 진행하였고, 2017년부터 2주기 한의학 교육 평가인증(2017–)을 진행하였다. 2019년에 세계의학교육협회(WFME) 기본의학교육(Basic Medical Education, BME)의 표준을 충족하는 수준에서 한의학 교육을 실시하는 것을 기본 방향으로 설정하고, 2021년부터 전면 적용될 한의학 교육 평가인증 기준인 '한의학교육 인증 기준 2021–2025 (Korean medicine education Accreditation Standards 2021, KAS2021)[19]'를 발표하였다. 2021년 12월 7일에는 이를 수정보완한 KAS2022[20]를 발표하여 현재 한의학 교육 평가인증에 적용하고 있다.

---

17) 한국한의학교육평가원(한평원)[인터넷]. [2022년 2월 20일 인용]. URL: https://www.ikmee.or.kr
18) 한국한의학교육평가원(한평원)[인터넷]. [2022년 2월 20일 인용]. URL: https://www.ikmee.or.kr
19) 한국한의학교육평가원. 한의학교육 인증 기준 2021-2025(Korean medicine education Accreditation Standards 2021, KAS2021). 2019. 12.
20) 한국한의학교육평가원. 한의학교육 인증 기준 2022(Korean medicine education Accreditation Standards 2022, KAS2022). 2021. 12.

2. 현재 한의과대학의 교육 내용

1) 한의대 교육과정의 구성

　현재 11개 한의과대학과 1개 한의학전문대학원의 공통 교과목을 분석한 연구에 따르면 한의과대학 교육과정은 한의학입문 과정, 기초한의학 과정, 임상한의학 과정으로 나누어진다(표 8-3).[21] 각 과정들은 서로 연계되어 있다(그림 8-1).

표 8-3. **12개 한의과대학(원) 현 공통 교육과정 및 시기별 분류**[22]

한의학입문 과정 (예과 1-2학년)		기초한의학 과정 (예과 2학년-본과 2학년)	임상한의학 과정 (본과 3-4학년)	
•교양·인문, 예술, 체육 등 교양일반 •중국어, 영어 등 •화학, 생물, 생화학 등 •심리학, 동양철학 등	한의학개론 의학한문	•인문사회: 의사학, 의료윤리 등 •의생명과학: 해부학, 생리학, 병리학, 약리학 등 •기본이론: 한방생리학, 한방병리학, 원전학, 각가학설 •진단(診斷): 한방진단학 •시술(施術): 경혈학 •용약(用藥): 본초학, 방제학, 상한/온병 •예방 및 보건: 예방의학, 양생학, 통계학, 의료관리학	•8개 전문의과: 내과, 침구, 부인과, 소아과, 안이비인후피부과, 신경정신과, 사상의학과, 재활의학과 •통합의학에 필요한 기본 지식과 술기: 진단학, 임상병리학, 진단검사의학, 영상의학, 응급의학 등	임상실습

　한의학입문 과정(예과 1-2학년)에는 각 대학의 일반 교양과목과 함께 기초 한문, 중국어, 영어 등의 어학 과목, 화학, 생물학, 생화학 등의 기초 과학 과목, 심리학, 동양철학 등의 교양·인문 과목이 포함된다.

　기초한의학 과정(예과 2학년-본과 2학년)은 (1) 한문원전트랙(의학한문·각가학설·내경·상한·온병), (2) 한의학트랙(생리·병리·진단), (3) 약물트랙(본초·방제), (4) 침구트랙(경혈·침

---

21) 　강연석, 채윤병, 고호연 외. 한의사 국가시험 제도 개선 연구. 한국보건의료인국가시험원. 2017.
22) 　강연석, 채윤병, 고호연 외. 한의사 국가시험 제도 개선 연구. 한국보건의료인국가시험원. 2017.

구학총론), (5) 서양의학트랙(해부·생리·병리·약리학·미생물학·면역학), (6) 인문사회의학트랙(의사학·의료윤리, 예방의학·양생학·통계학·의료관리학)으로 크게 분류할 수 있다.

임상한의학 과정(본과 3-4학년)에는 한방내과, 한방부인과, 한방소아과, 한방안이비인후피부과, 한방신경정신과, 침구과, 한방재활의학과, 사상체질과 등의 8개 전문 한의학 임상 과목과 통합의학적 지식을 갖추기 위한 양방진단학, 양방진단검사의학, 영상의학, 응급의학, 임상심리학, 법의학 등의 과목이 포함된다. 최근에는 여러 한의과대학에서 임상 한의학 과목에 추나학, 종양학 등의 과목을 추가하고 있다.

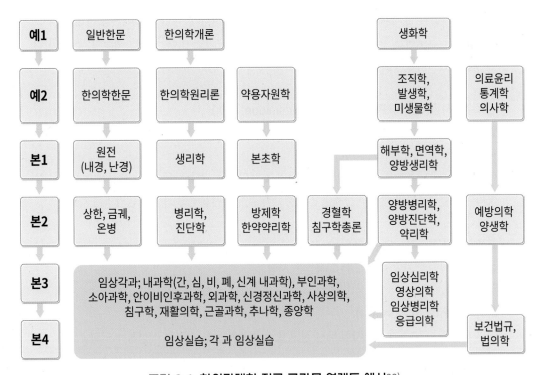

그림 8-1. 한의과대학 전공 교과목 연계도 예시[23]

(대학마다 일부 과목의 명칭과 개설 여부, 학년이 다를 수 있음)

---

23) 현재 한의과대학 교육은 큰 전환기에 놓여 있으며 대부분 대학에서 멀지 않아 큰 폭의 교육과정 개편이 있을 것으로 예상된다. 통합교육이 강조되면서 여러 과목이 명칭이 바뀌고 통합될 가능성이 높다. 그럼에도 불구하고 이 그림은 한의과대학 교육을 이해하는 데 도움이 될 것으로 생각한다.

🏷️ 임상 교육 관련 용어

- **문제 바탕(중심) 학습(Problem Based Learning, PBL)**
  실제 환자를 진료하면서 접할 수 있는 문제를 학습자에게 제시하고 학습자가 다양한 자료들을 활용하며 스스로 문제를 해결할 수 있게 하는 교육방법[24]

- **객관구조화진료시험(Objective Structured Clinical Examination, OSCE)**
  객관구조화임상시험(평가), 임상술기시험, 객관적임상능력시험, 단순수기시험 등으로도 번역되어 사용됨.
  임상실기시험의 한 형태로, 수험자들이 임상 상황과 유사하게 짜인 스테이션을 돌면서 각 스테이션별로 요구하는 특정한 술기를 수행하고, 평가 교수들은 미리 구성된 체크리스트에 따라 평가하는 실기시험의 유형[25]

- **진료수행시험(Clinical Performance eXamination, CPX)**
  진료수행평가, 임상진료시험, 임상수행시험(평가), 표준화환자대상진료시험 등으로도 번역되어 사용됨.
  CPX는 객관적구조화임상시험처럼 학생들이 스테이션을 교대로 돌지만, 각 스테이션에서 표준화환자를 활용하여 환자의 문제를 진단하고 해결하는 전체적인 과정을 평가받는 시험[26]

- **표준화환자(Standardized Patient, SP)**
  실제 환자처럼 연기할 수 있도록 교육받은 사람

- **사이시험(Inter-Station Test)**
  CPX 시험 후 해당 표준화환자에 대한 진단 및 치료계획 등을 수기로 작성하는 시험

---

24) Barrows, H.S., Tamblyn, R.M. Problem-Based Learning:An Approach to Medical Education. New York, USA: Springer Publishing Company; 1980.

25) Harden RM, Stevenson M, Downie WW, Wilson GM. Assessment of clinical competence using objective structured clinical examination. Br Med J 1975;22:447-51.

26) 김경한. 마취통증의학과 임상실습은 지식, 수기, 태도 영역에서 고르게 평가되고 있는가? 한국의학교육 2003;15(3):213-9.

2) 임상실습 교육 강화

앞으로 한의학 교육에서 임상실습 교육은 점차 강화될 것으로 보인다. 한국한의학교육평가원에서 발표한 KAS2022 평가·인증 기준에서는 대학 내부 임상실습 시간을 1,200시간 이상으로 제시하고 있으며, 대학마다 학생 자유 선택 외부 임상실습 기간을 추가로 400시간 이상 운영할 수 있도록 하고 있다(자유 선택 외부 임상실습은 80시간까지 내부 임상실습으로 인정함). 아울러 수동적 실습(단순 의료 참관 등) 외에 능동적 실습(CPX, OSCE, 의료진의 일부로 실제 진료에 참여 등)을 포함하는 다양한 임상실습을 구성해야 한다. 임상실습 중 CPX 항목은 임상과목별 1개 이상을 포함하여 10개 항목에 관하여 시행해야 하고, OSCE 항목도 임상과목별 1개 이상을 포함하여 10개 이상을 실시할 것을 권고하고 있다.[27]

3) 한의사 국가고시

한의사 면허를 부여하기 위한 국가고시는 의사, 치과의사 국가고시와 함께 보건복지부(당시 보건부)에 의해 1952년 처음 시행되었다. 1963년부터는 국립보건원이 한의사 면허 시험을 주관하였으며, 1998년 9월 23일 보건복지부로부터 보건의료인 국가시험 관리기관으로 한국보건의료인국가시험원이 지정 고시되었다(보건복지부 고시 제1998-54호).[28]

한의사 국가고시는 오지선다형 객관식으로 문제당 1점, 총 340문제가 출제되고, 시험은 4교시로 나누어 총 320분 동안 진행된다. 국가고시 과목은 1교시 내과학(Ⅰ), 2교시 내과학(Ⅱ), 침구학, 보건의약관계법, 3교시 외과학, 신경정신과학, 안이비인후과학, 부인과학, 4교시 소아과학, 예방의학, 한방생리학, 본초학의 11과목으로 1990년 이래로 과목이나 시험 방식(필기시험)에 큰 변화가 없었다(표 8-4, 5). 그러나 시험 내용은 큰 변화가 있었다. 2019년에 개최된 '한의학 교육 현황과 비전' 국회토론회의 '한의사 국가고시의 현황과 방향'이란 발표에 따르면 한의사 국가고시가 1990년대 이전에는 한의학 원전 내용을 암기하는 수준으로 출제되었으나 지금은 실제 진료 현장에서 사용되고 있는 KCD(한·양방 융합 진단)를 중심으로, 또 한·양방 융합 진료(실제 한의 진료 시 한의 진단 + 양의 진단 ⇒ 한의

---

27) 한국한의학교육평가원. 한의학교육 인증 기준 2022(Korean medicine education Accreditation Standards 2022, KAS2022). 2021. 12.

28) 한국보건의료인국가시험원. 한국보건의료인국가시험원 백서. 2011.

치료)와 의료윤리적인 이슈를 반영한 국가고시 문제가 출제되고 있음을 알 수 있다.[29] 이러한 경향은 2020년 1월 15일 시행된 제75회 한의사 국가고시의 특징에 대해 국가고시 위원장이 한 인터뷰 내용에서도 확인할 수 있다. 위원장은 한의사 국가고시에 첫째, 임상현장에서 볼 수 있는 상황을 가정한 문제들이 많이 출제되었고 둘째, 영상과 사진을 직접 활용한 문제와 생화학, 혈액, 면역학적 검사 등을 제시하고 답 가지를 찾아가는 문제가 작년보다 3배 이상 출제되었으며, 셋째, 한국표준질병사인분류(KCD) 진단명을 답 가지로 묻는 문제가 출제되어 임상현장에서 실제 한의사들이 KCD 진단명을 활용하는 현실을 반영하였고, 넷째, 한의학의 핵심 개념인 증치와 질환을 찾아가는 혼합형 문항의 비율이 증가된 점을 밝히고 있다.[30]

표 8-4. **2022년 현재 한의사 국가고시 과목 및 시험시간표**[31]

구분	시험과목(문제 수)	교시별 문제 수	시험시간
1교시	1. 내과학(I)(80)	80	09:00–10:15 (75분)
2교시	1. 내과학(II)(32) 2. 침구학(48) 3. 보건의학관계법규(20)	100	10:45–12:20 (95분)
3교시	1. 외과학(16) 2. 신경정신과학(16) 3. 안이비인후과(16) 4. 부인과학(32)	80	13:30–14:45 (75분)
4교시	1. 소아과학(24) 2. 예방의학(24) 3. 한방생리학(16) 4. 본초학(16)	80	15:15–16:30 (75분)

29) 고호연. 한의사 국가고시의 현황과 방향. '한의학 교육 현황과 비전' 국회토론회(2019.4.29.) 발표자료.

30) 민보영. 한의사 국시, KCD 진단명·영상 활용한 문제로 한의사 역량 평가. 한의신문[인터넷]. 2020년 1월 30일 [2022년 1월 11일 인용]. URL: http://www.akomnews.com/bbs/board.php?bo_table=news&wr_id=37979)

31) 한국보건의료인국가시험원[인터넷]. 시험정보-한의사시험정보[2022년 1월 11일 인용]. URL: https://www.kuksiwon.or.kr/subcnt/c_2004/7/view.do?seq=7.

표 8-5. **한의사 국가고시의 시험과목 연혁**[32]

개정(시행)	시험과목
1952.01.15. (1952.01.15.)	진단학, 내과학, 소아과학, 의사법규 중 3과목
1962.01.15. (1962.01.15.)	진단학, 내과학, 소아과학, 의사법규, 부인과학, 침구학
1963	진단학, 내과학, 소아과학, 산부인과학, 침구학, 보건법규
1968	내과학, 침구학, 부인과학, 소아과학, 외과학, 정신과학, 안이비인후과학, 예방의학 및 보건법규
1973.10.17. (1973,10.17)	내과학, 침구학, 부인과학, 소아과학, 외과학, 정신과학, 안이비인후과학, 예방의학 및 보건의약관계법규
1976.12.29. (1977.01.09.)	내과학, 침구학, 부인과학, 소아과학, 외과학, 신경정신과학, 안이비인후과학, 예방의학 및 보건의약관계법규
1982.12.31. (1984.01.01.)	내과학, 침구학, 부인과학, 소아과학, 외과학, 신경정신과학, 안이비인후과학, 예방의학 및 보건의약관계법규(의료법, 전염병 예방법, 마약법, 검역법, 보건소법에 한한다.)
1990.01.09. (1991.01.01.)	내과학, 침구학, 부인과학, 소아과학, 외과학, 신경정신과학, 안이비인후과학, 본초학, 한방생리학, 예방의학 및 보건의약관계법규(의료법, 전염병 예방법, 마약법, 검역법, 의료보험법, 후천성면역결핍증 예방법, 보건소법에 한한다.)
1994.09.27. (1994.09.27.)	내과학, 침구학, 부인과학, 소아과학, 외과학, 신경정신과학, 안이비인후과학, 본초학, 한방생리학, 예방의학 및 보건의약관계법규(의료법, 응급의료에 관한 법률, 전염병 예방법, 마약법, 향정신성의약품관리법, 검역법, 의료보험법, 후천성면역결핍증 예방법, 보건소법을 말한다)
2000.05.25. (2002.01.01.)	내과학, 침구학, 부인과학, 소아과학, 외과학, 신경정신과학, 안이비인후과학, 본초학, 한방생리학, 예방의학 및 보건의약관계법규(보건의료기본법, 지역보건법, 국민건강증진법, 전염병 예방법, 후천성면역결핍증 예방법, 검역법, 의료법, 응급의료에 관한 법률, 혈액관리법, 마약류관리에 관한 법률, 국민건강보험법과 그 시행령 및 시행규칙을 말한다.)
2015.12.23. (2016.8.6.)	내과학, 침구학, 부인과학, 소아과학, 외과학, 신경정신과학, 안이비인후과학, 본초학, 한방생리학, 예방의학 및 보건의약관계법규(보건의료기본법, 지역보건법, 국민건강증진법, 감염병의 예방 및 관리에 관한 법률, 후천성면역결핍증 예방법, 검역법, 의료법, 응급의료에 관한 법률, 혈액관리법, 마약류관리에 관한 법률, 국민건강보험법과 그 시행령 및 시행규칙을 말한다.)
2019.07.16. (2021.03.01.)	내과학, 침구학, 부인과학, 소아과학, 외과학, 신경정신과학, 안이비인후과학, 본초학, 한방생리학, 예방의학 및 보건의약관계법규(감염병의 예방 및 관리에 관한 법률, 검역법, 국민건강보험법, 국민건강증진법, 마약류 관리에 관한 법률, 보건의료기본법, 응급의료에 관한 법률, 의료법, 지역보건법, 혈액관리법, 호스피스·완화의료 및 임종과정에 있는 환자의 연명의료결정에 관한 법률, 후천성면역결핍증 예방법과 그 시행령 및 시행규칙을 말한다.)

---

32) 의료법 시행규칙[시행 2021. 12. 31.] [보건복지부령 제851호, 2021. 12. 31., 타법개정]. [별표 1의3] 국가시험의 시험과목, 시험방법 및 합격자 결정방법(제2조 관련).

한의사 국가고시 필기시험 방식도 변화가 예정되어 있다. 즉, 의사, 치과의사, 한의사 국가시험의 필기시험이 현행 지필시험 방식에서 PC 기반의 컴퓨터시험(Computer Based Test, 이하 'CBT') 방식으로 변경되며 2022년에는 의사 국가시험에 2023년에는 치과의사와 한의사 국가시험에 도입될 예정이다.[33]

실기시험의 경우 의사 국가고시(2009년 도입)와 치과의사 국가고시(2021년 도입)에는 이미 도입되었지만 한의사 국가고시에는 아직 도입되지 않고 있다. 하지만 한국보건의료인국가시험원이 국가시험에 실기시험을 확대하려는 방침을 세우고 있으므로 향후 한의사 국가고시에도 실기시험이 도입될 것으로 보인다. 이를 위해 한국한의과대학·한의학전문대학원학장협의회장, 한의사협회장, 한국보건의료인국가시험원 한의사시험위원장, 한국한의학교육평가원장은 2019년 8월 국가시험 개선을 위한 워크숍에서 2023년부터 기초종합평가(본과 1학년 대상), 대학별 실기시험(본과 4학년 대상) 및 국가시험 시행, 2026년부터 임상표현(Clinical Presentations, CPs) 중심 임상종합평가 한의사국가시험(필기시험) 시행, 2030년 2학기 한의사국가시험에 OSCE, CPX 등 임상실기시험을 도입하는 것 등을 '결의'한 바 있다.[34]

---

33)   한국보건의료인국가시험원 보도자료-의사, 치과의사, 한의사 국가시험 컴퓨터 시험 도입. 2019.12.24.

34)   조학준. 한의학 교육과정 변화의 조건 탐색-통합교육과정을 중심으로-. 대한한의학원전학회지 2020;33(3):63-89.
       민보영. 역량 중심 교육 도약 위한 학술사업 공유. 한의신문 [인터넷]. 2020년 7월 7일[2022년 1월 11일 인용]. URL: http://www.akomnews.com/bbs/board.php?bo_table=news&wr_id=40185

제3절   대학원 및 전문의 제도

한의학 전공 대학원과정은 1966년 3월 경희대학교 대학원에 한의학 석사학위과정이 처음 설치되었고, 1968년 2월 22명의 졸업생이 최초로 배출되었다. 한의학 박사학위과정은 1974년 3월에 경희대학교 대학원에 처음 설치되었고, 1976년 5명의 졸업생이 최초로 배출되었다. 2020년 기준 한의학 관련 전공 석사 및 박사과정 재학생 수가 가장 많은 곳은 경희대학교 대학원이다. 석사과정 94명, 박사과정 46명이 재학 중이다. 2020년 기준 전국 한의과대학 대학원 및 한의학전문대학원의 한의학 관련 전공 재학생은 석사과정이 289명, 박사과정이 297명이다.[35]

우리나라 한방병원 발전사를 살펴보면 1965년 동양의대가 경희대와 합병하면서 경희대 부속안암한방병원이 처음 개설되었고, 경희의료원이 개원하면서 1971년 3월 1일 부속한방병원, 6월 23일 시내한방병원이 개설되었다.[36] 이렇게 한방병원들이 생겨나자 한방병원의 법적 근거 마련도 시급하게 요청되었다. 한방병원의 설립 근거는 보건사회부가 1973년 2월 16일 의료법을 개정(법률 제2533호)하면서 만들어졌다. 이때 의료기관 종별에 한방병원이 추가되었으며, 당시 개정된 의료법 제3조 제2항에 종합병원의 시설기준을 80병상으로, '한방병원'은 20병상 이상으로 각각 규정하고, 한방진료과목을 한방내과, 한방소아과, 한방부인과, 한방신경정신과, 한방안이비인후과, 침구과 등 6개 과목으로 하였다.[37] 이후 한의과대학의 설립이 이어지면서 부속한방병원들이 속속 개설되고 일반 한방병원의 개설도 계속 증가하여 한방병원의 제도 및 시설과 운영의 발전을 위해 이를 협의, 처리할 기구가 필요했다. 1985년 11월 23일 대한한방병원협회 창립총회가 개최되었고, 1988년 6월 20일 민법 제32조에 근거 사단법인 대한한방병원협회가 설립(보건복지부 허가 제128호)되었다.[38]

35)   한국한의약연감 발간위원회. 2020 한국한의약연감. 대전: 한국한의학연구원; 2022. p. 74.
36)   한국한의학연구소. 한국한의학사 재정립 하권. 서울: 한국한의학연구소; 1995. p. 272.
37)   한국한의학연구소. 한국한의학사 재정립 하권. 서울: 한국한의학연구소; 1995. p. 271.
38)   대한한의사협회. 1989-2011 대한한의사협회사. 서울: 대한한의사협회; 2012. pp. 682-684.

　　1994년 7월 개정된 의료법(법률 제4732호)[39]에 한의사 전문의 제도의 법적 근거가 마련되었다. 1999년 12월 15일 '한의사전문의의 수련 및 자격인정 등에 관한 규정'(대통령령 제16616호)[40]의 공포로 한의사 전문의 제도가 시행됨에 따라 대한한방병원협회는 한방전공의의 수련 및 정원 책정을 위한 자료조사 업무를 보건복지부로부터 위탁받아 수행하였다. 2000년 3월 1일 규정에 따른 한의사 전문의의 수련이 시작되었고 2002년부터 8개 전문 진료과목(한방내과, 한방부인과, 한방소아과, 한방신경정신과, 침구과, 한방안·이비인후·피부과, 한방재활의학과, 사상체질과)의 한의사 전문의가 배출되었다(표 8-6). 한의사 전문의가 되기 위해서는 일반수련의 1년과 전문수련의 3년을 거쳐야 한다. 2004년 1월 의료법 제45조의2(의료기관단체설립)(2009년 이후 제52조로 바뀜)[41]에 의해서 대한한방병원협회가 의료법에 따른 단체로 승인되었다.[42][43] 2014년 1월 1일부터 한방병원 인증제도가 도입되어 환자의 안전과 질 개선을 위한 평가가 이루어지게 되었고, 2019년 12월 기준으로 20개의 한방병원이 인증을 받았다. 2017년에는 한방병원급 의료기관으로 특정 질환(중풍, 척추질환 등) 환자에게 전문화·표준화된 고난도의 한방의료기술을 집중적으로 제공하는 한방전문병원제도가 시행되었으며 2019년 말 기준으로 8개의 한방 척추 병원과 1개의 한방부인과 병원이 지정되었다.[44] 2020년 기준 전체 한방병원 수는 411개소이다.[45]

표 8-6. 한의사 전문의 전문 진료과목(8개과)

한방내과, 한방부인과, 한방소아과, 한방신경정신과, 침구과, 한방 안·이비인후·피부과, 한방재활의학과, 사상체질과

---

39)　의료법 [시행 1994. 7. 8.] [법률 제4732호, 1994. 1. 7., 일부개정], 제6장 보칙. 제55조(전문의).

40)　한의사전문의의수련 및 자격인정 등에 관한 규정(약칭: 한의사전문의수련규정)[시행 1999. 12. 15.] [대통령령 제16616호, 1999. 12. 15., 제정]

41)　의료법[시행 2003. 8. 6.] [법률 제6964호, 2003. 8. 6., 일부개정], 제45조의2(의료기관단체의 설립).
　　의료법[시행 2009. 1. 30.] [법률 제9386호, 2009. 1. 30., 일부개정], 제52조(의료기관단체 설립).

42)　한국한의약연감 발간위원회. 2019 한국한의학연감. 대전: 한국한의학연구원; 2021. pp. 386-387.

43)　대한한의사협회. 1989-2011 대한한의사협회사. 서울: 대한한의사협회; 2012. pp. 682-684.

44)　한국한의약연감 발간위원회. 2019 한국한의학연감. 대전: 한국한의학연구원; 2021. pp. 30-31.

45)　한국한의약연감 발간위원회. 2020 한국한의약연감. 대전: 한국한의학연구원; 2022. p.380.

제4절   대한한의학회와 분과학회의 역사와 현황

　　대한한의학회는 1953년 1월 31일 사단법인 대한한의학회로 출발하였다. 그러나 한의사 협회 설립 초기라는 어려움과 6·25 전쟁 중이라 학회 활동이 사실상 불가능했다. 실제로 대한한의학회는 1963년 4월 22일 첫 이사회를 시작으로 활동에 들어갔다. 초창기에는 학술강연회, 학술강좌 등의 사업을 주로 시행하였다. 학술지의 경우 1963년 5월 1일 《대한한의학회보》 창간호가 나왔다. 그러나 1966년 11월 3일 자금난으로 정기 발행이 불가능해짐에 따라 공보부로부터 폐간 조치를 당했고, 이후 《대한한의학회지》로 발행되었으나 서류상의 문제로 1980년 9월 30일이 되어서야 정기간행물로 등록되었다. 1986년 학술정보지로 등록되었다. 2000년 7월 한국연구재단에 등재후보학술지로 선정됐고 그해 영문판을 발간했으며, 2005년 1월 등재학술지가 되었다.

　　1973년 9월, 세계침구학술대회 개최를 앞두고 대한한의학회에 분과학회를 구성하여 대회를 적극 지원해야 한다는 여론이 높아졌다. 이에 따라 1972년 2월부터 대한한의학회 이사회는 분과학회 규정 제정 작업에 들어가 전문 17조 부칙 2조의 규정을 제정하였다. 1973년 7월 24일 이사회에서 8월 24일을 기한으로 분과학회를 조직하기로 결의하였고 이에 따라 1973년 8월 16일 내과학회를 시작으로 17일 부인과학회, 18일 침구학회, 21일 신경정신과학회, 28일 사상분과학회, 1975년 12일 10일 소아과학회, 1974년 4월 4일 외관과학회가 결성되었다. 이어서 1975년 11월 28일 한방생리학회, 1976년 3월 23일 한방병리학회가 결성되었다.[46] 2022년 2월 기준 대한한의학회 산하에는 47개 회원학회와 4개의 예비회원학회가 있다(표 8-7).[47]

---

46)　　대한한의사협회. 1989-2011 대한한의사협회사. 서울: 대한한의사협회; 2012. pp. 299-317.

47)　　대한한의학회[인터넷]. [2022년 2월 21일 인용]. URL: https://www.skom.or.kr

표 8-7. 대한한의학회 회원학회 및 예비회원학회

대한한의학회 회원학회(47개)	
경락경혈학회	대한한방소아과학회
대한담적한의학회	대한한방신경정신과학회
대한도침의학회	대한한방안이비인후피부과학회
대한동의방약학회	대한한방알레르기및면역학회
대한동의생리학회	대한한방피부미용학회
대한두피탈모학회	대한한의영상학회
대한모유수유한의학회	대한한의진단학회
대한본초학회	대한한의통증제형학회
대한상한금궤의학회	대한한의학방제학회
대한스포츠한의학회	대한한의학원전학회
대한암한의학회	대한형상의학회
대한약침학회	대한희귀난치질환학회
대한연부조직한의학회	사상체질의학회
대한예방한의학회	소문학회
대한의료기공학회	임상약침의학회
대한중풍·순환신경학회	척추도인안교학회
대한침구의학회	척추신경추나의학회
대한통합한의학회	턱관절균형의학회
대한한방내과학회	한국의사학회
대한한방부인과학회	한방비만학회
한방재활의학과학회	한방척추관절학회
한의기능영양학회	한의병리학회
사암침법학회	M&L심리치료학회
대한미병의학회	
대한한의학회 예비회원학회(4개)	
대한융합한의학회	사단법인 약침학회
대한통증매선학회	한의임상피부과학회

(2022년 2월 대한한의학회 홈페이지 기준)

대한한의학회는 여러 학술사업을 진행하였는데, 대표적인 사업으로는 한방기준처방집 관련 사업과 표준 한의학 용어 제정 사업이 있다. 1978년부터 1979년까지 한방기준처방집 발간 사업을 진행하였는데, 그 결과물을 1981년 8월 보건사회부의 복제 허가를 받아 '한방기준처방집'이라는 이름으로 대한한의사협회에서 발간하였다. 2000년대 초반부터는 표준한의학 용어 제정 사업을 진행하였으며, 그 결과물로 2006년 '표준한의학용어집' 초판을 발간하였다. 이후 초판을 업데이트한 '표준한의학용어집 2.0'이 2014년부터 학회 홈페이지를 통해 온라인으로 제공되고 있고, 2021년 11월부터는 '표준한의학용집 2.1'을 서비스하고 있다. 현재, 대한한의학회는 대한한의학회지 발간, 회원학회 활성화 및 회원학회지 발간지원 사업, 대한한의학회 학술대상, 한의학 학술용어제정사업, 한의표준의료행위개발연구사업, EBM연구사업, 전국한의학학술대회 개최, 기획세미나 개최, 의료분쟁 및 학술적 자문, 일본동양의학회, 전일본침구학회, 중화중의약학회, 대만중화중의학회, 세계중의약학회연합회 및 기타 국제학회와의 학술교류협력사업, 한방전문의고시관련 사항 등 다양한 사업을 진행하고 있다.[48]

---

48) 대한한의학회[인터넷]. [2022년 2월 21일 인용]. URL: https://www.skom.or.kr

동아시아 국가들에서
전통의학의 발전과 현황

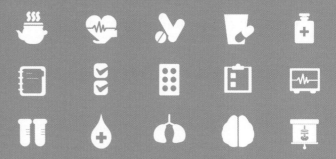

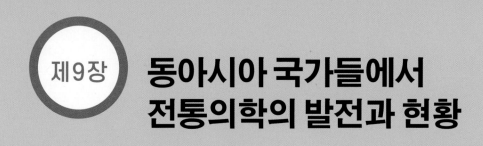

제9장

동아시아 국가들에서 전통의학의 발전과 현황

제1절   현대시기 동아시아 국가들에서의 전통의학 발전과정

1. 중국 중의학(Traditional Chinese Medicine, TCM)

1949년 중화인민공화국이 수립된 직후 보건의료 분야는 정부와 당이 시급히 문제를 해결해야 할 열악한 분야로 꼽혔다. 하지만 당시 서의는 38,000명 정도로 수요에 비해 크게 부족한 상태였고, 중의는 276,000명으로 서의보다 7배나 더 많았다. 그러므로 중국 정부로서는 어떻게든 중의를 활용하는 정책을 펼 수밖에 없었다. 보건의료 분야에 대한 현장조사 결과를 바탕으로 위생정책의 '4대 방침'이 만들어졌고, 1950년과 1952년 두 차례의 전국위생공작회의全國衛生工作會議를 통해 이 방침을 구체화했다. '4대 방침'은 (1) 의료는 노동인민을 위해 복무해야 한다面向工農兵, (2) 예방을 위주로 한다豫防爲主, (3) 중의와 서의는 단결해야 한다團結中西醫, (4) 위생사업은 군중운동과 결합한다衛生工作與群衆運動相結合였다.[1]

당시 중국 보건의료 분야의 정책은 정부 조직인 위생부와 중국 공산당이 서로 연대하여 추진했다. 의사들이 장악하고 있었던 위생부는 서양의 보건의료 모델을 선호했고, 중국공산당은 질병의 예방, 군중 캠페인, 그리고 전문 지식인들이 혁명 과업에 복종하는 것을 선호했다. 이 두 그룹 사이의 권력투쟁을 통해 중화인민공화국 초기의 보건의료정책이 만들어졌다.[2]

---

1)   Volker Scheid. Chinese Medicine in Contemporary China. Durham: Duke University Press; 2002. pp.67-8.

2)   Volker Scheid. Chinese Medicine in Contemporary China. p. 68.

1950년대 초 중국공산당과 위생부는 중의학을 정부정책의 우선순위에서 밀어내고 홀대했다. 제1차 전국위생회의에서 강조되었던 핵심구호는 '중서의단결'과 '중의과학화'였다. 위생부 내의 근대화론자들은 '중서의단결'이라는 구호를 자신들의 입맛에 맞게 해석하고 이를 정책으로 추진했다. '중의과학화' 또한 1930년대의 중의과학화 운동[3]과 유사한 정책이었다. 위생부의 중의학 정책은 중의학을 서양의학화하고 중의들을 자신들의 정책에 맞게 근본적으로 개조하는 것이 목표였다. 이 정책은 근대시기에 중의폐지론을 주도했던 위원슈余雲岫[4]가 기획한 중의학 정책을 충실히 반영한 것이었다. 위원슈는 중화인민공화국 수립 후에도 위생부 관료들에게 상당한 영향력을 행사하고 있었으며, 이런 영향력을 바탕으로 제1차 전국위생회의에 초청을 받기도 했다.[5]

1952년 10월 위생부는 중의들의 자격시험 제도를 도입했다. 이 시험은 폭넓은 서양의학 지식을 요구하고 있었고, 그 결과 많은 중의들이 임상에 필요한 자격을 얻는 데 실패했다. 통계에 따르면 1953년 전국 92개의 대, 중 도시와 165개 현에서 등록 심사를 한 결과 고시에 합격한 중의는 단지 14,000여 명에 불과했다고 한다. 중국내에서 비교적 수준 높은 중의들이 모여 있다고 평가받았던 톈진天津에서도 530여 명이 고시에 응시하여 단 55명만이 합격했다.[6]

1951년부터 중의들에게 서양의학 이론과 임상지식, 이데올로기를 가르치기 위한 중의진수학교中醫進修學校가 전국에 걸쳐 설립되기 시작했다. 나이가 많고 이미 임상에서 실력을 인정받고 있었던 중의들도 이 학교에서 공부해야만 했다. 1955년까지 모두 20개의 이

---

3) 1930년대 중국에서는 중국과학화 운동이 유행했다. 이에 따라 중의학계 내에서도 중의과학화 운동이 일어났다. 중의인 루위안레이(陸淵雷)는 비과학적이라고 공격받는 중의 이론을 과감하게 폐기하고, 중의학의 풍부하고 뛰어난 임상 '경험(經驗)'은 과학을 이용하여 밝히자는, 이른 바 '폐의존약(廢醫存藥)' 방식의 과학화를 주장했다. 이것은 중의학계 내에서 제기된 중의 이론의 폐기 주장이어서 중의학계에 큰 충격을 주었다. 이들의 논리는 당시 중의폐지론자들의 논리와 상당부분 닮아 있었다. 이들의 논리를 지배하고 있는 것은 과학만이 유일한 표준이고, 과학이 아닌 것은 모두 폐기되어야 한다는 생각이었다. 중의과학화는 실질적으로 당시 과학적 의학으로 인정받고 있었던 서양의학으로 중의학을 개조하는 것이었으며 중의학의 서양의학화로 귀결된다는 점에서 중의학계가 쉽게 받아들일 수 있는 제안이 아니었다.

4) 위원슈는 일본 오사카 의과대학을 졸업하고 상하이에서 활동한 의사로서 일찍부터 의학혁명이라는 기치를 내걸고 중의학 비판에 앞장섰던 인물이다. 1917년 최초의 중의학 비판서인 <영소상태(靈素商兌)>라는 책을 썼으며, 신문이나 잡지에 중의학을 비판하는 글을 줄기차게 기고했다. 가장 핵심적인 활동은 1929년 난징 국민당 정부가 개최한 제1차 중앙위생위원회에 중의폐지안을 제출하여 가결시킨 것이다. 중의측의 전국적인 반대 투쟁으로 철회가 되기는 했지만 이후에도 위원슈는 중의폐지 활동을 멈추지 않았다. 중화인민공화국 수립 후에도 그는 정치적으로 재빨리 변신하여 중국정부의 위생정책에 참여하였고 이전의 활동을 이어갔다.

5) 曹东义 编著. 中医近现代史话. 北京: 中国中医药出版社; 2010. p. 149.

6) 曹东义 编著. 中医近现代史话. p. 163.

같은 교육기관이 중국 전역에 설립되었다. 이것이 이른 바 중국의 '중의학습서의中醫學習西醫' 정책이다. 위생부는 중의학을 '봉건사회 봉건의'로 간주했으며, 중의들의 임상을 엄격하게 통제하고, 의학적, 이데올로기적으로 재교육하여 중의들을 근본적으로 개조하려고 했다. 이 과정에서 많은 중의들이 수모를 겪었다.[7]

하지만 위생부의 정책은 1953년 말에 갑자기 역전되기 시작한다.[8] 1953년 11월, 마오쩌둥은 중앙정치국회의에서 위생공작에 대해 토론하면서 위생사업에 중의들의 참여가 필요하며, 이런 면에서 중의학을 경시하는 것은 잘못되었고 중서의는 단결해야 하고 서의는 종파주의를 버려야 한다고 비판했다.[9] 이어서 마오쩌둥은 1954년, 중의학 연구기관을 설립하여 중의학을 더 깊이 연구하는 것이 필요하고, 서의들로 하여금 중의학을 공부하게 하여 이들이 중의학 연구에 참여하는 것이 좋겠다는 의견을 제시했다. 이 정책은 그대로 실천에 옮겨졌다.[10]

마오쩌둥의 지시에 따라 전국에서 명의로 이름이 높았던 임상가들, 예를 들어 상하이上海의 친보웨이秦伯未, 장츠궁章次公, 쓰촨泗川의 푸푸저우蒲輔周, 두쯔밍杜自明, 산시山西의 황주자이黃竹齋, 허베이河北의 웨메이중岳美中 같은 중의들이 위생부의 고문으로 베이징에 초청되었다. 이들은 1955년 베이징의 중의연구원(현 중국중의과학원)이 설립되는 데 큰 힘을 보탰고, 이후 중의학이 발전하는 데도 큰 기여를 했다.[11] 1956년에는 베이징, 청두成都, 광저우廣州, 상하이에 중의학 대학교육기관인 중의학원中醫學院(현재는 중의대학으로 부름)들이 설립되었다.[12]

1955년, 중의연구원 설립과 함께 전국에서 서양의학을 전공한 젊은 의사들이 제1차 '서의학습중의연구반西醫學習中醫研究班'에서 중의학을 공부하기 위해 베이징에 소집되었다. 이것을 시작으로 전국에 서의학습중의반이 설치되었다. 1960년까지 37개의 풀타임 과정

7)   Volker Scheid. Chinese Medicine in Contemporary China. p. 69.

8)   Kim Taylor. Chinese Medicine in Early Communist China, 1945-63 : A Medicine of Revolution. London: Routledge Curzon; 2005. pp. 41-4.

9)   蔡景峰,李庆华,张冰浣. 中国医学通史-现代卷-. 北京: 人民卫生出版社; 2000. p. 595.

10)   蔡景峰,李庆华,张冰浣. 中国医学通史-现代卷-. p. 596.

11)   Volker Scheid. Chinese Medicine in Contemporary China. pp. 71-2.

12)   그리고 1966년까지 모두 17개의 중의학원이 주요 도시에 추가로 설립되었다. Volker Scheid. Chinese Medicine in Contemporary China. p. 73.

에서 2,300명 이상의 의사들이 교육을 받았고, 이 외에도 36,000명의 서의들이 다양한 연수과정을 통해 중의학 트레이닝을 받았다. 중의사들이 서의병원에서 근무하는 것이 허가되었고, 중의병원들도 설립되었다. 이 당시 유행했던 구호는 "중의는 과학화되어야 하고, 서의는 중국화되어야 한다中醫要科學化, 西醫要中國化."였다.[13]

1958년 7월, 최초의 서의학습중의반 학생들이 졸업했다. 마오쩌둥은 기본적으로 서의학습중의반을 졸업한 중의와 서의 모두에 정통한 인재들이 "서양의 근대과학으로 중국의 전통의학 규율을 연구하여 중국만의 '새로운 의학新醫學'으로 발전시켜야 한다."는 생각을 가지고 있었다. 그리고 그 해 10월 11일 서의학습중의반의 성과를 총 결산하면서 마오쩌둥은 "중국의약학은 위대한 보물창고다. 반드시 열심히 발굴하여 제고시켜야 한다."고 선언했다. 마오쩌둥의 중의학에 대한 이런 생각은 1956년부터 '중서의결합中西醫結合' 정책으로 구체화되기 시작했고, 이후 중국의 중의학 정책을 이끄는 중요한 슬로건이 되었다.[14]

1955년에 개설된 서의학습중의반과 1956년부터 설립되기 시작한 각 지역의 중의학원에서 중의학 교육이 이루어지기 시작하면서 새롭게 문제로 떠오른 것이 교육과정의 구성과 교과서 편찬이었다. 초창기 이들 교육기관에서는 과거의 교육방식을 답습하여 의학경전을 중시하는 교육이 이루어졌다. 4대 의학경전, 즉, 황제내경黃帝內經, 상한론傷寒論, 금궤요략金匱要略, 온병溫病을 필수로 가르쳤다. 하지만 젊은 학생들에게, 더군다나 서의학습중의반에 참여한 서양의학을 전공한 젊은 의사들에게 옛날 한문으로 쓰여진 텍스트로 중의학을 가르친다는 것은 이미 맞지 않는 교수방법이었다. 새로운 교재 개발이 절실했다.[15]
위생부는 1959년 4월 베이징, 상하이, 난징, 광저우, 청두成都 등 다섯 곳의 주요 중의학원 대표들을 청두로 소집했다. 그리고 최초의 교재 개발 책임을 이미 교과서를 편찬한 경험이 있었던 난징중의학원南京中醫學院에 맡겼다. 위생부는 난징중의학원에 5년 과정의 교육과정과 교재개발을 요청했다. 난징중의학원은 위의 5개 주요 중의학원 대표들과의 회의를 통

13)　Volker Scheid. Chinese Medicine in Contemporary China. p. 72.

14)　蔡景峰,李庆华,张冰浣. 中国医学通史-现代卷-. p. 597.

15)　Kim Taylor. Chinese Medicine in Early Communist China, 1945-63. pp. 90-95; Volker Medicine in Contemporary China. p. 73.

해 18개의 교과목[16]을 정하고 각 대학이 분야를 나누어 교재를 집필하기로 했으며, 중의학과 서양의학을 각 7:3의 비율로 가르치기로 결정했다. 이 교재들은 1960년부터 인민위생출판사에서 출판되기 시작하여 1962년에 모두 출판되었다. 이 작업은 일종의 교육표준화 또는 중의학 지식의 표준화 성격을 띤 것이었다.[17]

이즈음 출판된 교재로서 중요한 의미가 있는 책이 <중의학개론中醫學槪論>(1958)이다. 이 책은 본래 '서의학습중의반' 수업을 뒷받침하고, 중의학에 대해 조예가 깊지 않은 서의학교 학생들이나 일반인들에게 중의학을 소개하기 위해 만들어진 것이었다.[18] 1956년 위생부는 난징중의학원에 위탁하여 한문에 익숙하지 않은 서의사들을 위해 새로운 교재를 만들도록 했다.[19] 집필진은 우이구吳貽谷, 딩광디丁光迪, 인후이허印會河 등을 포함하는 젊은 학자들로 구성되었다.[20] 완성된 교재 초고는 난징중의학원에서 중의사 연수생들을 대상으로 하는 강의에서, 또 장쑤성위생간부학교江蘇省衛生幹部學校와 난징의학원南京醫學院에서 서의사들을 위한 중의학 강의에 시범적으로 사용되었다.[21] 1958년 봄, 위생부가 이 교재를 정식으로 출판하기로 결정하고 난징에 최종 편집위원회를 설치하여 내용을 추가로 변경한 후 저명한 노중의老中醫들의 코멘트를 받아 또 수정했다. 그리고 베이징중의학원 교수들에게 자문을 구해 추가적인 수정을 거친 다음 1958년 9월에 마침내 출판되었다.[22]

이 교재는 중의학 이론과 관련된 중국 최초의 현대적 교과서로서 이 교재에서 구성한 체계는 이후 중국 내 모든 대학에서 중의학개론을 가르치는 전범典範이 되었다. 뿐만 아니라 이 교재는 Farquhar (1994), Kaptchuk (1983), Maciocia (1989), Sivin (1987) 등 서양 학자들이 중의학을 소개하기 위해 쓴 영어로 된 개론서들의 모범이 되었다.[23] 이 교재는 증證(pattern)을 임상의 중심에 놓고 있으며 팔강八綱(음양陰陽, 표리表裏, 한열寒熱, 허실

---

16) 의고문(醫古文)강의, 내경강의, 중의진단학강의, 상한론강의, 온병학강의, 중의내과학강의, 중의외과학강의, 중의상과학(傷科學)강의, 중의부과학(婦科學)강의, 중의아과학(兒科學)강의, 중의후과학(喉科學)강의, 중의안과학강의, 중의방제학강의, 중약학강의, 침구학강의, 중의추나학강의, 중의각가학설(各家學說) 및 의안선(醫案選)강의, 중국의학사강의

17) Kim Taylor. Chinese Medicine in Early Communist China, 1945-63. pp. 127-31.

18) 南京中医学院 編著. 中医学概论. 北京: 人民卫生出版社; 1958. p. 1, 序.

19) 南京中医学院 編著. 中医学概论. p. 1, 序.

20) Volker Scheid. Chinese Medicine in Contemporary China. p. 276.

21) Volker Scheid. Chinese Medicine in Contemporary China. p. 276.

22) Kim Taylor. Chinese Medicine in Early Communist China. 1945-63, pp. 144-7.

23) Volker Scheid. Chinese Medicine in Contemporary China. p. 277.

虛實)을 진단의 표준으로 제시하고 있는 것이 특징이다.[24] <중의학개론>은 당시 사용되고 있었던 다양한 의학 텍스트들과 임상 기술, 경험을 종합한 것이며, 전통 중의들은 물론이고 서의학습중의반에서 공부하고 있던 서의사 학생들의 의견까지 수렴하여 편찬했다는 데 의미가 있다.[25]

베이징, 상하이, 청두, 광저우중의학원의 최초 입학생이 졸업한 1962년에 중국 중의학계로서는 중요한 사건 하나가 있었다. 친보웨이秦伯未, 런잉추任應秋, 리중런李重人, 천선우陳慎吾, 위다오지于道濟 등 5명의 중의학계 원로들이 대학 교육의 지나친 현대화가 살아있는 전통으로서 중의학의 연속성을 위협한다고 지적하는 항의 서한을 위생부에 보낸 것이다. 이들은 의학경전 학습을 강조하고 전통적인 학습방법을 다시 도입하여 중의학 교육의 전반적인 수준을 끌어올릴 것을 제안했다. 교육 정책의 기본적인 방향이 변하지는 않았지만 교육과정에서 중의학 내용이 증가하는 성과를 가져왔다.[26]

샤이드Volker Scheid는 1949년에서 1965년에 이르는 시기를 '중국의학의 대전환기(The Great Turn for Chinese Medicine)'라 부르고 있다.[27] 이 시기에 지금의 중의학을 형성한 중요한 사건들과 정책 결정이 집중되어 있기 때문이다. 반면에 1966년에서 1976년에 이르는 10년은 '잃어버린 10년(Ten Lost Years)'이라고 불렀다.[28] 중국에서 문화혁명이 일어났던 기간이다. 문화혁명은 중의학에도 큰 타격을 입혔다. 중의학원의 중의학 교육은 중단되었고 중의연구원도 문을 닫았다. 의학학술잡지의 발간도 중단되었다. 이 기간에 중의학 분야에서만 약 30%의 인력 손실이 있었다고 알려져 있다. 이것은 서양의학의 경우와 비교되는 수치다. 중국 위생부가 1978년에 조사한 통계에 따르면 1959년부터 1977년 사이에 중의학 분야 인력은 361,000명에서 240,000명으로 1/3이 줄어들었다. 반면에 서양의학계는 1959년 234,000명에서 1977년 738,000명으로 4배 가까이 늘어났다.[29]

---

24)   Volker Scheid. Chinese Medicine in Contemporary China. p. 277.

25)   Volker Scheid. Chinese Medicine in Contemporary China. pp. 278-9.

26)   Volker Scheid. Chinese Medicine in Contemporary China. p. 75.

27)   Volker Scheid. Chinese Medicine in Contemporary China. p. 67.

28)   Volker Scheid. Chinese Medicine in Contemporary China. p. 76.

29)   Volker Scheid. Chinese Medicine in Contemporary China. pp. 77-8.

문화혁명 기간 동안에는 '신의학新醫學'을 목표로 중의학과 서양의학이 결합하는 것만이 정치적으로 합당한 방법으로 인정되었다. 이것 외의 다른 방법들은 '봉건'과 '미신'적인 이론들과 밀착되어 있다는 이유로 공개 비판을 받았다. 위생부의 중의 행정기구는 중서의 결합 사무실로 흡수되었고, 젊은 층과 중년의 중의들은 도시병원에서 시골로 '하방下放'되었으며, 많은 중의들이 직장에서 쫓겨났다. 저명한 중의들과 중의학계 지도자들이 공개적인 비판을 받았고 심지어 학생과 자녀들에게 육체적인 공격을 당하기도 했다. 가택 조사에서 중의학 원전이 발각되면 공격을 받았고 원전은 불태워졌다. 1962년 위생부에 공개적으로 항의서한을 보냈던 '오로상서五老上書'(공식적으로 항거한 5명의 원로)들도 홍위병들에 의해 큰 곤욕을 당해야만 했다.[30]

격동의 문화혁명 기간이 끝나고 '사인방四人幇'의 몰락과 함께 덩샤오핑鄧小平이 권력에 복귀하면서 중국의 위생정책은 또 다른 변화를 겪는다. 저우언라이周恩來가 제안했던 농업, 공업, 과학기술, 국방의 4대 현대화 정책을 기반으로 덩샤오핑이 시장경제를 부분적으로 도입한 "중국식 사회주의 건설"을 주창하면서 위생정책도 다시 정리되었다. 병원 중심의 의료서비스에 강조점이 두어지고, 전문가 집단의 의견이 존중되며, 인력과 도구 모두에서 새로운 기술에 기반한 의료 발전, 다원적인 의료체계 건설이 추진되었다.[31]

이런 정책에 따라 위생부는 1980년 중의학의 독립성을 확인하고, 과학기술을 적용하여 중의학을 현대화하는 것을 장려하는 글을 발표했다. 그리고 3월, 위생부는 베이징에서 '전국 중의 및 중서의결합 공작회의全國中醫和中西醫結合工作會議'를 개최하여, 그 동안 중서의결합 일변도의 중의학 정책을 수정하고, "중의, 서의, 중서의결합 세 역량이 모두 발전되어야 하며 장기적으로 병존해야 한다中醫,西醫,中西醫結合三支力量都要發展, 長期幷存. 이 세 역량을 단합시켜 의과학의 현대화를 추진하고 우리나라 특색의 신의약학을 발전시킨다."는 방침을 제시하였다. 이것이 그 유명한 중국 보건의료 분야의 '3도로三道路' 정책이다.[32]

---

30) Volker Scheid. Chinese Medicine in Contemporary China. pp. 76-81.

31) Volker Scheid. Chinese Medicine in Contemporary China. p. 81.

32) Volker Scheid. Chinese Medicine in Contemporary China. p. 82.

그리고 지속적인 중의 정책의 추진과 법적 보장을 위해 1982년 12월 4일 제5기 전국인민대표회의 제5차 회의에서 중화인민공화국 헌법을 제정하면서 제21조에 현대의약과 중국의 전통의약을 발전시킨다는 내용을 명시했다. 이것은 중국이 전통의약을 계승, 발전시키겠다는 국가적 의지를 천명한 것이다.[33] 이 헌법제정의 정신에 따라 1986년 위생부에 국가중의약관리국國家中醫藥管理局이 설치되어 중의약 관련 공무원들의 지위가 향상되고 중의약 정책이 별도로 관리, 추진되게 되었다. 중의약과 서양의약을 함께 중시한다는 '중서의병중中西醫幷重' 정책은 중국 중의학 정책의 근간이 되고 있다.[34]

현대중의학에는 어떤 특징이 있는가?

첫째, 국가 주도 의학이라는 점이 특징이다. 1949년 중화인민공화국 수립 이후 중의학은 민간보다는 국가정책에 의해 좌우되었다. 특히 중의학 역사의 중요한 고비마다 마오쩌둥 등 국가 지도자들이 내린 지시는 중의학 정책 방향을 결정하는 데 핵심적인 역할을 했다. 이런 특징은 지금까지도 유지되고 있다. 중국 정부는 1953년부터 시작하여 5년 단위로 추진되고 있는 국가 발전 사업 계획에 중의약 사업을 포함시켜 연차 계획에 따라 사업을 진행하고 있다. 또 앞서 언급했듯이 1982년에는 헌법에 전통의약 계승, 발전 의지를 담아 국가가 전통의약 발전을 위해 노력하고 있다.

둘째, 지금은 이념적 색깔이 상당히 옅어지고는 있지만 현대중의학 이론은 1949년 공산주의 정부가 수립된 이후 유물론과 변증법 사상에 의해 새롭게 해석되고 재구성되는 과정을 거쳤다는 점이다. 중화인민공화국 수립 이후 중의들은 중의학이 도태될 수 있다는 위기를 느꼈고, 중의학을 보존하고 발전시킬 방법들을 모색했다. 그 중 하나가 중의학을 이데올로기적으로 공산주의 유물론 철학, 변증법과 결합시키는 것이었으며, 또 다른 하나는 중의학이 더 이상 '봉건적', '미신적'이 아닌 '새롭고(新)', '과학적'이라는 것을 보여주는 것이었다.

중의들은 유물론 철학에 입각하여 기氣가 물질과 운동의 양면성을 갖는 것으로 해석했다. 유물론 철학에서 운동은 물질의 존재방식이고, 운동은 항상 공간과 시간 속에서 일어나는 것으로 인식한다. 현대중의학에서 기의 중요한 속성을 물질성과 운동성으로 규정하

---

33) 최환영. 중국정부의 중의학 세계화 전략에 관한 연구 [박사학위]. [서울]: 서울대학교 대학원; 2005년. pp. 44-5.
34) 최환영. 중국정부의 중의학 세계화 전략에 관한 연구. pp. 45-9.

고 있는 것은 기를 유물론적으로 해석한 결과이다. 또 중의들은 자신들의 유물론적 기 개념을 정당화하기 위해 유물론과 변증법에 부합하는 고대 사상들을 찾아 중의학의 철학사상을 재구성했고, 왕충의 원기론元氣論 등 고대 철학의 유물론적 기 개념을 발굴하여 중의학 이론에서의 기 개념과 연결시켰다. 최근에는 이런 유물론적 기 개념을 정기학설精氣學說로 정리하여 교과서에 수록하고 있다. 그리고 음양론도 변증법적으로 해석하여 음양관계를 상호모순, 대립, 투쟁의 관계로 해석했다.

샤이드는 임상적인 면에서 중국에서 '변증논치辨證論治' 개념이 출현하고 확산, 정착되는 과정에 주목했다. 변증논치는 증證(pattern)을 질병 파악의 중요한 단위로 삼고 증을 변별하여 치료하는 것을 임상의 중요한 목표로 생각하는 것이다. 샤이드에 따르면 현대 중의학의 핵심적인 이론인 변증논치는 1950년대에 출현하여 중의들에 의해 서양의학과 대비되는 중의학의 특징으로 의도적이고, 조직적으로 사용되었다고 한다. 특히 샤이드는 '변증논치'의 '변증辨證'이 엥겔스의 자연변증법에서의 '변증법辯證法'과 발음, 실질, 철자법상 유사하다는 점에 주목했다. 즉, 변증논치의 확산에는 이데올로기적인 측면이 분명히 있었으며, 중의들은 의도적으로 변증이라는 용어를 사용함으로써 중의학이 변증법에 기초하고 있다는 인상을 주어 중의학이 낙후되지도 봉건적이지도 않다는 것을 보여주는 좋은 기회로 삼으려 했다는 것이다. 이후 변증논치의 확산은 '중의변증中醫辨證, 서의변병西醫辨病'이라는 구호로 발전했다. 이 구호에는 중의학에 서양의학과 구별되는 독자적인 영역이 있다는 인식이 포함되어 있다. 그리고 자연스럽게 중의학과 서양의학의 결합(중서의결합)을 변증과 변병의 결합으로 유도하고 있다.[35]

현대시기 중국에서 정리된 변증논치 사상은 전통적인 중의학 임상의 특징을 잘 잡아낸 것임에 틀림없다. 그리고 변증논치는 현재도 중의사들의 임상에서 중요한 부분을 차지하고 있다. 그럼에도 불구하고 중국에서 변증논치가 떠오르는 과정은 이데올로기적 측면이 무시될 수 없다는 것이 샤이드의 분석이다. 이런 과정들은 근·현대시기 현대화, 과학화, 체계화, 표준화라는 비슷한 과정을 밟았으면서도 한국 한의학과 중의학을 서로 차이 나게 만든 주된 원인이다.

---

35)   Volker Scheid. Chinese Medicine in Contemporary China. pp. 200-37.

셋째, 중국 보건의료는 독특하게 '중의', '서의', '중서의결합'이라는 세 영역으로 나뉘어져 있다는 점이다. 이 중 '중서의결합'은 앞서 언급했듯이 마오쩌둥의 지시로 시작된 '서의학습중의' 정책을 모태로 하고 있다. 이 과정을 통해 배출된 많은 인재들이 초기 중의학 기초와 임상분야 과학화에 큰 역할을 했다. 이들은 임상분야에서 중의와 서의를 결합한 형태의 진료를 발전시켰으며, 기초 분야에서도 중의학의 과학화와 관련된 다양한 실험 연구를 수행했다. 중국 중서의결합학회는 '중국중서의결합잡지', 'Chinese Journal of Integrative Medicine' 등 여러 종류의 학술지를 발간하고 있다.

2. 일본 한방의학漢方醫學(Kampo Medicine)

일본 한방의학이 근본적인 변화를 겪는 것은 1868년 메이지 유신이 단행되면서 부터다. 메이지 정부는 한방을 배제하고 서양의학을 중심으로 국가의 공식적인 보건의료체계를 구성하려고 했다. 1874년, 의료법醫療法인 '의제醫制'를 공포했고, 1875년 2월에는 '의사학술고시규칙醫師學術考試規則'을 발표하여 이 규칙 발표 이전 의업에 종사했던 사람들에게 일률적으로 의사면허를 부여하는 경과조치를 시행했다. 그리고 이후부터는 이화理化, 해부, 생리, 병리, 약제, 내·외과 등 서양의학 6과목의 고시에 합격해야만 면허를 받을 수 있도록 했다. 처음에는 이 규칙을 도쿄, 교토, 오사카에서만 시행했지만 1876년 2월에는 전국으로 확대했다. 이후 이 정책은 1879년 2월 '의사고시규칙醫師考試規則', 1883년 10월의 '의사집조규칙醫師執照規則'(태정관 포고 제35호), '의술개업고시규칙醫術開業考試規則'(태정관 포고 제34호)으로 규칙의 내용이 점점 강화되면서 확실하게 굳어졌다. 한방의漢方醫들은 규칙이 발표될 때 마다 '한방의학6과漢方醫學六科', '한방7과漢方七科' 등을 정부에 제안하면서 한방의 고시제도를 별도로 만들어 한방의를 제도화하려고 시도했으나 모두 실패로 돌아갔다.[36]

통계에 따르면 1875년 당시 일본에는 한방의가 22,527명, 양의가 5,123명이 있어 약 4대 1 정도의 비율이었다고 한다. 의료일원화 이후 일본 정부는 양의사를 양성하는 데 모

---

36)   潘桂娟,樊正伦. 日本汉方医学. 北京: 中国中医药出版社; 1994. pp. 207-8.

든 힘을 기울였고, 그 결과 22년이 지난 1897년에는 총 39,390명의 등록 의사 중 한방의는 19,000명 정도로 절반에 못미쳤으며 양의사의 수가 한방의를 추월했다. 일본의 의료일원화 정책은 양의사들의 수를 급격하게 늘이는 적극적인 양의사 양성 정책과 함께 흔들림 없이 추진되었다.[37]

　　일본 한방의들은 메이지 정부의 의료일원화 정책에 맞서 1879년 온지사溫知社라는 단체를 결성하고 정부와 의회를 대상으로 세 차례의 청원 운동을 펼쳤다. 그러나 모두 실패로 돌아가고 말았다. 그 이후 한 차례의 기회가 다시 찾아왔다. 1889년에 일본의 새로운 헌법(메이지 헌법)이 공포되고, 귀족원과 중의원의 양원제가 시행됨에 따라 1890년 7월 중의원 선거가 있게 되었다. 한방의들은 새로운 헌법이 제정되고 시행되는 이 기회를 이용하여 한방의 제도를 부활시키기 위해 제국의회帝國醫會를 결성하고 청원 투쟁을 벌였다. 제국의회에는 3,000명의 한방의가 참여했으며, 10만 명이 넘는 비한방의들이 지지를 보냈다고 한다. 1891년 제국의회는 의사 면허시험에서 한방의를 제외해 달라고 청원했다. 이들은 12명의 의원을 설득하는 데 성공하여 마침내 1892년에 이 법안이 상정되었으나 의회가 조기 해산하는 바람에 무산되고 말았다. 1894년 제국의회는 다시 의회에 청원했다. 안건을 의회에 상정하는데 성공했고 첫 번째 독회讀會도 통과했다. 하지만 때마침 청일전쟁이 일어났다. 이로 인해 중국에서 전입되었고 많은 약재들을 중국에서의 수입에 의존할 수밖에 없었던 한방의학에 대해 부정적인 의견이 확산하면서 안건은 부결되었다.[38] 한방의 제도 부활에 앞장섰던 아사이 곳칸淺井國幹은 한방의계의 노력이 수포로 돌아간 것에 실망하여 고향인 나고야로 낙향하고 1898년 한방의계는 손을 들고 말았다.[39]

　　이후 일본 한방의계는 암울한 시기를 보내야 했다. 하지만 의외의 반전이 만들어졌다. 1910년 양의사인 와다 게이쥬로和田啓十郞가 펴낸 <의계지철추醫界之鐵椎>라는 책이 중요한 역할을 했다.[40] 이 책은 1910년에서 1922년 사이에 네 차례나 재출판되었고 중국어와

---

37)　Bridie Andrews. The Making of Modern Chinese Medicine, 1850-1960. Vancouver: University of British Columbia Press; 2014. p. 76.

38)　Bridie Andrews. The Making of Modern Chinese Medicine, 1850-1960. pp. 77-8.

39)　Bridie Andrews. The Making of Modern Chinese Medicine, 1850-1960. p. 78.

40)　Bridie Andrews. The Making of Modern Chinese Medicine, 1850-1960. p. 78-9.

한국어로도 번역되었다.[41] 와다는 이 책에서 한방의학의 임상적 효과를 칭찬했고, 한방의학을 무조건 비판하는 의사들을 비난하면서 서양의학은 정확한 진단은 제공할 수 있지만 그 만큼의 치료법은 제공하지 못하고 있다고 비판했다. 와다의 책은 일본의 양의사들에게 한방의학에 대한 관심을 불러일으켰다. 서양의학으로 치료할 수 없다고 판명된 만성질환들을 한방으로 치료한 사례들이 발표되면서 양의사들의 관심이 높아졌다.[42]

이와 함께 일본에서 생약학生藥學 분야가 일찍부터 발전한 것도 지금의 일본 한방의학을 만든 중요한 동력 중 하나다. 1885년에 이미 독일 유학파이자 초대 일본약학회(1880년 설립) 회장을 역임한 나가이 나가요시長井長義가 마황麻黃에서 에페드린을 추출하는 연구를 수행했다.[43] 일본에서의 생약연구가 얼마나 일찍 세계 수준에 도달해 있었는지 잘 보여주는 사례다. 그리고 일본에서 한방의학의 부흥 움직임이 일고 있던 1926년 도쿄대의 유명한 약학자 아사히나 야스히코朝比奈泰彦가 제7회 일본의학회 총회에서 <화한 생약의 연구和漢生藥の硏究>라는 특별강연을 했다. 아사히나는 1906년 인삼 사포닌에 대한 화학적 연구를 처음 시작한 것으로 유명하다. 그는 특별 강연에서 생약은 구조가 일정한 화학약과 달리 여러 약초의 성분이 혼연일체가 되어 존재하는 유기체이기 때문에 앞으로 생약 치료의 우수성이 재평가 받는 시대가 올 것이라고 전망했다. 그는 생약은 화학약에 비해 '음陰의 어떤 부드러운 효과'가 발휘되며, 급성 감염증이 효과적으로 제압된 현대에는 다기관장해多器官障害에서 생약이 할 수 있는 역할이 있을 것임을 역설했다. 이 시기 일본에서는 민족주의가 고조되던 당시의 분위기를 타고 한방약에 대한 약리학적 연구들이 계속 늘어났다. 그리고 한방의 현대적 사용을 담고 있는 책과 기사들이 쏟아졌다.[44]

1925년을 전후로 한방연구에 뜻을 둔 의사와 약사들이 늘어났다. 서양의학을 전공한 유모토 큐신湯本求眞은 와다의 영향을 받아 1927년부터 1928년까지 <황한의학皇漢醫學>(총3권)을 저술하여 출판했다. 그는 일본 한방의학의 핵심인물인 오오츠카 게이세츠大塚敬

---

41) 중국에서는 1911년 딩푸바오(丁福保)가 원제 그대로 <의계지철추(醫界之鐵椎)>라는 제목으로 번역했고, 한국에서는 1915년 장기무(張基茂)가 <동서의학신론(東西醫學新論)>이라는 제목으로 번역했다. 장기무는 1934년 2월 16일부터 조선일보에 <한방의학의 부흥책>이라는 글을 연재하여 1930년대 한국의 한의학 부흥 논쟁을 유발했던 인물이다. 와다의 <의계지철추>는 한국과 중국에서 한방의학 부흥과 관련된 동서의학 논쟁이 일어나는데 큰 기여를 했다고 할 수 있다.

42) Bridie Andrews. The Making of Modern Chinese Medicine, 1850-1960. pp. 79-80.

43) "영문 위키피디아"(2022.01.07). URL: https://en.wikipedia.org/wiki/Nagai_Nagayoshi

44) 조기호. 일본 한방의학을 말하다. 파주: 군자출판사; 2008. p. 309.

節 등 의사와 약사 출신 제자들을 많이 길러낸 것으로 유명하다.[45] 1920년대 말에는 한방의들도 이런 분위기에 자극을 받아 스스로 정치적 힘을 조직하려고 시도했다. 1929년에서 1940년 사이에 한방을 의학의 전문분야로 인정할 것을 요구하는 5개의 새로운 동의안이 제국의회帝國議會에 제출되었고, 비록 실행에 옮겨지지는 않았지만 1930년에는 한방의학을 연구하는 연구소를 국가가 설립하라는 동의안이 통과되기도 했다.[46] 이처럼 일본에서는 한방의 제도를 부활시키는 것에는 실패했지만 20세기 초반 한방약에 대한 약리학적 연구가 활발하게 진행되어 붐을 이루고, 전통 한방의들은 물론이고 한방 임상을 깊이있게 연구하는 의사와 약사들이 늘어나 한방의학이 새로운 부흥기를 맞게 되었다. 이를 바탕으로 의사들의 한방약에 대한 인식도 개선되어 의사들의 임상에서 한방약이 활발하게 사용될 수 있는 기틀을 만들었다.

일본에서는 주로 의사들에 의해 한방약 투여가 이루어지므로 일본의 한방의학은 자연스럽게 동서의학 융합 치료의 방향으로 발전되었다. 일본의 한방의학 임상에서는 서양의학 병명 진단과 이에 따른 한방약 투여, 즉 양진한치洋診漢治가 일반화되어 있고, 일본 한방의학의 독특한 측면이기도 한데 일본에서 발달한 복진腹診과 맥진, 문진 결과를 처방-주로 상한론과 금궤요략의 처방이 중심-과 직접 연결시켜 임상에 활용하는 방증상대方證相對의 탕증논치湯證論治가 일반화되어 있다. 이 점은 변증辨證과 같은 진단이 의료행위의 중심이 되고 변증이 이루어진 후에 치료방법과 처방을 결정하는 한국이나 중국의 임상 형태와 많이 다르다.

---

45) 조기호. 일본 한방의학을 말하다. 파주: 군자출판사; 2008. pp. 296-7.

46) Bridie Andrews. The Making of Modern Chinese Medicine, 1850-1960. p. 80.

제2절   중국, 일본, 대만의 전통의학 관련 현황

1. 중국의 중의학 관련 현황

1) 의료제도와 정책

중국 중의약법에서는 '중의약中医药'을 "한漢족과 소수민족의약을 포괄하는 우리나라 각 민족의약의 통칭이며, 중화민족의 생명·건강 및 질병에 대한 인식을 반영하는, 유구한 역사 전통과 독특한 이론 및 기술방법을 구비한 의약학체계"로 정의하고 있다.[47] 중의약에 소수 민족의약을 포함시키고 있는 것이 눈에 띠는데 이런 이유로 중국에서 발표되는 각종 중의약 관련 통계에는 위구르의학이나 몽의학 등 소수민족의약과 관련된 통계가 포함되어 있다.

중국에서는 중의, 서의, 중서결합의가 전체 의료를 담당한다. 하지만 중국 안에서 중서 결합의는 중의, 서의와 독립된 제3의 영역으로 분류되기 보다는 중의의 한 분야로 이해된 다.[48] 중국 의료제도는 다원주의 의료제도에 속한다. 한국이 한의와 서의가 서로 독립성 을 유지한 채 서로의 영역을 침범하지 못하게 하는 상호 배타적인 이원화제도(일종의 상대 주의 의료제도)를 유지하고 있는 반면 중국은 중의와 서의의 면허가 구분되어 있으면서도 중의들은 서의들이 사용하는 진단기기나 검사, 양약을 처방하고 간단한 시술을 할 수 있으 며, 서의들도 중약 처방과 중의시술을 부분적으로 시행할 수 있다. 이처럼 중의와 서의 사 이에 일부 영역이 상호 개방되어 있는 것은 중국의료법이 원칙적으로 법령에서 금지한 것 외에는 모든 행위를 용인하는 최소규제(포괄적 네거티브 규제) 방식을 취하고 있기 때문이 다. 하지만 최근에는 중의와 서의들이 각기 상대방 영역에 속하는 진료행위를 하기 위해서 는 일정 시간의 연수교육을 이수해야 하는 등 점차 전문성과 책임을 강화하는 방향으로 나 아가고 있다.

---

47)   한국한의학연구원. 중국의 국가 중의약 시스템(보고서). 2021. p. 290.

48)   Volker Scheid. Chinese Medicine in Contemporary China. pp. 83-4.

중국의 의료기관은 크게 병원급 의료기관과 기층基層의료위생기관로 나누어진다. 병원급 의료기관은 진료성격에 따라 종합병원, 중의병원, 전문병원 등으로 구분되며, 중서의 결합병원은 중의병원의 범주에 포함된다. 그리고 병원급 의료기관은 규모와 기능에 따라 1급(100병상 이내), 2급(101-500병상), 3급(501병상 이상)으로 나눈다. 기층의료위생기관은 위생원(보건소)과 같이 지역사회-주로 농촌지역-를 기반으로 운영되는 상대적으로 소규모의 의료기관을 지칭한다.[49) 중국에서는 일정 등급(3급) 이상의 의료기관에는 의무적으로 중의과를 설치하도록 하고 있고, 각 전문과목별로도 중의진료부서(예를 들어 내과와 중의내과를 동시에 운영)를 두도록 하는 등 중의와 서의 사이의 협력 진료를 활성화하기 위한 제도를 운영하고 있다.[50)

중국에서 의사가 의료행위를 하기 위해서는 집업執業 자격을 받아야 하는데 의사 자격은 집업의사執業醫師와 집업조리의사執業助理醫師의 2개 등급으로 구분된다. 집업의사는 의사醫師라고도 하며 우리나라의 의사, 한의사와 비슷하다. 본과本科(우리나라의 대학과정) 이상의 학력을 갖추고, 1년간 의료기관에서 실습을 거친 후 집업의사고시에 합격하고 위생부에 의료기관에서 집업활동을 하고 있음을 등록한 의사다. 처방권과 단독 의료행위 권리를 가지고 있다. 집업조리의사는 의사醫士라고도 하는데 우리나라의 전문대에 해당되는 고등전문학교 이상의 학력이거나 직업고등학교에 해당되는 중등전문학교에서 관련 전공을 졸업한 후 1년간 의료기관에서 실습을 거쳐 집업조리의사고시에 합격하여 자격을 취득한 인력이다. 이들은 단독으로 처방을 낼 권한이 없고 집업의사의 지도 아래에서만 의료, 예방, 보건활동을 할 수 있다. 다만 농촌지역인 향진鄕鎭의 1급위생원 등에서 근무할 경우에는 처방권과 의료행위 자격을 갖는다.[51)

그리고 중국은 의과출신의 의사를 임상의사臨床醫師라고 부르며 의사는 임상의사와 치과의사口腔醫師, 공공위생의사公共衛生醫師, 중의사中醫師의 4종류로 나눈다. 이 중 중의사는 중의, 중서결합의, 민족의民族醫를 포함한다. 민족의는 소수민족의학을 전공한 의사

---

49) 윤강재 외. 중국의 전통의학-양의학 협진서비스 현황 및 전달체계(경제·인문사회연구회 중국종합연구 협동연구총서 12-33-02). 대외경제정책연구원·한국보건사회연구원. 2012. p. 54.

50) 윤강재 외. 중국의 전통의학-양의학 협진서비스 현황 및 전달체계. pp. 31-2.

51) 안덕선. 중국 보건의료인력 양성체계 및 면허관리제도 조사 연구. 한국보건의료인국가시험원. 2015. ; 한국한의학연구원, 대한한의사협회 한의학정책연구원. 중의약 통계·정책 자료 출처 조사 및 연구(정책연구 2019-1호). 2019. p. 55.에서 재인용.

이다.[52)]

2019년 통계에 따르면 중국의 중의집업(조리)의사[53)]는 약 624,248명[전체 집업(조리)의사의 16.2%]이다. 이것은 2010년의 29.4만 명에 비해 33.1만 명이나 증가한 것이다. 중약사는 12.7만명이다. 상대적으로 숫자가 적다. 중의집업(조리)의사 중 265,119명(42.5%)만이 중의류 병원에 근무하며, 과반이 넘는 359,129명(57.5%)은 중의류병원이 아닌 서의 종합병원이나 기타 의료위생기관에 근무한다. 중의류 병원에서도 근무하는 병원 전체 의사들의 49.7%만 중의집업(조리)의사다.[54)]

2019년 중국의 중의류 병원(중의, 중서의결합, 민족의병원 포함)은 총 5,232개소로 집계되고 있다. 이 중 중의병원이 4,221개소, 중서의결합병원 699개소, 민족의 병원이 312개소다.[55)] 중의병원 중 공립병원은 2,311개소(54.8%)이고, 3급병원은 476개소(11.3%)다.[56)]

중의류 문진부門診部[57)]는 3,267개소가 있으며 이 중 중의문진부는 2,772개소, 중서의결합문진부는 468개소, 민족의문진부는 27개소가 있다. 또 중의류 진료소[58)]는 총 57,268개소가 있으며, 이 중 중의진료소는 48,289개소, 중서의결합진료소는 8,360개소, 민족의진료소는 619개소다. 중의류 병원, 문진부, 진료소 모두 매년 크게 증가하는 추세에 있다.[59)]

---

52) 한국한의학연구원, 대한한의사협회 한의학정책연구원. 중의약 통계·정책 자료 출처 조사 및 연구(정책연구 2019-1호). 2019. p. 56.

53) 중국의 의사는 독립된 처방권을 가지고 있는 집업(執業)의사와 농촌 일부 지역의 위생원을 제외하고는 독립된 처방권이 없어 집업의사의 지시 아래 처방할 수 있는 집업조리(助理)의사로 나누어진다. 보통 중국에서 의사 수를 집계할 때 집업의사와 조리의사를 합산하여 통계를 내기 때문에 조리의사가 포함된 통계인지를 확인할 필요가 있다. 2017년 통계에 중의집업의사는 448,716명, 중의집업조리의사는 78,321명으로 되어 있어 집업의사와 조리의사의 대략적인 비율을 알 수 있다. (한국한의학연구원, 대한한의사협회 한의학정책연구원. 중의약 통계·정책 자료 출처 조사 및 연구(정책연구 2019-1호). 2019. p. 22.)

54) 한국한의학연구원. 중국의 국가 중의약 시스템(보고서). 2021. pp. 1-11.

55) 한국한의학연구원. 중국의 국가 중의약 시스템(보고서). 2021. pp. 1-11.

56) 한국한의학연구원. 중국의 국가 중의약 시스템(보고서). 2021. p. 1.

57) 중국 도시지역을 중심으로 외래 중심의 핵심적인 진료기능(외래, 내과, 산부인과, 검사) 수행을 위해 설치된 기관. 소규모의 클리닉, 병원의 외래진료 전담기구에 해당한다. 문진부 또한 종합문진부, 중의문진부, 성서의결합문진부, 민족의문진부, 전문(구강,성형,미용 등)문진부로 나누어진다.(윤강재 외. 중국의 전통의학-양의학 협진서비스 현황 및 전달체계. p. 55.)

58) 문진부보다 소규모 기관으로 지역사회 또는 지역주민들의 생활밀착형 의료기관(윤강재 외. 중국의 전통의학-양의학 협진서비스 현황 및 전달체계. p. 116.)

59) 한국한의학연구원. 중국의 국가 중의약 시스템(보고서). 2021. p. 2.

중국의 의료보험은 도시직장인의료보험(UEBMI, 城鎮职工基本医疗保险, 1998년 도입), 신형농촌합작의료보험(NRCMS, 新型农村合作医疗, 2003년 도입), 도시주민의료보험(URBMI, 城鎮居民基本医疗保险) 등으로 구성된다.[60]

의료보험 급여항목은 중앙정부가 의료행위와 약물에 대한 급여기준을 지정하고 지방정부는 이를 바탕으로 각 지역별 목록을 작성하여 적용한다. 이에 따라 급여범위와 비율은 지역에 따라 약간의 차이가 있다.[61]

<국가기본의료보험약물목록>에 등재된 약품은 갑류와 을류로 구분되며, 갑류는 임상치료에 상용하는 기본적인 약물로서 전액 보험처리가 되고 전국적으로 통일되어 있기 때문에 지방정부의 조정을 받지 않는다. 을류는 환자가 20-30%의 약값을 부담하고 나머지는 의료보험에서 부담하는 약물들이다. 지방정부는 을류에 대해 15% 이내에서 조정할 수 있는 권한을 갖는다. 2017년에 발표된 <국가기본의료보험약물목록>에는 양약 1,297종, 중성약中成藥(우리나라의 한약제제에 해당) 1,238종 등 총 2,535종이 등재되어 있어 중성약의 비중이 48.8%를 차지한다.[62] 급여제형은 환丸제, 과립제, 구복액口服液, 편片제(정제), 주사제, 캡슐제, 산散제, 고膏제 등 다양한 제형이 포함되어 있다. 이외에도 다양한 주사액도 보험으로 제공되는데 대표적인 약물로는 시호柴胡주사액, 삼맥蔘麥주사액, 생맥음生脈飮주사액, 혈전통血栓通주사액, 혈색통血塞通주사액, 단삼丹參주사액, 맥락령脈絡寧주사액 등이 있다.[63]

중약음편中药饮片[64]과 관련해서는 <국가기본의료보험약물목록>에 보험급여에 포함되지 않는 고가의 귀한 약재, 그리고 처방에 포함될 때는 보험지급이 되지만 단미로는 보험지급이 되지 않는 약재들이 지정되어 있다. 그러므로 이 목록에 들어있는 일부 고가 약재를 제외한 많은 약재가 처방을 통해 보험 적용을 받는다. 또 수가 조정을 규정한 <"135"심화의약위생체계개혁규획>의 병원운영 개혁에서 중약음편이 제외되면서 병원 단위의 중약

60) 임병묵, 김동수. 중국, 대만, 일본의 전통의학 건강보험 급여 현황. 한의정책. 2016;4(1):97-107.
61) 임병묵, 김동수. 중국, 대만, 일본의 전통의학 건강보험 급여 현황. 한의정책. 2016;4(1):97-107.
62) 이승우. 중국 중의약의 의료보험 급여현황과 전망. NIKOM 한의약 정책 리포트. 2017;2(1):68-78.
63) 임병묵, 김동수. 중국, 대만, 일본의 전통의학 건강보험 급여 현황. 한의정책. 2016;4(1):97-107.
64) 중약음편은 세척, 절단, 포제(炮製) 과정을 거쳐 첩약 조제를 할 수 있도록 가공, 준비된 한약재를 말한다.

음편 사용이 증가할 것으로 전망되고 있다.[65]

약물 이외의 의료서비스에 대한 보험적용은 중앙정부가 보험적용에서 제외할 항목과 일부 본인 부담으로 이용할 수 있는 항목들을 목록으로 제시하고 각 지방정부가 이를 기초로 별도의 <기본의료서비스 지불표준>을 제정하여 시행하는 체계로 되어 있다. 이에 따라 의료서비스를 갑, 을, 병의 세 부류로 구분하는데 병류는 의료보험이 적용되지 않는 서비스, 을류는 일부 비용을 환자가 부담하는 서비스, 갑류는 병류와 을류를 제외한 나머지 의료서비스 항목들이다(표 9-1).[66]

표 9-1. 중국 기본의료보험 의료서비스 보험 적용 기준[67]

구분	급여적용수준	급여내용
갑류	급여적용	병류와 을류를 제외한 나머지 <기본의료서비스 지불표준>의 의료서비스 항목 - <중의류 의료서비스 지불표준>의 대부분이 갑류에 포함. 지정병원에서 진료 시 추나, 부항, 괄사, 침구 등 치료 보험 적용
을류	일부 비용 환자 부담	① 1등병실, 감호병동 이용료 등(20% 환자 부담) ② 대형검사기기 사용비, 조영造影 관련 검사기기, 조직 및 기관 이식 진료나 수술, 단일성 수술비용이 200위안 초과 시, 체외충격파 결석파쇄치료 등 (10% 환자 부담) ③ 인슐린 펌프사용치료비, 감마선 치료비, 심부深部열치료 등(40% 환자 부담)
병류	의료보험 적용에서 제외	① 접수비, 병원 외 회진비, 왕진비 등 특수 의료서비스 항목 ② 미용, 비기능성 정형 및 성형, 다이어트, 건강검진, 의료자문 등 비질병치료 항목 ③ PET, 전자파-컴퓨터 단층촬영, 등 대형의료설비의 검사비, 안경, 의치, 의족, 보청기 등 재활성 기구, 보건안마기 등의 의료설비와 의료용재료비 ④ 기관 및 조직 이식에서 기관 및 조직, 기공요법, 음악요법, 보건성의 영양요법, 자열요법 ⑤ 성기능장애, 불임증 등 기타항목

65)   이승우. 중국 중의약의 의료보험 급여현황과 전망. NIKOM 한의약 정책 리포트. 2017;2(1):73.
66)   이승우. 중국 중의약의 의료보험 급여현황과 전망. NIKOM 한의약 정책 리포트. 2017;2(1):73-4.
67)   이승우. 중국 중의약의 의료보험 급여현황과 전망. NIKOM 한의약 정책 리포트. 2017;2(1):73-4.

중국의 중의약 정책과 관련하여 가장 중요한 법은 <중의약법中医药法>이다. 2016년 12월 25일에 공포되고 2017년 7월 1일부터 시행되었다. 이 법의 제정은 중의약이 중국 국가발전의 중요한 부분이라는 것을 확인하고 보장한다는 의미를 갖는다. 총칙, 중의약서비스, 중약보호와 발전, 중의약인재양성, 중의약과학연구, 중의약 전승과 문화전파, 보장조치, 법률책임, 부칙 등 9장 63조로 구성되어 있다.[68]

이외에도 중약관리에 관한 법조문이 포함되어 있는 <중화인민공화국약품관리법>이 있다. 이 법의 제4조에는 "국가는 현대약과 전통약을 발전시켜, 예방, 의료 및 보건에서 충분히 역할이 발휘되도록 한다"는 내용이 들어있고, 제16조는 "국가는 현대과학기술과 전통중약 연구 방법을 이용한 중약과학기술연구와 약물 개발의 전개를 장려하고, 중약특징에 부합하는 기술평가체계를 완전하게 수립하고 중약전승창신을 촉진한다"고 규정하고 있다.[69]

또 중의약 정책과 관련된 중요한 문건으로는 <중의약발전전략규획강요中医药发展战略规划纲要(2016-2030년)>가 있다. 2016년에 국무원에서 발표한 문건으로 중의약 산업의 수준을 제고하고 세계 전통의약 시장을 선도하기 위한 국가 차원의 중의약 발전전략을 담은 것이다. 2030년까지의 중의약 발전방향과 중점 목표가 제시되어 있다.[70]

또 중요한 중의약 정책 문건으로는 <중의약사업발전 13·5규획(2016-2020년)>이 있다. 중국 정부는 1953년부터 5년 단위로 국가발전사업계획을 발표하고 추진해 왔는데 이 문건은 중국정부의 13차 5개년 계획에 맞추어 추진하는 중의약사업의 발전계획이다. 이 문건은 국가중의약관리국에서 작성하였으며 중국정부의 국민경제와 사회발전 13·5규획과 <중의약 발전전략규획강요(2016-2030년)>에 근거하고 있다. 그러므로 중국 시진핑 주석이 추진하는 '일대일로一带一路' 전략과 '소강小康'사회 건설 등의 정책이 이 문건의 기초가 되었다.[71]

중국에서 중의약 관련 정책을 수립하고 집행하는 가장 중요한 국가기관은 국가중의약관리국이다. 1982년 중화인민공화국 헌법을 제정하면서 제21조에 현대의약과 중국의 전통의약을 발전시킨다는 내용을 명시했고 이에 따라 1986년에 중의약 정책을 총괄하는 국가기관인 국가중의약관리국이 설치되었다. 사업 수입을 포함한 국가중의약관리국의 2020

---

68)   한국한의학연구원. 중국의 국가 중의약 시스템(보고서). 2021. p. 24.

69)   한국한의학연구원. 중국의 국가 중의약 시스템(보고서). 2021. pp. 24-5.

70)   한국한의학연구원. 중국의 국가 중의약 시스템(보고서). 2021. pp. 26-27, 302-14.

71)   한국한의학연구원. 중국의 국가 중의약 시스템(보고서). 2021. pp. 33-6, 315-37.

년도 수입예산 총액은 한화로 환산하여 1조 8,620억 원에 달한다. 국가 중의약 연구기관인 중국중의과학원이 국가중의약관리국 산하기관으로 있다.[72]

2) 학술·교육

중국은 한국과 학제가 다르며, 중의사를 배출하는 과정도 매우 다양하다(그림 9-1). 중의대뿐만 아니라 서의대에도 중의사를 배출할 수 있는 중의과가 설치되어 있으며, 의과대학이 아닌 대학에도 중의약 관련 전공과들이 설치되어 있다. 반면에 중의대에도 서의사를 배출할 수 있는 임상의학과가 설치되어 있다. 따라서 중의약 교육기관을 살펴볼 때에는 중의약대학뿐만 아니라 중의약 전공과를 설치한 의약대학, 비(非)의약대학도 살펴보아야 한다.[73]

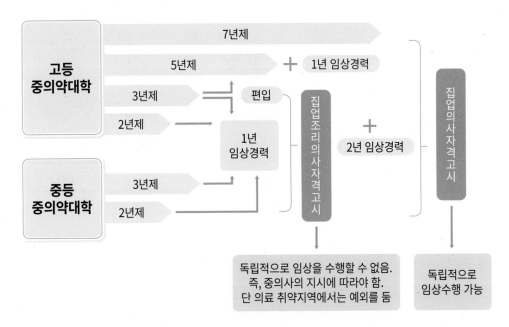

그림 9-1. **중국 의사인력의 면허종류와 학제**[74]

---

72) 한국한의학연구원. 중국의 국가 중의약 시스템(보고서). 2021. pp. 45-50.

73) 한국한의학연구원, 대한한의사협회 한의학정책연구원. 중의약 통계·정책 자료 출처 조사 및 연구(정책연구 2019-1호). 2019. p. 57.

74) 임병묵, 최문석, 박용신, 외. 전통의학 분야의 자유무역협정 대응전략. 보건복지부·대한한의사협회 한의학정책연구원. 2010.

2019년 현재 중국의 고등중의약학교는 44개소이며 중의약전공이 설치된 고등서의약학교는 133개소, 중의약전공이 설치된 고등비의약학교는 227개소이다(집업조리의사 양성과정 포함)(표 9-2).[75] 고등중의약학교에서 우리나라의 한의대에 준하는 등급을 가진 대학과 학원(단과대학)을 기준으로 살펴보면 중의대는 25개소(학원 1개소 포함), 서의대는 47개소(학원 21개소 포함)에서 중의학 전공 의료인을 배출하고 있다.[76]

표 9-2. **2019년 전국고등중의약학교 및 중의약전공이 설치된 서의약, 비의약학교 현황**[77]

	고등중의약학교	중의약전공이 설치된 고등서의약학교	중의약전공이 설치된 고등비의약학교
대학	24	26	77
학원	1	21	33
독립학원(사립대)	8	6	4
직업본과	0	0	2
고등전문과학교(전문대)	8	29	4
고등직업학교	3	51	107
총계	44	133	227

중국에서 가장 중요하고 규모가 큰 국가 중의약 연구기관으로는 중국중의과학원이 있다. 중국중의과학원은 1955년에 설립되었으며 중의약 현대화, 과학화의 중심역할을 하고 있다. 중의과학원은 근무인원이 6,255명(정식직원 3,817명, 전문기술인원 3,561명, 2019년 통계)에 달한다. 노벨상 수상자 투유유屠呦呦를 배출했고, 천커지陳可冀, 퉁샤오린소小林, 왕융엔王永炎, 장보리張伯禮, 황루치黃璐琦 등의 원사院士들과 5명의 국의대사國醫大師들이 근무하고 있다. 산하에는 중약연구소, 침구연구소, 중의기초이론연구소, 중의약신식信

75) 한국한의학연구원. 중국의 국가 중의약 시스템(보고서). 2021. p. 11.
76) 한국한의학연구원, 대한한의사협회 한의학정책연구원. 중의약 통계·정책 자료 출처 조사 및 연구(정책연구 2019-1호). 2019. p. 58.
77) 한국한의학연구원. 중국의 국가 중의약 시스템(보고서). 2021. p. 11.에서 재인용

息(정보)연구소, 중국의사醫史문헌연구소, 중의임상기초의학연구소, 의학실험센터, 중약자원센터 등 많은 연구소들이 있다. 또 세계침구학회연합회, 중국침구학회, 중국중서의결합학회 등 학회와 학술단체, 중의잡지사, 중의고적출판사 등 학술출판단위, 제약기업 등을 산하에 두고 있으며, 시위안西苑의원, 광안먼廣安門의원, 왕징望京의원 등의 부속병원이 있다. 중의과학원에는 대학원 과정이 설치되어 있어 우수한 중의약 연구자들을 많이 배출하고 있다.[78]

중의약 관련 큰 학회나 학술단체로는 중화중의약학회, 중국중서의결합학회, 중국침구학회, 중국중의약신식학회, 세계중의약학회연합회(WFCMS), 세계침구학회연합회(WFAS) 등이 있다.[79]

중화중의약학회는 중국에서 가장 오래되고 규모가 큰 중의약학술단체로 국가중의약관리국에서 사무행정을 맡고 있다. 92개의 분과학회가 이 학회에 소속되어 있으며 소속 학회들이 발간하는 학술잡지만도 38종에 이른다.[80]

중국중서의결합학회는 1981년에 설립되었으며, 중서의결합 기초연구와 임상연구를 목표로 설립된 학회다. 회원수가 83,269명(2016년 5월 현재)에 이르고, 산하에 65개의 전문위원회(분과학회)와 31개의 지방분회를 두고 있다. 중국중서의결합잡지 등 16종의 학술잡지가 산하 학회에서 발간되고 있다.[81]

중국침구학회는 1979년에 설립되었으며, 2019년 국가급 비물질문화유산 대표성 항목 "침구"의 보호단위로 지정되었다.[82]

중국중의약신식학회는 중의약과 관련된 각종 학술정보와 업계 정보의 교류, 관리, 연구, 개발을 목표로 하는 학회로 산하에 96개의 분과학회가 있다. 중의약과 관련된 학술과 임상정보, 각종 보건의료, 건강, 약재, 기술정보 등의 개발과 관리, 이용에 관해 연구하는 학회들이 모여 있는 단체다.[83]

---

78) 한국한의학연구원. 중국의 국가 중의약 시스템(보고서). 2021. pp. 51-57.

79) 한국한의학연구원. 중국의 국가 중의약 시스템(보고서). 2021. pp. 80-99.

80) 한국한의학연구원. 중국의 국가 중의약 시스템(보고서). 2021. pp. 80-2.

81) 한국한의학연구원. 중국의 국가 중의약 시스템(보고서). 2021. pp. 83-4.

82) 한국한의학연구원. 중국의 국가 중의약 시스템(보고서). 2021. p. 84.

83) 한국한의학연구원. 중국의 국가 중의약 시스템(보고서). 2021. p. 85.

세계중의약학회연합회(World Federation of Chinese Medicine Societies, WFCMS)는 2003년에 설립된 중의약 관련 학회들의 국제적인 연합조직이다. 총본부를 베이징에 두고 있으며 중의약학의 국제교류, 전파와 발전을 추진하고, 세계 각국 중의약 단체 간의 이해와 합작을 증진시키고 학술교류를 강화한다는 목표를 표명하고 있다. 2018년말 현재 70개 국가, 지역의 270개 회원단체, 164개의 전문위원회, 19개 합작위원회로 구성되어 있다. <세계중의약>이라는 잡지를 발간한다. 한국에서는 대한한의학회, 대한침구의학회 등 12개 단체가 가입해있다.[84]

세계침구학회연합회(World Federation of Acupuncture and Moxibustion Societies, WFAS)는 1987년에 설립된 국제적인 침구단체 연합조직이다. 세계침구계의 이해와 합작을 촉진하고 국제간 학술교류를 강화하여 침구의학을 더욱 발전시키고 침구의학이 세계위생보건사업에서 그 지위와 역할을 제고하여 인류의 건강에 더 크게 공헌하기 위한다는 목표를 가지고 있다. 70개 국가와 지역의 246개 단체가 회원으로 있다.[85]

2. 일본 한방의학 관련 현황

1) 의료제도와 정책

일본에서 한방의료와 관련된 인력으로는 한방전문의, 침사, 구사, 마사지 및 지압사, 유도정골사가 있다. 한방전문의는 의사로서 일본동양의학회(The Japan Society for Oriental Medicine, JSOM, 1950년 설립)의 연수교육을 마친 사람에 한해 전문의시험을 거쳐 자격이 주어진다. 한방전문의들은 주로 한방약을 환자들에게 투여하는 방식으로 임상에 종사한다. 2022년 1월 현재 일본동양의학회 홈페이지에서 공지한 한방전문의 수는 1,999명(대략 전체 의사의 0.6% 정도)이며[86] 매년 조금씩 감소하고 있는 추세다.

---

84) 한국한의학연구원. 중국의 국가 중의약 시스템(보고서). 2021. pp. 86-7.
85) 한국한의학연구원. 중국의 국가 중의약 시스템(보고서). 2021. p. 87.
86) 日本東洋医学会 [Internet]. 漢方専門医とは - 전문의 제도의 현황 [cited 2022 Jan 24]. Available from: http://www.jsom.or.jp/universally/doctor/genjou.html

2018년 말 현재 일본의 침사는 121,757명, 구사는 119,796명이고 안마마사지지압사는 118,916명, 유도접골사는 73,017명이다.[87] 또 2018년말 현재 한방전문의 중 의료시설 종사자는 총 1,703명이며 이 중 527명이 병원에서 근무하고, 1,176명이 일차의료기관인 진료소에서 근무하고 있다.[88]

일본 대학병원의 경우 한방외래 진료를 하는 대학병원 수는 2000년까지 20개 정도였지만 점차 증가하여 2009년도부터는 78개의 의과대학병원 모두에서 한방외래 진료를 실시하고 있다. 또 2012년 통계에 따르면 일반 병원 5,391개 중에 한방전문의가 원장을 맡고 있는 병원은 37개(0.7%)이며, 일본의 전체 진료소(우리나라의 의원에 해당) 72,164개 중 한방진료소는 1,046개로 1.4%를 차지한다.[89]

일본 의사들의 한방약에 대한 인식도 좋은 편이다. 2007년 일경메디칼에서 713명의 의사 독자를 대상으로 설문조사한 내용에 따르면 의사들 중 72.4%가 일상적으로 한방의약품을 사용하고 있다고 한다. 한방의약품을 많이 사용하는 상위 5개 진료과로는 산부인과(97.4%), 비뇨기과(95.2%), 심료내과(92.9%), 소화기과(88.5%), 일반내과(82.2%)가 있다. 이들이 한방약을 사용하는 이유로는 62.8%가 서양약으로 한계가 있고, 32.6%가 학회에서 과학적인 데이터가 보고되고 있으며, 32.0%가 환자의 삶의 질을 높이고 전인적 의료가 가능하기 때문에 사용한다고 응답했다.[90]

일본에서 침구치료는 침사, 구사를 중심으로 이루어진다. 의과대학에서는 침구교육이 거의 이루어지지 않는다. 일본 침구교육은 3년제 전문학교나 단기대학에서 이루어지며, 이 중 가장 유명한 메이지침구대학은 4년제로 운영되고 있다. 침구원의 경우 침사와 구사가 매년 4천여 명씩 새롭게 자격을 취득함에 따라 침구원의 수도 꾸준히 증가하여 2000년에는 14,216개소였던 것이 2012년에는 23,145개소로 증가하였다.[91]

87) 厚生労働省 [Internet]. 衛生行政報告例(就業医療関係者)の概況 - 취업 안마마사지 지압사 등 수의 연간 추이 [cited 2022 Jan 24]. Available from:https://www.mhlw.go.jp/toukei/saikin/hw/eisei/18/

88) 厚生労働省 [Internet]. 2018년 의사·치과의사·약제사 통계(医師・歯科医師・薬剤師統計) [cited 2022 Jan 24]. Available from:https://www.mhlw.go.jp/toukei/list/33-20c.html

89) 최보람, 조여진, 손창규. 일본의 한방의료서비스 현황 조사연구. 대한한방내과학회지 2014;35(3):311.

90) 조기호. 일본 한방의학을 말하다. 파주: 군자출판사; 2008. pp. 22-9.

91) 조기호. 일본 한방의학을 말하다. 파주: 군자출판사; 2008.; 최보람, 조여진, 손창규. 일본의 한방의료서비스 현황 조사연구. 대한한방내과학회. 2014;35(3):309-16.

잘 알려져 있듯이 일본은 제도적으로 의료일원화가 되어 있어 우리나라나 중국과 같이 전통의학 의료서비스를 담당하는 한의사나 중의사 제도가 존재하지 않는다. 따라서 한방약은 의사와 약사가, 침이나 뜸은 침구사가 담당하도록 제도화되어 있다. 일본의 의료보험 체계 내에서 한방의료와 관련된 급여로는 한방약과 침구, 마사지가 포함된다.[92]

1976년에 42개 처방의 한약제제가 의료보험 대상으로 적용된 이래 현재 148개 처방의 한약제제가 의료보험 적용을 받고 있다.[93] 여기에는 정제, 산제, 과립제, 세립제, 캡슐제 등 다양한 제형의 한약제제가 포함되어 있다.[94] 한약제제가 아닌 첩약의 경우 200여 종의 개별 한약재를 처방에 활용할 수 있으며, 한약재 각각에 보험약가가 정해져 있다. 의사의 처방에 의해 투약되는 첩약은 의료보험의 적용을 받는데[95] 현실에서는 한약재를 취급하는 약국이 드물어 대부분의 한방약 의료보험은 한약제제를 중심으로 운용된다.[96]

침구, 마사지의 경우 의사의 진료의뢰서가 있는 경우에 한해 의료보험이 적용된다. 급여 대상 질환은 침구의 경우 신경통, 류마티스 관절염, 경견완증후군, 오십견, 요통, 경추염좌후유증 등 만성통증질환에 한정되며, 안마 마사지지압의 경우 근마비, 관절강직에 한한다. 한 질환에 대해 침구치료 개시 후 6개월간 보험적용이 되며, 총 65회까지 치료받을 수 있다.[97]

2) 학술·교육

2001년 3월 일본 문부과학성이 발표한 의학부 핵심교육과정에 화한약 강좌가 필수과목으로 들어감에 따라 2002년 신입생부터 일본의 모든 의과대학에서 화한약 강좌를 실시하게 되었다.[98] 이에 따라 일본동양의학회 학술교육위원회에서는 2002년 12월에 이 강좌에서 사용할 <입문한방의학>이라는 교재를 편찬하여 발간했다.[99] 중국에서 1958년에 서

---

92) 임병묵, 김동수. 중국, 대만, 일본의 전통의학 건강보험 급여 현황. 한의정책. 2016;4(1):97-106.

93) 이호재. 일본 한약제제의 변천 및 현황. NIKOM 한의약 정책 리포트. 2016;1(2):18-23.

94) 임병묵, 김동수. 중국, 대만, 일본의 전통의학 건강보험 급여 현황. p. 104.

95) 임병묵, 김동수. 중국, 대만, 일본의 전통의학 건강보험 급여 현황. p. 104.

96) 이호재. 일본 한방보험 제도 및 현황. NIKOM 한의약 정책 리포트. 2017;2(1):55-9.

97) 임병묵, 김동수. 중국, 대만, 일본의 전통의학 건강보험 급여 현황. p. 105.

98) 조기호. 일본 한방의학을 말하다. 파주: 군자출판사; 2008. pp. 9-10.

99) 조기호. 일본 한방의학을 말하다. 파주: 군자출판사; 2008. p. 12.

의사들의 중의학 교육을 위해 <중의학개론>을 편찬한 것과 같은 맥락이다.

일본의 한방의학 관련 큰 학회로는 일본동양의학회, 전일본침구의학회, 화한의약학회가 있다. 일본동양의학회는 1950년에 창립되었으며 1만 명 내외의 회원이 소속되어 있다. 『동양의학잡지(Kampo Medicine)』을 발간한다. 이 학회는 근거중심의학(Evidence Based Medicine, EBM)에 기반하여 한방의학의 근거를 구축하는 데 힘쓰고 있으며 2002년부터 한방처방 관련 EBM 보고서를 지속적으로 발표하고 있다. 이외에도 한방의학 교과서 편찬과 용어표준화 사업을 주요사업으로 수행한다. 매년 일본 동양의학 학술대회를 개최하며 대한한의학회에서도 이 학술대회에 대표를 보내어 서로 교류하고 있다.[100]

전일본침구학회(The Japan Society of Acupuncture and Moxibustion, JSAM)는 침구분야의 전국 규모 학회다. 약 8만 명의 일본 침구사들이 주도하고 있으며『전일본침구학회지』를 발간하고 있다.[101]

화한의약학회(Medical and Pharmaceutical Society for WAKAN-YAKU)는 1967년 일본약학회 내에서 발족한 화한약심포지움이 확대 개편되어 1984년에 만들어진 학회다. 한방약에 대한 기초연구와 임상연구가 함께 이루어지는 학회로『Journal of Traditional Medicines』라는 학회지를 발간한다.[102]

일본 한방의학계의 학술적으로 중요하고 의미있는 움직임은 한방약에 대한 근거중심의학 연구가 활발하게 이루어지고 있는 것이다. 2001년 일본동양의학회 내에 근거중심의학 특별위원회가 설치되었고 2002년에는 1986년부터 나온 임상논문 833편을 리뷰하여 임상증거편과 연구방법론으로 구성된 결과보고서를 발간하였다.[103] 이 보고서들은 한국에서도 번역 출판되었다.

앞서 언급했듯이 일본 한방의학의 강점이라면 생약학적 관점에서 수행되는 한방약 연구다. 대건중탕, 억간산, 오령산 등의 한방약에 대해 대규모의 다기관 임상시험을 통해 근거를 창출하는 연구가 활발하게 이루어지고 있으며, 또 연구 방법도 과거 단일 한약재의 특정 활성성분을 규명하고 이를 통해 신약개발을 시도하던 방향에서 벗어나 최근에 발전

100) 조기호. 일본 한방의학을 말하다. 파주: 군자출판사; 2008. pp. 367-84.
101) 조기호. 일본 한방의학을 말하다. 파주: 군자출판사; 2008. pp. 385-8.
102) 조기호. 일본 한방의학을 말하다. 파주: 군자출판사; 2008. pp. 389-91.
103) 조기호. 일본 한방의학을 말하다. 파주: 군자출판사; 2008. pp. 450-6.

된 약리학적 연구를 통해 한방 처방에 대한 복합성분, 복합약리작용을 규명하는 방식의 연구가 늘어나고 있다.[104]

일본 한방의학의 기초이론은 기혈수 이론이다. 일본 한방의학은 음양오행 같은 관념적인 사상은 배제하고 눈에 보이는 징험徵驗만을 중요시하며 가급적 이론을 최소화하는 것이 특징이다. 일본 한방의학의 생리, 병리체계의 근간이 되는 기혈수 이론은 요시마스 난가이 吉益南涯(1750-1813)가 만든 것으로 아버지인 요시마스 토도吉益東洞의 만병일독설萬病一毒說을 이어받아 확장한 것이다. 기혈수 삼물三物의 정精이 잘 순환되면 신체를 기르지만 정체되면 독이 되어 병이 생기며, 이 독은 기혈수 삼물에 편승하여 다양한 증證을 나타낸다는 것이 주요 내용이다.[105] 현재까지 정리된 내용은 다음과 같다(그림 9-2).[106]

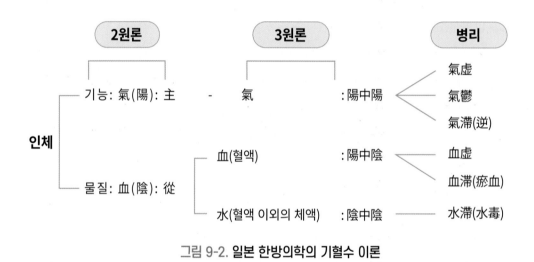

그림 9-2. **일본 한방의학의 기혈수 이론**

104) 정창운, 최창혁, 조희근, 외. 일본에서의 한방의학에 대한 국비 지원 연구 동향과 그 함의. 한방재활의학과학회지 2018; 28(1):121-31.

105) 조기호. 일본 한방의학을 말하다. 파주: 군자출판사; 2008. pp. 335-51.

106) 그림 9-2는 '조기호. 일본 한방의학을 말하다. 파주: 군자출판사; 2008. p. 350.'에서 인용.

3. 대만의 중의학 관련 현황

1) 의료제도와 정책

청일전쟁에서 중국이 패하면서 1895년에 시모노세키 조약이 체결되었고 이 조약에 따라 대만은 일본의 식민지가 되었다. 애초 식민지 정부는 일본에서와 마찬가지로 전통의학을 합법화하지 않으려는 입장을 가지고 있었다. 하지만 1896년에 대만으로 들어온 식민지 정부는 때마침 전염병이 크게 유행하여 전통 중의들을 활용하여 유행을 통제할 수밖에 없는 상황에 몰리게 되었다. 이로 인해 식민지 정부는 국가 의료체계를 서양의학 중심으로 재편하되 전통의학은 점진적으로 도태시키는 정책을 채택했다. 1901년 식민지 정부는 우선 서양의학을 전공한 의사들에게는 의사醫師면허를, 전통 중의들에게는 의생醫生면허를 부여하여 전통의학을 격하시키는 차별 정책을 시행했다.[107] 이런 정책은 1913년 식민지 한국에서도 그대로 시행되었다(1913년 11월, 총독부의 <의생규칙醫生規則>공포).

1901년과 1902년 두 번에 걸쳐 의생 면허 발급을 위한 시험이 시행되었다. 이후에는 의생면허를 발급하지 않았다. 1945년 해방이 될 때까지 노령화로 사망하는 의생들이 늘어남에 따라 의생 수는 자연적으로 줄어들었다. 1902년에는 의사가 125명, 의생이 1,434명이었으나 약 40년 후인 1940년에는 의사는 2,302명으로 증가하고, 의생은 133명으로 대폭 줄어들게 된다.[108] 일본 식민지 정부가 대만을 떠나는 1945년에는 20명 이내의 의생만이 생존해 있었다고 알려져 있다.[109] 이런 상황에서 1902년까지 의생 면허를 받지 못한 중의의료 종사자들은 한약종상으로 눈을 돌렸다. 1899년에는 한약종상의 수가 173명이었으나 1906년에는 1,029명으로 증가하였으며 이후 계속 증가하여 1922년에는 3,511명에 이르게 된다. 1928년까지는 이 수치가 3,215명으로 약간 감소하다가 1942년에는 2,130명으로 대폭

---

107) Hung-Yin Tsai. Cultural Encounters in Medicine: (Re)Constituting Traditional Medicine in Taiwan under Colonization, Modernity, and Exchange [Ph.D dissertation]. Virginia Polytechnic Institute and State University; 2021. p. 33.

108) The Taiwanese Colonial Government, Sōtokufu tōkeisho (總督府統計書) (Taipei: Taiwan Sōokufu Minseibu Bunshoka, 1899–1942). Hung-Yin Tsai. Cultural Encounters in Medicine: (Re)Constituting Traditional Medicine in Taiwan under Colonization, Modernity, and Exchange. pp. 34-35.에서 재인용.

109) Chunhuei Chi. Integrating traditional medicine into modern health care systems: Examining the role of Chinese medicine in Taiwan. Social Science & Medicine. 1994;39(3):311

감소하는 양상을 보인다.[110]

　1945년 일본의 식민지 지배에서 해방되고 1949년 국민당 정부가 중국 본토에서 대만으로 옮겨 오면서 본토의 중의들이 함께 따라왔다. 그 결과 1954년에는 중의의 수가 1,545명까지 증가하였다.[111] 이런 사정으로 대만 정부는 일정 기간 매우 느슨한 면허 관리를 시행할 수밖에 없었다. 대만의 중의사 인력 배출의 특징적인 제도로는 1950년부터 시행했던 특종고시를 들 수 있다. 이는 아직 중의를 배출할 수 있는 대학교육기관이 한 군데도 없었던 상황에서 기존의 중의 종사자들을 검정하여 중의 자격을 취득할 수 있도록 했던 제도였다. 이 제도는 2011년에 폐지되었다.[112]

　난징 국민당 정부는 1937년 내정부 위생서에 중의위원회라는 자문기구를 설치하여 정부의 중의약 정책에 대한 의견을 구했다.[113] 대만으로 옮겨온 이후에도 내정부 위생서에 중의약위원회를 두고 이들의 자문을 받아 중의약을 관리했다. 하지만 1971년 위생서가 내정부에서 행정원으로 옮겨가는 과정에서 중의약위원회는 위생서에 포함되지 못하고 그대로 내정부에 남게 되었다. 이후 대만 중의약계는 위생서 내에 중의약 업무를 관장하는 행정기관이 설치될 수 있도록 많은 노력을 기울였다. 1995년 11월 1일, 드디어 정식으로 행정원 위생서에 중의약위원회가 설치되었다. 이는 대만 중의약 역사에 중요한 전환점으로 평가받고 있다. 2013년 7월 23일에는 위생복리부衛生福利部(우리나라의 보건복지부에 해당)라는 부처가 새로 만들어졌다. 행정원 위생서 중의약위원회 역시 위생복리부로 소속이 변경되었고 조직도 3급기관에서 2급기관인 중의약사中醫藥司로 승격되었다.[114]

110) Hung-Yin Tsai. Cultural Encounters in Medicine: (Re)Constituting Traditional Medicine in Taiwan under Colonization, Modernity, and Exchange. pp. 34-5.

111) Chunhuei Chi. Integrating traditional medicine into modern health care systems: Examining the role of Chinese medicine in Taiwan. Social Science & Medicine. 1994;39(3):311.

112) 윤강재 외. 중국과 대만의 중의학-서의학 관계 설정 현황과 시사점: 인력양성과 보장성을 중심으로(경제·인문사회연구회 중국종합연구 협동연구총서 16-49-01). 대외경제정책연구원. 2016. p. 118.

113) 자오훙쥔趙洪鈞 저. 이충열 역. 근대 중국 동서의학 논쟁사. 서울: 집문당; 2020. p. 187.

114) 한국한의학연구원, 대한한의사협회 한의학정책연구원. 중의약 통계·정책 자료 출처 조사 및 연구(정책연구 2019-1호). p. 120.

2013년 현재 대만의 의사면허자는 52,365명이고, 중의사 면허자는 13,408명이다.[115] 대만의 의사 제도에는 집업의사執業醫師 제도가 있다. 우리나라에서는 의과대학 졸업 이후 의사면허시험에 합격하면 그 즉시 면허 범위 내에서 의료행위를 할 수 있지만 대만에서는 의사고시를 합격한 후 집업소재지에 집업등록을 신청하고 집업증명을 받아야만 의료업무가 가능하다.[116] 대만은 특징적인 중의학 교육제도로 인해 의사·중의사 복수면허자가 많이 배출되었는데 집업시에는 이 중 하나만을 선택해야 한다. 2013년 기준으로 의사면허자 중 집업의사는 41,924명이며, 집업중의사는 5,970명으로 집계된다. 집업율로 보면 의사는 80.1%이고, 중의사는 44.5%에 불과하다. 이는 복수면허자 중 서의사로 집업 등록하는 인력이 많기 때문으로 추정된다.[117]

대만은 1995년부터 전국민건강보험을 도입하였다. 이때 중의 의료서비스도 급여범위에 함께 포함되었다. 대만 건강보험은 행위별로 진료비를 지급하는 행위별수가제를 근간으로 하고 있으나 건강보험 진료비의 급격한 상승을 억제하기 위해 각 의료공급자 단체에게 연간 총 진료비를 지급하여 진료비 상승을 제한하는 총액예산제를 병행하여 운용하고 있다. 1998년 치과부문에 이어 2000년부터 중의부문도 총액예산이 시행되고 있다.[118]

전국민건강보험에 포함된 중의 급여항목은 비교적 단순하게 구성되어 있다. 진찰료, 침구, 추나, 물리치료, 탈구·골절치료 등이 보험 적용을 받으며, 진단은 맥진기, 설진기 사용이 보험 적용을 받는다. 약은 약 120종의 단미 한약제제와 약 110개 처방의 복합 한약제제가 급여되고 있다. 한약제제 조제비용도 급여범위에 포함된다.[119]

또 대만은 중의 외래환자에 대해서만 건강보험 급여를 제공하고 중의 병의원에 입원하는 경우는 급여를 제공하지 않는다. 다만 서의병원 입원환자에 대한 중의 협진에 대해선 건강보험 급여를 제공한다.[120]

115) 윤강재 외. 중국과 대만의 중의학-서의학 관계 설정 현황과 시사점: 인력양성과 보장성을 중심으로. p. 123.

116) 윤강재 외. 중국과 대만의 중의학-서의학 관계 설정 현황과 시사점: 인력양성과 보장성을 중심으로. p. 90.

117) 윤강재 외. 중국과 대만의 중의학-서의학 관계 설정 현황과 시사점: 인력양성과 보장성을 중심으로. p. 91.

118) 임병묵, 김동수. 중국, 대만, 일본의 전통의학 건강보험 급여 현황. 한의정책. 2016;4(1):98.

119) 임병묵, 김동수. 중국, 대만, 일본의 전통의학 건강보험 급여 현황. 한의정책. 2016;4(1):98.

120) 임병묵,김동수. 중국, 대만, 일본의 전통의학 건강보험 급여 현황. 한의정책 4(1), p. 98.

2) 학술·교육

1958년 중국의약학원(지금의 중국의약대학中國醫藥大學)이 설립되었고 1966년 이 대학에 중의학과가 설치된 이래, 대만에서는 중국의약대학, 장경대학長庚大學, 의수대학義守大學, 자제대학慈濟大學의 4개 대학에서 중의사가 배출되고 있다. 한때 특종고시를 통해 중의사가 배출되기도 했으나 2011년 이 제도를 폐지한 후 지금은 대학에서 중의학 관련 교육과정을 이수해야만 면허를 취득할 수 있다. 대만의 중의대는 복수면허를 허용하는 교육과정을 운용하는 것이 특징이다. 대만의 중의대는 학사 후 5년제, 7년제, 중서의 복수전공 8년제 등 다양한 학제를 운영하고 있다. 중국의약대학과 장경대가 7년제와 8년제를 모두 운영하고 있으며, 중국의약대학은 학사후 5년제도 함께 운영하고 있다. 직역간의 확실한 구분을 교육과정에 반영하되, 복수전공 과정을 통해 상호 교차 교육의 가능성을 열어 두고 있는 것이 대만 중의학 교육의 특징이다. 또 의수대학, 자제대학 등은 학사 졸업 후에 입학하여 중의학을 공부하는 학사 후 5년제만을 운영하고 있다.[121]

국가가 설립한 중의약 연구기관으로는 위생복리부 국가중의약연구소衛生福利部 國家中醫藥研究所(National Research Institute of Chinese Medicine, MOHW, NRICM)가 있다. 2013년 7월 23일 위생복리부가 설치되면서 위생복리부 산하기관으로 새롭게 출발한 연구소로 1963년 설립된 국립중국의약연구소國立中國醫藥研究所를 이어받은 것이다. 연구소에는 모두 5개의 연구팀이 있는데 (1) 중의약기초연구조中醫藥基礎研究組, (2) 중의약임상연구조中醫藥臨床研究組, (3) 중약화학연구조中藥化學研究組, (4) 중약재발전조中藥材發展組, (5) 중의약전적조中醫藥典籍組에서 각각 맡은 연구를 수행하고 있다. 소장 1명, 연구원 24명 포함 총 45명이 근무한다.[122]

---

121)   한국한의학연구원, 대한한의사협회 한의학정책연구원. 중의약 통계·정책 자료 출처 조사 및 연구(정책연구 2019-1호), pp. 120-1.

122)   衛生福利部國家中醫藥研究所 [Internet]. 組織編制 [Cited 2022 Feb 22]. Available from: https://www.nricm.edu.tw/p/412-1000-154.php?Lang=zh-tw

표 9-4. 대만 중의학계 대학과 고시 및 집업등록 자격[123]

	학교	고시자격	집업등록 신청
중의학계 8년제	- 중국의약대학(中國醫藥大學) - 장경대학의학원(長庚大學醫學院)	중의사·의사 모두 가능	중의사·의사 중 택일
중의학계 7년제	- 중국의약대학(中國醫藥大學) - 장경대학의학원(長庚大學醫學院)	중의사	중의사
중의학계 5년제	- 중국의약대학(中國醫藥大學) - 의수대학의학학군(義守大學醫學學群) - 자제의학원(慈濟醫學院)	중의사	중의사

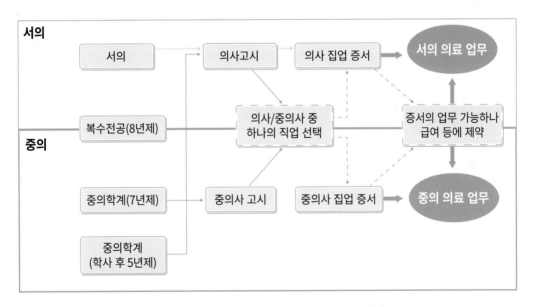

그림 9-3. 대만 중의·서의 면허 및 교육체계[124]

123) 윤강재 외. 중국과 대만의 중의학-서의학 관계 설정 현황과 시사점: 인력양성과 보장성을 중심으로(경제·인문사회연구회 중국종합연구 협동연구총서 16-49-01). 대외경제정책연구원. 2016. p. 121.에서 가져옴.

124) 윤강재 외. 중국과 대만의 중의학-서의학 관계 설정 현황과 시사점: 인력양성과 보장성을 중심으로(경제·인문사회연구회 중국종합연구 협동연구총서 16-49-01). 대외경제정책연구원. 2016. p. 125.에서 가져옴.

제3절 현대시기 한국과 중국, 일본, 대만 사이의 전통의학 분야 교류와 상호영향

한국, 중국, 일본, 대만 등 동아시아 국가들에서는 서양의학과 함께 전통의학이 국민들의 질병치료와 건강증진에 활용되고 있고 국가의 공적 의료보험 체계에도 포함되어 있다. 동아시아 각국의 전통의학은 모두 같은 뿌리에서 나왔으며 고대시기부터 현대에 이르기까지 인적, 물적 교류를 통해 서로 많은 영향을 주고받았다. 학문에는 국경이 없기 때문에 같은 뿌리에서 나온 동아시아 지역 국가들의 전통의학이 서로 영향을 주고받는 것은 지극히 자연스러운 현상이다. 이들은 의학이론부터 치료수단까지 많은 부분을 공유하고 있어 공통점을 강조하면 같은 의학이라고도 할 수 있을 것이다. 하지만 동아시아 각국의 전통의학 사이에는 차이도 분명히 존재한다. 그것은 근·현대시기에 동아시아 국가들이 걸어 온 역사적 궤적이 서로 달라 이것이 전통의학과 관련된 제도와 학술에 영향을 미쳤기 때문이다. 한국을 중심으로 한의학과 동아시아 각국 전통의학 사이의 의학교류와 영향에 대해 간단하게 기술한다.

1. 한의학과 중국 중의학 사이의 교류

1978년 덩샤오핑의 개혁개방 정책이 시작되면서 그동안 닫혀 있었던 중국과의 전통의학 교류도 다시 시작되었다. 1970년대 말부터 중의학 교과서들과 중국에서 발간된 중의학 관련 학술지들이 홍콩을 통해 한국에 수입되기 시작했고 이를 통해 현대중의학의 상황이 한국에 알려지게 되었다. 학술지에 수록된 논문들과 중의학 교과서들은 당시 한창 한의학 각 과목 교과서를 집필하고 있었던 한국 한의학계에 많은 영향을 미쳤으며 그 내용들이 한의학 교과서에 많이 채용되었다. 이것은 그동안 한국에서 쉽게 볼 수 없었던 청대 이후에 발간된 다양한 의서들의 내용이 중의학 교과서에 포함되어 있었던 탓이 컸다. 이제는 한국에서도 중의학의 내용과 수준을 비교적 소상히 알게 되어 과거에 비해 그 열기가 줄어들기는 했지만 여전히 지금도 중국과는 교류를 통해 서로 많은 영향을 주고받고 있다.

학술적인 면에서는 장상학, 변증논치, 온병학 등이 한국에 소개되어 한의학의 이론체계 정리에 영향을 미쳤다. 그러나 한의학과 중의학이 구별되지 않은 채 중의학 서적들이 한의학의 이름을 달고 번역되고, 중의학 용어들이 한의학 용어로 자리잡아 가는 부정적인 현상도 나타났다. 이런 영향은 불가피한 것이지만 일부에서는 한의학계가 중의학을 주체적으로 수용하지 못했다는 비판도 존재한다. 즉, 한의학의 입장에서 중의학을 좀 더 객관적으로 평가하고 비판적으로 수용했어야 했다는 것이다.

의료적 측면에서는 중국의 다원주의 의료제도가 한국 한의계에 깊은 인상을 남겼다. 현재의 상호배타적인 의사-한의사 이원화 의료제도의 한계를 절감하는 한의계로서는 의사와 중의사가 일부 영역을 상호 개방하여 각기 진단과 치료 방면에서 필요한 부분을 활용할 수 있는 중국의 의료제도를 대안으로 생각하게 되었다. 완전한 의료일원화와 중국식 다원주의 의료제도는 앞으로도 계속 한국의 이원화 제도를 대체할 수 있는 대안으로 논의될 전망이다. 또 중국의 중서의결합 정책도 한국에서 주목을 받고 있다. 한국의 보건의료 당국이 의사와 한의사 사이의 한·양방 협진을 활성화하는 것을 중요한 정책목표로 삼아 추진하고 있지만 의사와 한의사 사이의 갈등이 심한 한국 상황에서 한·양방 협진은 기대만큼 활성화되지 못하고 어려운 길을 가고 있다. 이런 점에서 중국의 중서의결합 정책은 교육과 의료정책 면에서 중요한 벤치마킹의 대상이 되고 있다.

한의학과 중의학은 같은 길을 가는 동반자이기도 하지만 경쟁자이기도 하다. 예를 들어 세계보건기구(WHO)와 국제표준화기구(ISO)는 전통의학 분야의 표준화를 진행하고 있는데 이를 둘러싸고 한국, 중국, 일본이 서로 자국에게 세계 전통의학 시장 진출에 유리한 조건을 만들기 위해 치열한 표준 경쟁을 벌이고 있다. 특히 ISO의 TC249 (Technical Committee 249)는 한약재, 한약제품, 침, 의료기기의 품질 및 안전성, 의료정보의 5개의 Working Group을 두고 전통의학 거의 전분야의 표준화 작업을 진행하고 있어 각국의 관심이 높다. 특히 그 중에서도 한국과 중국은 전통의학 국제 표준을 놓고 선의의 경쟁을 벌이고 있다.

2. 한의학과 일본 한방의학 사이의 교류

1930년대 한의학 부흥 논쟁의 과정에서 조헌영은 일본의 한방의학을 '양의洋醫적 한방요법'이라고 규정하고, 한의학 전체를 이해하는 정도正道적 방법이 아니며 시대적 반영으로 나타난 일종의 양의적 한의술이라고 비판했다. 특히 일본이 메이지 유신때 의료일원화를 단행하여 의사들이 한방치료를 담당하고 있기에 일본의 한방의학을 낮춰보는 정서가 한국에 있었다.

하지만 최근에는 일본 한방의학을 바라보는 한의학계의 시선도 많이 달라졌다. 한국에서는 대한상한금궤의학회大韓傷寒金匱醫學會, 동의방약학회東醫方藥學會를 중심으로 전통적인 상한의학 연구와 함께 일본 한방의학에 대해서도 연구를 진행하고 있다. 특히 최근에는 한국에서도 EBM에 대한 관심이 높아짐에 따라 한의학 임상에 대해서도 근거를 확보하는 것이 중요해졌다. 일본에서는 일찍부터 동양의학회가 중심이 되어 한방 EBM 연구가 진행되었기에 이것이 한국 한의학계에도 큰 영향을 미치고 있다. 일본 동양의학회의 연구보고서가 한국에서 번역 출판되었고[125] 이 책을 벤치마킹하여 국내 한의계 연구 결과를 모은 한의 EBM 관련 책이 출판되기도 했다.[126]

일본 한방의학이 한국에 미친 또 다른 영향은 일본의 우수한 한방제약 산업이다. 1987년 한국에서 한방의료보험에 적용하기로 결정한 엑스제제 57종과 엑스 제제 제조법은 일본의 영향을 받은 것이었다. 특히 일본의 쯔무라제약 등에서 생산되는 질적으로 우수한 한약제제는 지속적으로 한의사들의 관심을 끌었으며 한국에서 생산되는 한약제제의 품질 향상에 큰 자극제가 되었다. 의료보험에 한약제제를 사용하기로 했을 당시에는 한국의 한방제약산업이 크게 발전하지 못하여 한약제제를 사용하는 한의사들의 불만이 컸으나 지금은 질이 많이 좋아졌다는 평가를 받고 있다. 이에 따라 한약제제를 임상에서 적극적으로 활용하는 한의사들도 많이 늘어나는 추세다.

---

125) 일본 동양의학회 EBM 특별위원회 편, 조기호 역. 한방처방의 EBM, 서울: 고려의학; 2004. ; 일본동양의학회 EBM 특별위원회 편저, 대한한의학회 EBM 특별위원회 역. 근거중심의 한방처방. 파주; 군자출판사: 2011.

126) 대한한의학회 지음. 근거중심의 한의치료. 파주: 군자출판사; 2012.

3. 한의학과 대만 중의학 사이의 교류

한국 한의학계는 대만 중의학계와 지속적으로 교류해왔다. 대부분 국제동양의학회 (International Society of Oriental Medicine, ISOM)를 통해서였다. 국제동양의학회는 1975년 한국, 일본, 대만이 주축이 되어 창설한 국제적인 전통의학 학술단체다. 이때는 중국과 국교가 단절된 상태라 중의학과 본격적으로 교류하기 전이므로 당연히 한국, 일본, 대만을 중심으로 학술교류가 이루어졌고 대만은 창설 당시부터 이 학회의 주요 멤버 국가로 활동했다. 국제동양의학회는 1976년 한국 서울에서 제1회 국제동양의학학술대회 (International Congress of Oriental Medicine, ICOM)를 개최했고 이후에는 한국, 일본, 대만이 돌아가면서 학술대회를 유치하고 회장을 맡으면서 학회를 운영하고 있다. 이런 교류를 바탕으로 1980년대 초에는 한국 한의대 졸업생이 대만에서 유학하면서 대만 중의학을 경험하기도 했다.

최근에는 몇 가지 이유로 대만 중의학에 대한 관심이 증가되었다. 복수면허자를 양성하는 대만 중의대의 8년제 교육제도가 한국 한의학계의 관심을 끌었고, 또 중의약의 건강보험 급여와 관련한 새로운 시도들, 예를 들어 총액예산제, 표준공정에 따른 포괄적 급여방식 등의 도입이 관심을 끌었다.

대만은 우리나라와 유사한 이원화 의료제도를 가지고 있다고 평가받는다. 현대시기 전통의학이 걸어온 역사도 대만 중의학계와 한국 한의학계가 공유할 수 있는 부분이 많다. 앞으로 한국과 대만 사이의 전통의학 교류가 늘어날 전망이다.

10

현대한의학의
미래

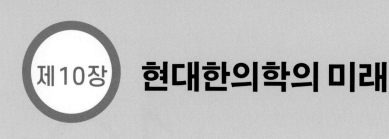

제10장 현대한의학의 미래

제1절   현대한의학의 빛과 그림자

　전통시대 한의학은 20세기를 지나면서 큰 변화를 겪었다. 보건의료 주도권을 서양의학에 넘겨주면서 생존 위기에 직면한 한의학은 살아남기 위해 현대화, 과학화라는 시대가 요구하는 새로운 변화들을 받아들였다. 1945년 8·15해방 후 대학 교육이 본격화되면서 한의학계는 한의학을 개념 교육에 적합한 형태의 새로운 지식체계로 재구성하기 위해 노력했다. 또 1951년 한의사 제도의 제정과 정착, 1987년 의료보험 참여 등으로 한의학이 국가의 공적 의료체계에 정식으로 편입되면서 이를 뒷받침하는 표준화 작업들을 진행해야 했다. 이런 과정을 통해 지금 우리가 접하고 있는 현대한의학이 형성되었다. 현대한의학은 크게 발전하여 지금은 국가보건의료체계의 한 축을 충실히 담당하고 있다. 2018년 보건복지부가 발표한 우리 국민의 한방의료이용 및 한약 취급 기관의 한약소비 실태 조사에 따르면 한방의료의 치료 효과 만족도가 86%이고, 국민의 84.2%가 한방의료를 이용하겠다고 응답했다.[1]

　현대한의학이 일정한 성과를 거둔 만큼 해결해야 할 문제들도 많이 있다. 제도적으로는 한의사들의 의료기기 사용과 같이 시급히 정리해야 할 문제도 있고, 의료일원화와 같이 중장기적으로 결정해야 할 문제도 있다. 이런 문제들이 어떻게 정리되느냐에 따라 현대한의학의 미래도 크게 달라질 것이다. 그러나 현대한의학의 미래가 전적으로 이와 같은 제도적

---

1)　김춘호. 국민 84.2%, 한방의료 이용할 것...치료효과 만족도 86%. 민족의학신문 [인터넷]. 2018년 2월 27일[2022년 2월 22일 인용]. URL: https://www.mjmedi.com/news/articleView.html?idxno=34394)

변수에 의해서만 좌우되는 것은 아니다. 한의계 내부의 의사결정과 노력을 통해 해결해야 할 문제가 더 많다. 내부적인 문제로 중요한 것은 미래 한의학의 정체성을 어떻게 구축하느냐 일 것이다. 이것은 현대한의학에 제기되고 있는 정체성 문제와도 관련이 있다. 이 문제를 살펴보면서 미래 한의학의 방향에 대해 생각해 본다.

1. 현대한의학은 '한의학'의 본질을 잘 보존하고 계승, 발전시키고 있는가?

현대한의학은 형성과정에서 전통시대에는 존재하지 않았던 다양한 지식과 치료기술들을 받아 들였다. 한의학의 현대화, 과학화 과정이 서양의학을 원용하는 방식으로 진행되었기 때문에 서양의학 지식과 기술들이 한의학 이론과 임상에 들어왔고, 한의학의 분과체계도 서양의학 체계를 참조하여 재구성되었다. 이런 이유로 지금 한의학은 외형상 서양의학과 비슷한 모습을 띠고 있다. 또 현대중의학(Traditional Chinese Medicine, TCM)은 전통시대와는 전혀 다른 방식으로 현대한의학의 지식체계 구성에 영향을 미쳤다. 1970년대 말부터 본격적으로 한국에 수입된 중의학 교재들은 당시 활발하게 작업 중이던 한의학 교재 집필에 영향을 미쳤고 지금 대부분의 한의학 교재에는 중의학 지식이 일정 정도 채용되어 있다. 근래에는 일본 한방의학(Kampo Medicine)을 연구하고 임상에 활용하는 한의사들도 늘어나고 있다. 그리고 서양의 보완대체의학과 근거중심의학(Evidence based medicine) 방법론이 수입되어 한의학의 과학화 연구와 임상연구에 큰 영향을 미치고 있으며, 보완대체의학 치료법들도 한의사들에 의해 활용되고 있다. 그러므로 지금 우리가 접하는 현대한의학은 전통시대 한의학 지식, 기술과 함께 외부에서 유입된 다양한 지식과 치료 기술들을 포괄하고 있는 것이 특징이다.

외부로부터 유입된 새로운 지식과 기술들은 전통적인 한의학 지식, 기술들과 만나 다양한 상호작용을 일으켰고, 한의학을 전통시대의 한의학과 크게 다른 것으로 바꾸어놓았다.[2] 학문에는 국경이 없기 때문에 학문적인 필요에 의해 다양한 지식을 서로 주고받는 것은 필연적이면서 지극히 자연스러운 현상이다. 다만 새로운 지식이 유입되어 한의학 체계 내에 다양성이 증가하게 되면 그만큼 한의학 전체 체계의 통제력이 약화될 수 있다. 또 이 지식들이 한의학 체계 속에 녹아들지 못할 경우에는 겉돌면서 전통적인 한의학 지식들과 충돌을 일으킬 수도 있다. 현대한의학에 대해 '현대한의학은 어떤 의학인가'라는 정체성 질문이 제기되는 것도 이런 이유 때문이다.

현대한의학의 정체성에 대한 문제 제기는 한의사들이 점점 더 서양의학 지식에 의존하는 경향, 보완대체의학 치료법의 무분별한 활용, '음양오행 없는 한의학'과 같은 주장 등을 비판하는 과정에서 나타났다.[3] 이런 추세가 전통 한의학의 쇠퇴를 초래한다고 보았기 때문이다. 예를 들어 한의사들의 임상적 판단이 서양의학 지식에 의존하는 경향이 뚜렷해지면서 그동안 한의학 임상을 뒷받침하는 것으로 믿어져 왔던 한의학 이론에 대한 신뢰도나 의존도가 줄어드는 현상이 나타나고 있다. 이런 경향은 교육현장에서도 마찬가지다. 한의학 교육에서 서양의학 지식이 차지하는 실질적인 비중이 점점 늘어나고 있으며, 특히 최근에는 한의사협회나 한의학교육평가원도 이런 방향에서의 변화를 선호하고 있다. 이같은 변화는 그동안 전통적인 방식으로 임상해 오고 또 전통적인 한의학 이론, 기술들에 높은 가치를 부여해 왔던 일부 한의사들에게 한의학의 정체성을 위협하는 사건으로 받아들여졌다. 그렇기 때문에 이들은 현대한의학이 '한의학'으로서의 본질을 잘 계승하고 있는가를 질문한다.

---

[2] 이런 변화는 동아시아 전통의학에서 공통적으로 나타나는 현상이다. 전통의학의 변화에 대해 일부 서양학자들은 지금의 동아시아 의학을 과거 전통시대의 의학과 분리해서 보아야 한다고 주장하기도 한다. 예를 들어 중의학(TCM)과 관련하여 수(Elisabeth Hsu)나 테일러(Kim Taylor)는 TCM이라는 용어에 큰 의미를 부여하면서 TCM을 과거의 중국의학과는 다른 특별한 형태의 의학으로 보아야 한다고 주장했다(Hsu, Elisabeth. The Transmission of Chinese Medicine. Cambridge: Cambridge University Press; 1999. ; Taylor, Kim. Chinese Medicine in Early Communist China, 1945-1963. London: Routledge Curzon; 2005.). 반면에 샤이드(Volker Scheid)는 중국의학이 인민공화국 수립 이후에도 과거의 의학 전통이 방해받지 않고 계속 이어져 내려왔다고 보아야 한다고 주장했다. 그리고 그는 post-1949 TCM과 pre-1949의 중국의학을 대립시켜 불연속성이 존재하는 것처럼 보이게 하는 것은 우리 자신이 살고 있는 시대를 다른 시대보다 좀 더 중요한 시대로 받아들이는 느낌 때문이라고 비판했다(Scheid, Volker. Chinese Medicine in Contemporary China. Durham: Duke University Press; 2002.). 이처럼 지금의 동아시아 의학을 이전 의학과 연속성을 갖는 것으로 볼 것인지 아니면 불연속적인 것으로 볼 것인지는 동아시아 전통의학사의 이슈 중 하나다.

[3] 2009년도 중반에 불거진 한의사국가고시개선안이나 한의사협회가 추진한 한의사들의 KCD 사용과 관련한 논쟁에서 한의학의 정체성 문제가 많이 거론되었다. 이 안들은 기본적으로 서양의학 병명을 한의학에 수용하는 것을 핵심으로 하고 있다. 또 당시 복치의학회 노의준 원장은 "복치의학은 음양오행없는 한의학을 모색하는 학문적 시도"라고 공개적으로 밝힌 바 있다. (노의준. 복치의학의 임상운용 실제(50). 민족의학신문 [인터넷]. 2011년 6월 30일(2022년 2월 22일 인용). URL: http://www.mjmedi.com/news/articleView.html?idxno=21095)

2. 지금 한의학계가 수행하고 있는 연구들이 한의학, 한의사들에게 가치가 있는 것인가?

지금 한의과대학이나 연구기관에서 이루어지고 있는 실험실 연구는 서양의학의 생의학적 방법론, 보완대체의학 연구방법론에 기초하고 있다. 초기 실험실 연구들이 한의학 이론의 과학성을 규명하는 것을 목표로 삼았다면 지금은 대부분의 연구가 한약이나 침구치료의 유효성과 안전성을 규명하는 데 초점이 맞추어져 있다. 그리고 이 연구들에서 한의학 이론이 차지할 자리는 거의 없다. 한의학 연구 전체가 한의학의 임상 '경험'이나 치료 효과를 과학적 방법으로 규명하는, 소위 '폐의존약廢醫存藥' 방식의 과학화 연구[4]로 쏠리고 있는 것이다. 이 과정을 통해 한의학계의 논문들이 과거 보다 질이 크게 향상된 것은 사실이지만 정말 이런 논문들이 한의학 발전에 기여하고 있는가에 대해 보수적인 한의사들은 박한 평가를 내린다. 그리고 대부분의 한의학 연구들이 정작 개원의들이 임상에 필요한 지식이나 기술 발전에는 기여하지 못하고 있다는 비판도 제기되고 있다. 대학이나 연구기관이 일선 한의사들의 임상에 도움이 되지 않는 지식만 양산하고 있다는 불만이다.

3. 한의학을 중의학, 한방의학과 어떻게 차별화할 것인가?

지금까지 한의학과 중의학, 일본의 한방의학은 같은 학문적 뿌리를 가진 의학으로서 서로 우호적이고 협력적인 관계를 유지해 왔다. 학문적으로 볼 때 상호 간에 다른 점이 분명히 있지만 차이보다는 공통점이 더 강조되었고, 동아시아 전통의학의 발전을 위해 경쟁보다는 협력이 더 중시되었다.

하지만 미국과 유럽의 보완대체의학 시장이 커지고 한, 중, 일 전통의학이 모두 이 시장에 진출하는 것을 모색하게 되면서 협력 관계는 점차 경쟁 관계로 바뀌고 있다. 지금 중국은 동아시아 전통의학의 헤게모니를 쥐기 위해 힘을 쏟고 있다. 미국과 유럽에서 상대적으

---

[4]   지금의 과학화 연구들이 대부분 한의학 이론은 배제한 채 한의학의 임상적 성과를 과학적으로 설명하려는 목표를 가지고 진행되고 있기 때문에 연구의 동기와 목표는 그 때와 다르다 해도 드러나는 결과는 1930년대의 '폐의존약' 방식과 유사하다고 볼 수 있다.

로 높은 중의학(TCM)의 인지도를 이용해 미국과 유럽의 보완대체의학 시장을 석권하려는 것이다. 2009년 중국이 주도하여 ISO TC249 (Technical Committees 249: Traditional Chinese Medicine)를 개설하고 동아시아 전통의학 표준화 사업에 본격적으로 뛰어든 것도 이런 일련의 시도 중 하나다. 그동안 아무 장애 없이 서로의 지식과 치료기술을 교환해 왔던 동아시아 전통의학들이 서로 경쟁하는 관계가 되면서 그동안 유지되어 왔던 정책 방향도 수정할 필요가 생겼다. 이제 한국 한의학은 중의학, 한방의학과의 관계 속에서 이들과 차별되는 정체성을 확보하기 위해 노력해야 하는 상황 속에 놓이게 되었다.

제2절 현대한의학의 미래방향

미래 한의학은 어느 날 갑자기 하늘에서 내려오는 것이 아니다. 미래 한의학은 현재에서 싹이 트고 있다. 현재 존재하는 한의학의 다양한 모습과 시도들, 한의학에 관한 담론들 속에 미래 한의학의 싹이 있다는 것이다.

지금의 한의학도 마찬가지였다. 조헌영(趙憲泳, 1900-1988)은 1934년에 발간된 <통속한의학원론>에서 한의학과 서양의학을 "종합치료 의술과 국소처치 의술, 자연치료 의술과 인공치료 의술, 현상의학과 조직의학, 동체動體의학과 정체靜體의학, 치본의학과 치표의학, 양생의술과 방어의술, 내과의학과 외과의학, 응변주의와 획일주의, 평민의술과 귀족의술, 민용民用의술과 관용官用의술"로 대비시켰다.[5] 이것에는 서양의학과 한의학이 공존하게 된 상황에서 서양의학과 차별되는 한의학만의 고유한 영역을 확보하여 한의학의 정체성을 새롭게 구축하고 이를 통해 한의학의 발전을 도모하겠다는 의도가 깔려 있었다.[6]

중국에서도 마찬가지였다. 중화인민공화국 초기에 중의들은 "중의는 변증辨證, 서의는 변병辨病"이라는 구호를 만들어 내었다. '변병'에 대비되는 '변증'이라는 중국의학의 독자적

---

5) 조헌영. 통속한의학원론. 한방의우회. pp. 21-38, 1975년 재출간본.
6) 전혜리. 1934년 한의학 부흥 논쟁-한의학 정체성의 '근대적' 재구성. 한국과학사학회지 2011;33(1):41-88.

인 영역을 확보함으로써 중의학의 생존을 모색하려고 했다.[7] 이 구호는 지금 중국 중서의
결합 정책의 근간이 되어 있다.

이 사례들은 모두 서양의학으로 인해 자신의 존재 가치가 위협받는 위기 속에서 전통적
인 의학 이론과 기술을 현대적으로 새롭게 해석하고, 이것들 중에서 서양의학과 비교하여
경쟁력 있는 것, 시대에 부합하는 것들을 뽑아내어 부각시킴으로써 새로운 한의학, 중의학
의 정체성으로 삼으려고 했다는 공통점이 있다. 이런 담론들이 지금의 한의학을 만들었다.

이런 맥락에서 현재 활발하게 논의되는 이슈들 중에서 한의학의 미래방향에 영향을 미
칠 수 있는 중요한 몇 가지를 생각해 본다.

첫째는, 의료제도의 변화다. 현재의 의료법은 의사와 한의사의 업무 영역을 상호 배타
적으로 구분하고, 서로의 영역을 침범하는 것을 엄격하게 규제하는 완전한 이원화 제도를
담고 있다. 하지만 이 제도는 1951년에 제정된 것으로 70년이 지난 지금의 시대 상황과 맞
지 않는다는 평가를 받는다. 먼저 이 제도는 서양의학의 지식과 기술들이 한의사들의 임
상에 큰 영향을 미치는 지금의 의료현장을 전혀 반영하지 못한다. 그리고 한의학과 서양의
학 지식, 기술의 '회통', '융합'을 중요한 특징으로 삼고 있는 현대한의학의 모습과도 거리가
있다. 또 이 제도는 다학제 연구(multidisciplinary research)나 학제간 연구(interdisci-
plinary research)와 같이 융합이 장려되는 지금 시대의 추세와도 맞지 않는다. 한의사의
직무범위를 전통적인 의학이론과 치료기술을 이용한 질병의 예방, 치료행위에 묶어 놓는
것이 지금과 같은 시대상황에 맞지 않는다는 것이다. 이런 면에서 지금의 의료제도는 변
화가 필요한 시점이 되었다고 볼 수 있다. 그렇다면 어떤 제도가 대안이 될 수 있을까? 지
금 논의되고 있는 것은 의료일원화 또는 중국과 같은 다원주의 의료제도다. 둘 중 어떤 제
도를 선택하든 지금의 의료제도에 큰 변화가 생기는 만큼 한의학의 미래도 큰 영향을 받을
것이다.

둘째, 한의학계 안에서의 가치 선택이다. 한의학계 내에는 한의학이 추구해야할 가치에
대한 두 가지 관점이 대립하고 있다. 한 편에서는 한의학의 존재 가치는 지금의 한의학이
형성되는데 지대한 공헌을 했던 동아시아 전통 문화(세계관, 방법론, 철학 사상 등)와 분리

---

7)   Scheid, Volker. Chinese Medicine in Contemporary China. Durham: Duke Univ. Press; 2002. pp. 200-37.

해서 생각할 수 없으며, 이런 역사적, 문화적 전통을 계승, 발전시켜 나가는 것이 한의학의 미래를 보장할 수 있는 방법이라고 주장한다. 하지만 다른 한 편에서는 한의학이 지역의학의 한계를 뛰어 넘을 수 있는 의학적 보편성을 제고하는 것이 이 시대 한의학이 발전하는 길이라고 주장한다. 특히 '과학'을 이런 보편성을 획득할 수 있는 중요한 수단으로 간주한다. 이들은 서양의학과 한의학은 모두 일종의 기예(art)이며, 근대 이전 동아시아 전통의학에 비해 상대적으로 낙후되어 있었던 서양의학이 과학을 받아들임으로써 비약적으로 발전한 것처럼 한의학도 과학을 받아들임으로써 비약적으로 발전할 수 있다고 주장한다.[8] 반면에 이들은 현대인들이 이해하기 어려운 전통적인 한의학 이론과 용어에는 부정적인 평가를 내린다. 그러므로 이들은 한의사들이 서양의학 병명을 사용하여 임상하는 것을 권장해야 하고, 서양의학에서 요구하는 임상 표준들, 예를 들어 한의학 치료의 유효성과 안전성에 대한 과학적 검증, 근거중심의학(EBM), 진단의 객관화, 표준화 등을 받아들여야 한다고 주장한다. 그리고 연구에서도 과학적 방법과 표준을 따르는 것을 중요하게 생각한다.

한의학에서 지역성(공간성)·역사성(시간성)과 결부되어 있는 문화적 특성을 지나치게 강조하면 한의학이 가지고 있는 의학적 보편성 자체가 부정되는 극단적인 문화 상대론으로 흐를 수 있다. 반대로 서양의학을 일종의 보편의학, 현대의학으로 간주하고 한의학의 모든 것을 서양의학에 맞추게 되면 필연적으로 한의학의 서양의학화가 일어나게 되고 이로 인해 한의학의 고유성 자체가 크게 훼손된다.

이 두 가지 가치, 즉 한의학의 고유성과 보편성 추구가 꼭 둘 중에 어느 하나를 선택해야만 하는 것일까? 아니다. 오히려 이것은 극복되어야 할 이분법이다. 현대한의학의 미래 정체성에서 중요한 것은 이 시대에 통용될 수 있는 보편성을 유지하면서도 다양한 의학체계들과의 관계 속에서 한의학만이 가질 수 있는 '독특함'을 확보하는 것이다. 여기에는 전통시대 한의학이 역사적으로 발전시켜왔던 여러 가지 고유한 이론, 기술, 관점들도 큰 기여를 할 것이고, 의학적 보편성, 합리성을 확보하는 것 또한 우리가 놓쳐서는 안 되는 중요한 가치가 될 것이다. 우리는 지금 현대 과학과 의학의 다양한 지식과 기술들이 전통적인 의학 지식, 기술과 융합되어 있는 한의학과 마주하고 있다. 이런 한의학을 어떻게 보완해

---

8)   Jongyoung Kim. Alternative Medicine's Encounter with Laboratory Science: The Scientific Construction of Korean Medicine in a Global Age. Social Studies of Science 2007;37(6):855-80.

서 가치 있고 '독특한' 것으로 만들어 나갈 것인가는 미래 한의학이 추구해야 할 핵심적인 과제다.

셋째, 통합의학 담론이다. 통합의학은 1994년 애리조나 대학에서 앤드류 와일(Andrew Weil) 등이 새로운 의학 교육 프로그램을 시도하면서 제시한 개념이다. 통합의학 개념은 기존의 보완대체의학 개념과 차이가 있다. 통합의학은 새로운 패러다임에 열려있는 좋은 과학(good science)을 지향한다. 즉, 통합의학 역시 과학적 의학을 지향하지만 기존의 보완대체의학에서처럼 무작위대조군연구(randomized controlled trials, RCTs)나 체계적 고찰(systematic review, SR)만을 쫓으려고 하지 않는다. 각 의학 체계의 고유성을 유지하면서도 객관적 근거를 확보하려고 노력한다. 또 통합의학은 보완대체의학체계의 철학적 배경을 존중하며, 환자 중심 의학을 구현하여 근거중심의학의 객관적 통계뿐만 아니라 환자의 주관적인 호소에도 관심을 가질 것을 주장한다. 전인적인 치유, 자연과의 밀접한 관계, 환자 의사간의 밀접한 관계, 심신의학의 강조와 같은 것들이 통합의학이 추구하는 방향이다.[9]

하지만 지금 한국에서 '통합의학'의 개념은 추진하는 주체에 따라 각기 자신에게 유리한 의미로 해석되고 있다. 한의계는 한의학 중심의 융합 즉, 한의학을 근간으로 하고 서양의학의 장점을 보완적으로 활용하려는 의미로 이 개념을 사용하고 있고, 서양의학계에서는 서양의학을 중심으로 한의학, 보완대체의학의 장점을 융합하는 의미로 사용하고 있다.[10] 하지만 '통합의학' 개념은 융합학문(융합의학)이라는 관점에서 재정립될 필요가 있다. 융합학문의 목표처럼 '통합의학'도 의료현장에서 제기되는 문제들을 해결하는 것이 목표가 되어야 한다. 일종의 수요자 중심, 현장 중심의 의학이다. 우리는 융합연구가 어떤 한 분야가 단독으로 문제 해결을 시도할 때 보다 두 분야 이상이 상호 협력할 때 문제를 더 해결하기 쉽거나 문제 해결의 새로운 아이디어를 얻을 수 있을 때 시도된다는 점을 유념할 필요가 있다. '통합의학'은 국민들의 건강, 질병치료, 질병예방에 대해 기존의 한의학, 서양의학이 개별적으로 접근하는 것보다 두 의학이 상호 협력함으로써 더 효율적인 방법과 기술을 찾을 수 있을 때 비로소 의미가 있다. 통합의학 담론의 발전과 구체적인 실행은 현대

---

9)　　이태형, 김남일. 통합의학의 개념과 한의학과의 관계. 한국한의학연구원논문집 2011;17(3):35-42.

10)　　한경주. 통합의학 R&D의 새로운 트렌드 및 전망. 한의정책 2014;2(1):55.

한의학의 미래에도 큰 변수가 될 것이다.

넷째, 정밀의료(Precision Medicine)의 발전이다. 정밀의료는 얼마 전까지 맞춤의료 (Personalized Medicine)라는 용어로 불렸다. 정밀의료는 "개인의 유전정보, 임상정보, 생활습관정보 등을 분석하여 질병의 진단, 치료, 예측, 예방 및 관리를 위한 최적의 맞춤형 의료, 헬스케어 서비스를 제공하는 기술이다."[11] 정밀의료는 맞춤의료에서 한 발 더 나아가 다양한 오믹스(omics) 정보와 빅데이터의 통합분석을 바탕으로 한다.[12] 미국에서는 2015년 1월 오바마 정부가 정밀의료 이니셔티브(Precision Medicine Initiative)에 착수할 것을 공표하면서 대규모 연구비가 투입되고 있다. 유럽은 물론이고, 중국에서는 정준의료계획精準醫療計劃으로, 일본에서는 의료혁신전략이라는 이름으로 연구가 진행되고 있다.[13] 한의학에서는 사상체질의학을 비롯해서 일찍부터 질병의 진단, 치료, 예방 및 관리에 개인 맞춤형 접근을 해왔다. 정밀의료는 한의학에 있어 양날의 검과 같다. 정밀의료의 발전으로 한의학이 가진 맞춤의료로서의 장점을 잃을 수도 있고, 정밀의료와 한의학의 체질의학이 결합하여 시너지 효과를 낼 수도 있다. 정밀의료의 발전은 미래 한의학에 큰 도전이 될 것이다.

다섯째, 시스템 생물학(Systems Biology), 네트워크 방법론과 같은 전체론과 환원론을 융합할 수 있는 새로운 방법들의 발전이다. 2014년 12월 사이언스 잡지의 부록으로 전통의학 특집이 발간되었다.[14] 이 특집은 중의학을 현대의료 체계에 통합하는 사례들을 보여주는 기고문들로 구성되어 있으며, 특별히 통합의학의 틀 속에서 중의학을 위시한 전통의학의 미래 방향을 모색하고 있는 것이 특징이다. 이 특집에서는 시스템 생물학, 네트워크 방법론 등이 동서양 의학 이론을 연결하는 가교가 될 것이라고 제안한다. 시스템 생물학의 기초가 되는 시스템이론은 기존의 환원론적 연구방법의 단점을 보완하기 위해 제출

---

11) 과학기술정보통신부, 한국과학기술기획평가원(KISTEP). 2020년 기술영향평가 정밀의료 기술의 미래. p.14.

12) 과학기술정보통신부, 한국과학기술기획평가원(KISTEP). 2020년 기술영향평가 정밀의료 기술의 미래. p.16.

13) 이강봉. 정밀의료…의학 패러다임을 바꾸다. 사이언스타임즈[인터넷]. 2018년 4월 26일(2022년 2월 22일 인용). URL: https://www.sciencetimes.co.kr/news/%EC%A0%95%EB%B0%80%EC%9D%98%EB%A3%8C-%EC%9D%98%ED%95%99-%ED%8C%A8%EB%9F%AC%EB%8B%A4%EC%9E%84%EC%9D%84-%EB%B0%94%EA%BE%B8%EB%8B%A4/

14) Science/AAAS Custom Publishing Office. The Art and Science of Traditional Medicine, Part 1: TCM Today – A case for Integration. Science 346(6216 Suppl), S01-S25(2014).

된 것이다. 즉, 기존의 환원론적 연구 방법에 포함된 장점과 전체론의 장점을 시스템이론 안에서 통일시키고 있는 것이 특징이다. 그러므로 시스템 생물학은 한의학의 전체론과 서양의학의 환원론적 방법론을 융합할 수 있는 중요한 이론적 가교가 될 수 있다.[15] 또 시스템생물학에서 많이 사용되는 네트워크 방법론도 중요하게 활용될 수 있다. 네트워크 약리학(Network Pharmacology)은 그동안 단일성분, 단일표적의 약물 연구에서 벗어나 다성분, 다표적 연구로 전환할 수 있게 해 준다. 다성분, 다표적의 대표적인 사례인 한약 방제뿐만 아니라 한약-양약 병용 투여에 의한 시너지 효과나 부작용 연구에도 이 방법이 활용될 수 있다.

이와 같이 한의학의 미래에 영향을 미칠 수 있는 다양한 논의들이 지금 한의계 안팎에서 이루어지고 있다. 중요한 것은 이런 논의들에 한의계가 어떻게 대응하느냐다. 미래 한의학이 어떤 의학이 될 것인가는 많은 부분 한의계의 선택과 노력에 달려 있다. 현대한의학은 우리 민족 고유의 전통의학이면서도 역설적으로 현대화, 과학화, 체계화, 표준화를 지향하며, 지금의 한의학은 100년 가까운 현대화, 과학화, 체계화, 표준화의 결과가 녹아있는 의학이다. 미래 한의학에 대한 우리의 비전은 현대한의학이 어떤 의학인지 이해하는 것으로부터 시작된다. 현대한의학에 대한 이해를 바탕으로 한의계가 위의 논의들에 주체적으로 참여하고 대응한다면 현대한의학은 미래에도 국가 보건의료체계의 한 축으로서 의미 있게 기능할 수 있을 것이다.

---

15) Schroën Y, van Wietmarschen HA, Wang M, et al. East is East and West is West, and never the twain shall meet?. Science 346(6216 Suppl). S10-S12(2014).

부록

제1절 국내 한의학 관련 기관 및 한의학 정보 사이트

1. 국내 한의학 관련 기관

1) 대한한의학회(The Society of Korean Medicine, SKOM)
URL: https://www.skom.or.kr

대한한의학회는 1953년 1월 31일에 사단법인 대한한의학회로 출발하였다. 2022년 12월 기준(홈페이지)으로 대한한의학회 산하에는 45개의 회원학회와 2개 예비회원학회가 있다. 대한한의학회는 1963년 5월 1일에 '대한한의학회보' 창간호를 발간하였고, 현재는 '대한한의학회지'를 연 4회 발간한다. 대한한의학회지는 2005년부터 KCI등재학술지로 선정되었다. 이와 함께 홈페이지에서 '표준한의학용어집 2.1'을 서비스하고 있다.

2) 한국한의학연구원(Korea Institute of Oriental Medicine, KIOM)
URL: https://www.kiom.re.kr

한국한의학연구원은 한의학의 과학화·세계화·표준화를 선도하는 대표적인 국가 한의학 연구기관이다. 1994년 보건복지부 산하 한국한의학연구소로 출발하였고, 1997년 한국한의학연구원으로 승격되었다. 2011년 WHO 전통의학협력센터로 지정되었으며, 2017년 과학기술정보통신부 산하 국가과학기술연구회 소관연구기관으로 소속이 변경되었다.

3) 한국한의약진흥원(National Institute for Korean Medicine Development, NIKOM)
URL: http://nikom.or.kr

한국한의약진흥원은 한약과 관련된 전반적인 연구를 주도하는 보건복지부 소속 한의약 전담 기관이다. 최초 한약진흥재단으로 출발하였으나 한의약육성법 개정안에 따라 2019년 새롭게 한국한의약진흥원으로 개편되었다. 한국한의약진흥원은 2021년 1월 28일 전통의학분야 국내 최초로 세계보건기구(WHO) 본부로부터 전통·보완·통합의학 분야 WHO 협력센터로 지정되었다.

4) 한국한의학교육평가원(Institute of Korean Medicine Education and Evaluation, IKMEE)

☯ URL: https://www.ikmee.or.kr

재단법인 한국한의학교육평가원은 2005년에 보건복지부 법인 설립을 허가받아 출범하였다. 2016년 5월 20일 정부로부터 한의학 교육의 공식 평가인증 기관으로 인정을 받았다. 주된 사업으로는 한의학 교육 평가·인증 사업과 한의학 교육 연구 사업이 있다.

5) 대한한의사협회(The Association of Korean Medicine, AKOM)

☯ URL: https://www.akom.org

대한한의사협회는 국민 보건 향상과 사회복지 증진에 기여하고 한의학술의 발전과 회원 간의 친목을 도모하여 한의사의 권익옹호 사업과 의료 질서 확립에 이바지함을 목적으로 설립되었다. 1898년 대한제국 당시에 설립된 대한의사총합소大韓醫師總合所를 설립 기원으로 하며, 의료법에 따라 1952년에 사단법인 대한한의사협회가 출범하였다.

6) 대한한방병원협회(Korean Medicine Hospitals' Association, KOMHA)

☯ URL: www.komha.or.kr

대한한방병원협회는 1988년에 설립되었으며, 2003년 의료법 제52조(의료기관단체 신설)가 신설됨에 따라 2004년 의료법에 따른 단체로 승인되었다. 대한한방병원협회의 설립 목적은 한방병원의 건전한 발전과 운영제도 개선 연구 및 한방 의료 종사자의 교육을 통하여 한방병원 의료의 질적 향상을 도모함으로써 국민 보건의료 향상에 이바지하는 것이다.

2. 한의학 관련 종합 정보

1) OASIS 전통의학정보포털(Oriental Medicine Advanced Searching Integrated System, OASIS)

◉ URL: https://oasis.kiom.re.kr

한국한의학연구원에서 운영하는 포털로 국내 한의학 논문, 한의학 관련 보고서 검색 및 원문 다운로드 서비스를 제공하고 있다. 아울러 한약재에 대한 각종 정보, 한약처방에 대한 검색 및 관련 자료, 한의약 관련 통계 검색 및 관련 자료 등에 대한 서비스도 제공한다.

2) 한의약융합연구정보센터(Korean Medicine Convergence Research Information Center, KMCRIC)

◉ URL: https://www.kmcric.com

한의약융합연구정보센터는 한국연구재단의 전문연구정보활용사업의 하나로 2013년 국내 유일의 약학/한의학 분야 전문연구정보센터로 최초 지정되어 운영되고 있다. 국내외 한의약 및 보완대체의약학 관련 전문연구정보들을 체계적이고 종합적으로 수집하고 근거중심의학 방법론에 기반을 두어 가공된 정보를 데이터베이스화하여 연구자들에게 관련 분야의 전문정보를 제공한다. 아울러 연구자들 간 정보교류의 장으로서 역할을 하고 있다.

3) 한국전통지식포탈(Korean Traditional Knowledge Portal, KTKP)

◉ URL: https://www.koreantk.com/

한국전통지식포탈은 한국 특허청이 구축하여 제공하는 전통지식 데이터베이스(database, DB)이다. 한국 특허청은 2004년도에 전통지식 DB 구축을 위한 정보화전략계획을 수립하였고, 2005년부터 2007년까지 3개년 동안 한의학 분야 전통지식 DB를 구축하였으며, 2007년 12월 전통지식 DB에 대한 검색서비스를 제공하게 되었다. 한국전통지식포탈은 한의학 분야 고전문헌뿐만 아니라 전통지식 관련 한국논문, 전통지식 관련 한국특허 문헌까지 과거부터 현대에 이르는 전통지식 정보를 망라하고 있다. 한의학 분야와 관련해서는 한의학 관련 논문, 한의학 고전문헌에 수록된 약재 및 처방 관련 정보, 한의학 고전문헌에 수록된 병증 정보 및 관련 양방 병증 정보, 한의학 용어사전, 한방 병명과 양방 병명의 매핑

사전, 특허 분석(약재, 처방, 병증), 약재에서 추출되는 천연물에 대한 성분 화합물과 구축 논문 내에 언급된 화합물 정보, 한의학 관련 고문헌 번역 정보 등을 제공한다.

3. 국내 한의 표준 관련 정보

1) 한국한의학연구원 한의학표준정보서비스

URL: https://standard.kiom.re.kr/

한국한의학연구원에서 운영하는 사이트로 한국한의학연구원 글로벌협력센터 표준성과확산팀이 담당하고 있다. 국내외 한의학 관련 표준화 현황 및 관련 정보들을 제공하고 있다.

2) 대한한의학회 표준한의학용어집 2.1.

URL: https://cis.kiom.re.kr/terminology/search.do/

2000년대 초반 대한한의학회에서 표준한의학용어제정사업을 수행하였고, 그 결과물로 2006년 '표준한의학용어집' 초판이 발간되었다. 이후 대한한의학회 표준위원회를 중심으로 지속적 개정 작업이 이루어져 2021년 '표준한의학용어집 2.1'이 발간되었고, 현재 대한한의학회 홈페이지에서 이용할 수 있다.

4. 국내 한약 정보

1) 국가생약정보(National Herbal Medicine Information, NHMI)

URL: https://nifds.go.kr/nhmi/

식품의약품안전처가 2020년부터 구축하여 서비스하는 한약(생약) 관련 데이터베이스다. 한약과 관련된 광범위한 정보를 제공하고 있다. 한약(생약) 정보(공정서 등재 생약 및 민간 생약에 대한 종합적 정보, 표본정보, 식물 사진 등), 분석사례(HPTLC, HPLC, 유전자 등의 시험자료, 관능검사 부적합 사례 등) 및 자료집(감별자료집, 관능검사해설서 등), 생산통계, 연구 소재(표준생약·지표성분 정보 및 분양 등), 한약(생약)제제 관련 정보(기원생약 및 추출물 정보, 주성분 프로파일 사례집, 임상시험 승인 현황 등), 나고야의정서 관련 정보 등을 제공하고 있다.

2) 한의약융합연구정보센터(Korean Medicine Convergence Research Information Center, KMCRIC), 약물상호작용 DB

🔗 URL: https://www.kmcric.com/database/interact_search/

한의약융합연구정보센터 내 한의약융합데이터센터에서 서비스하고 있는 DB이다. 보완·대체의학에 관한 양질의 근거 중심(evidence-based) 정보를 수록한 Natural Standard에 기반을 둔 DB로 체계적문헌고찰(systematic review)의 방법을 이용한 최신의 정보를 제공한다. 한약-양약(herb-drug), 한약-식이보충제(herb-dietary supplement), 한약-음식(herb-food) 등 약물 상호작용과 용법, 안전성, 부작용, 복용량 등의 약물 일반 정보를 얻을 수 있다.

3) 한의약융합연구정보센터(Korean Medicine Convergence Research Information Center, KMCRIC), 생약 up-to-date

🔗 URL: https://www.kmcric.com/database/herb_search/

한의약융합연구정보센터 내 한의약융합데이터센터에서 서비스하고 있는 DB이다. 생약 성분 및 약리작용 위주의 최신 연구정보를 수록한 체계적이고 포괄적인 생약 DB로 경희대학교 약학대학과 한의과대학, 충북대학교 약학대학 연구팀이 공동 참여하여 정보를 제공하고 있다.

4) 생명의약네트워크연구정보센터(Information Center for Bio Pharmacological Network, i Pharm), PharmDB K

🔗 URL: http://www.i-pharm.org/iPharm/

생명의약네트워크연구정보센터(i-pharm)는 교육과학기술부와 한국연구재단이 2008년 의약학분야 전문연구정보센터로 지정한 곳이다. 이 센터에서 개발한 약학, 의학, 바이오 분야를 연계한 데이터베이스를 제공한다. 처음에는 PharmDB로 질병, 약물, 단백질, 그리고 그들 간의 관계 정보를 전 세계의 여러 데이터베이스에서 추출하여 통합 제공하였고, 현재는 PharmDB-K로 기존의 약물 정보와 함께 한의약 정보를 제공하고 있다.

5) OASIS 전통의학정보포털(Oriental Medicine Advanced Searching Integrated System, OASIS)

🖰 URL: https://oasis.kiom.re.kr/

한국한의학연구원에서 운영하는 포털로 약재 백과, 한약표준자원은행, K-Herb Network, K-Herb DNA, 한약기원사전, 한약재 현황 등의 항목으로 나눠서 한약재 관련 각종 자료를 제공하고 있다. 아울러 한약처방에 대한 각종 연구 자료를 함께 제공한다.

6) 한국한의학연구원 한약자원연구센터(Herbal Medicine Resources Research Center, KIOM)

🖰 URL: https://oasis.kiom.re.kr/herblib/main.do

한국한의학연구원에서 운영한다. 한약과 관련된 다양한 정보를 제공하는데 한약기원사전, 본초사진, 본초감별도감 등의 자료를 제공하고 있다. 아울러 관련된 고문헌, 현대문헌, 용어사전 등의 문헌자료도 제공한다. 한약표준자원은행, 한약기원사전 등은 OASIS에서도 접근할 수 있다.

7) 한국전통지식포탈(Korean Traditional Knowledge Portal, KTKP)

🖰 URL: https://www.koreantk.com/

한국전통지식포탈에서는 한약과 관련된 많은 정보를 제공하고 있다. 구체적으로 한의학 고전문헌에 수록된 약재 및 처방 정보, 관련 논문 서지정보 및 논문초록, 원문 PDF 등의 논문 정보, 특허분석(약재, 처방, 병증에서 추출한 키워드 및 국제특허분류 정보), 약재에서 추출되는 천연물에 대한 성분화합물과 구축 논문 내에 언급된 화합물 정보 등을 제공하고 있다.

8) 생명자원정보서비스(Bio Resource Information Service, BRIS)

🌐 URL: https://www.bris.go.kr)

농림축산식품부가 2011년부터 농업·산림 분야 생명 자원의 정보제공을 목적으로 구축한 데이터베이스로 2018년 확대, 개편되었다. 생명 자원의 학(종)명 정보(식물, 동물, 미생물, 곤충 등)와 토종작물(벼 등 7개 작물)의 특성 정보를 제공하고 있으며, 국내외 특허정보와 바이오산업 10대 분야(건강기능식품, 바이오화장품, 동물약품, 바이오농약 및 비료, 아미노산, 식품첨가물, 발효식품, 사료첨가제, 종자)에 대한 특허 분석 보고서를 제공한다. 아울러 각종 자원 백과(한국토종작물도감, 농림유전자도감, 식물도감 등) 서비스에서 학습용 자원 정보를 이미지와 함께 제공하고 있다.

5. 국내 경혈 학습 정보

1) 한의임상정보서비스(Korean Medicine Encyclopedia)

🌐 URL: https://www.kmpedia.kr/

한국한의학연구원에서 운영한다. 경락 및 경혈 연구에 대한 기초 연구 자료, 경혈 위치에 대한 미디어 자료(영상 애니메이션, 해부학 사진 등) 등을 제공하고 있다.

2) 한의약융합연구정보센터(Korean Medicine Convergence Research Information Center, KMCRIC), 표준경혈 DB

🌐 URL: https://www.kmcric.com/database/acupoint

한의약융합연구정보센터 내 한의약융합데이터센터에서 서비스하고 있는 DB이다. 2008년 제정된 WHO/WPRO 표준경혈위치에 근거하여 국가 지정 한의약융합연구정보센터가 경희대학교 한의과대학 경혈학교실, 해부학교실, 침구경락융합연구센터와 함께 직접 제작한 취혈 동영상 DB이다. 동영상을 통해 경혈마다 소속 경맥, WHO 표준위치, 취혈법, 자침 깊이, 주의사항 등을 제공하고 있다.

6. 국내 한의 임상 정보

1) 국가한의임상정보포털(National Clearinghouse for Korean Medicine, NCKM)
 URL: https://nikom.or.kr/nckm/

국가한의임상정보포털은 한의표준임상진료지침개발사업단에서 운영하는 플랫폼으로 출발하여 현재는 한의약혁신기술개발사업단에서 운영하고 있다. 근거기반 임상진료지침, 병용투여지침, 임상연구 및 각종 매뉴얼과 가이드라인, 한의약 전자증례기록지(eCRF) iCLICK, 약물상호작용 DB 등 다양한 데이터베이스를 운영한다. 특히 현재까지 개발된 한의표준임상진료지침 전체를 내려받아 볼 수 있어 유용하다.

2) 임상연구정보서비스(Clinical Research information Service, CRIS)
 URL: https://cris.nih.go.kr

임상연구정보서비스는 국내에서 진행되는 임상시험 및 임상연구에 대한 온라인 등록 시스템으로서, 보건복지부의 지원을 받아 질병관리청에서 구축하여 운영하고 있다. CRIS는 WHO International Clinical Trials Registry Platform (ICTRP)에 세계 11번째 Registry로 가입하였다.

3) 한의임상정보서비스(Korean Medicine Encyclopedia)
 URL: https://www.kmpedia.kr

한국한의학연구원에서 운영하는 곳으로 한의 임상과 관련된 자료 및 질환에 대한 정보, 진단 도구, 한의 임상사례 정보, 경락 및 경혈 연구에 대한 기초 연구 자료, 경혈 위치에 대한 미디어 자료(영상 애니메이션, 해부학 사진 등) 등을 제공한다.

4) 한국한의학연구원 한의임상정보은행(Korean Medicine Data Center, KDC)
 URL: https://kdc.kiom.re.kr/html

한국한의학연구원에서 운영한다. 국내외 최대 규모를 자랑하는 한의학 통합 정보은행이다. 체질/미병/변증 등 한의학 현상에 대한 다양한 임상 데이터, 체형/안면 등의 계측데이터, 그리고 체성분/맥진/심박변이도 등 다양한 기기데이터는 물론, 혈액검사데이터와

DNA/세포주 등 생물학데이터를 포괄하고 있다.

 제2절 문헌 검색 데이터베이스[1)

1. 국내 논문 검색 데이터베이스

검색원	제공기관	URL
전통의학정보포털(OASIS)	한국한의학연구원	https://oasis.kiom.re.kr/
한국전통지식포탈(KTKP)	특허청	https://www.koreantk.com/
KoreaMed	대한의학학술지편집인협의회	https://www.koreamed.org/
한국의학논문데이터베이스 (KMbase)	한국의학논문데이터베이스 의과학연구정보센터(MedRIC)	https://kmbase.medric.or.kr/
한국학술정보시스템(KISS)	한국학술정보(주)	https://kiss.kstudy.com/
ScienceON[2)	한국과학기술정보연구원	https://scienceon.kisti.re.kr/
과학기술학회마을(KISTI)	한국과학기술정보연구원(KISTI)	http://society.kisti.re.kr/
학술연구정보서비스(RISS)	한국교육학술정보원(KERIS)	http://www.riss.kr/
국회도서관	국회도서관	https://www.nanet.go.kr

* 약어: OASIS (Oriental Medicine Advanced Searching Integrated System), KTKP (Korean Traditional Knowledge Portal), KMbase (Korean Medical Database), KISS (Koreanstudies Information Service System), KISTI (Korea Institute of Science and Technology Information), RISS (Research Information Sharing Service)

---

1) 각 검색 database에 대한 자세한 내용은 '한의표준임상진료지침 개발사업단. 한의표준임상진료지침 개발 매뉴얼. 서울;군자출판사. 2018, pp.74-105'를 참고할 것. 이 자료는 국가한의임상정보포털 홈페이지(https://nikom.or.kr/nckm/)에서 PDF 파일 다운로드 가능함.

2) 국가과학기술정보센터(National Digital Science Library, NDSL)가 2020년 10월 과학기술지식인프라 ScienceON에 통합됨.

2. 국외 논문 검색 데이터베이스

1) 국외 핵심 논문 검색 데이터베이스

검색원	제공기관	URL
MEDLINE/PubMed	미국 국립의학도서관	https://pubmed.ncbi.nlm.nih.gov/
EMBASE	네덜란드 Elsevier사	http://www.embase.com
Cochrane CENTRAL	Cochrane	http://www.cochranelibrary.com

2) 중국 논문 검색 데이터베이스

검색원	제공기관	URL
CNKI	中国知网	http://www.cnki.net
Wanfang	万方数据库	http://www.wanfangdata.com.cn/
VIP	维普数据库	http://www.cqvip.com/

* 약어: CNKI (China National Knowledge Infrastructure)

3) 일본 논문 검색 데이터베이스

검색원	제공기관	URL
CiNii	国立情報學研究所	https://ci.nii.ac.jp/
J-STAGE	国立研究開発法人科学技術振興機構 (JST)	https://www.jstage.jst.go.jp/
医中誌Web (Ichushi)	医学中央雑誌刊行会 (医中誌)	https://www.jamas.or.jp/
IRDB	国立情報学研究所	https://irdb.nii.ac.jp/
일본동양의학회	日本東洋医学会	http://www.jsom.or.jp/medical/ebm/index.html

* 약어: CiNii (Citation Information by National Institute of Informatics), J-STAGE (Japan Science Technology Information Aggregator, Electronic), IRDB (Institutional Repositories Database)

> ## 제3절 한의학 관련 국내외 학회지

1. 국내 KCI[3] 등재 한의학 학회지(2022년 2월 기준)

학술지명(국문/영문)	약어	발행학회
대한한의학회지(Journal of Korean Medicine)	J Korean Med	대한한의학회
대한한방내과학회지(The Journal of Internal Korean Medicine)	J Int Korean Med	대한한방내과학회
Journal of Acupuncture Research[4]	J Acupunct Res	대한침구의학회
대한한방부인과학회지(The Journal of Korean Medicine Obstetrics & Gynecology)	J Korean Obstet Gynecol	대한한방부인과학회
대한한방소아과학회지(The Journal of Pediatrics of Korean Medicine)	J Pediatr Korean Med	대한한방소아과학회
동의신경정신과학회지(Journal of Oriental Neuropsychiatry)	J of Oriental Neuropsychiatry	대한한방신경정신과학회
사상체질의학회지(Journal of Sasang Constitutional Medicine)	J Sasang Constitut Med	사상체질의학회
한방안이비인후피부과학회지(The Journal of Korean Medicine Ophthalmology & Otorhinolaryngology & Dermatology)	J Korean Med Ophthalmol Otolaryngol Dermato	대한한방안이비인후피부과학회
한방재활의학과학회지(Journal of Korean Medicine Rehabilitation)	J Korean Med Rehabi	한방재활의학과학회
동의생리병리학회지(Journal of Physiology & Pathology in Korean Medicine)	J Physiol & Pathol Korean Med	한의병리학회, 대한동의생리학회

---

3) 한국학술지인용색인(Korea Citation Index, KCI)

4) 대한침구학회지는 1984년 'Journal of Korean Acupuncture & Moxibustion Society'로 출판되었고, 2014년 'The Acupuncture'로 이름이 바뀌었고, 2017년부터는 현재 명칭인 'Journal of Acupuncture Research'로 영문으로 출판되고 있음.

학술지명(국문/영문)	약어	발행학회
대한한의학방제학회지[Herbal Formula Science (HFS)]	Herb. Formula Sci	대한한의학방제학회
대한한의학원전학회지(The Journal Of Korean Medical Classics)	J Korean Med Classics	대한한의학원전학회
대한본초학회지(The Korea Journal of Herbology)	Kor. J. Herbol	대한본초학회
Korean Journal of Acupuncture	Korean J Acupunct	경락경혈학회
대한예방한의학회지(Journal of Society of Preventive Korean Medicine)	–	대한예방한의학회
韓國醫史學會誌 (THE JOURNAL OF KOREAN MEDICAL HISTORY)	–	한국의사학회
척추신경추나의학회지(The Journal of Chuna Manual Medicine for Spine & Nerves)	–	척추신경추나의학회
Journal of Acupuncture & Meridian Studies(JAMS)	J Acupunct Meridian Stud	대한약침학회
한방비만학회지(Journal of Korean Medicine for Obesity Research)	J Korean Med Obes Res	한방비만학회
Journal of Pharmacopuncture	J Pharmacopuncture	대한약침학회
Advances in Traditional Medicine[5]	Adv Tradit Med	경희대학교 융합한의과학연구소
Integrative Medicine Research[6]	Integr Med Res	한국한의학연구원

[5] 2019년까지 학술지명 'Oriental Pharmacy and Experimental Medicine (OPEM)'으로 출판됨.

[6] SCIE (Science Citation Index Expanded)에도 등재됨.

2. 기타 국내 한의학 학회지

학술지명(국문/영문)	약어	발행학회
대한암한의학회지(Journal of Korean Traditional Oncology) – KCI 등재후보지	J of Kor Traditional Oncology	대한암한의학회
대한상한금궤의학회지(The Journal of Korean Medical Association of Clinical Sanghan–Geumgwe) – KCI 등재후보지	J of KMediACS	대한상한금궤의학회
대한미병의학회지(The Korean Journal of Subhealth Medicine)	Korean J Subhealth Med	대한미병의학회
대한모유수유한의학회지(Journal of Korean Academy of Breastfeeding Medicine)	J Korean Acad Breastfeed Med	대한모유수유한의학회
턱관절균형의학회지(Journal of TMJ Balancing Medicine)	J TMJ Bal Med	턱관절균형의학회
대한의료기공학회지(The Journal Of The Korean Academy Of Medical Gi–Gong)	J KAMG	대한의료기공학회
대한한의진단학회지(The Journal of the Society of Korean Medicine Diagnostics)	J Korea Instit Orient Med Diagn	대한한의진단학회
한약정보연구회지(Korean Herbal Medicine Informatics)	Korean Herb Med Inf	한약정보연구회
대한면역약침학회지(Journal of Korea Immuno–yachim Society)	–	면역약침의학회

3. 기타 관련 학회지

학술지명(국문/영문)	약어	발행학회
의철학연구(Philosophy of Medicine)	–	한국의철학회
의사학(Korean Journal of Medical History)	Korean J Med Hist	대한의사학회
Journal of Ginseng Research	J Ginseng Res	고려인삼학회
생약학회지(Korean Journal of Pharmacognosy)	Kor. J. Pharmacogn.	한국생약학회
Natural Product Sciences	Nat. Prod. Sci.	한국생약학회

4. 국외 학회지

• 통합 · 보완의학(INTEGRATIVE & COMPLEMENTARY MEDICINE) – SCIE (Science Citation Index Expanded) 학술지 현황[7]

순위	저널명	ISSN	Impact Fcator (2021)	호 (issues)/ 년	언어	발행 국가
1	PHYTOMEDICINE	0944–7113	6.656	14	영어	독일
2	AMERICAN JOURNAL OF CHINESE MEDICINE	0192–415X	6.005	8	영어	미국
3	Journal of Ginseng Research	1226–8453	5.735	4	영어	대한민국
4	JOURNAL OF ETHNOPHARMACOLOGY	0378–8741	5.195	18	영어	아일랜드
5	BMC Complementary and Alternative Medicine	1472–6882 (EISSN)	4.782	1	영어	영국
6	Chinese Medicine	1749–8546	4.546	1	영어	영국

---

7)   Incites Journal Citation Reports(2022 Jun 28 update). URL: https://jcr.clarivate.com/

순위	저널명	ISSN	Impact Fcator (2021)	호 (issues)/ 년	언어	발행 국가
7	Integrative Medicine Research	2213-4220	4.473	4	영어	대한민국
8	Journal of Traditional and Complementary Medicine	2225-4110	4.221	6	영어	대만
9	Journal of Integrative Medicine-JIM	2095-4964	3.951	6	영어	중국
10	Chinese Journal of Natural Medicines	2095-6975	3.887	6	영어	중국
11	Complementary Therapies in Clinical Practice	1744-3881	3.577	4	영어	네덜란드
12	COMPLEMENTARY THERAPIES IN MEDICINE	0965-2299	3.335	6	영어	영국
13	INTEGRATIVE CANCER THERAPIES	1534-7354	3.077	6	영어	미국
14	PLANTA MEDICA	0032-0943	3.007	18	영어	독일
15	BMC Complementary Medicine and Therapies	2662-7671 (EISSN)	2.838	1	영어	영국
16	Evidence-based Complementary and Alternative Medicine	1741-427X	2.650	1	영어	영국
17	Chinese Journal of Integrative Medicine	1672-0415	2.626	12	영어	중국
18	Journal of Traditional Chinese Medicine	0255-2922	2.547	6	영어	중국
19	Journal of Herbal Medicine	2210-8033	2.542	4	영어	영국
20	JOURNAL OF ALTERNATIVE AND COMPLEMENTARY MEDICINE	1075-5535	2.381	12	영어	미국
21	Explore-The Journal of Science and Healing	1550-8307	2.358	6	영어	미국

순위	저널명	ISSN	Impact Fcator (2021)	호 (issues)/ 년	언어	발행 국가
22	Acupuncture in Medicine	0964–5284	1.976	6	영어	영국
23	Homeopathy	1475–4916	1.818	4	영어	미국
24	European Journal of Integrative Medicine	1876–3820	1.813	4	영어	독일
25	ALTERNATIVE THERAPIES IN HEALTH AND MEDICINE	1078–6791	1.804	6	영어	미국
26	Complementary Medicine Research	2504–2092	1.449	6	영어	독일
27	JOURNAL OF MANIPULATIVE AND PHYSIOLOGICAL THERAPEUTICS	0161–4754	1.300	9	영어	미국
28	Holistic Nursing Practice	0887–9311	1.226	6	영어	미국
29	Boletin Latinoamericano y del Caribe de Plantas Medicinales y Aromaticas	0717–7917	0.812	6	스페인어	칠레
30	ACUPUNCTURE & ELECTRO–THERAPEUTICS RESEARCH	0360–1293	0.684	4	영어	미국

> ## 제4절　국외 한의학 관련 연구기관[8]

1. 중국중의과학원(中国中医科学院, China Academy of Chinese Medical Sciences, CACMS)

　URL: https://www.cacms.ac.cn/

국가위생건강위원회 산하 국가중의약관리국(国家中医药管理局)(차관급) 직속 연구, 치료, 교육 등을 종합적으로 수행하는 중의약 종합 연구기관으로 중의약 과학 연구를 중심 업무로 하고 있다. 중국중의과학원은 1955년에 설립되었는데, 설립 초기에는 위생부중의연구원(卫生部中医研究院)이었다. 1971년에 북경중의학원(北京中医学院)과 합병하여 중국중의연구원(中国中医研究院)으로 명칭이 변경되었고, 2005년 12월 창립 50주년에 현재의 중국중의과학원(中国中医科学院)으로 명칭이 변경되었다. 현재 중국중의과학원에는 17개의 산하 연구기관, 중의 의료를 제공하는 5개 병원(3개 종합중의병원, 2개 전문과병원) 및 1개 문진부가 있으며, 3개의 교육기관, 5개의 학술 및 출판기관 등이 있다.

2. 대만 위생복리부 국가중의약연구소(衛生福利部國家中醫藥研究所, National Research Institute of Chinese Medicine, Ministry of Health and Welfare)

　URL: http://www.nricm.edu.tw/

대만 위생복리부 국가중의약연구소는 1963년 정식 설립되었다. 대만 유일의 국가 중의학 연구기관으로 위생복리부에 소속되어 있다. 연구부서로는 중의약기초연구팀, 중의약임상연구팀, 중약화학연구팀, 중약재개발팀, 중의약정보문헌팀이 있다.

---

8)　이 부분에 대한 보다 자세한 개략적인 소개는 '2020 한국한의약연감(2022)'을 참고하길 바란다. 더 자세한 내용은 직접 각 홈페이지를 방문하면 알 수 있다.
　　한국한의약연감 발간위원회. 2020 한국한의약연감. 대전: 한국한의학연구원; 2022. pp. 272-281.

3. 일본 기타사토대학교 동양의학종합연구소(北里大学東洋医学総合研究所, Kitasato University Oriental Medicine Research Center)

🔗 URL: https://www.kitasato-u.ac.jp/toui-ken/

일본 기타사토대학교 부속병원 소속으로 1972년에 설립된 동양의학(캄포, 漢方) 연구기관이다. 진료·연구·교육의 각 분야에서 한방의학의 전통을 계승하고 발전시키는 것을 목표로 하고 있다. 조직은 진료부서, 연구부서, 교육부서, 임상시험부서, 사무부서의 5개 부서로 되어 있으며, 진료부서는 한방외래, 침구외래, 약무부, 간호과로 나뉜다. 연구부서는 임상연구부, 의사학연구부, EBM센터, 기초연구부, WHO 전통의학협력센터로 구성된다. 교육부서에서는 레지턴트 수련 및 연수 프로그램(주 1-2일의 비율로 실시) 등의 교육, 동양의학 세미나, 침구과 견학, 해외 연수생 및 대학원생 지도, 대학 내 한방강의 등을 담당하고 있다.

4. 미국 국립보완통합의학센터(National Center for Complementary and Integrative Health, NCCIH)

🔗 URL: https://www.nccih.nih.gov/

미국 국립보건원(National Institutes of Health, NIH)을 구성하는 27개의 기관(Institutes), 센터(Centers) 및 부서(Offices) 중 하나이다. 1992년 대체의학부서(the Office of Alternative Medicine, OAM)로 설립되었고, 1998년 NIH의 독립 센터로 승격되어 미국 국립보완대체의학센터(National Center for Complementary and Alternative Medicine, NCCAM)가 되었다. 2014년 현재 명칭인 미국 국립보완통합의학센터(National Center for Complementary and Integrative Health, NCCIH)로 변경되었다. NCCIH는 엄밀한 과학적 조사를 통해 건강 증진 및 건강 관리에 대한 보완·통합의학적 접근의 과학적 기초, 유용성, 안전성을 확인하는 것을 목표로 하고 있다. 이를 위해 미국과 전 세계연구기관의 보완·통합의학 연구프로젝트에 대한 재정 지원, 관련 연구자들의 교육, 보완·통합의학 관련 뉴스와 정보에 대한 공유, 검증된 보완·통합의학 치료법의 도입에 대한 지원 등의 업무를 수행한다. NCCIH 2021 전략계획(2021-2025) [NCCIH's Strategic Plan for Fiscal Years (FY) 2021-2025]을 발표하여, 전인건강(whole person health)에 대한 새로운 접근 및 연구 방향을 제시하였다.

제5절 국외 한의약 및 통합의학 관련 학술단체[8]

1. 침구의학 관련 단체

1) 국제침술및관련기술협의회(International Council of Medical Acupuncture and Related Techniques, ICMART)

◉ URL: http://icmart.org/

전 세계 침구 연구 동향 파악 및 연구 동향 교류를 위해 1983년 오스트리아 비엔나에서 설립된 국제비영리기구로 현재 벨기에 브뤼셀에 본부가 있다. 전 세계 약 80개의 침구협회 및 대학이 참여하고 있으며, 침치료를 의료행위로 하는 약 35,000명 이상의 임상의를 대표한다. ICMART는 침치료의 효능, 안전성 및 비용 효과에 관한 근거중심의학적 접근을 장려한다. 매년 국제학술대회(ICMART Congress)를 개최하고 있다.

2) 세계침구학회연합회(World Federation of Acupuncture and Moxibustion Societies, WFAS)

◉ URL: http://www.wfas.org.cn

세계침구학회연합회는 침구학회 연합으로 이루어진 비정부 국제기구이다. 세계보건기구(WHO)와 공식적인 협력 관계를 구축하고 있으며, 현재 국제표준화기구(ISO)의 ISO/TC249의 범주 A 연계기구(A-level liaison)로 참여하고 있다. 세계침구학회연합회는 중국 주도로 세계보건기구(WHO)와의 협력을 통해 1987년 11월 중국 베이징에서 설립되었다. 국제 침구계 학술교류 강화, 치료법 개발, 기능 향상 및 취약점 보완을 위해 침술의 국제 교류를 위한 플랫폼 제공, 침구의 표준 확립, 국제학술 대회 개최 등을 통해 국제 침구계 간의 상호이해와 협력을 촉진하고 있으며, 현재 70개국의 246개 학회가 회원으로 소속되어 있다. 학회지로 'World Journal of Acupuncture and Moxibustion'을 발간하고 있다.

---

9) 이 부분에 대한 보다 자세한 개략적인 소개는 '2020 한국한의약연감(2022)'을 참고하길 바란다. 더 자세한 내용은 직접 각 홈페이지를 방문하면 알 수 있다.
한국한의약연감 발간위원회. 2020 한국한의약연감. 대전: 한국한의학연구원; 2022. pp. 264-271.

3) 침구연구학회(Society of Acupuncture Research, SAR)

 URL: http://www.acupunctureresearch.org/

침구연구학회는 침의 효과에 관한 연구자 모임으로 침구 및 전통의학 연구에 관한 과학적 근거기반 구축 및 학술교류를 목표로 설립된 단체이다. 주로 미국을 중심으로 활동하고 있으며, 정기적으로 콘퍼런스를 개최하고 있다. 학회지로 'Journal of Alternative and Complementary Medicine'을 발간하고 있다.

2. 통합의학 관련 단체

1) 세계전통보완통합의학연구회(International Society for Traditional, Complementary, and Integrative Medicine Research, ISCMR)

 URL: https://www.iscmr.org/

세계전통보완통합의학연구회(ISCMR)는 전 세계 보완(complementary) 의학[현재 TCAIM – 전통(traditional), 보완(complementary), 대체(alternative), 그리고 통합(integrative) 의학(medicines)] 전문가들로 구성된 국제적인 팀에 의해 2003년 설립되었다. 'The International Society for Complementary Medicine Research (ISCMR)'라는 이름으로 시작되었고 최근 명칭이 변경되었다. ISCMR은 모든 전통적, 전체론적, 대안적, 보완적, 통합적 형태의 의학을 포함하여 전인 치유(whole person healing) 및 전체 시스템 의료(whole systems healthcare) 연구에 관한 새로운 지식의 개발 및 보급을 촉진하기 위해 설립된 국제적인 과학 비영리 전문단체이다. 관련 분야 국제 커뮤니케이션 및 협력 활성화를 위해 TCAIM 연구에 대한 지식 및 정보 교환을 위한 플랫폼을 제공하고 있다. 매년 5월 국제학술대회(International Congress on Traditional, Complementary & Integrative Medicine Research, ICCMR)를 개최하고 있다.

2) 유럽통합의학협회(European Society for Integrative Medicine, ESIM)

🌐 URL: https://european-society-integrative-medicine.org/

유럽통합의학협회는 2011년 4월에 설립된 국제유럽협회로 통합의학 영역에서 과학, 연구, 교육과 훈련의 발전을 촉진하고, 최상의 근거중심의료를 지지하고, 관련 정책에 대한 조언을 목적으로 설립되었다. 2008년부터 매년 학술대회(European Congress for Integrative Medicine, ECIM)를 개최하고 있으며, 2017년에는 4년마다 개최되는 국제학술대회(World Congress Integrative Medicine & Health, WCIMH)를 신설하여 개최하였다. 코로나-19로 인해 2023년 9월 이탈리아 로마에서 제15차 ECIM, 제2차 WCIMH가 개최될 예정이다. 학회지로 'European Journal of Integrative Medicine'을 발간하고 있다.

3. 중의학 관련 단체

1) 세계중의약학회연합회(World Federation of Chinese Medicine Societies, WFCMS)

🌐 URL: www.wfcms.org/

세계중의약학회연합회는 2003년 9월 25일에 설립된 중화인민공화국 국무원(国务院)의 승인을 받은 국제학술단체로 민정부(民政部)에 등록되어 있고, 국가중의약관리국(国家中医药管理局)이 관장하고 있으며, 본부는 중국 베이징에 있다. 2021년 12월 기준 72개 국가 및 지역에 277개의 그룹 회원과 203개의 지사가 있다. WFCMS의 목적은 세계 여러 국가(지역)의 중의학 그룹 및 중의학 기관 간에 그리고 중의학과 세계 여러 의학 간의 교류 및 협력을 강화하는 것이다. 특히, 학술교류, 정보교류 및 성과 교류를 강화하는 것이다. 아울러 한약 사업의 수준을 향상시키고 중약을 발전시켜서 중약의 국제 보급과 발전을 촉진하여 중약이 여러 나라의 의료 시스템에 진입하도록 노력하고 있다. 현재 WFCMS는 세계보건기구(WHO)의 NGO 회원이며, 국제표준화기구(ISO)의 ISO/TC249의 범주 A 연계기구(A-level liaison)로, 유네스코(UNESCO) 무형문화유산 협의체로 참여하고 있으며, 2021년에 유엔경제사회이사회 특별협의 지위를 부여받게 되었다.

학회지로 'World Journal of Traditional Chinese Medicine'이 있으며 중의학 관련 임상의들에게 정보를 제공함으로써 보완·대체의학의 정보교류 플랫폼 역할을 하고 있다. 일본, 말레이시아, 이탈리아, 멕시코를 포함한 29개국과 협력 관계를 구축하여 번역본을 발간하고 있다.

2) 중의약 세계화 컨소시엄(Consortium for Globalization of Chinese Medicine, CGCM)

✆ URL: https://www.tcmedicine.org/

중의약 세계화 컨소시엄은 인류를 이롭게 하는 중의학 분야의 발전을 목적으로 설립되었다. 2003년 홍콩에서 홍콩대학, 미국 예일대학을 중심으로 총 16개의 홍콩 현지 및 해외 기관이 발기하여 비영리적, 비정치적이며 주로 학문적인 접근을 통하여 중의약의 세계화를 이루고자 하는 목적으로 구성한 컨소시엄이다. 현재 CGCM에는 162개의 학술 기관 회원과 26개의 기업(산업 제휴) 회원이 있다.

색인
더 알아보기

ㄹ

ㅁ

ㅇ

ㅈ

大

A-Z

숫자

더 알아보기